6v

500

MÉMOIRES D'OUTRE-TOMBE

ŒUVRES DE CHATEAUBRIAND

CHATEAUBRIAND

Mémoires
d'outre-tombe

Tome II

Texte de l'édition originale
(1849)

PRÉFACE, NOTES ET COMMENTAIRES
DE PIERRE CLARAC

LE LIVRE DE POCHE

Pierre Clarac, né à Bordeaux, le 21 novembre 1894.
Élève de l'Ecole Normale Supérieure (promotion 1914).
Agrégé ès lettres (1920).

Inspecteur général de l'Instruction publique (Lettres)
de 1940 à 1966, membre du Conseil supérieur de l'Instruction publique, membre de l'Institut depuis 1964
(Académie des Sciences morales et politiques). Depuis
1970, secrétaire perpétuel de cette Académie, président
de la Société Chateaubriand.

Œuvres : *Colette*, 1934 ; *La Fontaine* (« Connaissance
des Lettres »), 1947 ; *Chateaubriand pamphlétaire et journaliste*, 1949 ; *La Fontaine par lui-même* (« Ecrivains
de toujours »), 1961 ; *L'Enseignement du français*, 1963 ;
Boileau (Connaissance des Lettres), 1964 ; *Album Proust*
(Bibliothèque de la Pléiade), 1965 ; *L'Age classique*, 1969.
— Nombreux ouvrages pédagogiques.

ARMAND DE CHATEAUBRIAND.

ARMAND DE CHATEAUBRIAND[1] , que vous avez vu compagnon de mon enfance, que vous avez retrouvé à l'armée des Princes [2] avec la sourde et muette Libba [3], était resté en Angleterre. Marié à Jersey, il était chargé de la correspondance des Princes. Parti le 25 septembre 1808, il fut jeté sur les gîsements de Bretagne, le même jour, à onze heures du soir, près de Saint-Cast [4]. L'équipage du bateau était composé de onze hommes ; deux seuls étaient Français, Roussel et Quintal.

Armand se rendit chez M. Delaunay-Boisé-Lucas, père, demeurant au village de Saint-Cast, où jadis les Anglais avaient été forcés de se rembarquer : son hôte lui conseilla de repartir ; mais le bateau avait déjà repris la route de Jersey. Armand, s'étant entendu avec le fils de M. Boisé-Lucas, lui remit les paquets dont il était chargé de la part de M. Henri Larivière, agent des Princes.

« Je me rendis le 29 septembre à la côte, » dit-il dans un de ses interrogatoires, « où je restai deux nuits sans voir « mon bateau. La lune étant très-forte, je me retirai et je

1. Cousin germain de Chateaubriand (1768-1809). Il était né la même année que lui et, comme lui, à Saint-Malo. Cf. T. I, p. 50.
2. Cf. T. I, p. 369.
3. Cf. T. I, p. 388.
4. Petite ville maritime sur le golfe de Saint-Malo.

« revins le 14 ou le 15 du mois. Je restai jusqu'au 24 dudit.
« Je passai toutes les nuits dans les rochers, mais inutile-
« ment ; mon bateau ne vint pas, et, le jour, je me rendais
« au Boisé-Lucas. Le même bateau et le même équipage,
« dont Roussel et Quintal faisaient partie, devaient me repren-
« dre. A l'égard des précautions prises avec M. Boisé-Lucas
« père, il n'y en avait pas d'autres que celles que je vous ai
« déjà détaillées. »

L'intrépide Armand, abordé à quelques pas de son champ
paternel [1], comme à la côte inhospitalière de la Tauride [2],
cherchait en vain des yeux sur les flots, à la clarté de la
lune, la barque qui l'aurait pu sauver. Autrefois, ayant déjà
quitté Combourg, prêt à passer aux Grandes-Indes, j'avais
promené ma vue attristée sur ces flots. Des rochers de
Saint-Cast où se couchait Armand, du cap de la Varde où
j'étais assis, quelques lieues de la mer, parcourues par nos
regards opposés, ont été témoins des ennuis et ont séparé les
destinées de deux hommes unis par le nom et le sang. C'est
aussi au milieu des mêmes vagues que je rencontrai Gesril [3]
pour la dernière fois. Il m'arrive assez souvent, dans mes
rêves, d'apercevoir Gesril et Armand laver la blessure de
leurs fronts dans l'abîme, en même temps que s'épand,
rougie jusqu'à mes pieds, l'onde avec laquelle nous avions
accoutumé de nous jouer dans notre enfance*.

Armand parvint à s'embarquer sur un bateau acheté à
Saint-Malo mais, repoussé par le nord-ouest, il fut encore
obligé de caler. Enfin, le 6 janvier, aidé d'un matelot appelé
Jean Brien, il mit à la mer un petit canot échoué, et
s'empara d'un autre canot à flot. Il rend compte ainsi de sa
navigation, qui tient de mon étoile et de mes aventures, dans
son interrogatoire du 18 mars :

« Depuis les neuf heures du soir, que nous partîmes,
« jusque vers les deux heures après minuit, le temps nous

---

1. Saint-Cast est tout proche du domaine du Val-Guido qui appartenait
aux Chateaubriand du Plessis.
2. Nom grec de la Crimée.
3. Cf. T. I, p. 71 *sq.*
* Les originaux du procès d'Armand m'ont été remis par une main
ignorée et généreuse.

« fut favorable. Jugeant alors que nous n'étions pas éloi-
« gnés des rochers appelés les *Mainquiers,* nous mîmes à
« l'ancre dans le dessein d'attendre le jour ; mais le vent
« ayant fraîchi et craignant qu'il n'augmentât davantage,
« nous continuâmes notre route. Peu de moments après, la
« mer devint très-grosse, et notre compas ayant été brisé par
« une vergue, nous restâmes dans l'incertitude de la route
« que nous faisions. La première terre dont nous eûmes
« connaissance le 7 (il pouvait être alors midi) fut la côte de
« Normandie, ce qui nous obligea à mettre à l'autre bord, et
« de nouveau nous revînmes mettre à l'ancre près des
« rochers appelés *Ecreho,* situés entre la côte de Normandie
« et Jersey. Les vents contraires et forts nous obligèrent à
« rester dans cette situation tout le reste du jour et la
« journée du 8. Le 9 au matin, dès qu'il fit jour, je dis à
« Depagne qu'il me paraissait que le vent avait diminué, vu
« que notre bateau ne travaillait pas beaucoup, et de
« regarder d'où venait le vent. Il me dit qu'il ne voyait plus
« les rochers auprès desquels nous avions mis l'ancre. Je
« jugeai alors que nous allions en dérive et que nous avions
« perdu notre ancre. La violence de la tempête ne nous
« laissait d'autre ressource que de nous jeter à la côte.
« Comme nous ne voyions point la terre, j'ignorais à quelle
« distance nous pouvions en être. Ce fut à ce moment que je
« jetai à la mer mes papiers, auxquels j'avais pris la
« précaution d'attacher une pierre. Nous fîmes alors vent
« arrière et fîmes côte, vers les neuf heures du matin, à
« Bretteville-sur-Ay, en Normandie.

« Nous fûmes accueillis à la côte par les douaniers, qui
« me retirèrent de mon bateau presque mort, ayant les pieds
« et les jambes gelés. On nous déposa l'un et l'autre chez le
« lieutenant de la brigade de Bretteville. Deux jours après,
« Depagné fut conduit dans les prisons de Coutances, et,
« depuis cette époque, je ne l'ai pas revu. Quelques jours
« après, je fus moi-même transféré à la maison d'arrêt de
« cette ville ; le lendemain conduit par le maréchal-des-logis
« à Saint-Lô, et je restai huit jours chez ce même maré-
« chal-des-logis. J'ai paru une fois devant M. le préfet du
« département, et, le 26 janvier, je partis avec le capitaine
« et le maréchal-des-logis de gendarmerie, pour être amené

« à Paris, où j'arrivai le 28. On me conduisit au bureau de
« M. Demaret, au ministère de la police générale, et de là à
« la prison de la Grande-Force. »

Armand eut contre lui les vents, les flots et la police
impériale ; Bonaparte était de connivence avec les orages.
Les dieux faisaient une bien grande dépense de courroux
contre une existence chétive.

Le paquet jeté à la mer fut rejeté par elle sur la grève de
Notre-Dame-d'Alloue, près Valognes. Les papiers renfermés dans ce paquet servirent de pièces de conviction ; il y
en avait trente-deux. Quintal, revenu avec son bateau aux
plages de la Bretagne pour prendre Armand, avait aussi,
par une fatalité obstinée, fait naufrage dans les eaux de
Normandie, quelques jours avant mon cousin. L'équipage
du bateau de Quintal avait parlé ; le préfet de Saint-Lô
avait su que M. de Chateaubriand était le chef des
entreprises des Princes. Lorsqu'il apprit qu'une chaloupe
montée seulement de deux hommes était atterrée, il ne
douta point qu'Armand ne fût un des deux naufragés, car
tous les pêcheurs parlaient de lui comme de l'homme le
plus intrépide à la mer qu'on eût jamais vu.

Le 20 janvier 1809, le préfet de la Manche rendit compte
à la police générale de l'arrestation d'Armand. Sa lettre
commence ainsi :

« Mes conjectures sont complètement vérifiées : Cha-
« teaubriand est arrêté ; c'est lui qui a abordé sur la côte
« de Bretteville et qui avait pris le nom de *John Fall*.

« Inquiet de ce que, malgré des ordres très-précis que
« j'avais donnés, John Fall n'arrivait point à Saint-Lô, je
« chargeai le maréchal-des-logis de gendarmerie Mauduit,
« homme sûr et plein d'activité, d'aller chercher ce John
« Fall partout où il serait, et de l'amener devant moi, dans
« quelque état qu'il fût. Il le trouva à Coutances, au
« moment où l'on se disposait à le transférer à l'hôpital,
« pour lui traiter les jambes, qui ont été gelées.

« Fall a paru aujourd'hui devant moi. J'avais fait mettre
« Lelièvre dans un appartement séparé, d'où il pouvait voir
« arriver John Fall sans être aperçu. Lorsque Lelièvre l'a vu
« monter les degrés d'un perron placé près de cet apparte-
« ment, il s'est écrié, en frappant des mains et en changeant

« de couleur : — C'est Chateaubriand ! Comment donc
« l'a-t-on pris ?

« Le lièvre n'était prévenu de rien. Cette exclamation lui a
« été arrachée par la surprise. Il m'a prié ensuite de ne pas dire
« qu'il avait nommé Chateaubriand, parce qu'il serait perdu.

« J'ai laissé ignorer à John Fall que je susse qui il était. »

Armand, transporté à Paris, déposé à la Force, subit un
interrogatoire secret à la maison d'arrêt militaire de l'Abbaye. Bertrand, capitaine à la première demi-brigade de
vétérans, avait été nommé par le général Hulin, devenu
commandant d'armes de Paris, juge-rapporteur de la commission militaire chargée, par décret du 25 février, de
connaître l'affaire d'Armand.

Les personnes compromises étaient : M. de Goyon,
envoyé à Brest par Armand, et M. de Boisé-Lucas fils,
chargé de remettre des lettres de Henri de Larivière à
MM. Laya et Sicard, à Paris.

Dans une lettre du 13 mars, écrite à Fouché, Armand lui
disait : « Que l'Empereur daigne rendre à la liberté des
« hommes qui languissent dans les prisons pour m'avoir
« témoigné trop d'amitié. A tout événement, que la liberté
« leur soit également rendue. Je recommande ma malheu-
« reuse famille à la générosité de l'Empereur. »

Ces méprises d'un homme à entrailles humaines, qui
s'adresse à une hyène, font mal. Bonaparte aussi n'était pas
le lion de Florence ; il ne se dessaisissait pas de l'enfant aux
larmes de la mère. J'avais écrit pour demander une audience à Fouché [1] ; il me l'accorda, et m'assura, avec l'aplomb
de la légèreté révolutionnaire, « qu'il avait vu Armand, que je
« pouvais être tranquille ; qu'Armand lui avait dit qu'il mour-
« rait bien, et qu'en effet il avait l'air très-résolu. » Si j'avais
proposé à Fouché de mourir, eût-il conservé, à l'égard
de lui-même, ce ton délibéré et cette superbe insouciance ?

Je m'adressai à madame de Rémusat, je la priai de remettre
à l'Impératrice une lettre de demande de justice ou de grâce à
l'Empereur. Madame la duchesse de Saint-Leu m'a raconté, à
Arenenberg, le sort de ma lettre : Joséphine la donna

---

1. Chateaubriand avait écrit aussi deux fois à Napoléon ; la seconde de
ces lettres est datée du 29 mars 1809.

à l'Empereur ; il parut hésiter en la lisant, puis, rencontrant quelques mots qui le blessèrent, il la jeta au feu avec impatience. J'avais oublié qu'il ne faut être fier que pour soi.

M. de Goyon, condamné avec Armand, subit sa sentence. On avait pourtant intéressé en sa faveur madame la baronne-duchesse de Montmorenci, fille de madame de Matignon, dont les Goyon étaient alliés. Une Montmorenci domestique aurait dû tout obtenir, s'il suffisait de prostituer un nom pour apporter à un pouvoir nouveau une vieille monarchie. Madame de Goyon, qui ne put sauver son mari, sauva le jeune Boisé-Lucas. Tout se mêla de ce malheur, qui ne frappait que des personnages inconnus ; on eût dit qu'il s'agissait de la chute d'un monde : tempêtes sur les flots, embûches sur la terre, Bonaparte, la mer, les meurtriers de Louis XVI, et peut-être quelque *passion,* âme mystérieuse des catastrophes du monde. On ne s'est pas même aperçu de toutes ces choses ; tout cela n'a frappé que moi et n'a vécu que dans ma mémoire. Qu'importaient à Napoléon des insectes écrasés par sa main sur sa couronne ?

Le jour de l'exécution, je voulus accompagner mon camarade sur son dernier champ de bataille ; je ne trouvai point de voiture, je courus à pied à la plaine de Grenelle. J'arrivai, tout en sueur, une seconde trop tard : Armand était fusillé contre le mur d'enceinte de Paris. Sa tête était brisée ; un chien de boucher léchait son sang et sa cervelle. Je suivis la charrette qui conduisit le corps d'Armand et de ses deux compagnons, plébéien et noble, Quintal et Goyon, au cimetière de Vaugirard où j'avais enterré M. de Laharpe. Je retrouvai mon cousin pour la dernière fois, sans pouvoir le reconnaître : le plomb l'avait défiguré, il n'avait plus de visage ; je n'y pus remarquer le ravage des années, ni même y voir la mort au travers d'un orbe informe et sanglant ; il resta jeune dans mon souvenir comme au temps du siège de Thionville. Il fut fusillé le Vendredi-Saint : le Crucifié m'apparaît au bout de tous mes malheurs. Lorsque je me promène sur le boulevard de la plaine de Grenelle, je m'arrête à regarder l'empreinte du tir, encore marquée sur la muraille. Si les balles de Bonaparte n'avaient laissé d'autres traces, on ne parlerait plus de lui.

Etrange enchaînement de destinées ! Le général Hulin,

commandant d'armes de Paris, nomma la commission qui fit sauter la cervelle d'Armand ; il avait été, jadis, nommé président de la commission qui cassa la tête du duc d'Enghien. N'aurait-il pas dû s'abstenir, après sa première infortune, de tout rapport avec un conseil de guerre ? Et moi, j'ai parlé de la mort du fils du grand Condé sans rappeler au général Hulin la part qu'il avait eue dans l'exécution de l'obscur soldat, mon parent. Pour juger les juges du tribunal de Vincennes, j'avais sans doute, à mon tour, reçu ma commission du Ciel.

Paris, 1839.

ANNÉES 1811, 1812, 1813, 1814.

PUBLICATION DE L'« ITINÉRAIRE ». — LETTRE DU CARDINAL DE BEAUSSET. — MORT DE CHÉNIER. — JE SUIS REÇU MEMBRE DE L'INSTITUT. — AFFAIRE DE MON DISCOURS.

L'ANNÉE 1811 fut une des plus remarquables de ma carrière littéraire.

Je publiai l'*Itinéraire de Paris à Jérusalem,* je remplaçai M. de Chénier à l'Institut, et je commençai d'écrire les *Mémoires* que j'achève aujourd'hui.

Le succès de l'*Itinéraire* fut aussi complet que celui des *Martyrs* avait été disputé. Il n'est si mince barbouilleur de papier qui, à l'apparition de son *farrago* [1], ne reçoive des lettres de félicitations. Parmi les nouveaux compliments qui me furent adressés, il ne m'est pas permis de faire disparaître la lettre d'un homme de vertu et de mérite qui a donné deux ouvrages dont l'autorité est reconnue, et qui ne laissent presque plus rien à dire sur Bossuet et Fénelon. L'évêque

1. Fatras (le sens propre de ce mot latin est : mélange de graines diverses).

d'Alais, cardinal de Beausset [1], est l'historien de ces grands prélats. Il outre infiniment la louange à mon égard, c'est l'usage reçu quand on écrit à un auteur et cela ne compte pas ; mais le cardinal fait sentir du moins l'opinion générale du moment sur l'*Itinéraire*; il entrevoit, relativement à Carthage, les objections dont mon sentiment géographique serait l'objet ; toutefois, ce sentiment a prévalu, et j'ai remis à leur place les ports de Didon. On aimera à retrouver dans cette lettre l'élocution d'une société choisie, ce style rendu grave et doux par la politesse, la religion et les mœurs ; excellence de ton dont nous sommes si loin aujourd'hui.

« A Villemoisson, par Lonjumeau (Seine-et-Oise) ».

Ce 25 mars 1811.

« Vous avez dû recevoir, Monsieur, et vous avez reçu
« le juste tribut de la reconnaissance et de la satisfaction
« publique ; mais je puis vous assurer qu'il n'est aucun de
« vos lecteurs qui ait joui avec un sentiment plus vrai de
« votre intéressant ouvrage. Vous êtes le premier et le seul
« voyageur qui n'ait pas eu besoin du secours de la gravure
« et du dessin pour mettre sous les yeux de ses lecteurs les
« lieux et les monuments qui rappellent de beaux souvenirs
« et de grandes images. Votre âme a tout senti, votre
« imagination a tout peint, et le lecteur sent avec votre âme
« et voit avec vos yeux.
« Je ne pourrais vous rendre que bien faiblement l'im-
« pression que j'ai éprouvée dès les premières pages, en
« longeant avec vous les côtes de l'île de Corcyre, et en
« voyant aborder tous ces hommes *éternels,* que des destins
« contraires y ont successivement conduits. Quelques lignes
« vous ont suffi pour graver à jamais les traces de leurs
« pas ; on les retrouvera toujours dans votre *Itinéraire,* qui
« les conservera plus fidèlement que tant de marbres qui
« n'ont pas su garder les grands noms qui leur ont été
« confiés.

1. Auteur d'une *Histoire de Fénelon* et d'une *Histoire de Bossuet* (1748-1824).

« Je connais actuellement les monuments d'Athènes
« comme on aime à les connaître. Je les avais déjà vus dans
« de belles gravures, je les avais admirés, mais je ne les
« avais pas sentis. On oublie trop souvent que, si les
« architectes ont besoin de la description exacte, des mesu-
« res et des proportions, les hommes ont besoin de retrouver
« l'âme et le génie qui ont conçu les pensées de ces grands
« monuments.

« Vous avez rendu aux Pyramides cette noble et pro-
« fonde intention, que de frivoles déclamateurs n'avaient
« pas même aperçue.

« Que je vous sais gré, Monsieur, d'avoir voué à la juste
« exécration de tous les siècles ce peuple stupide et féroce[1],
« qui fait, depuis douze cents ans, la désolation des plus
« belles contrées de la terre ! On sourit avec vous à l'espé-
« rance de le voir rentrer dans le désert d'où il est sorti.

« Vous m'avez inspiré un sentiment passager d'indul-
« gence pour les Arabes, en faveur du beau rapprochement
« que vous en avez fait avec les sauvages de l'Amérique
« septentrionale.

« La Providence semble vous avoir conduit à Jérusalem
« pour assister à la dernière représentation de la première
« scène du Christianisme. S'il n'est plus donné aux yeux des
« hommes de revoir ce tombeau, *le seul qui n'aura rien à*
« *rendre au dernier jour,* les chrétiens le retrouveront
« toujours dans l'Evangile, et les âmes méditatives et sensi-
« bles dans vos tableaux.

« Les critiques ne manqueront pas de vous reprocher les
« hommes et les faits dont vous avez couvert les ruines de
« Carthage, que vous ne pouviez pas peindre puisqu'elles
« n'existent plus. Mais, je vous en conjure, Monsieur,
« bornez-vous seulement à leur demander s'ils ne seraient
« pas eux-mêmes bien fâchés de ne pas les retrouver dans
« ces peintures si attachantes.

« Vous avez le droit de jouir, Monsieur, d'un genre de
« gloire qui vous appartient exclusivement par une sorte de
« création ; mais il est une jouissance encore plus satisfai-
« sante pour un caractère tel que le vôtre, c'est celle d'avoir

1. Les Turcs.

15

« donné aux créations de votre génie la noblesse de votre
« âme et l'élévation de vos sentiments. C'est ce qui assurera,
« dans tous les temps, à votre nom et à votre mémoire,
« l'estime, l'admiration et le respect de tous les amis de la
« religion, de la vertu et de l'honneur.

   « C'est à ce titre que je vous supplie, Monsieur, d'agréer
« l'hommage de tous mes sentiments.

                    « † L.-F. DE BEAUSSET, anc. év. d'Alais. »

   M. de Chénier[1] mourut le 10 janvier 1811. Mes amis
eurent la fatale idée de me presser de le remplacer à
l'Institut. Ils prétendaient qu'exposé comme je l'étais aux
inimitiés du chef du gouvernement, aux soupçons et aux
tracasseries de la police, il m'était nécessaire d'entrer dans
un corps alors puissant par sa renommée et par les hommes
qui le composaient ; qu'à l'abri derrière ce bouclier, je
pourrais travailler en paix.
   J'avais une répugnance invincible à occuper une place,
même en dehors du gouvernement ; il me souvenait trop de
ce que m'avait coûté la première. L'héritage de Chénier me
semblait périlleux ; je ne pourrais tout dire qu'en m'exposant ; je ne voulais point passer sous silence le régicide,
quoique Cambacérés[2] fût la seconde personne de l'Etat ;
j'étais déterminé à faire entendre mes réclamations en
faveur de la liberté et à élever ma voix contre la tyrannie ; je
voulais m'expliquer sur les horreurs de 1793, exprimer mes
regrets sur la famille tombée de nos Rois, gémir sur les
malheurs de ceux qui leur étaient restés fidèles. Mes amis
me répondirent que je me trompais ; que quelques louanges
du chef du gouvernement, obligées dans le discours académique, louanges dont, sous un rapport, je trouvais Bonaparte digne, lui feraient avaler toutes les vérités que je
voudrais dire, que j'aurais à la fois l'honneur d'avoir
maintenu mes opinions et le bonheur de faire cesser les

   1. Marie-Joseph Chénier (1764-1811), frère cadet d'André. Il avait
souvent attaqué et raillé Chateaubriand en vers et en prose.
   2. Cambacérès, régicide comme Marie-Joseph Chénier, était alors
archichancelier.

terreurs de madame de Chateaubriand. A force de m'obséder, je me rendis, de guerre lasse ; mais je leur déclarai qu'ils se méprenaient ; que Bonaparte, lui, ne se méprendrait point à des lieux communs sur son fils, sa femme, sa gloire ; qu'il n'en sentirait que plus vivement la leçon ; qu'il reconnaîtrait le démissionnaire à la mort du duc d'Enghien, et l'auteur de l'article qui fit supprimer le *Mercure ;* qu'enfin, au lieu de m'assurer le repos, je ranimerais contre moi les persécutions. Ils furent bientôt obligés de reconnaître la vérité de mes paroles : il est vrai qu'ils n'avaient pas prévu la témérité de mon discours.

J'allai faire les visites d'usage aux membres de l'Académie. Madame de Vintimille me conduisit chez l'abbé Morellet [1]. Nous le trouvâmes assis dans un fauteuil devant son feu ; il s'était endormi, et l'*Itinéraire,* qu'il lisait, lui était tombé des mains. Réveillé en sursaut au bruit de mon nom annoncé par son domestique, il releva la tête et s'écria : « Il « y a des longueurs, il y a des longueurs ! » Je lui dis en riant que je le voyais bien, et que j'abrégerais la nouvelle édition. Il fut bon homme et me promit sa voix, malgré *Atala.* Lorsque, dans la suite, la *Monarchie selon la Charte* parut, il ne revenait pas qu'un pareil ouvrage politique eût pour auteur le chantre de la *fille des Florides.* Grotius n'avait-il pas écrit la tragédie d'*Adam et Eve,* et Montesquieu le *Temple de Gnide ?* Il est vrai que je n'étais ni Grotius ni Montesquieu.

L'élection eut lieu [2] ; je passai au scrutin à une assez forte majorité [3]. Je me mis de suite à travailler à mon discours ; je le fis et le refis vingt fois, n'étant jamais content de moi : tantôt, le voulant rendre possible à la lecture, je le trouvais trop fort ; tantôt, la colère me revenant, je le trouvais trop faible. Je ne savais comment mesurer la dose de l'éloge académique. Si, malgré mon antipathie pour Napoléon, j'avais voulu rendre l'admiration que je sentais pour la partie publique de sa vie, j'aurais été bien au-delà de la

1. Cf. T. I, 389.
2. Le 20 février 1811.
3. Chateaubriand n'obtint, et au second tour, que 13 voix sur 25 votants.

péroraison. Milton, que je cite au commencement du discours, me fournissait un modèle : dans sa *Seconde défense* du peuple anglais, il fit un éloge pompeux de Cromwell :

« Tu as non-seulement éclipsé les actions de tous nos « Rois, dit-il, mais celles qui ont été racontées de nos héros « fabuleux. Réfléchis souvent au cher gage que la terre qui « t'a donné la naissance a confié à tes soins ; la liberté « qu'elle espéra autrefois de la fleur des talents et des « vertus, elle l'attend maintenant de toi ; elle se flatte de « l'obtenir de toi seul. Honore les vives espérances que nous « avons conçues ; honore les sollicitudes de ta patrie inquiè- « te ; respecte les regards et les blessures de tes braves « compagnons qui, sous ta bannière, ont hardiment com- « battu pour la liberté ; respecte les ombres de ceux qui « périrent sur le champ de bataille ; enfin, respecte-toi « toi-même ; ne souffre pas, après avoir bravé tant de périls « pour l'amour des libertés, qu'elles soient violées par « toi-même, ou attaquées par d'autres mains. Tu ne peux « être vraiment libre que nous ne le soyons nous-mêmes. « Telle est la nature des choses : celui qui empiète sur la « liberté de tous est le premier à perdre la sienne et à « devenir esclave. »

Johnson n'a cité que les louanges données au Protecteur, afin de mettre en contradiction le républicain avec lui-même ; le beau passage que je viens de traduire montre ce qui faisait le contre-poids de ces louanges. La critique de Johnson est oubliée ; la défense de Milton est restée : tout ce qui tient aux entraînements des partis et aux passions du moment meurt comme eux et avec elles.

Mon discours étant prêt, je fus appelé à le lire devant la commission nommée pour l'entendre : il fut repoussé par cette commission, à l'exception de deux ou trois membres. Il fallait voir la terreur des fiers républicains qui m'écoutaient et que l'indépendance de mes opinions épouvantait ; ils frémissaient d'indignation et de frayeur au seul mot de liberté. M. Daru porta à Saint-Cloud le discours. Bonaparte déclara que s'il eût été prononcé, il aurait fait fermer les portes de l'Institut et m'aurait jeté dans un cul de basse-fosse pour le reste de ma vie.

Je reçus ce billet de M. Daru :

« J'ai l'honneur de prévenir monsieur de Chateau-
« briand que, lorsqu'il aura le temps ou l'occasion de venir
« à Saint-Cloud, je pourrai lui rendre le discours qu'il a
« bien voulu me confier. Je saisis cette occasion pour lui
« renouveler l'assurance de la haute considération avec
« laquelle j'ai l'honneur de le saluer.

« DARU. »

J'allai à Saint-Cloud. M. Daru me rendit le manuscrit, çà
et là raturé, marqué *ab irato* de parenthèses et de traces au
crayon par Bonaparte : l'ongle du lion était enfoncé partout, et j'avais une espèce de plaisir d'irritation à croire le
sentir dans mon flanc. M. Daru ne me cacha point la colère
de Napoléon ; mais il me dit qu'en conservant la péroraison,
sauf quelques mots, et en changeant presque tout le reste,
je serais reçu avec de grands applaudissements. On avait
copié le discours au château, en supprimant quelques
passages et en interpolant quelques autres. Peu de temps
après, il parut dans les provinces imprimé de la sorte.
  Ce discours est un des meilleurs titres de l'indépendance
de mes opinions et de la constance de mes principes.
M. Suard, libre et ferme, disait que s'il avait été lu en pleine
Académie, il aurait fait crouler les voûtes de la salle sous un
tonnerre d'applaudissements. Se figure-t-on, en effet, le
chaleureux éloge de la liberté prononcé au milieu de la
servilité de l'Empire ?
  J'avais conservé le manuscrit raturé avec un soin religieux ; le malheur a voulu qu'en quittant l'infirmerie de
Marie-Thérèse il fût brûlé avec une foule de papiers.
Néanmoins, les lecteurs de ces Mémoires n'en seront pas
privés : un de mes collègues eut la générosité d'en prendre
copie ; la voici :

« Lorsque Milton publia le *Paradis perdu,* aucune voix
« ne s'éleva dans les trois royaumes de la Grande-Bretagne
« pour louer un ouvrage qui, malgré ses nombreux défauts,
« n'en est pas moins un des plus beaux monuments de

19

« l'esprit humain. L'Homère anglais mourut oublié, et ses
« contemporains laissèrent à l'avenir le soin d'immortaliser
« le chantre d'*Eden*. Est-ce là une de ces grandes injustices
« littéraires dont presque tous les siècles offrent des exem-
« ples ? Non, Messieurs ; à peine échappés aux guerres
« civiles, les Anglais ne purent se résoudre à célébrer la
« mémoire d'un homme qui se fit remarquer par l'ardeur de
« ses opinions dans un temps de calamités. Que réser-
« verons-nous, dirent-ils, à la tombe du citoyen qui se
« dévoue au salut de son pays, si nous prodiguons les hon-
« neurs aux cendres de celui qui peut, tout au plus,
« nous demander une généreuse indulgence ? La posté-
« rité rendra justice à la mémoire de Milton ; mais nous,
« nous devons une leçon à nos fils ; nous devons leur
« apprendre, par notre silence, que les talents sont un
« présent funeste quand ils s'allient aux passions, et qu'il
« vaut mieux se condamner à l'obscurité que de se rendre
« célèbre par les malheurs de sa patrie.

« Imiterai-je, messieurs, ce mémorable exemple, ou vous
« parlerai-je de la personne et des ouvrages de M. Chénier ?
« Pour concilier vos usages et mes opinions, je crois devoir
« prendre un juste milieu entre un silence absolu et un
« examen approfondi. Mais, quelles que soient mes paroles,
« aucun fiel n'empoisonnera ce discours. Si vous retrouvez
« en moi la franchise de Duclos, mon compatriote [1], j'es-
« père vous prouver aussi que j'ai la même loyauté.

« Il eût été curieux, sans doute, de voir ce qu'un homme
« dans ma position, avec mes principes et mes opinions,
« pourrait dire de l'homme dont j'occupe aujourd'hui la
« place. Il serait intéressant d'examiner l'influence des
« révolutions sur les lettres, de montrer comment les systè-
« mes peuvent égarer le talent, le jeter dans des routes
« trompeuses qui semblent conduire à la renommée, et qui
« n'aboutissent qu'à l'oubli. Si Milton, malgré ses égare-
« ments politiques, a laissé des ouvrages que la postérité
« admire, c'est que Milton, sans être revenu de ses erreurs,
« se retira d'une société qui se retirait de lui, pour chercher
« dans la religion l'adoucissement de ses maux et la source

1. Moraliste et historien encyclopédiste (1704-1772). Il était né à Dinan.

« de sa gloire. Privé de la lumière du ciel, il se créa une
« nouvelle terre, un nouveau soleil, et sortit, pour ainsi dire,
« d'un monde où il n'avait vu que des malheurs et des
« crimes ; il plaça dans les berceaux d'Eden cette innocence
« primitive, cette félicité sainte qui régnèrent sous les tentes
« de Jacob et de Rachel ; et il mit aux enfers les tourments,
« les passions et les remords de ces hommes dont il avait
« partagé les fureurs.

« Malheureusement, les ouvrages de M. Chénier, quoi-
« qu'on y découvre le germe d'un talent remarquable, ne
« brillent ni par cette antique simplicité, ni par cette
« majesté sublime. L'auteur se distinguait par un esprit
« éminemment classique. Nul ne connaissait mieux les
« principes de la littérature ancienne et moderne : théâtre,
« éloquence, histoire, critique, satire, il a tout embrassé ;
« mais ses écrits portent l'empreinte des jours désastreux
« qui les ont vus naître. Trop souvent dictés par l'esprit de
« parti, ils ont été applaudis par les factions. Séparerai-je,
« dans les travaux de mon prédécesseur, ce qui est déjà
« passé comme nos discordes, et ce qui restera peut-être
« comme notre gloire ? Ici se trouvent confondus les intérêts
« de la société et les intérêts de la littérature. Je ne puis
« assez oublier les uns pour m'occuper uniquement des
« autres ; alors, messieurs, je suis obligé de me taire, ou
« d'agiter des questions politiques.

« Il y a des personnes qui voudraient faire de la
« littérature une chose abstraite, et l'isoler au milieu des
« affaires humaines. Ces personnes me diront : Pourquoi
« garder le silence ? ne considérez les ouvrages de
« M. Chénier que sous les rapports littéraires. C'est-à-dire,
« messieurs, qu'il faut que j'abuse de votre patience et de la
« mienne pour répéter des lieux communs que l'on trouve
« partout, et que vous connaissez mieux que moi. Autres
« temps, autres mœurs : héritiers d'une longue suite d'an-
« nées paisibles, nos devanciers pouvaient se livrer à des
« discussions purement académiques, qui prouvaient encore
« mieux leur talent que leur bonheur. Mais nous, restes
« infortunés d'un grand naufrage, nous n'avons plus ce
« qu'il faut pour goûter un calme si parfait. Nos idées, nos
« esprits, ont pris un cours différent. L'homme a remplacé

« en nous l'académicien : en dépouillant les lettres de ce
« qu'elles peuvent avoir de futile, nous ne les voyons plus
« qu'à travers nos puissants souvenirs et l'expérience de
« notre adversité. Quoi ! après une révolution qui nous a
« fait parcourir en quelques années les événements de plu-
« sieurs siècles, on interdira à l'écrivain toute considération
« élevée ! On lui refusera d'examiner le côté sérieux des objets !
« Il passera une vie frivole à s'occuper de chicanes gramma-
« ticales, de règles de goût, de petites sentences littéraires ! Il
« vieillira enchaîné dans les langes de son berceau ! Il ne mon-
« trera pas sur la fin de ses jours un front sillonné par ses longs
« travaux, par ses graves pensées, et souvent ses mâles dou-
« leurs qui ajoutent à la grandeur de l'homme ! Quels soins
« importants auront donc blanchi ses cheveux ? les miséra-
« bles peines de l'amour-propre et les jeux puérils de l'esprit.
« Certes, messieurs, ce serait nous traiter avec un
« mépris bien étrange ! Pour moi, je ne puis ainsi me
« rapetisser, ni me réduire à l'état d'enfance, dans l'âge de
« la force et de la raison. Je ne puis me renfermer dans le
« cercle étroit qu'on voudrait tracer autour de l'écrivain.
« Par exemple, messieurs, si je voulais faire l'éloge de
« l'homme de lettres, de l'homme de cour qui préside à cette
« assemblée [1], croyez-vous que je me contenterais de louer
« en lui cet esprit français, léger, ingénieux, qu'il a reçu de
« sa mère [2], et dont il offre parmi nous le dernier modèle ?
« Non sans doute : je voudrais encore faire briller dans tout
« son éclat le beau nom qu'il porte. Je citerais le duc de
« Boufflers qui fit lever aux Autrichiens le blocus de Gênes.
« Je parlerais du maréchal son père, de ce gouverneur qui
« disputa aux ennemis de la France les remparts de Lille [3],
« et consola par cette défense mémorable la vieillesse
« malheureuse d'un grand roi. C'est de ce compagnon de
« Turenne que madame de Maintenon disait : « En lui le
« cœur est mort le dernier. » Enfin je passerais jusqu'à ce
« Louis de Boufflers, dit le *Robuste* [4], qui montrait dans les

1. C'était le spirituel comte de Boufflers, alors âgé de 74 ans.
2. Favorite du roi Stanislas à Lunéville.
3. En 1708.
4. Il était mort à dix-huit ans en 1552.

« combats la vigueur et le courage d'Hercule. Ainsi je
« trouverais aux deux extrémités de cette famille la force et
« la grâce, le chevalier et le troubadour. On veut que les
« Français soient fils d'Hector [1] : je croirais plutôt qu'ils
« descendent d'Achille, car ils manient, comme ce héros, la
« lyre et l'épée.

« Si je voulais, messieurs, vous entretenir du poëte
« célèbre [2] qui chanta la nature d'une voix si brillante,
« pensez-vous que je me bornerais à vous faire remarquer
« l'admirable flexibilité d'un talent qui sut rendre avec un
« mérite égal les beautés régulières de Virgile et les beautés
« incorrectes de Milton [3] ? Non : je vous montrerais aussi
« ce poëte ne voulant pas se séparer de ses infortunés
« compatriotes, les suivant avec sa lyre aux rives étrangères,
« chantant leurs douleurs pour les consoler ; illustre banni
« au milieu de cette foule d'exilés dont j'augmentais le
« nombre. Il est vrai que son âge et ses infirmités, ses
« talents et sa gloire, ne l'avaient pas mis dans sa patrie à
« l'abri des persécutions. On voulait lui faire acheter la paix
« par des vers indignes de sa muse, et sa muse ne put
« chanter que la redoutable immortalité du crime et la
« rassurante immortalité de la vertu : « Rassurez-vous, vous
« êtes immortels [4]. »

« Si je voulais enfin, messieurs, vous parler d'un ami
« bien cher à mon cœur [5], d'un de ces amis qui, selon
« Cicéron, rendent la prospérité plus éclatante et l'adversité
« plus légère, je vanterais la finesse et la pureté de son goût,
« l'élégance exquise de sa prose, la beauté, la force, l'har-
« monie de ses vers, qui, formés sur les grands modèles, se
« distinguent néanmoins par un caractère original. Je vante-
« rais ce talent supérieur qui ne connut jamais les senti-

1. Allusion à la légende de Francus, fils d'Hector et ancêtre des Francs,
dont Ronsard s'est inspiré dans sa *Franciade*.
2. Delille (1738-1813).
3. Allusion à ses traductions en vers.
4. En fait, c'est sur l'ordre de Robespierre que Delille avait composé en
1794 ce *Dithyrambe* sur l'immortalité de l'âme pour la fête de l'Etre
suprême. Il n'émigra qu'en 1795. Chateaubriand le rencontra à Londres
(T. I, p. 446).
5. Fontanes.

« ments de l'envie, ce talent heureux de tous les succès qui
« ne sont pas les siens, ce talent qui depuis dix années ressent
« tout ce qui peut m'arriver d'honorable, avec cette joie
« naïve et profonde connue seulement des plus généreux
« caractères et de la plus vive amitié. Mais je n'omettrais
« pas la partie politique de mon ami. Je le peindrais à la
« tête d'un des permiers corps de l'Etat [1], prononçant ces
« discours qui sont des chefs-d'œuvre de bienséance, de
« mesure et de noblesse. Je le représenterais sacrifiant le
« doux commerce des muses à des occupations [2] qui
« seraient sans doute sans charmes, si l'on ne s'y livrait dans
« l'espoir de former des enfants capables de suivre un jour
« les traces glorieuses de leurs pères et d'éviter nos erreurs.

« En parlant des hommes de talent dont se compose
« cette assemblée, je ne pourrais donc m'empêcher de les
« considérer sous le rapport de la morale et de la société.
« L'un se distingue au milieu de vous par un esprit fin,
« délicat et sage, par une urbanité si rare aujourd'hui, et
« surtout par la constance la plus honorable dans ses
« opinions modérées [3]. L'autre, sous les glaces de l'âge, a
« retrouvé toute la chaleur de la jeunesse pour plaider la
« cause des malheureux [4]. Celui-ci, historien élégant et
« agréable poëte, nous devient plus respectable et plus cher
« par le souvenir d'un père et d'un fils mutilés au service de
« la patrie [5]. Celui-là, en rendant l'ouïe aux sourds et la
« parole aux muets, nous rappelle les miracles du culte
« évangélique auquel il s'est consacré [6]. N'est-il point parmi
« vous, messieurs, des témoins de vos anciens triomphes,
« qui puissent raconter au digne héritier du chancelier
« d'Aguesseau [7] comment le nom de son aïeul fut jadis
« applaudi dans cette assemblée ? Je passe aux nourrissons

1. Président du corps législatif.
2. Il était aussi Grand-Maître de l'Université.
3. Suard. Cf. T. I, p. 657, note 1.
4. L'abbé Morellet ; il avait lancé des appels en faveur des victimes de la Terreur.
5. Le comte de Ségur ; son père et son fils avaient été blessés, le premier pendant la guerre de Sept Ans, le second pendant la guerre d'Espagne.
6. L'abbé Sicard.
7. Le marquis d'Aguesseau, petit-fils du célèbre chancelier.

« favoris des neuf sœurs, et j'aperçois le vénérable auteur
« d'*Œdipe* retiré dans la solitude, et Sophocle oubliant à
« Colone la gloire qui le rappelle dans Athènes [1]. Combien
« nous devons aimer les autres fils de Melpomène qui nous
« ont intéressés aux malheurs de nos pères ! Tous les cœurs
« français ont de nouveau tremblé au pressentiment de la
« mort d'Henri IV [2]. La muse tragique a rétabli l'honneur
« de ces preux chevaliers lâchement trahis par l'histoire, et
« noblement vengés par l'un de nos modernes Euripides [3].

   « Descendant aux successeurs d'Anacréon, je m'arrête-
« rais à cet homme aimable [4] qui, semblable au vieillard de
« Téos [5], redit encore, après quinze lustres, ces chants
« amoureux que l'on fait entendre à quinze ans. J'irais,
« messieurs, chercher votre renommée sur ces mers orageu-
« ses que gardait autrefois le géant Adamastor, et qui se
« sont apaisées aux noms charmants d'Eléonore [6] et de
« Virginie [7]. *« Tibi rident œquora* [8]. »

   « Hélas ! trop de talents parmi nous ont été errants et
« voyageurs ! La poésie n'a-t-elle pas chanté en vers harmo-
« nieux l'art de Neptune [9], cet art si fatal qui la transporta
« sur des bords lointains ? Et l'éloquence française, après
« avoir défendu l'Etat et l'autel, ne se retire-t-elle pas
« comme à sa source dans la patrie de saint Ambroise[10] ?
« Que ne puis-je placer ici tous les membres de cette
« assemblée dans un tableau dont la flatterie n'a point
« embelli les couleurs ? Car, s'il est vrai que l'envie obscur-
« cisse quelquefois les qualités estimables des gens de
« lettres, il est encore plus vrai que cette classe d'hommes se
« distingue par des sentiments élevés, par des vertus désinté-

---

   1. Ducis qui vivait retiré à Versailles.
   2. Gabriel Legouvé avait composé une tragédie sur la *Mort d'Henri IV.*
   3. Raynouard, auteur des *Templiers.*
   4. Laujon, chansonnier.
   5. Anacréon, né à Téos (Asie Mineure).
   6. Allusion à Parny.
   7. Allusion à Bernardin de Saint-Pierre.
   8. « Les plaines des mers te sourient » (Lucrèce, I, 8).
   9. Esménard, auteur d'un poème sur *La Navigation.*
   10. Le cardinal Maury qui s'était retiré en Italie ; mais Napoléon vient
de le nommer archevêque de Paris : Chateaubriand n'en dit mot.

« ressées, par la haine de l'oppression, le dévouement à
« l'amitié, et la fidélité au malheur. C'est ainsi, messieurs,
« que j'aime à considérer un sujet sous toutes les faces, et
« que j'aime surtout à rendre les lettres sérieuses en les
« appliquant aux plus hauts sujets de la morale, de la
« philosophie et de l'histoire. Avec cette indépendance
« d'esprit, il faut donc que je m'abstienne de toucher à des
« ouvrages qu'il est impossible d'examiner sans irriter les
« passions. Si je parlais de la tragédie de *Charles IX*,
« pourrais-je m'empêcher de venger la mémoire du cardinal
« de Lorraine, et de discuter cette étrange leçon donnée aux
« rois ? Caius Gracchus, Calas, Henri VIII, Fénélon, m'of-
« friraient sur plusieurs points cette même altération de
« l'histoire pour appuyer les mêmes doctrines. Si je lis les
« satires, j'y trouve immolés des hommes placés aux pre-
« miers rangs de cette assemblée ; toutefois, écrites d'un
« style pur, élégant et facile, elles rappellent agréablement
« l'école de Voltaire, et j'aurais d'autant plus de plaisir à les
« louer, que mon nom n'a pas échappé à la malice de
« l'auteur [1]. Mais laissons là des ouvrages qui donneraient
« lieu à des récriminations pénibles : je ne troublerai pas la
« mémoire d'un écrivain qui fut votre collègue et qui
« compte encore parmi vous des admirateurs et des amis ; il
« devra à cette religion, qui lui parut si méprisable dans les
« écrits de ceux qui la défendent, la paix que je souhaite à
« sa tombe. Mais ici même, messieurs, ne serai-je point
« assez malheureux pour trouver un écueil ? Car en portant
« à M. Chénier ce tribut de respect que tous les morts
« réclament, je crains de rencontrer sous mes pas des
« cendres bien autrement illustres. Si des interprétations
« peu généreuses voulaient me faire un crime de cette
« émotion involontaire, je me réfugierais au pied de ces
« autels expiatoires qu'un puissant monarque élève aux
« mânes des dynasties outragées [2]. Ah ! qu'il eût été plus
« heureux pour M. Chénier de n'avoir point participé à ces
« calamités publiques, qui retombèrent enfin sur sa tête ! Il
« a su comme moi ce que c'est que de perdre dans les orages

---

1. Dans la satire des *Nouveaux Saints* Chénier s'était moqué d'*Atala*.
2. Napoléon faisait alors restaurer Saint-Denis.

« un frère tendrement chéri. Qu'auraient dit nos malheu-
« reux frères si Dieu les eût appelés le même jour à son
« tribunal ? S'ils s'étaient rencontrés au moment suprême,
« avant de confondre leur sang, ils nous auraient crié sans
« doute : « Cessez vos guerres intestines, revenez à des
« sentiments d'amour et de paix ; la mort frappe également
« tous les partis, et vos cruelles divisions nous coûtent la
« jeunesse et la vie. » Tels auraient été leurs cris fraternels.

« Si mon prédécesseur pouvait entendre ces paroles qui
« ne consolent plus que son ombre, il serait sensible à
« l'hommage que je rends ici à son frère, car il était
« naturellement généreux ; ce fut même cette générosité de
« caractère qui l'entraîna dans des nouveautés bien sédui-
« santes sans doute, puisqu'elles promettaient de nous
« rendre les vertus de Fabricius [1]. Mais bientôt, trompé
« dans son espérance, son humeur s'aigrit, son talent se
« dénatura. Transporté de la solitude du poëte au milieu des
« factions, comment aurait-il pu se livrer à ces sentiments
« qui font le charme de la vie ? Heureux s'il n'eût vu d'autre
« ciel que le ciel de la Grèce, sous lequel il était né ! s'il
« n'eût contemplé d'autres ruines que celles de Sparte et
« d'Athènes ! Je l'aurais peut-être rencontré dans la belle
« patrie de sa mère [2], et nous nous serions juré amitié sur
« les bords du Permesse ; ou bien, puisqu'il devait revenir aux
« champs paternels, que ne me suivit-il dans les déserts où
« je fus jeté par nos tempêtes ? Le silence des forêts aurait
« calmé cette âme troublée, et les cabanes des sauvages
« l'eussent peut-être réconcilié avec les palais des rois. Vain
« souhait ! M. Chénier resta sur le théâtre de nos agitations
« et de nos douleurs. Atteint, jeune encore, d'une maladie
« mortelle, vous le vîtes, messieurs, s'incliner lentement vers
« le tombeau et quitter pour toujours . . . .
« ... On ne m'a point raconté ses derniers moments.

« Nous tous, qui vécûmes dans les troubles et les
« agitations, nous n'échapperons pas aux regards de l'his-
« toire. Qui peut se flatter d'être trouvé sans tache dans un

----

1. Le « vieux Romain » de Rousseau.
2. La mère des Chénier, née à Constantinople et d'origine latine, était
de culture grecque.

« temps de délire où personne n'avait l'usage entier de sa
« raison ? Soyons donc pleins d'indulgence pour les autres ;
« excusons ce que nous ne pouvons approuver. Telle est la
« faiblesse humaine, que le talent, le génie, la vertu même,
« peuvent quelquefois franchir les bornes du devoir.
« M. Chénier adora la liberté ; pourrait-on lui en faire un
« crime ? les chevaliers eux-mêmes, s'ils sortaient de leurs
« tombeaux, suivraient la lumière de notre siècle. On verrait
« se former cette illustre alliance entre l'honneur et la
« liberté, comme sous le règne des Valois les créneaux
« gothiques couronnaient avec une grâce infinie dans nos
« monuments les ordres empruntés des Grecs. La liberté
« n'est-elle pas le plus grand des biens et le premier des
« besoins de l'homme ? Elle enflamme le génie, elle élève le
« cœur, elle est nécessaire à l'ami des muses comme l'air
« qu'il respire. Les arts peuvent, jusqu'à un certain point,
« vivre dans la dépendance, parce qu'ils se servent d'une
« langue à part qui n'est pas entendue de la foule ; mais les
« lettres, qui parlent une langue universelle, languissent et
« meurent dans les fers. Comment tracera-t-on des pages
« dignes de l'avenir, s'il faut s'interdire, en écrivant, tout
« sentiment magnanime, toute pensée forte et grande ? La
« liberté est si naturellement l'amie des sciences et des
« lettres, qu'elle se réfugie auprès d'elles lorsqu'elle est
« bannie du milieu des peuples ; et c'est nous, messieurs,
« qu'elle charge d'écrire ses annales et de la venger de ses
« ennemis, de transmettre son nom et son culte à la dernière
« postérité. Pour qu'on ne se trompe pas dans l'interpréta-
« tion de ma pensée, je déclare que je ne parle ici que de la
« liberté qui naît de l'ordre et enfante des lois, et non de
« cette liberté fille de la licence et mère de l'esclavage. Le
« tort de l'auteur de *Charles IX* ne fut donc pas d'avoir
« offert son encens à la première de ces divinités, mais
« d'avoir cru que les droits qu'elle nous donne sont incom-
« patibles avec un gouvernement monarchique. C'est dans
« ses opinions qu'un Français met cette indépendance que
« d'autres peuples placent dans leurs lois. La liberté est
« pour lui un sentiment plutôt qu'un principe, et il est
« citoyen par instinct et sujet par choix. Si l'écrivain dont
« vous déplorez la perte avait fait cette réflexion, il n'aurait

« pas embrassé dans un même amour la liberté qui fonde et
« la liberté qui détruit.

« J'ai, Messieurs, fini la tâche que les usages de l'Acadé-
« mie m'ont imposée. Près de terminer ce discours, je suis
« frappé d'une idée qui m'attriste ; il n'y a pas longtemps
« que M. Chénier prononçait sur mes ouvrages des arrêts
« qu'il se préparait à publier [1] : et c'est moi qui juge
« aujourd'hui mon juge. Je le dis dans toute la sincérité de
« mon cœur, j'aimerais mieux encore être exposé aux
« satires d'un ennemi, et vivre en paix dans la solitude, que
« de vous faire remarquer, par ma présence au milieu de
« vous, la rapide succession des hommes sur la terre, la
« subite apparition de cette mort qui renverse nos projets et
« nos espérances, qui nous emporte tout à coup, et livre
« quelquefois notre mémoire à des hommes entièrement
« opposés à nos sentiments et à nos principes. Cette tribune
« est une espèce de champ de bataille où les talents viennent
« tour à tour briller et mourir. Que de génies divers elle a
« vus passer ! Corneille, Racine, Boileau, la Bruyère, Bos-
« suet, Fénélon, Voltaire, Buffon, Montesquieu... Qui ne
« serait effrayé, Messieurs, en pensant qu'il va former un
« anneau dans la chaîne de cette illustre ligne ? Accablé du
« poids de ces noms immortels, ne pouvant me faire
« reconnaître à mes talents pour héritier légitime, je tâche-
« rai du moins de prouver ma descendance par mes senti-
« ments.

« Quand mon tour sera venu de céder ma place à
« l'orateur qui doit parler sur ma tombe, il pourra traiter
« sévèrement mes ouvrages ; mais il sera forcé de dire que
« j'aimais avec transport ma patrie, que j'aurais souffert
« mille maux plutôt que de coûter une seule larme à mon
« pays, que j'aurais fait sans balancer le sacrifice de mes
« jours à ces nobles sentiments, qui seuls donnent du prix à
« la vie et de la dignité à la mort.

« Mais quel temps ai-je choisi, Messieurs, pour vous
« parler de deuil et de funérailles ! Ne sommes-nous pas
« environnés de fêtes ? Voyageur solitaire, je méditais il y a
« quelques jours sur les ruines des empires détruits : et je

1. A propos de l'attribution des prix décennaux (voir la suite).

« vois s'élever un nouvel empire. Je quitte à peine ces
« tombeaux où dorment les nations ensevelies, et j'aperçois
« un berceau chargé des destinées de l'avenir [1]. De toutes
« parts retentissent les acclamations du soldat. César monte
« au Capitole ; les peuples racontent les merveilles, les
« monuments élevés, les cités embellies, les frontières de la
« patrie baignées par ces mers lointaines qui portaient les
« vaisseaux de Scipion, et par ces mers reculées que ne vit
« pas Germanicus.

« Tandis que le triomphateur s'avance entouré de ses
« légions, que feront les tranquilles enfants des Muses ? Ils
« marcheront au devant du char pour joindre l'olivier de la
« paix aux palmes de la victoire, pour présenter au vain-
« queur la troupe sacrée, pour mêler aux récits guerriers les
« touchantes images qui faisaient pleurer Paul-Emile sur
« les malheurs de Persée [2].

« Et vous, fille des Césars [3], sortez de votre palais avec
« votre jeune fils dans vos bras ; venez ajouter la grâce à la
« grandeur, venez attendrir la victoire et tempérer l'éclat des
« armes par la douce majesté d'une Reine et d'une mère. »

Dans le manuscrit qui me fut rendu, le commencement
du discours qui a rapport aux opinions de Milton était *barré*
d'un bout à l'autre de la main de Bonaparte. Une partie de
ma réclamation contre l'isolement des affaires dans lequel
on voudrait tenir la littérature était également *stigmatisée*
au crayon. L'éloge de l'abbé Delille, qui rappelait l'émigration, la fidélité du poëte aux malheurs de la famille royale et
aux souffrances de ses compagnons d'exil, était mis entre
parenthèses; l'éloge de M. de Fontanes avait une *croix.*
Presque tout ce que je disais sur M. de Chénier, sur son
frère, sur le mien, sur les autels expiatoires que l'on préparait à Saint-Denis, était *haché* de traits. Le paragraphe
commençant par ces mots : « M. de Chénier adora la
liberté, etc., » avait une *double rature* longitudinale. Néan-

1. Le fils de l'Empereur était né le 20 mars 1811.
2. En 168 av. J.-C. Paul-Emile écrasa à Pydna l'armée du roi macédonien Persée.
3. L'impératrice Marie-Louise.

moins les agents de l'Empire, en publiant ce discours, ont conservé assez correctement ce paragraphe.

Tout ne fut pas fini quand on m'eut rendu mon discours ; on voulait me contraindre à en faire un second. Je déclarai que je m'en tenais au premier et que je n'en ferais pas d'autre. La commission me déclara alors que je ne serais pas reçu à l'Académie.

Des personnes pleines de grâces, de générosité et de courage, que je ne connaissais pas, s'intéressaient à moi. Madame Lindsay, qui, lors de ma rentrée en France en 1800, m'avait ramené de Calais à Paris, parla à madame Gay [1] ; celle-ci s'adressa à madame Regnault de Saint-Jean-d'Angély, laquelle invita le duc de Rovigo à me laisser à l'écart. Les femmes de ce temps-là interposaient leur beauté entre la puissance et l'infortune.

Tout ce bruit se prolongea par les prix décennaux [2] jusque dans l'année 1812. Bonaparte, qui me persécutait, fit demander à l'Académie, à propos de ces prix, pourquoi elle n'avait point mis sur les rangs le *Génie du christianisme.* L'Académie s'expliqua ; plusieurs de mes confrères écrivirent leur jugement peu favorable à mon ouvrage. J'aurais pu leur dire ce qu'un poëte grec dit à un oiseau : « Fille de « l'Attique, nourrie de miel, toi qui chantes si bien, tu « enlèves une cigale, bonne chanteuse comme toi, et tu la « portes pour nourriture à tes petits. Toutes deux ailées, « toutes deux habitant ces lieux, toutes deux célébrant la « naissance du printemps, ne lui rendras-tu pas la liberté ? « Il n'est pas juste qu'une chanteuse périsse du bec d'une de « ses semblables [3]. »

1. Sophie Gay, la mère de la future Mme de Girardin.
2. L'Institut devait proposer tous les dix ans à Napoléon des hommes « de premier plan » à qui seraient décernés des prix de dix et de cinq mille francs. La première distribution avait été fixée au 9 novembre 1810. Elle n'eut jamais lieu.
3. Epigramme de l'*Anthologie* grecque.

CE mélange de colère et d'attrait de Bonaparte contre et pour moi est constant et étrange ; naguère il me menace, et tout à coup il demande à l'Institut pourquoi il n'a pas parlé de moi à l'occasion des prix décennaux. Il fait plus, il déclare à Fontanes que, puisque l'Institut ne me trouve pas digne de concourir pour le prix, il m'en donnera un, qu'il me nommera surintendant général de toutes les bibliothè-ques de France : surintendance appointée comme une ambassade de première classe. La première idée que Bona-parte avait eue de m'employer dans la carrière diplomatique ne lui passait pas : il n'admettait point, pour cause à lui bien connue, que j'eusse cessé de faire partie du ministère des relations extérieures. Et toutefois, malgré ces munifi-cences projetées, son préfet de police m'invite quelque temps après à m'éloigner de Paris, et je vais continuer mes *Mémoires* à Dieppe[1].

Bonaparte descend au rôle d'écolier taquin ; il déterre l'*Essai sur les révolutions* et il se réjouit de la guerre qu'il m'attire à ce sujet. Un M. Damaze de Raymond se fit mon champion : je l'allai remercier rue Vivienne. Il avait sur sa cheminée avec ses breloques une tête de mort ; quelque temps après il fut tué en duel, et sa charmante figure alla rejoindre la face effroyable qui semblait l'appeler. Tout le monde se battait alors : un des mouchards chargés de l'arrestation de Georges[2] reçut de lui une balle dans la tête.

Pour couper court à l'attaque de mauvaise foi de mon puissant adversaire, je m'adressai à ce M. de Pommereul dont je vous ai parlé lors de ma première arrivée à Paris : il était devenu directeur général de l'imprimerie et de la

1. Cf. T. I, p. 76 *sq.*
2. Cadoudal.

librairie ; je lui demandai la permission de réimprimer l'*Essai* tout entier. On peut voir ma correspondance et le résultat de cette correspondance dans la préface de l'*Essai sur les révolutions,* édition de 1826, tome 2ᵉ des Œuvres complètes. Au surplus, le gouvernement impérial avait grandement raison de me refuser la réimpression de l'ouvrage en *entier ;* l'*Essai* n'était, ni par rapport aux libertés, ni par rapport à la monarchie légitime, un livre qu'on dût publier lorsque régnaient le despotisme et l'usurpation. La police se donnait des airs d'impartialité en laissant dire quelque chose en ma faveur, et elle riait en m'empêchant de faire la seule chose qui me pût défendre. Au retour de Louis XVIII on exhuma de nouveau l'*Essai ;* comme on avait voulu s'en servir contre moi au temps de l'Empire, sous le rapport politique, on voulait me l'opposer au jour de la Restauration, sous le rapport religieux. J'ai fait une amende honorable si complète de mes erreurs dans les notes de la nouvelle édition de l'*Essai historique* [1], qu'il n'y a plus rien à me reprocher. La postérité viendra ; elle prononcera sur le *livre* et sur le *commentaire,* si ces vieilleries-là peuvent encore l'occuper. J'ose espérer qu'elle jugera l'*Essai* comme ma tête grise l'a jugé ; car, en avançant dans la vie, on prend de l'équité de cet avenir dont on approche. Le *livre* et les *notes* me mettent devant les hommes tel que j'ai été au début de ma carrière, tel que je suis au terme de cette carrière.

Au surplus, cet ouvrage que j'ai traité avec une rigueur impitoyable offre le *compendium* de mon existence comme poëte, moraliste et homme politique futur. La sève du travail est surabondante, l'audace des opinions poussée aussi loin qu'elle peut aller. Force est de reconnaître que, dans les diverses routes où je me suis engagé, les préjugés ne m'ont jamais conduit, que je n'ai été aveugle dans aucune cause, qu'aucun intérêt ne m'a guidé, que les partis que j'ai pris ont toujours été de mon choix.

Dans l'*Essai,* mon indépendance en religion et en politique est complète ; j'examine tout : *républicain,* je sers la monarchie ; *philosophe,* j'honore la religion. Ce ne sont

1. Dans l'édition Ladvocat (1826) des *Œuvres complètes.*

point là des contradictions, ce sont des conséquences forcées de l'incertitude de la théorie et de la certitude de la pratique chez les hommes. Mon esprit, fait pour ne croire à rien, pas même à moi, fait pour dédaigner tout, grandeurs et misères, peuples et rois, a nonobstant été dominé par un instinct de raison qui lui commandait de se soumettre à ce qu'il y a de reconnu beau : religion, justice, humanité, égalité, liberté, gloire. Ce que l'on rêve aujourd'hui de l'avenir, ce que la génération actuelle s'imagine avoir découvert d'une société à naître, fondée sur des principes tout différents de ceux de la vieille société, se trouve positivement annoncé dans l'*Essai*. J'ai devancé de trente années ceux qui se disent les proclamateurs d'un monde inconnu. Mes actes ont été de l'ancienne cité, mes pensées de la nouvelle ; les premiers, de mon devoir, les dernières, de ma nature.

L'*Essai* n'était pas un livre impie ; c'était un livre de doute et de douleur. Je l'ai déjà dit*.

Du reste, j'ai dû m'exagérer ma faute et racheter par des idées d'ordre tant d'idées passionnées répandues dans mes ouvrages. J'ai peur au début de ma carrière d'avoir fait du mal à la jeunesse ; j'ai à réparer auprès d'elle, et je lui dois au moins d'autres leçons. Qu'elle sache qu'on peut lutter avec succès contre une nature troublée ; la beauté morale, la beauté divine, supérieure à tous les rêves de la terre, je l'ai vue ; il ne faut qu'un peu de courage pour l'atteindre et s'y tenir.

Afin d'achever ce que j'ai à dire sur ma carrière littéraire, je dois mentionner l'ouvrage qui la commença et qui demeura en manuscrit jusqu'à l'année où je l'insérai dans mes *Œuvres complètes*.

A la tête des *Natchez,* la préface a raconté comment l'ouvrage fut retrouvé en Angleterre par les soins et les obligeantes recherches de M. de Thuisy.

Un manuscrit dont j'ai pu tirer *Atala, René* et plusieurs descriptions placées dans le *Génie du christianisme,* n'est pas tout à fait stérile. Ce premier manuscrit était écrit de suite, sans section ; tous les sujets y étaient confondus : voyages, histoire naturelle, partie dramatique,

* Tome III de ces *Mémoires*.

etc. ; mais auprès de ce manuscrit d'un seul jet il en existait un autre partagé en livres. Dans ce second travail, j'avais non-seulement procédé à la division de la matière, mais j'avais encore changé le genre de la composition, en la faisant passer du roman à l'épopée.

Un jeune homme qui entasse pêle-mêle ses idées, ses inventions, ses études, ses lectures, doit produire le chaos ; mais aussi dans ce chaos il y a une certaine fécondité qui tient à la puissance de l'âge.

Il m'est arrivé ce qui n'est peut-être jamais arrivé à un auteur : c'est de relire après trente années un manuscrit que j'avais totalement oublié.

J'avais un danger à craindre. En repassant le pinceau sur le tableau, je pouvais éteindre les couleurs ; une main plus sûre mais moins rapide, courait risque, en effaçant quelques traits incorrects, de faire disparaître les touches les plus vives de la jeunesse : il fallait conserver à la composition son indépendance, et pour ainsi dire sa fougue ; il fallait laisser l'écume au frein du jeune coursier. S'il y a dans les *Natchez* des choses que je ne hasarderais qu'en tremblant aujourd'hui, il y a aussi des choses que je ne voudrais plus écrire, notamment la lettre de René dans le second volume. Elle est de ma première manière, et reproduit tout *René :* je ne sais ce que les *René* qui m'ont suivi ont pu dire pour mieux approcher de la folie.

Les *Natchez* s'ouvrent par une invocation au désert et à l'astre des nuits, divinités suprêmes de ma jeunesse :

« A l'ombre des forêts américaines, je veux chanter
« des airs de la solitude, tels que n'en ont point encore
« entendu des oreilles mortelles ; je veux raconter vos mal-
« heurs, ô Natchez ! ô nations de la Louisiane dont il ne
« reste plus que les souvenirs ! Les infortunes d'un obscur
« habitant des bois auraient-elles moins de droits à nos
« pleurs que celles des autres hommes ? et les mausolées
« des rois dans nos temples sont-ils plus touchants
« que le tombeau d'un Indien sous le chêne de sa
« patrie ?

« Et toi, flambeau des méditations, astre des nuits, sois
« pour moi l'astre du Pinde ! Marche devant mes pas, à
« travers les régions inconnues du Nouveau-Monde, pour

« me découvrir à ta lumière les secrets ravissants de ces
« déserts ! »

Mes deux natures sont confondues dans ce bizarre
ouvrage, particulièrement dans l'original primitif. On y
trouve des incidents politiques et des intrigues de roman ;
mais à travers la narration on entend partout une voix qui
chante, et qui semble venir d'une région inconnue.

FIN DE MA CARRIÈRE LITTÉRAIRE.

De 1812 à 1814 il n'y a plus que deux années pour finir
l'Empire, et ces deux années dont on a vu quelque chose par
anticipation, je les employai à des recherches sur la France
et à la rédaction de quelques livres de ces *Mémoires ;* mais je
n'imprimai plus rien. Ma vie de poésie et d'érudition fut
véritablement close par la publication de mes trois grands
ouvrages, le *Génie du christianisme,* les *Martyrs* et l'*Itinéraire.*
Mes écrits politiques commencèrent à la Restaura-
tion ; avec ces écrits également commença mon existence
politique active. Ici donc se termine ma carrière littéraire
proprement dite ; entraîné par le flot des jours, je l'avais
omise ; ce n'est qu'en cette année 1831 que j'ai rappelé des
temps laissés en arrière de 1800 à 1814.

Cette carrière littéraire, comme il vous a été loisible de
vous en convaincre, ne fut pas moins troublée que ma
carrière de *voyageur* et de *soldat ;* il y eut aussi des travaux,
des rencontres et du sang dans l'arène ; tout n'y fut pas
muses et fontaine Castalie ; ma carrière politique fut encore
plus orageuse.

Peut-être quelques débris marqueront-ils le lieu qu'occupèrent mes jardins d'Académe [1]. Le *Génie du christianisme*
commence la révolution religieuse contre le philosophisme
du dix-huitième siècle. Je préparais en même temps cette
révolution qui menace notre langue, car il ne pouvait y avoir
renouvellement dans l'idée qu'il n'y eût innovation dans le
style. Y aura-t-il après moi d'autres formes de l'art à

1. Les jardins d'Athènes où enseignait Platon.

présent inconnues ? Pourra-t-on partir de nos études actuelles afin d'avancer, comme nous sommes partis des études passées pour faire un pas ? Est-il des bornes qu'on ne saurait franchir, parce qu'on se vient heurter contre la nature des choses ? Ces bornes ne se trouvent-elles point dans la division des langues modernes, dans la caducité de ces mêmes langues, dans les vanités humaines telles que la société nouvelle les a faites ? Les langues ne suivent le mouvement de la civilisation qu'avant l'époque de leur perfectionnement ; parvenues à leur apogée, elles restent un moment stationnaires, puis elles descendent sans pouvoir remonter.

Maintenant, le récit que j'achève rejoint les premiers livres de ma vie politique, précédemment écrits à des dates diverses. Je me sens un peu plus de courage en rentrant dans les parties faites de mon édifice. Quand je me suis remis au travail, je tremblais que le vieux fils de Cœlus [1] ne vît changer en truelle de plomb la truelle d'or du bâtisseur de Troie. Pourtant il me semble que ma mémoire chargée de me verser mes souvenirs ne m'a pas trop failli : avez-vous beaucoup senti la glace de l'hiver dans ma narration ? trouvez-vous une énorme différence entre les poussières éteintes que j'ai essayé de ranimer, et les personnages vivants que je vous ai fait voir en vous racontant ma première jeunesse ? Mes années sont mes secrétaires ; quand l'une d'entre elles vient à mourir, elle passe la plume à sa puînée, et je continue de dicter ; comme elles sont sœurs, elles ont à peu près la même main.

___

1. Traduction latine d'Ouranos, personnification du ciel. Le « vieux fils de Cœlus » semble être Cronos (Saturne). Quand il a commencé à écrire ses *Mémoires,* Chateaubriand avait aux mains la truelle d'or avec laquelle Apollon bâtit Troie ; mais sa truelle sera de plomb, s'il devient aussi vieux que Cronos.

DE BONAPARTE.

LA jeunesse est une chose charmante ; elle part au commencement de la vie couronnée de fleurs comme la flotte athénienne pour aller conquérir la Sicile et les délicieuses campagnes d'Enna [1]. La prière est dite à haute voix par le prêtre de Neptune ; les libations sont faites avec des coupes d'or ; la foule, bordant la mer, unit ses invocations à celle du pilote ; le paean est chanté tandis que la voile se déploie aux rayons et au souffle de l'aurore. Alcibiade, vêtu de pourpre et beau comme l'Amour, se fait remarquer sur les trirèmes, fier des sept chars qu'il a lancés dans la carrière d'Olympie. Mais à peine l'île d'Alcinoüs [2] est-elle passée, l'illusion s'évanouit : Alcibiade banni va vieillir loin de sa patrie [3] et mourir percé de flèches sur le sein de Timandra. Les compagnons de ses premières espérances, esclaves à Syracuse, n'ont pour alléger le poids de leurs chaînes que quelques vers d'Euripide.

Vous avez vu ma jeunesse quitter le rivage ; elle n'avait pas la beauté du pupille de Périclès [4], élevé sur les genoux d'Aspasie ; mais elle en avait les heures matineuses ; et des désirs et des songes, Dieu sait ! Je vous les ai peints, ces songes : aujourd'hui, retournant à la terre après maint exil, je n'ai plus à vous raconter que des vérités tristes comme mon âge. Si parfois je fais encore entendre les accords de la lyre, ce sont les dernières harmonies du poëte qui cherche à

1. La ville la plus élevée de la Sicile. Allusion à l'expédition de Sicile commandée par Alcibiade (415 av. J.-C.).
2. Le père de Nausicaa. Il régnait sur l'île de Corcyre (Skherié), devenue Corfou.
3. Il s'était réfugié avec sa maîtresse Timandra dans un bourg de Phrygie.
4. Alcibiade : il fut élevé par Périclès, son grand-oncle.

se guérir de la blessure des flèches du temps, ou à se consoler de la servitude des années.

Vous savez la mutabilité de ma vie dans mon état de voyageur et de soldat ; vous connaissez mon existence littéraire depuis 1800 jusqu'à 1813, année où vous m'avez laissé à la *Vallée aux loups* qui m'appartenait encore, lorsque ma *carrière politique* s'ouvrit. Nous entrons présentement dans cette carrière : avant d'y pénétrer, force m'est de revenir sur les faits généraux que j'ai sautés en ne m'occupant que de mes travaux et de mes propres aventures : ces faits sont de la façon de Napoléon. Passons donc à lui ; parlons du vaste édifice qui se construisait en dehors de mes songes. Je deviens maintenant historien sans cesser d'être écrivain de mémoires ; un intérêt public va soutenir mes confidences privées ; mes petits récits se grouperont autour de ma narration.

Lorsque la guerre de la révolution éclata, les rois ne la comprirent point ; ils virent une révolte où ils auraient dû voir le changement des nations, la fin et le commencement d'un monde : ils se flattèrent qu'il ne s'agissait pour eux que d'agrandir leurs Etats de quelques provinces arrachées à la France ; ils croyaient à l'ancienne tactique militaire, aux anciens traités diplomatiques, aux négociations des cabinets ; et des conscrits allaient chasser les grenadiers de Frédéric, des monarques allaient venir solliciter la paix dans les antichambres de quelques démagogues obscurs, et la terrible opinion révolutionnaire allait dénouer sur les échafauds les intrigues de la vieille europe. Cette vieille Europe pensait ne combattre que la France ; elle ne s'apercevait pas qu'un siècle nouveau marchait sur elle.

Bonaparte dans le cours de ses succès toujours croissants semblait appelé à changer les dynasties royales, à rendre la sienne la plus âgée de toutes. Il avait fait rois les électeurs de Bavière, de Wurtemberg et de Saxe ; il avait donné la couronne de Naples à Murat, celle d'Espagne à Joseph, celle de Hollande à Louis, celle de Westphalie à Jérôme ; sa sœur, Elisa Bacciocchi, était princesse de Lucques, il était pour son propre compte, empereur des Français, roi d'Italie, dans lequel royaume se trouvaient compris Venise, la Toscane,

Parme et Plaisance ; le Piémont était réuni à la France ; il avait consenti à laisser régner en Suède un de ses capitaines, Bernadotte ; par le traité de la confédération du Rhin, il exerçait les droits de la maison d'Autriche sur l'Allemagne ; il s'était déclaré médiateur de la confédération helvétique ; il avait jeté bas la Prusse ; sans posséder une barque, il avait déclaré les Iles Britanniques en état de blocus. L'Angleterre malgré ses flottes fut au moment de n'avoir pas un port en Europe pour y décharger un ballot de marchandise ou pour y mettre une lettre à la poste.

Les Etats du pape faisaient partie de l'empire français ; le Tibre était un département de la France. On voyait dans les rues de Paris des cardinaux demi-prisonniers qui, passant la tête à la portière de leur fiacre, demandaient : « Est-ce ici que demeure le roi de... ? — Non, répondait le commissionnaire interrogé, c'est plus haut. » L'Autriche ne s'était rachetée qu'en livrant sa fille : le *chevaucheur* du midi[1] réclama Honoria de Valentinien, avec la moitié des provinces de l'empire[2].

Comment s'étaient opérés ces miracles ? Quelles qualités possédait l'homme qui les enfanta ? Quelles qualités lui manquèrent pour les achever ? Je vais suivre l'immense fortune de Bonaparte qui, nonobstant, a passé si vite que ses jours occupent une courte période du temps renfermé dans ces *Mémoires*. De fastidieuses productions de généalogies, de froides disquisitions sur les faits, d'insipides vérifications de dates sont les charges et les servitudes de l'écrivain.

---

1. Bonaparte, Attila étant « le chevaucheur du nord ».
2. Honoria était la sœur de l'empereur Valentinien. Attila n'accepta de l'épouser que si elle lui apportait en dot la moitié de l'empire. Valentinien refusa. Chateaubriand semble opposer implicitement l'attitude de Valentinien à celle de François II.

BONAPARTE. — SA FAMILLE.

LE premier Buonaparte (Bonaparte) dont il soit fait mention dans les annales modernes est Jacques Buonaparte, lequel, augure du conquérant futur, nous a laissé l'histoire du *sac de Rome* en 1527, dont il avait été témoin oculaire. Napoléon-Louis Bonaparte [1], fils aîné de la duchesse de Saint-Leu [2], mort après l'insurrection de la Romagne, a traduit en français ce document curieux ; à la tête de la traduction il a placé une généalogie des Buonaparte.

Le traducteur dit « qu'il se contentera de remplir les « lacunes de la préface de l'éditeur de Cologne, en publiant « sur la famille Bonaparte des détails authentiques ; lam-« beaux d'histoire, dit-il, presque entièrement oubliés, mais « au moins intéressants pour ceux qui aiment à retrouver « dans les annales des temps passés l'origine d'une illustra-« tion plus récente. »

Suit une généalogie où l'on voit un chevalier Nordille Buonaparte, lequel, le 2 avril 1266, cautionna le prince Conradin de Souabe (celui-là même à qui le duc d'Anjou fit trancher la tête) pour la valeur des droits de douane des effets dudit prince. Vers l'an 1255 commencèrent les pros-criptions des familles trévisanes : une branche des Bonaparte alla s'établir en Toscane, où on les rencontre dans les hautes places de l'Etat. Louis-Marie-Fortuné Buonaparte, de la branche établie à Sarzane, passa en Corse en 1612, se fixa à Ajaccio et devint le chef de la branche des Bonaparte de Corse. Les Bonaparte portent de gueules à deux barres d'or accompagné de deux étoiles.

Il y a une autre généalogie que M. Panckoucke a placée à la tête du recueil des écrits de Bonaparte : elle diffère en plusieurs points de celle qu'a donnée Napoléon-Louis.

1. Frère plus âgé du futur Napoléon III.
2. La reine Hortense.

D'un autre côté, madame d'Abrantès [1] veut que Bonaparte soit un Comnène, alléguant que le nom de Bonaparte est la traduction littérale du grec *Caloméros,* surnom des Comnène.

Napoléon-Louis croit devoir terminer sa généalogie par ces paroles : « J'ai omis beaucoup de détails, car les titres de « noblesse ne sont un objet de curiosité que pour un petit « nombre de personnes, et d'ailleurs la famille Bonaparte « n'en retirerait aucun lustre.

Qui sert bien son pays n'a pas besoin d'aïeux [2].

Nonobstant ce vers philosophique, la généalogie *subsiste.* Napoléon-Louis veut bien faire à son siècle la concession d'un apophthegme démocratique sans que cela tire à conséquence.

Tout ici est singulier : Jacques Buonaparte, historien du sac de Rome et de la détention du pape Clément VII par les soldats du connétable de Bourbon, est du même sang que Napoléon Buonaparte destructeur de tant de villes, maître de Rome changée en préfecture, roi d'Italie, dominateur de la couronne des Bourbons et geôlier de Pie VII, après avoir été sacré empereur des Français par la main de ce pontife. Le traducteur de l'ouvrage de Jacques Buonaparte est Napoléon-Louis Buonaparte, neveu de Napoléon, et fils du roi de Hollande, frère de Napoléon ; et ce jeune homme vient de mourir dans la dernière insurrection de la Romagne, à quelque distance des deux villes où la mère et la veuve de Napoléon sont exilées, au moment où les Bourbons tombent du trône pour la troisième fois.

Comme il aurait été assez difficile de faire de Napoléon le fils de Jupiter Ammon par le serpent aimé d'Olympias, ou le petit-fils de Vénus par Anchise, de savants affranchis [3] trouvèrent une autre merveille à leur usage : ils démontrèrent à l'Empereur qu'il descendait en ligne directe du Masque de fer. Le gouverneur des îles Sainte-Marguerite se

1. La veuve de Junot.
2. Vers de Voltaire dans *Mérope.*
3. Las Cases.

nommait *Bonpart*; il avait une fille ; le Masque de fer, frère jumeau de Louis XIV, devint amoureux de la fille de son geôlier et l'épousa secrètement, de l'aveu même de la cour. Les enfants qui naquirent de cette union furent clandestinement portés en Corse, sous le nom de leur mère ; les *Bonpart* se transformèrent en Bonaparte par la différence du langage. Ainsi le Masque de fer serait devenu le mystérieux aïeul, à face de bronze, du grand homme, rattaché de la sorte au grand roi.

La branche des Franchini-Bonaparte porte sur son écu trois fleurs de lis d'or. Napoléon souriait d'un air d'incrédulité à cette généalogie ; mais il souriait : c'était toujours un royaume revendiqué au profit de sa famille. Napoléon affectait une indifférence qu'il n'avait pas, car il avait lui-même fait venir sa généalogie de Toscane (Bourienne [1]). Précisément parce que la divinité de la naissance manque à Bonaparte, cette naissance est merveilleuse : « Je voyais, dit « Démosthène [2], ce Philippe contre qui nous combattions « pour la liberté de la Grèce et le salut de ses Républiques, « l'œil crevé, l'épaule brisée, la main affaiblie, la cuisse « retirée, offrir avec une fermeté inaltérable tous ses mem- « bres aux coups du sort, satisfait de vivre pour l'honneur et « de se couronner des palmes de la victoire. »

Or, Philippe était père d'Alexandre ; Alexandre était donc fils de roi et d'un roi digne de l'être ; par ce double fait, il commanda l'obéissance. Alexandre, né sur le trône, n'eut pas, comme Bonaparte, une petite vie à traverser afin d'arriver à une grande vie. Alexandre n'offre pas la disparate de deux carrières ; son précepteur est Aristote ; dompter Bucéphale est un des passe-temps de son enfance. Napoléon pour s'instruire n'a qu'un maître vulgaire ; des coursiers ne sont point à sa disposition ; il est le moins riche de ses compagnons d'études. Ce sous-lieutenant d'artillerie, sans serviteurs, va tout à l'heure obliger l'Europe à le reconnaître ; ce *petit caporal* mandera dans ses antichambres les plus grands souverains de l'Europe :

1. Secrétaire de Napoléon ; il a laissé sur lui des Mémoires.
2. Dans le *Discours de la couronne*.

Ils ne sont pas venus, nos deux rois ? Qu'on leur die
Qu'ils se font trop attendre et qu'Attila s'ennuie [1].

Napoléon, qui s'écriait avec tant de sens : « Oh ! si j'étais mon petit-fils ! » ne trouva point le pouvoir dans sa famille, il le créa : quelles facultés diverses cette création ne suppose-t-elle pas ! Veut-on que Napoléon n'ait été que le metteur en œuvre de l'intelligence sociale répandue autour de lui ; intelligence que des événements inouïs, des périls extraordinaires, avaient développée ? cette supposition admise, il n'en serait pas moins étonnant : en effet, que serait-ce qu'un homme capable de diriger et de s'approprier tant de supériorités étrangères ?

BRANCHE PARTICULIÈRE DES BONAPARTE DE LA CORSE.

TOUTEFOIS si Napoléon n'était pas né prince, il était, selon l'ancienne expression, fils de famille. M. de Marbœuf, gouverneur de l'île de Corse, fit entrer Napoléon dans un collège près d'Autun ; il fut admis ensuite à l'école militaire de Brienne. Elisa, madame Bacciocchi, reçut son éducation à Saint-Cyr : Bonaparte réclama sa sœur quand la révolution brisa les portes de ces retraites religieuses. Ainsi l'on trouve une sœur de Napoléon pour dernière élève d'une institution dont Louis XIV avait entendu les premières jeunes filles chanter les chœurs de Racine.

Les preuves de noblesse exigées pour l'admission de Napoléon à une école militaire furent faites : elles contien-

1. Début de l'*Attila* de Corneille.

nent l'extrait baptistaire de Charles Bonaparte, père de Napoléon, duquel Charles on remonte à François, dixième ascendant : un certificat des nobles principaux de la ville d'Ajaccio, prouvant que la famille Bonaparte a toujours été au nombre des plus anciennes et des plus nobles ; un acte de reconnaissance de la famille Bonaparte de Toscane, jouissant du patriciat et déclarant que son origine est commune avec la famille Bonaparte de Corse, etc., etc.

« Lors de l'entrée de Bonaparte à Trévise, dit M. de
« Las Cases, on lui annonça que sa famille y avait été
« puissante ; à Bologne, qu'elle y avait été inscrite sur le
« livre d'or... A l'entrevue de Dresde, l'empereur François
« apprit à l'empereur Napoléon que sa famille avait été
« souveraine à Trévise, et qu'il s'en était fait représenter les
« documents : il ajouta qu'il était sans prix d'avoir été
« souverain, et qu'il fallait le dire à Marie-Louise, à qui cela
« ferait grand plaisir. »

Né d'une race de gentilshommes, laquelle avait des alliances avec les Orsini, les Lomelli, les Médicis, Napoléon, violenté par la révolution, ne fut démocrate qu'un moment ; c'est ce qui ressort de tout ce qu'il dit et écrit : dominé par son rang, ses penchants étaient aristocratiques. Pascal Paoli ne fut point le parrain de Napoléon comme on l'a dit : ce fut l'obscur Laurent Giubega, de Calvi ; on apprend cette particularité du registre de baptême tenu à Ajaccio, par l'économe, le prêtre Diamante.

J'ai peur de compromettre Napoléon en le replaçant à son rang dans l'aristocratie. Cromwell, dans son discours prononcé au Parlement le 12 septembre 1654, déclare être né gentilhomme ; Mirabeau, Lafayette, Desaix et cent autres partisans de la révolution étaient nobles aussi. Les Anglais ont prétendu que le prénom de l'empereur était Nicolas, d'où en dérision ils disaient *Nic*. Ce beau nom de Napoléon venait à l'Empereur d'un de ses oncles qui maria sa fille avec un Ornano. Saint Napoléon est un martyr grec. D'après les commentateurs de Dante, le comte Orso était fils de *Napoléon* de Cerbaja. Personne autrefois, en lisant l'histoire, n'était arrêté par ce nom qu'ont porté plusieurs cardinaux ; il frappe aujourd'hui. La gloire d'un homme ne remonte pas, elle descend. Le Nil à sa source n'est connu que de quelques Éthiopiens ; à son embouchure, de quel peuple est-il ignoré ?

NAISSANCE ET ENFANCE DE BONAPARTE.

IL reste constaté que le vrai nom de Bonaparte est Buonaparte ; il l'a signé lui-même de la sorte dans toute sa campagne d'Italie et jusqu'à l'âge de 33 ans. Il le francisa ensuite, et ne signa plus que Bonaparte : je lui laisse le nom qu'il s'est donné et qu'il a gravé au pied de son indestructible statue*.

Bonaparte s'est-il rajeuni d'un an afin de se trouver Français, c'est-à-dire afin que sa naissance ne précédât pas la date de la réunion de la Corse à la France ? Cette question est traitée à fond d'une manière courte, mais substantielle, par M. Eckard : on peut lire sa brochure. Il en résulte que Bonaparte est né le 5 février 1768, et non pas le 15 août 1769, malgré l'assertion positive de M. Bourienne. C'est pourquoi le sénat conservateur, dans sa proclamation du 3 avril 1814, traite Napoléon d'*étranger*.

L'acte de célébration du mariage de Bonaparte avec Marie-Josèphe-Rose de Tascher, inscrit au registre de l'état-civil du deuxième arrondissement de Paris, 19 ventôse an IV (9 mars 1796), porte que Napoléon Buonaparte naquit à Ajaccio le 5 février 1768, et que son acte de naissance, visé par l'officier civil, constate cette date. Cette même date s'accorde parfaitement avec ce qui est dit dans l'acte de mariage, que l'époux est âgé de 28 ans.

* Ce nom de Buonaparte s'écrivait quelquefois avec le retranchement de l'*u* : l'économe d'Ajaccio qui signe au baptême de Napoléon a écrit trois fois Bonaparte sans employer la voyelle italienne *u*.

L'acte de naissance de Napoléon, présenté à la mairie du deuxième arrondissement lors de la célébration de son mariage avec Joséphine, fut retiré par un des aides de camp de l'Empereur au commencement de 1810, lorsqu'on procédait à l'annulation du mariage de Napoléon avec Joséphine. M. Duclos, n'osant résister à l'ordre impérial, écrivit au moment même sur une des pièces de la *liasse Bonaparte : Son acte de naissance lui a été remis, ne pouvant, à l'instant de sa demande, lui en délivrer copie.* La date de la naissance de Joséphine est altérée dans l'acte de mariage, grattée et surchargée, quoiqu'on en découvre à la loupe les premiers linéaments. L'impératrice s'est ôté quatre ans : les plaisanteries qu'on faisait sur ce sujet au château des Tuileries et à Sainte-Hélène sont mauvaises et ingrates.

L'acte de naissance de Bonaparte, enlevé par l'aide de camp en 1810, a disparu ; toutes les recherches pour le découvrir ont été infructueuses.

Ce sont là des faits irréfragables, et aussi je pense, d'après ces faits, que Napoléon est né à Ajaccio le 5 février 1768. Cependant je ne me dissimule pas les embarras historiques qui se présentent à l'adoption de cette date.

Joseph, frère aîné de Bonaparte, est né le 5 janvier 1768 ; son frère cadet, Napoléon, ne peut être né la même année, à moins que la date de la naissance de Joseph ne soit pareillement altérée : cela est supposable, car tous les actes de l'état-civil de Napoléon et de Joséphine sont soupçonnés d'être des faux. Nonobstant une juste suspicion de fraude, le comte de Beaumont, sous-préfet de Calvi, dans ses *Observations sur la Corse,* affirme que le registre de l'état-civil d'Ajaccio marque la naissance de Napoléon au 15 août 1769. Enfin les papiers que m'avait prêtés M. Libri [1] démontraient que Bonaparte lui-même se regardait comme étant né le 15 août 1769 à une époque où il ne pouvait avoir aucune raison pour désirer se rajeunir. Mais reste toujours la date *officielle* des pièces de son premier mariage et la suppression de son acte de naissance.

Quoi qu'il en soit, Bonaparte ne gagnerait rien à cette

---

1. Florentin, naturalisé français, membre de l'Académie des Sciences (1833). Accusé de vol de livres, il dut s'expatrier en 1850.

transposition de vie : si vous fixez sa nativité au 15 d'août 1769, force est de reporter sa conception vers le 15 novembre 1768 ; or, la Corse n'a été cédée à la France que par le traité du 15 mai 1768 ; les dernières soumissions des Pièves (cantons de la Corse) ne se sont même effectuées que le 14 juin 1769. D'après les calculs les plus indulgents, Napoléon ne serait encore Français que de quelques heures de nuit dans le sein de sa mère. Eh bien, s'il n'a été que le citoyen d'une patrie douteuse, cela classe à part sa nature : existence tombée d'en haut, pouvant appartenir à tous les temps et à tous les pays.

Toutefois Bonaparte a incliné vers la patrie italienne ; il détesta les Français jusqu'à l'époque où leur vaillance lui donna l'empire. Les preuves de cette aversion abondent dans les écrits de sa jeunesse. Dans une note que Napoléon a écrite sur le suicide, on trouve ce passage : « Mes compa- « triotes, chargés de chaînes, embrassent en tremblant la « main qui les opprime...... Français, non contents de nous « avoir ravi tout ce que nous chérissons, vous avez encore « corrompu nos mœurs. »

Une lettre écrite à Paoli en Angleterre, en 1789, lettre qui a été rendue publique, commence de la sorte : « Général, je « naquis quand la patrie périssait. Trente mille Français « vomis sur nos côtes, noyant le trône de la liberté dans des « flots de sang, tel fut le spectacle odieux qui vint le « premier frapper mes regards. »

Une autre lettre de Napoléon à M. Gubica, greffier en chef des Etats de la Corse, porte :

« Tandis que la France renaît, que deviendrons-nous, « nous autres infortunés Corses ? Toujours vils, continue- « rons-nous à baiser la main insolente qui nous opprime ? « continuerons-nous à voir tous les emplois que le droit « naturel nous destinait occupés par des étrangers aussi « méprisables par leurs mœurs et leur conduite que leur « naissance est abjecte ? »

Enfin le brouillon d'une troisième lettre manuscrite de Bonaparte, touchant la reconnaissance par les Corses de l'Assemblée nationale de 1789, débute ainsi :

« Messieurs,

« Ce fut par le sang que les Français étaient parve-
« nus à nous gouverner ; ce fut par le sang qu'ils voulurent
« assurer leur conquête. Le militaire, l'homme de loi, le
« financier, se réunirent pour nous opprimer, nous mépriser
« et nous faire avaler à longs traits la coupe de l'ignominie.
« Nous avons assez longtemps souffert leurs vexations ;
« mais puisque nous n'avons pas eu le courage de nous en
« affranchir de nous-mêmes, oublions-les à jamais ; qu'ils
« redescendent dans le mépris qu'ils méritent, ou du moins
« qu'ils aillent briguer dans leur patrie la confiance des
« peuples : certes, ils n'obtiendront jamais la nôtre. »

Les préventions de Napoléon contre la mère-patrie ne
s'effacèrent pas entièrement : sur le trône, il parut nous
oublier ; il ne parla plus que de lui, de son empire, de ses
soldats, presque jamais des Français ; cette phrase lui
échappait : « Vous autres Français. »

L'Empereur, dans les papiers de Sainte-Hélène, raconte
que sa mère, surprise par les douleurs, l'avait laissé tomber
de ses entrailles sur un tapis à grand ramage, représentant
les héros de l'Iliade : il n'en serait pas moins ce qu'il est,
fût-il tombé dans du chaume.

Je viens de parler de papiers retrouvés ; lorsque j'étais
ambassadeur à Rome, en 1828, le cardinal Fesch, en me
montrant ses tableaux et ses livres, me dit avoir des
manuscrits de la jeunesse de Napoléon ; il y attachait si peu
d'importance qu'il me proposa de me les montrer ; je quittai
Rome, et je n'eus pas le temps de compulser les documents.
Au décès de Madame-Mère et du cardinal Fesch, divers
objets de la succession ont été dispersés ; le carton qui
renfermait les Essais de Napoléon a été apporté à Lyon avec
plusieurs autres ; il est tombé entre les mains de M. Libri.

M. Libri a inséré, dans la *Revue des Deux-Mondes* du
1er mars de cette année 1842, une notice détaillée des
papiers du cardinal Fesch ; il a bien voulu depuis m'envoyer
le carton. J'ai profité de la communication pour accroître
l'ancien texte de mes *Mémoires* concernant Napoléon, toute
réserve faite à un plus ample informé quant aux renseignements contradictoires et aux objections à survenir.

LA CORSE DE BONAPARTE.

BENSON, dans ses *Esquisses de la Corse* (Sketches of Corsica), parle de la maison de campagne qu'habitait la famille de Bonaparte :

« En allant le long du rivage de la mer d'Ajaccio, vers
« l'île Sanguinière, à environ un mille de la ville, on
« rencontre deux piliers de pierre, fragments d'une porte
« qui s'ouvrait sur le chemin ; elle conduisait à une villa en
« ruines, autrefois résidence du demi-frère utérin de
« madame Bonaparte, que Napoléon créa cardinal Fesch.
« Les restes d'un petit pavillon sont visibles au-dessous d'un
« rocher ; l'entrée en est quasi obstruée par un figuier
« touffu : c'était la retraite accoutumée de Bonaparte,
« quand les vacances de l'école dans laquelle il étudiait lui
« permettaient de revenir chez lui. »

L'amour du pays natal suivit chez Napoléon sa marche ordinaire. Bonaparte, en 1788, écrivait, à propos de M. de Sussy, que *la Corse offrait un printemps perpétuel;* il ne parla plus de son île quand il fut heureux ; il avait même de l'antipathie pour elle ; elle lui rappelait un berceau trop étroit. Mais à Sainte-Hélène sa patrie lui revint en mémoire : « La Corse avait mille charmes pour Napoléon * ; il en
« détaillait les plus grands traits, la coupe hardie de sa
« structure physique. Tout y était meilleur, disait-il ; il n'y
« avait pas jusqu'à l'odeur du sol même : elle lui eût suffi

* *Mémorial de Sainte-Hélène.*

« pour le deviner les yeux fermés ; il ne l'avait retrouvée
« nulle part. Il s'y voyait dans ses premières années, à ses
« premières amours ; il s'y trouvait dans sa jeunesse au
« milieu des précipices, franchissant les sommets élevés, les
« vallées profondes. »

Napoléon trouva le roman dans son berceau ; ce roman
commence à Vannina, tuée par Sampietro, son mari. Le
baron de *Neuhof,* ou le roi Théodore, avait paru sur tous les
rivages, demandant des secours à l'Angleterre, au pape, au
grand Turc, au bey de Tunis, après s'être fait couronner roi
des Corses, qui ne savaient à qui se donner. Voltaire en rit.
Les deux Paoli, Hyacinthe et surtout Pascal, avaient rempli
l'Europe du bruit de leur nom. Buttafuoco pria J.-J. Rousseau d'être le législateur de la Corse [1] ; le philosophe de
Genève songeait à s'établir dans la patrie de celui qui, en
dérangeant les Alpes, emporta Genève sous son bras. « Il est
« encore en Europe, écrivait Rousseau, un pays capable de
« législation : c'est l'île de Corse. La valeur et la constance
« avec laquelle ce brave peuple a su recouvrer et défendre sa
« liberté mériteraient bien que quelque homme sage lui
« apprît à la conserver. J'ai quelque pressentiment qu'un
« jour cette petite île étonnera l'Europe [2]. »

Nourri au milieu de la Corse, Bonaparte fut élevé à cette
école primaire des révolutions ; il ne nous apporta pas à son
début le calme ou les passions du jeune âge, mais un esprit
déjà empreint des passions politiques. Ceci change l'idée
qu'on s'est formée de Napoléon.

Quand un homme est devenu fameux, on lui compose des
antécédents : les enfants prédestinés, selon les biographes,
sont fougueux, tapageurs, indomptables ; ils apprennent
tout, ou n'apprennent rien ; le plus souvent aussi ce sont des
enfants tristes, qui ne partagent point les jeux de leurs
compagnons, qui rêvent à l'écart et sont déjà poursuivis du
nom qui les menace. Voilà qu'un enthousiaste a déterré des
billets extrêmement communs (sans doute italiens) de Napoléon à ses grands parents ; il nous faut avaler ces puériles

---

1. Les *Lettres* de Rousseau à *M. Buttafuoco sur la législation de la
Corse* sont de 1765.
2. *Contrat social,* dernière phrase du chapitre x du livre II.

âneries. Les pronostics de notre futurition sont vains ; nous sommes ce que nous font les circonstances ; qu'un enfant soit gai ou triste, silencieux ou bruyant, qu'il montre ou ne montre pas des aptitudes au travail, nul augure à en tirer. Arrêtez un écolier à seize ans ; tout intelligent que vous le fassiez, cet enfant prodige, fixé à trois lustres, restera un imbécile ; l'enfant manque même de la plus belle des grâces, le sourire : il rit, et ne sourit pas.

Napoléon était donc un petit garçon ni plus ni moins distingué que ses émules : « Je n'étais, dit-il, qu'un enfant « obstiné et curieux. » Il aimait les renoncules et il mangeait des cerises avec mademoiselle Colombier. Quand il quitta la maison paternelle, il ne savait que l'italien ; son ignorance de la langue de Turenne était presque complète ; comme le maréchal de Saxe Allemand, Bonaparte Italien ne mettait pas un mot d'orthographe ; Henri IV, Louis XIV et le maréchal de Richelieu, moins excusables, n'étaient guère plus corrects. C'est visiblement pour cacher la négligence de son instruction que Napoléon a rendu son écriture indéchiffrable. Sorti de la Corse à neuf ans, il ne revit son île que huit ans après. A l'école de Brienne, il n'avait rien d'extraordinaire ni dans sa manière d'étudier, ni dans son extérieur. Ses camarades le plaisantaient sur son nom de Napoléon et sur son pays ; il disait à son camarade Bourienne : « Je ferai à tes Français tout le mal que je pourrai. » Dans un compte-rendu au roi, en 1784, M. de Kéralio affirme que *le jeune Bonaparte serait un excellent marin ;* la phrase est suspecte, car ce compte-rendu n'a été retrouvé que quand Napoléon inspectait la flottille de Boulogne.

Sorti de Brienne le 14 octobre 1784, Bonaparte passa à l'Ecole militaire de Paris. La liste civile payait sa pension ; il s'affligeait d'être boursier. Cette pension lui fut conservée, témoin ce modèle de reçu trouvé dans le carton Fesch (carton de M. Libri) :

« Je soussigné reconnais avoir reçu de M. Biercourt la « somme de 200 provenant de la pension que le roi m'a « accordée sur les fonds de l'Ecole militaire en qualité « d'ancien cadet de l'école de Paris. »

Mademoiselle Fermont-Comnène (madame d'Abrantès), fixée tour à tour chez sa mère à Montpellier, à Toulouse et à Paris, ne perdait point de vue son compatriote [1] Bonaparte : « Quand je passe aujourd'hui sur le quai de Conti, « écrit-elle, je ne puis m'empêcher de regarder la mansarde, « à l'angle gauche de la maison, au troisième étage : c'est là « que logeait Napoléon toutes les fois qu'il venait chez mes « parents. »

Bonaparte n'était pas aimé à son nouveau Prytanée : morose et frondeur, il déplaisait à ses maîtres ; il blâmait tout sans ménagement. Il adressa un mémoire au sous-principal sur les vices de l'éducation que l'on y recevait : « Ne « vaudrait-il pas mieux les astreindre (les élèves) à se suffire « à eux-mêmes, c'est-à-dire, moins leur petite cuisine qu'ils « ne feraient pas, leur faire manger du pain de munition ou « d'un qui en approcherait, les habituer à battre, brosser « leurs habits, à nettoyer leurs souliers et leurs bottes ? » C'est ce qu'il ordonna depuis à Fontainebleau et à Saint-Germain.

Le rabroueur délivra l'école de sa présence et fut nommé lieutenant en second d'artillerie au régiment de La Fère.

Entre 1784 et 1793 s'étend la carrière littéraire de Napoléon, courte par l'espace, longue par les travaux. Errant avec les corps d'artillerie dont il faisait partie à Auxonne, à Dôle, à Seurres, à Lyon, Bonaparte était attiré à tout endroit de bruit comme l'oiseau appelé par le miroir ou accourant à l'appeau. Attentif aux questions académiques, il y répondait ; il s'adressait avec assurance aux personnes puissantes qu'il ne connaissait pas : il se faisait l'égal de tous avant d'en devenir le maître. Tantôt il parlait sous un nom emprunté, tantôt il signait son nom qui ne trahissait point l'anonyme. Il écrivait à l'abbé Raynal, à M. Necker ; il envoyait aux ministres des mémoires sur l'organisation de la Corse, sur des projets de défense de Saint-Florent, de La Mortella, du golfe d'Ajaccio, sur la manière de disposer le canon pour jeter des bombes. On ne l'écoutait pas plus qu'on n'avait écouté Mirabeau lorsqu'il rédigeait à Berlin des projets relatifs à la Prusse et à la Hollande. Il étudiait la géographie. On a remarqué qu'en parlant de Sainte-Hélène

---

1. Une partie de la famille byzantine de Comnène s'était réfugiée en Corse. La duchesse d'Abrantès était Comnène par sa mère.

il la signale par ces seuls mots : « Petite île. » Il s'occupait de la Chine, des Indes, des Arabes. Il travaillait sur les historiens, les philosophes, les économistes, Hérodote, Strabon, Diodore de Sicile, Filangieri, Mably, Smith ; il réfutait le discours sur l'origine et les fondements de l'égalité *de l'homme*[1] et il écrivait : « *Je ne crois pas cela;* je ne crois rien de cela. » Lucien Bonaparte raconte que lui, Lucien, avait fait deux copies d'une histoire esquissée par Napoléon. Le manuscrit de cette esquisse s'est retrouvé en partie dans le carton du cardinal Fesch : les recherches sont peu curieuses, le style est commun, l'épisode de Vannina est reproduit sans effet. Le mot de Sampietro aux grands seigneurs de la cour de Henri II après l'assassinat de Vannina vaut tout le récit de Napoléon : « Qu'importent au « roi de France les démêlés de Sampietro et de sa femme ! »

Bonaparte n'avait pas au début de sa vie le moindre pressentiment de son avenir ; ce n'était qu'à l'échelon atteint qu'il prenait l'idée de s'élever plus haut : mais s'il n'aspirait pas à monter, il ne voulait pas descendre ; on ne pouvait arracher son pied de l'endroit où il l'avait une fois posé. Trois cahiers de manuscrits (carton Fesch) sont consacrés à des recherches sur la Sorbonne et les libertés gallicanes ; il y a des correspondances avec Paoli, Salicetti, et surtout avec le P. Dupuy, minime, sous-principal à l'école de Brienne, homme de bon sens et de religion qui donnait des conseils à son jeune élève et qui appelle Napoléon son *cher ami.*

A ces ingrates études Bonaparte mêlait des pages d'imagination ; il parle des femmes ; il écrit *le Masque prophète, le Roman corse,* une nouvelle anglaise, *le Comte d'Essex;* il a des dialogues sur l'amour qu'il traite avec mépris, et pourtant il adresse en brouillon une lettre de passion à une inconnue aimée ; il fait peu de cas de la gloire, ne met au premier rang que l'amour de la patrie, et cette patrie était la Corse.

Tout le monde a pu voir à Genève une demande parvenue à un libraire : le romanesque lieutenant s'enquérait de *Mémoires* de madame de Warens. Napoléon était poète

___
1. C'est le deuxième « discours » de Rousseau. Le titre exact est : « Discours sur l'origine de l'inégalité parmi les hommes ».

aussi, comme le furent César et Frédéric : il préférait
Arioste au Tasse ; il y trouvait les portraits de ses capitaines
futurs, et un cheval tout bridé pour son voyage aux astres.
On attribue à Bonaparte le madrigal suivant adressé à
madame Saint-Huberty[1] jouant le rôle de Didon[2] ; le fond
peut appartenir à l'empereur, la forme est d'une main plus
savante que la sienne :

> *Romains, qui vous vantez d'une illustre origine,*
> *Voyez d'où dépendait votre empire naissant !*
> *Didon n'a pas d'attrait assez puissant*
> *Pour retarder la fuite où son amant s'obstine.*
> *Mais si l'autre Didon, ornement de ces lieux,*
> *Eût été reine de Carthage,*
> *Il eût, pour la servir, abandonné ses dieux,*
> *Et votre beau pays serait encor sauvage.*

Vers ce temps-là Bonaparte semblerait avoir été tenté de
se tuer. Mille béjaunes sont obsédés de l'idée du suicide,
qu'ils pensent être la preuve de leur supériorité. Cette note
manuscrite se trouve dans les papiers communiqués par
M. Libri : « Toujours seul au milieu des hommes, je rentre
« pour rêver avec moi-même et me livrer à toute la vivacité
« de ma mélancolie. De quel côté est-elle tournée
« aujourd'hui ? du côté de la mort...... Si j'avais passé
« soixante ans, je respecterais les préjugés de mes contem-
« porains, et j'attendrais patiemment que la nature eût
« achevé son cours ; mais puisque je commence à éprouver
« des malheurs, que rien n'est plaisir pour moi, pourquoi
« supporterais-je des jours où rien ne me prospère ? »

Ce sont là les rêveries de tous les romans. Le fonds et le
tour de ces idées se trouvent dans Rousseau, dont Bonaparte
aura altéré le texte par quelques phrases de sa façon.

Voici un essai d'un autre genre ; je le transcris lettre à
lettre : l'éducation et le sang ne doivent pas rendre les
princes trop dédaigneux à l'encontre : qu'ils se souviennent de leur empressement à faire queue à la porte d'un
homme qui les chassait à volonté de la chambrée des rois.

---

1. Cantatrice de l'Opéra.
2. Dans l'opéra *Didon* de Piccini.

« FORMULLES, CERTIFICAS ET AUTRES CHOSES
« ESENCIELLES RELATIVES A MON ÉTAT ACTUELL.

« *Magière de demander un congé.*

« Lorsque l'on est en semestre[1] et que l'on veut
« obtenir un congé d'été pour cause de maladie, l'on s'en
« fait dresser par un médecin de la ville et un cherugien un
« certificat comme quoi avant l'époque que vous designé,
« votre senté ne vous permet pas de rejoindre à la garnison.
« Vous observeré que ce certificat soit sur papier timbré, qu'il
« soit visé par le juge et le commandant de la place.

« Vous dressez alors votre memoire au ministre de la
« guerre de la manière et formule suivante :

A Ajaccio, le 21 avril 1787.

MÉMOIRE EN DEMANDE D'UN CONGÉ.

« CORPS ROYAL
de l'artillerie.

« RÉGIMENT
de La Fère.

« Le sieur Napolione de
« Buonaparte, lieutenant en
« second au régiment de La
« Fère, artillerie

« Soupplie monseigneur le
« maréchal de Ségur de vou-
« loir bien lui accorder un
« congé de 5 mois et demie à
« compter du 16 mai pro-
« chain dont il a besoin pour
« le rétablissement de sa
« senté, suivant le certificat
« de medecin et cherugien
« ci-joint. Vu mon peu de
« fortune et une cure coû-
« teuse, je demande la grace
« que le congé me soit
« accordé avec appointe-
« ment.

« BUONAPARTE.

1. En congé d'un semestre : certains officiers ne servaient que six mois
chaque année.

« L'on envoie le tout au colonel du régiment sur l'adresse
« du ministre ou du commissaire-ordonnateur, M. de Lance,
« soit que l'on lui écrive sur l'adresse de M. Sauquier,
« commissaire-ordonnateur des guerres à la cour. »

Que de détails pour enseigner à faire un faux ! On croit
voir l'Empereur travailler à régulariser les saisies des royaumes, les paperasses illicites dont son cabinet s'encom-
brait.

Le style du jeune Napoléon est déclamatoire ; il n'y a de
digne d'observation que l'activité d'un vigoureux pionnier
qui déblaie des sables. La vue de ces travaux précoces me
rappelle mes fatras juvéniles[1], mes *Essais historiques*, mon
manuscrit des *Natchez* de quatre mille pages in-folio,
attachées avec des ficelles ; mais je ne faisais pas aux
marges des *petites maisons*, des *dessins d'enfant*, des *bar-
bouillages d'écolier*, comme on en voit aux marges des
brouillons de Bonaparte ; parmi mes juvéniles ne roulait pas
une balle de pierre qui pouvait avoir été le modèle d'un
boulet d'étude.

Ainsi donc il y a une avant-scène à la vie de l'Empereur ; un Bonaparte inconnu précède l'immense Napoléon ; la pensée de Bonaparte était dans le monde avant
qu'il y fût de sa personne : elle agitait secrètement la
terre ; on sentait en 1789, au moment où Bonaparte
apparaissait, quelque chose de formidable, une inquiétude
dont on ne pouvait se rendre compte. Quand le globe est
menacé d'une catastrophe, on en est averti par des
commotions latentes ; on a peur ; on écoute pendant la
nuit ; on reste les yeux attachés sur le ciel sans savoir ce
que l'on a et ce qui va arriver.

1. De ma jeunesse (latinisme).

PAOLI.

PAOLI avait été rappelé d'Angleterre sur une motion de Mirabeau, dans l'année 1789. Il fut présenté à Louis XVI par le marquis de La Fayette, nommé lieutenant-général et commandant militaire de la Corse. Bonaparte suivit-il l'exilé dont il avait été le protégé, et avec lequel il était en correspondance ? on l'a présumé. Il ne tarda pas à se brouiller avec Paoli : les crimes de nos premiers troubles refroidirent le vieux général ; il livra la Corse à l'Angleterre, afin d'échapper à la Convention. Bonaparte, à Ajaccio, était devenu membre d'un club de Jacobins ; un club opposé s'éleva, et Napoléon fut obligé de s'enfuir. Madame Letizia et ses filles se réfugièrent dans la colonie grecque de Carghèse, d'où elles gagnèrent Marseille. Joseph épousa dans cette ville, le 1er août 1794, mademoiselle Clary [1], fille d'un riche négociant. En 1792, le ministre de la guerre, l'ignoré Lajard, destitua un moment Napoléon, pour n'avoir pas assisté à une revue.

On retrouve Bonaparte à Paris avec Bourienne dans cette année 1792. Privé de toute ressource, il s'était fait industriel : il prétendait louer des maisons en construction dans la rue Montholon, avec le dessein de les sous-louer. Pendant ce temps-là la révolution allait son train ; le 20 juin sonna. Bonaparte, sortant avec Bourienne de chez un restaurateur, rue Saint-Honoré, près le Palais-Royal, vit venir cinq ou six mille déguenillés qui poussaient des hurlements et marchaient contre les Tuileries ; il dit à Bourienne : « Suivons ces gueux-là » ; et il alla s'établir sur la terrasse du bord de l'eau. Lorsque le roi, dont la demeure était envahie, parut à l'une des fenêtres, coiffé du bonnet rouge, Bonaparte s'écria avec indigna-

---

1. Julie Clary. Sa sœur Désirée épousa Bernadotte et devint reine de Suède (cf. p. 682).

tion » « *Che c......!* comment a-t-on laissé entrer cette
« canaille ? il fallait en balayer quatre ou cinq cents avec du
« canon, et le reste courrait encore. »

Le 20 juin 1792 j'étais bien près de Bonaparte : vous
savez que je me promenais à Montmorency, tandis que
Barrère et Maret cherchaient, comme moi, mais par d'autres raisons, la solitude. Est-ce à cette époque que Bonaparte était obligé de vendre et de négocier de petits assignats
appelés Corcet ? Après le décès d'un marchand de vin de la
rue Sainte-Avoye, dans un inventaire fait par Dumay,
notaire, et Chariot, commissaire-priseur, Bonaparte figure à
l'appel d'une dette de loyer de quinze francs, qu'il ne put
acquitter : cette misère augmente sa grandeur. Napoléon a
dit à Sainte-Hélène : « Au bruit de l'assaut aux Tuileries, le
« 10 août, je courus au Carrousel, chez Fauvelet, frère de
« Bourienne, qui y tenait un magasin de meubles. » Le frère
de Bourienne avait fait une spéculation qu'il appelait *encan
national;* Bonaparte y avait déposé sa montre ; exemple
dangereux : que de pauvres écoliers se croiront des Napoléons pour avoir mis leur montre en gage !

DEUX PAMPHLETS.

BONAPARTE retourna dans le midi de la France le
2 janvier an II ; il s'y trouvait avant le siége de Toulon ; il y
écrivait deux pamphlets : le premier est une lettre à Matteo
Buttafuoco ; il le traite indignement, et fait en même temps
un crime à Paoli d'avoir remis le pouvoir entre les mains du
peuple : « Etrange erreur, s'écrie-t-il, qui soumet à un
« brutal, à un mercenaire, l'homme qui, par son éducation,
« l'illustration de sa naissance, sa fortune, est seul fait pour
« gouverner ! »

Bien que révolutionnaire, Bonaparte se montre partout ennemi du peuple ; il fut néanmoins complimenté sur sa brochure par Masseria, président du club patriotique d'Ajaccio.

Le 29 juillet 1793, il fit imprimer un autre pamphlet, le *Souper de Beaucaire*. Bourienne en produit un manuscrit revu par Bonaparte, mais abrégé et mis plus d'accord avec les opinions de l'Empereur au moment qu'il revit son œuvre. C'est un dialogue entre un Marseillais, un Nîmois, un militaire et un fabricant de Montpellier. Il est question de l'affaire du moment, de l'attaque d'Avignon par l'armée de Carteaux, dans laquelle Napoléon avait figuré en qualité d'officier d'artillerie. Il annonce au *Marseillais* que son parti sera battu, parce qu'il a cessé d'adhérer à la révolution. Le *Marseillais* dit au *militaire,* c'est-à-dire à Bonaparte : « On se ressouvient toujours de ce monstre qui était « cependant un des principaux du club ; il fit lanterner un « citoyen, pilla sa maison et viola sa femme, après lui avoir « fait boire un verre du sang de son époux. — Quelle « horreur ! s'écrie le militaire ; mais ce fait est-il vrai ? Je « m'en méfie, car vous savez que l'on ne croit plus au viol « aujourd'hui. » Légèreté du dernier siècle qui fructifiait dans le tempérament glacé de Bonaparte. Cette accusation d'avoir bu et fait boire du sang a souvent été reproduite. Quand le duc de Montmorency fut décapité à Toulouse, les hommes d'armes burent de son sang, pour se communiquer la vertu d'un grand cœur.

BREVET DE CAPITAINE.

NOUS arrivons au siége de Toulon. Ici s'ouvre la carrière militaire de Bonaparte. Sur le rang que Napoléon occupait alors dans l'artillerie, le carton du cardinal Fesch renferme un étrange document : c'est un brevet de capitaine d'artillerie délivré le 30 août 1792 à Napoléon par Louis XVI, vingt jours après le détrônement réel, arrivé le 10 août. Le roi avait été renfermé au Temple le 13, surlendemain du massacre des Suisses. Dans ce brevet il est dit que la nomination du 30 août 1792 comptera à l'officier promu à partir du 16 février précédent.

Les infortunés sont souvent prophètes ; mais cette fois la prévision du martyr n'était pour rien dans la gloire future de Napoléon. Il existe encore dans les bureaux de la guerre des brevets en blanc, signés d'avance par Louis XVI ; il n'y reste à remplir que les vides d'attente ; de ce genre aura été la commission précitée. Louis XVI, renfermé au Temple, à la veille de son procès, au milieu de sa famille captive, avait autre chose à faire que de s'occuper de l'avancement d'un inconnu.

L'époque du brevet se fixe par le contre-seing ; ce contre-seing est : *Servan*. Servan, nommé au département de la guerre le 8 mai 1792, fut révoqué le 13 juin même année ; Dumourier eut le portefeuille jusqu'au 18 ; Lajard prit à son tour le ministère jusqu'au 23 juillet ; Dabancourt lui succéda jusqu'au 10 août, jour que l'assemblée nationale rappela Servan, lequel donna sa démission le 3 octobre. Nos ministères étaient alors aussi difficiles à compter que le furent depuis nos victoires.

Le brevet de Napoléon ne peut être du premier ministère de Servan, puisque la pièce porte la date du 30 août 1792 ; il doit être de son second ministère ; cependant il existe une lettre de Lajard, du 12 juillet, adressée au *capitaine d'artillerie Bonaparte.* Expliquez cela si vous pouvez. Bonaparte a-t-il acquis le document en question de la corruption d'un commis, du désordre des temps, de la fraternité révolutionnaire ? Quel protecteur poussait les affaires de ce Corse ? Ce protecteur était le maître éternel ; la France, sous l'impulsion divine, délivra elle-même le brevet au premier capitaine de la terre ; ce brevet devint légal sans la signature de Louis, qui laissa sa tête, à condition qu'elle serait remplacée par celle de Napoléon : marchés de la Providence devant lesquels il ne reste qu'à lever les mains au ciel.

TOULON.

TOULON avait reconnu Louis XVII et ouvert ses ports aux flottes anglaises. Carteaux d'un côté et le général Lapoype de l'autre, requis par les représentants Fréron, Barras, Ricord et Salicetti, s'approchèrent de Toulon. Napoléon, qui venait de servir sous Carteaux à Avignon, appelé au conseil militaire, soutint qu'il fallait s'emparer du fort *Murgrave,* bâti par les Anglais sur la hauteur du *Caire,* et placer sur les deux promontoires l'Eguillette et Balaguier des batteries qui, foudroyant la grande et la petite rade, contraindraient la flotte ennemie à l'abandonner. Tout arriva comme Napoléon l'avait prédit : on eut une première vue sur ses destinées.

Madame Bourienne a inséré quelques notes dans les Mémoires de son mari ; j'en citerai un passage qui montre Bonaparte devant Toulon :

« Je remarquai, dit-elle, à cette époque (1795, à Paris), que
« son caractère était froid et souvent sombre ; son sourire
« était faux et souvent fort mal placé ; et, à propos de cette
« observation, je me rappelle qu'à cette même époque,
« peu de jours après notre retour, il eut un de ces
« moments d'hilarité farouche qui me fit mal et qui me
« disposa à peu l'aimer. Il nous raconta avec une gaieté
« charmante qu'étant devant Toulon où il commandait
« l'artillerie, un officier qui se trouvait de son arme et sous
« ses ordres eut la visite de sa femme, à laquelle il était uni
« depuis peu, et qu'il aimait tendrement. Peu de jours après
« Bonaparte eut ordre de faire une nouvelle attaque sur la
« ville, et l'officier fut commandé. Sa femme vint trouver le

« général Bonaparte, et lui demanda, les larmes aux yeux,
« de dispenser son mari de service ce jour-là. Le général fut
« insensible, à ce qu'il nous disait lui-même avec une gaieté
« charmante et féroce. Le moment de l'attaque arriva, et cet
« officier qui avait toujours été d'une bravoure extraordi-
« naire, à ce que disait Bonaparte lui-même, eut le pressen-
« timent de sa fin prochaine ; il devint pâle, il trembla. Il
« fut placé à côté du général, et, dans un moment où le feu
« de la ville devint très-fort, Bonaparte lui dit : *Gare ! voilà*
« *une bombe qui nous arrive.* L'officier, ajouta-t-il, au lieu
« de s'effacer se courba et fut séparé en deux. Bonaparte
« riait aux éclats en citant la partie qui lui fut enlevée. »

Toulon repris, les échafauds se dressèrent : huit cents
victimes furent réunies au Champ-de-Mars ; on les mitrailla.
Les commissaires s'avancèrent en criant : « Que ceux qui ne
« sont pas morts se relèvent ; la République leur fait grâce, »
et les blessés qui se relevaient furent massacrés. Cette scène
était si belle qu'elle s'est reproduite à Lyon après le siége.

> *Que dis-je ? aux premiers coups du foudroyant orage*
> *Quelque coupable encor peut-être est échappé :*
> *Annonce le pardon, et, par l'espoir trompé,*
> *Si quelque malheureux en tremblant se relève,*
> *Que la foudre redouble et que le fer achève.*
>
>   (L'ABBÉ DELILLE).

Bonaparte commandait-il en personne l'exécution en sa
qualité de chef d'artillerie ? L'humanité ne l'aurait pas
arrêté, bien que par goût il ne fût pas cruel.

On trouve ce billet aux commissaires de la Convention :
« Citoyens représentants, c'est du champ de gloire, mar-
« chant dans le sang des traîtres, que je vous annonce avec
« joie que vos ordres sont exécutés et que la France est
« vengée : ni l'âge ni le sexe n'ont été épargnés. Ceux qui
« n'avaient été que blessés par le canon républicain ont été
« dépêchés par le glaive de la liberté et par la baïonnette de
« l'égalité. Salut et admiration.

            « Brutus Buonaparte, citoyen sans-culotte. »

Cette lettre a été insérée pour la première fois, je pense,
dans la *Semaine,* gazette publiée par Malte-Brun. La vicom-

tesse de Fors (pseudonyme) la donne dans ses *Mémoires sur la Révolution française;* elle ajoute que ce billet fut écrit sur la caisse d'un tambour ; Fabry le reproduit, article *Bonaparte* dans la *Biographie des hommes vivants;* Royou, *Histoire de France,* déclare qu'on ne sait pas quelle bouche fit entendre le cri meurtrier ; Fabry, déjà cité, dit, dans les *Missionnaires de* 93, que les uns attribuent le cri à Fréron, les autres à Bonaparte. Les exécutions du Champ-de-Mars de Toulon sont racontées par Fréron dans une lettre à Moïse Bayle de la Convention, et par Mottedo et Barras au Comité de salut public.

De qui en définitive est le premier bulletin des victoires napoléoniennes ? serait-il de Napoléon ou de son frère ? Lucien, en détestant ses erreurs, avoue, dans ses Mémoires, qu'il a été à son début ardent républicain. Placé à la tête du comité révolutionnaire à Saint-Maximin, en Provence, « Nous ne nous faisions pas faute, dit-il, de paroles et « d'adresses aux Jacobins de Paris. Comme la mode était de « prendre des noms antiques, mon ex-moine prit, je crois, « celui d'Epaminondas, et moi celui de Brutus. Un pam- « phlet a attribué à Napoléon cet emprunt du nom de Brutus, « mais il n'appartient qu'à moi. Napoléon pensait à élever « son propre nom au-dessus de ceux de l'ancienne histoire, « et s'il eût voulu figurer dans ses mascarades, je ne crois « pas qu'il eût choisi celui de Brutus. »

Il y a courage dans cette confession. Bonaparte, dans le *Mémorial de Sainte-Hélène,* garde un silence profond sur cette partie de sa vie. Ce silence, selon madame la duchesse d'Abrantès, s'explique par ce qu'il y avait de scabreux dans sa position : « Bonaparte s'était mis plus en évidence, « dit-elle, que Lucien, et quoique depuis il ait beaucoup « cherché à mettre Lucien à sa place, alors on ne pouvait s'y « tromper. Le *Mémorial de Sainte-Hélène,* aura-t-il pensé, « sera lu par cent millions d'individus, parmi lesquels « peut-être en comptera-t-on à peine mille qui connaissent « les faits qui me déplaisent. Ces mille personnes conserve- « ront la mémoire de ces faits d'une manière peu inquié- « tante par la tradition orale : le *Mémorial* sera donc « irréfutable. »

Ainsi de lamentables doutes restent sur le billet que

Lucien ou Napoléon a signé : comment Lucien, n'étant pas représentant de la Convention, se serait-il arrogé le droit de rendre compte du massacre ? Etait-il député de la commune de Saint-Maximin, pour assister au carnage ? Alors comment aurait-il assumé sur sa tête la responsabilité d'un procès-verbal lorsqu'il y avait *plus grand* que lui aux jeux de l'amphithéâtre, et des témoins de l'exécution accomplie par son frère ? Il en coûterait d'abaisser les regards si bas après les avoir élevés si haut.

Admettons que le narrateur des exploits de Napoléon soit Lucien, président du comité de Saint-Maximin : il en résulterait toujours qu'un des premiers coups de canon de Bonaparte aurait été tiré sur des Français ; il est sûr, du moins, que Napoléon fut encore appelé à verser leur sang le 13 vendémiaire ; il y rougit de nouveau ses mains à la mort du duc d'Enghien. La première fois, nos immolations auraient révélé Bonaparte ; la seconde hécatombe le porta au rang qui le rendit maître de l'Italie ; et la troisième lui facilita l'entrée à l'empire.

Il a pris croissance dans notre chair ; il a brisé nos os, et s'est nourri de la moelle des lions. C'est une chose déplorable, mais il faut le reconnaître, si l'on ne veut ignorer les mystères de la nature humaine et le caractère des temps : une partie de la puissance de Napoléon vient d'avoir trempé dans la Terreur. La révolution est à l'aise pour servir ceux qui ont passé à travers ses crimes ; une origine innocente est un obstacle.

Robespierre jeune[1] avait pris Bonaparte en affection et voulait l'appeler au commandement de Paris à la place de Henriot. La famille de Napoléon s'était établie au château de Sallé, près d'Antibes. « J'y étais venu de Saint-Maximin, « dit Lucien, passer quelques jours avec ma famille et mon « frère. Nous étions tous réunis, et le général nous donnait « tous les instants dont il pouvait disposer. Il vint un jour « plus préoccupé que de coutume, et, se promenant entre « Joseph et moi, il nous annonça qu'il ne dépendait que de « lui de partir pour Paris dès le lendemain, en position de « nous y établir tous avantageusement. Pour ma part, cette

1. Le frère cadet de Maximilien.

« annonce m'enchantait : atteindre enfin la capitale me
« paraissait un bien que rien ne pouvait balancer. On
« m'offre, nous dit Napoléon, la place de Henriot. Je dois
« donner ma réponse ce soir. Eh bien ! qú'en dites-vous ?
« Nous hésitâmes un moment. Eh ! eh ! reprit le général,
« cela vaut bien la peine d'y penser : il ne s'agirait pas de
« faire l'enthousiaste ; il n'est pas si facile de sauver sa tête
« à Paris qu'à Saint-Maximin. — Robespierre jeune est
« honnête ; mais son frère ne badine pas. Il faudrait le
« servir. — Moi, soutenir cet homme ! non, jamais ! Je sais
« combien je lui serais utile en remplaçant son imbécile
« commandant de Paris ; mais *c'est ce qué je ne veux pas*
« *être*. Il n'est pas temps. Aujourd'hui il n'y a de place
« honorable pour moi qu'à l'armée : prenez patience, *je*
« *commanderai Paris plus tard*. Telles furent les paroles de
« Napoléon. Il nous exprima ensuite son indignation contre
« le régime de la Terreur, dont il nous annonça la chute
« prochaine, et finit par répéter plusieurs fois, moitié
« sombre et moitié souriant : *Qu'irais-je faire dans cette*
« *galère ?* »

Bonaparte, après le siége de Toulon, se trouva engagé
dans les mouvements militaires de notre armée des Alpes. Il
reçut l'ordre de se rendre à Gênes : des instructions secrètes
lui enjoignirent de reconnaître l'état de la forteresse de
Savone, de recueillir des renseignements sur l'intention du
gouvernement génois relativement à la coalition. Ces instructions, délivrées à Loano le 25 messidor an II de la
République, sont signées *Ricord.*

Bonaparte remplit sa mission. Le 9 thermidor arriva : les
députés terroristes furent remplacés par Albitte, Salicetti et
Laporte. Tout à coup ils déclarèrent, au nom du peuple
français, que le général Bonaparte, commandant de l'artillerie de l'armée d'Italie, avait totalement perdu leur confiance
par la conduite la plus suspecte et surtout par le voyage
qu'il avait dernièrement fait à Gênes.

L'arrêté de Barcelonnette, 9 thermidor an II de la
République française, une, indivisible et démocratique (6
août 1794), porte « que le général Bonaparte sera mis en état
« d'arrestation et traduit au comité de salut public à Paris,
« sous bonne et sûre escorte. » Salicetti examina les papiers

de Bonaparte ; il répondait à ceux qui s'intéressaient au détenu qu'on était forcé d'agir avec rigueur d'après une accusation d'espionnage partie de Nice et de Corse. Cette accusation était la conséquence des instructions secrètes données par Ricord : il fut aisé d'insinuer qu'au lieu de servir la France Napoléon avait servi l'étranger. L'empereur fit un grand abus d'accusations d'espionnage ; il aurait dû se rappeler les périls auxquels de pareilles accusations l'avaient exposé.

Napoléon, se débattant, disait aux représentants : « Salicetti, tu me connais..... Albitte, tu ne me connais « point ; mais tu connais cependant avec quelle adresse « quelquefois la calomnie siffle. Entendez-moi ; restituez- « moi l'estime des patriotes ; une heure après, si les « méchants veulent ma vie...... je l'estime si peu ! je l'ai si « souvent méprisée ! »

Survint une sentence d'acquittement. Parmi les pièces qui, dans ces années, servirent d'attestation à la bonne conduite de Bonaparte, on remarque un certificat de Pozzo di Borgo. Bonaparte ne fut rendu que provisoirement à la liberté ; mais dans cet intervalle il eut le temps d'emprisonner le monde.

Salicetti, l'accusateur, ne tarda pas à s'attacher à l'accusé : mais Bonaparte ne se confia jamais à son ancien ennemi. Il écrivit plus tard au général Dumas : « Qu'il reste « à Naples (Salicetti[1]) ; il doit s'y trouver heureux. Il y a « contenu les lazzaroni ; je le crois bien : il leur a fait peur ; « il est plus méchant qu'eux. Qu'il sache que je n'ai pas « assez de puissance pour défendre du mépris et de l'indi « gnation publique les misérables qui ont voté la mort de « Louis XVI* »

Bonaparte, accouru à Paris, se logea rue du Mail, rue où je débarquai en arrivant de Bretagne avec madame Rose. Bourienne le rejoignit, de même que Murat, soupçonné de terrorisme et ayant abandonné sa garnison d'Abbeville. Le gouvernement essaya de transformer Napoléon en général

---

1. Salicetti (1757-1809) avait été député de la Corse sous la Convention ; il deviendra à Naples ministre de Joseph et de Murat.

* Souvenirs du lieutenant-général comte Dumas, t. III, p. 317.

de brigade d'infanterie, et voulut l'envoyer dans la Vendée ; celui-ci déclina l'honneur, sous prétexte qu'il ne voulait pas changer d'arme. Le comité de salut-public effaça le refusant de la liste des officiers généraux employés. Un des signataires de la radiation est Cambacérès, qui devint le second personnage de l'Empire.

Aigri par les persécutions, Napoléon songea à émigrer ; Volney l'en empêcha. S'il eût exécuté sa résolution, la cour fugitive l'eût méconnu ; il n'y avait pas d'ailleurs de ce côté de couronne à prendre ; j'aurais eu un énorme camarade, géant courbé à mes côtés dans l'exil.

L'idée de l'émigration abandonnée, Bonaparte se retourna vers l'Orient, doublement congénial à sa nature par le despotisme et l'éclat. Il s'occupa d'un mémoire pour offrir son épée au Grand-Seigneur : l'inaction et l'obscurité lui étaient mortelles. « Je serai utile à mon pays, s'écriait-il, si je « puis rendre la force des Turcs plus redoutable à l'Euro- « pe. » Le gouvernement ne répondit point à cette note d'un fou, disait-on.

Trompé dans ses divers projets, Bonaparte vit s'accroître sa détresse : il était difficile à secourir ; il acceptait mal les services, de même qu'il souffrait d'avoir été élevé par la munificence royale. Il en voulait à quiconque était plus favorisé que lui de la fortune : dans l'âme de l'homme pour qui les trésors des nations allaient s'épuiser, on surprenait des mouvements de haine que les communistes et les prolétaires manifestent à cette heure contre les riches. Quand on partage les souffrances du pauvre, on a le sentiment de l'inégalité sociale ; on n'est pas plutôt monté en voiture que l'on méprise les gens à pied. Bonaparte avait surtout en horreur les *muscadins* et les *incroyables,* jeunes fats du moment dont les cheveux étaient peignés à la mode des têtes coupées : il aimait à décourager leur bonheur. Il eut des liaisons avec Batiste aîné [1], et fit la connaissance de Talma. La famille Bonaparte professait le goût du théâtre : l'oisiveté des garnisons conduisit souvent Napoléon dans les spectacles.

1. Acteur comique du théâtre de Mlle Montansier (Palais-Royal) sous le Directoire.

Quels que soient les efforts de la démocratie pour rehausser ses mœurs par le grand but qu'elle se propose, ses habitudes abaissent ses mœurs ; elle a le vif ressentiment de cette étroitesse : croyant la faire oublier, elle versa dans la révolution des torrents de sang ; inutile remède, car elle ne put tout tuer, et, en fin de compte, elle se retrouva en face de l'insolence des cadavres. La nécessité de passer par les petites conditions donne quelque chose de commun à la vie ; une pensée rare est réduite à s'exprimer dans un langage vulgaire, le génie est emprisonné dans le patois, comme, dans l'aristocratie usée, des sentiments abjects sont renfermés dans de nobles mots. Lorsqu'on veut relever certain côté inférieur de Napoléon par des exemples tirés de l'antiquité, on ne rencontre que le fils d'Agrippine : et pourtant les légions adorèrent l'époux d'Octavie [1], et l'empire romain tressaillait à son souvenir !

Bonaparte avait retrouvé à Paris mademoiselle de Fermont-Comnène, qui épousa Junot, avec lequel Napoléon s'était lié dans le Midi.

« A cette époque de sa vie, dit la duchesse d'Abrantès, « Napoléon était laid. Depuis il s'est fait en lui un change- « ment total. Je ne parle pas de l'auréole prestigieuse de sa « gloire : je n'entends que le changement physique qui s'est « opéré graduellement dans l'espace de sept années. Ainsi « tout ce qui en lui était osseux, jaune, maladif même, s'est « arrondi, éclairci, embelli. Ses traits, qui étaient presque « tous anguleux et pointus, ont pris de la rondeur, parce « qu'ils se sont revêtus de chair, dont il y avait presque « absence. Son regard et son sourire demeurèrent toujours « admirables ; sa personne tout entière subit aussi du « changement. Sa coiffure, si singulière pour nous « aujourd'hui dans les gravures du passage du pont d'Ar- « cole, était alors toute simple, parce que ces mêmes « muscadins, après lesquels il criait tant, en avaient encore « de bien plus longues ; mais son teint était si jaune à cette « époque, et puis il se soignait si peu, que ses cheveux mal « peignés, mal poudrés, lui donnaient un aspect désagréa- « ble. Ses petites mains ont aussi subi la métamorphose ;

1. Première femme de Néron.

« alors elles étaient maigres, longues et noires. On sait à
« quel point il en était devenu vain avec juste raison depuis
« ce temps-là. Enfin lorsque je me représente Napoléon
« entrant en 1795 dans la cour de l'hôtel de la Tranquillité,
« rue des Filles-Saint-Thomas, la traversant d'un pas assez
« gauche et incertain, ayant un mauvais chapeau rond
« enfoncé sur ses yeux et laissant échapper ses deux *oreilles*
« *de chien* mal poudrées et tombant sur le collet de cette
« redingote gris de fer, devenue depuis bannière glorieuse,
« tout autant pour le moins que le panache blanc de Henri
« IV ; sans gants, parce que, disait-il, c'était une dépense
« inutile, portant des bottes mal faites, mal cirées, et puis
« tout cet ensemble maladif résultant de sa maigreur, de
« son teint jaune ; enfin quand j'évoque son souvenir de
« cette époque, et que je le revois plus tard, je ne puis voir
« le même homme dans ces deux portraits. »

JOURNÉES DE VENDÉMIAIRE.

La mort de Robespierre n'avait pas tout fini : les prisons ne
se rouvraient que lentement ; la veille du jour où le tribun
expirant fut porté à l'échafaud, quatre-vingts victimes
furent immolées, tant les meurtres étaient bien organisés !
tant la mort procédait avec ordre et obéissance ! Les deux
bourreaux *Sanson* furent mis en jugement ; plus heureux
que *Roseau* [1], exécuteur de Tardif sous le duc de Mayenne,

---

1. Le bourreau Roseau avait exécuté, au nom de la Ligue, des
magistrats du Parlement, dont le conseiller Tardif. Roseau fut pendu après
l'entrée d'Henri IV à Paris.

ils furent acquittés : le sang de Louis XVI les avait lavés.

Les condamnés rendus à la liberté ne savaient à quoi employer leur vie, les jacobins désœuvrés à quoi amuser leurs jours ; de là des bals et des regrets de la Terreur. Ce n'était que goutte à goutte qu'on parvenait à arracher la justice aux conventionnels ; ils ne voulaient pas lâcher le crime, de peur de perdre la puissance. Le tribunal révolutionnaire fut aboli.

André Dumont avait fait la proposition de poursuivre les continuateurs de Robespierre ; la Convention, poussée malgré elle, décréta à contre-cœur, sur un rapport de Saladin, qu'il y avait lieu de mettre en arrestation Barrère, Billaud de Varennes et Collot d'Herbois, les deux derniers amis de Robespierre, et qui pourtant avaient contribué à sa chute. Carrier, Fouquier-Tinville, Joseph Lebon, furent jugés ; des attentats, des crimes inouïs furent révélés, notamment les *mariages républicains* et la noyade de six cents enfants à Nantes. Les sections, entre lesquelles se trouvaient divisées les gardes nationales, accusaient la Convention des maux passés et craignaient de les voir renaître. La société des jacobins combattait encore ; elle ne pouvait renifler sur [1] la mort. Legendre, jadis si violent, revenu à l'humanité, était entré au comité de sûreté générale. La nuit même du supplice de Robespierre, il avait fermé le repaire ; mais huit jours après les jacobins s'étaient établis sous le nom de jacobins *régénérés*. Les tricoteuses s'y retrouvèrent. Fréron publiait son journal ressuscité *l'Orateur du peuple,* et, tout en applaudissant à la chute de Robespierre, il se rangeait au pouvoir de la Convention. Le buste de Marat restait exposé ; les divers comités, seulement changés de formes, existaient.

Un froid rigoureux et une famine, mêlés aux souffrances politiques, compliquaient les calamités ; des groupes armés, remblayés de femmes, criant : « Du pain ! du pain ! » se formaient. Enfin le 1er prairial (20 mai 1795) la porte de la Convention fut forcée, Féraud assassiné et sa tête déposée sur le bureau du président. On raconte l'impassibilité

1. Renifler sur : marquer de la répugnance pour (Littré donne plusieurs exemples de cette construction : notamment : « Ce cheval renifle sur l'avoine » : il refuse d'en manger).

stoïque de Boissy d'Anglas : malheur à qui contesterait un acte de vertu !

Cette végétation révolutionnaire poussait vigoureusement sur la couche de fumier arrosé de sang humain qui lui servait de base. Rossignol, Huchet, Grignon, Moïse Bayle, Amar, Choudieu, Hentz, Granet, Léonard Bourdon [1], tous les hommes qui s'étaient distingués par leurs excès, s'étaient parqués entre les barrières ; et cependant notre renom croissait au dehors. Lorsque l'opinion s'élevait contre les conventionnels, nos triomphes sur les étrangers étouffaient la clameur publique. Il y avait deux Frances : l'une horrible à l'intérieur, l'autre admirable à l'extérieur ; on opposait la gloire à nos crimes, comme Bonaparte l'opposa à nos libertés. Nous avons toujours rencontré pour écueil devant nous nos victoires.

Il est utile de faire remarquer l'anachronisme que l'on commet en attribuant nos succès à nos énormités : ils furent obtenus avant et après le règne de la Terreur ; donc la Terreur ne fut pour rien dans la domination de nos armes. Mais ces succès eurent un inconvénient : ils produisirent une auréole autour de la tête des spectres révolutionnaires. On crut sans examiner la date que cette lumière leur appartenait. La prise de la Hollande, le passage du Rhin, semblèrent être la conquête de la hache, non de l'épée. Dans cette confusion on ne devinait pas comment la France parviendrait à se débarrasser des entraves qui, malgré la catastrophe des premiers coupables, continuaient de la presser : le libérateur était là pourtant.

Bonaparte avait conservé la plupart et la plus mauvaise part des amis avec lesquels il s'était lié dans le Midi ; comme lui, ils s'étaient réfugiés dans la capitale. Salicetti, demeuré puissant par la fraternité jacobine, s'était rapproché de Napoléon ; Fréron, désirant épouser Pauline Bonaparte (la princesse Borghèse), prêtait son appui au jeune général.

Loin des criailleries du forum et de la tribune, Bonaparte se promenait le soir au Jardin-des-Plantes avec Junot. Junot lui racontait sa passion pour Paulette [2] , Napoléon lui

1. Tous anciens terroristes.
2. Pauline.

confiait son penchant pour madame de Beauharnais : l'incubation des événements allait faire éclore un grand homme. Madame de Beauharnais avait des rapports d'amitié avec Barras : il est probable que cette liaison aida le souvenir du commissaire de la Convention, lorsque les journées décisives arrivèrent.

SUITE.

LA liberté de la presse momentanément rendue travaillait dans le sens de la délivrance ; mais comme les démocrates n'avaient jamais aimé cette liberté et qu'elle attaquait leurs erreurs, ils l'accusaient d'être royaliste. L'abbé Morellet, Laharpe, lançaient des brochures qui se mêlaient à celles de l'espagnol Marchenna, immonde savant et spirituel avorton. La jeunesse portait l'habit gris à revers et à collet noir, réputé l'uniforme des chouans. La réunion de la nouvelle législature était le prétexte des rassemblements des sections. La section Lepelletier, connue naguère sous le nom de section des Filles-Saint-Thomas, était la plus animée ; elle parut plusieurs fois à la barre de la Convention pour se plaindre : Lacretelle le jeune lui prêta sa voix avec le même courage qu'il montra le jour où Bonaparte mitrailla les Parisiens sur les degrés de Saint-Roch[1]. Les sections, prévoyant que le moment du combat approchait, firent venir de Rouen le général Danican pour le mettre à leur tête. On peut juger de la peur et des sentiments de la

1. Le 13 vendémiaire an IV (5 octobre 1795).

73

Convention par les défenseurs qu'elle convoqua autour d'elle : « A la tête de ces républicains, dit Réal [1] dans son « *Essai sur les journées de vendémiaire,* que l'on appela le « *bataillon sacré des patriotes de* 89, et dans leurs rangs, on « appelait ces vétérans de la révolution qui en avaient fait « les six campagnes, qui s'étaient battus sous les murs de la « Bastille, qui avaient terrassé la tyrannie et qui s'armaient « aujourd'hui pour défendre le même château qu'ils avaient « foudroyé au 10 août. Là je retrouvai les restes précieux de « ces vieux bataillons de Liégeois et de Belges, sous les « ordres de leur ancien général Fyon. »

Réal finit ce dénombrement par cette apostrophe : « O toi « par qui nous avons vaincu l'Europe, avec un gouverne- « ment sans gouvernants et des armées sans paie, génie de « la liberté, tu veillais encore sur nous ! » Ces fiers champions [2] de la liberté vécurent trop de quelques jours ; ils allèrent achever leurs hymnes à l'indépendance dans les bureaux de la police d'un tyran. Ce temps n'est aujourd'hui qu'un degré rompu sur lequel a passé la révolution : que d'hommes ont parlé et agi avec énergie, se sont passionnés pour des faits dont on ne s'occupe plus ! Les vivants recueillent le fruit des existences oubliées qui se sont consumées pour eux.

On touchait au renouvellement de la Convention ; les assemblées primaires étaient convoquées : comités, clubs, sections, faisaient un tribouil [3] effroyable.

La Convention, menacée par l'aversion générale, vit qu'il se fallait défendre : à Danican elle opposa Barras, nommé chef de la force armée de Paris et de l'intérieur. Ayant rencontré Bonaparte à Toulon, et remémoré de lui par madame de Beauharnais, Barras fut frappé du secours dont lui pourrait être un pareil homme : il se l'adjoignit pour commandant en second. Le futur directeur, entretenant la Convention des journées de vendémiaire, déclara que c'était aux dispositions savantes et promptes de Bonaparte que l'on

---

1. Adjoint au ministère de la police.
2. Correction des éditeurs : Chateaubriand avait écrit « trabans » (halle- bardiers).
3. Confusion.

devait le salut de l'enceinte, autour de laquelle il avait distribué les postes avec beaucoup d'habileté. Napoléon foudroya les sections et dit : « J'ai mis mon cachet sur la « France. » Attila avait dit : « Je suis le marteau de l'univers, « *ego malleus orbis.* »

Après le succès. Napoléon craignit de s'être rendu impopulaire, et il assura qu'il donnerait plusieurs années de sa vie pour effacer cette page de son histoire.

Il existe un récit des journées de vendémiaire de la main de Napoléon : il s'efforce de prouver que ce furent les sectôns qui commencèrent le feu. Dans leur rencontre il put se figurer être encore à Toulon : le général Carteaux était à la tête d'une colonne sur le Pont-Neuf ; une compagnie de Marseillais marchait sur Saint-Roch ; les postes occupés par les gardes nationales furent successivement emportés. Réal, de la narration duquel je vous ai déjà entretenu, finit son exposition par ces niaiseries que croient ferme les Parisiens : c'est un blessé qui, traversant le salon des Victoires, reconnaît un drapeau qu'il a pris : « N'allons « pas plus loin, dit-il d'une voix expirante, je veux mourir « ici ; » c'est la femme du général Dufraisse qui coupe sa chemise pour en faire des bandes ; ce sont les deux filles de Durocher qui administrent le vinaigre et l'eau-de-vie. Réal attribue tout à Barras : flagornerie de réticence ; elle prouve qu'en l'an IV Napoléon, vainqueur au profit d'un autre, n'était pas encore compté.

Il paraît que Bonaparte n'espérait pas tirer un grand avantage de sa victoire sur les sections, car il écrivait à Bourienne : « Cherche un petit bien dans ta belle vallée de « l'Yonne ; je l'achèterai dès que j'aurai de l'argent ; mais « n'oublie pas que je ne veux pas de bien national. » Bonaparte s'est ravisé sous l'Empire : il a fait grand cas des biens nationaux.

Ces émeutes de vendémiaire terminent l'époque des émeutes : elles ne se sont renouvelées qu'en 1830, pour mettre fin à la monarchie.

Quatre mois après les journées de vendémiaire, le 19 ventôse (9 mars) an IV, Bonaparte épousa Marie-Josèphe-Rose de Tascher. L'acte ne fait aucune mention de la veuve du comte de Beauharnais. Tallien et Barras sont témoins au contrat. Au mois de juin [1] Bonaparte est appelé au généralat des troupes cantonnées dans les Alpes maritimes ; Carnot réclame contre Barras l'honneur de cette nomination. On appelait le commandement de l'armée d'Italie *la dot de madame Beauharnais*. Napoléon, racontant à Sainte-Hélène, avec dédain, avoir cru s'allier à une grande dame, manquait de reconnaissance.

Napoléon entre en plein dans ses destinées : il avait eu besoin des hommes, les hommes vont avoir besoin de lui, les évènements l'avaient fait, il va faire les évènements. Il a maintenant traversé ces malheurs auxquels sont condamnées les natures supérieures avant d'être reconnues, contraintes de s'humilier sous les médiocrités dont le patronage leur est nécessaire : le germe du plus haut palmier est d'abord abrité par l'Arabe sous un vase d'argile.

CAMPAGNES D'ITALIE.

ARRIVÉ à Nice, au quartier général de l'armée d'Italie, Bonaparte trouve les soldats manquant de tout, nus, sans souliers, sans pain, sans discipline. Il avait vingt-huit ans [2] ; sous ses ordres Masséna commandait trente-six mille hommes. C'était l'an 1796. Il ouvre sa première campagne le 20 mars, date fameuse qui devait se graver plusieurs fois dans sa vie. Il bat Beaulieu à Montenotte ; deux jours après, à Millesimo, il sépare les deux armées autrichienne et sarde. A Ceva, à Mondovi, à Fossano, à Cherasco, les succès continuent ; le génie de la guerre même est descendu. Cette

1. En mars.
2. Moins de vingt-six.

76

proclamation fait entendre une voix nouvelle, comme les combats avaient annoncé un homme nouveau :

« Soldats ! vous avez remporté, en quinze jours, six victoi-
« res, pris vingt et un drapeaux, cinquante-cinq pièces de
« canon, quinze mille prisonniers, tué ou blessé plus de dix
« mille hommes. Vous avez gagné des batailles sans canon,
« passé des rivières sans ponts, fait des marches forcées
« sans souliers, bivouaqué sans eau-de-vie et souvent sans
« pain. Les phalanges républicaines, les soldats de la liberté,
« étaient seuls capables de souffrir ce que vous avez
« souffert ; grâces vous soient rendues, soldats !...

« Peuples d'Italie ! l'armée française vient rompre vos
« chaînes ; le peuple français est l'ami de tous les peuples.
« Nous n'en voulons qu'aux tyrans qui vous asservissent. »

Dès le 15 mai la paix est conclue entre la République française et le roi de Sardaigne ; la Savoie est cédée à la France avec Nice et Tende. Napoléon avance toujours, et il écrit à Carnot :

« Du quartier général, à Plaisance, 9 mai 1796.

Nous avons enfin passé le Pô : la seconde campagne
« est commencée ; Beaulieu est déconcerté ; il calcule assez
« mal, et donne constamment dans les piéges qu'on lui tend.
« Peut-être voudra-t-il donner une bataille, car cet homme-là
« a l'audace de la fureur, et non celle du génie. Encore une
« victoire, et nous sommes maîtres de l'Italie. Dès l'instant
« que nous arrêterons nos mouvements, nous ferons habil-
« ler l'armée à neuf. Elle est toujours à faire peur ; mais
« tout engraisse ; le soldat ne mange que du pain de
« Gonesse [1], bonne viande et en quantité, etc. La discipline
« se rétablit tous les jours ; mais il faut souvent fusiller, car
« il est des hommes intraitables qui ne peuvent se comman-
« der. Ce que nous avons pris à l'ennemi est incalculable.
« Plus vous m'enverrez d'hommes, plus je les nourrirai
« facilement. Je vous fais passer vingt tableaux des premiers
« maîtres, du Corrège et de Michel-Ange. Je vous dois des
« remerciements particuliers pour les attentions que vous

1. Gonesse, au N.-E. de Paris, était réputée pour la qualité de son pain.

« voulez bien avoir pour ma femme. Je vous la recomman-
« de : elle est patriote sincère, et je l'aime à la folie.
« J'espère que les choses vont bien, pouvant vous envoyer
« une douzaine de millions à Paris ; cela ne vous fera pas de
« mal pour l'armée du Rhin. Envoyez-moi quatre mille
« cavaliers démontés, je chercherai ici à les remonter. Je ne
« vous cache pas que, depuis la mort de Stengel, je n'ai plus
« un officier supérieur de cavalerie qui se batte. Je désire-
« rais que vous me pussiez envoyer deux ou trois adjudants
« généraux qui aient du feu et une ferme résolution de ne
« jamais faire de savantes retraites[1]. »

C'est une des lettres remarquables de Napoléon. Quelle
vivacité ! quelle diversité de génie ! Avec les intelligences du
héros se trouve jetée pêle-mêle, dans la profusion triomphale des tableaux de Michel-Ange, une raillerie piquante
contre un rival, à propos de ces adjudants-généraux ayant
une ferme résolution de ne jamais faire de savantes retrai-
tes. Le même jour Bonaparte écrivait au Directoire pour lui
donner avis de la suspension d'armes accordée au duc de
Parme et de l'envoi du saint Jérome du Corrège. Le 11 mai,
il annonce à Carnot le passage du pont de Lodi qui nous
rend possesseurs de la Lombardie. S'il ne va pas tout de
suite à Milan, c'est qu'il veut suivre Beaulieu et l'achever.
— « Si j'enlève Mantoue, rien ne m'arrête plus pour péné-
« trer dans la Bavière ; dans deux décades je puis être dans
« le cœur de l'Allemagne. Si les deux armées du Rhin
« entrent en campagne, je vous prie de me faire part de leur
« position. Il serait digne de la République d'aller signer le
« traité de paix des trois armées réunies dans le cœur de la
« Bavière et de l'Autriche étonnées. »

L'aigle ne marche pas, il vole, chargé des banderoles de
victoires suspendues à son cou et à ses ailes.

Il se plaint de ce qu'on veut lui donner pour adjoint
Kellermann : « Je ne puis pas servir volontiers avec un
« homme qui se croit le premier général de l'Europe, et je
« crois qu'un mauvais général vaut mieux que deux bons. »

Le 1er juin 1796 les Autrichiens sont entièrement expul-
sés d'Italie, et nos avant-postes éclairent les monts de

1. Ce dernier trait vise Moreau (Cf. p. 79).

l'Allemagne : « Nos grenadiers et nos carabiniers, écrit
« Bonaparte au Directoire, jouent et rient avec la mort.
« Rien n'égale leur intrépidité si ce n'est la gaieté avec
« laquelle ils font les marches les plus forcées. Vous croiriez
« qu'arrivés au bivouac ils doivent au moins dormir ; pas du
« tout : chacun fait son conte ou son plan d'opération du
« lendemain, et souvent on en voit qui rencontrent très-
« juste. L'autre jour je voyais défiler une demi-brigade ; un
« chasseur s'approcha de mon cheval : Général, me dit-il, il
« faut faire cela. — Malheureux, lui dis-je, veux-tu bien te
« taire ! Il disparaît à l'instant ; je l'ai fait en vain cher-
« cher : c'était justement ce que j'avais ordonné que l'on
« fît. »

Les soldats graduèrent[1] leur commandant : à Lodi ils le
firent caporal, à Castiglione sergent.

Le 17 de novembre on débouche sur Arcole : le jeune
général passe le pont qui l'a rendu fameux ; dix mille
hommes restent sur la place. « C'était un chant de l'Iliade ! »
s'écriait Bonaparte au seul souvenir de cette action.

En Allemagne, Moreau accomplissait la célèbre retraite
que Napoléon appelait une *retraite de sergent*. Celui-ci se
préparait à dire à son rival, en battant l'archiduc Charles :

Je suivrai d'assez près votre illustre retraite
Pour traiter avec lui sans besoin d'interprète[2].

Le 16 janvier 1797, les hostilités se renouèrent par la
bataille de Rivoli. Deux combats contre Wurmser, à Saint-
Georges et à la Favorite, entraînent pour l'ennemi la perte
de cinq mille tués et de vingt mille prisonniers ; le demeurant se barricade dans Mantoue ; la ville bloquée capitule ;
Wurmser, avec les douze mille hommes qui lui restent, se
rend.

Bientôt la Marche d'Ancône est envahie ; plus tard le
traité de Tolentino nous livre des perles, des diamants, des
manuscrits précieux, la Transfiguration, le Laocoon, l'Apol-

1. Au sens de : conférer un grade.
2. Corneille, *Sertorius* III, i.

lon du belvédère, et termine cette suite d'opérations par lesquelles en moins d'un an quatre armées autrichiennes ont été détruites, la haute Italie soumise et le Tyrol entamé ; on n'a pas le temps de se reconnaître : l'éclair et le coup partent à la fois.

L'archiduc Charles, accouru pour défendre l'Autriche antérieure avec une nouvelle armée, est forcé au passage du Tagliamento ; Gradisca tombe ; Trieste est pris ; les préliminaires de la paix entre la France et l'Autriche sont signés à Léoben.

Venise, formée au milieu de la chute de l'empire romain, trahie et troublée, nous avait ouvert ses lagunes et ses palais ; une révolution s'accomplit le 31 mai 1797 dans Gênes sa rivale : la république ligurienne prend naissance. Bonaparte aurait été bien étonné si, du milieu de ses conquêtes, il eût pu voir qu'il s'emparait de Venise pour l'Autriche, des Légattons pour Rome, de Naples pour les Bourbons, de Gênes pour le Piémont, de l'Espagne pour l'Angleterre, de la Westphalie pour la Prusse, de la Pologne pour la Russie, semblable à ces soldats qui, dans le sac d'une ville, se gorgent d'un butin qu'ils sont obligés de jeter, faute de le pouvoir emporter, tandis qu'au même moment ils perdent leur patrie.

Le 9 juillet, la République cisalpine[1] proclame son existence. Dans la correspondance de Bonaparte on voit courir la navette à travers la chaîne des révolutions attachées à la nôtre : comme Mahomet avec le glaive et le Koran, nous allions l'épée dans une main, les droits de l'homme dans l'autre.

Dans l'ensemble de ses mouvements généraux, Bonaparte ne laisse échapper aucun détail : tantôt il craint que les *vieillards* des grands peintres de Venise, de Bologne, de Milan, ne soient bien mouillés en passant le Mont-Cenis ; tantôt il est inquiet qu'un manuscrit sur papyrus de la bibliothèque ambrosienne ne soit perdu ; il prie le ministre de l'intérieur de lui apprendre s'il est arrivé à la Bibliothèque nationale. Il donne au Directoire exécutif son opinion sur ses généraux :

1. Elle a pour capitale Milan.

« Berthier : talents, activité, courage, caractère, tout
« pour lui.

« Augereau : beaucoup de caractère, de courage, de fer-
« meté, d'activité ; est aimé du soldat, heureux dans ses
« opérations.

« Masséna : actif, infatigable, a de l'audace, du coup
« d'œil et de la promptitude à se décider.

« Serrurier : se bat en soldat, ne prend rien sur lui ;
« ferme ; n'a pas assez bonne opinion de ses troupes ; est
« malade.

« Despinois : mou, sans activité, sans audace, n'a pas
« l'état de la guerre, n'est pas aimé du soldat, ne se bat pas
« à sa tête ; a d'ailleurs de la hauteur, de l'esprit et des
« principes politiques sains ; bon à commander dans l'inté-
« rieur.

« Sauret : bon, très-bon soldat, pas assez éclairé pour être
« général ; peu heureux.

« Abatucci : pas bon à commander cinquante hommes,
« etc., etc. »

Bonaparte écrit au chef des Maïnottes[1] : « Les Français
« estiment le petit, mais brave peuple qui, seul de l'an-
« cienne Grèce, a conservé sa vertu, les dignes descendants
« de Sparte, auxquels il n'a manqué pour être aussi renom-
« més que leurs ancêtres que de se trouver sur un plus vaste
« théâtre. » Il instruit l'autorité de la prise de possession de
Corfou : « L'île de Corcyre, remarque-t-il, était, selon
« Homère, la patrie de la princesse Nausicaa. » Il envoie le
traité de paix conclu avec Venise : « Notre marine y gagnera
« quatre ou cinq vaisseaux de guerre, trois ou quatre
« frégates, plus trois ou quatre millions de cordages. —
« Qu'on me fasse passer des matelots français ou corses,
« mande-t-il ; je prendrai ceux de Mantoue et de Guarda. —
« Un million pour Toulon, que je vous ai annoncé, part
« demain ; deux millions, etc., formeront la somme de cinq
« millions que l'armée d'Italie aura fournie depuis la nou-
« velle campagne. — J'ai chargé...... de se rendre à Sion
« pour chercher à ouvrir une négociation avec le Valais. —
« J'ai envoyé chercher un excellent ingénieur pour savoir ce

1. Maïna (ou Magne) est une région du sud du Péloponnèse.

« que coûterait cette route à établir (le Simplon)...... J'ai
« chargé le même ingénieur de voir ce qu'il faudrait pour
« faire sauter le rocher dans lequel s'enfuit le Rhône, et par
« là rendre possible l'exploitation des bois du Valais et de la
« Savoie. » Il donne avis qu'il fait partir de Trieste un
chargement de blé et d'aciers pour Gênes. Il fait présent au
pacha de Scutari de quatre caisses de fusils, comme une
marque de son amitié. Il ordonne de renvoyer de Milan
quelques hommes suspects et d'en arrêter quelques autres.
Il écrit au citoyen Grogniard, ordonnateur de la marine à
Toulon : « Je ne suis pas votre juge, mais si vous étiez sous
« mes ordres, je vous mettrais aux arrêts pour avoir obtem-
« péré à une réquisition ridicule. » Une note remise au
« ministre du pape dit : « Le pape pensera peut-être qu'il
« est digne de sa sagesse, de la plus sainte des religions, de
« faire une bulle ou mandement qui ordonne aux prêtres
« obéissance au gouvernement. »

Tout cela est mêlé des négociations avec les républiques
nouvelles, des détails des fêtes pour Virgile et Arioste, des
bordereaux explicatifs des vingt tableaux et des cinq cents
manuscrits de Venise ; tout cela a lieu à travers l'Italie
assourdie du bruit des combats, à travers l'Italie devenue
une fournaise où nos grenadiers vivaient dans le feu comme
des salamandres.

Pendant ces tourbillons d'affaires et de succès advint le
18 fructidor [1], favorisé par les proclamations de Bonaparte et
les délibérations de son armée, en jalousie de l'armée de la
Meuse. Alors disparut celui qui, peut-être à tort, avait passé
pour l'auteur des plans des victoires républicaines ; on
assure que Danissy, Lafitte, d'Arçon, trois génies militaires
supérieurs, dirigeaient ces plans : Carnot se trouva proscrit
par l'influence de Bonaparte.

Le 17 octobre, celui-ci signe le traité de paix de Campo-
Formio : la première guerre continentale de la révolution
finit à trente lieues de Vienne.

---

1. 4 septembre 1797 : les partisans du retour à la monarchie sont
éliminés des Conseils législatifs ; Carnot qui, par respect de la légalité,
s'était joint aux modérés, dut s'enfuir.

CONGRÈS DE RASTADT. — RETOUR DE NAPOLÉON
EN FRANCE. — NAPOLÉON EST NOMMÉ CHEF DE L'ARMÉE
DITE D'ANGLETERRE. — IL PART POUR L'EXPÉDITION
D'EGYPTE.

UN congrès étant rassemblé à Rastadt, et Bonaparte ayant
été nommé par le Directoire représentant à ce congrès, il
prit congé de l'armée d'Italie. « Je ne serai consolé, lui dit-il,
« que par l'espoir de me revoir bientôt avec vous, luttant
« contre de nouveaux dangers. » Le 16 novembre 1797, son
ordre du jour annonce qu'il a quitté Milan pour présider la
légation française au congrès et qu'il a envoyé au Directoire
le drapeau de l'armée d'Italie.

Sur un des côtés de ce drapeau Bonaparte avait fait
broder le résumé de ses conquêtes : « Cent cinquante mille
« prisonniers, dix-sept mille chevaux, cinq cent cinquante
« pièces de siége, six cents pièces de campagne, cinq
« équipages de ponts, neuf vaisseaux de cinquante-quatre
« canons, douze frégates de trente-deux, douze corvettes,
« dix-huit galères ; armistice avec le roi de Sardaigne,
« convention avec Gênes ; armistice avec le duc de Parme,
« avec le duc de Modène, avec le roi de Naples, avec le
« pape ; préliminaires de Léoben ; convention de Montebello
« avec la République de Gênes ; traité de paix avec l'empe-
« reur à Campo-Formio ; donné la liberté aux peuples de
« Bologne, Ferrare, Modène, Massa-Carrara, de la Roma-
« gne, de la Lombardie, de Brescia, de Bergame, de Man-
« toue, de Crème, d'une partie du Véronais, de Chiavenna,
« Bormio, et de la Valteline ; au peuple de Gênes, aux fiefs
« impériaux, au peuple des départements de Corcyre, de la
« mer Egée et d'Ithaque.

« Envoyé à Paris tous les chefs-d'œuvre de Michel-Ange,

« de Guerchin, du Titien, de Paul Véronèse, Corrège,
« Albane, des Carrache, Raphaël, Léonard de Vinci, etc.,
« etc. »

« Ce monument de l'armée d'Italie, dit l'ordre du jour,
sera suspendu aux voûtes de la salle des séances publiques
du Directoire, et il attestera les exploits de nos guerriers
quand la génération présente aura disparu. »

Après une convention purement militaire, qui stipulait la
remise de Mayence aux troupes de la République et la
remise de Venise aux troupes autrichiennes, Bonaparte
quitta Rastadt et laissa la suite des affaires du congrès aux
mains de Treilhard et de Bonnier.

Dans les derniers temps de la campagne d'Italie, Bonaparte eut beaucoup à souffrir de l'envie de divers généraux
et du Directoire : deux fois il avait offert sa démission ; les
membres du gouvernement la désiraient et n'osaient l'accepter. Les sentiments de Bonaparte ne suivaient pas le penchant du siècle ; il cédait à contre-cœur aux intérêts nés de
la révolution : de là les contradictions de ses actes et de ses
idées.

De retour à Paris, il descendit dans sa maison, rue
Chantereine, qui prit et porte encore le nom de *rue de la
Victoire*. Le conseil des Anciens voulut faire à Napoléon le
don de Chambord, ouvrage de François Ier, qui ne rappelle
plus que l'exil du dernier fils de saint Louis [1]. Bonaparte fut
présenté au Directoire, le 10 décembre 1795, dans la cour du
palais du Luxembourg. Au milieu de cette cour s'élevait un
autel de la Patrie, surmonté des statues de la Liberté, de
l'Egalité et de la Paix. Les drapeaux conquis formaient un
dais au-dessus des cinq Directeurs habillés à l'antique ;
l'ombre de la Victoire descendait de ces drapeaux sous
lesquels la France faisait halte un moment. Bonaparte était
vêtu de l'uniforme qu'il portait à Arcole et à Lodi. M. de
Talleyrand reçut le vainqueur auprès de l'autel, se souvenant d'avoir naguère [2] dit la messe sur un autre autel.
Fuyard revenu des Etats-Unis, chargé par la protection de

---

1. Chambord avait été offert en 1821 par une souscription nationale au
duc de Bordeaux qui, après 1830, se fit appeler comte de Chambord.
2. Le 14 juillet 1790, au Champ-de-Mars (voir T. I, p. 236).

Chénier [1] du ministère des relations extérieures, l'évêque d'Autun, le sabre au côté, était coiffé d'un chapeau à la Henri IV : les événements forçaient de prendre au sérieux ces travestissements.

Le prélat fit l'éloge du conquérant de l'Italie : « Il aime, « dit-il mélancoliquement, il aime les chants d'Ossian, « surtout parce qu'ils détachent de la terre. Loin de redouter « ce qu'on appelle son ambition, il nous faudra peut-être « solliciter un jour pour l'arracher aux douceurs de sa « studieuse retraite. La France entière sera libre, peut-être « lui ne le sera jamais : telle est sa destinée. »

Merveilleusement deviné !

Le frère de saint Louis à Grandella, Charles VIII à Fornoue, Louis XII à Agnadel, François Ier à Marignan, Lautrec à Ravenne, Catinat à Turin, demeurent loin du nouveau général. Les succès de Napoléon n'eurent point de pairs.

Les Directeurs, redoutant un despotisme supérieur qui menaçait tous les despotismes, avaient vu avec inquiétude les hommages que l'on rendait à Napoléon ; ils songeaient à se débarrasser de sa présence. Ils favorisèrent la passion qu'il montrait pour une expédition dans l'Orient. Il disait : « L'Europe est une taupinière ; il n'y a jamais eu de grands « empires et de grandes révolutions qu'en Orient ; je n'ai « déjà plus de gloire : cette petite Europe n'en fournit pas « assez. » Napoléon, comme un enfant, était charmé d'avoir été élu membre de l'Institut [2]. Il ne demandait que six ans pour aller aux Indes et pour en revenir : « Nous n'avons que « vingt-neuf ans, remarquait-il en songeant à lui ; ce n'est « pas un âge : j'en aurai trente-cinq à mon retour. »

Nommé général d'une armée dite de l'Angleterre, dont les corps étaient dispersés de Brest à Anvers, Bonaparte passa son temps à des inspections, à des visites aux autorités civiles et scientifiques, tandis qu'on assemblait les troupes qui devaient composer l'armée d'Egypte. Survint l'échauffourée du drapeau tricolore et du bonnet rouge, que notre ambassadeur à Vienne, le général Bernadotte, avait planté

1. Marie-Joseph.
2. Le 26 décembre 1797, dans la classe des Sciences mathématiques.

sur la porte de son palais. Le Directoire se disposait à retenir Napoléon pour l'opposer à la nouvelle guerre possible, lorsque M. de Cobentzel prévint la rupture, et Bonaparte reçut l'ordre de partir [1]. L'Italie devenue républicaine, la Hollande transformée en république, la paix laissant à la France, étendue jusqu'au Rhin, des soldats inutiles, dans sa prévoyance peureuse le Directoire s'empressa d'écarter le vainqueur. Cette aventure d'Egypte change à la fois la fortune et le génie de Napoléon, en surdorant ce génie, déjà trop éclatant, d'un rayon du soleil qui frappa la colonne de nuée et de feu [2].

EXPÉDITION D'ÉGYPTE.

MALTE. — BATAILLE DES PYRAMIDES. — LE CAIRE. — NAPOLÉON DANS LA GRANDE PYRAMIDE. — SUEZ.

Toulon, 19 mai 1798.

PROCLAMATION.

« Soldats,

« Vous êtes une des ailes de l'armée d'Angleterre.

« Vous avez fait la guerre de montagnes, de plaines, de « siéges ; il vous reste à faire la guerre maritime.

« Les légions romaines, que vous avez quelquefois imitées, « mais pas encore égalées, combattaient Carthage tour

---

1. Pour la campagne d'Egypte.
2. Allusion à la colonne mobile qui guidait les Hébreux dans le désert.

« à tour sur cette même mer, et aux plaines de Zama [1]. La
« victoire ne les abandonna jamais, parce que constamment
« elles furent braves, patientes à supporter la fatigue,
« disciplinées et unies entre elles.

« Soldats, l'Europe a les yeux sur vous ! vous avez de
« grandes destinées à remplir, des batailles à livrer, des
« dangers, des fatigues à vaincre ; vous ferez plus que vous
« n'avez fait pour la prospérité de la patrie, le bonheur des
« hommes et votre propre gloire. »

Après cette proclamation de souvenirs, Napoléon s'embarque : on dirait d'Homère ou du héros qui enfermait les chants du Méonide [2] dans une cassette d'or. Cet homme ne chemine pas tout doucement : à peine a-t-il mis l'Italie sous ses pieds, qu'il paraît en Egypte ; épisode romanesque dont il agrandit sa vie réelle. Comme Charlemagne, il attache une épopée à son histoire. Dans la bibliothèque qu'il emporta se trouvaient *Ossian, Werther, la Nouvelle Héloïse* et *le Vieux Testament :* indication du chaos de la tête de Napoléon. Il mêlait les idées positives et les sentiments romanesques, les systèmes et les chimères, les études sérieuses et les emportements de l'imagination, la sagesse et la folie. De ces productions incohérentes du siècle il tira l'Empire ; songe immense, mais rapide comme la nuit désordonnée qui l'avait enfanté.

Entré dans Toulon le 9 mai 1798, Napoléon descend à l'hôtel de la Marine ; dix jours après il monte sur le vaisseau amiral *l'Orient ;* le 19 mai il met à la voile ; il part de la borne où la première fois il avait répandu le sang, et un sang français : les massacres de Toulon l'avaient préparé aux massacres de Jaffa. Il menait avec lui les généraux premiers nés de sa gloire. Berthier, Caffarelli, Kléber, Desaix, Lannes, Murat, Menou. Treize vaisseaux de ligne, quatorze frégates, quatre cents bâtiments de transport, l'accompagnent.

Nelson le laissa échapper du port et le manqua sur les flots, bien qu'une fois nos navires ne fussent qu'à six lieues de distance des vaisseaux anglais. De la mer de Sicile,

1. En Numidie. Scipion l'Africain y battit Hannibal (202 av. J.-C.).
2. Homère. — Ce « héros » est Alexandre.

Napoléon aperçut le sommet des Apennins ; il dit : « Je ne
« puis voir sans émotion la terre d'Italie ; voilà l'Orient : j'y
« vais. » A l'aspect de l'Ida, explosion d'admiration sur
Minos et la sagesse antique. Dans la traversée, Bonaparte se
plaisait à réunir les savants et provoquait leurs disputes ; il
se rangeait ordinairement à l'avis du plus absurde ou du
plus audacieux ; il s'enquérait si les planètes étaient habi-
tées, quand elles seraient détruites par l'eau ou par le feu,
comme s'il eût été chargé de l'inspection de l'armée céleste.

Il aborde à Malte, déniche la vieille chevalerie retirée dans
le trou d'un rocher marin ; puis il descend parmi les ruines
de la cité d'Alexandre. Il voit à la pointe du jour cette
colonne de Pompée que j'apercevais du bord de mon
vaisseau en m'éloignant de la Libye. Du pied du monument,
immortalisé d'un grand et triste nom, il s'élance ; il escalade
les murailles derrière lesquelles se trouvait jadis *le dépôt des
remèdes de l'âme* [1], et les aiguilles de Cléopâtre, maintenant
couchées à terre parmi des chiens maigres. La porte de
Rosette est forcée ; nos troupes se ruent dans les deux havres
et dans le phare. Egorgement effroyable ! l'adjudant général
Boyer écrit à ses parents : « Les Turcs, repoussés de tous
« côtés, se réfugient chez leur dieu et leur prophète ; ils
« remplissent leurs mosquées ; hommes, femmes, vieillards,
« jeunes et enfants, tous sont massacrés. »

Bonaparte avait dit à l'évêque de Malte : « Vous pouvez
« assurer vos diocésains que la religion catholique, apostoli-
« que et romaine sera non-seulement respectée, mais ses
« ministres spécialement protégés. » Il dit, en arrivant en
« Egypte : « Peuples d'Egypte, je respecte plus que les
« Mameloucks Dieu, son Prophète et le Koran. Les Fran-
« çais sont amis des musulmans. Naguère ils ont marché sur
« Rome et renversé le trône du pape, qui aigrissait les
« chrétiens contre ceux qui professent l'islamisme ; bientôt
« après ils ont dirigé leur course vers Malte, et en ont chassé
« les incrédules qui se croyaient appelés de Dieu pour faire
« la guerre aux musulmans . . . .
« Si l'Egypte est la ferme des Mameloucks, qu'ils montrent
« le bail que Dieu leur en a fait. »

1. La bibliothèque d'Alexandrie (cf. *Les Martyrs,* XI).

Napoléon marche aux Pyramides ; il crie à ses soldats : « Songez que du haut de ces monuments quarante siècles « ont les yeux fixés sur vous. » Il entre au Caire ; sa flotte saute en l'air à Aboukir ; l'armée d'Orient est séparée de l'Europe. Julien (de la Drôme), fils de Julien le conventionnel, témoin du désastre, le note minute par minute :

« Il est sept heures ; la nuit se fait et le feu redouble « encore. A neuf heures et quelques minutes le vaisseau a « sauté. Il est dix heures, le feu se ralentit et la lune se lève « à droite du lieu où vient de s'élever l'explosion du « vaisseau. »

Bonaparte au Caire déclare au chef de la loi qu'il sera le restaurateur des mosquées ; il envoie son nom à l'Arabie, à l'Ethiopie, aux Indes. Le Caire se révolte ; il le bombarde au milieu d'un orage ; l'inspiré dit aux croyants : « Je pourrais « demander à chacun de vous compte des sentiments les « plus secrets de son cœur, car je sais tout, même ce que « vous n'avez dit à personne. » Le grand schérif de la Mecque le nomme, dans une lettre, le *protecteur de la Kaaba* ; le pape, dans une missive, l'appelle *mon très-cher fils*.

Par une infirmité de nature, Bonaparte préférait souvent son côté petit à son grand côté. La partie qu'il pouvait gagner d'un seul coup ne l'amusait pas. La main qui brisait le monde se plaisait au jeu des gobelets ; sûr, quand il usait de ses facultés, de se dédommager de ses pertes ; son génie était le réparateur de son caractère. Que ne se présenta-t-il tout d'abord comme l'héritier des chevaliers ? Par une position double, il n'était, aux yeux de la multitude musulmane, qu'un faux chrétien et qu'un faux mahométan. Admirer des impiétés de système, ne pas reconnaître ce qu'elles avaient de misérable, c'est se tromper misérablement : il faut pleurer quand le géant se réduit à l'emploi du grimacier. Les infidèles proposèrent à saint Louis dans les fers la couronne d'Egypte, parce qu'il était resté, disent les historiens arabes, le plus fier chrétien qu'on eût jamais vu.

Quand je passai au Caire, cette ville conservait des traces des Français : un jardin public, notre ouvrage, était planté de palmiers ; des établissements de restaurateurs l'avaient jadis entouré. Malheureusement, de même que les anciens Egyptiens, nos soldats avaient promené un cercueil autour de leurs festins.

Quelle scène mémorable, si l'on pouvait y croire ! Bonaparte assis dans l'intérieur de la pyramide de Chéops sur le sarcophage d'un Pharaon dont la momie avait disparu, et causant avec les muphtis et les imans ! Toutefois, prenons le récit du *Moniteur* comme le travail de la muse. Si ce n'est pas l'histoire matérielle de Napoléon, c'est l'histoire de son intelligence ; cela en vaut encore la peine. Ecoutons dans les entrailles d'un sépulcre cette voix que tous les siècles entendront.

(Moniteur, 27 novembre 1798.)

« Ce jourd'hui, 25 thermidor de l'an VI de la République française une et indivisible, répondant au 28 de la lune de Mucharim, l'an de l'hégire 1213, le général en chef, accompagné de plusieurs officiers de l'état-major de l'armée et de plusieurs membres de l'Institut national, s'est transporté à la grande pyramide, dite de Chéops, dans l'intérieur de laquelle il était attendu par plusieurs muphtis et imans, chargés de lui en montrer la construction intérieure.

« La dernière salle à laquelle le général en chef est parvenu est à voûte plate, et longue de trente-deux pieds sur seize de large et dix-neuf de haut. Il n'y a trouvé qu'une caisse de granit d'environ huit pieds de long sur quatre d'épaisseur, qui renfermait la momie d'un Pharaon. Il s'est assis sur le bloc de granit, a fait asseoir à ses côtés les muphtis et imans, *Suleiman, Ibrahim* et *Muhamed,* et il a eu avec eux, en présence de sa suite, la conversation suivante :

Bonaparte : « Dieu est grand et ses œuvres sont merveil-
« leuses. Voici un grand ouvrage de main d'homme ! Quel
« était le but de celui qui fit construire cette pyramide ? »

Suleiman : « C'était un puissant roi d'Egypte, dont on
« croit que le nom était Chéops. Il voulait empêcher que des
« sacriléges ne vinssent troubler le repos de sa cendre. »

90

Bonaparte : « Le grand Cyrus se fit enterrer en plein air,
« pour que son corps retournât aux éléments : penses-tu
« qu'il ne fit pas mieux ? le penses-tu ? »

Suleiman (s'inclinant) : « Gloire à Dieu, à qui toute
« gloire est due ! »

Bonaparte : « Gloire à Allah ! Il n'y a point d'autre Dieu
« que Dieu ; Mohamed est son prophète, et je suis de ses
« amis. »

Ibrahim : « Que les anges de la victoire balaient la
« poussière sur ton chemin et te couvrent de leurs ailes ! Le
« Mamelouck a mérité la mort. »

Bonaparte : « Il a été livré aux anges noirs Moukir et
« Quarkir. »

Suleiman : « Il étendit les mains de la rapine sur les
« terres, les moissons, les chevaux de l'Egypte. »

Bonaparte : « Les trésors, l'industrie et l'amitié des
« Francs seront votre partage, en attendant que vous mon-
« tiez au septième ciel et qu'assis aux côtés des houris aux
« yeux noirs, toujours jeunes et toujours vierges, vous vous
« reposiez à l'ombre du laba, dont les branches offriront
« d'elles-mêmes aux vrais musulmans tout ce qu'ils pour-
« ront désirer. »

De telles parades ne changent rien à la gravité des
Pyramides :

> *Vingt siècles, descendus dans l'éternelle nuit,*
> *Y sont sans mouvement, sans lumière et sans bruit* 1.

Bonaparte, en remplaçant Chéops dans la crypte sécu-
laire, en aurait augmenté l'immensité ; mais il ne s'est
jamais traîné dans ce vestibule de la mort.

« Pendant le reste de notre navigation sur le Nil, dis-je
« dans l'*Itinéraire,* je demeurai sur le pont à contempler ces
« tombeaux . . . .
« . . . . . . Les grands monuments font une partie

---

1. Vers extraits du poème du P. Le Moyne intitulé *Saint Louis ou la
Couronne reconquise* (1653). Le Moyne avait écrit : « Ces siècles ». L'expression de Chateaubriand semble annoncer les « quarante siècles » de la
phrase fameuse prêtée à Bonaparte.

« essentielle de la gloire de toute société humaine : ils
« portent la mémoire d'un peuple au-delà de sa propre
« existence, et le font vivre contemporain des générations
« qui viennent s'établir dans ses champs abandonnés. »

Remercions Bonaparte, aux Pyramides, de nous avoir si
bien justifiés, nous autres petits hommes d'Etat entachés de
poésie, qui maraudons [1] de chétifs mensonges sur des
ruines.

D'après les proclamations, les ordres du jour, les discours
de Bonaparte, il est évident qu'il visait à se faire passer pour
l'envoyé du ciel, à l'instar d'Alexandre. Callisthènes [2], à qui
le Macédonien infligea dans la suite un si rude traitement,
en punition sans doute de la flatterie du philosophe, fut
chargé de prouver que le fils de Philippe était fils de
Jupiter ; c'est ce que l'on voit dans un fragment de Callis-
thène conservé par Strabon. *Le Pourparler d'Alexandre,* de
Pasquier [3], est un dialogue des morts entre Alexandre le
grand conquérant et Rabelais le grand moqueur : « Cours-
« moi de l'œil, dit Alexandre à Rabelais, toutes ces contrées
« que tu vois être en ces bas lieux, tu ne trouveras aucun
« personnage d'étoffe qui, pour autoriser ses pensées, n'ait
« voulu donner à entendre qu'il eût familiarité avec les
« dieux. » Rabelais répond : « Alexandre, pour te dire le
« vrai, je ne m'amusai jamais à reprendre tes petites
« particularités, mêmement en ce qui appartient au vin.
« Mais quel profit sens-tu de ta grandeur maintenant ? en
« es-tu autre que moi ? Le regret que tu as te doit causer
« telle fâcherie qu'il te seroit beaucoup plus expédient
« qu'avec ton corps tu eusses perdu la mémoire. »

Et pourtant, en s'occupant d'Alexandre, Bonaparte se
méprenait et sur lui-même et sur l'époque du monde et sur
la religion : aujourd'hui, on ne peut se faire passer pour un
dieu. Quant aux exploits de Napoléon dans le Levant, ils
n'étaient pas encore mêlés à la conquête de l'Europe ; ils

---

1. Emploi hardi : Il faut sans doute entendre : « qui cueillons en
maraude des mensonges sur des ruines ».
2. Philosophe, petit-neveu d'Aristote. Alexandre le fit mettre à mort en
328 av. J.-C.
3. Etienne Pasquier, juriste et humaniste (1529-1615).

n'avaient pas obtenu d'assez hauts résultats pour imposer à la foule islamiste, quoiqu'on le surnommât le *sultan de feu*. « Alexandre, à l'âge de trente-trois ans, dit Montaigne, « avoit passé victorieux toute la terre habitable, et, dans une « demi-vie, avoit atteint tout l'effort de l'humaine nature. « Plus de rois et de princes ont écrit ses gestes que d'autres « historiens n'ont écrit les gestes d'autre roi. »

Du Caire, Bonaparte se rendit à Suez : il vit la mer qu'ouvrit Moïse et qui retomba sur Pharaon. Il reconnut les traces d'un canal que commença Sésostris, qu'élargirent les Perses, que réentreprirent les Soudans dans le dessein de porter à la Méditerranée le commerce de la mer Rouge. Il projeta d'amener une branche du Nil dans le golfe Arabique : au fond de ce golfe son imagination traça l'emplacement d'un nouvel Ophir, où se tiendrait tous les ans une foire pour les marchands de parfums, d'aromates, d'étoffes de soie, pour tous les objets précieux de Mascate, de la Chine, de Ceylan, de Sumatra, des Philippines et des Indes. Les cénobites descendent du Sinaï, et le prient d'inscrire son nom auprès de celui de Saladin, dans le livre de leurs *garanties*.

Revenu au Caire, Bonaparte célèbre la fête anniversaire de la fondation de la République, en adressant ces paroles à ses soldats : « Il y a cinq ans l'indépendance du peuple « français était menacée ; mais vous prîtes Toulon : ce fut « le présage de la ruine de vos ennemis. Un an après, vous « battiez les Autrichiens à Dego ; l'année suivante, vous « étiez sur le sommet des Alpes ; vous luttiez contre Man- « toue, il y a deux ans, et vous remportiez la célèbre victoire « de Saint-Georges ; l'an passé, vous étiez aux sources de la « Drave et de l'Isonzo, de retour de l'Allemagne. Qui eût dit « alors que vous seriez aujourd'hui sur les bords du Nil, au « centre de l'ancien continent ? »

Opinion de l'armée.

MAIS Bonaparte, au milieu des soins dont il était occupé et des projets qu'il avait conçus, était-il réellement fixé dans ces idées ? Tandis qu'il avait l'air de vouloir rester en Égypte, la fiction ne l'aveuglait pas sur la réalité, et il écrivait à Joseph, son frère : « Je pense être en France dans « deux mois ; fais en sorte que j'aie une campagne à mon « arrivée, soit près de Paris ou en Bourgogne : je compte y « passer l'hiver. » Bonaparte ne calculait point ce qui pouvait s'opposer à son retour : sa volonté était sa destinée et sa fortune. Cette correspondance tombée aux mains de l'Amirauté, les Anglais ont osé avancer que Napoléon n'avait eu d'autre mission que de faire périr son armée. Une des lettres de Bonaparte contient des plaintes sur la coquetterie de sa femme.

Les Français, en Égypte, étaient d'autant plus héroïques qu'ils sentaient vivement leurs maux. Un maréchal-de-logis écrit à l'un de ses amis : « Dis à Ledoux qu'il n'ait « jamais la faiblesse de s'embarquer pour venir dans ce « maudit pays. »

Avrieury : « Tous ceux qui viennent de l'intérieur disent « qu'Alexandrie est la plus belle ville : hélas ! que doit donc « être le reste ? Figurez-vous un amas confus de maisons « mal bâties, à un étage ; les belles avec terrasse, petite « porte en bois, serrure *idem;* point de fenêtres, mais un « grillage en bois si rapproché qu'il est impossible de voir « quelqu'un au travers. Rues étroites, hormis le quartier des « Francs et le côté des grands. Les habitants pauvres, qui « forment le plus grand nombre, au naturel, hormis une « chemise bleue jusqu'à mi-cuisse, qu'ils retroussent la « moitié du temps dans leurs mouvements, une ceinture et « un turban de guenilles. J'ai de ce charmant pays jusque « par-dessus la tête. Je m'enrage d'y être. La maudite « Égypte ! Sable partout ! Que de gens attrapés, cher ami !

« Tous ces faiseurs de fortune, ou bien tous ces voleurs, ont
« le nez bas ; ils voudraient retourner d'où ils sont partis :
« je le crois bien ! »

Rozis, capitaine : « Nous sommes très-réduits ; avec cela il
« existe un mécontentement général dans l'armée ; le despo-
« tisme n'a jamais été au point qu'il l'est aujourd'hui ; nous
« avons des soldats qui se sont donné la mort en présence du
« général en chef, en lui disant : Voilà ton ouvrage ! »

Le nom de Tallien terminera la liste de ces noms
aujourd'hui presque inconnus :

TALLIEN A MADAME TALLIEN.

« Quant à moi, ma chère amie, je suis ici, comme tu le
« sais, bien contre mon gré ; ma position devient chaque
« jour plus désagréable, puisque, séparé de mon pays, de
« tout ce qui m'est cher, je ne prévois pas le moment où je
« pourrai m'en rapprocher.

« Je te l'avoue bien franchement, je préférerais mille
« fois être avec toi et ta fille retiré dans un coin de terre,
« loin de toutes les passions, de toutes les intrigues, et je
« t'assure que si j'ai le bonheur de retoucher le sol de mon
« pays, ce sera pour ne le quitter jamais. *Parmi les*
« *quarante mille Français qui sont ici, il n'y en a pas quatre*
« *qui pensent autrement.*

« Rien de plus triste que la vie que nous menons ici !
« Nous manquons de tout. Depuis cinq jours je n'ai pas
« fermé l'œil ; je suis couché sur le carreau ; les mouches,
« les punaises, les fourmis, les cousins, tous les insectes
« nous dévorent, et vingt fois chaque jour je regrette notre
« charmante chaumière. Je t'en prie, ma chère amie, ne t'en
« défais pas.

« Adieu, ma bonne Thérésia[1], les larmes inondent mon
« papier. Les souvenirs les plus doux de ta bonté, de notre
« amour, l'espoir de te retrouver toujours aimable, toujours
« fidèle, d'embrasser ma chère fille soutiennent seuls l'infor-
« tuné. »

1. Thérésia Cabarrus était devenue Mme Tallien.

La fidélité n'était pour rien dans tout cela.

Cette unanimité de plaintes est l'exagération naturelle d'hommes tombés de la hauteur de leurs illusions : de tous temps les Français ont rêvé l'Orient ; la chevalerie leur en avait tracé la route ; s'ils n'avaient plus la foi qui les menait à la délivrance du saint tombeau, ils avaient l'intrépidité des croisés, la croyance des royaumes et des beautés qu'avaient créés, autour de Godefroi, les chroniqueurs et les troubadours. Les soldats vainqueurs de l'Italie avaient vu un riche pays à prendre, des caravanes à détrousser, des chevaux, des armes et des sérails à conquérir ; les romanciers avaient aperçu la princesse d'Antioche, et les savants ajoutent leurs songes à l'enthousiasme des poëtes. Il n'y a pas jusqu'au *Voyage d'Anténor*[1] qui ne passât au début pour une docte réalité : on allait pénétrer la mystérieuse Egypte, descendre dans les catacombes, fouiller les Pyramides, retrouver des manuscrits ignorés, déchiffrer des hiéroglyphes et réveiller Thermosiris. Quand, au lieu de tout cela, l'Institut en s'abattant sur les Pyramides, les soldats en ne rencontrant que des fellahs nus, des cahutes de boue desséchée, se trouvèrent en face de la peste, des Bédouins et des Mameloucks, le mécompte fut énorme. Mais l'injustice de la souffrance aveugla sur le résultat définitif. Les Français semèrent en Egypte ces germes de civilisation que Méhémet a cultivés ; la gloire de Bonaparte s'accrut ; un rayon de lumière se glissa dans les ténèbres de l'islamisme, et une brèche fut faite à la barbarie.

CAMPAGNE DE SYRIE.

POUR prévenir les hostilités des pachas de la Syrie et poursuivre quelques Mameloucks, Bonaparte entra le

1. Ouvrage d'Etienne Lautier (1798).

22 février dans cette partie du monde à laquelle le combat d'Aboukir l'avait légué. Napoléon trompait ; c'était un de ses rêves de puissance qu'il poursuivait. Plus heureux que Cambyse, il franchit les sables sans rencontrer le vent du midi ; il campe parmi des tombeaux ; il escalade El-Arisch, et triomphe à Gaza : « Nous étions, écrit-il le 6, aux « colonnes placées sur les limites de l'Afrique et de l'Asie ; « nous couchâmes le soir en Asie.» Cet homme immense marchait à la conquête du monde ; c'était un conquérant pour des climats qui n'étaient pas à conquérir.

Jaffa est emporté. Après l'assaut, une partie de la garnison, estimée par Bonaparte à douze cents hommes et portée par d'autres à deux ou trois mille, se rendit et fut reçue à merci : deux jours après, Bonaparte ordonna de la passer par les armes.

Walter Scott et sir Robert Wilson ont raconté ces massacres ; Bonaparte, à Sainte-Hélène, n'a fait aucune difficulté de les avouer à lord Ebrington et au docteur O'Méara. Mais il en rejetait l'odieux sur la position dans laquelle il se trouvait : il ne *pouvait nourrir les prisonniers;* il ne *les pouvait renvoyer en Egypte sous escorte.* Leur laisser la liberté sur parole ? *ils ne comprendraient* même pas ce point d'honneur et ces procédés européens. « Wellington dans ma « place, disait-il, *aurait agi comme moi.* »

«Napoléon se décida, dit M. Thiers, à une mesure « terrible et qui est le seul acte cruel de sa vie : il fit passer « au fil de l'épée les prisonniers qui lui restaient ; l'armée « consomma avec obéissance, mais avec une espèce d'effroi, « l'exécution qui lui était commandée. »

Le seul acte cruel de sa vie, c'est beaucoup affirmer après les massacres de Toulon, après tant de campagnes où Napoléon compta à néant la vie des hommes. Il est glorieux pour la France que nos soldats aient protesté par *une espèce d'effroi* contre la cruauté de leur général.

Mais les massacres de Jaffa sauvaient-ils notre armée ? Bonaparte ne vit-il pas avec quelle facilité une poignée de Français renversa les forces du pacha de Damas ? A Aboukir, ne détruisit-il pas avec quelques chevaux, 13,000 Osmanlis ? Kléber, plus tard, ne fit-il pas disparaître le grand visir et ses myriades de mahométans ? S'il s'agissait de droit, quel droit les Français avaient-ils eu d'envahir l'Egypte ? Pourquoi égorgeaient-ils des hommes qui n'usaient que du droit de la défense ? Enfin Bonaparte ne pouvait invoquer les lois de la guerre, puisque les prisonniers de la garnison de Jaffa avaient *mis bas les armes* et que leur *soumission avait été acceptée.* Le fait que le conquérant s'efforçait de justifier le gênait : ce fait est passé sous silence ou indiqué vaguement dans les dépêches officielles et dans les récits des hommes attachés à Bonaparte. « Je me dispenserai, dit le docteur Larrey [1], de parler « des suites horribles qu'entraîne ordinairement l'assaut « d'une place : j'ai été le triste témoin de celui de Jaffa. » Bourienne s'écrie : « Cette scène atroce me fait encore « frémir, lorsque j'y pense, comme le jour où je la vis, et « j'aimerais mieux qu'il me fût possible de l'oublier que « d'être forcé de la décrire. Tout ce qu'on peut se figurer « d'affreux dans un jour de sang serait encore au-dessous de « la réalité. » Bonaparte écrit au Directoire que : « Jaffa fut « livré au pillage et à toutes les horreurs de la guerre qui « jamais ne lui a paru si hideuse. » Ces horreurs, qui les avait commandées ?

Berthier, compagnon de Napoléon en Egypte, étant au quartier général d'Ens, en Allemagne, adressa, le 5 mai 1809, au major général de l'armée autrichienne, une dépêche foudroyante contre une prétendue fusillade exécutée dans le Tyrol où commandait Chasteller : « Il a laissé « égorger (Chasteller) 700 prisonniers français et 18 à 1 900 « Bavarois ; crime inouï dans l'histoire des nations, qui eût « pu exciter une terrible représaille, si S. M. ne regardait *les* « *prisonniers comme placés sous sa foi et sous son hon-* « *neur.* »

Bonaparte dit ici tout ce que l'on peut dire contre l'exécution des prisonniers de Jaffa. Que lui importaient de telles contradictions ? Il connaissait la vérité, et il s'en jouait ; il en faisait le même usage que du mensonge ; il n'appréciait que le résultat, le moyen lui était égal ; le nombre des prisonniers l'embarrassait, il les tua.

Il y a toujours eu deux Bonaparte : l'un grand, l'autre

---

1. Chirurgien en chef de l'armée (1766-1842).

petit. Lorsque vous croyez être en sûreté dans la vie de Napoléon, il rend cette vie affreuse.

Miot [1], dans la première édition de ses *Mémoires* (1804), se tait sur les massacres ; on ne les lit que dans l'édition de 1814. Cette édition a presque disparu ; j'ai eu peine à la retrouver. Pour affirmer une aussi douloureuse vérité, il ne me fallait rien moins que le récit d'un témoin oculaire. Autre est de savoir en gros l'existence d'une chose, autre d'en connaître les particularités : la vérité morale d'une action ne se décèle que dans les détails de cette action ; les voici d'après Miot :

« Le 20 ventôse (10 mars), dans l'après-midi, les prison-
« niers de Jaffa furent mis en mouvement au milieu d'un
« vaste bataillon carré formé par les troupes du général
« Bon. Un bruit sourd du sort qu'on leur préparait me
« détermina, ainsi que beaucoup d'autres personnes, à
« monter à cheval et à suivre cette colonne silencieuse de
« victimes, pour m'assurer si ce qu'on m'avait dit était
« fondé. Les Turcs, marchant pêle-mêle, prévoyaient déjà
« leur destinée ; ils ne versaient point de larmes ; ils ne
« poussaient point de cris : ils étaient résignés. Quelques-
« uns blessés, ne pouvant suivre aussi promptement, furent
« tués en route à coups de baïonnette. Quelques autres
« circulaient dans la foule, et semblaient donner des avis
« salutaires dans un danger aussi imminent. Peut-être les
« plus hardis pensaient-ils qu'il ne leur était pas impossible
« d'enfoncer le bataillon qui les enveloppait ; peut-être
« espéraient-ils qu'en se disséminant dans les champs qu'ils
« traversaient, un certain nombre échapperait à la mort.
« Toutes les mesures avaient été prises à cet égard, et les
« Turcs ne firent aucune tentative d'évasion.

« Arrivés enfin dans les dunes de sable au sud-ouest
« de Jaffa, on les arrêta auprès d'une mare d'eau jaunâtre.
« Alors l'officier qui commandait les troupes fit diviser la
« masse par petites portions, et ces pelotons, conduits sur
« plusieurs points différents, y furent fusillés. Cette horrible
« opération demanda beaucoup de temps, malgré le nombre
« des troupes réservées pour ce funeste sacrifice, et qui, je

---

1. Commissaire adjoint des guerres pendant la campagne d'Égypte.

« dois le déclarer, ne se prêtaient qu'avec une extrême
« répugnance au ministère abominable qu'on exigeait de
« leurs bras victorieux. Il y avait près de la mare d'eau un
« groupe de prisonniers, parmi lesquels étaient quelques
« vieux chefs au regard noble et assuré, et un jeune homme
« dont le moral était fort ébranlé. Dans un âge si tendre, il
« devait se croire innocent, et ce sentiment le porta à une
« action qui parut choquer ceux qui l'entouraient. Il se
« précipita dans les jambes du cheval que montait le chef
« des troupes françaises ; il embrassa les genoux de cet
« officier, en implorant la grâce de la vie. Il s'écriait : « De
« quoi suis-je coupable ? quel mal ai-je fait ? » Les larmes
« qu'il versait, ses cris touchants, furent inutiles ; ils ne
« purent changer le fatal arrêt prononcé sur son sort. A
« l'exception de ce jeune homme, tous les autres Turcs
« firent avec calme leur ablution dans cette eau stagnante
« dont j'ai parlé, puis, se prenant la main, après l'avoir
« portée sur le cœur et à la bouche, ainsi que se saluent les
« musulmans, ils donnaient et recevaient un éternel adieu.
« Leurs âmes courageuses paraissaient défier la mort, on
« voyait dans leur tranquillité la confiance que leur inspi-
« rait, à ces derniers moments, leur religion et l'espérance
« d'un avenir heureux. Ils semblaient se dire : « Je quitte ce
« monde pour aller jouir auprès de Mahomet d'un bonheur
« durable. » Ainsi ce bien-être après la vie, que lui promet le
« Koran, soutenait le musulman vaincu, mais fier de son
« malheur.

« Je vis un vieillard respectable, dont le ton et les
« manières annonçaient un grade supérieur, je le vis... faire
« creuser froidement devant lui, dans le sable mouvant, un
« trou assez profond pour s'y enterrer vivant : sans doute il
« ne voulut mourir que par la main des siens. Il s'étendit
« sur le dos dans cette tombe tutélaire et douloureuse, et ses
« camarades, en adressant à Dieu des prières suppliantes, le
« couvrirent bientôt de sable et trépignèrent ensuite sur la
« terre qui lui servait de linceul, probablement dans l'idée
« d'avancer le terme de ses souffrances.

« Ce spectacle, qui fait palpiter mon cœur et que je
« peins encore trop faiblement, eut lieu pendant l'exécution
« des pelotons répartis dans les dunes. Enfin il ne restait

« plus de tous les prisonniers que ceux placés près de la
« mare d'eau. Nos soldats avaient épuisé leurs cartouches ; il
« fallut frapper ceux-ci à la baïonnette et à l'arme blanche.
« Je ne pus soutenir cette horrible vue ; je m'enfuis, pâle et
« prêt à défaillir. Quelques officiers me rapportèrent le soir
« que ces infortunés, cédant à ce mouvement irrésistible de
« la nature qui nous fait éviter le trépas, même quand nous
« n'avons plus l'espérance de lui échapper, s'élançaient les
« uns dessus les autres, et recevaient dans les membres les
« coups dirigés au cœur et qui devaient sur-le-champ
« terminer leur triste vie. Il se forma, puisqu'il faut le dire,
« une pyramide effroyable de morts et de mourants dégout-
« tant le sang, et il fallut retirer les corps déjà expirés pour
« achever les malheureux qui, à l'abri de ce rempart
« affreux, épouvantable, n'avaient point encore été frappés.
« Ce tableau est exact et fidèle, et le souvenir fait trembler
« ma main qui n'en rend point toute l'horreur ».

La vie de Napoléon opposée à de telles pages explique
l'éloignement que l'on ressent pour lui.

Conduit par les religieux du couvent de Jaffa dans les
sables au sud-ouest de la ville, j'ai fait le tour de la tombe,
jadis monceau de cadavres, aujourd'hui pyramide d'ossements ; je me suis promené dans des vergers de grenadiers chargés de pommes vermeilles, tandis qu'autour de
moi la première hirondelle arrivée d'Europe rasait la terre
funèbre.

Le ciel punit la violation des droits de l'humanité : il
envoya la peste ; elle ne fit pas d'abord de grands ravages.
Bourienne relève l'erreur des historiens qui placent la scène
des *Pestiférés de Jaffa* [1] au premier passage des Français
dans cette ville ; elle n'eut lieu qu'à leur retour de Saint-
Jean-d'Acre. Plusieurs personnes de notre armée m'avaient
déjà assuré que cette scène était une pure fable ; Bourienne
confirme ces renseignements :

« Les lits des pestiférés, raconte le secrétaire de Napo-
« léon, étaient à droite en entrant dans la première salle. Je
« marchais à côté du général ; j'affirme ne l'avoir pas vu
« toucher un pestiféré. Il traversa rapidement les salles,

1. Ce tableau de Gros est au Louvre.

101

« frappant légèrement le revers jaune de sa botte avec la
« cravache qu'il tenait à la main. Il répétait en marchant à
« grands pas ces paroles : « Il faut que je retourne en
« Egypte pour la préserver des ennemis qui vont arriver. »

Dans le rapport officiel du major général, 29 mai, il n'y
est pas dit un mot des pestiférés, de la visite à l'hôpital et de
l'attouchement des pestiférés.

Que devient le beau tableau de Gros ? Il reste comme un
chef-d'œuvre de l'art.

Saint Louis, moins favorisé par la peinture, fut plus
héroïque dans l'action : « Le bon roi, doux et débonnaire,
« quand il vit ce, eut grand pitié à son cœur, et fit tantost
« toutes autres choses laisser, et faire fosses emmi les
« champs et dédier là un cimetière par le légat... Le roi
« Louis aida de ses propres mains à enterrer les morts. A
« peine trouvoit-on aucun qui voulust mettre la main. Le roi
« venoit tous les matins, de cinq jours qu'on mit à enterrer
« les morts, après sa messe, au lieu, et disoit à sa gent :
« Allons ensevelir les martyrs, qui ont souffert pour Notre-
« Seigneur, et ne soyez pas lassés de ce faire, car ils ont plus
« souffert que nous n'avons. » Là, étoient présents, en
« habits de cérémonie, l'archevêque de Tyr et l'évêque de
« Damiette et leur clergé qui disoient le service des morts.
« Mais ils estoupoient leur nez pour la puanteur ; mais
« oncques ne fut vu au bon roi Louis estouper le sien, tant
« le faisoit fermement et dévotement [1]. »

Bonaparte met le siége devant Saint-Jean-d'Acre. On
verse le sang à Cana, qui fut témoin de la guérison du fils
du centenier par le Christ ; à Nazareth, qui cacha la
pacifique enfance du Sauveur ; au Thabor, qui vit la
transfiguration et où Pierre dit : « Maître, nous sommes
« bien sur cette montagne ; dressons-y trois tentes. » Ce fut
du mont Thabor que fut expédié l'ordre du jour à toutes les
troupes qui occupaient *Sour, l'ancienne Tyr, Césarée, les
cataractes du Nil, les bouches Pélusiaques, Alexandrie* et les
rives de la *mer Rouge,* qui porte les ruines de *Kolsum* et
d'*Arsinoë.* Bonaparte était charmé de ces noms qu'il se
plaisait à réunir.

1. Extrait des *Mémoires* de Joinville.

Dans ce lieu des miracles, Kléber et Murat renouvelèrent les faits d'armes de Tancrède et de Renaud : ils dispersèrent les populations de la Syrie, s'emparèrent du camp du pacha de Damas, jetèrent un regard sur le Jourdain, sur la mer de Galilée, et prirent possession de Scafet, l'ancienne Béthulie. — Bonaparte remarque que les habitants montrent l'endroit où Judith tua Holopherne.

Les enfants arabes des montagnes de la Judée m'ont appris des traditions plus certaines lorsqu'ils me criaient en français : « En avant, marche ! » « Ces mêmes déserts, ai-je « dit dans les *Martyrs,* ont vu marcher les armées de « Sésostris, de Cambyse, d'Alexandre, de César : siècles à « venir, vous y ramènerez des armées non moins nombreu-« ses, des guerriers non moins célèbres. »

Après m'être guidé sur les traces encore récentes de Bonaparte en Orient, je suis ramené quand il n'est plus à repasser sur sa course.

Saint-Jean était défendu par Djezzar le *Boucher* [1]. Bona-parte lui avait écrit de Jaffa, le 9 mars 1799 : « Depuis mon « entrée en Egypte, je vous ai fait connaître plusieurs fois « que mon intention n'était pas de vous faire la guerre, que « mon seul but était de chasser les Mameloucks... Je « marcherai sous peu de jours sur Saint-Jean-d'Acre. Mais « quelle raison ai-je d'ôter quelques années de vie à un « vieillard que je ne connais pas ? Que font quelques lieues « de plus à côté des pays que j'ai conquis ? »

Djezzar ne se laissa pas prendre à ces caresses : le vieux tigre se défiait de l'ongle de son jeune confrère. Il était environné de domestiques mutilés de sa propre main. « On « raconte que Djezzar est un Bosnien cruel, disait-il de « lui-même *(récit du général Sébastiani),* un homme de « rien ; mais en attendant je n'ai besoin de personne et l'on « me recherche. Je suis né pauvre ; mon père ne m'a légué « que son courage. Je me suis élevé à force de travaux ; mais « cela ne me donne pas d'orgueil : car tout finit, et « aujourd'hui peut-être, ou demain, Djezzar finira, non pas « qu'il soit vieux, comme le disent ses ennemis, mais parce « que Dieu l'a ainsi ordonné. Le roi de France, qui était

1. Il en était le pacha.

« puissant, a péri ; Nabuchodonosor a été tué par un
« moucheron, etc. »

Au bout de soixante-un jours de tranchée, Napoléon fut
obligé de lever le siége de Saint-Jean-d'Acre. Nos soldats,
sortant de leurs huttes de terre, couraient après les boulets
de l'ennemi que nos canons lui renvoyaient. Nos troupes,
ayant à se défendre contre la ville et contre les vaisseaux
embossés des Anglais, livrèrent neuf assauts et montèrent
cinq fois sur les remparts. Du temps des croisés, il y avait à
Saint-Jean-d'Acre, au rapport de Rigord [1], une tour appelée
maudite. Cette tour avait peut-être été remplacée par la
grosse tour qui fit échouer l'attaque de Bonaparte. Nos
soldats sautèrent dans les rues, où l'on se battit corps à
corps pendant la nuit. Le général Lannes fut blessé à la tête,
Colbert [2] à la cuisse : parmi les morts on compta Boyer,
Venoux et le général Bon, exécuteur du massacre des
prisonniers de Jaffa. Kléber disait de ce siége : « Les Turcs
« se défendent comme des chrétiens, les Français attaquent
« comme des Turcs. » Critique d'un soldat qui n'aimait pas
Napoléon. Bonaparte s'en alla proclamant qu'il avait rasé le
palais de Djezzar et bombardé la ville de manière qu'il n'y
restait pas pierre sur pierre, que Djezzar s'était retiré avec
ses gens dans un des forts de la côte, qu'il était grièvement
blessé, et que les frégates aux ordres de Napoléon s'étaient
emparées de trente bâtiments syriens chargés de troupes.

Sir Sidney Smith et Phelippeaux, officier d'artillerie
émigré, assistaient Djezzar : l'un avait été prisonnier au
Temple, l'autre compagnon d'études de Napoléon [3].

Autrefois périt devant Saint-Jean-d'Acre la fleur de la
chevalerie, sous Philippe-Auguste. Mon compatriote, Guillaume le Breton [4], chante ainsi en vers latins du douzième
siècle : « Dans tout le royaume à peine trouvait-on un lieu
« dans lequel quelqu'un n'eût quelque sujet de pleurer, tant
« était grand le désastre qui précipita nos héros dans la
« tombe, lorsqu'ils furent frappés par la mort dans la

1. Moine du XIIᵉ siècle.
2. Général de cavalerie.
3. A Brienne.
4. Chroniqueur (XII - XIIIᵉ s.).

104

« ville d'Ascaron (Ascalon, près de Saint-Jean-d'Acre). »

Bonaparte était un grand magicien, mais il n'avait pas le pouvoir de transformer le général Bon, tué à Ptolémaïs [1], en Raoul, sire de Coucy, qui, expirant au pied des remparts de cette ville [2], écrivait à la dame de Fayel : *Mort por loïalement amer son amie.*

Napoléon n'aurait pas été bien reçu à rejeter la chanson des *canteors,* lui qui se nourrissait à Saint-Jean-d'Acre de bien d'autres fables. Dans les derniers jours de sa vie, sous un ciel que nous ne voyons pas, il s'est plu à divulguer ce qu'il méditait en Syrie, si toutefois il n'a pas inventé des projets d'après des faits accomplis et ne s'est pas amusé à bâtir avec un passé réel l'avenir fabuleux qu'il voulait que l'on crût. « Maître de Ptolémaïs, nous racontent les révéla-« tions de Sainte-Hélène, Napoléon fondait en Orient un « empire, et la France était laissée à d'autres destinées. Il « volait à Damas, à Alep, sur l'Euphrate. Les chrétiens de « la Syrie, ceux même de l'Arménie, l'eussent renforcé. Les « populations allaient être ébranlées. Les débris des Mame-« loucks, les Arabes du désert de l'Egypte, les Druses du « Liban, les Mutualis ou mahométans opprimés de la secte « d'Ali, pouvaient se réunir à l'armée maîtresse de la Syrie, « et la commotion se communiquait à toute l'Arabie. Les « provinces de l'empire ottoman qui parlent arabe appe-« laient un grand changement et attendaient un homme « avec des chances heureuses ; il pouvait se trouver sur « l'Euphrate, au milieu de l'été, avec cent mille auxiliaires « et une réserve de vingt-cinq mille Français qu'il eût « successivement fait venir d'Egypte. Il aurait atteint Cons-« tantinople et les Indes et changé la face du monde. »

Avant de se retirer de Saint-Jean-d'Acre, l'armée française avait touché Tyr : désertée des flottes de Salomon et de la phalange du Macédonien, Tyr ne gardait plus que la solitude imperturbable d'Isaïe ; solitude dans laquelle *les chiens muets refusent d'aboyer.*

Le siège de Saint-Jean-d'Acre fut levé le 20 mai 1799. Arrivé à Jaffa le 27, Bonaparte fut obligé de continuer sa

1. Nom ancien de Saint-Jean-d'Acre.
2. En 1191.

retraite. Il y avait environ trente à quarante pestiférés, nombre que Napoléon réduit à sept, qu'on ne pouvait transporter ; ne voulant pas les laisser derrière lui, dans la crainte, disait-il, de les exposer à la cruauté des Turcs, il proposa à Desgenettes [1] de leur administrer une forte dose d'opium. Desgenettes lui fit la réponse si connue : « Mon « métier est de guérir les hommes, non de les tuer. » « On ne « leur administra point d'opium, dit M. Thiers, et ce fait « servit à propager une calomnie indigne et aujourd'hui « détruite. »

Est-ce une calomnie ? est-elle détruite ? C'est ce que je ne saurais affirmer aussi péremptoirement que le brillant historien ; son raisonnement équivaut à ceci : Bonaparte n'a point empoisonné les pestiférés, par la raison qu'il proposait de les empoisonner.

Desgenettes, d'une pauvre famille de gentilshommes normands, est encore en vénération parmi les Arabes de la Syrie, et Wilson dit que son nom ne devrait être écrit qu'en lettres d'or.

Bourrienne écrit dix pages entières pour soutenir l'empoisonnement contre ceux qui le nient : « Je ne puis pas dire « que j'aie vu donner la potion, dit-il, je mentirais ; mais je « sais bien positivement que la décision a été prise et a dû « être prise après délibération, que l'ordre en a été donné, et « que les pestiférés sont morts. Quoi ! ce dont s'entretenait, « dès le lendemain du départ de Jaffa, tout le quartier « général comme d'une chose positive, ce dont nous parlions « comme d'un épouvantable malheur, serait devenu une « atroce invention pour nuire à la réputation d'un héros ? »

Napoléon n'abandonna jamais une de ses fautes ; comme un père tendre, il préfère celui de ses enfants qui est le plus disgracié. L'armée française fut moins indulgente que les historiens admiratifs ; elle croyait à la mesure de l'empoisonnement, non-seulement contre une poignée de malades, mais contre plusieurs centaines d'hommes. Robert Wilson, dans son *Histoire de l'expédition des Anglais en Egypte*, avance le premier la grande accusation ; il affirme qu'elle était appuyée de l'opinion des officiers français prisonniers

1. Médecin principal de l'armée d'Egypte.

des Anglais en Syrie. Bonaparte donna le démenti à Wilson, qui répliqua n'avoir dit que la vérité. Wilson est le même major général qui fut commissaire de la Grande-Bretagne auprès de l'armée russe pendant la retraite de Moscou ; il eut le bonheur de contribuer depuis à l'évasion de M. de Lavalette. Il leva une légion contre la légitimité lors de la guerre d'Espagne en 1823, défendit Bilbao et renvoya à M. de Villèle son beau-frère, M. Desbassyns, contraint de relâcher dans le port. Le récit de Robert Wilson a donc, sous divers points de vue, un grand poids. La plupart des relations sont uniformes sur le fait de l'empoisonnement. M. de Las Cases admet que le bruit de l'empoisonnement était cru dans l'armée. Bonaparte, devenu plus sincère dans sa captivité, a dit à M. Warnen et au docteur O'Meara que, dans le cas où se trouvaient les pestiférés, il aurait cherché pour lui-même dans l'opium l'oubli de ses maux, et qu'il aurait fait administrer le poison à son propre fils. Walter Scott rapporte tout ce qui s'est débité à ce sujet ; mais il rejette la version du grand nombre des malades condamnés, soutenant qu'un empoisonnement ne pourrait s'exécuter avec succès sur une multitude ; il ajoute que sir Sidney rencontra dans l'hôpital de Jaffa les *sept* Français mentionnés par Bonaparte. Walter Scott est de la plus grande impartialité ; il défend Napoléon comme il aurait défendu Alexandre contre les reproches dont on peut charger sa mémoire.

C'est pour ainsi dire la première fois que je parle de Walter Scott comme historien de Napoléon, et je le citerai encore : c'est donc ici que je dois dire qu'on s'est trompé prodigieusement en accusant l'illustre Ecossais de prévention contre un grand homme. La *Vie de Napoléon* (*Life of Napoleon*) n'occupe pas moins de onze volumes. Elle n'a pas eu le succès qu'on en pouvait espérer, parce que, excepté dans deux ou trois endroits, l'imagination de l'auteur de tant d'ouvrages si brillants lui a failli : il est ébloui par les succès fabuleux qu'il décrit, et comme écrasé par le merveilleux de la gloire. La Vie entière manque aussi des grandes vues que les Anglais ouvrent rarement dans l'histoire, parce qu'ils ne conçoivent pas l'histoire comme nous. Du reste, cette Vie est exacte, sauf quelques erreurs de chronologie ;

toute la partie qui a rapport à la détention de Bonaparte à Sainte-Hélène est excellente : les Anglais étaient mieux placés que nous pour connaître cette partie. En rencontrant une vie si prodigieuse, le romancier a été vaincu par la vérité. La raison domine dans le travail de Walter Scott ; il est en garde contre lui-même. La modération de ses jugements est si grande qu'elle dégénère en apologie. Le narrateur pousse la débonnaireté jusqu'à recevoir des excuses sophistiquées par Napoléon et qui ne sont pas admissibles. Il est évident que ceux qui parlent de l'ouvrage de Walter Scott comme d'un livre écrit sous l'influence des préjugés nationaux anglais et dans un intérêt privé ne l'ont jamais lu : on ne lit plus en France. Loin de rien exagérer contre Bonaparte, l'auteur est effrayé par l'opinion : ses concessions sont innombrables ; il capitule partout ; s'il aventure d'abord un jugement ferme, il le reprend ensuite par des considérations subséquentes qu'il croit devoir à l'impartialité ; il n'ose tenir tête à son héros, ni le regarder en face. Malgré cette sorte de pusillanimité devant l'infatuation populaire, Walter Scott a perdu le mérite de ses condescendances pour avoir, dans son avertissement, fait entendre cette simple vérité : « Si le système général de Napoléon, « dit-il, a reposé sur la violence et la fraude, ce n'est ni la « grandeur de ses talents, ni le succès de ses entreprises qui « doit étouffer la voix ou éblouir les yeux de celui qui « s'aventure à devenir son historien. » *If the general system « of Napoleon has rested upon force or fraud, it is neither « the greatness of his talents, nor the success of his « undertakings, that ought to stifle the voice or dazzle the « eyes of him who adventures to be his historian. »*

L'humble audace qui essuie, comme Madeleine, la poussière des pieds du Dieu avec sa chevelure passe aujourd'hui pour un sacrilège.

La retraite sous le soleil de la Syrie fut marquée par des malheurs qui rappellent les misères de nos soldats dans la retraite de Moscou au milieu des frimas : « Il y avait encore, « dit Miot, dans les cabanes, sur les bords de la mer, « quelques malheureux qui attendaient qu'on les transpor- « tât. Parmi eux, un soldat était attaqué de la peste, et, dans « le délire qui accompagne quelquefois l'agonie, il supposa

« sans doute, en voyant l'armée marcher au bruit du
« tambour, qu'il allait être abandonné ; son imagination lui
« fit entrevoir l'étendue de son malheur s'il tombait entre
« les mains des Arabes. On peut supposer que ce fut cette
« crainte qui le mit dans une si grande agitation et qui lui
« suggéra l'idée de suivre les troupes : il prit son havresac,
« sur lequel reposait sa tête, et le plaçant sur ses épaules, il
« fit l'effort de se lever. Le venin de l'affreuse épidémie qui
« coulait dans ses veines lui ôtait ses forces, et au bout de
« trois pas il retomba sur le sable en donnant de la tête.
« Cette chute augmenta sa frayeur, et, après avoir passé
« quelques moments à regarder avec des yeux égarés la
« queue des colonnes en marche, il se leva une seconde fois
« et ne fut pas plus heureux ; à sa troisième tentative il
« succomba et, tombant plus près de la mer, il resta à la
« place que les destins lui avaient choisie pour tombeau. La
« vue de ce soldat était épouvantable ; le désordre qui
« régnait dans ses discours insignifiants, sa figure qui
« peignait la douleur, ses yeux ouverts et fixes, ses habits en
« lambeaux, offraient tout ce que la mort a de plus hideux.
« L'œil attaché sur les troupes en marche, il n'avait point
« eu l'idée, toute simple pour quelqu'un de sang-froid, de
« tourner la tête d'un autre côté : il aurait aperçu la
« division Kléber et celle de cavalerie qui quittèrent Ten-
« toura après les autres, et l'espoir de se sauver aurait
« peut-être conservé ses jours. »

Quand nos soldats, devenus impassibles, voyaient un de
leurs infortunés camarades les suivre comme un homme
dans l'ivresse, trébuchant, tombant, se relevant et retombant pour toujours, ils disaient : « Il a pris ses quartiers. »

Une page de Bourienne achèvera le tableau :

« Une soif dévorante, disent les Mémoires, le manque
« total d'eau, une chaleur excessive, une marche fatigante
« dans des dunes brûlantes, démoralisèrent les hommes, et
« firent succéder à tous les sentiments généreux le plus
« cruel égoïsme, la plus affligeante indifférence. J'ai vu
« jeter de dessus les brancards des officiers amputés dont le
« transport était ordonné, et qui avaient même remis de
« l'argent pour récompense de la fatigue. J'ai vu abandon-
« ner dans les orges des amputés, des blessés, des pestiférés,

« ou soupçonnés seulement de l'être. La marche était
« éclairée par des torches allumées pour incendier les petites
« villes, les bourgades, les villages, les hameaux, les riches
« moissons dont la terre était couverte. Le pays était tout en
« feu. Ceux qui avaient l'ordre de présider à ces désastres
« semblaient, en répandant partout la désolation, vouloir
« venger leurs revers et trouver un soulagement à leurs
« souffrances. Nous n'étions entourés que de mourants, de
« pillards et d'incendiaires. Des mourants jetés sur les bords
« du chemin disaient d'une voix faible : *Je ne suis pas*
« *pestiféré, je ne suis que blessé ;* et, pour convaincre les
« passants, on en voyait rouvrir leur blessure ou s'en faire
« une nouvelle. Personne n'y croyait ; on disait : *Son affaire*
« *est faite ;* on passait, on se tâtait ; et tout était oublié. Le
« soleil, dans tout son éclat sous ce beau ciel, était obscurci
« par la fumée de nos continuels incendies. Nous avions la
« mer à notre droite ; à notre gauche et derrière nous le
« désert que nous faisions ; devant nous les privations et les
« souffrances qui nous attendaient. »

RETOUR EN ÉGYPTE. — CONQUÊTE DE LA HAUTE-ÉGYPTE.

« IL est parti ; il est arrivé ; il a dissipé tous les orages ; son
« retour les a fait repasser dans le désert. » Ainsi chantait et se
louait le triomphateur repoussé, en rentrant au Caire : il
emportait le monde dans des hymnes.

Pendant son absence, Desaix avait achevé de soumettre la
Haute-Egypte. On rencontre en remontant le Nil des débris
à qui le langage de Bossuet laisse toute leur grandeur et
l'augmente : « On a, dit l'auteur de l'*Histoire universelle,*
« découvert dans le Saïde des temples et des palais presque

« encore entiers, où ces colonnes et ces statues sont innom-
« brables. On y admire surtout un palais dont les restes
« semblent n'avoir subsisté que pour effacer la gloire de
« tous les plus grands ouvrages. Quatre allées à perte de
« vue, et bornées de part et d'autre par des sphinx d'une
« matière aussi rare que leur grandeur est remarquable,
« servent d'avenues à quatre portiques dont la hauteur
« étonne les yeux. Quelle magnificence et quelle étendue !
« Encore ceux qui nous ont décrit ce prodigieux édifice
« n'ont-ils pas eu le temps d'en faire le tour, et ne sont pas
« même assurés d'en avoir vu la moitié ; mais tout ce qu'ils
« y ont vu étoit surprenant. Une salle, qui apparemment
« faisoit le milieu de ce superbe palais, étoit soutenue de
« six-vingt colonnes de six brassées de grosseur, grandes à
« proportion, et entremêlées d'obélisques que tant de siècles
« n'ont pu abattre. Les couleurs mêmes, c'est-à-dire ce qui
« éprouve le plus tôt le pouvoir du temps, se soutiennent
« encore parmi les ruines de cet admirable édifice et y
« conservent leur vivacité : tant l'Egypte savoit imprimer le
« caractère d'immortalité à tous ses ouvrages ! Maintenant
« que le nom du roi Louis XIV pénètre aux parties du
« monde les plus inconnues, ne seroit-ce pas un digne objet
« de cette noble curiosité de découvrir les beautés que la
« Thébaïde renferme dans ses déserts ? Quelles beautés ne
« trouveroit-on pas si on pouvoit aborder la ville royale,
« puisque si loin d'elle on découvre des choses si merveilleu-
« ses ! La puissance romaine, désespérant d'égaler les Egyp-
« tiens, a cru faire assez pour sa grandeur d'emprunter les
« monuments de leurs rois. »

Napoléon se chargea d'exécuter les conseils que Bossuet
donnait à Louis XIV. « Thèbes, dit M. Denon [1], qui suivait
« l'expédition de Desaix, cette cité reléguée que l'imagina-
« tion n'entrevoit plus qu'à travers l'obscurité des temps, était
« encore un fantôme si gigantesque qu'à son aspect l'armée
« s'arrêta d'elle-même et battit des mains. Dans le complai-
« sant enthousiasme des soldats, je trouvai des genoux pour
« me servir de table, des corps pour me donner de l'ombre...
« Parvenus aux cataractes du Nil, nos soldats, toujours

1. Directeur des musées sous l'Empire.

« combattant contre les beys et éprouvant des fatigues
« incroyables, s'amusaient à établir dans le village de Syène
« des boutiques de tailleurs, d'orfèvres, de barbiers, de
« traiteurs à prix fixe. Sous une allée d'arbres alignés, ils
« plantèrent une colonne milliaire avec l'inscription : *Route*
« *de Paris...* En redescendant le Nil, l'armée eut souvent
« affaire aux Mecquains. On mettait le feu aux retranche-
« ments des Arabes : ils manquaient d'eau ; ils éteignaient
« le feu avec les pieds et les mains ; ils l'étouffaient avec
« leurs corps. » « Noirs et nus, dit encore M. Denon, on les
« voyait courir à travers les flammes : c'était l'image des
« diables dans l'enfer. Je ne les regardais point sans un
« sentiment d'horreur et d'admiration. Il y avait des
« moments de silence dans lesquels une voix se faisait
« entendre ; on lui répondait par des hymnes sacrés et des
« cris de combat. »

Ces Arabes chantaient et dansaient comme les soldats et
les moines espagnols dans Saragosse embrasée ; les Russes
brûlèrent Moscou : la sorte de sublime démence qui agitait
Bonaparte, il la communiquait à ses victimes.

BATAILLE D'ABOUKIR. — BILLETS ET LETTRES
DE NAPOLÉON. — IL REPASSE EN FRANCE. —
DIX-HUIT BRUMAIRE.

NAPOLÉON rentré au Caire écrivait au général Dugua [1] :
« Vous ferez, citoyen général, trancher la tête à Abdalla-

1. 1740-1802.

« Aga, ancien gouverneur de Jaffa. D'après ce que m'ont
« dit les habitants de Syrie, c'est un monstre dont il faut
« délivrer la terre....Vous ferez fusiller les nommés Hassan,
« Joussef, Ibrahim, Saleh, Mahamet, Bekir, Hadj-Saleh,
« Mustapha, Mahamed, tous Mameloucks. » Il renouvelle
souvent ces ordres contre des Egyptiens qui ont *mal parlé
des Français :* tel était le cas que Bonaparte faisait des lois ;
le droit même de la guerre permettait-il de sacrifier tant de
vies sur ce simple ordre d'un chef : *vous ferez fusiller ?* Au
sultan du Darfour il écrit : « Je désire que vous me fassiez
« passer *deux mille esclaves* mâles, ayant plus de seize ans. »
Il aimait les esclaves.

Une flotte ottomane de cent voiles mouille à Aboukir et
débarque une armée : Murat, appuyé du général Lannes, la
jette dans la mer ; Bonaparte instruit le Directoire de ce
succès : « Le rivage où l'année dernière les courants ont
« porté les cadavres anglais et français est aujourd'hui
« couvert de ceux de nos ennemis. » On se fatigue à marcher
dans ces monceaux de victoires comme dans les sables
étincelants de ces déserts.

Le billet suivant frappe tristement l'esprit : « J'ai été peu
« satisfait, citoyen général, de toutes vos opérations pendant
« le mouvement qui vient d'avoir lieu. Vous avez reçu
« l'ordre de vous porter au Caire, et vous n'en avez rien fait.
« Tous les événements qui peuvent survenir ne doivent
« jamais empêcher un militaire d'obéir, et le talent à la
« guerre consiste à lever les difficultés qui peuvent rendre
« difficile une opération, et non pas à la faire manquer. Je
« vous dis ceci pour l'avenir. »

Ingrat d'avance, cette rude instruction de Bonaparte est
adressée à Desaix qui offrait à la tête des braves, dans la
Haute-Egypte, autant d'exemples d'humanité que de courage, marchant au pas de son cheval, causant de ruines,
regrettant sa patrie, sauvant des femmes et des enfants,
aimé des populations qui l'appelaient le *Sultan juste,* enfin
à ce Desaix tué depuis à Marengo dans la charge par
laquelle le premier consul devint le maître de l'Europe. Le
caractère de l'homme perce dans le billet de Napoléon :
domination et jalousie ; on pressent celui que toute renommée afflige, le prédestinateur auquel est donnée la parole

qui reste et qui contraint ; mais sans cet esprit de commandement Bonaparte aurait-il pu tout abattre devant lui ?

Prêt à quitter le sol antique où l'homme d'autrefois s'écriait en expirant : « Puissances qui dispensez la vie aux « hommes, recevez-moi et accordez-moi une demeure parmi « les dieux immortels ! », Bonaparte ne songe qu'à son avenir de la terre : il fait avertir par la mer Rouge les gouverneurs de l'île de France et de l'île de Bourbon ; il envoie ses salutations au sultan de Maroc et au bey de Tripoli ; il leur fait part de ses affectueuses sollicitudes pour les caravanes et les pèlerins de la Mecque ; Napoléon cherche en même temps à détourner le grand-visir de l'invasion que la Porte médite, assurant qu'il est prêt à tout vaincre, comme à entrer dans toute négociation.

Une chose ferait peu d'honneur à notre caractère, si notre imagination et notre amour de nouveauté n'étaient plus coupables que notre équité nationale ; les Français s'extasient sur l'expédition d'Egypte, et ils ne remarquent pas qu'elle blessait autant la probité que le droit politique : en pleine paix avec la plus vieille alliée de la France, nous l'attaquons, nous lui ravissons sa féconde province du Nil, sans déclaration de guerre, comme des Algériens qui, dans une de leurs *algarades,* se seraient emparés de Marseille et de la Provence. Quand la Porte arme pour sa défense légitime, fiers de notre illustre guet-apens, nous lui demandons ce qu'elle a, et pourquoi elle se fâche ; nous lui déclarons que nous n'avons pris les armes que pour faire la police chez elle, que pour la débarrasser de ces brigands de Mamelucks qui tenaient son pacha prisonnier. Bonaparte mande au grand-visir : « Comment Votre Excellence ne « sentirait-elle pas qu'il n'y a pas un Français de tué qui ne « soit un appui de moins pour la Porte ? Quant à moi, je « tiendrai pour le plus beau jour de ma vie celui où je « pourrai contribuer à faire terminer une guerre à la fois « *impolitique et sans objet.* » Bonaparte voulait s'en aller : la guerre alors était sans objet et impolitique ! L'ancienne monarchie fut du reste aussi coupable que la République : les archives des affaires étrangères conservent plusieurs plans de colonies françaises à établir en Egypte ; Leibnitz lui-même avait conseillé la colonie égyptienne à Louis XIV.

Les Anglais n'estiment que la politique positive, celle des intérêts ; la fidélité aux traités et les scrupules moraux leur semblent puérils.

Enfin l'heure était sonnée : arrêté aux frontières orientales de l'Asie, Bonaparte va saisir d'abord le sceptre de l'Europe, pour chercher ensuite au nord, par un autre chemin, les portes de l'Himalaya et les splendeurs de Cachemire. Sa dernière lettre à Kléber, datée d'Alexandrie, 22 août 1799, est de toute excellence et réunit la raison, l'expérience et l'autorité. La fin de cette lettre s'élève à un pathétique sérieux et pénétrant.

« Vous trouverez ci-joint, citoyen général, un ordre « pour prendre le commandement en chef de l'armée. La « crainte que la croisière anglaise ne reparaisse d'un « moment à l'autre me fait précipiter mon voyage de deux « ou trois jours.

« J'emmène avec moi les généraux Berthier, Andréossi, « Murat, Lannes et Marmont, et les citoyens Monge et « Berthollet.

« Vous trouverez ci-joints les papiers anglais et de « Francfort jusqu'au 10 juin. Vous y verrez que nous avons « perdu l'Italie, que Mantoue, Turin et Tortone sont blo- « qués. J'ai lieu d'espérer que la première tiendra jusqu'à la « fin de novembre. J'ai l'espérance, si la fortune me sourit, « d'arriver en Europe avant le commencement d'octobre. » Suivent des instructions particulières.

« Vous savez apprécier aussi bien que moi combien la « possession de l'Egypte est importante à la France : cet « empire turc, qui menace ruine de tous côtés, s'écroule « aujourd'hui, et l'évacuation de l'Egypte serait un malheur « d'autant plus grand, que nous verrions de nos jours cette « belle province passer en d'autres mains européennes.

« Les nouvelles des succès ou des revers qu'aura la « République doivent aussi entrer puissamment dans vos « calculs.

. . . .

« Vous connaissez, citoyen général, quelle est ma « manière de voir sur la politique intérieure de l'Egypte : « quelque chose que vous fassiez, les chrétiens seront « toujours nos amis. Il faut les empêcher d'être trop

« insolents, afin que les Turcs n'aient pas contre nous le
« même fanatisme que contre les chrétiens, ce qui nous les
« rendrait irréconciliables.

. . . .

« J'avais déjà demandé plusieurs fois une troupe de
« comédiens ; je prendrai un soin particulier de vous en
« envoyer. Cet article est très-important pour l'armée et
« pour commencer à changer les mœurs du pays.

« La place importante que vous allez occuper en chef
« va vous mettre à même enfin de déployer les talents que la
« nature vous a donnés. L'intérêt de ce qui se passera ici est
« vif, et les résultats en seront immenses pour le commerce,
« pour la civilisation ; ce sera l'époque d'où dateront de
« grandes révolutions.

« Accoutumé à voir la récompense des peines et des
« travaux de la vie dans l'opinion de la postérité, j'aban-
« donne avec le plus grand regret l'Egypte. L'intérêt de la
« patrie, sa gloire, l'obéissance, les événements extraordi-
« naires qui viennent de se passer, me décident seuls à
« passer au milieu des escadres ennemies pour me rendre en
« Europe. Je serai d'esprit et de cœur avec vous. Vos succès
« me seront aussi chers que ceux où je me trouverais en
« personne, et je regarderai comme mal employés tous les
« jours de ma vie où je ne ferai pas quelque chose pour
« l'armée dont je vous laisse le commandement, et pour
« consolider le magnifique établissement dont les fonde-
« ments viennent d'être jetés.

« L'armée que je vous confie est toute composée de
« mes enfants ; j'ai eu dans tous les temps, même dans les
« plus grandes peines, des marques de leur attachement.
« Entretenez-les dans ces sentiments, vous le devez à l'es-
« time et à l'amitié toute particulière que j'ai pour vous et à
« l'attachement vrai que je leur porte.

                                        « BONAPARTE. »

Jamais le guerrier n'a retrouvé d'accents pareils ; c'est
Napoléon qui finit ; l'empereur, qui suivra, sera sans doute
plus étonnant encore ; mais combien aussi plus haïssable !
Sa voix n'aura plus le son des jeunes années : le temps, le
despotisme, l'ivresse de la prospérité, l'auront altérée.

Bonaparte aurait été bien à plaindre s'il eût été contraint, en vertu de l'ancienne loi égyptienne, à tenir trois jours embrassés les *enfants* qu'il avait fait mourir. Il avait songé, pour les soldats qu'il laissait exposés à l'ardeur du soleil, à ces distractions que le capitaine Parry [1] employa trente-deux ans après pour ses matelots dans les nuits glacées du pôle. Il envoie le testament de l'Egypte à son brave successeur, qui sera bientôt assassiné, et il se dérobe furtivement, comme César se sauva à la nage dans le port d'Alexandrie. Cette reine que le poëte appelait un *fatal prodige* [2], Cléopâtre, ne l'attendait pas ; il allait au rendez-vous secret que lui avait donné le destin, autre puissance infidèle. Après s'être plongé dans l'Orient, source des renommées merveilleuses, il nous revient, sans toutefois être monté à Jérusalem, de même qu'il n'entra jamais dans Rome. Le Juif qui criait : Malheur ! malheur ! rôda autour de la ville sainte [3], sans pénétrer dans ses habitacles éternels. Un poëte, s'échappant d'Alexandrie, monte le dernier sur la frégate aventureuse. Tout imprégné des miracles de la Judée et des souvenirs de la tombe aux Pyramides, Bonaparte franchit les mers, insouciant de leurs vaisseaux et de leurs abîmes : tout était guéable pour ce géant, événements et flots.

Napoléon prend la route que j'ai suivie : il longe l'Afrique par des vents contraires ; au bout de vingt et un jours, il double le cap Bon ; il gagne les côtes de Sardaigne, est forcé de relâcher à Ajaccio, promène ses regards sur les lieux de sa naissance, reçoit quelque argent du cardinal Fesch, et se rembarque ; il découvre une flotte anglaise qui ne le poursuit pas. Le 8 octobre, il entre dans la rade de Fréjus, non loin de ce golfe Juan où il se devait manifester une terrible et dernière fois. Il aborde à terre, part, arrive à Lyon, prend la route du Bourbonnais, entre à Paris le 16 octobre. Tout paraît disposé contre lui, Barras, Sieyès, Bernadotte, Moreau ; et tous ces opposants le servent comme par miracle. La conspiration s'ourdit ; le gouvernement est

1. Navigateur anglais, explorateur des mers polaires (1790-1855).
2. *Fatale monstrum* (Horace, *Odes* I, XXXVII).
3. Allusion au prophète qui, d'après l'historien Josèphe, pendant le siège de Jérusalem par Titus, courait autour des murs de la ville en criant : « Malheur ! malheur ! »

transféré à Saint-Cloud. Bonaparte veut haranguer le Conseil des Anciens : il se trouble, il balbutie les mots de frères d'armes, de volcan, de victoire, de césar ; on le traite de Cromwell, de tyran, d'hypocrite : il veut accuser et on l'accuse ; il se dit accompagné du dieu de la guerre et du dieu de la fortune ; il se retire en s'écriant : « Qui m'aime me suive ! » On demande sa mise en accusation ; Lucien, président du conseil des Cinq-Cents, descend de son fauteuil pour ne pas mettre Napoléon hors la loi. Il tire son épée et jure de percer le sein de son frère si jamais il essaie de porter atteinte à la liberté. On parlait de faire fusiller le soldat déserteur, l'infracteur des lois sanitaires, le porteur de la peste, et on le couronne. Murat fait sauter par les fenêtres les représentants ; le 18 brumaire s'accomplit ; le gouvernement consulaire naît, et la liberté meurt.

Alors s'opère dans le monde un changement absolu : l'homme du dernier siècle descend de la scène, l'homme du nouveau siècle y monte ; Washington, au bout de ses prodiges, cède la place à Bonaparte, qui recommence les siens. Le 9 novembre le président des Etats-Unis ferme l'année 1799 ; le premier consul de la République française ouvre l'année 1800 :

> *Un grand destin commence, un grand destin s'achève*[1].
> (CORNEILLE.)

C'est sur ces événements immenses qu'est écrite la partie de mes *Mémoires* que vous avez vue, ainsi qu'un texte moderne profanant d'antiques manuscrits. Je comptais mes battements et mes obscurités à Londres sur les élévations et l'éclat de Napoléon ; le bruit de ses pas se mêlait au silence des miens dans mes promenades solitaires ; son nom me poursuivait jusque dans les réduits où se rencontraient les tristes indigences de mes compagnons d'infortune, et les joyeuses détresses, ou, comme aurait dit notre vieille langue, les misères *hilareuses* de Pelletier[2]. Napoléon était de mon âge : partis tous les deux du sein de l'armée, il avait gagné

---

1. Corneille, *Attila* I, VII.
2. Cf. T.I, p. 412 : Pelletier « toujours criant et rigolant ».

cent batailles que je languissais encore dans l'ombre de ces émigrations qui furent le piédestal de sa fortune. Resté si loin derrière lui, le pouvais-je jamais rejoindre ? Et néanmoins quand il dictait des lois aux monarques, quand il les écrasait de ses armées et faisait jaillir leur sang sous ses pieds, quand, le drapeau à la main, il traversait les ponts d'Arcole et de Lodi, quand il triomphait aux Pyramides, aurais-je donné pour toutes ces victoires une seule de ces heures oubliées qui s'écoulaient en Angleterre dans une petite ville inconnue ? Oh ! magie de la jeunesse !

DEUXIEME COALITION. — POSITION DE LA FRANCE AU RETOUR DE BONAPARTE DE LA CAMPAGNE D'EGYPTE.

JE quittai l'Angleterre quelques mois après que Napoléon eut quitté l'Egypte ; nous revînmes en France presque en même temps, lui de Memphis, moi de Londres : il avait saisi des villes et des royaumes, ses mains étaient pleines de puissantes réalités ; je n'avais encore pris que des chimères.

Que s'était-il passé en Europe pendant l'absence de Napoléon ?

La guerre recommencée en Italie, au royaume de Naples et dans les Etats de Sardaigne ; Rome et Naples momentanément occupées ; Pie VI prisonnier, amené pour mourir en France ; un traité d'alliance est conclu entre les cabinets de Pétersbourg et de Londres.

Deuxième coalition continentale contre la France. Le 8 avril 1799, le congrès de Rastadt est rompu, les plénipotentiaires français sont assassinés. Suwaroff, arrivé en Italie, bat les Français à Cassano. La citadelle de Milan se rend au général russe. Une de nos armées, forcée d'évacuer Naples, se soutient à peine, commandée par le général Macdonald. Masséna défend la Suisse.

Mantoue succombe après un blocus de soixante-douze jours et un siège de vingt. Le 15 octobre 1799, le général Joubert, tué à Novi, laisse le champ libre à Bonaparte ; il était destiné à jouer le rôle de celui-ci : malheur à qui barrait une fortune fatale, témoins Hoche, Moreau et Joubert ! Vingt mille Anglais descendus au Helder y restent inutiles ; leur flotte en partie est bloquée par les glaces ; notre cavalerie charge sur des vaisseaux et les prend. Dix-huit mille Russes, auxquels les combats et les fatigues ont réduit l'armée de Suwaroff, ayant passé le Saint-Gothard le 24 septembre, se sont engagés dans la vallée de la Reuss. Masséna sauve la France à la bataille de Zurich. Suwaroff, rentré en Allemagne, accuse les Autrichiens et se retire en Pologne. Telle était la position de la France, lorsque Bonaparte reparaît, renverse le Directoire et établit le Consulat.

Avant de m'engager plus loin, je rappellerai une chose dont on doit déjà être convaincu : je ne m'occupe pas d'une vie particulière de Bonaparte ; je trace l'abrégé et le résumé de ses actions ; je peins ses batailles, je ne les décris pas ; on les trouve partout, depuis Pomereul, qui a donné les *Campagnes d'Italie*, jusqu'à nos généraux, critiques et censeurs des combats où ils assistèrent, jusqu'aux tacticiens étrangers, anglais, russes, allemands, italiens, espagnols. Les bulletins publics de Napoléon et ses dépêches secrètes forment le fil très peu sûr de ces narrations. Les travaux du lieutenant-général Jomini [1] fournissent la meilleure source d'instruction : l'auteur est d'autant plus croyable, qu'il a fait preuve d'études dans son *Traité de la grande tactique* et dans son *Traité des grandes opérations militaires*. Admirateur de Napoléon jusqu'à l'injustice, attaché à l'état-major du maréchal Ney, on a de lui l'histoire critique et militaire des campagnes de la révolution ; il a vu de ses propres yeux la guerre en Allemagne, en Prusse, en Pologne et en Russie jusqu'à la prise de Smolensk ; il était présent en Saxe aux combats de 1813 ; de là il passa aux alliés ; il fut condamné à mort par un conseil de guerre de Bonaparte, et nommé au

---

1. Cet officier suisse est resté jusqu'en 1812 au service de la France ; il a laissé des traités militaires de grande importance.

même moment aide de camp de l'empereur Alexandre. Attaqué par le général Sarrazin, dans son *Histoire de la guerre de Russie et d'Allemagne,* Jomini lui répliqua. Jomini a eu à sa disposition les matériaux déposés au ministère de la guerre et aux autres archives du royaume ; il a contemplé à l'envers la marche rétrograde de nos armées, après avoir servi à les guider en avant. Son récit est lucide et entremêlé de quelques réflexions fines et judicieuses. On lui a souvent emprunté des pages entières sans le dire ; mais je n'ai point la vocation de copiste et je n'ambitionne point le renom suspect d'un César méconnu, auquel il n'a manqué qu'un casque pour soumettre de nouveau la terre. Si j'avais voulu venir au secours de la mémoire des vétérans, en manœuvrant sur des cartes, en courant autour des champs de bataille couverts de paisibles moissons, en extrayant tant et tant de documents, en entassant descriptions sur descriptions toujours les mêmes, j'aurais accumulé volumes sur volumes, je me serais fait une réputation de capacité, au risque d'ensevelir sous mes labeurs moi, mon lecteur et mon héros. N'étant qu'un petit soldat, je m'humilie devant la science des Végèce ; je n'ai point pris pour mon public les officiers à demi-solde ; le moindre caporal en sait plus que moi.

CONSULAT.

DEUXIÈME CAMPAGNE D'ITALIE. — VICTOIRE DE MARENGO. — VICTOIRE DE HOHENLINDEN. — PAIX DE LUNÉVILLE.

POUR s'assurer de la place où il s'était assis, Napoléon avait besoin de se surpasser en miracles.

Le 25 et le 30 avril 1800, les Français franchissent le Rhin, Moreau à leur tête. L'armée autrichienne, battue quatre fois en huit jours, recule d'un côté jusqu'au Voralberg, de l'autre jusqu'à Ulm. Bonaparte passe le grand Saint-Bernard le 16 mai ; et le 20, le petit Saint-Bernard, le Simplon, le Saint-Gothard, le mont Cenis, le mont Genèvre, sont escaladés et emportés ; nous pénétrons en Italie par trois débouchés réputés imprenables, cavernes des ours, rochers des aigles. L'armée s'empare de Milan le 2 juin, et la République Cisalpine se réorganise ; mais Gênes est obligée de se rendre après un siège mémorable, soutenu par Masséna.

L'occupation de Pavie et l'affaire heureuse de Montebello précèdent la victoire de Marengo.

Une défaite commence cette victoire : les corps de Lannes et de Victor épuisés cessent de combattre et abandonnent le terrain ; la bataille se renouvelle avec quatre mille hommes d'infanterie que conduit Desaix et qu'appuie la brigade de cavalerie de Kellermann : Desaix est tué. Une charge de Kellermann décide le succès de la journée qu'achèvera de compléter la stupidité du général Mélas.

Desaix, gentilhomme d'Auvergne, sous-lieutenant dans le régiment de Bretagne, aide de camp du général Victor de Broglie, commanda en 1796 une division de l'armée de Moreau, et passa en Orient avec Bonaparte. Son caractère était désintéressé, naïf et facile. Lorsque le traité d'El-Arisch l'eut rendu libre, il fut retenu par lord Keith au lazaret de Livourne. « Quand les lumières étaient éteintes, dit « Miot son compagnon de voyage, notre général nous faisait « conter des histoires de voleurs et de revenants ; il parta-« geait nos plaisirs et apaisait nos querelles ; il aimait « beaucoup les femmes et n'aurait voulu mériter leur « amour que par son amour pour la gloire. » A son débar-quement en Europe, il reçut une lettre du premier consul qui l'appelait auprès de lui ; elle l'attendrit, et Desaix disait : « Ce pauvre Bonaparte est couvert de gloire, et il n'est « pas heureux. » Lisant dans les journaux la marche de l'armée de réserve, il s'écriait : « Il ne nous laissera rien à « faire. » Il lui laissait à lui donner la victoire et à mourir.

Desaix fut inhumé sur le haut des Alpes, à l'hospice du

mont Saint-Bernard, comme Napoléon sur les mornes de Sainte-Hélène.

Kléber assassiné trouva la mort en Egypte de même que Desaix la rencontra en Italie. Après le départ du commandant en chef, Kléber avec onze mille hommes défait cent mille Turcs sous les ordres du grand-visir, à Héliopolis, exploit auquel Napoléon n'a rien à comparer.

Le 16 juin, convention d'Alexandrie. Les Autrichiens se retirent sur la rive gauche du bas Pô. Le sort de l'Italie est décidé dans cette campagne appelée de *trente jours*.

Le triomphe d'Hochstedt obtenu par Moreau console l'ombre de Louis XIV. Cependant l'armistice entre l'Allemagne et l'Italie, conclu après la bataille de Marengo, était dénoncé le 20 octobre 1800.

Le 3 décembre amena la victoire de Hohenlinden au milieu d'une tempête de neige ; victoire encore obtenue par Moreau, grand général sur qui dominait un autre grand génie. Le compatriote de Du Guesclin marche sur Vienne. A vingt-cinq lieues de cette capitale, il conclut la suspension d'armes de Steyer avec l'archiduc Charles. Après la bataille de Pozzolo, le passage du Mincio, de l'Adige et de la Brenta, survient, le 9 févier 1801, le traité de paix de Lunéville.

Et il n'y avait pas neuf mois que Napoléon était au bord du Nil ! Neuf mois lui avaient suffi pour renverser la révolution populaire en France et pour écraser les monarchies absolues en Europe.

Je ne sais plus si c'est à cette époque qu'il faut placer une anecdote que l'on trouve dans des mémoires familiers, et si cette anecdote mérite la peine d'être rappelée ; mais il ne manque pas d'historiettes sur César ; la vie n'est pas toute en plaine, on monte quelquefois, on descend souvent : Napoléon avait reçu dans son lit à Milan une Italienne de seize années, belle comme le jour ; au milieu de la nuit il la renvoya, de même qu'il aurait fait jeter par la fenêtre un bouquet de fleurs.

Une autre fois, une de ces belles printanières s'était glissée dans le palais qu'il habitait ; elle y pénétrait à trois heures du matin, faisait le sabbat et roulait ses jeunes années sur la tête du lion, ce jour-là plus patient.

Ces plaisirs, loin d'être l'amour, n'avaient même pas une

vraie puissance sur un homme de la mort : il aurait incendié Persépolis pour son propre compte, non pour les joies d'une courtisane. « François Ier, dit Tavannes [1], voit « les affaires quand il n'a plus de femmes ; Alexandre voit « les femmes quand il n'a plus d'affaires. »

Les femmes, en général, détestaient Bonaparte comme mères ; elles l'aimaient peu comme femmes, parce qu'elles n'en étaient pas aimées : sans délicatesse, il les insultait, ou ne les recherchait que pour un moment. Il a inspiré quelques passions d'imagination après sa chute : en ce temps-ci, et pour un cœur de femme, la poésie de la fortune est moins séduisante que celle du malheur ; il y a des fleurs de ruines.

A l'instar de l'ordre des chevaliers de Saint-Louis, la Légion-d'Honneur est créée : par cette institution passe un rayon de la vieille monarchie, et s'introduit un obstacle à la nouvelle égalité. La translation des cendres de Turenne aux Invalides fit estimer Napoléon ; l'expédition du capitaine Baudin [2] portait sa renommée autour du monde. Tout ce qui pouvait nuire au premier consul échoue : il se débarrasse du complot des prévenus du 18 vendémiaire [3], et échappe le 3 nivôse à la machine infernale ; Pitt se retire ; Paul meurt ; Alexandre lui succède ; on n'apercevait point encore Wellington. Mais l'Inde s'ébranle pour nous enlever notre conquête du Nil ; l'Egypte est attaquée par la mer Rouge, tandis que le Capitan-Pacha l'aborde par la Méditerranée. Napoléon agite les empires : toute la terre se mêlait de lui.

1. Maréchal de France (1555-1629).
2. Nicolas Baudin, parti du Havre en octobre 1800, explora les terres australes ; il trouva la mort dans cette expédition.
3. Des jacobins.

LES préliminaires de la paix entre la France et l'Angleterre, arrêtés à Londres le 1er octobre 1801, sont convertis en traité à Amiens. Le monde napoléonien n'était point encore fixé ; ses limites changeaient avec la crue ou la décroissance des marées de nos victoires.

C'est à peu près alors que le premier consul nommait Toussaint-Louverture gouverneur à vie à Saint-Domingue, et incorporait l'île d'Elbe à la France ; mais Toussaint, traîtreusement enlevé, devait mourir dans un château fort du Jura, et Bonaparte se nantissait d'une prison à Porto-Ferrajo [1] afin de subvenir à l'empire du monde quand il n'y aurait plus de place.

Le 6 mai 1802, Napoléon est élu consul pour dix ans, et bientôt consul à vie. Il se trouve à l'étroit dans la vaste domination que la paix avec l'Angleterre lui avait laissée : sans s'embarrasser du traité d'Amiens, sans songer aux guerres nouvelles où sa résolution va le plonger, sous prétexte de la non-évacuation de Malte, il réunit les provinces du Piémont aux Etats français, et, en raison des troubles survenus en Suisse, il l'occupe. L'Angleterre rompt avec nous : cette rupture a lieu du 13 au 30 mai 1803, et le 22 mai paraît le décret sauvage qui enjoint d'arrêter tous les Anglais commerçant ou voyageant en France.

Bonaparte envahit le 3 juin l'Electorat de Hanovre : à Rome, je fermais alors les yeux d'une femme ignorée [2].

Le 21 mars 1804 amène la mort du duc d'Enghien : je vous l'ai raconté. Le même jour, le Code civil ou le Code

---

1. Capitale de l'île d'Elbe.
2. Pauline de Beaumont.

Napoléon est décrété pour nous apprendre à respecter les lois.

Quarante jours après la mort du duc d'Enghien, un membre du Tribunat, nommé Curée, fait, le 30 avril 1804, la motion d'élever Bonaparte au suprême pouvoir, apparemment parce qu'on avait juré la liberté : jamais maître plus éclatant n'est sorti de la proposition d'un esclave plus obscur.

Le Sénat conservateur change en décret la proposition du Tribunat. Bonaparte n'imite ni César ni Cromwell : plus assuré devant la couronne, il l'accepte. Le 18 mai il est proclamé empereur à Saint-Cloud, dans les salles dont lui-même chassa le peuple, dans les lieux où Henri III fut assassiné, Henriette d'Angleterre empoisonnée [1], Marie-Antoinette accueillie de quelques joies fugitives qui la conduisirent à l'échafaud, et d'où Charles X est parti pour son dernier exil.

Les adresses de congratulation débordent. Mirabeau en 1790 avait dit : « Nous donnons un nouvel exemple de cette « aveugle et mobile inconsidération qui nous a conduits « d'âge en âge à toutes les crises qui nous ont successive- « ment affligés. Il semble que nos yeux ne puissent être « dessillés et que nous ayons résolu d'être, jusqu'à la « consommation des siècles, des enfants quelquefois mutins « et toujours esclaves. »

Le plébiscite du 1er décembre 1804 est présenté à Napoléon ; l'empereur répond : *« Mes descendants conserveront « longtemps ce trône. »* Quand on voit les illusions dont la « Providence environne le pouvoir, on est consolé par leur « courte durée.

1. Du moins le bruit en a-t-il couru.

EMPIRE

SACRE. — ROYAUME D'ITALIE.

« LE 2 décembre 1804 eurent lieu le sacre et le couronne-
« ment de l'empereur à Notre-Dame de Paris. Le pape
« prononça cette prière : « Dieu tout-puissant et éternel, qui
« avez établi Hazaël pour gouverner la Syrie, et Jéhu roi
« d'Israël, en leur manifestant vos volontés par l'organe du
« prophète Elie ; qui avez également répandu l'onction
« sainte des rois sur la tête de Saül et de David, par le
« ministère du prophète Samuel, répandez par mes mains
« les trésors de vos grâces et de vos bénédictions sur votre
« serviteur Napoléon, que, malgré notre indignité person-
« nelle, nous consacrons aujourd'hui empereur en votre
« nom. » Pie VII n'étant encore qu'évêque d'Imola avait dit
en 1797 : « Oui, mes très-chers frères, *siate buoni cristiani,*
« *e sarete ottimi democratici.* [1]. Les vertus morales rendent
« bons démocrates. Les premiers chrétiens étaient animés
« de l'esprit de démocratie : Dieu favorisa les travaux de
« Caton d'Utique et des illustres républicains de Rome. »
Quo turbine fertur vita hominum [2] ?
  Le 18 mars 1805, l'empereur déclare au Sénat qu'il
accepte la couronne de fer que lui sont venus offrir les
collèges électoraux de la République cisalpine : il était à la
fois l'inspirateur secret du vœu et l'objet public du vœu.
Peu à peu l'Italie entière se range sous ses lois ; il l'attache à
son diadème, comme au seizième siècle les chefs de guerre
mettaient un diamant en guise de bouton à leur chapeau.

---

1. « Soyez bons chrétiens, et vous serez d'excellents démocrates. »
2. « Par quel tourbillon la vie des hommes est-elle emportée ? »

INVASION DE L'ALLEMAGNE. — AUSTERLITZ. — LE TRAITÉ DE PAIX DE PRESBOURG. — LE SANHÉDRIN.

L'EUROPE blessée voulut mettre un appareil à sa blessure : l'Autriche adhère au traité de Presbourg conclu entre la Grande-Bretagne et la Russie[1]. Alexandre et le roi de Prusse ont une entrevue à Potsdam, ce qui fournit à Napoléon un sujet d'ignobles moqueries. La troisième coalition continentale s'ourdit. Ces coalitions renaissaient sans cesse de la défiance et de la terreur ; Napoléon s'éjouissait dans les tempêtes : il profite de celle-ci.

Du rivage de Boulogne où il décrétait une colonne et menaçait Albion avec des chaloupes, il s'élance. Une armée organisée par Davoust se transporte comme un nuage à la rive du Rhin. Le 1er octobre 1805, l'empereur harangue ses cent soixante mille soldats : la rapidité de son mouvement déconcerte l'Autriche. Combat du Lech, combat de Werthingen, combat de Guntzbourg. Le 17 octobre, Napoléon paraît devant Ulm ; il fait à Mack le commandement : *Armes bas !* Mack obéit avec ses trente mille hommes. Munich se rend ; l'Inn est passé, Salzbourg pris, la Traun franchie. Le 13 novembre, Napoléon pénètre dans une de ces capitales qu'il visitera tour à tour : il traverse Vienne, enchaîné à ses propres triomphes, il est emmené à leur suite jusqu'au centre de la Moravie à la rencontre des Russes. A gauche la Bohême s'insurge ; à droite les Hongrois se lèvent ; l'archiduc Charles accourt d'Italie. La Prusse, entrée clandestinement dans la coalition et ne s'étant pas encore déclarée, envoie le ministère Haugwitz porteur d'un ultimatum.

1. Le traité de Presbourg a été conclu le 11 avril 1805 ; l'Autriche y adhère en août.

Arrive le 2 décembre 1805, la journée d'Austerlitz. Les alliés attendaient un troisième corps russe qui n'était plus qu'à huit marches de distance. Kutuzof [1] soutenait qu'on devait éviter de risquer une bataille ; Napoléon par ses manœuvres force les Russes d'accepter le combat : ils sont défaits. En moins de deux mois les Français, partis de la mer du Nord, ont, par delà la capitale de l'Autriche, écrasé les légions de Catherine. Le ministre de Prusse vient féliciter Napoléon à son quartier général : « Voilà, lui dit le « vainqueur, un compliment dont la fortune a changé « l'adresse. » François second se présente à son tour au bivouac du soldat heureux : « Je vous reçois, lui dit Napo-« léon, dans le seul palais que j'habite depuis deux mois. »

— « Vous savez si bien tirer parti de cette habitation, « répondit François, qu'elle doit vous plaire. » De pareils souverains valaient-ils la peine d'être abattus ? Un armistice est accordé. Les Russes se retirent en trois colonnes à journées d'étape dans un ordre déterminé par Napoléon. Depuis la bataille d'Austerlitz, Bonaparte ne fait presque plus que des fautes.

Le traité de Presbourg est signé le 26 décembre 1805. Napoléon fabrique deux rois, l'électeur de Bavière et l'électeur de Wurtemberg. Les républiques que Bonaparte avait créées, il les dévorait pour les transformer en monarchies ; et, contradictoirement à ce système, le 27 décembre 1805, au château de Schœnbrünn, il déclare que *la dynastie de Naples a cessé de régner ;* mais c'était pour la remplacer par la sienne [2] : à sa voix, les rois entraient ou sautaient par les fenêtres. Les desseins de la Providence ne s'accomplissaient pas moins avec ceux de Napoléon : on voit marcher à la fois Dieu et l'homme. Bonaparte après sa victoire ordonne de bâtir le pont d'Austerlitz à Paris, et le ciel ordonne à Alexandre d'y passer.

La guerre commencée dans le Tyrol s'était poursuivie tandis qu'elle continuait en Moravie. Au milieu des prosternations, quand on trouve un homme debout, on respire :

---

1. Le général en chef des armées russes.
2. En la personne de son frère Joseph.

Hofer le Tyrolien [1] ne capitula pas comme son maître : mais la magnanimité ne touchait point Napoléon ; elle lui semblait stupidité ou folie. L'empereur d'Autriche abandonna Hofer. Lorsque je traversai le lac de Garde, qu'immortalisèrent Catulle et Virgile, on me montra l'endroit où fut fusillé le chasseur : c'est ce que j'ai su personnellement du courage du sujet et de la lâcheté du prince.

Le prince Eugène [2], le 14 janvier 1806, épousa la fille du nouveau roi de Bavière : les trônes s'abattaient de toute part dans la famille d'un soldat de la Corse. Le 20 février l'empereur décrète la restauration de l'église de Saint-Denis ; il consacre les caveaux reconstruits à la sépulture des princes de sa race, et Napoléon n'y sera jamais enseveli : l'homme creuse la tombe ; Dieu en dispose.

Berg et Clèves sont dévolus à Murat, les Deux-Siciles à Joseph. Un souvenir de Charlemagne traverse la cervelle de Napoléon, et l'Université est érigée.

La République batave, contrainte à aimer les princes, envoie le 5 juin 1806 implorer Napoléon, afin qu'il daignât lui accorder son frère Louis pour roi.

L'idée de l'association de la Batavie à la France par une union plus ou moins déguisée ne provenait que d'une convoitise sans règle et sans raison : c'était préférer une petite province à fromage aux avantages qui résulteraient de l'alliance d'un grand royaume ami, en augmentant sans profit les frayeurs et les jalousies de l'Europe ; c'était confirmer aux Anglais la position de l'Inde, en les obligeant, pour leur sûreté, de garder le cap de Bonne-Espérance et Ceylan dont ils s'étaient emparés à notre première invasion de la Hollande. La scène de l'octroiement des Provinces-Unies au prince Louis était préparée : on donna au château des Tuileries une seconde représentation de Louis XIV faisant paraître au château de Versailles son petit-fils Philippe V. Le lendemain il y eut déjeuner en grand gala, dans le salon de Diane. Un des enfants de la reine Hortense entre ; Bonaparte lui dit : « Chou-chou, répète-nous la fable

---

1. Chef des insurgés tyroliens.
2. Eugène de Beauharnais (1781-1824), fils de Joséphine.

que tu as apprise. » L'enfant aussitôt : *Les grenouilles qui demandent un roi,* et il continue :

> *Les grenouilles, se lassant*
> *De l'état démocratique,*
> *Par leurs clameurs firent tant*
> *Que Jupin leur envoie un roi tout pacifique.*

Assis derrière la récente souveraine de Hollande [1], l'empereur, selon une de ses familiarités, lui pinçait les oreilles : s'il était de grande société, il n'était pas toujours de bonne compagnie.

Le 17 de juillet 1806 a lieu le traité de la confédération des Etats du Rhin ; quatorze princes allemands se séparent de l'Empire, s'unissent entre eux et avec la France : Napoléon prend le titre de protecteur de cette confédération.

Le 20 juillet, la paix de la France avec la Russie étant signée, François II, par suite de la confédération du Rhin, renonce le 6 août à la dignité d'empereur électif d'Allemagne et devient empereur héréditaire d'Autriche : le Saint-Empire romain croule. Cet immense événement fut à peine remarqué ; après la révolution française, tout était petit ; après la chute du trône de Clovis, on entendait à peine le bruit de la chute du trône germanique.

Au commencement de notre révolution, l'Allemagne comptait une multitude de souverains. Deux principales monarchies tendaient à attirer vers elles les différents pouvoirs : l'Autriche créée par le temps, la Prusse par un homme. Deux religions divisaient le pays et s'asseyaient tant bien que mal sur les bases du traité de Westphalie. L'Allemagne rêvait l'unité politique ; mais il manquait à l'Allemagne, pour arriver à la liberté, l'éducation politique, comme pour arriver à la même liberté l'éducation militaire manque à l'Italie. L'Allemagne, avec ses anciennes traditions, ressemblait à ces basiliques aux clochetons multiples, lesquelles pèchent contre les règles de l'art, mais n'en représentent pas moins la majesté de la religion et la puissance des siècles.

1. La reine Hortense.

La confédération du Rhin est un grand ouvrage inachevé, qui demandait beaucoup de temps, une connaissance spéciale des droits et des intérêts des peuples ; il dégénéra subitement dans l'esprit de celui qui l'avait conçu : d'une combinaison profonde, il ne resta qu'une machine fiscale et militaire. Bonaparte, sa première visée de génie passée, n'apercevait plus que de l'argent et des soldats ; l'exacteur [1] et le recruteur prenaient la place du grand homme. Michel-Ange de la politique et de la guerre, il a laissé des cartons remplis d'immenses ébauches.

Remueur de tout, Napoléon imagina vers cette époque le grand Sanhédrin [2] : cette assemblée ne lui adjugea pas Jérusalem, mais, de conséquence en conséquence, elle a fait tomber les finances du monde aux échoppes des Juifs, et produit par là dans l'économie sociale une fatale subversion.

Le marquis de Lauderdale vint à Paris remplacer M. Fox dans les négociations pendantes entre la France et l'Angleterre, pourparlers diplomatiques qui se réduisirent à ce mot de l'ambassadeur anglais [3] sur M. de Talleyrand : « C'est de la boue* dans un bas de soie. »

QUATRIÈME COALITION. — CAMPAGNE DE PRUSSE ; DÉCRET DE BERLIN. — GUERRE EN POLOGNE CONTRE LA RUSSIE. — TILSIT. — PROJET DE PARTAGE DU MONDE ENTRE NAPOLÉON ET ALEXANDRE. — PAIX.

DANS le courant de 1806, la quatrième coalition éclate. Napoléon part de Saint-Cloud, arrive à Mayence, enlève à

1. Le percepteur.
2. Conseil suprême des Juifs.
3. Le mot est attribué à Napoléon lui-même.
* J'affaiblis l'expression.

Saalbourg les magasins de l'ennemi. A Saalfeldt, le prince Ferdinand de Prusse est tué. A Auerstaedt et à Iéna, le 14 octobre, la Prusse disparaît dans cette double bataille : je ne la retrouvai plus à mon retour de Jérusalem.

Le Bulletin prussien peint tout dans une ligne : « *L'armée* « *du roi a été battue. Le roi et ses frères sont en vie.* » Le duc de Brunswick survécut peu à ses blessures : en 1792, sa proclamation avait soulevé la France ; il m'avait salué sur le chemin lorsque, pauvre soldat, j'allai rejoindre les frères de Louis XVI.

Le prince d'Orange et Moellendorf, avec plusieurs officiers généraux renfermés dans Halle, ont la permission de se retirer en vertu de la capitulation de la place.

Moellendorf, âgé de plus de 80 ans, avait été le compagnon de Frédéric, qui en fait l'éloge dans l'*Histoire de son temps,* de même que Mirabeau dans ses *Mémoires secrets.* Il assista à nos désastres de Rosbach et fut témoin de nos triomphes d'Iéna : le duc de Brunswick vit à Clostercamp immoler d'Assas, et tomber à Auerstaedt Ferdinand de Prusse, coupable seulement de haine généreuse contre le meurtre du duc d'Enghien. Ces spectres des vieilles guerres de Hanovre et de Silésie ont touché les boulets de nos deux Empires : les ombres impuissantes du passé ne pouvaient arrêter la marche de l'avenir ; entre les fumées de nos anciennes tentes et de nos bivouacs nouveaux, elles parurent et s'évanouirent.

Erfut capitule ; Leipsick est saisi par Davoust ; les passages de l'Elbe sont forcés ; Spandau cède ; Bonaparte fait prisonnière à Potsdam l'épée de Frédéric. Le 27 octobre 1806, le grand roi de Prusse, dans sa poussière autour de ses palais vides à Berlin, entend porter les armes d'une façon qui lui révèle des grenadiers étrangers : Napoléon est arrivé. Pendant que le monument de la philosophie s'écroulait au bord de la Sprée, je visitais à Jérusalem le monument impérissable de la religion.

Stettin, Custrin se rendent ; à Lubeck nouvelle victoire ; la capitale de la Wagrie est emportée d'assaut ; Blücher, destiné à pénétrer deux fois dans Paris, demeure entre nos mains. C'est l'histoire de la Hollande et de ses quarante-six villes emportées dans un voyage en 1672 par Louis XIV.

Le 27 novembre paraît le décret de Berlin sur le système continental, décret gigantesque qui mit l'Angleterre au ban du monde, et fut au moment de s'accomplir ; ce décret paraissait fou, il n'était qu'immense. Nonobstant, si le blocus continental créa d'un côté les manufactures de la France, de l'Allemagne, de la Suisse et de l'Italie, de l'autre il étendit le commerce anglais sur le reste du globe : en gênant les gouvernements de notre alliance, il révolta des intérêts industriels, fomenta des haines, et contribua à la rupture entre le cabinet des Tuileries et le cabinet de Saint-Pétersbourg. Le blocus fut donc un acte douteux : Richelieu ne l'aurait pas entrepris.

Bientôt, à la suite des autres Etats de Frédéric, la Silésie est parcourue. La guerre avait commencé le 9 octobre entre la France et la Prusse : en dix-sept jours nos soldats, comme une volée d'oiseaux de proie, ont plané sur les défilés de la Franconie, sur les eaux de la Saale et de l'Elbe ; le 6 décembre les trouve au delà de la Vistule. Murat, depuis le 29 novembre, tenait garnison à Varsovie, d'où s'étaient retirés les Russes, venus trop tard au secours des Prussiens. L'électeur de Saxe, enflé en roi napoléonien, accède à la confédération du Rhin, et s'engage à fournir en cas de guerre un contingent de vingt mille hommes.

L'hiver de 1807 suspend les hostilités entre les deux empires de France et de Russie mais ces empires se sont abordés, et une altération s'observe dans les destinées. Toutefois, l'astre de Bonaparte monte encore malgré ses aberrations. En 1807, le 7 février, il garde le champ de bataille à Eylau : il reste de ce lieu de carnage un des plus beaux tableaux de Gros, orné de la tête idéalisée de Napoléon. Après cinquante et un jours de tranchée, Dantzick ouvre ses portes au maréchal Lefebvre, qui n'avait cessé de dire aux artilleurs pendant le siège : « Je n'y « entends rien ; mais fichez-moi un trou et j'y passerai. » L'ancien sergent aux gardes-françaises devint duc de Dantzick.

Le 14 juin 1807, Friedland coûte aux Russes 17 000 morts et blessés, autant de prisonniers et 70 canons ; nous payâmes trop cher cette victoire : nous avions changé d'ennemi ; nous n'obtenions plus de succès sans que la veine française ne fût largement ouverte. Kœnigsberg est emporté ; à Tilsit un armistice est conclu.

Napoléon et Alexandre ont une entrevue dans un pavillon, sur un radeau. Alexandre menait en laisse le roi de Prusse qu'on apercevait à peine : le sort du monde flottait sur le Niémen, où plus tard il devait s'accomplir. A Tilsit on s'entretint d'un traité secret en dix articles. Par ce traité, la Turquie européenne était dévolue à la Russie, ainsi que les conquêtes que les armées moscovites pourraient faire en Asie. De son côté, Bonaparte devenait maître de l'Espagne et du Portugal, réunissait Rome et ses dépendances au royaume d'Italie, passait en Afrique, s'emparait de Tunis et d'Alger, possédait Malte, envahissait l'Egypte, ouvrant la Méditerranée aux seules voiles françaises, russes, espagnoles et italiennes : c'étaient des cantates sans fin dans la tête de Napoléon. Un projet d'invasion de l'Inde par terre avait déjà été concerté en 1800 entre Napoléon et l'empereur Paul Ier.

La paix est conclue le 7 juillet. Napoléon odieux dès le début pour la reine de Prusse [1], ne voulut rien accorder à ses intercessions. Elle habitait une petite maison esseulée sur la rive droite du Niémen, et on lui fit l'honneur de la prier deux fois aux festins des empereurs. La Silésie, jadis injustement envahie par Frédéric, fut rendue à la Prusse : on respectait le droit de l'ancienne injustice ; ce qui venait de la violence était sacré. Une partie des territoires polonais passa en souveraineté à la Saxe ; Dantzick fut rétabli dans son indépendance ; on compta pour rien les hommes tués dans ses rues et dans ses fossés : ridicules et inutiles meurtres de la guerre ! Alexandre reconnut la confédération du Rhin et les trois frères de Napoléon, Joseph, Louis et Jérôme, comme rois de Naples, de Hollande et de Westphalie.

---

1. La reine Louise (1776-1810).

GUERRE D'ESPAGNE. — ERFURT. — APPARITION DE WELLINGTON.

CETTE fatalité dont Bonaparte menaçait les rois le menaçait lui-même ; presque simultanément il attaque la Russie, l'Espagne et Rome : trois entreprises qui l'ont perdu. Vous avez vu dans le *Congrès de Vérone,* dont la publication a devancé celle de ces *Mémoires,* l'histoire de l'envahissement de l'Espagne. Le traité de Fontainebleau fut signé le 29 octobre 1807. Junot arrivé en Portugal avait déclaré, d'après le décret de Bonaparte, que la maison de Bragance *avait cessé de régner;* protocole adopté : vous savez qu'elle règne encore. On était si bien instruit à Lisbonne de ce qui se passait sur la terre, que Jean second [1] ne connut ce décret que par un numéro du *Moniteur* apporté par hasard, et déjà l'armée française était à trois marches de la capitale de la Lusitanie. Il ne restait à la cour qu'à fuir sur ces mers qui saluèrent les voiles de Gama et entendirent les chants de Camoëns.

En même temps que pour son malheur Bonaparte avait au nord touché la Russie, le rideau se leva au midi ; on vit d'autres régions et d'autres scènes, le soleil de l'Andalousie, les palmiers du Guadalquivir que nos grenadiers saluèrent en portant les armes. Dans l'arène on aperçut des taureaux combattant, dans les montagnes des guérillas demi-nues, dans les cloîtres des moines priant.

Par l'envahissement de l'Espagne, l'esprit de la guerre changea ; Napoléon se trouva en contact avec l'Angleterre, son génie funeste, et il lui apprit la guerre : l'Angleterre détruisit la flotte de Napoléon à Aboukir, l'arrêta à Saint-

---

1. En réalité, Jean VI, alors régent du Portugal. Il se réfugia au Brésil.

Jean-d'Acre, lui enleva ses derniers vaisseaux à Trafalgar, le contraignit d'évacuer l'Ibérie, s'empara du midi de la France jusqu'à la Garonne, et l'attendit à Waterloo : elle garde aujourd'hui sa tombe à Sainte-Hélène de même qu'elle occupa son berceau en Corse.

Le 5 mai 1808, le traité de Bayonne cède à Napoléon, au nom de Charles IV, tous les droits de ce monarque : le rapt des Espagnes ne fait plus de Bonaparte qu'un prince d'Italie, à la façon de Machiavel, sauf l'énormité du vol. L'occupation de la Péninsule diminue ses forces contre la Russie dont il est encore ostensiblement l'ami et l'allié, mais dont il porte au cœur la haine cachée. Dans sa proclamation, Napoléon avait dit aux Espagnols : «Votre nation « périssait ; j'ai vu vos maux, je vais y porter remède ; je « veux que vos derniers neveux conservent mon souvenir et « disent : *Il fut le régénérateur de notre patrie.*» Oui, il a été le régénérateur de l'Espagne, mais il prononçait des paroles qu'il comprenait mal. Un catéchisme d'alors, composé par les Espagnols, explique le sens véritable de la prophétie :

«Dis-moi, mon enfant, qui es-tu ? — Espagnol par « la grâce de Dieu. — Quel est l'ennemi de notre félicité ? « — L'empereur des Français. — Qui est-ce ? — Un « méchant. — Combien a-t-il de natures ? — Deux, la « nature humaine et la nature diabolique. — De qui dérive « Napoléon ? — Du péché. — Quel supplice mérite l'Espa- « gnol qui manque à ses devoirs ? — La mort et l'infamie « des traîtres. — Que sont les Français ? — D'anciens « chrétiens devenus hérétiques.»

Bonaparte tombé a condamné en termes non équivoques son entreprise d'Espagne : «J'embarquai, dit-il, fort mal « toute cette affaire. *L'immoralité dut se montrer par trop « patente, l'injustice par trop cynique,* et le tout demeure « fort vilain, puisque j'ai succombé ; car *l'attentat* ne se « présente plus que dans sa honteuse nudité, privé de tout le « grandiose et des nombreux bienfaits qui remplissaient « mon intention. La postérité l'eût préconisé pourtant si « j'avais réussi, et avec raison peut-être, à cause de ses « grands et heureux résultats. Cette combinaison m'a « perdu. Elle a perdu ma moralité en Europe, ouvert une

« école aux soldats anglais. Cette malheureuse guerre d'Es-
« pagne a été une véritable plaie, la cause première des
« malheurs de la France [1]. »

Cet aveu, pour réemployer la phrase de Napoléon, *est
par trop cynique* ; mais ne nous y trompons pas : en s'accusant le but de Bonaparte est de chasser dans le désert,
chargé de malédictions, un attentat-émissaire, afin d'appeler sans réserve l'admiration sur toutes ses autres
actions.

L'affaire de Baylen [2] perdue, les cabinets de l'Europe,
étonnés du succès des Espagnols, rougissent de leur pusillanimité. Wellington se lève pour la première fois sur l'horizon, au point où le soleil se couche ; une armée anglaise
débarque le 31 juillet 1808 près de Lisbonne, et le 30 août
les troupes françaises évacuent la Lusitanie. Soult avait en
portefeuille des proclamations où il s'intitulait Nicolas Ier,
roi de Portugal. Napoléon rappela de Madrid le grand-duc
de Berg. Entre Joseph, son frère, et Joachim, son beau-
frère, il lui plut d'opérer une transmutation : il prit la
couronne de Naples sur la tête du premier et la posa sur la
tête du second ; il enfonça d'un coup de main ces coiffures
sur le front des deux nouveaux rois, et ils s'en allèrent,
chacun de son côté, comme deux conscrits qui ont changé
de shako.

Le 22 septembre, à Erfurt, Bonaparte donna une des
dernières représentations de sa gloire ; il croyait s'être joué
d'Alexandre et l'avoir enivré d'éloges. Un général écrivait :
« Nous venons de faire avaler un verre d'opium au czar, et,
« pendant qu'il dormira, nous irons nous occuper d'ail-
« leurs. »

Un hangar avait été transformé en salle de spectacle ;
deux fauteuils à bras étaient placés devant l'orchestre pour
les deux potentats ; à gauche et à drcite, des chaises garnies
pour les monarques ; derrière étaient des banquettes pour
les princes : Talma, roi de la scène, joua devant un parterre
de rois. A ce vers :

1. Phrases tirées du *Mémorial*.
2. Echec français en Andalousie (22 juillet 1808).

L'amitié d'un grand homme est un bienfait des dieux [1],

Alexandre serra la main de son *grand ami,* s'inclina et dit : « Je ne l'ai jamais mieux senti. »

Aux yeux de Bonaparte, Alexandre était alors un niais ; il en faisait des risées ; il l'admira quand il le supposa « fourbe : « C'est un Grec du Bas-Empire, disait-il, il faut « s'en défier. » A Erfurt, Napoléon affectait la fausseté effrontée d'un soldat vainqueur ; Alexandre dissimulait comme un prince vaincu : la ruse luttait contre le mensonge, la politique de l'Occident et la politique de l'Orient gardaient leurs caractères.

Londres éluda les ouvertures de paix qui lui furent faites, et le cabinet de Vienne se déterminait sournoisement à la guerre. Livré de nouveau à son imagination, Bonaparte, le 26 octobre, fit au Corps législatif cette déclaration : « L'em- « pereur de Russie et moi nous nous sommes vus à Erfurt : « nous sommes d'accord et invariablement unis pour la paix « comme pour la guerre. » Il ajouta : « Lorsque je paraîtrai « *au-delà* des Pyrénées, le Léopard épouvanté cherchera « l'Océan pour éviter la honte, la défaite ou la mort : » et le Léopard a paru *en deçà* des Pyrénées.

Napoléon, qui croit toujours ce qu'il désire, pense qu'il reviendra sur la Russie, après avoir achevé de soumettre l'Espagne en quatre mois, comme il arriva depuis à la légitimité ; conséquemment il retire quatre-vingt mille vieux soldats de la Saxe, de la Pologne et de la Prusse ; il marche lui-même en Espagne ; il dit à la députation de la ville de Madrid : « Il n'est aucun obstacle capable de retar- « der longtemps l'exécution de mes volontés. Les Bourbons « ne peuvent plus régner en Europe ; aucune puissance ne « peut exister sur le continent influencée par l'Angle- « terre. »

Il y a trente-deux ans que cet oracle est rendu, et la prise de Saragosse, dès le 21 février 1809, annonça la délivrance de l'univers.

Toute la vaillance des Français leur fut inutile : les forêts s'armèrent, les buissons devinrent ennemis. Les représailles

---

1. On jouait l'*Œdipe* de Voltaire où se trouve ce vers.

n'arrêtèrent rien, parce que dans ce pays les représailles sont naturelles. L'affaire de Baylen, la défense de Girone et de Ciudad-Rodrigo, signalèrent la résurrection d'un peuple. La Romana [1], du fond de la Baltique, ramène ses régiments en Espagne, comme autrefois les Francs, échappés de la mer Noire, débarquèrent triomphants aux bouches du Rhin. Vainqueurs des meilleurs soldats de l'Europe, nous versions le sang des moines avec cette rage impie que la France tenait des bouffonneries de Voltaire et de la démence athée de la Terreur. Ce furent pourtant ces milices du cloître qui mirent un terme aux succès de nos vieux soldats : ils ne s'attendaient guère à rencontrer ces enfroqués, à cheval comme des dragons de feu, sur les poutres embrasées des édifices de Saragosse, chargeant leurs escopettes parmi les flammes au son des mandolines, au chant des *boleros* et au *requiem* de la messe des morts : les ruines de Sagonte [2] applaudirent.

Mais néanmoins le secret des palais des Maures, changés en basiliques chrétiennes, fut pénétré ; les églises dépouillées perdirent les chefs-d'œuvre de Velasquez et de Murillo ; une partie des os de Rodrigue à Burgos fut enlevée ; on avait tant de gloire qu'on ne craignit pas de soulever contre soi les restes du Cid, comme on n'avait pas craint d'irriter l'ombre de Condé.

Lorsque, sortant des débris de Carthage, je traversai l'Hespérie avant l'invasion des Français, j'aperçus les Espagnes encore protégées de leurs antiques mœurs. L'Escurial me montra dans un seul site et dans un seul monument la sévérité de la Castille : caserne de cénobites, bâtie par Philippe II dans la forme d'un gril de martyre, en mémoire de l'un de nos désastres, l'Escurial s'élevait sur un sol concret entre des mornes noirs. Il renfermait des tombes royales remplies ou à remplir, une bibliothèque à laquelle les araignées avaient apposé leur sceau, et des chefs-d'œuvre de Raphaël moisissant dans une sacristie vide. Ses onze cent

---

1. Général espagnol qui occupait alors pour Napoléon des îles danoises. Il réussit à revenir en Espagne avec ses troupes Cf. Mérimée, *Les Espagnols en Danemark* (dans le *Théâtre de Clara Gazul*, 1825).
2. Ville romaine d'Espagne, détruite par Hannibal en 219 av. J.-C.

quarante fenêtres, aux trois quarts brisées, s'ouvraient sur les espaces muets du ciel et de la terre : la cour et les hiéronimites [1] y rassemblaient autrefois le siècle et le dégoût du siècle.

Auprès du redoutable édifice à face d'Inquisition chassée au désert, étaient un parc strié de genêts et un village dont les foyers enfumés révélaient l'ancien passage de l'homme. Le Versailles des steppes n'avait d'habitants que pendant le séjour intermittent des rois. J'ai vu le mauvis, alouette de bruyère, perché sur la toiture à jour. Rien n'était plus imposant que ces architectures saintes et sombres, à croyance invincible, à mine haute, à taciturne expérience ; une insurmontable force attachait mes yeux aux dosserets sacrés, ermites de pierre qui portaient la religion sur leur tête.

Adieu, monastères, à qui j'ai jeté un regard aux vallées de la Sierra-Nevada et aux grèves des mers de Murcie ! Là, au glas d'une cloche qui ne tintera bientôt plus, sous des arcades tombantes, parmi des laures sans anachorètes, des sépulcres sans voix, des morts sans mânes ; là, dans des réfectoires vides, dans des préaux abandonnés où Bruno laissa son silence, François ses sandales, Dominique sa torche, Charles sa couronne, Ignace son épée, Rancé son cilice ; à l'autel d'une foi qui s'éteint, on s'accoutumait à mépriser le temps et la vie : si l'on rêvait encore de passions, votre solitude leur prêtait quelque chose qui allait bien à la vanité des songes.

A travers ces constructions funèbres on voyait passer l'ombre d'un homme noir ; c'était l'ombre de Philippe II, leur inventeur.

---

1. Moines (« ermites de Saint-Jérôme »).

PIE VII. RÉUNION DES ÉTATS ROMAINS À LA FRANCE.

BONAPARTE était entré dans l'orbite de ce que les astrologues appelaient la *planète traversière* [1] : la même politique qui le jetait dans l'Espagne vassale, agitait l'Italie soumise. Que lui revenait-il des chicanes faites au clergé ? Le souverain pontife, les évêques, les prêtres, le catéchisme même, ne surabondaient-ils pas en éloges de son pouvoir ? ne prêchaient-ils pas assez l'obéissance ? Les faibles États Romains, diminués d'une moitié, lui faisaient-ils obstacle ? n'en disposait-il pas à sa volonté ? Rome même n'avait-elle pas été dépouillée de ses chefs-d'œuvre et de ses trésors ? il ne lui restait que ses ruines.

Etait-ce la puissance morale et religieuse du Saint-Siège dont Napoléon avait peur ? Mais, en persécutant la papauté, n'augmentait-il pas cette puissance ? Le successeur de saint Pierre, soumis comme il l'était, ne lui devenait-il pas plus utile en marchant de concert avec le maître qu'en se trouvant forcé de se défendre contre l'oppresseur ? Qui poussait donc Bonaparte ? la partie mauvaise de son génie, son impossibilité de rester en repos : joueur éternel, quand il ne mettait pas des empires sur une carte, il y mettait une fantaisie.

Il est probable qu'au fond de ces tracasseries il y avait quelque cupidité de domination, quelques souvenirs historiques entrés de travers dans ses idées et inapplicables au siècle. Toute autorité (même celle du temps et de la foi) qui n'était pas attachée à sa personne semblait à l'empereur une usurpation. La Russie et l'Angleterre accroissaient sa soif de prépondérance, l'une par son autocratie, l'autre par sa suprématie spirituelle. Il se rappelait les temps du séjour des papes à Avignon, quand la France renfermait dans ses limites la source de la domination religieuse : un pape payé

1. Funeste.

142

sur sa liste civile l'aurait charmé. Il ne voyait pas qu'en persécutant Pie VII, en se rendant coupable d'une ingratitude sans fruit, il perdait auprès des populations catholiques l'avantage de passer pour le restaurateur de la religion : il gagnait à sa convoitise le dernier vêtement du prêtre caduc qui l'avait couronné, et l'honneur de devenir le geôlier d'un vieillard mourant. Mais enfin il fallait à Napoléon un *département du Tibre* ; on dirait qu'il ne peut y avoir de conquête complète que par la prise de la ville éternelle : Rome est toujours la grande dépouille de l'univers.

Pie VII avait sacré Napoléon. Prêt à retourner à Rome, on fit entendre au pape qu'on le pourrait retenir à Paris : « Tout est prévu, répondit le pontife ; avant de quitter « l'Italie, j'ai signé une abdication régulière ; elle est entre « les mains du cardinal Pignatelli à Palerme, hors de la « portée du pouvoir des Français. Au lieu d'un pape, il ne « restera entre vos mains qu'un moine appelé Barnabé « Chiaramonti. »

Le premier prétexte de la querelle du chercheur de querelles fut la permission accordée par le pape aux Anglais (avec lesquels lui souverain pontife était en paix) de venir à Rome comme les autres étrangers. Ensuite Jérôme Bonaparte ayant épousé aux Etats-Unis mademoiselle Paterson, Napoléon désapprouva cette alliance : madame Jérôme Bonaparte, prête d'accoucher, ne put débarquer en France et fut obligée d'aborder en Angleterre [1]. Bonaparte veut faire casser le mariage à Rome ; Pie VII s'y refuse, ne trouvant à l'engagement aucune cause de nullité, bien qu'il fût contracté entre un catholique et une protestante. Qui défendait les droits de la justice, de la liberté et de la religion, du pape ou de l'empereur ? Celui-ci s'écriait : « Je « trouve dans mon siècle un prêtre plus puissant que moi ; il « règne sur les esprits, je ne règne que sur la matière. Les « prêtres gardent l'âme et me jettent le cadavre. » Otez la mauvaise foi de Napoléon dans cette correspondance entre ces deux hommes, l'un debout sur des ruines nouvelles, l'autre assis sur de vieilles ruines, il reste un fond extraordinaire de grandeur.

1. Elle retourna vivre aux Etats-Unis.

Une lettre datée de Benevente en Espagne, du théâtre de la destruction, vient mêler le comique au tragique ; on croit assister à une scène de Shakespeare : le maître du monde prescrit à son ministre des affaires étrangères d'écrire à Rome pour déclarer au pape que lui, Napoléon, n'acceptera pas les cierges de la Chandeleur [1], que le roi d'Espagne, Joseph, n'en veut pas non plus ; les rois de Naples et de Hollande, Joachim et Louis, doivent également refuser lesdits cierges.

Le consul de France eut ordre de dire à Pie VII « que ce « n'était ni la pourpre ni la puissance qui donnent de la « valeur à ces choses (la pourpre et la puissance d'un « vieillard prisonnier !), qu'il peut y avoir en enfer des papes « et des curés, et qu'un cierge bénit par un curé peut être « une chose aussi sainte que celui d'un pape. » Misérables outrages d'une philosophie de club.

Puis Bonaparte, ayant fait une enjambée de Madrid à Vienne, reprenant son rôle d'exterminateur, par un décret daté du 17 mai 1809 réunit les Etats de l'Eglise à l'Empire français, déclare Rome ville impériale libre, et nomme une *consulte* pour prendre possession.

Le pape dépossédé résidait encore au Quirinal ; il commandait encore à quelques autorités dévouées, à quelques Suisses de sa garde ; c'était trop : il fallait un prétexte à une dernière violence ; on le trouva dans un incident ridicule, qui pourtant offrait une preuve naïve d'affection : des pêcheurs du Tibre avaient pris un esturgeon ; ils le veulent porter à leur nouveau saint Pierre aux Liens ; aussitôt les agents français crient à l'*émeute !* et ce qui restait du gouvernement papal est dispersé. Le bruit du canon du château Saint-Ange annonce la chute de la souveraineté temporelle du pontife. Le drapeau pontifical abaissé fait place à ce drapeau tricolore qui dans toutes les parties du monde annonçait la gloire et les ruines. Rome avait vu passer et s'évanouir bien d'autres orages : ils n'ont fait qu'enlever la poussière dont sa vieille tête est couverte.

1. Cierges bénits par le pape le jour de la Chandeleur et dont il faisait présent aux souverains qu'il voulait honorer.

PROTESTATION DU SOUVERAIN PONTIFE. — IL EST ENLEVÉ DE ROME.

LE cardinal Pacca[1], un des successeurs de Consalvi qui s'était retiré, courut auprès du saint Père. Tous les deux s'écrient : *Consummatum est*[2] ! Le neveu du cardinal, Tibère Pacca, apporte un exemplaire imprimé du décret de Napoléon ; le cardinal prend le décret, s'approche d'une fenêtre dont les volets fermés ne laissaient entrer qu'une lumière insuffisante, et veut lire le papier ; il n'y parvient qu'avec peine, en voyant à quelques pas de lui son infortuné souverain et entendant les coups de canon du triomphe impérial. Deux vieillards dans la nuit d'un palais romain luttaient seuls contre une puissance qui écrasait le monde ; ils tiraient leur vigueur de leur âge : prêt à mourir on est invincible.

Le pape signa d'abord une protestation solennelle ; mais, avant de signer la bulle d'excommunication depuis longtemps préparée, il interrogea le cardinal Pacca : « Que « feriez-vous ? lui dit-il. — Levez les yeux au ciel, répondit « le serviteur, ensuite donnez vos ordres : ce qui sortira de « votre bouche sera ce que veut le ciel. » Le pape leva les yeux, signa et s'écria : « Donnez cours à la bulle. »

Megacci posa les premières affiches de la bulle aux portes des trois basiliques, de Saint-Pierre, de Sainte-Marie-Majeure et de Saint-Jean de Latran. Le placard fut arraché ; le général Miollis[3] l'expédia à l'empereur.

1. Secrétaire d'Etat de Pie VII.
2. C'est le dernier mot du Christ sur la croix.
3. Général français, gouverneur militaire de Rome.

Si quelque chose pouvait rendre à l'excommunication un peu de son ancienne force, c'était la vertu de Pie VII : chez les anciens, la foudre qui éclatait dans un ciel serein passait pour la plus menaçante. Mais la bulle conservait encore un caractère de faiblesse : Napoléon, compris parmi les *spoliateurs* de l'Eglise, n'était pas *expressément* nommé. Le temps était aux frayeurs ; les timides se réfugièrent en sûreté de conscience dans cette absence d'excommunication nominale. Il fallait combattre à coups de tonnerre ; il fallait rendre foudre pour foudre, puisqu'on n'avait pas pris le parti de se défendre ; il fallait faire cesser le culte, fermer les portes des temples, mettre les églises en interdit, ordonner aux prêtres de ne plus administrer les sacrements. Que le siècle fût propre ou non à cette haute aventure, utile était de la tenter : Grégoire VII n'y eût pas manqué. Si d'une part il n'y avait pas assez de foi pour soutenir une excommunication, de l'autre il n'y en avait plus assez pour que Bonaparte, devenant un Henri VIII, se fît chef d'une Eglise séparée. L'empereur, par l'excommunication complète, se fût trouvé dans des difficultés inextricables : la violence peut fermer les églises, mais elle ne les peut ouvrir ; on ne saurait ni forcer le peuple à prier, ni contraindre le prêtre à offrir le saint sacrifice. Jamais on n'a joué contre Napoléon toute la partie qu'on pouvait jouer.

Un prêtre de soixante et onze ans, sans un soldat, tenait en échec l'empire. Murat dépêcha sept cents Napolitains à Miollis, l'inaugurateur de la fête de Virgile à Mantoue. Radet, général de gendarmerie qui se trouvait à Rome, fut chargé d'enlever le pape et le cardinal Pacca. Les précautions militaires furent prises, les ordres donnés dans le plus grand secret et tout juste comme dans la nuit de la saint Barthélemy : lorsqu'une heure après minuit frapperait à l'horloge du Quirinal, les troupes rassemblées en silence devaient monter intrépidement à l'escalade de la geôle de deux prêtres décrépits.

A l'heure attendue, le général Radet pénétra dans la cour du Quirinal par la grande entrée ; le colonel Siry, qui s'était glissé dans le palais, lui en ouvrit en dedans les portes. Le général monte aux appartements : arrivé dans la salle de sanctifications, il y trouve la garde suisse, forte de quarante hommes ; elle ne fit aucune résistance, ayant reçu l'ordre de s'abstenir : le pape ne voulait .avoir devant lui que Dieu.

Les fenêtres du palais donnant sur la rue qui va à la Porta Pia avaient été brisées à coups de hache. Le pape, levé à la hâte, se tenait en rochet et en mosette dans la salle de ses audiences ordinaires avec le cardinal Pacca, le cardinal Despuig, quelques prélats et des employés de la secrétaire-rie. Il était assis devant une table entre les deux cardinaux. Radet entre ; on reste de part et d'autre en silence. Radet pâle et déconcerté prit enfin la parole : il déclare à Pie VII qu'il doit renoncer à la souveraineté temporelle de Rome, et que si sa sainteté refuse d'obéir, il a ordre de la conduire au général Miollis.

Le pape répondit que si les serments de fidélité obli-geaient Radet d'obéir aux injonctions de Bonaparte, à plus forte raison lui, Pie VII, devait tenir les serments qu'il avait faits en recevant la tiare ; il ne pouvait ni céder ni abandon-ner le domaine de l'Eglise qui ne lui appartenait pas, et dont il n'était que l'administrateur.

Le pape, ayant demandé s'il devait partir seul : « Votre sainteté, répondit le général, peut emmener avec elle son ministre. » Pacca courut se revêtir dans une chambre voisine de ses habits de cardinal.

Dans la nuit de Noël [1], Grégoire VII, célébrant l'office à Sainte-Marie-Majeure, fut arraché de l'autel, blessé à la tête, dépouillé de ses ornements et conduit dans une tour par ordre du préfet Cencius. Le peuple prit les armes ; Cencius effrayé tomba aux pieds de son captif ; Grégoire apaisa le peuple, fut ramené à Sainte-Marie-Majeure, et acheva l'office.

Le 8 septembre 1303, Nogaret [2] et Colonne entrèrent la nuit dans Anagni, forcèrent la maison de Boniface VIII qui les attendait le manteau pontifical sur les épaules, la tête ceinte de la tiare, les mains armées des clefs et de la croix.

---

1. En 1075.
2. Conseiller de Philippe le Bel. — Les Colonna étaient ennemis personnels de Boniface VIII. Il s'agit ici de Sciarra Colonna qui souffleta le pape à Anagni.

Colonne le frappa au visage : Boniface en mourut de rage et de douleur.

Pie VII, humble et digne, ne montra ni la même audace humaine, ni le même orgueil du monde ; les exemples étaient plus près de lui ; ses épreuves ressemblaient à celles de Pie VI. Deux papes du même nom, successeurs l'un de l'autre, ont été victimes de nos révolutions : tous deux furent traînés en France par la *voie douloureuse ;* l'un, âgé de quatre-vingt-deux ans, est venu expirer à Valence [1] ; l'autre, septuagénaire, a subi la prison à Fontainebleau. Pie VII semblait être le fantôme de Pie VI, repassant sur le même chemin.

Lorsque Pacca dans sa robe de cardinal revint, il trouva son auguste maître déjà entre les mains des sbires et des gendarmes qui le forçaient de descendre les escaliers sur les débris des portes jetées à terre. Pie VI, enlevé du Vatican le 20 février 1800 [2], trois heures avant le lever du soleil, abandonna le monde de chefs-d'œuvre qui semblait le pleurer et sortit de Rome, au murmure des fontaines de la place Saint-Pierre, par la porte Angélique. Pie VII, enlevé du Quirinal le 16 juillet au point du jour, sortit par la Porta Pia ; il fit le tour des murailles jusqu'à la porte du Peuple. Cette Porta Pia, où tant de fois je me suis promené seul, fut celle par laquelle Alaric entra dans Rome. En suivant le chemin de ronde, où Pie VII avait passé, je ne voyais du côté de la villa Borghèse que la retraite de Raphaël, et du côté du mont Pincio que les refuges de Claude Lorrain et du Poussin ; merveilleux souvenirs de la beauté des femmes et de la lumière de Rome ; souvenirs du génie des arts que protégea la puissance pontificale, et qui pouvaient suivre et consoler un prince captif et dépouillé.

Quand Pie VII partit de Rome, il avait dans sa poche un *papetto* [3] de vingt-deux sous comme un soldat à cinq sous par étape : il a recouvré le Vatican. Bonaparte, au moment des exploits du général Radet, avait les mains pleines de

---

1. Pie VI avait été enlevé de Rome le 20 février 1798, sur l'ordre du gouvernement français.
2. Date inexacte (voir la note précédente).
3. Monnaie des Etats de l'Eglise.

royaumes : que lui en est-il resté ? Radet a imprimé le récit de ses exploits ; il en a fait faire un tableau qu'il a laissé à sa famille : tant les notions de la justice et de l'honneur sont brouillées dans les esprits.

Dans la cour du Quirinal le pape avait rencontré les Napolitains ses oppresseurs ; il les bénit ainsi que la ville : cette bénédiction apostolique se mêlant à tout, dans le malheur comme dans la prospérité, donne un caractère particulier aux événements de la vie de ces rois-pontifes qui ne ressemblent point aux autres rois.

Des chevaux de poste attendaient en dehors de la porte du Peuple. Les persiennes de la voiture où monta Pie VII étaient clouées du côté où il s'assit ; le pape entré, les portières furent fermées à double tour, et Radet mit les clefs dans sa poche ; le chef des gendarmes devait accompagner le pape jusqu'à la Chartreuse de Florence.

A Monterossi il y avait sur le seuil des portes des femmes qui pleuraient : le général pria Sa Sainteté de baisser les rideaux de la voiture pour se cacher. La chaleur était accablante. Vers le soir Pie VII demanda à boire ; le maréchal-des-logis Cardigny remplit une bouteille d'une eau sauvage qui coulait sur le chemin ; Pie VII but avec grand plaisir. Sur la montagne de Radicofani le pape descendit à une pauvre auberge ; ses habits étaient trempés de sueur, et il n'avait pas de quoi se changer ; Pacca aida la servante à faire le lit de Sa Sainteté. Le lendemain le pape rencontra des paysans ; il leur dit : « Courage et prières ! » On traversa Sienne ; on entra dans Florence, une des roues de la voiture se brisa ; le peuple ému s'écriait : *« Santo Padre ! santo Padre ! »* Le pape fut tiré hors de la voiture renversée par une portière. Les uns se prosternaient, les autres touchaient les vêtements de Sa Sainteté, comme le peuple de Jérusalem la robe du Christ.

Le pape put enfin se remettre en route pour la Chartreuse ; il hérita dans cette solitude de la couche que dix ans auparavant avait occupée Pie VI, lorsque deux palefreniers hissaient celui-ci dans la voiture et qu'il poussait des gémissements de souffrance. La Chartreuse appartenait au site de Vallombrosa ; par une succession de forêts de pins on arrivait aux Camaldules, et de là, de rocher en rocher, à ce sommet de l'Apennin qui voit les deux mers. Un ordre subit contraignit Pie VII de repartir pour Alexandrie ; il n'eut que le temps de demander un bréviaire au prieur ; Pacca fut séparé du souverain pontife.

De la Chartreuse à Alexandrie la foule accourut de toutes parts ; on jetait des fleurs au captif, on lui donnait de l'eau, on lui présentait des fruits ; des gens de la campagne prétendaient le délivrer et lui disaient : « *Vuole ? dica* 1. » Un pieux larron lui déroba une épingle, relique qui devait ouvrir au ravisseur les portes du ciel.

A trois milles de Gênes une litière conduisit le pape au bord de la mer ; une felouque le transporta de l'autre côté de la ville à Saint-Pierre d'Arena. Par la route d'Alexandrie et de Mondovi Pie VII gagna le premier village français ; il y fut accueilli avec des effusions de tendresse religieuse ; il disait : « Dieu pourrait-il nous ordonner de paraître insensi-« ble à ces marques d'affection ? »

Les Espagnols faits prisonniers à Saragosse étaient déte-nus à Grenoble : de même que ces garnisons d'Européens oubliées sur quelques montagnes des Indes, ils chantaient la nuit et faisaient retentir ces climats étrangers des airs de la patrie. Tout à coup le pape descend ; il semblait avoir entendu ces voix chrétiennes. Les captifs volent au devant du nouvel opprimé ; ils tombent à genoux ; Pie VII jette presque tout son corps hors de la portière ; il étend ses mains amaigries et tremblantes sur ces guerriers qui avaient défendu la liberté de l'Espagne avec l'épée, comme il avait défendu la liberté de l'Italie avec la foi ; les deux glaives se croisent sur des têtes héroïques.

De Grenoble Pie VII atteignit Valence. Là, Pie VI avait expiré ; là, il s'était écrié quand on le montra au peuple : « *Ecce homo !* » Là, Pie VI se sépara de Pie VII ; le mort, rencontrant sa tombe, y rentra ; il fit cesser la double apparition, car jusqu'alors on avait vu comme deux papes marchant ensemble, ainsi que l'ombre accompagne le corps. Pie VII portait l'anneau que Pie VI avait au doigt lorsqu'il expira : signe qu'il avait accepté les misères et les destinées de son devancier.

1. « Voulez-vous ? Dites. »

A deux lieues de Comana [1], saint Chrysostome logea aux établissements de saint Basilisque ; ce martyr lui apparut pendant la nuit et lui dit : « Courage, mon frère Jean ! « demain nous serons ensemble. » Jean répliqua : « Dieu soit loué de tout ! » Il s'étendit à terre et mourut.

A Valence, Bonaparte commença la carrière d'où il s'élança sur Rome. On ne laissa pas le temps à Pie VII de visiter les cendres de Pie VI ; on le poussa précipitamment à Avignon : c'était le faire rentrer dans la petite Rome ; il y put voir la glacière [2] dans les souterrains du palais d'une autre lignée de pontifes, et entendre la voix de l'ancien poëte couronné [3], qui rappelait les successeurs de saint Pierre au Capitole.

Conduit au hasard, il rentra dans les Alpes maritimes ; au pont du Var, il le voulut traverser à pied ; il rencontra la population divisée en ordre de métiers, les ecclésiastiques vêtus de leurs habits sacerdotaux, et dix mille personnes à genoux dans un profond silence. La reine d'Etrurie [4] avec ses deux enfants, à genoux aussi, attendait le saint Père au bout du pont. A Nice, les rues de la ville étaient jonchées de fleurs. Le commandant, qui menait le pape à Savone, prit la nuit un chemin infréquenté par les bois ; à son grand étonnement il tomba au milieu d'une illumination solitaire ; un lampion avait été attaché à chaque arbre. Le long de la mer, la Corniche était pareillement illuminée ; les vaisseaux aperçurent de loin ces phares que le respect, l'attendrissement et la pitié allumaient pour le naufrage d'un moine captif. Napoléon revint-il ainsi de Moscou ? Etait-ce du bulletin de ses bienfaits et des bénédictions des peuples qu'il était précédé ?

Durant ce long voyage la bataille de Wagram avait été gagnée, le mariage de Napoléon avec Marie-Louise arrêté. Treize des cardinaux mandés à Paris furent exilés, et la consulte romaine formée par la France avait de nouveau prononcé la réunion du Saint-Siége à l'empire.

1. Ville du Pont.
2. Cf. T. I, p. 548.
3. Pétrarque avait été couronné de lauriers au Capitole en 1341.
4. Fille du roi d'Espagne.

Le pape, détenu à Savone[1], fatigué et assiégé par les créatures de Napoléon, émit un bref dont le cardinal Roverella fut le principal auteur, et qui permettait d'envoyer des bulles de confirmation à différents évêques nommés. L'empereur n'avait pas compté sur tant de complaisance ; il rejeta le bref parce qu'il lui eût fallu mettre le souverain pontife en liberté. Dans un accès de colère il avait ordonné que les cardinaux opposants quittassent la pourpre[2] ; quelques-uns furent enfermés à Vincennes.

Le préfet de Nice écrivit à Pie VII que «défense lui était « faite de communiquer avec aucune église de l'empire, « sous peine de désobéissance ; que lui, Pie VII, a cessé « d'être l'organe de l'Eglise parce qu'il prêche la rébellion et « que *son âme est toute de fiel;* que, puisque rien ne peut le « rendre sage, il verra que S. M. est assez puissante pour « déposer un pape.»

Etait-ce bien le vainqueur de Marengo qui avait dicté la minute d'une pareille lettre ?

Enfin, après trois ans de captivité à Savone, le 9 juin 1812, le pape fut mandé en France. On lui enjoignit de changer d'habits : dirigé sur Turin, il arriva à l'hospice du mont Cenis au milieu de la nuit. Là, près d'expirer, il reçut l'extrême onction. On ne lui permit de s'arrêter que le temps nécessaire à l'administration du dernier sacrement ; on ne souffrit pas qu'il séjournât près du ciel. Il ne se plaignit point ; il renouvelait l'exemple de la mansuétude de la martyre de Verceil. Au bas de la montagne, au moment qu'elle allait être décollée, voyant tomber l'agrafe de la chlamyde du bourreau, elle dit à cet homme : «Voilà une « agrafe d'or qui vient de tomber de ton épaule ; ramasse-la, « de crainte de perdre ce que tu n'as gagné qu'avec « beaucoup de travail.»

Pendant sa traversée de la France, on ne permit pas à Pie VII de descendre de voiture. S'il prenait quelque nourriture, c'était dans cette voiture même, que l'on enfermait dans les remises de la poste. Le 20 juin au matin, il arriva à Fontainebleau ; Bonaparte trois jours après

1. Sur la Riviera italienne.
2. On les appela «les cardinaux noirs».

152

franchissait le Niémen pour commencer son expiation. Le concierge refusa de recevoir le captif, parce qu'aucun ordre ne lui était encore parvenu. L'ordre envoyé de Paris, le pape entra dans le château ; il y fit entrer avec lui la justice céleste : sur la même table où Pie VII appuyait sa main défaillante, Napoléon signa son abdication.

Si l'inique invasion de l'Espagne souleva contre Bonaparte le monde politique, l'ingrate occupation de Rome lui rendit contraire le monde moral : sans la moindre utilité, il s'aliéna comme à plaisir les peuples et les autels, l'homme et Dieu. Entre les deux précipices qu'il avait creusés aux deux bords de sa vie, il alla, par une étroite chaussée, chercher sa destruction au fond de l'Europe, comme sur ce pont que la Mort, aidée du Mal, avait jeté à travers le chaos [1].

Pie VII n'est point étranger à ces *Mémoires :* c'est le premier souverain auprès duquel j'aie rempli une mission dans ma carrière politique, commencée et subitement interrompue sous le Consulat. Je le vois encore me recevant au Vatican, le *Génie du christianisme* ouvert sur sa table, dans le même cabinet où j'ai admis aux pieds de Léon XII et de Pie VIII. J'aime à rappeler ce qu'il a souffert : les douleurs qu'il a bénies à Rome en 1803 [2] paieront aux siennes par mon souvenir une dette de reconnaissance.

CINQUIÈME COALITION. — PRISE DE VIENNE. — BATAILLE D'ESSLING; — BATAILLE DE WAGRAM. — PAIX SIGNÉE DANS LE PALAIS DE L'EMPEREUR D'AUTRICHE. — DIVORCE. — NAPOLÉON EPOUSE MARIE-LOUISE. — NAISSANCE DU ROI DE ROME.

LE 9 avril 1809, entre l'Angleterre, l'Autriche et l'Espagne, se déclara la cinquième coalition, sourdement appuyée par

1. Souvenir de Milton (*Paradis perdu,* II).
2. Celles de Pauline de Beaumont mourante.

le mécontentement des autres souverains. Les Autrichiens, se plaignant de l'infraction de traités, passent tout à coup l'Inn à Braunau : on leur avait reproché leur lenteur, ils voulurent faire les Napoléon ; cette allure ne leur allait pas. Heureux de quitter l'Espagne, Bonaparte accourt en Bavière ; il se met à la tête des Bavarois sans attendre les Français : tout soldat lui était bon. Il défait à Abensberg l'archiduc Louis, à Eckmühl l'archiduc Charles ; il scie en deux l'armée autrichienne, il effectue le passage de la Salza.

Il entre à Vienne. Le 21 et le 22 mai a lieu la terrible affaire d'Essling. La relation de l'archiduc Charles porte que, le premier jour, 288 pièces autrichiennes tirèrent cinquante et un mille coups de canon, et que le lendemain plus de 400 pièces jouèrent de part et d'autre. Le maréchal Lannes y fut blessé mortellement. Bonaparte lui dit un mot et puis l'oublia : l'attachement des hommes se refroidit aussi vite que le boulet qui les frappe.

La bataille de Wagram (6 juillet 1809) résume les différents combats livrés en Allemagne : Bonaparte y déploie tout son génie. Le colonel César de Laville, chargé de l'aller prévenir d'un désastre qu'éprouve l'aile gauche, le trouve à l'aile droite dirigeant l'attaque du maréchal Davoust. Napoléon revient sur-le-champ à la gauche et répare l'échec esssuyé par Masséna. Ce fut alors, au moment où l'on croyait la bataille perdue, que, jugeant seul du contraire par les manœuvres de l'ennemi, il s'écria : « La bataille est gagnée ! » Il oppose sa volonté à la victoire hésitante ; il la ramène au feu comme César ramenait par la barbe au combat ses vétérans étonnés. Neuf cents bouches de bronze rugissent ; la plaine et les moissons sont en flammes ; de grands villages disparaissent ; l'action dure douze heures. Dans une seule charge, Lauriston marche au trot à l'ennemi, à la tête de cent pièces de canon. Quatre jours après on ramassait au milieu des blés des militaires qui achevaient de mourir aux rayons du soleil sur des épis piétinés, couchés et collés par du sang : les vers s'attachaient déjà aux plaies des cadavres avancés.

Dans ma jeunesse, on s'occupait de lire les commentaires de Folard et de Guischardt, de Tempelhof et de Lloyd ; on étudiait l'ordre *profond* et l'ordre *mince* ; j'ai fait manœuvrer sur ma table de sous-lieutenant bien des petits carrés de bois. La science militaire a changé comme tout le reste par la révolution ; Bonaparte a inventé la grande guerre, dont les conquêtes de la République lui avaient fourni l'idée par les masses réquisitionnaires. Il méprisa les places fortes qu'il se contenta de masquer, s'aventura dans le pays envahi et gagna tout à coups de batailles. Il ne s'occupait point de retraites ; il allait droit devant lui comme ces voies romaines qui traversent sans se détourner les précipices et les montagnes. Il portait toutes ses forces sur un point, puis ramassait au demi-cercle les corps isolés dont il avait rompu la ligne. Cette manœuvre, qui lui fut propre, était d'accord avec la *furie française;* mais elle n'eût point réussi avec des soldats moins impétueux et moins agiles. Il faisait aussi, vers la fin de sa carrière, charger l'artillerie et emporter les redoutes par la cavalerie. Qu'en est-il résulté ? En menant la France à la guerre, on a appris à l'Europe à marcher : il ne s'est plus agi que de multiplier les moyens ; les masses ont équipollé les masses. Au lieu de cent mille hommes on en a pris six cent mille ; au lieu de cent pièces de canon on en a traîné cinq cents : la science ne s'est point accrue ; l'échelle seulement s'est élargie. Turenne en savait autant que Bonaparte, mais il n'était pas maître absolu et ne disposait pas de quarante millions d'hommes. Tôt ou tard il faudra rentrer dans la guerre civilisée que savait encore Moreau, guerre qui laisse les peuples en repos tandis qu'un petit nombre de soldats font leur devoir ; il faudra en revenir à l'art des retraites, à la défense d'un pays au moyen des places fortes, aux manœuvres patientes qui ne coûtent que des heures en épargnant des hommes. Ces énormes batailles de Napoléon sont au-delà de la gloire ; l'œil ne peut embrasser ces champs de carnage qui, en définitive, n'amènent aucun résultat proportionné à leurs calamités. L'Europe, à moins d'événements imprévus, est pour longtemps dégoûtée de combats. Napoléon a tué la guerre en l'exagérant : notre guerre d'Afrique [1] n'est qu'une école expérimentale ouverte à nos soldats.

Au milieu des morts, sur le champ de bataille de

1. D'Algérie.

Wagram, Napoléon montra l'impassibilité qui lui était propre et qu'il affectait afin de paraître au-dessus des autres hommes ; il dit froidement ou plutôt il répéta son mot habituel dans de telles circonstances : « Voilà une grande « consommation ! »

Lorsqu'on lui recommandait des officiers blessés, il répondait : « Ils sont absents. » Si la vertu militaire enseigne quelques vertus, elle en affaiblit plusieurs : le soldat trop humain ne pourrait accomplir son œuvre ; la vue du sang et des larmes, les souffrances, les cris de douleur, l'arrêtant à chaque pas, détruiraient en lui ce qui fait les Césars, race dont, après tout, on se passerait volontiers.

Après la bataille de Wagram, un armistice est convenu à Znaïm. Les Autrichiens, quoi qu'en disent nos bulletins, s'étaient retirés en bon ordre et n'avaient pas laissé derrière eux un seul canon monté. Bonaparte, en possession de Schœnbrünn, y travaillait à la paix. « Le 13 octobre, dit le « duc de Cadore [1], j'étais venu de Vienne pour travailler « avec l'Empereur. Après quelques moments d'entretien, il « me dit : « Je vais passer la revue ; restez dans mon « cabinet ; vous rédigerez cette note que je verrai après la « revue. » Je restai dans son cabinet avec M. de Menneval [2], « son secrétaire intime ; il rentra bientôt. — « Le prince de « Lichtenstein, me dit Napoléon, ne vous a-t-il pas fait « connaître qu'on lui faisait souvent la proposition de « m'assassiner ? — Oui, sire il m'a exprimé l'horreur avec « laquelle il rejetait ces propositions. — Eh bien ! on vient « d'en faire la tentative. Suivez-moi. » J'entrai avec lui dans « le salon. Là étaient quelques personnes qui paraissaient « très-agitées et qui entouraient un jeune homme de dix- « huit à vingt ans, d'une figure agréable, très-douce, annon- « çant une sorte de candeur, et qui seul paraissait conserver « un grand calme. C'était l'assassin [3]. Il fut interrogé « avec une grande douceur par Napoléon lui-même, le géné-

---

1. Nompère de Champagny avait succédé à Talleyrand comme ministre des Relations extérieures en 1807. L'année suivante il avait été fait duc de Cadore.

2. Secrétaire du portefeuille dans le cabinet de l'Empereur.

3. Il fut fusillé quelques jours plus tard.

« ral Rapp servant d'interprète. Je ne rapporterai
« que quelques-unes de ses réponses, qui me frappèrent
« davantage.

« Pourquoi vouliez-vous m'assassiner ? — Parce qu'il
« n'y aura jamais de paix pour l'Allemagne tant que vous
« serez au monde. — Qui vous a inspiré ce projet ? —
« L'amour de mon pays. — Ne l'avez-vous concerté avec
« personne ? — Je l'ai trouvé dans ma conscience. — Ne
« saviez-vous pas à quels dangers vous vous exposiez ? — Je
« le savais ; mais je serais heureux de mourir pour mon
« pays. — Vous avez des principes religieux ; croyez-vous
« que Dieu autorise l'assassinat ? — J'espère que Dieu me
« pardonnera en faveur de mes motifs. — Est-ce que, dans
« les écoles que vous avez suivies, on enseigne cette doctri-
« ne ? — Un grand nombre de ceux qui les ont suivies avec
« moi sont animés de ces sentiments et disposés à dévouer
« leur vie au salut de la patrie. — Que feriez-vous si je vous
« mettais en liberté ? — Je vous tuerais. »

« La terrible naïveté de ces réponses, la froide et
« inébranlable résolution qu'elles annonçaient, et ce fana-
« tisme, si fort au-dessus de toutes les craintes humaines,
« firent sur Napoléon une impression que je jugeai d'autant
« plus profonde qu'il montrait plus de sang-froid. Il fit
« retirer tout le monde, et je restai seul avec lui. Après
« quelques mots sur un fanatisme aussi aveugle et aussi
« réfléchi, il me dit : « Il faut faire la paix. » Ce récit du duc
« de Cadore méritait d'être cité en entier.

Les nations commençaient leur levée ; elles annonçaient
à Bonaparte des ennemis plus puissants que les rois ; la
résolution d'un seul homme du peuple sauvait alors
l'Autriche. Cependant la fortune de Napoléon ne voulait
pas encore tourner la tête. Le 14 août 1809, dans le palais
même de l'empereur d'Autriche, il fait la paix ; cette fois
la fille des Césars est la palme remportée ; mais Joséphine
avait été sacrée [1], et Marie-Louise ne le fut pas : avec sa
première femme, la vertu de l'onction divine sembla se
retirer du triomphateur. J'aurais pu voir dans Notre-
Dame de Paris la même cérémonie que j'ai vue dans la

---

1. Impératrice.

cathédrale de Reims[1] ; à l'exception de Napoléon, les mêmes hommes y figuraient.

Un des acteurs secrets qui eut le plus de part dans la conduite intérieure de cette affaire fut mon ami Alexandre de Laborde[2], blessé dans les rangs des émigrés, et honoré de la croix de Marie-Thérèse pour ses blessures.

Le 11 mars, le prince de Neuchâtel[3] épousa à Vienne, par procuration, l'archiduchesse Marie-Louise. Celle-ci partit pour la France, accompagnée de la princesse Murat : Marie-Louise était parée sur la route des emblèmes de la souveraine. Elle arriva à Strasbourg le 22 mars, et le 28 au château de Compiègne, où Bonaparte l'attendait. Le mariage civil eut lieu à Saint-Cloud le 1er avril ; le 2, le cardinal Fesch donna dans le Louvre la bénédiction nuptiale aux deux époux. Bonaparte apprit à cette seconde femme à lui devenir infidèle, ainsi que l'avait été la première, en trompant lui-même son propre lit par son intimité avec Marie-Louise avant la célébration du mariage religieux : mépris de la majesté des mœurs royales et des lois saintes qui n'était pas d'un heureux augure.

Tout paraît achevé ; Bonaparte a obtenu la seule chose qui lui manquait : comme Philippe-Auguste s'alliant à Isabelle de Hainaut[4], il confond la dernière race avec la *race des grands rois;* le passé se réunit à l'avenir. En arrière comme en avant, il est désormais le maître des siècles s'il se veut enfin fixer au sommet ; mais il a la puissance d'arrêter le monde et n'a pas celle de s'arrêter : il ira jusqu'à ce qu'il ait conquis la dernière couronne qui donne du prix à toutes les autres, la couronne du malheur.

L'archiduchesse Marie-Louise, le 20 mars 1811, accouche d'un fils : sanction supposée des félicités précédentes. De ce fils, éclos, comme les oiseaux du pôle, au soleil de minuit, il ne restera qu'une valse triste, composée par lui-même à Schœnbrünn, et jouée sur des orgues, dans les rues de Paris, autour du palais de son père.

1. Pour le sacre de Charles X en 1825.
2. Cf. T. I, p. 711.
3. Le maréchal Berthier.
4. Dernière descendante des Carlovingiens.

Projets et préparatifs de la guerre de Russie. — Embarras de Napoléon.

Bonaparte ne voyait plus d'ennemis ; ne sachant où prendre des empires, faute de mieux il avait pris le royaume de Hollande à son frère. Mais une inimitié secrète, qui remontait à l'époque de la mort du duc d'Enghien, était restée au fond du cœur de Napoléon contre Alexandre. Une rivalité de puissance l'animait ; il savait ce que la Russie pouvait faire et à quel prix il avait acheté les victoires de Friedland et d'Eylau. Les entrevues de Tilsit et d'Erfurt, des suspensions d'armes forcées, une paix que le caractère de Bonaparte ne pouvait supporter, des déclarations d'amitié, des serments de main, des embrassades, des projets fantastiques de conquêtes communes, tout cela n'était que des ajournements de haine. Il restait sur le continent un pays et des capitales où Napoléon n'était point entré, un empire debout en face de l'empire français : les deux colosses se devaient mesurer. A force d'étendre la France, Bonaparte avait rencontré les Russes, comme Trajan, en passant le Danube, avait rencontré les Goths.

Un calme naturel, soutenu d'une piété sincère depuis qu'il était revenu à la religion, inclinait Alexandre à la paix : il ne l'aurait jamais rompue si l'on n'était venu le chercher. Toute l'année 1811 se passa en préparatifs. La Russie invitait l'Autriche domptée et la Prusse pantelante à se réunir à elle dans le cas où elle serait attaquée ; l'Angleterre arrivait avec sa bourse. L'exemple des Espagnols avait soulevé les sympathies des peuples ; déjà commençait à se former le lien de la vertu (Tugendbund[1]) qui enserrait peu à peu la jeune Allemagne.

Bonaparte négociait ; il faisait des promesses : il laissait espérer au roi de Prusse la possession des provinces russes allemandes ; le roi de Saxe et l'Autriche se flattaient d'obtenir des agrandissements dans ce qui restait encore de la Pologne ; des princes de la Confédération du Rhin rêvaient des changements de territoire à leur convenance ; il n'y avait pas jusqu'à la France que Napoléon ne médîtât d'élargir, quoiqu'elle débordât déjà sur l'Europe ; il prétendait l'augmenter nominativement de l'Espagne. Le général Sebastiani lui dit : « Et votre frère ? » Napoléon répliqua : « Qu'im- « porte mon frère ! est-ce qu'on donne un royaume comme « l'Espagne ? » Le maître disposait par un mot du royaume qui avait coûté tant de malheurs et de sacrifices à Louis XIV ; mais il ne l'a pas gardé si longtemps. Quant aux peuples, jamais homme n'en a moins tenu compte et ne les a plus méprisés que Bonaparte : il en jetait des lambeaux à la meute de rois qu'il conduisait à la chasse, le fouet à la main : « Attila, dit Jornandès[2], menait avec lui une foule de « princes tributaires qui attendaient avec crainte et tremble- « ment un signe du maître des monarques pour exécuter ce « qui leur serait ordonné. »

Avant de marcher en Russie avec ses alliées l'Autriche et la Prusse, avec la Confédération du Rhin composée de rois et de princes, Napoléon avait voulu assurer ses deux flancs qui touchaient aux deux bords de l'Europe : il négociait deux traités, l'un au midi avec Constantinople, l'autre au nord avec Stockholm. Ces traités manquèrent.

Napoléon, à l'époque de son consulat, avait renoué des intelligences avec la Porte : Sélim et Bonaparte avaient échangé leurs portraits ; ils entretenaient une correspondance mystérieuse. Napoléon écrivait à son compère, en date d'Ostende[3], 3 avril 1807 : « Tu t'es montré le digne descen- « dant des Sélim et des Soliman. Confie-moi tous tes « besoins : je suis assez puissant et assez intéressé à tes

1. Société secrète d'étudiants patriotes.
2. Historien goth du VIe siècle.
3. Erreur de l'édition originale. Il faut lire « Osterode », ville du Hanovre.

« succès, tant par amitié que par politique, pour n'avoir
« rien à te refuser. » Charmante effusion de tendresse entre
deux sultans causant bec à bec, comme aurait dit Saint-
Simon.

Sélim renversé, Napoléon revient au système russe et
songe à partager la Turquie avec Alexandre ; puis, bouleversé encore par un nouveau cataclysme d'idées, il se
détermine à l'invasion de l'empire moscovite. Mais ce n'est
que le 21 mars 1812 qu'il demande à Mahmoud son
alliance, requérant soudain de lui cent mille Turcs au bord
du Danube. Pour cette armée, il offre à la Porte la Valachie
et la Moldavie. Les Russes l'avaient devancé ; leur traité
était au moment de se conclure, et il fut signé le 28 mai
1812.

Au nord, les événements trompèrent également Bonaparte. Les Suédois auraient pu envahir la Finlande, comme
les Turcs menacer la Crimée : par cette combinaison la
Russie, ayant deux guerres sur les bras, eût été dans
l'impossibilité de réunir ses forces contre la France ; ce
serait de la politique sur une vaste échelle, si le monde
n'était aujourd'hui rapetissé au moral comme au physique
par la communication des idées et des chemins de fer.
Stockholm, se renfermant dans une politique nationale,
s'arrangea avec Pétersbourg.

Après avoir perdu en 1807 la Poméranie envahie par les
Français, et en 1808 la Finlande envahie par la Russie,
Gustave IV avait été déposé. Gustave, loyal et fou, a
augmenté le nombre des rois errants sur la terre, et moi, je
lui ai donné une lettre de recommandation pour les Pères de
Terre-Sainte ; c'est au tombeau de Jésus-Christ qu'il se faut
consoler. L'oncle de Gustave fut mis en place de son neveu
détrôné [1]. Bernadotte, ayant commandé le corps d'armée
français en Poméranie, s'était attiré l'estime des Suédois ; ils
jetèrent les yeux sur lui ; Bernadotte fut choisi pour combler
le vide que laissait le prince de Holstein-Augustenbourg,
prince héréditaire de Suède, nouvellement élu et mort.
Napoléon vit avec déplaisir l'élection de son ancien compagnon.

1. Sous le nom de Charles XIII.

L'inimitié de Bonaparte et de Bernadotte remontait haut : Bernadotte s'était opposé au 18 brumaire ; ensuite il contribua, par des conversations animées et par l'ascendant qu'il exerçait sur les esprits, à ces brouillements qui amenèrent Moreau devant une cour de justice. Bonaparte se vengea à sa façon, en cherchant à ravaler un caractère. Après le jugement de Moreau il fit présent à Bernadotte d'une maison, rue d'Anjou, dépouille du général condamné ; par une faiblesse alors trop commune, le beau-frère de Joseph Bonaparte n'osa refuser cette munificence peu honorable. Grosbois [1] fut donné à Berthier. La fortune ayant mis le sceptre de Charles XII aux mains d'un compatriote de Henri IV, Charles-Jean se refusa à l'ambition de Napoléon ; il pensa qu'il lui était plus sûr d'avoir pour allié Alexandre, son voisin, que Napoléon, ennemi éloigné ; il se déclara neutre, conseilla la paix et se proposa pour médiateur entre la Russie et la France.

Bonaparte entre en fureur ; il s'écrie : « Lui, le misérable, « il me donne des conseils ! il veut me faire la loi ! un « homme qui tient tout de ma bonté ! quelle ingratitude ! Je « saurai bien le forcer de suivre mon impulsion souverai- « ne ! » A la suite de ces violences, Bernadotte signa le 24 mars 1812 le traité de Saint-Pétersbourg [2].

Ne demandez pas de quel droit Bonaparte traitait Bernadotte de *misérable,* oubliant qu'il ne sortait, lui Bonaparte, ni d'une source plus élevée, ni d'une autre origine : la Révolution et les armes. Ce langage insultant n'annonçait ni là hauteur héréditaire du rang, ni la grandeur de l'âme. Bernadotte n'était point ingrat, il ne devait rien à la bonté de Bonaparte.

L'Empereur s'était transformé en un monarque de vieille race qui s'attribue tout, qui ne parle que de lui, qui croit récompenser ou punir en disant qu'il est satisfait ou mécontent. Beaucoup de siècles passés sous la couronne, une longue suite de tombeaux à Saint-Denis, n'excuseraient pas même ces arrogances.

La fortune ramena des Etats-Unis et du nord de l'Europe

1. Dans l'arrondissement de Corbeil.
2. Il s'alliait aux ennemis de Napoléon.

deux généraux français sur le même champ de bataille, pour faire la guerre à un homme contre lequel ils s'étaient d'abord réunis et qui les avait séparés. Soldat ou roi, nul ne songeait alors qu'il y eût crime à vouloir renverser l'oppresseur des libertés. Bernadotte triompha, Moreau succomba. Les hommes disparus jeunes sont de vigoureux voyageurs ; ils font vite une route que des hommes plus débiles achèvent à pas lents.

L'EMPEREUR ENTREPREND L'EXPÉDITION DE RUSSIE. — OBJECTIONS. — FAUTE DE NAPOLÉON.

CE ne fut pas faute d'avertissements que Bonaparte s'obstina à la guerre de Russie : le duc de Frioul [1], le comte de Ségur, le duc de Vicence [2], consultés, opposèrent à cette entreprise une foule d'objections : « Il ne faut pas, disait « courageusement le dernier *(Histoire de la grande armée),* « en s'emparant du continent et même des Etats de la « famille de son allié, accuser cet allié de manquer au « système continental. Quand les armées françaises cou- « vraient l'Europe, comment reprocher aux Russes leur « armée ? Fallait-il donc se jeter par delà tous ces peuples « de l'Allemagne, dont les plaies faites par nous n'étaient « point encore cicatrisées ? Les Français ne se reconnais- « saient déjà plus au milieu d'une patrie qu'aucune fron- « tière naturelle ne limitait. Qui donc défendra la véritable « France abandonnée ? — Ma renommée, répliqua l'empe-

1. Duroc.
2. Caulaincourt.

« reur. » Médée avait fourni cette réponse[1] : Napoléon
faisait descendre à lui la tragédie.

Il annonçait le dessein d'organiser l'Empire en cohortes
de ban et d'arrière-ban : sa mémoire était une confusion de
temps et de souvenirs. A l'objection des divers partis
existants encore dans l'Empire, il répondait : « Les royalis-
« tes redoutent plus ma perte qu'ils ne la désirent. Ce que
« j'ai fait de plus utile et de plus difficile a été d'arrêter le
« torrent révolutionnaire : il aurait tout englouti. Vous
« craignez la guerre pour mes jours ? Me tuer, moi,
« c'est impossible : ai-je donc accompli les volontés du
« Destin ? Je me sens poussé vers un but que je ne connais
« pas. Quand je l'aurai atteint, un atome suffira
« pour   m'abattre. »   C'était   encore   une   copie :
les Vandales en Afrique, Alaric en Italie, disaient ne céder
qu'à une impulsion surnaturelle : *divino jussu perur-
geri.*

L'absurde et honteuse querelle avec le pape augmentant
les dangers de la position de Bonaparte, le cardinal Fesch le
conjurait de ne pas s'attirer à la fois l'inimitié du ciel et de
la terre : Napoléon prit son oncle par la main, le mena à
une fenêtre (c'était la nuit) et lui dit : « Voyez-vous cette
« étoile ? — Non, sire. — Regardez bien. — Sire, je ne la
« vois pas. — Eh bien, moi, je la vois. »

« Vous aussi, disait Bonaparte à M. de Caulaincourt,
« vous êtes devenu Russe. »

« Souvent, assure M. de Ségur, on le voyait (Napo-
« léon) à demi renversé sur un sopha, plongé dans une
« méditation profonde ; puis il en sort tout à coup comme
« en sursaut, convulsivement et par des exclamations ; il
« croit s'entendre nommer et s'écrie : « Qui m'appelle ? »
« Alors il se lève, marche avec agitation. » Quand le Balafré[2] touchait à sa catastrophe, il monta sur la terrasse
du château de Blois, appelée *le Perche aux Bretons :*
sous un ciel d'automne, une campagne déserte s'étendant
au loin, on le vit se promener à grands pas avec des
mouvements furieux[3]. Bonaparte, dans ses hésitations

1. Allusion au fameux « Moi » que Corneille prête à Médée.
2. Le duc de Guise.
3. Il allait être assassiné par ordre d'Henri III.

164

salutaires, dit : « Rien n'est assez établi autour de moi « pour une guerre aussi lointaine : il faut la retarder de « trois ans. » Il offrait de déclarer au czar qu'il ne contribuerait ni directement, ni indirectement, au rétablissement d'un royaume de Pologne : l'ancienne et la nouvelle France ont également abandonné ce fidèle et malheureux pays.

Cet abandon, entre toutes les fautes politiques commises par Bonaparte, est une des plus graves. Il a déclaré, depuis cette faute, que s'il n'avait pas procédé à un rétablissement hautement indiqué, c'est qu'il avait craint de déplaire à son beau-père. Bonaparte était bien homme à être retenu par des considérations de famille ! L'excuse est si faible qu'elle ne le mène, en la donnant, qu'à maudire son mariage avec Marie-Louise. Loin d'avoir senti ce mariage de la même manière, l'empereur de Russie s'était écrié : « Me voilà « renvoyé au fond de mes forêts. » Bonaparte fut tout simplement aveuglé par l'antipathie qu'il avait pour la liberté des peuples.

Le prince Poniatowski, lors de la première invasion de l'armée française, avait organisé des troupes polonaises ; des corps politiques s'étaient assemblés ; la France maintint deux ambassadeurs successifs à Varsovie, l'archevêque de Malines [1] et M. Bignon. Français du nord, les Polonais, braves et légers comme nous, parlaient notre langue ; ils nous aimaient comme des frères ; ils se faisaient tuer pour nous avec une fidélité où respirait leur aversion de la Russie. La France les avait jadis perdus ; il lui appartenait de leur rendre la vie : ne devait-on rien à ce peuple sauveur de la chrétienté ? Je l'ai dit à Alexandre à Vérone : « Si Votre « Majesté ne rétablit pas la Pologne, elle sera obligée de « l'exterminer. » Prétendre ce royaume condamné à l'oppression par sa position géographique, c'est trop accorder aux collines et aux rivières : vingt peuples entourés de leur seul courage ont gardé leur indépendance, et l'Italie, remparée des Alpes, est tombée sous le joug de quiconque les a voulu franchir. Il serait plus juste de reconnaître une autre fatalité, savoir : que les peuples belliqueux, habitants des

1. Il eut Bignon pour successeur à Varsovie.

plaines, sont condamnés à la conquête : des plaines sont accourus les divers envahisseurs de l'Europe.

Loin de favoriser la Pologne, on voulut que ses soldats prissent la cocarde nationale ; pauvre qu'elle était, on la chargeait d'entretenir une armée française de quatre-vingt mille hommes ; le grand duché de Varsovie était promis au roi de Saxe. Si la Pologne eût été reformée en royaume, la race slave depuis la Baltique jusqu'à la mer Noire reprenait son indépendance. Même dans l'abandon où Napoléon laissait les Polonais, tout en se servant d'eux, ils demandaient qu'on les jetât en avant ; ils se vantaient de pouvoir seuls entrer sans nous à Moscou : proposition inopportune ! Le poëte armé, Bonaparte avait reparu ; il voulait monter au Kremlin pour y chanter et pour signer un décret sur les théâtres.

Quoi qu'on publie aujourd'hui à la louange de Bonaparte, ce grand démocrate, sa haine des gouvernements constitutionnels était invincible ; elle ne l'abandonna point alors même qu'il était entré dans les déserts menaçants de la Russie. Le sénateur Wibicki lui apporta jusqu'à Wilna les résolutions de la Diète de Varsovie : « C'est à vous, disait-il « dans son exagération sacrilège, c'est à vous qui dictez au « siècle son histoire, et en qui la force de la Providence « réside, c'est à vous d'appuyer des efforts que vous devez « approuver. » Il venait, lui, Wibicki, demander à Napoléon le Grand de prononcer ces seules paroles : « Que le royaume « de Pologne existe, » et le royaume de Pologne existera. « Les « Polonais se dévoueront aux ordres du chef devant qui les « siècles ne sont qu'un moment, et l'espace qu'un point. »

Napoléon répondit :

« Gentilshommes, députés de la confédération de Po-« logne, j'ai entendu avec intérêt ce que vous venez de me « dire. Polonais, *je penserais* et *agirais* comme vous ; j'au-« rais voté comme vous dans l'assemblée de Varsovie. « L'amour de son pays est le premier devoir de l'homme « civilisé.

« *Dans ma situation, j'ai beaucoup d'intérêts à concilier et* « *beaucoup de devoirs à remplir.* Si j'avais régné pendant le « premier, le second, ou le troisième partage de la Pologne, « j'aurais armé *mes peuples* pour la défendre.

« J'aime votre nation ! Pendant seize ans j'ai vu vos soldats
« à mes côtés, dans les champs d'Italie et dans ceux de
« l'Espagne. J'applaudis à ce que vous avez fait ; j'autorise
« les efforts que vous voulez faire : je ferai tout ce qui
« dépendra de moi pour seconder vos résolutions.

« Je vous ai tenu le même langage dès ma première entrée
« en Pologne. Je dois y ajouter *que j'ai garanti à l'empereur*
« *d'Autriche l'intégrité de ses domaines, et que je ne puis*
« *sanctionner aucune manœuvre, ou aucun mouvement, qui*
« *tende à troubler la paisible possession de ce qui lui reste*
« *des provinces de la Pologne.*

« Je récompenserai ce dévouement de vos contrées, qui
« vous rend si intéressants et vous acquiert tant de titres à
« mon estime et à ma protection, par tout ce qui *pourra*
« *dépendre de moi dans les circonstances.* »

Ainsi crucifiée pour le rachat des nations, la Pologne
a été abandonnée ; on a lâchement insulté sa passion ; on
lui a présenté l'éponge pleine de vinaigre, lorsque sur la
croix de la liberté elle a dit : « J'ai soif, *sitio* [1]. »

« Quand la liberté, s'écrie Mickiewicz, s'assiéra sur le
« trône du monde, elle jugera les nations. Elle dira à la
« France : Je t'ai appelée, tu ne m'as pas écoutée : va donc
« à l'esclavage. »

« Tant de sacrifices, tant de travaux, dit l'abbé de
« Lamennais, doivent-ils être stériles ? Les sacrés martyrs
« n'auraient-ils semé dans les champs de la patrie qu'un
« esclavage éternel ? Qu'entendez-vous dans ces forêts ? Le
« murmure triste des vents. Que voyez-vous passer sur ces
« plaines ? L'oiseau voyageur qui cherche un lieu pour se
« reposer. »

1. Comme le Christ sur la Croix.

LE 9 mai 1812, Napoléon partit pour l'armée et se rendit à
Dresde. C'est à Dresde qu'il rassembla les ressorts épars de
la confédération du Rhin, et que, pour la première et la
dernière fois, il mit en mouvement cette machine qu'il avait
fabriquée.

Parmi les chefs-d'œuvre exilés qui regrettent le soleil de
l'Italie [1], a lieu une réunion de l'empereur Napoléon et de
l'impératrice Marie-Louise, de l'empereur et de l'impératrice d'Autriche, d'une cohue de souverains grands et petits.
Ces souverains aspirent à former de leurs diverses cours les
cercles subordonnés de la cour première : ils se disputent le
vasselage ; l'un veut être l'échanson du sous-lieutenant de
Brienne, l'autre son pannetier. L'histoire de Charlemagne
est mise à contribution par l'érudition des chancelleries
allemandes ; plus on était élevé, plus on était rampant :
« Une dame de Montmorency, dit Bonaparte dans Las
« Cases, se serait précipitée pour renouer les souliers de
« l'impératrice. »

Lorsque Bonaparte traversait le palais de Dresde pour se
rendre à un gala préparé, il marchait le premier et en avant,
le chapeau sur la tête ; François II suivait, chapeau bas,
accompagnant sa fille, l'impératrice Marie-Louise ; la
tourbe des princes venait pêle mêle derrière, dans un
respectueux silence. L'impératrice d'Autriche manquait au
cortége ; elle se disait souffrante, ne sortait de ses appartements qu'en chaise à porteurs, pour éviter de donner le bras
à Napoléon, qu'elle détestait. Ce qui restait de sentiments
nobles s'était retiré au cœur des femmes.

Un seul roi, le roi de Prusse, fut d'abord tenu à l'écart :

---

1. Les tableaux pris en Italie par Bonaparte avaient été pour la plupart
rassemblés au musée de Dresde.

« Que me veut ce prince ? s'écriait Bonaparte avec impa-
« tience. N'est-ce pas assez de l'importunité de ses lettres ?
« Pourquoi veut-il me persécuter encore de sa présence ? Je
« n'ai pas besoin de lui. » Dures paroles contre le malheur,
prononcées la veille du malheur.

Le grand crime de Frédéric-Guillaume auprès du *républicain* Bonaparte était d'*avoir abandonné la cause des rois.*
Les négociations de la cour de Berlin avec le Directoire
décelaient en ce prince, disait Bonaparte, *une politique
timide, intéressée, sans noblesse, qui sacrifiait sa dignité et
la cause générale des trônes à de petits agrandissements.*
Quand il regardait sur une carte la nouvelle Prusse, il
s'écriait : « Se peut-il que j'aie laissé à cet homme tant de
« pays ! » Des trois commissaires des alliés qui le condui-
rent à Fréjus, le commissaire prussien fut le seul que
Bonaparte reçut mal et avec lequel il ne voulut avoir aucun
rapport. On a cherché la cause secrète de cette aversion de
l'empereur pour Guillaume ; on l'a cru trouver dans telle et
telle circonstance particulière : en parlant de la mort du duc
d'Enghien, je pense avoir touché de plus près la vérité.

Bonaparte attendit à Dresde les progrès des colonnes de
ses armées : Marlborough, dans cette même ville, allant
saluer Charles XII, aperçut sur une carte un tracé aboutis-
sant à Moscou ; il devina que le monarque prendrait cette
route, et ne se mêlerait pas de la guerre de l'Occident. En
n'avouant pas tout haut son projet d'invasion, Bonaparte ne
pouvait néanmoins le cacher ; avec les diplomates il mettait
en avant trois griefs : l'ukase du 31 décembre 1810, prohi-
bant certaines importations en Russie, et détruisant, par
cette prohibition, le *système continental ;* la protestation
d'Alexandre contre la réunion du duché d'Oldenbourg ; les
armements de la Russie. Si l'on n'était accoutumé à l'abus
des mots, on s'étonnerait de voir donner pour cause légitime
de guerre les règlements de douanes d'un Etat indépendant
et la violation d'un système que cet Etat n'a pas adopté.
Quant à la réunion du duché d'Oldenbourg et aux armements de la Russie, vous venez de voir que le duc de Vicence
avait osé montrer à Napoléon l'outrecuidance de ces reproches. La justice est si sacrée, elle semble si nécessaire au
succès des affaires, que ceux-là même qui la foulent aux

pieds prétendent n'agir que d'après ses principes. Cependant le général Lauriston fut envoyé à Saint-Pétersbourg et le comte de Narbonne au quartier général d'Alexandre : messagers de paroles suspectes de paix et de bon vouloir. L'abbé de Pradt avait été dépêché à la Diète polonaise ; il en revint surnommant son maître *Jupiter-Scapin*. Le comte de Narbonne rapporta qu'Alexandre, sans abattement et sans jactance, préférait la guerre à une paix honteuse. Le czar professait toujours pour Napoléon un enthousiasme naïf ; mais il disait que la cause des Russes était juste, et que son ambitieux ami avait tort. Cette vérité, exprimée dans les bulletins moscovites, prit l'empreinte du génie national : Bonaparte devint l'*Antechrist*.

Napoléon quitte Dresde le 22 mai 1812, passe à Posen et à Thorn ; il y vit piller les Polonais par ses autres alliés. Il descend la Vistule, s'arrête à Dantzick, Kœnigsberg et Gumbinnen.

Chemin faisant, il passe en revue ses différentes troupes : aux vieux soldats il parle des Pyramides, de Marengo, d'Austerlitz, d'Iena, de Friedland ; avec les jeunes gens il s'occupe de leurs besoins, de leurs équipements, de leur solde, de leurs capitaines : il jouait dans ce moment à la bonté.

INVASION DE LA RUSSIE. — WILNA ; LE SÉNATEUR POLONAIS WIBICKI ; LE PARLEMENTAIRE RUSSE BALASCHEFF. — SMOLENSK. — MURAT. — LE FILS DE PLATOFF.

LORSQUE Bonaparte franchit le Niémen, quatre-vingt-cinq millions cinq cent mille âmes reconnaissaient sa domination ou celle de sa famille ; la moitié de la population de la chrétienté lui obéissait ; ses ordres étaient exécutés dans un espace qui comprenait dix-neuf degrés de latitude et trente degrés de longitude. Jamais expédition plus gigantesque ne s'était vue, ne se reverra.

Le 22 juin, à son quartier général de Wilkowiski, Napoléon proclame la guerre : « Soldats, la seconde guerre de la « Pologne est commencée ; la première s'est terminée à « Tilsit ; la Russie est entraînée par la fatalité : ses *destins* « doivent s'accomplir. »

Moscou répond à cette voix jeune encore par la bouche de son métropolitain, âgé de cent dix ans : « La ville de Moscou « reçoit Alexandre, son Christ, comme une mère dans les « bras de ses fils zélés, et chante Hosanna ! Béni soit celui « qui arrive ! » Bonaparte s'adressait au Destin, Alexandre à la Providence.

Le 23 juin 1812, Bonaparte reconnut de nuit le Niémen ; il ordonna d'y jeter trois ponts. A la chute du jour suivant, quelques sapeurs passent le fleuve dans un bateau ; ils ne trouvent personne sur l'autre rive. Un officier de Cosaques, commandant une patrouille, vient à eux et leur demande qui ils sont. « — Français. — Pourquoi venez-vous en Russie ? « — Pour vous faire la guerre. » Le Cosaque disparaît dans les bois ; trois sapeurs tirent sur la forêt ; on ne leur répond point : silence universel.

Bonaparte était demeuré toute une journée étendu sans force et pourtant sans repos : il sentait quelque chose se retirer de lui. Les colonnes de nos armées s'avancèrent à travers la forêt de Pilwisky, à la faveur de l'obscurité, comme les Huns conduits par une biche dans les Palus-Méotides [1]. On ne voyait pas le Niémen ; pour le reconnaître, il en fallut toucher les bords.

Au milieu du jour, au lieu des bataillons moscovites, ou des populations lithuaniennes, s'avançant au-devant de leurs libérateurs, on ne vit que des sables nus et des forêts désertes : « A trois cents pas du fleuve, sur la hauteur la « plus élevée, on apercevait la tente de l'empereur. Autour « d'elle toutes les collines, leurs pentes, les vallées, étaient « couvertes d'hommes et de chevaux. » (Ségur.)

1. Marais qui avoisinent la mer d'Azov.

L'ensemble des forces obéissant à Napoléon se montait à six cent quatre-vingt mille trois cents fantassins, à cent soixante-seize mille huit cent cinquante chevaux. Dans la guerre de la succession, Louis XIV avait sous les armes six cent mille hommes, tous Français. L'infanterie active, sous les ordres immédiats de Bonaparte, était répartie en dix corps. Ces corps se composaient de vingt mille Italiens, de quatre-vingt mille hommes de la Confédération du Rhin, de trente mille Polonais, de trente mille Autrichiens, de vingt mille Prussiens et de deux cent soixante-dix mille Français.

L'armée franchit le Niémen ; Bonaparte passe lui-même le pont fatal et pose le pied sur la terre russe. Il s'arrête et voit défiler ses soldats, puis il échappe à la vue, et galope au hasard dans une forêt, comme appelé au conseil des esprits sur la bruyère. Il revient ; il écoute ; l'armée écoutait : on se figure entendre gronder le canon lointain ; on était plein de joie : ce n'était qu'un orage ; les combats reculaient. Bonaparte s'abrita dans un couvent abandonné : double asile de paix.

On a raconté que le cheval de Napoléon s'abattit et qu'on entendit murmurer : « C'est un mauvais présage ; un « Romain reculerait. » Vieille histoire de Scipion, de Guillaume le Bâtard, d'Edouard III, et de Malesherbes partant pour le tribunal révolutionnaire.

Trois jours furent employés au passage des troupes ; elles prenaient rang et s'avançaient. Napoléon s'empressait sur la route ; le temps lui criait : « Marche ! marche ! » comme parle Bossuet [1].

A Wilna, Bonaparte reçut le sénateur Wibicki, de la Diète de Varsovie : un parlementaire russe, Balascheff, se présente à son tour ; il déclare qu'on pouvait encore traiter, qu'Alexandre n'était point l'agresseur, que les Français se trouvaient en Russie sans aucune déclaration de guerre. Napoléon répond qu'Alexandre n'est qu'un général à la parade, qu'Alexandre n'a que trois généraux : Kutuzoff, dont lui, Bonaparte, ne se soucie pas parce qu'il est Russe ;

---

1. Dans son « esquisse d'un sermon pour le jour de Pâques » (22 avril 1685) : « Je voudrais retourner sur mes pas. Marche, marche !... On voudrait s'arrêter. Marche, marche !... »

Beningsen, déjà trop vieux il y a six ans et maintenant en enfance ; Barclay, général de retraite. Le duc de Vicence, s'étant cru insulté par Bonaparte dans la conversation, l'interrompit d'une voix irritée : « Je suis bon Français ; je « l'ai prouvé : je le prouverai encore, en répétant que cette « guerre est impolitique, dangereuse, qu'elle perdra l'armée, « la France et l'empereur. »

Bonaparte avait dit à l'envoyé russe : « Croyez-vous que je « me soucie de vos jacobins de Polonais ? » Madame de Staël rapporte ce dernier propos [1] ; ses hautes liaisons la tenaient bien informée : elle affirme qu'il existait une lettre écrite à M. de Romanzoff [2] par un ministre de Bonaparte, lequel proposait de rayer des actes européens le nom de Pologne et de Polonais : preuve surabondante du dégoût de Napoléon pour ses braves suppliants.

Bonaparte s'enquit devant Balascheff du nombre des églises de Moscou ; sur la réponse, il s'écrie : « Comment, « tant d'églises à une époque où l'on n'est plus chrétien ? — « Pardon, sire, reprit le Moscovite, les Russes et les Espa- « gnols le sont encore. »

Balascheff renvoyé avec des propositions inadmissibles, la dernière lueur de paix s'évanouit. Les bulletins disaient : « Le voilà donc cet empire de Russie, de loin si redoutable ! « c'est un désert. Il faut plus de temps à Alexandre pour « rassembler ses recrues qu'à Napoléon pour arriver à « Moscou. »

Bonaparte, parvenu à Witepsk, eut un moment l'idée de s'y arrêter. Rentrant à son quartier général, après avoir vu Barclay se retirer encore, il jeta son épée sur des cartes et s'écria : « Je m'arrête ici ! ma campagne de 1812 est finie : « celle de 1813 fera le reste. » Heureux s'il eût tenu à cette résolution que tous ses généraux lui conseillaient ! Il s'était flatté de recevoir de nouvelles propositions de paix : ne voyant rien venir, il s'ennuya ; il n'était qu'à vingt journées de Moscou. « Moscou, la ville sainte ! » répétait-il. Son regard devenait étincelant, son air farouche : l'ordre de partir est

1. Dans ses *Dix années d'exil.*
2. Ministre d'Alexandre Ier.

donné. On lui fait des observations ; il les dédaigne ; Daru, interrogé, lui répond : « qu'il ne conçoit ni le but ni la « nécessité d'une pareille guerre. » L'Empereur réplique : « Me prend-on pour un insensé ? Pense-t-on que je fais la « guerre par goût ? » Ne lui avait-on pas entendu dire à lui, empereur, « que la guerre d'Espagne et celle de Russie « étaient deux chancres qui rongeaient la France ? » Mais pour faire la paix il fallait être deux, et l'on ne recevait pas une seule lettre d'Alexandre.

Et ces *chancres,* de qui venaient-ils ? Ces inconséquences passent inaperçues et se changent même au besoin en preuves de la candide sincérité de Napoléon.

Bonaparte se croirait dégradé s'il s'arrêtait dans une faute qu'il reconnaît. Ses soldats se plaignent de ne plus le voir qu'aux moments des combats, toujours pour les faire mourir, jamais pour les faire vivre : il est sourd à ces plaintes. La nouvelle de la paix entre les Russes et les Turcs le frappe et ne le retient pas : il se précipite à Smolensk. Les proclamations des Russes disaient : « Il vient (Napo-« léon), la trahison dans le cœur et la loyauté sur les lèvres, « il vient nous enchaîner avec ses légions d'esclaves. Portons « la croix dans nos cœurs et le fer dans nos mains ; « arrachons les dents à ce lion ; renversons le tyran qui « renverse la terre. »

Sur les hauteurs de Smolensk Napoléon retrouve l'armée russe, composée de cent vingt mille hommes : « Je les tiens ! » s'écrie-t-il. Le 17, au point du jour, Belliard[1] poursuit une bande de Cosaques et la jette dans le Dniéper ; le rideau replié, on aperçoit l'armée ennemie sur la route de Moscou ; elle se retirait. Le rêve de Bonaparte lui échappe encore. Murat, qui avait trop contribué à la vaine poursuite, dans son désespoir voulait mourir. Il refusait de quitter une de nos batteries écrasée par le feu de la citadelle de Smolensk non encore évacuée : « Retirez-vous tous ; laissez-« moi seul ici ! » s'écriait-il. Une attaque effroyable avait lieu contre cette citadelle : rangée sur des hauteurs qui s'élèvent en amphithéâtre, notre armée contemplait le combat au-dessous : quand elle vit les assaillants s'élancer à

1. Général de cavalerie.

travers le feu et la mitraille, elle battit des mains comme elle avait fait à l'aspect des ruines de Thèbes.

Pendant la nuit un incendie attire les regards. Un sous-officier de Davoust escalade les murs, parvient dans la citadelle au milieu de la fumée ; le son de quelques voix lointaines arrive à son oreille : le pistolet à la main, il se dirige de ce côté et, à son grand étonnement, il tombe dans une patrouille d'amis. Les Russes avaient abandonné la ville, et les Polonais de Poniatowski l'avaient occupée.

Murat, par son costume extraordinaire, par le caractère de sa vaillance qui ressemblait à la leur, excitait l'enthousiasme des Cosaques. Un jour qu'il faisait sur leurs bandes une charge furieuse, il s'emporte contre elles, les gourmande et leur commande : les Cosaques ne comprennent pas, mais ils devinent, tournent bride et obéissent à l'ordre du général ennemi.

Lorsque nous vîmes à Paris [1] l'hetman Platoff, nous ignorions ses afflictions paternelles : en 1812 il avait un fils beau comme l'Orient ; ce fils montait un superbe cheval blanc de l'Ukraine ; le guerrier de dix-sept ans combattait avec l'intrépidité de l'âge qui fleurit et espère : un hulan polonais le tua. Etendu sur une peau d'ours, les Cosaques vinrent respectueusement baiser sa main. Ils prononcent des prières funèbres, l'enterrent sur une butte couverte de pins ; ensuite, tenant en main leurs chevaux, ils défilent autour de la tombe, la pointe de leur lance renversée contre terre : on croyait voir les funérailles décrites par l'historien des Goths [2], ou les cohortes prétoriennes renversant leurs faisceaux devant les cendres de Germanicus, *versi fasces* [3]. « Le « vent fait tomber les flocons de neige que le printemps du « nord porte dans ses cheveux. » (Edda de Sœmund [4])

1. En 1814.
2. Jornandès (ou Jordanès), historien goth d'expression latine (vr[e] siècle).
3. Souvenir de Tacite (*Annales,* III, II).
4. Recueil de la mythologie scandinave.

RETRAITE DES RUSSES. — LE BORYSTHÈNE. — OBSESSION
DE BONAPARTE. — KUTUZOFF SUCCÈDE À BARCLAY DANS
LE COMMANDEMENT DE L'ARMÉE RUSSE. — BATAILLE DE LA
MOSKOWA OU DE BORODINO. — BULLETIN. — ASPECT DU
CHAMP DE BATAILLE.

BONAPARTE écrivit de Smolensk en France qu'il était maître
des salines russes et que son ministre du Trésor pouvait
compter sur quatre-vingts millions de plus.

La Russie fuyait vers le pôle : les seigneurs, désertant
leurs châteaux de bois, s'en allaient avec leurs familles,
leurs serfs et leurs troupeaux. Le *Dniéper,* ou l'ancien
Borysthène, dont les eaux avaient jadis été déclarées saintes
par Wladimir [1], était franchi : ce fleuve avait envoyé aux
peuples civilisés des invasions de Barbares ; il subissait
maintenant les invasions des peuples civilisés. Sauvage
déguisé sous un nom grec, il ne se rappelait même plus les
premières migrations des Slaves ; il continuait de couler
inconnu, parmi ses forêts, portant dans ses barques, au lieu
des enfants d'Odin, des châles et des parfums aux femmes
de Saint-Pétersbourg et de Varsovie. Son histoire pour le
monde ne commence qu'à l'orient des montagnes où sont les
autels d'Alexandre.

De Smolensk on pouvait également conduire une armée à
Saint-Pétersbourg et à Moscou. Smolensk aurait dû avertir
le vainqueur de s'arrêter ; il en eut un moment l'envie :
« L'empereur, dit M. Fain, découragé, parla du projet de
« s'arrêter à Smolensk. » Aux ambulances on commençait
déjà à manquer de tout. Le général Gourgaud raconte que
le général Lariboissière fut obligé de délivrer l'étoupe de ses
canons pour panser les blessés. Mais Bonaparte était entraî-

---

1. Prince russe du xe siècle, canonisé par l'Eglise orthodoxe.

né ; il se délectait à contempler aux deux bouts de l'Europe les deux aurores qui éclairaient ses armées dans des plaines brûlantes et sur des plateaux glacés.

Roland, dans son cercle étroit de chevalerie, courait après Angélique [1] ; les conquérants de première race poursuivent une plus haute souveraine [2] : point de repos pour eux qu'ils n'aient pressé dans leurs bras cette divinité couronnée de tours, épouse du Temps, fille du Ciel et mère des Dieux. Possédé de sa propre existence, Bonaparte avait tout réduit à sa personne ; Napoléon s'était emparé de Napoléon ; il n'y avait plus que lui en lui. Jusqu'alors il n'avait exploré que des lieux célèbres ; maintenant il parcourait une voie sans nom, le long de laquelle Pierre avait à peine ébauché les villes futures d'un empire qui ne comptait pas un siècle. Si les exemples instruisaient, Bonaparte aurait pu s'inquiéter au souvenir de Charles XII qui traversa Smolensk en cherchant Moscou. A Kolodrina il y eut une affaire meurtrière : on avait enterré à la hâte les cadavres des Français, de sorte que Napoléon ne put juger de la grandeur de sa perte. A Dorogobouj, rencontre d'un Russe avec une barbe éblouissante de blancheur descendant sur sa poitrine : trop vieux pour suivre sa famille, resté seul à son foyer, il avait vu les prodiges de la fin du règne de Pierre le Grand, et il assistait, dans une silencieuse indignation, à la dévastation de son pays.

Une suite de batailles présentées et refusées amenèrent les Français sur le champ de la Moskowa. A chaque bivouac, l'empereur allait discutant avec ses généraux, écoutant leurs contentions, tandis qu'il était assis sur des branches de sapin ou se jouait avec quelque boulet russe qu'il poussait du pied.

Barclay [3], pasteur de Livonie, et puis général, était l'auteur de ce système de retraite qui laissait à l'automne le temps de le rejoindre : une intrigue de cour le renversa. Le vieux Kutuzoff, battu à Austerlitz parce qu'on n'avait pas suivi son opinion, laquelle était de refuser le combat jusqu'à

1. Souvenir du *Roland furieux* de l'Arioste.
2. Cybèle, déesse de la Terre.
3. Barclay de Tolly (1750-1818), général russe.

l'arrivée du prince Charles, remplaça Barclay. Les Russes voyaient dans Kutuzoff un général de leur nation, l'élève de Suwaroff, le vainqueur du grand-vizir en 1811, et l'auteur de la paix avec la Porte, alors si nécessaire à la Russie. Sur ces entrefaites, un officier moscovite se présente aux avant-postes de Davoust ; il n'était chargé que de propositions vagues ; sa mission réelle semblait être de regarder et d'examiner : on lui montra tout. La curiosité française, insouciante et sans frayeur, lui demanda ce qu'on trouverait de Viazma à Moscou : « Pultava [1], » répondit-il.

Arrivé sur les hauteurs de Borodino, Bonaparte voit enfin l'armée russe arrêtée et formidablement retranchée. Elle comptait cent vingt mille hommes et six cents pièces de canon ; du côté des Français, égale force. La gauche des Russes examinée, le maréchal Davoust propose à Napoléon de tourner l'ennemi : « Cela me ferait perdre trop de temps, « répond l'empereur. » Davoust insiste ; il s'engage à avoir accompli sa manœuvre avant six heures du matin ; Napoléon l'interrompt brusquement : « Ah ! vous êtes toujours pour tourner l'ennemi. »

On avait remarqué un grand mouvement dans le camp moscovite : les troupes étaient sous les armes ; Kutuzoff, entouré des popes et des archimandrites, précédé des emblèmes de la religion et d'une image sacrée sauvée des ruines de Smolensk, parle à ses soldats du ciel et de la patrie ; il nomme Napoléon le despote universel.

Au milieu de ces chants de guerre, de ces chœurs de triomphe mêlés à des cris de douleur, on entend aussi dans le camp français une voix chrétienne ; elle se distingue de toutes les autres ; c'est l'hymne saint qui monte seul sous les voûtes du temple. Le soldat dont la voix tranquille, et pourtant émue, retentit la dernière, est l'aide de camp du maréchal qui commandait la cavalerie de la garde. Cet aide de camp s'est mêlé à tous les combats de la campagne de Russie ; il parle de Napoléon comme ses plus grands admirateurs ; mais il lui reconnaît des infirmités ; il redresse des récits menteurs et déclare que les fautes commises sont venues de l'orgueil du chef et de l'oubli de Dieu dans les

---

1. Pierre le Grand y avait battu Charles XII en 1709.

178

capitaines. « Dans le camp russe, dit le lieutenant-colonel de « Baudus, on sanctifia cette vigile d'un jour qui devait être « le dernier pour tant de braves . . . .
« Le spectacle offert à mes yeux par la piété de l'ennemi, « ainsi que les plaisanteries qu'il dicta à un trop grand « nombre d'officiers placés dans nos rangs, me rappela que « le plus grand de nos rois, Charlemagne, se disposa lui « aussi à commencer la plus périlleuse de ses entreprises « par des cérémonies religieuses . . . .
« Ah ! sans doute, parmi ces chrétiens égarés, il s'en trouva « un grand nombre dont la bonne foi sanctifia les prières ; « car si les Russes furent vaincus à la Moskowa, notre « entier anéantissement, dont ils ne peuvent se glorifier en « aucune façon, puisqu'il fut l'œuvre manifeste de la « Providence, vint prouver quelques mois plus tard que leur « demande n'avait été que trop favorablement écoutée. »

Mais où était le czar ? Il venait de dire modestement à madame de Staël fugitive qu'il regrettait *de n'être pas un grand général*. Dans ce moment paraissait à nos bivouacs M. de Bausset [1], officier du palais : sorti des bois tranquilles de Saint-Cloud, et suivant les traces horribles de notre armée, il arrivait la veille des funérailles à la Moskowa ; il était chargé du portrait du roi de Rome que Marie-Louise envoyait à l'empereur. M. Fain et M. de Ségur peignent les sentiments dont Bonaparte fut saisi à cette vue ; selon le général Gourgaud, Bonaparte s'écria, après avoir regardé le portrait : « Retirez-le, il voit de trop bonne heure un « champ de bataille. »

Le jour qui précéda l'orage fut extrêmement calme :
« Cette espèce de sagesse que l'on met, dit M. de Baudus, à « préparer de si cruelles folies, a quelque chose d'humiliant « pour la raison humaine quand on y pense de sang-froid à « l'âge où je suis arrivé : car, dans ma jeunesse, je trouvais « cela bien beau. »

Vers le soir du 6, Bonaparte dicta cette proclamation ; elle ne fut connue de la plupart des soldats qu'après la victoire :
« Soldats, voilà la bataille que vous avez tant désirée.
« Désormais la victoire dépend de vous ; elle nous est

1. Chambellan de l'Empereur.

« nécessaire ; elle nous donnera l'abondance et un prompt
« retour dans la patrie. Conduisez-vous comme à Austerlitz,
« à Friedland, à Witepsk et à Smolensk, et que la postérité
« la plus reculée cite votre conduite dans cette journée ; que
« l'on dise de vous : Il était à cette grande bataille sous les
« murs de Moscou. »

Bonaparte passa la nuit dans l'anxiété : tantôt il croyait
que les ennemis se retiraient, tantôt il redoutait le dénûment
de ses soldats et la lassitude de ses officiers. Il savait que
l'on disait autour de lui : « Dans quel but nous a-t-on fait
« faire 800 lieues pour ne trouver que de l'eau marécageuse,
« la famine et des bivouacs sur des cendres ? Chaque année
« la guerre s'aggrave ; de nouvelles conquêtes forcent d'aller
« chercher de nouveaux ennemis. Bientôt l'Europe ne lui
« suffira plus ; il lui faudra l'Asie. » Bonaparte en effet
n'avait pas vu avec indifférence les cours d'eau qui se
jettent dans le Volga ; né pour Babylone, il l'avait déjà
tentée par une autre route. Arrêté à Jaffa à l'entrée
occidentale de l'Asie, arrêté à Moscou à la porte septentrionale de cette même Asie, il vint mourir dans les mers qui
bordent cette partie du monde d'où se levèrent l'homme et le
soleil.

Napoléon, au milieu de la nuit, fit appeler un de ses aides
de camp ; celui-ci le trouva la tête appuyée dans ses deux
mains : « Qu'est-ce que la guerre, disait-il ? Un métier de
« barbares où tout l'art consiste à être le plus fort sur un
« point donné. » Il se plaint de l'inconstance de la fortune ; il
envoie examiner la position de l'ennemi : on lui rapporte
que les feux brillent du même éclat et en égal nombre ; il se
tranquillise. A cinq heures du matin, Ney lui envoie demander l'ordre d'attaque ; Bonaparte sort et s'écrie : « Allons
« ouvrir les portes de Moscou. » Le jour paraît ; Napoléon
montrant l'Orient qui commençait à rougir : « Voilà le
« soleil d'Austerlitz ! » s'écria-t-il.

Mojaïsk, 12 septembre 1812.

Extrait du dix-huitième bulletin de la grande armée.

. . . .

« Le 6, à deux heures du matin, l'Empereur parcourut les
« avant-postes ennemis : on passa la journée à se reconnaî-
« tre. L'ennemi avait une position très-resserrée.

« Cette position parut belle et forte. *Il était facile de*
« *manœuvrer et d'obliger l'ennemi à l'évacuer ; mais cela*
« *aurait remis la partie.*

«

. . . .

« Le 7, à six heures du matin, le général comte Sorbier,
« qui avait armé la batterie droite avec l'artillerie de la
« réserve de la garde, commença ſe feu . . . .

« A six heures et demie, le général Compans est blessé. A
« sept heures, le prince d'Eckmühl a son cheval tué . . . .

« A sept heures, le maréchal duc d'Elchingen se remet en
« mouvement et, sous la protection de soixante pièces de
« canon que le général Foucher avait placées la veille contre
« le centre de l'ennemi, se porte sur le centre. Mille pièces
« de canon vomissent de part et d'autre la mort.

« A huit heures, les positions de l'ennemi sont enlevées,
« ses redoutes prises, et notre artillerie couronne ses mame-
« lons. . . . .

« Il restait à l'ennemi ses redoutes de droite ; le général
« comte Morand y marche et les enlève ; mais à neuf heures
« du matin, attaqué de tous côtés, il ne peut s'y maintenir.
« L'ennemi, encouragé par ce succès, fit avancer sa réserve
« et ses dernières troupes pour tenter encore la fortune. La

« garde impériale russe en fait partie. Il attaque notre
« centre sur lequel avait pivoté notre droite. On craint
« pendant un moment qu'il n'enlève le village brûlé ; la
« division Friant s'y porte : quatre-vingts pièces de canon
« françaises arrêtent d'abord et écrasent ensuite les colon-
« nes ennemies qui se tiennent pendant deux heures serrées
« sous la mitraille, n'osant pas avancer, ne voulant pas
« reculer, et renonçant à l'espoir de la victoire. Le roi de
« Naples décide leur incertitude ; il fait charger le quatrième
« corps de cavalerie qui pénètre dans les brèches que la
« mitraille de nos canons a faites dans les masses serrées des
« Russes et les escadrons de leurs cuirassiers ; ils se déban-
« dent de tous côtés. . . . .

. . . .

« Il est deux heures après midi, toute espérance aban-
« donne l'ennemi : la bataille est finie, la canonnade conti-
« nue encore ; il se bat pour sa retraite et pour son salut,
« mais non pour la victoire.

« Notre perte totale peut être évaluée à dix mille hommes ;
« celle de l'ennemi à quarante ou cinquante mille. Jamais
« on n'a vu pareil champ de bataille. Sur six cadavres il y en
« avait un français et cinq russes. Quarante généraux russes
« ont été tués, blessés ou pris : le général Bagration a été
« blessé.

« Nous avons perdu le général de division comte Mont-
« brun, tué d'un coup de canon ; le général comte Caulain-
« court, qui avait été envoyé pour le remplacer, tué d'un
« même coup une heure après.

« Les généraux de brigade Compère, Plauzonne, Marion,
« Huart, ont été tués ; sept ou huit généraux ont été blessés,
« la plupart légèrement. Le prince d'Eckmühl n'a eu aucun
« mal. Les troupes françaises se sont couvertes de gloire et
« ont montré leur grande supériorité sur les troupes russes.

« Telle est en peu de mots l'esquisse de la bataille de la
« Moskowa, donnée à deux lieues en arrière de Mojaïsk et à
« vingt-cinq lieues de Moscou.

« L'Empereur n'a jamais été exposé ; la garde, ni à pied ni
« à cheval, n'a pas donné et n'a pas perdu un seul homme.
« La victoire n'a jamais été incertaine. Si l'ennemi, forcé
« dans ses positions, n'avait pas voulu les reprendre, notre

« perte aurait été plus forte que la sienne ; mais il a détruit
« son armée en la tenant depuis huit heures jusqu'à deux
« sous le feu de nos batteries et en s'opiniâtrant à reprendre
« ce qu'il avait perdu. C'est la cause de son immense
« perte. »

Ce bulletin froid et rempli de réticences est loin de donner
une idée de la bataille de la Moskowa, et surtout des affreux
massacres à la grande redoute : quatre-vingt mille hommes
furent mis hors de combat ; trente mille d'entre eux appartenaient à la France. Auguste de la Rochejaquelein [1] eut le
visage fendu d'un coup de sabre et demeura prisonnier
des Moscovites : il rappelait d'autres combats et
un autre drapeau. Bonaparte, passant en revue le
61e régiment presque détruit, dit au colonel : «Colonel,
qu'avez-vous fait d'un de vos bataillons ? — Sire, il est
dans la redoute. » Les Russes ont toujours soutenu et soutiennent encore avoir gagné la bataille : ils vont élever
une colonne triomphale funèbre sur les hauteurs de
Borodino.

Le récit de M. de Ségur va suppléer à ce qui manque au
bulletin de Bonaparte : «L'empereur parcourut, dit-il, le
« champ de bataille. Jamais aucun ne fut d'un si horrible
« aspect. Tout y concourait : un ciel obscur, une pluie
« froide, un vent violent, des habitations en cendres, une
« plaine bouleversée, couverte de ruines et de débris ; à
« l'horizon, la triste et sombre verdure des arbres du Nord ;
« partout des soldats errants parmi des cadavres et cher-
« chant des subsistances jusque dans les sacs de leurs
« compagnons morts ; d'horribles blessures, car les balles
« russes sont plus grosses que les nôtres ; des bivouacs
« silencieux ; plus de chants, point de récits : une morne
« taciturnité.

«On voyait autour des aigles le reste des officiers et
« sous-officiers, et quelques soldats, à peine ce qu'il en
« fallait pour garder le drapeau. Leurs vêtements étaient
« déchirés par l'acharnement du combat, noircis de poudre,
« souillés de sang ; et pourtant, au milieu de ces lambeaux,
« de cette misère, de ce désastre, un air fier, et même, à

1. Frère du chef vendéen (voir Tome III, p. 213).

« l'aspect de l'empereur, quelques cris de triomphe, mais
« rares et excités : car, dans cette armée, capable à la fois
« d'analyse et d'enthousiasme, chacun jugeait de la position
« de tous. . . . .

. . . .

« L'empereur ne put évaluer sa victoire que par les morts.
« La terre était tellement jonchée de Français étendus sur
« les redoutes, qu'elles paraissaient leur appartenir
« plus qu'à ceux qui restaient debout. Il semblait y
« avoir là plus de vainqueurs tués que de vainqueurs
« vivants.

« Dans cette foule de cadavres, sur lesquels il fallait
« marcher pour suivre Napoléon, le pied d'un cheval ren-
« contra un blessé et lui arracha un dernier signe de vie ou
« de douleur. L'empereur, jusque-là muet comme sa vic-
« toire, et que l'aspect de tant de victimes oppressait,
« éclata ; il se soulagea par des cris d'indignation, et par une
« multitude de soins qu'il fit prodiguer à ce malheureux.
« Puis il dispersa les officiers qui le suivaient pour
« qu'ils secourussent ceux qu'on entendait crier de toutes
« parts.

« On en trouvait surtout dans le fond des ravines où la
« plupart des nôtres avaient été précipités, et où plusieurs
« s'étaient traînés pour être plus à l'abri de l'ennemi et de
« l'ouragan. Les uns prononçaient en gémissant le nom de
« leur patrie ou de leur mère : c'étaient les plus jeunes. Les
« plus anciens attendaient la mort d'un air ou impassible ou
« sardonique, sans daigner implorer ni se plaindre ; d'autres
« demandaient qu'on les tuât sur-le-champ : mais on
« passait vite à côté de ces malheureux, qu'on
« n'avait ni l'inutile pitié de secourir, ni la pitié cruelle
« d'achever. »

Tel est le récit de M. de Ségur. Anathème aux victoires
non remportées pour la défense de la patrie et qui ne
servent qu'à la vanité d'un conquérant !

La garde, composée de vingt-cinq mille hommes d'élite,
ne fut point engagée à la Moskowa : Bonaparte la refusa
sous divers prétextes. Contre sa coutume, il se tint à l'écart
du feu et ne pouvait suivre de ses propres yeux les manœuvres. Il s'asseyait ou se promenait près d'une redoute

emportée la veille : lorsqu'on venait lui apprendre la mort de quelques-uns de ses généraux, il faisait un geste de résignation. On regardait avec étonnement cette impassibilité ; Ney s'écriait : « Que fait-il derrière l'armée ? « Là, il n'est à portée que des revers, et non des succès. « Puisqu'il ne fait plus la guerre par lui-même, qu'il n'est « plus général, qu'il veut faire partout l'empereur, qu'il « retourne aux Tuileries et nous laisse être généraux pour « lui. » Murat avouait que dans cette grande journée il n'avait plus reconnu le génie de Napoléon.

Des admirateurs sans réserve ont attribué l'engourdissement de Napoléon à la complication des souffrances dont, assurent-ils, il était alors accablé ; ils affirment qu'à tous moments il était obligé de descendre de cheval, et que souvent il restait immobile, le front appuyé contre des canons. Cela peut être : un malaise passager pouvait contribuer dans ce moment à la prostration de son énergie ; mais si l'on remarque qu'il retrouva cette énergie dans la campagne de Saxe et dans sa fameuse campagne de France, il faudra chercher une autre cause de son inaction à Borodino. Comment ! vous avouez dans votre bulletin *qu'il était facile de manœuvrer et d'obliger l'ennemi à évacuer sa belle position, mais que cela aurait remis la partie;* et vous, qui avez assez d'*activité d'esprit* pour condamner à la mort tant de milliers de nos soldats, vous n'avez pas assez de *force de corps* pour ordonner à votre garde d'aller au moins à leur secours ? Il n'y a d'autre explication à ceci que la nature même de l'homme : l'adversité arrivait ; sa première atteinte le glaça. La grandeur de Napoléon n'était pas de cette qualité qui appartient à l'infortune ; la prospérité seule lui laissait ses facultés entières : il n'était point fait pour le malheur.

MARCHE EN AVANT DES FRANÇAIS. — ROSTOPSCHINE. —
BONAPARTE AU MONT-DU-SALUT. — VUE DE MOSCOU. —
ENTRÉE DE NAPOLÉON AU KREMLIN. — INCENDIE DE
MOSCOU. — BONAPARTE GAGNE AVEC PEINE PETROWSKI. —
ECRITEAU DE ROSTOPSCHINE. — SÉJOUR SUR LES RUINES
DE MOSCOU. — OCCUPATIONS DE BONAPARTE.

ENTRE la Moskowa et Moscou, Murat engagea une affaire
devant Mojaïsk. On entra dans la ville où l'on trouva dix
mille morts et mourants ; on jeta les morts par les fenêtres
pour loger les vivants. Les Russes se repliaient en bon ordre
sur Moscou.

Dans la soirée du 13 septembre, Kutuzoff avait assemblé
un conseil de guerre : tous les généraux déclarèrent que
Moscou n'était pas la patrie. Buturlin (*Histoire de la
campagne de Russie*), le même officier qu'Alexandre envoya
au quartier de Mgr le duc d'Angoulême en Espagne,
Barclay, dans son *Mémoire justificatif,* donnent les motifs
qui déterminèrent l'opinion du conseil. Kutuzoff proposa au
roi de Naples une suspension d'armes, tandis que les soldats
russes traverseraient l'ancienne capitale des czars. La suspension fut acceptée, car les Français voulaient conserver la
ville ; Murat seulement serrait de près l'arrière-garde ennemie, et nos grenadiers emboîtaient le pas du grenadier russe
qui se retirait. Mais Napoléon était loin du succès auquel il
croyait toucher : Kutuzoff cachait Rostopschine.

Le comte Rostopschine était gouverneur de Moscou. La
vengeance promettait de descendre du ciel : un ballon
monstrueux, construit à grands frais, devait planer sur
l'armée française, choisir l'Empereur entre mille, s'abattre
sur sa tête dans une pluie de fer et de feu. A l'essai, les ailes
de l'aérostat se brisèrent ; force fut de renoncer à la bombe
des nuées ; mais les artifices restèrent à Rostopschine. Les
nouvelles du désastre de Borodino étaient arrivées à Moscou,
tandis que, sur un bulletin de Kutuzoff, on se flattait encore

de la victoire dans le reste de l'empire. Rostopschine avait fait diverses proclamations en prose rimée ; il disait :

« Allons, mes amis les Moscovites, marchons aussi !
« Nous rassemblerons cent mille hommes, nous prendrons
« l'image de la sainte Vierge, cent cinquante pièces de
« canon, et nous mettrons fin à tout. »

Il conseillait aux habitants de s'armer simplement de fourches, un Français ne pesant pas plus qu'une gerbe.

On sait que Rostopschine a décliné toute participation à l'incendie de Moscou ; on sait aussi qu'Alexandre ne s'est jamais expliqué à ce sujet. Rostopschine a-t-il voulu échapper au reproche des nobles et des marchands dont la fortune avait péri ? Alexandre a-t-il craint d'être appelé *un Barbare* par l'Institut ? Ce siècle est si misérable, Bonaparte en avait tellement accaparé toutes les grandeurs, que quand quelque chose de digne arrivait, chacun s'en défendait et en repoussait la responsabilité.

L'incendie de Moscou restera une résolution héroïque qui sauva l'indépendance d'un peuple et contribua à la délivrance de plusieurs autres. Numance [1] n'a point perdu ses droits à l'admiration des hommes. Qu'importe que Moscou ait été brûlé ? ne l'avait-il pas été déjà sept fois ? N'est-il pas aujourd'hui brillant et rajeuni, bien que dans son vingt-unième bulletin Napoléon eût prédit que l'*incendie de cette capitale retarderait la Russie de cent ans ?* « Le malheur « même de Moscou, dit admirablement madame de Staël, « a régénéré l'empire : cette ville religieuse a péri com-« me un martyr dont le sang répandu donne de nou-« velles forces aux frères qui lui survivent. » (*Dix années d'exil.*)

Où en seraient les nations si Bonaparte, du haut du Kremlin, eût couvert le monde de son despotisme comme d'un drap mortuaire ? Les droits de l'espèce humaine passent avant tout. Pour moi, la terre fût-elle un globe explosible, je n'hésiterais pas à y mettre le feu s'il s'agissait de délivrer mon pays. Toutefois, il ne faut rien moins que les intérêts supérieurs de la liberté humaine pour qu'un Français, la tête couverte d'un crêpe et les yeux pleins de

---

1. Ville d'Espagne détruite par Scipion Emilien (133 av. J.-C.).

larmes, puisse se résoudre à raconter une résolution qui devait devenir fatale à tant de Français.

On a vu à Paris le comte Rostopschine, homme instruit et spirituel : dans ses écrits la pensée se cache sous une certaine bouffonnerie ; espèce de Barbare policé, de poëte ironique, dépravé même, capable de généreuses dispositions, tout en méprisant les peuples et les rois : les églises gothiques admettent dans leur grandeur des décorations grotesques.

La débâcle avait commencé à Moscou ; les routes de Cazan étaient couvertes de fugitifs à pied, en voiture, isolés ou accompagnés de serviteurs. Un présage avait un moment ranimé les esprits : un vautour s'était embarrassé dans les chaînes qui soutenaient la croix de la principale église ; Rome eût, comme Moscou, vu dans ce présage la captivité de Napoléon.

A l'approche des longs convois de blessés russes qui se présentaient aux portes, toute espérance s'évanouit. Kutuzoff avait flatté Rostopschine de défendre la ville avec quatre-vingt onze mille hommes qui lui restaient : vous venez de voir que le conseil de guerre l'obligeait de se retirer. Rostopschine demeura seul.

La nuit descend : des émissaires vont frapper mystérieusement aux portes, annoncent qu'il faut partir et que Ninive est condamnée[1]. Des matières inflammables sont introduites dans les édifices publics et les bazars, dans les boutiques et les maisons particulières ; les pompes sont enlevées. Alors Rostopschine ordonne d'ouvrir les prisons : du milieu d'une troupe immonde on fait sortir un Russe et un Français, le Russe, appartenant à une secte d'illuminés allemands, est accusé d'avoir voulu livrer sa patrie et d'avoir traduit la proclamation des Français ; son père accourt ; le gouverneur lui accorde un moment pour bénir son fils : « Moi, bénir un traître ! » s'écrie le vieux Moscovite, et il le maudit. Le prisonnier est livré à la populace et abattu.

« Pour toi, dit Rostopschine au Français tu devais « désirer l'arrivée de tes compatriotes : sois libre. Va dire

1. Souvenir de la prédiction de Jonas aux Ninivites.

188

« aux tiens que la Russie n'a eu qu'un seul traître et qu'il
« est puni. »

Les autres malfaiteurs relâchés reçoivent, avec leur grâce,
les instructions pour procéder à l'incendie, quand le
moment sera venu. Rostopschine sort le dernier de Moscou,
comme un capitaine de vaisseau quitte le dernier son bord
dans un naufrage.

Napoléon, monté à cheval, avait rejoint son avant-garde.
Une hauteur restait à franchir ; elle touchait à Moscou de
même que Montmartre à Paris ; elle s'appelait le *Mont du
salut,* parce que les Russes y priaient à la vue de la ville
sainte, comme les pèlerins en apercevant Jérusalem. Moscou
aux coupoles dorées, disent les poëtes slaves, resplendissait à
la lumière du jour, avec ses deux cent quatre-vingt quinze
églises, ses quinze cents châteaux, ses maisons ciselées,
colorées en jaune, en vert, en rose : il n'y manquait que les
cyprès et le Bosphore. Le Kremlin faisait partie de cette
masse couverte de fer poli ou peinturé. Au milieu d'élégan-
tes villas de briques et de marbre, la Moskowa coulait parmi
des parcs ornés de bois de sapins, palmiers de ce ciel :
Venise, aux jours de sa gloire, ne fut pas plus brillante dans
les flots de l'Adriatique. Ce fut le 14 septembre, à deux
heures de l'après-midi, que Bonaparte, par un soleil orné
des diamants du pôle, aperçut sa nouvelle conquête. Moscou, comme une princesse européenne aux confins de son
empire, parée de toutes les richesses de l'Asie, semblait
amenée là pour épouser Napoléon.

Une acclamation s'élève : « Moscou ! Moscou ! » s'écrient
nos soldats ; ils battent encore des mains : au temps de la
vieille gloire, ils criaient, revers ou prospérités, vive le Roi !

« Ce fut un beau moment, dit le lieutenant-colonel
« de Baudus, que celui où le magnifique panorama pré-
« senté par l'ensemble de cette immense cité s'offrit tout à
« coup à mes regards. Je me rappellerai toujours l'émotion
« qui se manifesta dans les rangs de la division polonaise ;
« elle me frappa d'autant plus qu'elle se fit jour par un mou-
« vement empreint d'une pensée religieuse. En apercevant
« Moscou, les régiments entiers se jetèrent à genoux et remer-
« cièrent le Dieu des armées de les avoir conduits par la
« victoire dans la capitale de leur ennemi le plus acharné. »

Les acclamations cessent ; on descend muets vers la ville ; aucune députation ne sort des portes pour présenter les clefs dans un bassin d'argent. Le mouvement de la vie était suspendu dans la grande cité. Moscou chancelait silencieuse devant l'étranger : trois jours après elle avait disparu ; la Circassienne du Nord, la belle fiancée, s'était couchée sur son bûcher funèbre.

Lorsque la ville était encore debout, Napoléon en marchant vers elle s'écriait : « La voilà donc cette ville fameu- « se ! » et il regardait : Moscou, délaissée, ressemblait à la cité [1] pleurée dans les *Lamentations* [2]. Déjà Eugène et Poniatowski ont débordé les murailles ; quelques-uns de nos officiers pénètrent dans la ville ; ils reviennent et disent à Napoléon : « Moscou est déserte ! — Moscou est déserte ? c'est invraisemblable ! qu'on m'amène les boyards. » Point de boyards, il n'est resté que des pauvres qui se cachent. Rues abandonnées, fenêtres fermées : aucune fumée ne s'élève des foyers d'où s'en échapperont bientôt des torrents. Pas le plus léger bruit. Bonaparte hausse les épaules.

Murat, s'étant avancé jusqu'au Kremlin, y est reçu par les hurlements des prisonniers devenus libres pour délivrer leur patrie : on est contraint d'enfoncer les portes à coups de canon.

Napoléon s'était porté à la barrière de Dorogomilow ; il s'arrêta dans une des premières maisons du faubourg, fit une course le long de la Moskowa, ne rencontra personne. Il revint à son logement, nomma le maréchal Mortier gouverneur de Moscou, le général Durosnel commandant de la place et M. de Lesseps chargé de l'administration en qualité d'intendant. La garde impériale et les troupes étaient en grande tenue pour paraître devant un peuple absent. Bonaparte apprit bientôt avec certitude que la ville était menacée de quelque événement. A deux heures du matin on lui vient dire que le feu commence. Le vainqueur quitte le faubourg de Dorogomilow et vient s'abriter au Kremlin : c'était dans la matinée du 15. Il éprouva un moment de joie en pénétrant dans le palais de Pierre le Grand ; son orgueil

1. Jérusalem.
2. De Jérémie.

satisfait écrivit quelques mots à Alexandre, à la réverbération du bazar qui commençait à brûler, comme autrefois Alexandre vaincu lui écrivait un billet du champ d'Austerlitz.

Dans le bazar on voyait de longues rangées de boutiques toutes fermées. On contient d'abord l'incendie ; mais dans la seconde nuit il éclate de toutes parts ; des globes lancés par des artifices crèvent, retombent en gerbes lumineuses sur les palais et les églises. Une bise violente pousse les étincelles et lance les flammèches sur le Kremlin : il renfermait un magasin à poudre ; un parc d'artillerie avait été laissé sous les fenêtres même de Bonaparte. De quartier en quartier nos soldats sont chassés par les effluves du volcan. Des Gorgones et des Méduses, la torche à la main, parcourent les carrefours livides de cet enfer ; d'autres attisent le feu avec des lances de bois goudronné. Bonaparte, dans les salles du nouveau Pergame, se précipite aux croisées, s'écrie : « Quelle résolution extraordinaire ! quels hommes ! ce sont des Scythes ! »

Le bruit se répand que le Kremlin est miné : des serviteurs se trouvent mal, des militaires se résignent. Les bouches des divers brasiers en dehors s'élargissent, se rapprochent, se touchent : la tour de l'Arsenal, comme un haut cierge, brûle au milieu d'un sanctuaire embrasé. Le Kremlin n'est plus qu'une île noire contre laquelle se brise une mer ondoyante de feu. Le ciel, reflétant l'illumination, est comme traversé des clartés mobiles d'une aurore boréale.

La troisième nuit descendait ; on respirait à peine dans une vapeur suffocante : deux fois des mèches ont été attachées au bâtiment qu'occupait Napoléon. Comment fuir ? les flammes attroupées bloquent les portes de la citadelle. En cherchant de tous les côtés, on découvre une poterne qui donnait sur la Moskowa. Le vainqueur avec sa garde se dérobe par ce guichet de salut. Autour de lui dans la ville, des voûtes se fendent en mugissant, des clochers d'où découlaient des torrents de métal liquéfié se penchent, se détachent et tombent. Des charpentes, des poutres, des toits craquant, pétillant, croulant, s'abîment dans un Phlégéton dont ils font rejaillir la lame ardente et des millions de paillettes d'or. Bonaparte ne s'échappe que sur les charbons refroidis d'un quartier déjà réduit en cendres : il gagna Petrowsky, villa du czar.

Le général Gourgaud, critiquant l'ouvrage de M. de Ségur, accuse l'officier d'ordonnance de l'empereur de s'être trompé : en effet, il demeure prouvé, par le récit de M. de Baudus, aide de camp du maréchal Bessières, et qui servit lui-même de guide à Napoléon, que celui-ci ne s'évada pas par une poterne, mais qu'il sortit par la grande porte du Kremlin. Du rivage de Sainte-Hélène, Napoléon revoyait brûler la ville des Scythes : « Jamais, dit-il, en dépit « de la poésie, toutes les fictions de l'incendie de Troie « n'égaleront la réalité de celui de Moscou. »

Remémorant antérieurement cette catastrophe, Bonaparte écrit encore : « *Mon mauvais génie m'apparut et « m'annonça ma fin, que j'ai trouvée à l'île d'Elbe.* » Kutuzoff avait d'abord pris sa route à l'orient ; il se rabattit au midi. Sa marche de nuit était à demi éclairée par l'incendie lointain de Moscou, dont il sortait un bourdonnement lugubre ; on eût dit que la cloche qu'on n'avait jamais pu monter à cause de son énorme poids eût été magiquement suspendue au haut d'un clocher brûlant pour tinter les glas. Kutuzoff atteignit Voronowo, possession du comte Rostopschine ; à peine avait-il aperçu la superbe demeure, qu'elle s'enfonce dans le gouffre de la nouvelle conflagration. Sur la porte de fer d'une église on lisait cet écriteau, la *scritta morta* [1], de la main du propriétaire : « J'ai embelli « pendant huit ans cette campagne, et j'y ai vécu heureux « au sein de ma famille ; les habitants de cette terre, au « nombre de dix-sept cent vingt, la quittent à votre appro- « che, et moi je mets le feu à ma maison pour qu'elle ne « soit pas souillée par votre présence. Français je vous ai « abandonné mes deux maisons de Moscou, avec un mobi- « lier d'un demi-million de roubles. Ici vous ne trouverez « que des cendres.

« ROSTOPSCHINE. »

Bonaparte avait au premier moment admiré les feux et les Scythes comme un spectacle apparenté à son imagina-

1. La lettre de mort, le dernier écrit.

tion ; mais bientôt le mal que cette catastrophe lui faisait le refroidit et le fit retourner à ses injurieuses diatribes. En envoyant la lettre de Rostopschine en France, il ajoute : « Il « paraît que Rostopschine est aliéné. Les Russes le regar- « dent comme une espèce de Marat. » Qui ne comprend pas la grandeur dans les autres ne la comprendra pas pour soi quand le temps des sacrifices sera venu.

Alexandre avait appris sans abattement son adversité. « Reculerons-nous, écrivait-il dans ses instructions circulai- « res, quand l'Europe nous encourage de ses regards ? « Servons-lui d'exemple ; saluons la main qui nous choisit « pour être la première des nations dans la cause de la vertu « et de la liberté. » Suivait une invocation au Très-Haut.

Un style dans lequel se trouvent les mots de Dieu, de vertu, de liberté, est puissant : il plaît aux hommes, les rassure et les console ; combien il est supérieur à ces phrases affectées, tristement empruntées des locutions païennes, et fatalisées à la turque : *il fut, ils ont été, la fatalité les entraîne !* phraséologie stérile, toujours vaine, alors même qu'elle est appuyée sur les plus grandes actions.

Sorti de Moscou dans la nuit du 15 septembre, Napoléon y rentra le 18. Il avait rencontré, en revenant, des foyers allumés sur la fange, nourris avec des meubles d'acajou et des lambris dorés. Autour de ces foyers en plein air étaient des militaires noircis, crottés, en lambeaux, couchés sur des canapés de soie ou assis dans des fauteuils de velours, ayant pour tapis sous leurs pieds, dans la boue, des châles de cachemire, des fourrures de la Sibérie, des étoffes d'or de la Perse, mangeant dans des plats d'argent une pâte noire ou de la chair sanguinolente de cheval grillé.

Un pillage irrégulier ayant commencé, on le régularisa ; chaque régiment vint à son tour à la curée. Des paysans chassés de leurs huttes, des Cosaques, des déserteurs de l'ennemi, rôdaient autour des Français et se nourrissaient de ce que nos escouades avaient rongé. On emportait tout ce qu'on pouvait prendre ; bientôt, surchargé de ces dépouilles, on les jetait, quand on venait à se souvenir qu'on était à six cents lieues de son toit.

Les courses que l'on faisait pour trouver des vivres produisaient des scènes pathétiques : une escouade française ramenait une vache ; une femme s'avança, accompagnée d'un homme qui portait dans ses bras un enfant de quelques mois ; ils montraient du doigt la vache qu'on venait de leur enlever. La mère déchira les misérables vêtements qui couvraient son sein, pour montrer qu'elle n'avait plus de lait ; le père fit un mouvement comme s'il eût voulu briser la tête de l'enfant sur une pierre. L'officier fit rendre la vache, et il ajoute : « L'effet que produisit cette « scène sur mes soldats fut tel, que, pendant longtemps, il « ne fut pas prononcé une seule parole dans les rangs ».

Bonaparte avait changé de rêve ; il déclarait qu'il voulait marcher à Saint-Pétersbourg ; il traçait déjà la route sur ses cartes ; il expliquait l'excellence de son plan nouveau, la certitude d'entrer dans la seconde capitale de l'empire : « Qu'a-t-il à faire désormais sur des ruines ? Ne suffit-il pas « à sa gloire qu'il soit monté au Kremlin ? » Telles étaient les nouvelles chimères de Napoléon ; l'homme touchait à la folie, mais ses songes étaient encore ceux d'un esprit immense.

« Nous ne sommes qu'à quinze marches de Saint- « Pétersbourg, dit M. Fain : Napoléon pense à se rabattre « sur cette capitale. » Au lieu de *quinze marches,* à cette époque et dans de pareilles circonstances, il faut lire *deux mois.* Le général Gourgaud ajoute que toutes les nouvelles qu'on recevait de Saint-Pétersbourg annonçaient la peur qu'on avait du mouvement de Napoléon. Il est certain qu'à Saint-Pétersbourg on ne doutait point du succès de l'empereur s'il se présentait ; mais on se préparait à lui laisser une seconde carcasse de cité, et la retraite sur Archangel était jalonnée. On ne soumet point une nation dont le pôle est la dernière forteresse. De plus les flottes anglaises, pénétrant au printemps dans la Baltique, auraient réduit la prise de Saint-Pétersbourg à une simple destruction.

Mais tandis que l'imagination sans frein de Bonaparte jouait avec l'idée d'un voyage à Saint-Pétersbourg, il s'occupait sérieusement de l'idée contraire : sa foi dans son espérance n'était pas telle qu'elle lui ôtât tout bon sens. Son projet dominant était d'apporter à Paris une paix signée à Moscou. Par là il se serait débarrassé des périls de la retraite, il aurait accompli une étonnante conquête, et serait

194

rentré aux Tuileries le rameau d'olivier à la main. Après le premier billet qu'il avait écrit à Alexandre en arrivant au Kremlin, il n'avait négligé aucune occasion de renouveler ses avances. Dans un entretien bienveillant avec un officier général russe, M. de Toutelmine, sous-directeur de l'hôpital des enfants trouvés à Moscou, hôpital miraculeusement épargné de l'incendie, il avait glissé des paroles favorables à un accommodement. Par M. Jacowleff, frère de l'ancien ministre russe à Stuttgard, il écrivit directement à Alexandre, et M. Jacowleff prit l'engagement de remettre cette lettre au czar sans intermédiaire. Enfin le général Lauriston fut envoyé à Kutuzoff : celui-ci promit ses bons offices pour une négociation pacifique ; mais il refusa au général Lauriston de lui délivrer un sauf-conduit pour Saint-Pétersbourg.

Napoléon était toujours persuadé qu'il exerçait sur Alexandre l'empire qu'il avait exercé à Tilsit et à Erfurt, et cependant Alexandre écrivait le 21 octobre au prince Michel Larcanowitz : « J'ai appris, à mon extrême mécontentement, « que le général Beningsen a eu une entrevue avec le roi de « Naples... Toutes les déterminations dans les ordres qui « vous sont adressés par moi doivent vous convaincre que « ma résolution est inébranlable, que dans ce moment « aucune proposition de l'ennemi ne pourrait m'engager à « terminer la guerre et à affaiblir par là le devoir sacré de « venger la patrie. »

Les généraux russes abusaient de l'amour-propre et de la simplicité de Murat, commandant de l'avant-garde ; toujours charmé de l'empressement des Cosaques, il empruntait des bijoux de ses officiers pour faire des présents à ses courtisans du Don ; mais les généraux russes, loin de désirer la paix, la redoutaient. Malgré la résolution d'Alexandre, ils connaissaient la faiblesse de leur empereur, et ils craignaient la séduction du nôtre. Pour la vengeance, il ne s'agissait que de gagner un mois, que d'attendre les premiers frimas : les vœux de la chrétienté moscovite suppliaient le ciel de hâter ses tempêtes.

Le général Wilson, en qualité de commissaire anglais à l'armée russe, était arrivé : il s'était déjà trouvé sur le chemin de Bonaparte en Egypte. Fabvier [1], de son côté, était revenu de notre armée du midi à celle du nord. L'Anglais poussait Kutuzoff à l'attaque, et l'on savait que les nouvelles apportées par Fabvier n'étaient pas bonnes. Des deux bouts de l'Europe, les deux seuls peuples qui combattaient pour leur liberté se donnaient la main par-dessus la tête du vainqueur à Moscou. La réponse d'Alexandre n'arrivait point ; les estafettes de France s'attardèrent ; l'inquiétude de Napoléon augmentait ; des paysans avertissaient nos soldats : « Vous ne connaissez pas notre climat, leur disaient-« ils ; dans un mois le froid vous fera tomber les ongles. » Milton, dont le grand nom agrandit tout, s'exprime aussi naïvement dans sa *Moscovie :* « Il fait si froid dans ce pays « que la sève des branches mises au feu gèle en sortant du « bout opposé à celui qui brûle. »

Bonaparte, sentant qu'un pas rétrograde rompait le prestige et faisait évanouir la terreur de son nom, ne pouvait se résoudre à descendre : malgré l'avertissement du prochain péril, il restait, attendant de minute en minute des réponses de Saint-Pétersbourg ; lui, qui avait commandé avec tant d'outrages, soupirait après quelques mots miséricordieux du vaincu. Il s'occupe au Kremlin d'un règlement pour la Comédie-Française ; il met trois soirées à achever ce majestueux ouvrage ; il discute avec ses aides de camp le mérite de quelques vers nouveaux arrivés de Paris ; autour de lui on admirait le sang-froid du grand homme, tandis qu'il y avait encore des blessés de ses derniers combats expirant dans des douleurs atroces, et que, par ce retard de quelques jours, il dévouait à la mort les cent mille hommes qui lui restaient. La servile stupidité du siècle prétend faire passer cette pitoyable affectation pour la conception d'un esprit incommensurable.

Bonaparte visita les édifices du Kremlin. Il descendit et remonta l'escalier sur lequel Pierre le Grand fit égorger les Strélitz ; il parcourut la salle des festins où Pierre se faisait amener des prisonniers, abattant une tête entre chaque rasade, proposant à ses convives, princes et ambassadeurs,

1. Général d'artillerie. Il devait s'illustrer en combattant dès 1823, comme volontaire, pour l'indépendance de la Grèce.

de se divertir de la même façon. Des hommes furent roués alors, et des femmes enterrées vives ; on pendit deux mille Strélitz dont les corps restèrent accrochés autour des murailles.

Au lieu de l'ordonnance sur les théâtres, Bonaparte eût mieux fait d'écrire au sénat conservateur la lettre que des bords du Pruth Pierre écrivait au sénat de Moscou : Je vous annonce que, trompé par de faux avis, et sans qu'il y ait de ma faute, je me trouve ici enfermé dans mon camp par une armée quatre fois plus forte que la mienne. S'il arrive que je sois pris, vous n'avez plus à me considérer comme votre czar et seigneur, ni à tenir compte d'aucun ordre qui pourrait vous être porté de ma part, quand même vous y reconnaîtriez ma propre main. Si je dois périr, vous choisirez pour mon successeur le plus digne d'entre vous. »

Un billet de Napoléon, adressé à Cambacérès, contenait des ordres inintelligibles : on délibéra, et quoique la signature du billet portât un nom allongé d'un nom antique, l'écriture ayant été reconnue être celle de Bonaparte, on déclara que les ordres inintelligibles devaient être exécutés.

Le Kremlin renfermait un double trône pour deux frères : Napoléon ne partageait pas le sien. On voyait encore dans les salles le brancard brisé d'un coup de canon sur lequel Charles XII blessé se faisait porter à la bataille de Pultava. Toujours vaincu dans l'ordre des instincts magnanimes, Bonaparte, en visitant les tombeaux des czars, se souvint-il qu'aux jours de fête on les couvrait de draps mortuaires superbes ; que lorsqu'un sujet avait quelque grâce à solliciter, il déposait sa supplique sur un des tombeaux, et que le czar avait seul le droit de l'en retirer ?

Ces placets de l'infortune, présentés par la mort à la puissance, n'étaient point du goût de Napoléon. Il était occupé d'autres soins : moitié désir de tromper, moitié nature, il prétendait, comme en quittant l'Egypte, faire venir des comédiens de Paris à Moscou, et il assurait qu'un chanteur italien arrivait. Il dépouilla les églises du Kremlin, entassa dans ses fourgons des ornements sacrés et des images de saints avec les croissants et les queues de cheval conquis sur les Mahométans. Il enleva l'immense croix de la tour du grand Yvan ; son projet était de la planter sur le dôme des Invalides : elle eût fait le pendant des chefs-d'œuvre du Vatican dont il avait décoré le Louvre. Tandis qu'on détachait cette croix, des corneilles vagissantes voletaient autour : « Que me veulent ces oiseaux ? » disait Bonaparte.

On touchait au moment fatal : Daru élevait des objections contre divers projets qu'exposait Bonaparte : « Quel « parti prendre donc ? s'écria l'Empereur. — Rester ici ; « faire de Moscou un grand camp retranché ; y passer « l'hiver ; faire saler les chevaux qu'on ne pourra nourrir ; « attendre le printemps : nos renforts et la Lithuanie armée « viendront nous déliver et achever la conquête. — C'est un « conseil de lion, répond Napoléon : mais que dirait Paris ? « La France ne s'accoutumerait pas à mon absence. » — « Que dit-on de moi à Athènes ? » disait Alexandre.

Il se replonge aux incertitudes : partira-t-il ? ne partira-t-il pas ? Il ne sait. Maintes délibérations se succèdent. Enfin une affaire engagée à Winkovo, le 18 octobre, le détermine subitement à sortir des débris de Moscou avec son armée : ce jour-là même, sans appareil, sans bruit, sans tourner la tête, voulant éviter la route directe de Smolensk, il s'achemine par l'une des deux routes de Kalouga.

Durant trente-cinq jours, comme ces formidables dragons de l'Afrique qui s'endorment après s'être repus, il s'était oublié : c'était apparemment les jours nécessaires pour changer le sort d'un homme pareil. Pendant ce temps-là, l'astre de sa destinée s'inclinait. Enfin il se réveille pressé entre l'hiver et une capitale incendiée ; il se glisse au dehors des décombres : il était trop tard ; cent mille hommes étaient condamnés. Le maréchal Mortier, commandant l'arrière-garde, a l'ordre, en se retirant, de faire sauter le Kremlin *.

* On achève d'imprimer à Saint-Pétersbourg les papiers d'Etat sur cette compagne, trouvés dans le cabinet d'Alexandre après sa mort. Ces documents, formant cinq à six volumes, jetteront sans doute un grand jour sur les événements si curieux d'une partie de notre histoire. Il sera bon de lire avec précaution les récits de l'ennemi, et cependant avec moins de défiance que les documents officiels de Bonaparte. Il est impossible de se figurer à quel point celui-ci altérait la réalité et la rendait insaisissable ; ses propres victoires se transformaient en roman dans son imagination. Toutefois, au bout de ses relations fantasmagoriques, restait cette vérité, à savoir, que Napoléon, par une raison ou par une autre, était le maître du monde. (Paris, note de 1841.)

RETRAITE.

BONAPARTE, se trompant ou voulant tromper les autres, écrivit le 18 d'octobre au duc de Bassano une lettre que rapporte M. Fain : « Vers les premières semaines de novem-« bre, mandait-il, j'aurai ramené mes troupes dans le carré « qui est entre Smolensk, Mohilow, Minsk et Witepsk. Je « me décide à ce mouvement, parce que Moscou n'est plus « une position militaire ; j'en vais chercher une autre plus « favorable au début de la campagne prochaine. Les opéra-« tions auront alors à se diriger sur Pétersbourg et sur « Kiow. » Pitoyable forfanterie, s'il ne s'agissait que du secours passager d'un mensonge ; mais dans Bonaparte une idée de conquête, malgré l'évidence contraire de la raison, pouvait toujours être une idée de bonne foi.

On marchait sur Malojaroslawetz : par l'embarras des bagages et des voitures mal attelées de l'artillerie, le troisième jour de marche on n'était encore qu'à dix lieues de Moscou. On avait l'intention de devancer Kutuzoff : l'avant-garde du prince Eugène le prévint en effet à Fominskoï. Il restait encore cent mille hommes d'infanterie au début de la retraite. La cavalerie était presque nulle, à l'exception de trois mille cinq cents chevaux de la garde. Nos troupes, ayant atteint la nouvelle route de Kalouga le

21, entrèrent le 22 à Borowsk, et le 23 la division Delzons occupa Malojaroslawetz. Napoléon était dans la joie ; il se croyait échappé.

Le 23 octobre, à une heure et demie du matin, la terre trembla : cent quatre-vingt-trois milliers [1] de poudre, placés sous les voûtes du Kremlin, déchirèrent le palais des czars. Mortier [2], qui fit sauter le Kremlin, était réservé à la machine infernale de Fieschi. Que de mondes passés entre ces deux explosions si différentes et par les temps et par les hommes !

Après ce sourd mugissement, une forte canonnade vint à travers le silence dans la direction de Malojaroslawetz : autant Napoléon avait désiré ouïr ce bruit en entrant en Russie, autant il redoutait de l'entendre en sortant. Un aide de camp du vice-roi annonce une attaque générale des Russes : à la nuit les généraux Compans et Gérard arrivèrent en aide au prince Eugène. Beaucoup d'hommes périrent des deux côtés ; l'ennemi parvint à se mettre à cheval sur la route de Kalouga, et fermait l'entrée du chemin intact qu'on avait espéré suivre. Il ne restait d'autre ressource que de retomber dans la route de Mojaïsk et de rentrer à Smolensk par les vieux sentiers de nos malheurs : on le pouvait ; les oiseaux du ciel n'avaient pas encore achevé de manger ce que nous avions semé pour retrouver nos traces.

Napoléon logea cette nuit à Ghorodnia dans une pauvre maison où les officiers attachés aux divers généraux ne purent se mettre à couvert. Ils se réunirent sous la fenêtre de Bonaparte ; elle était sans volets et sans rideaux : on en voyait sortir une lumière, tandis que les officiers restés en dehors étaient plongés dans l'obscurité. Napoléon était assis dans sa chétive chambre, la tête abaissée sur ses deux mains ; Murat, Berthier et Bessières se tenaient debout à ses côtés, silencieux et immobiles. Il ne donna point d'ordre, et monta à cheval le 25 au matin, pour examiner la position de l'armée russe.

A peine était-il sorti que roula jusqu'à ses pieds un

---

1. Milliers de livres.
2. Il sera l'une des dix-huit victimes de l'attentat de Fieschi (28 juillet 1835).

éboulement de Cosaques. La vivante avalanche avait franchi la Luja, et s'était dérobée à la vue, le long de la lisière des bois. Tout le monde mit l'épée à la main, l'empereur lui-même. Si ces maraudeurs avaient eu plus d'audace, Bonaparte demeurait prisonnier. A Malo-Iaroslavetz incendié, les rues étaient encombrées de corps à moitié grillés, coupés, sillonnés, mutilés par les roues de l'artillerie, qui avait passé sur eux. Pour continuer le mouvement sur Kalougha, il eût fallu livrer une seconde bataille ; l'Empereur ne le jugea pas convenable. Il s'est élevé à cet égard une discussion entre les partisans de Bonaparte et les amis des maréchaux. Qui donna le conseil de reprendre la première route parcourue par les Français ? Ce fut évidemment Napoléon : une grande sentence funèbre à prononcer ne lui coûtait guère ; il en avait l'habitude.

Revenu le 26 à Borowsk, le lendemain, près de Wercia, on présenta au chef de nos armées le général Vitzingerode et son aide de camp le comte Nariskin : ils s'étaient laissé surprendre en entrant trop tôt dans Moscou. Bonaparte s'emporta : « Qu'on fusille ce général ! s'écrie-t-il hors de « lui ; c'est un déserteur du royaume de Wurtemberg ; il « appartient à la confédération du Rhin. » Il se répand en invectives contre la noblesse russe et finit par ces mots : « J'irai à Saint-Pétersbourg, je jetterai cette ville dans la « Newa, » et subitement il commande de brûler un château que l'on apercevait sur une hauteur : le lion blessé se ruait en écumant sur tout ce qui l'environnait.

Néanmoins, au milieu de ses folles colères, lorsqu'il intimait à Mortier l'ordre de détruire le Kremlin, il se conformait en même temps à sa double nature ; il écrivait au duc de Trévise [1] des phrases de sensiblerie ; pensant que ses missives seraient connues, il lui enjoignait avec un soin tout paternel de sauver les hôpitaux ; « car c'est ainsi, « ajoutait-il, que j'en ai usé à Saint-Jean-d'Acre. » Or, en Palestine, il fit fusiller les prisonniers turcs, et, sans l'opposition de Desgenettes, il eût empoisonné ses malades [2] ! Berthier et Murat sauvèrent le prince Vitzingerode.

1. Mortier.
2. Cf. p. 106.

Cependant Kutuzoff nous poursuivait mollement. Wilson pressait-il le général russe d'agir, le général répondait : « Laissez venir la neige. » Le 29 septembre, on touche aux fatales collines de la Moskowa : un cri de douleur et de surprise échappe à notre armée. De vastes boucheries se présentaient, étalant quarante mille cadavres diversement consommés. Des files de carcasses alignées semblaient garder encore la discipline militaire ; des squelettes détachés en avant, sur quelques mamelons écrêtés, indiquaient les commandants et dominaient la mêlée des morts. Partout armes rompues, tambours défoncés, lambeaux de cuirasses et d'uniformes, étendards déchirés, dispersés entre des troncs d'arbres coupés à quelques pieds du sol par les boulets : c'était la grande redoute de la Moskowa.

Au sein de la destruction immobile on aperçoit une chose en mouvement : un soldat français privé des deux jambes se frayait un passage dans des cimetières qui semblaient avoir rejeté leurs entrailles au dehors. Le corps d'un cheval effondré par un obus avait servi de guérite à ce soldat : il y vécut en rongeant sa loge de chair, les viandes putréfiées des morts à la portée de sa main lui tenaient lieu de charpie pour panser ses plaies, et d'amadou pour emmaillotter ses os. L'effrayant remords de la gloire se traînait vers Napoléon : Napoléon ne l'attendit pas.

Le silence des soldats, hâtés du froid, de la faim et de l'ennemi, était profond ; ils songeaient qu'ils seraient bientôt semblables aux compagnons dont ils apercevaient les restes. On n'entendait dans ce reliquaire que la respiration agitée et le bruit du frisson involontaire des bataillons en retraite.

Plus loin on retrouva l'abbaye de Kotloskoï transformée en hôpital ; tous les secours y manquaient : là restait encore assez de vie pour sentir la mort. Bonaparte, arrivé sur le lieu, se chauffa du bois de ses chariots disloqués. Quand l'armée reprit sa marche, les agonisants se levèrent, parvinrent au seuil de leur dernier asile, se laissèrent dévaler jusqu'au chemin, tendirent aux camarades qui les quittaient leurs mains défaillantes : ils semblaient à la fois les conjurer et les ajourner.

A chaque instant retentissait la détonation des caissons

qu'on était forcé d'abandonner. Les vivandiers jetaient les malades dans les fossés. Des prisonniers russes, qu'escortaient des étrangers au service de la France, furent dépêchés par leurs gardes : tués d'une manière uniforme, leur cervelle était répandue à côté de leur tête. Bonaparte avait emmené l'Europe avec lui ; toutes les langues se parlaient dans son armée ; toutes les cocardes, tous les drapeaux s'y voyaient. L'Italien, forcé au combat, s'était battu comme un Français ; l'Espagnol avait soutenu sa renommée de courage : Naples et l'Andalousie n'avaient été pour eux que les regrets d'un doux songe. On a dit que Bonaparte n'avait été vaincu que par l'Europe entière, et c'est juste ; mais on oublie que Bonaparte n'avait vaincu qu'à l'aide de l'Europe, de force ou de gré son alliée.

La Russie résista seule à l'Europe guidée par Napoléon ; la France, restée seule et défendue par Napoléon, tomba sous l'Europe retournée ; mais il faut dire que la Russie était défendue par son climat, et que l'Europe ne marchait qu'à regret sous son maître. La France, au contraire, n'était préservée ni par son climat ni par sa population décimée ; elle n'avait que son courage et le souvenir de sa gloire.

Indifférent aux misères de ses soldats, Bonaparte n'avait souci que de ses intérêts : lorsqu'il campait, sa conversation roulait sur des ministres vendus, disait-il, aux Anglais, lesquels ministres étaient les fomentateurs de cette guerre ; ne se voulant pas avouer que cette guerre venait uniquement de lui. Le duc de Vicence[1], qui s'obstinait à racheter un malheur par sa noble conduite, éclatait au milieu de la flatterie au bivouac. Il s'écriait : « Que d'atroces cruautés ! « Voilà donc la civilisation que nous apportons en Russie ! » Aux incroyables dires de Bonaparte, il faisait un geste de colère et d'incrédulité, et se retirait. L'homme que la moindre contradiction mettait en fureur souffrait les rudesses de Caulaincourt en expiation de la lettre qu'il l'avait jadis chargé de porter à Ettenheim[2]. Quand on a commis une chose reprochable, le ciel en punition vous en impose les témoins : en vain les anciens tyrans les faisaient dispa-

1. Caulaincourt.
2. Cf. T. I, p. 636 *sq.*

raître ; descendus aux enfers, ces témoins entraient dans le corps des Furies et revenaient.

Napoléon, ayant traversé Gjatsk, poussa jusqu'à Wiasma ; il le dépassa, n'ayant point trouvé l'ennemi qu'il craignait d'y rencontrer. Il arriva le 3 novembre à Slawskowo : là il apprit qu'un combat s'était donné derrière lui à Wiasma ; ce combat contre les troupes de Miloradowitch nous fut fatal : nos soldats, nos officiers blessés, le bras en écharpe, la tête enveloppée de linge, miracle de vaillance, se jetaient sur les canons ennemis.

Cette suite d'affaires dans les mêmes lieux, ces couches de morts ajoutées à des couches de morts, ces batailles doublées de batailles, auraient deux fois immortalisé des champs funestes, si l'oubli ne passait rapidement sur notre poussière. Qui pense à ces paysans laissés en Russie ? Ces rustiques sont-ils contents d'avoir été *à la grande bataille sous les murs de Moscou ?* Il n'y a peut-être que moi qui, dans les soirées d'automne, en regardant voler au haut du ciel les oiseaux du Nord, me souvienne qu'ils ont vu la tombe de nos compatriotes. Des compagnies industrielles se sont transportées au désert avec leurs fourneaux et leurs chaudières ; les os ont été convertis en noir animal : qu'il vienne du chien ou de l'homme, le vernis est du même prix, et il n'est pas plus brillant, qu'il ait été tiré de l'obscurité ou de la gloire. Voilà le cas que nous faisons des morts aujourd'hui ! Voilà les rites sacrés de la nouvelle religion ! *Diis Manibus* [1]. Heureux compagnons de Charles XII, vous n'avez point été visités par ces hyènes sacrilèges ! Pendant l'hiver l'hermine fréquente les neiges virginales, et pendant l'été les mousses fleuries de Pultava.

Le 6 novembre (1812) le thermomètre descendit à dix-huit degrés au-dessous de zéro ; tout disparaît sous la blancheur universelle. Les soldats sans chaussure sentent leurs pieds mourir ; leurs doigts violâtres et raidis laissent échapper le mousquet dont le toucher brûle ; leurs cheveux se hérissent de givre, leurs barbes de leur haleine congelée ; leurs méchants habits deviennent une casaque de verglas. Ils tombent, la neige les couvre ; ils forment sur le sol de petits

1. « Aux dieux Mânes. »

sillons de tombeaux. On ne sait plus de quel côté les fleuves coulent ; on est obligé de casser la glace pour apprendre à quel orient il faut se diriger. Egarés dans l'étendue, les divers corps font des feux de bataillons pour se rappeler et se reconnaître, de même que des vaisseaux en péril tirent le canon de détresse. Les sapins changés en cristaux immobiles s'élèvent çà et là, candélabres de ces pompes funèbres. Des corbeaux et des meutes de chiens blancs sans maîtres suivaient à distance cette retraite de cadavres.

Il était dur, après les marches, d'être obligé, à l'étape déserte, de s'entourer des précautions d'un ost sain, largement pourvu, de poser des sentinelles, d'occuper des postes, de placer des grand'gardes. Dans des nuits de seize heures, battu des raffales du nord, on ne savait ni où s'asseoir, ni où se coucher ; les arbres jetés bas avec tous leurs albâtres refusaient de s'enflammer ; à peine parvenait-on à faire fondre un peu de neige, pour y démêler une cuillerée de farine de seigle. On ne s'était pas reposé sur le sol nu que des hurlements de cosaques faisaient retentir les bois ; l'artillerie volante de l'ennemi grondait ; le jeûne de nos soldats était salué comme le festin des rois, lorsqu'ils se mettent à table ; les boulets roulaient leurs pains de fer au milieu des convives affamés. A l'aube, que ne suivait point l'aurore, on entendait le battement d'un tambour drapé de frimas ou le son enroué d'une trompette : rien n'était triste comme cette diane lugubre, appelant sous les armes des guerriers qu'elle ne réveillait plus. Le jour grandissant éclairait des cercles de fantassins raidis et morts autour des bûchers expirés.

Quelques survivants partaient ; ils s'avançaient vers des horizons inconnus qui, reculant toujours, s'évanouissaient à chaque pas dans le brouillard. Sous un ciel pantelant, et comme lassé des tempêtes de la veille, nos files éclaircies traversaient des landes après des landes, des forêts suivies de forêts et dans lesquelles l'océan semblait avoir laissé son écume attachée aux branches échevelées des bouleaux. On ne rencontrait même pas dans ces bois ce triste et petit oiseau de l'hiver qui chante, ainsi que moi, parmi les buissons dépouillés. Si je me retrouve tout à coup par ce rapprochement en présence de mes vieux jours, ô mes camarades ! (les soldats sont frères), vos souffrances me rappellent aussi mes jeunes années, lorsque, me retirant devant vous, je traversais, si misérable et si délaissé, la bruyère des Ardennes.

Les grandes armées russes suivaient la nôtre : celle-ci était partagée en plusieurs divisions qui se subdivisaient en colonnes : le prince Eugène commandait l'avant-garde, Napoléon le centre, l'arrière-garde le maréchal Ney. Retardés de divers obstacles et combats, ces corps ne conservaient pas leur exacte distance : tantôt ils se devançaient les uns les autres ; tantôt ils marchaient sur une ligne horizontale, très-souvent sans se voir et sans communiquer ensemble faute de cavalerie. Des Tauridiens, montés sur de petits chevaux dont les crins balayaient la terre, n'accordaient de repos ni jour ni nuit à nos soldats harassés par ces taons de neige. Le paysage était changé : là où l'on avait vu un ruisseau, on retrouvait un torrent que des chaînes de glace suspendaient aux bords escarpés de sa ravine. « Dans une « seule nuit, dit Bonaparte (Papiers de Sainte-Hélène), on « perdit trente mille chevaux : on fut obligé d'abandonner « presque toute l'artillerie, forte alors de cinq cents bouches « à feu ; on ne put emporter ni munitions, ni provisions. « Nous ne pouvions, faute de chevaux, faire de reconnais- « sance ni envoyer une avant-garde de cavalerie reconnaître « la route. Les soldats perdaient le courage et la raison, et « tombaient dans la confusion. La circonstance la plus « légère les alarmait. Quatre ou cinq hommes suffisaient « pour jeter la frayeur dans tout un bataillon. Au lieu de se « tenir réunis, ils erraient séparément pour chercher du feu. « Ceux qu'on envoyait en éclaireurs abandonnaient leurs « postes et allaient chercher les moyens de se réchauffer « dans les maisons. Ils se répandaient de tous côtés, s'éloi- « gnaient de leurs corps et devenaient facilement la proie de « l'ennemi. D'autres se couchaient sur la terre, s'endor- « maient ; un peu de sang sortait de leurs narines, et ils « mouraient en dormant. Des milliers de soldats périrent. « Les Polonais sauvèrent quelques-uns de leurs chevaux et « un peu de leur artillerie ; mais les Français et les soldats « des autres nations n'étaient plus les mêmes hommes. La « cavalerie a surtout beaucoup souffert. Sur quarante mille

« hommes, je ne crois pas qu'il en soit échappé trois mille. »

Et vous qui racontiez cela sous le beau soleil d'un autre hémisphère, n'étiez-vous que le témoin de tant de maux ?

Le jour même (6 octobre) où le thermomètre tomba si bas, arriva de France, comme une fresaie[1] égarée, la première estafette que l'on eût vue depuis longtemps : elle apportait la mauvaise nouvelle de la conspiration de Mallet. Cette conspiration eut quelque chose du prodigieux de l'étoile de Napoléon. Au rapport du général Gourgaud, ce qui fit le plus d'impression sur l'Empereur fut la preuve trop évidente « que les principes monarchiques dans leur « application à sa monarchie avaient jeté des racines si peu « profondes que de grands fonctionnaires, à la nouvelle de « la mort de l'Empereur, oublièrent que, le souverain étant « mort, un autre était là pour lui succéder. »

Bonaparte à Sainte-Hélène *(Mémorial de Las Cases)* racontait qu'il avait dit à sa cour des Tuileries, en parlant de la conspiration de Mallet : « Eh bien, messieurs, vous « prétendiez avoir fini votre révolution ; vous me croyiez « mort : mais le roi de Rome, vos serments, vos principes, « vos doctrines ? Vous me faites frémir pour l'avenir ! » Bonaparte raisonnait logiquement ; il s'agissait de sa dynastie : aurait-il trouvé le raisonnement aussi juste s'il s'était agi de la race de saint Louis ?

Bonaparte apprit l'accident de Paris au milieu d'un désert, parmi les débris d'une armée presque détruite dont la neige buvait le sang ; les droits de Napoléon fondés sur la force s'anéantissaient en Russie avec sa force, tandis qu'il avait suffi d'un seul homme pour les mettre en doute dans la capitale : hors de la religion, de la justice et de la liberté, il n'y a point de droits.

Presque au même moment que Bonaparte apprenait ce qui s'était passé à Paris, il recevait une lettre du maréchal Ney. Cette lettre lui faisait part « que les meilleurs soldats se « demandaient pourquoi c'était à eux seuls à combattre « pour assurer la fuite des autres ; pourquoi l'aigle ne « protégeait plus et tuait ; pourquoi il fallait succomber par « bataillons, puisqu'il n'y avait plus qu'à fuir ? »

1. Autre nom de l'effraie.

Quand l'aide de camp de Ney voulut entrer dans des particularités affligeantes, Bonaparte l'interrompit : — « Colonel, je ne vous demande pas ces détails. » — Cette expédition de la Russie était une vraie extravagance que toutes les autorités civiles et militaires de l'empire avaient blâmée : les triomphes et les malheurs que rappelait la route de retraite aigrissaient ou décourageaient les soldats : sur ce chemin monté et redescendu, Napoléon pouvait trouver aussi l'image des deux parts de sa vie.

SMOLENSK. — SUITE DE LA RETRAITE.

LE 9 novembre, on avait enfin gagné Smolensk. Un ordre de Bonaparte avait défendu d'y laisser entrer personne avant que les postes n'eussent été remis à la garde impériale. Des soldats du dehors confluent au pied des murailles ; les soldats du dedans se tiennent renfermés. L'air retentit des imprécations des désespérés forclos, vêtus de sales lévites de cosaques, de capotes rapetassées, de manteaux et d'uniformes en loques, de couvertures de lit ou de cheval, la tête couverte de bonnets, de mouchoirs roulés, de shakos défoncés, de casques faussés et rompus ; tout cela sanglant ou neigeux, percé de balles ou haché de coups de sabre. Le visage hâve et dévalé, les yeux sombres et étincelants, ils regardaient au haut des remparts en grinçant les dents, ayant l'air de ces prisonniers mutilés qui, sous Louis le Gros, portaient dans leur main droite leur main gauche coupée : on les eût pris pour des masques en furie ou pour des malades affolés, échappés des hôpitaux. La jeune et la vieille garde arrivèrent ; elles entrèrent dans la place incendiée à notre premier passage. Des cris s'élèvent contre la troupe privilégiée : « L'armée n'aurait-elle jamais que ses « restes ? » Ces cohortes faméliques courent tumultuairement aux magasins comme une insurrection de spectres ; on les repousse ; on se bat : les tués restent dans les rues, les femmes, les enfants, les mourants sur les charrettes. L'air était empesté de la corruption d'une multitude d'anciens cadavres ; des militaires étaient atteints d'imbécillité ou de folie ; quelques-uns dont les cheveux s'étaient dressés et tordus, blasphémant ou riant d'un rire hébété, tombaient morts. Bonaparte exhale sa colère contre un misérable fournisseur impuissant dont aucun des ordres n'avait été exécuté.

L'armée de cent mille hommes, réduite à trente mille, était côtoyée d'une bande de cinquante mille traîneurs : il ne se trouvait plus que dix-huit cents cavaliers montés. Napoléon en donna le commandement à M. de Latour-Maubourg [1]. Cet officier, qui menait les cuirassiers à l'assaut de la grande redoute de Borodino, eut la tête fendue de coups de sabre ; depuis il perdit une jambe à Dresde. Apercevant son domestique qui pleurait, il lui dit : « De quoi te « plains-tu ? tu n'auras plus qu'une botte à cirer. » Ce général, resté fidèle au malheur, est devenu le gouverneur de Henri V dans les premières années de l'exil du jeune prince : j'ôte mon chapeau en passant devant lui, comme en passant devant l'honneur.

On séjourna par force jusqu'au 14 dans Smolensk. Napoléon ordonna au maréchal Ney de se concerter avec Davoust et de démembrer la place en la déchirant avec des fougasses : pour lui, il se rendit à Krasnoï, où il s'établit le 15, après que cette station eut été pillée par les Russes. Les Moscovites rétrécissaient leur cercle : la grande armée dite de Moldavie était dans le voisinage ; elle se préparait à nous cerner tout à fait et à nous jeter dans la Bérésina.

Le reste de nos bataillons diminuait de jour en jour. Kutuzoff, instruit de nos misères, remuait à peine : « Sortez « seulement un moment de votre quartier général, s'écriait « Wilson ; avancez-vous sur les hauteurs, vous verrez que le « dernier moment de Napoléon est venu. La Russie réclame « cette victime : il n'y a plus qu'à frapper ; une charge

---

1. Il sera sous la Restauration ministre de la Guerre et gouverneur des Invalides.

« suffira ; dans deux heures la face de l'Europe sera chan-
« gée. »

Cela était vrai mais il n'y aurait eu que Bonaparte de
particulièrement frappé, et Dieu voulait appesantir sa main
sur la France.

Kutuzoff répondait : « Je fais reposer mes soldats tous les
« trois jours ; je rougirais, je m'arrêterais aussitôt, si le pain
« leur manquait un seul instant. J'escorte l'armée française
« ma prisonnière ; je la châtie dès qu'elle veut s'arrêter ou
« s'éloigner de la grande route. Le terme de la destinée de
« Napoléon est irrévocablement marqué : c'est dans les
« marais de la Bérésina que s'éteindra le météore en
« présence de toutes les armées russes. Je leur aurai livré
« Napoléon affaibli, désarmé, mourant : c'est assez pour
« ma gloire. »

Bonaparte avait parlé du *vieux* Kutuzoff avec ce dédain
insultant dont il était si prodigue : le *vieux* Kutuzoff à son
tour lui rendait mépris pour mépris.

L'armée de Kutuzoff était plus impatiente que son chef ;
les Cosaques eux-mêmes s'écriaient : « Laissera-t-on ces
« squelettes sortir de leurs tombeaux ? »

Cependant on ne voyait pas venir le quatrième corps qui
avait dû quitter Smolensk le 15 et rejoindre Napoléon le 16
à Krasnoï ; les communications étaient coupées ; le prince
Eugène, qui menait la queue, essaya vainement de les
rétablir : tout ce qu'il put faire, ce fut de tourner les Russes
et d'opérer sa jonction avec la garde sous Krasnoï ; mais
toujours les maréchaux Davoust et Ney ne paraissaient pas.

Alors Napoléon retrouva subitement son génie : il sort de
Krasnoï le 17, un bâton à la main, à la tête de sa garde
réduite à treize mille hommes, pour affronter d'innombrables ennemis, dégager la route de Smolensk, et frayer un
passage aux deux maréchaux. Il ne gâta cette action que
par la réminiscence d'un mot peu proportionné à son
masque : « J'ai assez fait l'empereur, il est temps que je
« fasse le général. » Henri IV, partant pour le siége
d'Amiens, avait dit : « J'ai assez fait le roi de France, il est
« temps que je fasse le roi de Navarre. » Les hauteurs
environnantes, au pied desquelles marchait Napoléon, se
chargeaient d'artillerie et pouvaient à chaque instant le

foudroyer ; il y jette un coup d'œil et dit : « Qu'un escadron
« de mes chasseurs s'en empare ! » Les Russes n'avaient qu'à
se laisser rouler en bas, leur seule masse l'eût écrasé ; mais,
à la vue de ce grand homme et des débris de la garde serrée
en bataillon carré, ils demeurèrent immobiles, comme fascinés : son regard arrêta cent mille hommes sur les collines.

Kutuzoff, à propos de cette affaire de Krasnoï, fut
honoré à Pétersbourg du surnom de Smolensky : apparemment pour n'avoir pas, sous le bâton de Bonaparte, désespéré du salut de la République.

PASSAGE DE LA BÉRÉSINA.

APRÈS cet inutile effort, Napoléon repassa le Dniéper le 19
et vint camper à Orcha : il y brûla les papiers qu'il avait
apportés pour écrire sa vie dans les ennuis de l'hiver, si
Moscou restée entière lui eût permis de s'y établir. Il s'était
vu forcé de jeter dans le lac de Semlewo l'énorme croix de
saint Jean : elle a été retrouvée par des Cosaques et replacée
sur la tour du grand Yvan.

A Orcha les inquiétudes étaient grandes : malgré la
tentative de Napoléon pour la rescousse [1] du maréchal Ney,
il manquait encore. On reçut enfin de ses nouvelles à
Baranni : Eugène était parvenu à le rejoindre. Le général
Gourgaud raconte le plaisir que Napoléon en éprouva, bien
que les bulletins et les relations des amis de l'empereur
continuent de s'exprimer avec une réserve jalouse sur tous
les faits qui n'ont pas un rapport direct avec lui. La joie de

---

1. Pour retrouver le maréchal Ney...

211

l'armée fut promptement étouffée ; on passait de péril en péril. Bonaparte se rendait de Kokhanow à Tolozcim, lorsqu'un aide de camp lui annonça la perte de la tête du pont de Borisow, enlevé par l'armée de Moldavie au général Dombrowski[1]. L'armée de Moldavie, surprise à son tour par le duc de Reggio[2] dans Borisow, se retira derrière la Bérésina après avoir détruit le pont. Tchitchakoff se trouvait ainsi en face de nous, de l'autre côté de la rivière.

Le général Corbineau, commandant une brigade de notre cavalerie légère, renseigné par un paysan, avait découvert au-dessous de Borisow le gué de Véselovo. Sur cette nouvelle, Napoléon, dans la soirée du 24, fit partir de Bobre d'Eblé et Chasseloup avec les pontonniers et les sapeurs : ils arrivèrent à Stoudianka, sur la Bérésina, au gué indiqué.

Deux ponts sont jetés : une armée de quarante mille Russes campait au bord opposé. Quelle fut la surprise des Français, lorsqu'au lever du jour ils aperçurent le rivage désert et l'arrière-garde de la division de Tchaplitz en pleine retraite ! Ils n'en croyaient pas leurs yeux. Un seul boulet, le feu de la pipe d'un Cosaque eussent suffi pour mettre en pièces ou pour brûler les faibles pontons de d'Eblé. On court avertir Bonaparte ; il se lève à la hâte, sort, voit et s'écrie : « J'ai trompé l'amiral[3] ! » L'exclamation était naturelle ; les Russes avortaient au dénoûment et commettaient une faute qui devait prolonger la guerre de trois années ; mais leur chef n'avait point été trompé. L'amiral Tchitchakoff avait tout aperçu ; il s'était simplement laissé aller à son caractère : quoique intelligent et fougueux, il aimait ses aises ; il craignait le froid, restait au poêle, et pensait qu'il aurait toujours le temps d'exterminer les Français quand il se serait bien chauffé : il céda à son tempérament. Retiré aujourd'hui à Londres, ayant abandonné sa fortune et renoncé à la Russie, Tchitchakoff a fourni au *Quarterly-Review* de curieux articles sur la campagne de 1811 : il cherche à s'excuser, ses compatriotes lui répondent ; c'est une querelle entre des Russes. Hélas ! Si Bonaparte, par la

1. Il commandait dans l'armée de Napoléon une division polonaise.
2. Le maréchal Oudinot.
3. Tchitchakoff.

construction de ses deux ponts et l'incompréhensible retraite de la division Tchaplitz, était sauvé, les Français ne l'étaient pas : deux autres armées russes s'aggloméraient sur la rive du fleuve que Napoléon se préparait à quitter. Ici celui qui n'a point vu doit se taire et laisser parler les témoins.

« Le dévouement des pontonniers dirigés par d'Eblé, « dit Chambray, vivra autant que le souvenir du passage de « la Bérésina. Quoique affaiblis par les maux qu'ils endu- « raient depuis si longtemps, quoique privés de liqueurs et « d'aliments substantiels, on les vit, bravant le froid qui « était devenu très-rigoureux, se mettre dans l'eau quelque- « fois jusqu'à la poitrine ; c'était courir à une mort presque « certaine ; mais l'armée les regardait ; ils se sacrifièrent « pour son salut [1]. »

« Le désordre régnait chez les Français, dit à son tour « M. de Ségur, et les matériaux avaient manqué aux deux « ponts ; deux fois, dans la nuit du 26 au 27, celui des « voitures s'était rompu et le passage en avait été retardé de « sept heures : il se brisa une troisième fois le 27, vers « quatre heures du soir. D'un autre côté, les traîneurs « dispersés dans les bois et dans les villages environnants « n'avaient pas profité de la première nuit, et le 27, quand « le jour avait reparu, tous s'étaient présentés à la fois pour « passer les ponts.

« Ce fut surtout quand la garde, sur laquelle ils se « réglaient, s'ébranla. Son départ fut comme un signal : ils « accoururent de toutes parts ; ils s'amoncelèrent sur la rive. « On vit en un instant une masse profonde, large et confuse « d'hommes, de chevaux et de chariots assiéger l'étroite entrée « des ponts qu'elle débordait. Les premiers, poussés par ceux « qui les suivaient, repoussés par les gardes et par les ponton- « niers, ou arrêtés par le fleuve, étaient écrasés, foulés aux « pieds, ou précipités dans les glaces que charriait la Bérésina. « Il s'élevait de cette immense et horrible cohue, tantôt un « bourdonnement sourd, tantôt une grande clameur, mêlée de « gémissements et d'affreuses imprécations . . . . « Le désordre avait été si grand, que, vers deux heures,

---

1. Ce paragraphe est emprunté à l'*Histoire de l'expédition de Russie* du général de Chambray (1833).

« quand l'empereur s'était présenté à son tour, il avait fallu
« employer la force pour lui ouvrir un passage. Un corps de
« grenadiers de la garde, et Latour-Maubourg, renoncèrent,
« par pitié, à se faire jour au travers de ces mal-
« heureux . . . .
« La multitude immense entassée sur la rive, pêle-mêle avec
« les chevaux et les chariots, y formait un épouvantable
« encombrement. Ce fut vers le milieu du jour que les
« premiers boulets ennemis tombèrent au milieu de ce
« chaos : ils furent le signal d'un désespoir universel . . . .
   « Beaucoup de ceux qui s'étaient lancés les premiers
« de cette foule de désespérés, ayant manqué le pont,
« voulurent l'escalader par ses côtés ; mais la plupart furent
« repoussés dans le fleuve. Ce fut là qu'on aperçut des
« femmes au milieu des glaçons, avec leurs enfants dans
« leurs bras, les élevant à mesure qu'elles s'enfonçaient ;
« déjà submergées, leurs bras raidis les tenaient encore
« au-dessus d'elles.
   « Au milieu de cet horrible désordre, le pont de
« l'artillerie creva et se rompit. La colonne engagée sur cet
« étroit passage voulut en vain rétrograder. Le flot d'hom-
« mes qui venait derrière, ignorant ce malheur, n'écoutant
« pas les cris des premiers, poussèrent devant eux, et les
« jetèrent dans le gouffre, où ils furent précipités à leur
« tour.
   « Tout alors se dirigea vers l'autre pont. Une multi-
« tude de gros caissons, de lourdes voitures et de pièces
« d'artillerie y affluèrent de toutes parts. Dirigées par leurs
« conducteurs, et rapidement emportées sur une pente raide
« et inégale, au milieu de cet amas d'hommes, elles broyè-
« rent les malheureux qui se trouvèrent surpris entre elles ;
« puis s'entre-choquant, la plupart, violemment renversées,
« assommèrent dans leur chute ceux qui les entouraient.
« Alors des rangs entiers d'hommes éperdus poussés sur ces
« obstacles s'y embarrassent, culbutent, et sont écrasés par
« des masses d'autres infortunés qui se succèdent sans
« interruption.
   « Ces flots de misérables roulaient ainsi les uns sur les
« autres ; on n'entendait que des cris de douleur et de rage.
« Dans cette affreuse mêlée les hommes foulés et étouffés

214

« se débattaient sous les pieds de leurs compagnons, aux-
« quels ils s'attachaient avec leurs ongles et leurs dents.
« Ceux-ci les repoussaient sans pitié comme des ennemis.
« Dans cet épouvantable fracas d'un ouragan furieux, de
« coups de canon, du sifflement de la tempête, de celui des
« boulets, des explosions des obus, de vociférations, de
« gémissements, de juremens effroyables, cette foule désor-
« donnée n'entendait pas les plaintes des victimes qu'elle
« engloutissait. »

Les autres témoignages sont d'accord avec les récits de
M. de Ségur : pour leur collation et leur preuve, je ne
citerai plus que ce passage des *Mémoires de Vaudoncourt* :
« La plaine assez grande qui se trouve devant Veselovo
« offre, le soir, un spectacle dont l'horreur est difficile à
« peindre. Elle est couverte de voitures et de fourgons, la
« plupart renversés les uns sur les autres et brisés. Elle est
« jonchée de cadavres d'individus non militaires, parmi
« lesquels on ne voit que trop de femmes et d'enfants
« traînés, à la suite de l'armée, jusqu'à Moscou, ou fuyant
« cette ville pour suivre leurs compatriotes, et que la mort
« avait frappés de différentes manières. Le sort de ces
« malheureux, au milieu de la mêlée des deux armées, fut
« d'être écrasés sous les roues des voitures ou sous les pieds
« des chevaux ; frappés par les boulets ou par les balles des
« deux partis ; noyés en voulant passer les ponts avec les
« troupes, ou dépouillés par les soldats ennemis et jetés nus
« sur la neige où le froid termina bientôt leurs souffrances. »

Quel gémissement Bonaparte a-t-il pour une pareille
catastrophe, pour cet événement de douleur, un des plus
grands de l'histoire ; pour des désastres qui surpassent ceux
de l'armée de Cambyse ? Quel cri est arraché de son âme ?
Ces quatre mots de son bulletin : *« Pendant la journée du 26
« et du 27 l'armée passa. »* Vous venez de voir comment !
Napoléon ne fut pas même attendri par le spectacle de ces
femmes élevant dans leurs bras leurs nourrissons au-dessus
des eaux. L'autre grand homme qui par la France a régné
sur le monde, Charlemagne, grossier barbare apparemment,
chanta et pleura (poëte qu'il était aussi) l'enfant englouti
dans l'Ebre en se jouant sur la glace :

Trux puer adstricto glacie dum ludit in Hebro [1].

Le duc de Bellune [2] était chargé de protéger le passage. Il
avait laissé en arrière le général Partouneaux qui fut obligé
de capituler. Le duc de Reggio, blessé de nouveau, était
remplacé dans son commandement par le maréchal Ney. On
traversa les marais de la Gaina : la plus petite prévoyance
des Russes aurait rendu les chemins impraticables. A
Malodeczno, le 3 décembre, se trouvèrent toutes les estafettes arrêtées depuis trois semaines. Ce fut là que Napoléon
médita d'abandonner le drapeau. « Puis-je rester, disait-il, à
la tête d'une déroute ? » A Smorgoni, le roi de Naples et le
prince Eugène le pressèrent de retourner en France. Le duc
d'Istrie [3] porta la parole ; dès les premiers mots Napoléon
entra en fureur, il s'écria : « Il n'y a que mon plus mortel
« ennemi qui puisse me proposer de quitter l'armée dans la
« situation où elle se trouve. » Il fit un mouvement pour se
jeter sur le maréchal, son épée nue à la main. Le soir il fit
rappeler le duc d'Istrie et lui dit : « Puisque vous le voulez
« tous, il faut bien que je parte. » La scène était arrangée ; le
projet de départ était arrêté lorsqu'elle fut jouée. M. Fain
assure en effet que l'empereur s'était déterminé à quitter
l'armée pendant la marche *qui le ramena le* 4 *de Malodeczno à Biclitza.* Telle fut la comédie par laquelle l'immense acteur dénoua son drame tragique.

A Smorgoni l'empereur écrivit son vingt-neuvième bulletin. Le 5 décembre il monta sur un traîneau avec M. de
Caulaincourt : il était dix heures du soir. Il traversa l'Allemagne caché sous le nom de son compagnon de fuite. A sa
disparition, tout s'abîma : dans une tempête, lorsqu'un
colosse de granit s'ensevelit sous les sables de la Thébaïde,
nulle ombre ne reste au désert. Quelques soldats dont il ne
restait de vivant que les têtes finirent par se manger les uns
les autres sous des hangars de branches de pins. Des maux
qui paraissaient ne pouvoir augmenter se complètent :

1. « L'enfant sauvage pris par la glace pendant qu'il joue sur l'Ebre... »
2. Le maréchal Victor.
3. Le maréchal Bessières.

l'hiver, qui n'avait encore été que l'automne de ces climats, descend. Les Russes n'avaient plus le courage de tirer, dans des régions de glace, sur les ombres gelées que Bonaparte laissait vagabondes après lui.

A Wilna on ne rencontra que des juifs qui jetaient sous les pieds de l'ennemi les malades qu'ils avaient d'abord recueillis par avarice. Une dernière déroute abîma le demeurant des Français, à la hauteur de Ponary. Enfin on touche au Niémen : des trois ponts sur lesquels nos troupes avaient défilé, aucun n'existait ; un pont, ouvrage de l'ennemi, dominait les eaux congelées. Des cinq cent mille hommes, de l'innombrable artillerie qui, au mois d'août, avaient traversé le fleuve, on ne vit repasser à Kowno qu'un millier de fantassins réguliers, quelques canons et trente mille misérables couverts de plaies. Plus de musique, plus de chants de triomphe ; la bande à la face violette, et dont les cils figés forçaient les yeux à se tenir ouverts, marchait en silence sur le pont ou rampait de glaçons en glaçons jusqu'à la rive polonaise. Arrivés dans des habitations échauffées par des poêles, les malheureux expirèrent : leur vie se fondit avec la neige dont ils étaient enveloppés. Le général Gourgaud affirme que cent vingt-sept mille hommes repassèrent le Niémen : ce serait toujours même à ce compte une perte de trois cent treize mille hommes dans une campagne de quatre mois.

Murat, parvenu à Gumbinnen, rassembla ses officiers et leur dit : « Il n'est plus possible de servir un insensé ; il n'y a « plus de salut dans sa cause ; aucun prince de l'Europe ne « croit plus à ses paroles ni à ses traités. » De là il se rendit à Posen et, le 16 janvier 1813, il disparut. Vingt-trois jours après, le prince de Schwartzenberg quitta l'armée : elle passa sous le commandement du prince Eugène. Le général Yorck, d'abord blâmé ostensiblement par Frédéric-Guillaume et bientôt réconcilié avec lui, se retira en emmenant les Prussiens : la défection européenne commençait.

JUGEMENT SUR LA CAMPAGNE DE RUSSIE. — DERNIER BULLETIN DE LA GRANDE ARMÉE. — RETOUR DE BONAPARTE À PARIS. — HARANGUE DU SÉNAT.

DANS toute cette campagne Bonaparte fut inférieur à ses généraux, et particulièrement au maréchal Ney. Les excuses que l'on a données de la fuite de Bonaparte sont inadmissibles : la preuve est là, puisque son départ, qui devait tout sauver, ne sauva rien. Cet abandon, loin de réparer les malheurs, les augmenta et hâta la dissolution de la Fédération Rhénane.

Le vingt-neuvième et dernier bulletin de la grande armée, daté de Molodetschino [1] le 3 décembre 1812, arrivé à Paris le 18, n'y précéda Napoléon que de deux jours : il frappa la France de stupeur, quoiqu'il soit loin de s'exprimer avec la franchise dont on l'a loué ; des contradictions frappantes s'y remarquent et ne parviennent pas à couvrir une vérité qui perce partout. A Sainte-Hélène (comme on l'a vu ci-dessus), Bonaparte s'exprimait avec plus de bonne foi : ses révélations ne pouvaient plus compromettre un diadème alors tombé de sa tête. Il faut pourtant écouter encore un moment le ravageur :

« Cette armée, dit-il dans le bulletin du 3 décembre « 1812, si belle le 6, était bien différente dès le 14. Presque « sans cavalerie, sans artillerie, sans transports, nous ne « pouvions nous éclairer à un quart de lieue . . . .

« Les hommes que la nature n'a pas trempés assez « fortement pour être au-dessus de toutes les chances du « sort et de la fortune parurent ébranlés, perdirent leur

---

1. Chateaubriand a appelé ce village Molodeczno, p. 216. Il adopte l'orthographe des ouvrages et documents dont il se sert.

« gaieté, leur bonne humeur, et ne rêvèrent que malheurs et
« catastrophes ; ceux qu'elle a créés supérieurs à tout
« conservèrent leur gaieté, leurs manières ordinaires, et
« virent une nouvelle gloire dans des difficultés différentes à
« surmonter.

« Dans tous ces mouvements, l'empereur a toujours
« marché au milieu de sa garde, la cavalerie commandée
« par le maréchal duc d'Istrie, et l'infanterie commandée
« par le duc de Dantzick[1]. S. M. a été satisfaite du bon
« esprit que sa garde a montré ; elle a toujours été prête à se
« porter partout où les circonstances l'auraient exigé ; mais
« les circonstances ont toujours été telles que sa simple
« présence a suffi, et qu'elle n'a pas été dans le cas de
« donner.

« Le prince de Neufchâtel, le grand maréchal[2], le
« grand écuyer[3] et tous les aides de camp et les officiers
« militaires de la maison de l'empereur, ont toujours
« accompagné sa majesté.

« Notre cavalerie était tellement démontée, que l'on a
« dû réunir les officiers auxquels il restait un cheval pour
« en former quatre compagnies de cent cinquante hommes
« chacune. Les généraux y faisaient les fonctions de capitai-
« nes, et les colonels celles de sous-officiers. Cet escadron
« sacré, commandé par le général Grouchy, et sous les
« ordres du roi de Naples, ne perdait pas de vue l'empereur
« dans tous ses mouvements. La santé de sa majesté n'a
« jamais été meilleure. »

Quel résumé de tant de victoires ! Bonaparte avait dit aux
Directeurs : « Qu'avez-vous fait de cent mille Français, tous
« mes compagnons de gloire ? Ils sont morts ! » La France
pouvait dire à Bonaparte : « Qu'avez-vous fait dans une
« seule course des cinq cent mille soldats du Niémen, tous
« mes enfants ou mes alliés ? Ils sont morts ! »

Après la perte de ces cent mille soldats républicains
regrettés de Napoléon, du moins la patrie fut sauvée : les
derniers résultats de la campagne de Russie ont amené

1. Le maréchal Lefèbvre.
2. Duroc.
3. Caulaincourt.

l'invasion de la France et la perte de tout ce que notre gloire et nos sacrifices avaient accumulé depuis vingt ans.

Bonaparte a sans cesse été gardé par un *bataillon sacré qui ne le perdit pas de vue dans tous ses mouvements;* dédommagement des trois cent mille existences immolées : mais pourquoi la *nature ne les avait-elle pas trempées assez fortement?* Elles auraient conservé *leurs manières ordinaires.* Cette vile chair à canon méritait-elle que *ses mouvements* eussent été aussi précieusement surveillés que ceux de Sa Majesté ?

Le Bulletin conclut, comme plusieurs autres, par ces mots : « *La santé de Sa Majesté n'a jamais été meilleure.* »

Familles, séchez vos larmes : Napoléon se porte bien.

A la suite de ce rapport, on lisait cette remarque officielle dans les journaux : « C'est une pièce historique du premier « rang ; Xénophon et César ont ainsi écrit, l'un la retraite « des Dix mille, l'autre ses Commentaires. » Quelle démence de comparaison académique ! Mais, laissant à part la bénévole réclame littéraire, on devait être satisfait parce que d'effroyables calamités causées par Napoléon lui avaient fourni l'occasion de montrer ses talents comme écrivain ! Néron a mis le feu à Rome, et il chante l'incendie de Troie. Nous étions arrivés jusqu'à la féroce dérision d'une flatterie qui déterrait dans ses souvenirs Xénophon et César, afin d'outrager le deuil éternel de la France.

Le sénat conservateur accourt : « Le sénat, dit Lacépède[1], « s'empresse de présenter au pied du trône de V.M.I. et R. « l'hommage de ses félicitations sur l'*heureuse arrivée* de « V.M. au milieu de ses peuples. Le sénat, premier conseil « de l'empereur et *dont l'autorité n'existe que lorsque le* « *monarque la réclame et la met en mouvement,* est établi « pour la conservation de cette monarchie et de l'hérédité de « votre trône, *dans notre quatrième dynastie.* La France et « la postérité le trouveront, dans toutes les circonstances, « fidèle à ce devoir sacré, et tous ses membres seront « toujours prêts à périr pour la défense de ce *palladium* de « la sûreté et de la prospérité nationales. » Les membres du

1. Naturaliste (Chateaubriand l'appelle plus bas « l'historien des reptiles »), grand Chancelier de la Légion d'honneur.

sénat l'ont merveilleusement prouvé en décrétant la déchéance de Napoléon !

L'empereur répond : « Sénateurs, ce que vous me dites « m'est fort agréable. J'ai à cœur LA GLOIRE ET LA « PUISSANCE de la France : mais nos premières pensées sont « POUR TOUT ce qui peut perpétuer la tranquillité inté- « rieure......, POUR CE TRONE auquel sont attachées DESOR- « MAIS les destinées de la patrie...... J'ai demandé à la « Providence un nombre *d'années déterminé*..... J'ai réfléchi « à ce qui a été fait aux différentes époques ; j'y penserai « encore. »

L'historien des reptiles, en osant congratuler Napoléon sur les prospérités publiques, est cependant effrayé de son courage ; il a peur *d'être ;* il a bien soin de dire que l'autorité du sénat *n'existe* que lorsque le monarque la réclame *et la met* en *mouvement.* On avait tant à craindre de l'indépendance du sénat !

Bonaparte, s'excusant à Sainte-Hélène, dit : « Sont-ce les « Russes qui m'ont anéanti ? Non, ce sont de faux rapports, « de sottes intrigues, de la trahison, de la bêtise, bien des « choses enfin qu'on saura peut-être un jour et qui pour- « ront atténuer ou justifier les deux fautes grossières, en « diplomatie comme en guerre, que l'on a le droit de « m'adresser. »

Des fautes qui n'entraînent que la perte d'une bataille ou d'une province permettent des excuses en paroles mystérieu- ses, dont on renvoie l'explication à l'avenir ; mais des fautes qui bouleversent la société, et font passer sous le joug l'indépendance d'un peuple, ne sont pas effacées par les défaites de l'orgueil.

Après tant de calamités et de faits héroïques, il est rude à la fin de n'avoir plus à choisir dans les paroles du sénat qu'entre l'horreur et le mépris.

Revu le 22 février 1845.

MALHEURS DE LA FRANCE. — JOIES FORCÉES. — SÉJOURS À
MA VALLÉE. — RÉVEIL DE LA LÉGITIMITÉ.

LORSQUE Bonaparte arriva précédé de son bulletin, la consternation fut générale. « On ne comptait dans l'Empire, « dit M. de Ségur, que des hommes vieillis par le temps ou « par la guerre, et des enfants ; presque plus d'hommes « faits ! où étaient-ils ? Les pleurs des femmes, les cris des « mères, le disaient assez ! Penchées sur cette terre qui sans « elles resterait inculte, elles maudissent la guerre en lui. »
Au retour de la Bérésina, il n'en fallut pas moins danser par ordre : c'est ce qu'on apprend des *Souvenirs pour servir à l'histoire,* de la reine Hortense. On fut contraint d'aller au bal, la mort dans le cœur, pleurant intérieurement ses parents ou ses amis. Tel était le déshonneur auquel le despotisme avait condamné la France : on voyait dans les salons ce que l'on rencontre dans les rues, des créatures se distrayant de leur vie en chantant leur misère pour divertir les passants.
Depuis trois ans j'étais retiré à Aunay : sur mon coteau de pins, en 1811, j'avais suivi des yeux la comète qui pendant la nuit courait à l'horizon des bois ; elle était belle et triste, et, comme une reine, elle traînait sur ses pas son long voile. Qui l'étrangère égarée dans notre univers cherchait-elle ? à qui adressait-elle ses pas dans le désert du ciel ?
Le 23 octobre 1812, gîté un moment à Paris, rue des Saints-Pères, à l'hôtel Lavalette, madame Lavalette, mon hôtesse, la sourde, me vint réveiller munie de son long cornet : « Monsieur ! monsieur ! Bonaparte est mort ! Le « général Mallet a tué Hulin. Toutes les autorités sont « changées. La révolution est faite. »

Bonaparte était si aimé que pendant quelques instants Paris fut dans la joie, excepté les autorités burlesquement arrêtées. Un souffle avait presque jeté bas l'Empire. Evadé de prison à minuit, un soldat était maître du monde au point du jour ; un songe fut près d'emporter une réalité formidable. Les plus modérés disaient : « Si Napoléon n'est « pas mort, il reviendra corrigé par ses fautes et par ses « revers ; il fera la paix avec l'Europe, et le reste de nos « enfants sera sauvé. » Deux heures après sa femme, M. Lavalette entra chez moi pour m'apprendre l'arrestation de Mallet : *il ne me cacha pas* (c'était sa phrase coutumière) *que tout était fini*. Le jour et la nuit se firent au même moment. J'ai raconté comment Bonaparte reçut cette nouvelle dans un champ de neige près de Smolensk.

Le *sénatus-consulte* du 12 janvier 1813 mit à la disposition de Napoléon revenu deux cent cinquante mille hommes ; l'inépuisable France vit sortir de son sang par ses blessures de nouveaux soldats. Alors on entendit une voix depuis longtemps oubliée ; quelques vieilles oreilles françaises crurent en reconnaître le son : c'était la voix de Louis XVIII ; elle s'élevait du fond de l'exil. Le frère de Louis XVI annonçait des principes à établir un jour dans une charte constitutionnelle ; premières espérances de liberté qui nous venaient de nos anciens rois.

Alexandre, entré à Varsovie, adresse une proclamation à l'Europe :

. . . .

« Si le Nord imite le sublime exemple qu'offrent les « Castillans, le deuil du monde est fini. L'Europe, sur le « point de devenir la proie d'*un monstre,* recouvrerait à la « fois son indépendance et sa tranquillité. Puisse enfin de ce « *colosse sanglant qui menaçait le continent de sa crimi-* « *nelle éternité* ne rester qu'un long souvenir d'horreur et de « pitié ! »

Ce *monstre, ce colosse sanglant qui menaçait le continent de sa criminelle éternité,* était si peu instruit par l'infortune qu'à peine échappé aux Cosaques, il se jeta sur un vieillard qu'il retenait prisonnier.

LE PAPE A FONTAINEBLEAU.

Nous avons vu l'enlèvement du pape à Rome, son séjour à Savone, puis sa détention à Fontainebleau. La discorde s'était mise dans le sacré collège : des cardinaux voulaient que le saint Père résistât pour le spirituel, et ils eurent ordre de ne porter que des bas noirs ; quelques-uns furent envoyés en exil dans les provinces ; quelques chefs du clergé français enfermés à Vincennes : d'autres cardinaux opinaient à la soumission complète du pape ; ils conservèrent leurs bas rouges : c'était une seconde représentation des cierges de la Chandeleur.

Lorsqu'à Fontainebleau le pape obtenait quelque relâchement de l'obsession des cardinaux rouges, il se promenait seul dans les galeries de François Ier : il y reconnaissait la trace des arts qui lui rappelaient la ville sacrée, et de ses fenêtres il voyait les pins que Louis XVI avait plantés en face des appartements sombres où Monescalchi[1] fut assassiné. De ce désert, comme Jésus, il pouvait prendre en pitié les royaumes de la terre. Le septuagénaire à moitié mort, que Bonaparte lui-même vint tourmenter, signa machinalement ce concordat de 1813, contre lequel il protesta bientôt après l'arrivée des cardinaux Pacca et Consalvi.

Lorsque Pacca rejoignit le captif avec lequel il était parti de Rome, il s'imaginait trouver une grande foule autour de la geôle royale ; il ne rencontra dans les cours que de rares serviteurs et une sentinelle placée au haut de l'escalier en fer à cheval. Les fenêtres et les portes du palais étaient fermées : dans la première antichambre des appartements était le cardinal Doria, dans les autres salles se tenaient

---

1. Cet Italien fut assassiné à Fontainebleau en 1657 par ordre de Christine de Suède dont il avait été le favori.

quelques évêques français. Pacca fut introduit auprès de Sa Sainteté : elle était debout, immobile, pâle, courbée, amaigrie, les yeux enfoncés dans la tête.

Le cardinal lui dit qu'il avait hâté son voyage pour se jeter à ses pieds ; le pape répondit : « Ces cardinaux nous ont « entraîné à la table et nous ont fait signer. » Pacca se retira à l'appartement qu'on lui avait préparé, confondu qu'il était de la solitude des demeures, du silence des yeux, de l'abattement des visages et du profond chagrin empreint sur le front du pape. Retourné auprès de sa Sainteté, il « la « trouva (c'est lui qui parle) dans un état digne de compas- « sion et qui faisait craindre pour ses jours. Elle était « anéantie par une tristesse inconsolable en parlant de ce « qui était arrivé ; cette pensée de tourment l'empêchait de « dormir et ne lui permettait de prendre de nourriture que « ce qui suffisait pour ne pas consentir à mourir : — De « cela, disait-elle, je mourrai fou comme Clément XIV. »

Dans le secret de ces galeries déshabitées où la voix de saint Louis, de François Ier, de Henri IV et de Louis XIV ne se faisait plus entendre, le saint Père passa plusieurs jours à écrire la minute et la copie de la lettre qui devait être remise à l'empereur. Le cardinal Pacca emportait caché dans sa robe le papier dangereux à mesure que le pape y ajoutait quelques lignes. L'ouvrage achevé, le pape le remit, le 24 mai 1813, au colonel Lagorce et le chargea de le porter à l'empereur. Il fit lire en même temps une allocution aux divers cardinaux qui se trouvaient près de lui : il regarda comme nul le bref qu'il avait donné à Savone et le concordat du 25 janvier. « Béni soit le Seigneur, dit l'allocu- « tion, qui n'a pas éloigné de nous sa miséricorde ! Il a bien « voulu nous humilier par une salutaire confusion. A nous « donc soit l'humiliation pour le bien de notre âme ; à lui « dans tous les siècles l'exaltation, l'honneur et la gloire ! »

« Du palais de Fontainebleau le 24 mars 1813. »

Jamais plus belle ordonnance ne sortit de ce palais. La conscience du pape étant allégée, le visage du martyr devint serein ; son sourire et sa bouche retrouvèrent leur grâce et ses yeux le sommeil.

Napoléon menaça d'abord de *faire sauter la tête de dessus les épaules de quelques-uns des prêtres de Fontainebleau ;* il pensa à se déclarer chef de la religion de l'Etat ; puis, retombant dans son naturel, il feignit de n'avoir rien su de la lettre du pape. Mais sa fortune décroissait. Le pape, sorti d'un ordre de pauvres moines, rentré par ses malheurs dans le sein de la foule, semblait avoir repris le grand rôle de tribun des peuples, et donné le signal de la déposition de l'oppresseur des libertés publiques.

DÉFECTIONS. — MORT DE LAGRANGE ET DE DELILLE.

LA mauvaise fortune amène les trahisons et ne les justifie pas ; en mars 1813, la Prusse à Kalisch s'allie avec la Russie. Le 3 mars, la Suède fait un traité avec le cabinet de Saint-James : elle s'oblige à fournir trente mille hommes. Hambourg est évacué par les Français, Berlin occupé par les Cosaques, Dresde pris par les Russes et les Prussiens.

La défection de la confédération du Rhin se prépare. L'Autriche adhère à l'alliance de la Russie et de la Prusse. La guerre se rouvre en Italie où le prince Eugène s'est transporté.

En Espagne, l'armée anglaise défait Joseph à Vittoria ; les tableaux dérobés aux églises et aux palais tombent dans l'Ebre : je les avais vus à Madrid et à l'Escurial ; je les ai revus lorsqu'on les restaurait à Paris : le flot et Napoléon avaient passé sur ces Murillo et ces Raphaël, *velut umbra* [1]. Wellington, s'avançant toujours, bat le maréchal Soult à Roncevaux : nos grands souvenirs faisaient le fond des scènes de nos nouvelles destinées.

1. « comme une ombre. » Cf. (T. I, p. 35) l'épigraphe de l'*Avant-propos.*

Le 14 février, à l'ouverture du Corps législatif, Bonaparte déclara qu'il avait toujours voulu la paix et qu'elle était nécessaire au monde. Ce monde ne lui réussissait plus. Du reste, dans la bouche de celui qui nous appelait *ses sujets,* aucune sympathie pour les douleurs de la France : Bonaparte levait sur nous des souffrances, comme un tribut qui lui était dû.

Le 3 avril, le sénat conservateur ajoute 180,000 combattants à ceux qu'il a déjà alloués : coupes extraordinaires d'hommes au milieu des coupes réglées. Le 10 avril enlève Lagrange ; l'abbé Delille expira quelques jours après. Si dans le ciel la noblesse du sentiment l'emporte sur la hauteur de la pensée, le chantre de *la Pitié* est placé plus près du trône de Dieu que l'auteur de la *Théorie des fonctions analytiques*[1]. Bonaparte avait quitté Paris le 15 avril.

BATAILLES DE LÜTZEN, DE BAUTZEN ET DE DRESDE REVERS EN ESPAGNE

LES levées de 1812, se succédant, s'étaient arrêtées en Saxe. Napoléon arrive. L'honneur du vieil ost [2] expiré est remis à 200 mille conscrits qui se battent comme les grenadiers de Marengo. Le 2 mai, la bataille de Lützen est gagnée : Bonaparte, dans ces nouveaux combats, n'emploie presque plus que l'artillerie. Entré dans Dresde, il dit aux habi-

---

1. Chateaubriand reproche sans doute à l'illustre mathématicien Lagrange (1736-1813) d'avoir également reçu de Frédéric II, de Louis XVI, de la Révolution, de Napoléon, honneurs et faveurs.
2. Armée (mot médiéval).

tants : « Je n'ignore pas à quel transport vous vous êtes
« livrés lorsque l'empereur Alexandre et le roi de Prusse
« sont entrés dans vos murs. Nous voyons encore sur le pavé
« le fumier des fleurs que vos *jeunes filles* ont semées sur
« les pas des monarques. » Napoléon se souvenait-il des
jeunes filles de Verdun? C'était du temps de ses belles
années.

A Bautzen, autre triomphe, mais où s'ensevelissent le
général du génie Kirgener, et Duroc, grand maréchal du
palais. « Il y a une autre vie, dit l'empereur à Duroc : nous
« nous reverrons. » Duroc se souciait-il beaucoup de le
revoir ?

Le 26 et le 27 août, on s'aborde sur l'Elbe, dans des
champs déjà fameux [1]. Revenu de l'Amérique, après avoir
vu Bernadotte à Stockholm, et Alexandre à Prague,
Moreau [2] a les deux jambes emportées d'un boulet, à
Dresde, à côté de l'empereur de Russie : vieille habitude de
la fortune napoléonienne. On apprit la mort du vainqueur
de Hohenlinden, dans le camp français, par un chien perdu,
sur le collier duquel était écrit le nom du nouveau Turenne [3]. L'animal, demeuré sans maître, courait au hasard
parmi les morts : *Te, janitor Orci* [4] !

Le prince de Suède, devenu généralissime de l'armée du
nord de l'Allemagne, avait adressé, le 15 d'août, une
proclamation à ses soldats :

« Soldats, le même sentiment qui guida les Français de
« 1792, et qui les porta à s'unir et à combattre les armées
« qui étaient sur leur territoire, doit diriger aujourd'hui
« votre valeur contre celui qui, après avoir envahi le sol qui
« vous a vus naître, enchaîne encore vos frères, vos femmes
« et vos enfants. »

Bonaparte, encourant la réprobation unanime, s'élançait
contre la liberté qui l'attaquait de toutes parts, sous toutes

1. Ils avaient déjà été ravagés pendant la guerre de Sept Ans.
2. En 1800 Moreau, alors général français, avait écrasé l'archiduc Jean
à Hohenlinden en Bavière. En 1813 il était devenu le conseiller
d'Alexandre Ier.
3. Turenne avait été lui aussi tué par un boulet.
4. « Toi, portier d'Orcus ! » (*Enéide*, VIII, 296). Le portier du dieu des
Enfers est le chien Cerbère.

les formes. Un sénatus-consulte du 28 août annule la déclaration d'un jury d'Anvers [1] : bien petite infraction, sans doute, aux droits des citoyens, après l'énormité d'arbitraire dont avait usé l'empereur ; mais il y a au fond des lois une sainte indépendance dont les cris sont entendus : cette oppression d'un jury fit plus de bruit que les oppressions diverses dont la France était la victime.

Enfin, au midi, l'ennemi avait touché notre sol ; les Anglais, obsession de Bonaparte et cause de presque toutes ses fautes, passèrent la Bidassoa le 7 octobre : Wellington, l'homme fatal, mit le premier le pied sur la terre de France.

S'obstinant à rester en Saxe, malgré la prise de Vandamme en Bohême et la défaite de Ney près de Berlin par Bernadotte, Napoléon revint sur Dresde. Alors le Landsturm [2] se lève ; une guerre nationale, semblable à celle qui a délivré l'Espagne, s'organise.

CAMPAGNE DE SAXE OU DES POËTES.

ON a appelé les combats de 1813 la campagne de Saxe : ils seraient mieux nommés la *campagne de la jeune Allemagne* ou *des poëtes*. A quel désespoir Bonaparte ne nous avait-il pas réduits par son oppression, puisqu'en voyant couler notre sang, nous ne pouvons nous défendre d'un mouvement d'intérêt pour cette généreuse jeunesse saisissant l'épée au nom de l'indépendance ? Chacun de ces combats était une protestation pour les droits des peuples.

1. Ce jury avait acquitté deux fonctionnaires qui avaient fraudé l'octroi.
2. Une armée recrutée de tous les hommes valides.

Dans une de ses proclamations, datée de Kalisch le 25 mars 1813, Alexandre appelait aux armes les populations de l'Allemagne, leur promettant au nom de ses frères, les rois, des institutions libres. Ce signal fit éclater la *Burschenschaft* [1], déjà secrètement formée. Les universités d'Allemagne s'ouvrirent ; elles mirent de côté la douleur pour ne songer qu'à la réparation de l'injure : « Que les lamenta-« tions et les larmes soient courtes, la tristesse et la douleur « longues, disaient les Germains d'autrefois ; à la femme il « est décent de pleurer, à l'homme de se souvenir : *Lamenta* « *ac lacrymas citò, dolorem et tristitiam tardè ponunt.* « *Feminis lugere honestum est, viris meminisse* [2]. » Alors la jeune Allemagne court à la délivrance de la patrie ; alors se pressèrent ces Germains, *alliés de l'Empire,* dont l'ancienne Rome se servit en guise d'armes et de javelots, *velut tela atque arma.*

Le professeur Fichte [3] faisait à Berlin, en 1813, une leçon sur le *devoir;* il parla des calamités de l'Allemagne, et termina sa leçon par ces paroles : « Le cours sera donc « suspendu jusqu'à la fin de la campagne. Nous le repren-« drons dans notre patrie devenue libre, ou nous serons « morts pour reconquérir la liberté. » Les jeunes auditeurs se lèvent en poussant des cris ; Fichte descend de sa chaire, traverse la foule, et va inscrire son nom sur les rôles d'un corps partant pour l'armée.

Tout ce que Bonaparte avait méprisé et insulté lui devient péril : l'intelligence descend dans la lice contre la force brutale ; Moscou est la torche à la lueur de laquelle la Germanie ceint son baudrier : « Aux armes ! s'écrie la muse. « Le Phénix de la Russie s'est élancé de son bûcher ! » Cette reine de Prusse, si faible et si belle, que Napoléon avait accablée de ses ingénéreux outrages, se transforme en une ombre implorante et implorée [4] : « Comme elle dort douce-

---

1. La « Confrérie des Camarades », association d'étudiants.
2. Tacite, *De moribus Germanorum,* XXVII.
3. Philosophe saxon (1762-1814), professeur à Iéna. Les *Discours à la nation allemande* (1807-1808) devinrent le manifeste du nationalisme allemand.
4. La reine Louise est morte en 1810.

« ment ! chantent les Bardes. Ah ! puisses-tu dormir jus-
« qu'au jour où ton peuple lavera dans le sang la rouille de
« son épée ! Eveille-toi alors ! éveille-toi ! sois l'ange de la
« liberté et de la vengeance ! »

Kœrner [1] n'a qu'une crainte, celle de *mourir en prose* :
« Poésie ! poésie ! s'écrie-t-il, rends-moi la mort à la clarté
« du jour ! »

Il compose au bivouac l'hymne *de la Lyre et de l'Epée.*

LE CAVALIER.

« Dis-moi, ma bonne épée, l'épée de mon flanc, pourquoi
« l'éclair de ton regard est-il aujourd'hui si ardent ? Tu me
« regardes d'un œil d'amour, ma bonne épée, l'épée qui fait
« ma joie. Hourrah !

L'ÉPÉE.

« C'est que c'est un brave cavalier qui me porte : voilà ce
« qui enflamme mon regard ; c'est que je suis la force d'un
« homme libre : voilà ce qui fait ma joie. Hourrah !

LE CAVALIER.

« Oui, mon épée, oui, je suis un homme libre, et je t'aime
« du fond du cœur : je t'aime comme si tu m'étais fiancée ;
« je t'aime comme une maîtresse chérie.

L'ÉPÉE.

« Et moi, je me suis donnée à toi ! à toi ma vie, à toi mon
« âme d'acier ! Ah ! si nous sommes fiancés, quand me
« diras-tu : Viens, viens, ma maîtresse chérie ! » Ne croit-on

1. Poète viennois (1791-1813), mort en combattant.

pas entendre un de ces guerriers du Nord, un de ces hommes de batailles et de solitudes, dont Saxo Grammaticus [1] dit : « Il tomba, rit et mourut. »

Ce n'était point le froid enthousiasme d'un scalde en sûreté : Kœrner avait l'épée au flanc ; beau, blond et jeune, Apollon à cheval, il chantait la nuit comme l'Arabe sur sa selle ; son *maoual* [2], en chargeant l'ennemi, était accompagné du galop de son destrier. Blessé à Lützen, il se traîna dans les bois, où des paysans le retrouvèrent ; il reparut et mourut aux plaines de Leipsick, à peine âgé de vingt-cinq ans : il s'était échappé des bras d'une femme qu'il aimait, et s'en allait dans tout ce que la vie a de délices. « Les « femmes se plaisent, disait Tyrtée [3], à contempler le jeune « homme resplendissant et debout : il n'est pas moins beau « lorsqu'il tombe au premier rang. »

Les nouveaux Arminius [4], nourris à l'école de la Grèce, avaient un bardit général : quand ces étudiants abandonnèrent la paisible retraite de la science pour les champs de bataille, les joies silencieuses de l'étude pour les périls bruyants de la guerre, Homère et les Niebelungen pour l'épée, qu'opposèrent-ils à notre hymne de sang, à notre cantique révolutionnaire ? Ces strophes pleines de l'affection religieuse, et de la sincérité de la nature humaine :

« Quelle est la patrie de l'Allemand ? Nommez-moi cette « grande patrie ! Aussi loin que résonne la langue alle- « mande, aussi loin que des chants allemands se font « entendre pour louer Dieu, là doit être la patrie de « l'Allemand.

« La patrie de l'Allemand est le pays où le serment de « mains suffit pour tout serment, où la bonne foi pure « brille dans tous les regards, où l'affection siége brûlante « dans tous les cœurs.

« O Dieu du ciel, abaisse tes regards sur nous et donne- « nous cet esprit si pur, si vraiment allemand, pour que

1. Historien danois du XIIe siècle.
2. Chant arabe moderne.
3. Rapprochement naturel : Kœrner avait été appelé « le Tyrtée allemand ».
4. Le chef germain Arminius avait écrasé en 9 av. J.-C. les légions romaines commandées par Varus.

« nous puissions vivre fidèles et bons. Là est la patrie de
« l'Allemand, tout ce pays est sa patrie [1]. »

Ces camarades de collége, maintenant compagnons d'armes, ne s'inscrivaient point dans ces *ventes* [2] où des septembriseurs vouaient des assassinats au poignard : fidèles à la poésie de leurs rêveries, aux traditions de l'histoire, au culte du passé, ils firent d'un vieux château, d'une antique forêt, les asiles conservateurs de la *Burschenschaft*. La reine de Prusse était devenue leur patronne, en place de la reine des nuits.

Du haut d'une colline, du milieu des ruines, les écoliers-soldats, avec leurs professeurs-capitaines, découvraient le faîte des salles de leurs universités chéries : émus au souvenir de leur docte antiquité, attendris à la vue du sanctuaire de l'étude et des jeux de leur enfance, ils juraient d'affranchir leur pays, comme Melchthal, Furst et Stauffacher [3] prononcèrent leur triple serment à l'aspect des Alpes, par eux immortalisées, illustrés par elles. Le génie allemand a quelque chose de mystérieux ; la Thécla [4] de Schiller est encore la fille teutonne douée de prescience et formée d'un élément divin. Les Allemands adorent aujourd'hui la liberté dans un vague indéfinissable, de même qu'autrefois ils appelaient *Dieu* le secret des bois : *Deorumque nominibus appellant secretum illud* [5]... L'homme dont la vie était un dithyrambe en action ne tomba que quand les poëtes de la jeune Allemagne eurent chanté et pris le glaive contre leur rival Napoléon, le poëte armé.

Alexandre était digne d'avoir été le héraut envoyé aux jeunes Allemands : il partageait leurs sentiments élevés, et il était dans cette position de force qui rend possibles les projets ; mais il se laissa effrayer de la terreur des monarques qui l'environnaient. Ces monarques ne tinrent point leurs promesses ; ils ne donnèrent point à leurs peuples des institutions généreuses. Les enfants de la muse (flamme par

1. Fragment d'un poème d'Ernst-Maurice Arndt.
2. Lieux de réunion des « Carbonari ».
3. Les trois Suisses qui en 1307 firent serment de libérer leur peuple de l'Autriche.
4. Héroïne des *Piccolomini* de Schiller.
5. Tacite, *De moribus Germanorum*, IX.

qui les masses inertes des soldats avaient été animées) furent plongés dans des cachots en récompense de leur dévouement et de leur noble crédulité. Hélas ! la génération qui rendit l'indépendance aux Teutons est évanouie ; il n'est demeuré en Germanie que de vieux cabinets usés. Ils appellent le plus haut qu'ils peuvent Napoléon un grand homme, pour faire servir leur présente admiration d'excuse à leur bassesse passée. Dans le sot enthousiasme pour l'homme qui continue à aplatir les gouvernements après les avoir fouettés, à peine se souvient-on de Kœrner : « Arminius, libérateur de « la Germanie, dit Tacite, fut inconnu aux Grecs qui « n'admirent qu'eux, peu célèbre chez les Romains qu'il « avait vaincus ; mais des nations barbares le chantent « encore, *caniturque barbaras apud gentes* [1]. »

BATAILLE DE LEIPSICK. — RETOUR DE BONAPARTE
À PARIS. — TRAITÉ DE VALENÇAY.

LE 18 et le 19 octobre se donna dans les champs de Leipsick ce combat que les Allemands ont appelé la *bataille des nations*. Vers la fin de la seconde journée, les Saxons et les Wurtembergeois, passant du camp de Napoléon sous les drapeaux de Bernadotte, décidèrent du résultat de l'action ; victoire entachée de trahison. Le prince de Suède, l'empereur de Russie et le roi de Prusse pénètrent dans Leipsick à travers trois portes différentes. Napoléon, ayant éprouvé une perte immense, se retira. Comme il n'entendait rien aux

1. Tacite, *Annales,* II, 88.

retraites de sergent, ainsi qu'il l'avait dit, il fit sauter des ponts derrière lui. Le prince Poniatowski, blessé deux fois, se noie dans l'Elster : la Pologne s'abîma avec son dernier défenseur.

Napoléon ne s'arrêta qu'à Erfurt : de là son bulletin annonça que son armée, toujours victorieuse, *arrivait comme une armée battue :* Erfurt, peu de temps auparavant, avait vu Napoléon au faîte de la prospérité.

Enfin les Bavarois, déserteurs après les autres d'une fortune abandonnée, essaient d'exterminer à Hanau le reste de nos soldats. Wrède[1] est renversé par les seuls gardes-d'honneur : quelques conscrits, déjà vétérans, lui passent sur le ventre ; ils sauvent Bonaparte et prennent position derrière le Rhin. Arrivé en fugitif à Mayence, Napoléon se retrouve à Saint-Cloud le 19 novembre ; l'infatigable de Lacepède revient lui dire : « Votre Majesté a tout « surmonté. » M. de Lacepède avait parlé convenablement des ovipares[2] ; mais il ne se pouvait tenir debout.

La Hollande reprend son indépendance et rappelle le prince d'Orange. Le 1er décembre les puissances alliées déclarent « qu'elles ne font point la guerre à la France, mais « à l'empereur seul, ou plutôt à cette prépondérance qu'il a « trop longtemps exercée, hors des limites de son empire, « pour le malheur de l'Europe et de la France. »

Quand on voit s'approcher le moment où nous allions être renfermés dans notre ancien territoire, on se demande à quoi donc avait servi le bouleversement de l'Europe et le massacre de tant de millions d'hommes ? Le temps nous engloutit et continue tranquillement son cours.

Par le traité de Valençay du 11 décembre, le misérable Ferdinand VII est renvoyé à Madrid : ainsi se termina obscurément à la hâte cette criminelle entreprise d'Espagne, première cause de la perte de Napoléon. On peut toujours aller au mal, on peut toujours tuer un peuple ou un roi ; mais le retour est difficile : Jacques Clément[3] raccommodait ses sandales pour le voyage de Saint-Cloud ; ses confrè-

---

1. Feld-maréchal bavarois.
2. Cf. p. 220
3. L'assassin d'Henri III.

res lui demandèrent en riant combien son ouvrage durerait :
« Assez pour le chemin que j'ai à faire, répondit-il : je dois
« aller, non revenir. »

LE Corps législatif est assemblé le 19 décembre 1813.
Etonnant sur le champ de bataille, remarquable dans son
conseil d'Etat, Bonaparte n'a plus la même valeur politique ; la langue de la liberté, il l'ignore ; s'il veut exprimer
des affections congéniales[1], des sentiments paternels, il
s'attendrit tout de travers, et il plaque des paroles émues à
son insensibilité : « Mon cœur, dit-il au Corps législatif, a
« besoin de la présence et de l'affection de mes *sujets*. Je n'ai
« jamais été séduit par la prospérité ; l'adversité me trou-
« vera au-dessus de ses atteintes. J'avais conçu et exécuté de
« grands desseins pour la prospérité et le bonheur du
« monde. *Monarque et père,* je sens que la paix ajoute à la
« sécurité des trônes et à celle des familles. »
Un article officiel du *Moniteur* avait dit, au mois de
juillet 1804, *sous l'Empire,* que *la France ne passerait
jamais le Rhin, et que ses armées ne le passeraient plus.*
Les alliés traversèrent ce fleuve le 21 décembre 1813,
depuis Bâle jusqu'à Schaffouse, avec plus de cent mille

1. Qui s'accordent avec son génie.

236

hommes ; le 31 du même mois, l'armée de Silésie, commandée par Blücher, le franchit à son tour, depuis Manheim jusqu'à Coblentz.

Par ordre de l'empereur, le sénat et le Corps législatif avaient nommé deux commissions chargées de prendre connaissance des documents relatifs aux négociations avec les puissances coalisées ; prévision d'un pouvoir qui, se refusant à des conséquences devenues inévitables, voulait en laisser la responsabilité à une autre autorité.

La commission du Corps législatif, que présidait M. Lainé, osa dire « que les moyens de paix auraient des effets « assurés, si les Français étaient convaincus que leur sang « ne serait versé que pour défendre une patrie et des lois « protectrices ; que Sa Majesté doit être suppliée de mainte« nir l'entière et constante exécution des lois qui garantis« sent aux Français les droits de la liberté, de la sûreté, de la « propriété, et à la nation le libre exercice de ses droits « politiques. »

Le ministre de la police, duc de Rovigo, fait enlever les épreuves du rapport ; un décret du 31 décembre ajourne le Corps législatif ; les portes de la salle sont fermées. Bonaparte traite les membres de la commission législative d'*agents payés par l'Angleterre* : « Le nommé Lainé, « disait-il, est un traître qui correspond avec le prince « régent par l'intermédiaire de Desèze [1] ; Raynouard, Maine « de Biran et Flaugergues [2] sont des factieux. »

Le soldat s'étonnait de ne plus retrouver ces Polonais qu'il abandonnait et qui, en se noyant pour lui obéir, criaient encore : « Vive l'empereur ! » Il appelait le rapport de la commission une motion sortie d'un club de Jacobins. Pas un discours de Bonaparte dans lequel n'éclate son aversion pour la république dont il était sorti ; mais il en détestait moins les crimes que les libertés. A propos de ce même rapport il ajoutait : « Voudrait-on rétablir la souveraineté « du peuple ? Eh bien, dans ce cas, je me fais peuple ; car je

---

1. Le défenseur de Louis XVI.
2. Raynouard : l'auteur des *Templiers* ; Maine de Biran, le philosophe célèbre, membre du Corps législatif : Flaugergues, député de l'Aveyron.

« prétends être toujours là où réside la souveraineté. »
Jamais despote n'a expliqué plus énergiquement sa nature ;
c'est le mot retourné de Louis XIV : « L'Etat, c'est moi. »

A la réception du premier jour de l'an 1814, on s'attendait à quelque scène. J'ai connu un homme attaché à cette cour, lequel se préparait à tout hasard à mettre l'épée à la main. Napoléon ne dépassa pas néanmoins la violence des paroles, mais il s'y laissa aller avec cette plénitude qui causait quelquefois de la confusion à ses hallebardiers mêmes : « Pourquoi, s'écria-t-il, parler devant l'Europe de
« ces débats domestiques ? Il faut laver son linge sale en
« famille. Qu'est-ce qu'un trône ? un morceau de bois
« recouvert d'un morceau d'étoffe : tout dépend de celui
« qui s'y assied. La France a plus besoin de moi que je n'ai
« besoin d'elle. Je suis un de ces hommes qu'on tue, mais
« qu'on ne déshonore pas. Dans trois mois nous aurons la
« paix, ou l'ennemi sera chassé de notre territoire, ou je
« serai mort. »

C'était dans le sang que Bonaparte était accoutumé à laver le linge des Français. Dans trois mois on n'eut point la paix, l'ennemi ne fut point chassé de notre territoire, Bonaparte ne perdit point la vie : la mort n'était point son fait. Accablée de tant de malheurs et de l'ingrate obstination du maître qu'elle s'était donné, la France se voyait envahie avec l'inerte stupeur qui naît du désespoir.

Un décret impérial avait mobilisé 121 bataillons de gardes nationales ; un autre décret avait formé un conseil de régence présidé par Cambacérès et composé de ministres, à la tête duquel était placée l'impératrice. Joseph, monarque en disponibilité, revenu d'Espagne avec ses pillages, est déclaré commandant général de Paris. Le 25 janvier 1814, Bonaparte quitte son palais pour l'armée, et va jeter une éclatante flamme en s'éteignant.

LE PAPE MIS EN LIBERTÉ.

LA surveille, le pape avait été rendu à l'indépendance ; la main qui allait à son tour porter des chaînes fut contrainte de briser les fers qu'elle avait donnés : la Providence avait changé les fortunes, et le vent qui soufflait au visage de Napoléon poussait les alliés à Paris.

Pie VII, averti de sa délivrance, se hâta de faire une courte prière dans la chapelle de François Ier ; il monta en voiture et traversa cette forêt qui, selon la tradition populaire, voit paraître le grand veneur de la mort quand un roi va descendre à Saint-Denis.

Le pape voyageait sous la surveillance d'un officier de gendarmerie qui l'accompagnait dans une seconde voiture. À Orléans, il apprit le nom de la ville dans laquelle il entrait.

Il suivit la route du Midi aux acclamations de la foule, de ces provinces où Napoléon devait bientôt passer, à peine en sûreté sous la garde des commissaires étrangers. Sa Sainteté fut retardée dans sa marche par la chute même de son oppresseur : les autorités avaient cessé leurs fonctions ; on n'obéissait à personne ; un ordre écrit de Bonaparte, ordre qui vingt-quatre heures auparavant aurait abattu la plus haute tête et fait tomber un royaume, était un papier sans cours : quelques minutes de puissance manquèrent à Napoléon pour qu'il pût protéger le captif que sa puissance avait persécuté. Il fallut qu'un mandat provisoire des Bourbons achevât de rendre la liberté au pontife qui avait ceint de leur diadème une tête étrangère : quelle confusion de destinées !

Pie VII cheminait au milieu des cantiques et des larmes, au son des cloches, aux cris de : Vive le pape ! Vive le chef de l'Eglise ! On lui apportait, non les clefs des villes, des capitulations trempées de sang et obtenues par le meurtre, mais on lui présentait des malades à guérir, de nouveaux époux à bénir au bord de sa voiture ; il disait aux premiers :

« Dieu vous console ! » Il étendait sur les seconds ses mains pacifiques ; il touchait de petits enfants dans les bras de leurs mères. Il ne restait aux villes que ceux qui ne pouvaient marcher. Les pèlerins passaient la nuit sur les champs pour attendre l'arrivée d'un vieux prêtre délivré. Les paysans, dans leur naïveté, trouvaient que le saint Père ressemblait à notre Seigneur ; des protestants attendris disaient : « Voilà le plus grand homme de son siècle. » Telle est la grandeur de la véritable société chrétienne, où Dieu se mêle sans cesse avec les hommes ; telle est sur la force du glaive et du sceptre la supériorité de la puissance du faible, soutenu de la religion et du malheur.

Pie VII traversa Carcassonne, Béziers, Montpellier et Nîmes, pour réapprendre l'Italie. Au bord du Rhône, il semblait que les innombrables croisés de Raymond de Toulouse [1] passaient encore la revue à Saint-Rémy [2]. Le pape revit Nice, Savone, Imola, témoins de ses afflictions récentes et des premières macérations de sa vie : on aime à pleurer où l'on a pleuré. Dans les conditions ordinaires, on se souvient des lieux et des temps du bonheur. Pie VII repassait sur ses vertus et sur ses souffrances, comme un homme dans sa mémoire revit de ses passions éteintes.

A Bologne, le pape fut laissé aux mains des autorités autrichiennes. Murat, Joachim-Napoléon, roi de Naples, lui écrivit le 4 avril 1814 :

« Très-saint Père, le sort des armes m'ayant rendu « maître des Etats que vous possédiez lorsque vous fûtes « forcé de quitter Rome, je ne balance pas à les remettre « sous votre autorité, renonçant en votre faveur à tous mes « droits de conquête sur ces pays. »

Qu'a-t-on laissé à Joachim et à Napoléon mourants ?

Le pape n'était pas encore arrivé à Rome qu'il offrit un asile à la mère de Bonaparte. Des légats avaient repris possession de la ville éternelle. Le 23 mai, au milieu du printemps, Pie VII aperçut le dôme de Saint-Pierre. Il a raconté avoir répandu des larmes en revoyant le dôme sacré.

1. Raymond IV, dit Raymond de Saint-Gilles, comte de Toulouse : voir T.I, p. 554.
2. Saint-Rémy, près d'Arles, célèbre par ses monuments romains.

Prêt à franchir la Porte du Peuple, le pontife fut arrêté : vingt-deux orphelines vêtues de robes blanches, quarante-cinq jeunes filles portant de grandes palmes dorées, s'avancèrent en chantant des cantiques. La multitude criait : Hosanna! Pignatelli, qui commandait les troupes sur le Quirinal lorsque Radet emporta d'assaut le jardin des Olives de Pie VII, conduisait à présent la marche des palmes. En même temps que Pignatelli changeait de rôle, de nobles parjures, à Paris, reprenaient derrière le fauteuil de Louis XVIII leurs fonctions de grands domestiques : la prospérité nous est transmise avec ses esclaves, comme autrefois une terre seigneuriale était vendue avec ses serfs.

NOTES QUI DEVINRENT LA BROCHURE « DE BONAPARTE ET DES BOURBONS ». — JE PRENDS UN APPARTEMENT RUE DE RIVOLI. — ADMIRABLE CAMPAGNE DE FRANCE, 1814.

Au livre second de ces *Mémoires,* on lit (je revenais alors de mon premier exil de Dieppe[1]) : « On m'a permis de revenir « à ma vallée. La terre tremble sous les pas du soldat « étranger : j'écris, comme les derniers Romains, au bruit « de l'invasion des Barbares. Le jour je trace des pages aussi « agitées que les événements de ce jour ; la nuit, tandis que « le roulement du canon lointain expire dans mes bois « solitaires, je retourne au silence des années qui dorment « dans la tombe et à la paix de mes plus jeunes souvenirs. »
Ces pages agitées que je traçais le jour étaient des notes relatives aux événements du moment, lesquelles, réunies, devinrent ma brochure : *De Bonaparte et des Bourbons.*

1. Voir T.I, p. 101.

J'avais une si haute idée du génie de Napoléon et de la vaillance de nos soldats, qu'une invasion de l'étranger, heureuse jusque dans ses derniers résultats, ne me pouvait tomber dans la tête : mais je pensais que cette invasion, en faisant sentir à la France le danger où l'ambition de Napoléon l'avait réduite, amènerait un mouvement intérieur, et que l'affranchissement des Français s'opérerait de leurs propres mains. C'était dans cette idée que j'écrivais mes notes, afin que si nos assemblées politiques arrêtaient la marche des alliés, et se résolvaient à se séparer d'un grand homme, devenu un fléau, elles sussent à qui recourir ; l'abri me paraissait être dans l'autorité, modifiée selon les temps, sous laquelle nos aïeux avaient vécu pendant huit siècles : quand dans l'orage on ne trouve à sa portée qu'un vieil édifice, tout en ruines qu'il est, on s'y retire.

Dans l'hiver de 1813 à 1814, je pris un appartement rue de Rivoli, en face de la première grille du jardin des Tuileries, devant laquelle j'avais entendu crier la mort du duc d'Enghien. On ne voyait encore dans cette rue que les arcades bâties par le gouvernement et quelques maisons s'élevant çà et là avec leur dentelure latérale de pierres d'attente.

Il ne fallait rien moins que les maux dont la France était écrasée, pour se maintenir dans l'éloignement que Napoléon inspirait et pour se défendre en même temps de l'admiration qu'il faisait renaître sitôt qu'il agissait : c'était le plus fier génie d'action qui ait jamais existé ; sa première campagne en Italie et sa dernière campagne en France (je ne parle pas de Waterloo) sont ses deux plus belles campagnes ; Condé dans la première, Turenne dans la seconde, grand guerrier dans celle-là, grand homme dans celle-ci ; mais différentes dans leurs résultats : par l'une il gagna l'empire, par l'autre il le perdit. Ses dernières heures de pouvoir, toutes déracinées, toutes déchaussées qu'elles étaient, ne purent être arrachées, comme les dents d'un lion, que par les efforts du bras de l'Europe. Le nom de Napoléon était encore si formidable que les armées ennemies ne passèrent le Rhin qu'avec terreur ; elles regardaient sans cesse derrière elles pour bien s'assurer que la retraite leur serait possible ; maîtresses de Paris, elles tremblaient encore.

Alexandre jetant les yeux sur la Russie, en entrant en France, félicitait les personnes qui pouvaient s'en aller, et il écrivait à sa mère ses anxiétés et ses regrets.

Napoléon bat les Russes à Saint-Dizier, les Prussiens et les Russes à Brienne, comme pour honorer les champs dans lesquels il avait été élevé. Il culbute l'armée de Silésie à Montmirail, à Champaubert, et une partie de la grande armée à Montereau. Il fait tête partout ; va et revient sur ses pas ; repousse les colonnes dont il est entouré. Les alliés proposent un armistice ; Bonaparte déchire les préliminaires de la paix offerte et s'écrie : « Je suis plus près de Vienne « que l'empereur d'Autriche de Paris ! »

La Russie, l'Autriche, la Prusse et l'Angleterre, pour se réconforter mutuellement, conclurent à Chaumont un nouveau traité d'alliance ; mais au fond, alarmées de la résistance de Bonaparte, elles songeaient à la retraite. A Lyon, une armée se formait sur le flanc des Autrichiens ; dans le midi, le maréchal Soult arrêtait les Anglais ; le congrès de Châtillon, qui ne fut dissous que le 15 mars, négociait encore. Bonaparte chassa Blücher des hauteurs de Craonne. La grande armée alliée n'avait triomphé le 27 février, à Bar-sur-Aube, que par la supériorité du nombre. Bonaparte se multipliant avait recouvré Troyes que les alliés réoccupèrent. De Craonne il s'était porté sur Reims. « Cette nuit, « dit-il, j'irai prendre mon beau-père à Troyes. »

Le 20 mars, une affaire eut lieu près d'Arcis-sur-Aube. Parmi un feu roulant d'artillerie, un obus étant tombé au front d'un carré de la garde, le carré parut faire un léger mouvement : Bonaparte se précipite sur le projectile dont la mèche fume, il la fait flairer à son cheval ; l'obus crève, et l'empereur sort sain et sauf du milieu de la foudre brisée.

La bataille devait recommencer le lendemain ; mais Bonaparte, cédant à l'inspiration du génie, inspiration qui lui fut néanmoins funeste, se retire afin de se porter sur le derrière des troupes confédérées, les séparer de leurs magasins et grossir son armée des garnisons des places frontières. Les étrangers se préparaient à se replier sur le Rhin, lorsqu'Alexandre, par un de ces mouvements du ciel qui changent tout un monde, prit le parti de marcher à Paris, dont le chemin devenait libre*. Napoléon croyait entraîner la masse des ennemis, et il n'était suivi que de 10,000 hommes de cavalerie qu'il pensait être l'avant-garde des principales troupes, et qui lui masquaient le mouvement réel des Prussiens et des Moscovites. Il dispersa ces 10,000 chevaux à Saint-Dizier et Vitry, et s'aperçut alors que la grande armée alliée n'était pas derrière; cette armée, se précipitant sur la capitale, n'avait devant elle que les maréchaux Marmont et Mortier avec environ 12,000 conscrits.

Napoléon se dirige à la hâte sur Fontainebleau : là une sainte victime [1], en se retirant, avait laissé le rémunérateur et le vengeur. Toujours dans l'histoire marchent ensemble deux choses : qu'un homme s'ouvre une voie d'injustice, il s'ouvre en même temps une voie de perdition dans laquelle, à une distance marquée, la première route vient tomber dans la seconde.

JE COMMENCE À IMPRIMER MA BROCHURE. — UNE NOTE DE MADAME DE CHATEAUBRIAND.

LES esprits étaient fort agités : l'espoir de voir cesser, coûte que coûte, une guerre cruelle qui pesait depuis vingt ans sur la France rassasiée de malheur et de gloire, l'emportait dans les masses sur la nationalité. Chacun s'occupait du parti

---

* J'ai entendu le général Pozzo raconter que c'était lui qui avait déterminé l'empereur Alexandre à marcher en avant.
1. Le pape.

qu'il aurait à prendre dans la catastrophe prochaine. Tous les soirs mes amis venaient causer chez madame de Chateaubriand, raconter et commenter les événements de la journée. MM. de Fontanes, de Clausel, Joubert, accouraient avec la foule de ces amis de passage que donnent les événements et que les événements retirent. Madame la duchesse de Lévis, belle, paisible et dévouée, que nous retrouverons à Gand, tenait fidèle compagnie à madame de Chateaubriand. Madame la duchesse de Duras était aussi à Paris, et j'allais voir souvent madame la marquise de Montcalm, sœur du duc de Richelieu.

Je continuais d'être persuadé, malgré l'approche des champs de bataille, que les alliés n'entreraient pas à Paris et qu'une insurrection nationale mettrait fin à nos craintes. L'obsession de cette idée m'empêchait de sentir aussi vivement que je l'aurais fait la présence des armées étrangères ; mais je ne me pouvais empêcher de réfléchir aux calamités que nous avions fait éprouver à l'Europe, en voyant l'Europe nous les rapporter.

Je ne cessais de m'occuper de ma brochure ; je la préparais comme un remède lorsque le moment de l'anarchie viendrait à éclater. Ce n'est pas ainsi que nous écrivons aujourd'hui, bien à l'aise, n'ayant à redouter que la guerre des feuilletons : la nuit je m'enfermais à clef ; je mettais mes paperasses sous mon oreiller, deux pistolets chargés sur ma table : je couchais entre ces deux muses. Mon texte était double ; je l'avais composé sous la forme de brochure, qu'il a gardée, et en façon de discours, différent à quelques égards de la brochure ; je supposais qu'à la levée de la France, on se pourrait assembler à l'Hôtel-de-Ville, et je m'étais préparé sur deux thèmes.

Madame de Chateaubriand a écrit quelques notes à diverses époques de notre vie commune ; parmi ces notes, je trouve le paragraphe suivant :

« M. de Chateaubriand écrivait sa brochure *De Bona-*
« *parte et des Bourbons*. Si cette brochure avait été saisie, le
« jugement n'était pas douteux : la sentence était l'écha-
« faud. Cependant l'auteur mettait une négligence incroya-
« ble à la cacher. Souvent, quand il sortait, il l'oubliait sur
« sa table ; sa prudence n'allait jamais au-delà de la mettre

« sous son oreiller, ce qu'il faisait devant son valet de
« chambre, garçon fort honnête, mais qui pouvait se laisser
« tenter. Pour moi, j'étais dans des transes mortelles :
« aussi, dès que M. de Chateaubriand était sorti, j'allais
« prendre le manuscrit et je le mettais sur moi. Un jour, en
« traversant les Tuileries, je m'aperçois que je ne l'ai plus,
« et, bien sûre de l'avoir senti en sortant, je ne doute pas de
« l'avoir perdu en route. Je vois déjà le fatal écrit entre les
« mains de la police et M. de Chateaubriand arrêté : je
« tombe sans connaissance au milieu du jardin ; de bonnes
« gens m'assistèrent, ensuite me reconduisirent à la maison
« dont j'étais peu éloignée. Quel supplice lorsque, montant
« l'escalier, je flottais entre une crainte, qui était presque
« une certitude, et un léger espoir d'avoir oublié de prendre
« la brochure. En approchant de la chambre de mon mari,
« je me sentais de nouveau défaillir : j'entre enfin ; rien sur
« la table : je m'avance vers le lit ; je tâte d'abord l'oreil-
« ler : je ne sens rien ; je le soulève : je vois le rouleau de
« papier ! Le cœur me bat chaque fois que j'y pense. Je n'ai
« jamais éprouvé un tel moment de joie dans ma vie. Certes,
« je puis le dire avec vérité, il n'aurait pas été si grand si je
« m'étais vue délivrée au pied de l'échafaud : car enfin
« c'était quelqu'un qui m'était bien plus cher que moi-
« même que j'en voyais délivré. »

Que je serais malheureux si j'avais pu causer un moment
de peine à madame de Chateaubriand !

J'avais pourtant été obligé de mettre un imprimeur dans
mon secret : il avait consenti à risquer l'affaire ; d'après les
nouvelles de chaque heure, il me rendait ou venait reprendre
des épreuves à moitié composées, selon que le bruit du
canon se rapprochait ou s'éloignait de Paris : pendant
près de quinze jours je jouai ainsi ma vie à croix ou
pile.

La guerre établie aux barrières de Paris. — Vue de Paris. — Combat de Belleville. — Fuite de Marie-Louise et de la Régence. — M. de Talleyrand reste à Paris.

LE cercle se resserrait autour de la capitale : à chaque instant on apprenait un progrès de l'ennemi. Pêle-mêle entraient, par les barrières, des prisonniers russes et des blessés français traînés dans des charrettes : quelques-uns à demi-morts tombaient sous les roues qu'ils ensanglantaient. Des conscrits appelés de l'intérieur traversaient la capitale en longue file, se dirigeant sur les armées. La nuit on entendait passer sur les boulevards extérieurs des trains d'artillerie, et l'on ne savait si les détonations lointaines annonçaient la victoire décisive ou la dernière défaite.

La guerre vint s'établir enfin aux barrières de Paris. Du haut des tours de Notre-Dame on vit paraître la tête des colonnes russes, ainsi que les premières ondulations du flux de la mer sur une plage. Je sentis ce qu'avait dû éprouver un Romain lorsque, du faîte du Capitole, il découvrit les soldats d'Alaric et la vieille cité des Latins à ses pieds, comme je découvrais les soldats russes, et à mes pieds la vieille cité des Gaulois. Adieu donc, Lares paternels, foyers conservateurs des traditions du pays, toits sous lesquels avaient respiré et cette Virginie[1] sacrifiée par son père à la pudeur et à la liberté, et cette Héloïse vouée par l'amour aux lettres et à la religion.

Paris depuis des siècles n'avait point vu la fumée des camps de l'ennemi, et c'est Bonaparte qui, de triomphe en

1. Jeune romaine légendaire : son père l'aurait tuée pour lui éviter le déshonneur (Ve siècle av. J.-C). Allusion peu claire.

triomphe, a amené les Thébains à la vue des femmes de Sparte [1]. Paris était la borne dont il était parti pour courir la terre : il y revenait laissant derrière lui l'énorme incendie de ses inutiles conquêtes.

On se précipitait au Jardin-des-Plantes que jadis aurait pu protéger l'abbaye fortifiée de Saint-Victor : le petit monde des cygnes et des bananiers, à qui notre puissance avait promis une paix éternelle, était troublé. Du sommet du labyrinthe, par-dessus le grand cèdre, par-dessus les greniers d'abondance que Bonaparte n'avait pas eu le temps d'achever, au-delà de l'emplacement de la Bastille et du donjon de Vincennes (lieux qui racontaient notre successive histoire), la foule regardait les feux de l'infanterie au combat de Belleville. Montmartre est emporté ; les boulets tombent jusque sur les boulevards du Temple. Quelques compagnies de la garde nationale sortirent et perdirent trois cents hommes dans les champs autour du tombeau des *martyrs* [2]. Jamais la France militaire ne brilla d'un plus vif éclat au milieu de ses revers : les derniers héros furent les cent cinquante jeunes gens de l'école Polytechnique, transformés en canonniers dans les redoutes du chemin de Vincennes. Environnés d'ennemis, ils refusaient de se rendre ; il fallut les arracher de leurs pièces : le grenadier russe les saisissait noircis de poudre et couverts de blessures ; tandis qu'ils se débattaient dans ses bras, il élevait en l'air avec des cris de victoire et d'admiration ces jeunes palmes françaises, et les rendait toutes sanglantes à leurs mères.

Pendant ce temps-là, Cambacérès s'enfuyait avec Marie-Louise, le Roi de Rome et la Régence. On lisait sur les murs cette proclamation :

Le roi Joseph, lieutenant-général de l'Empereur, commandant en chef de la garde nationale.

      Citoyens de Paris,

« Le conseil de Régence a pourvu à la sûreté de « l'Impératrice et du Roi de Rome : je reste avec vous.

---

1. Selon Plutarque (*Agésilas*), lorsque le Thébain Epaminondas envahit Sparte, Agésilas se souvint amèrement d'avoir dit que « jamais femme de Sparte n'avait vu la fumée d'un camp ennemi ».
2. Autour de Montmartre.

« Armons-nous pour défendre cette ville, ses monuments,
« ses richesses, nos femmes, nos enfants, tout ce qui nous
« est cher. Que cette vaste cité devienne un camp pour
« quelques instants, et que l'ennemi trouve sa honte sous
« ses murs qu'il espère franchir en triomphe. »

Rostopschine n'avait pas prétendu défendre Moscou ; il le
brûla. Joseph annonçait qu'il ne quitterait jamais les Parisiens, et il décampait à petit bruit, nous laissant son courage placardé au coin des rues.

M. de Talleyrand faisait partie de la Régence nommée
par Napoléon. Du jour où l'évêque d'Autun cessa d'être,
sous l'Empire, ministre des relations extérieures, il n'avait
rêvé qu'une chose, la disparition de Bonaparte suivie de la
régence de Marie-Louise ; régence dont lui, prince de Bénévent, aurait été le chef. Bonaparte, en le nommant membre
d'une Régence provisoire en 1814, semblait avoir favorisé
ses désirs secrets. La mort napoléonienne n'était point
survenue ; il ne resta à M. de Talleyrand qu'à clopiner aux
pieds du colosse qu'il ne pouvait renverser, et à tirer parti
du moment pour ses intérêts : le savoir-faire était le génie
de cet homme de compromis et de marchés. La position se
présentait difficile : demeurer dans la capitale était chose
indiquée ; mais si Bonaparte revenait, le prince séparé de la
Régence fugitive, le prince retardataire, courait risque d'être
fusillé ; d'un autre côté, comment abandonner Paris au
moment où les alliés y pouvaient pénétrer ? Ne serait-ce pas
renoncer au profit du succès, trahir ce lendemain des
événements, pour lequel M. de Talleyrand était fait ? Loin de
pencher vers les Bourbons, il les craignait à cause de ses
diverses apostasies. Cependant, puisqu'il y avait une chance
quelconque pour eux, M. de Vitrolles[1], avec l'assentiment
du prélat marié, s'était rendu à la dérobée au congrès de
Châtillon, en chuchoteur non avoué de la légitimité. Cette
précaution apportée, le prince[2] afin de se tirer d'embarras
à Paris, eut recours à un de ces tours dans lesquels il était
passé maître.

1. Il était de l'entourage du comte d'Artois.
2. Talleyrand.

M. Laborie, devenu peu après, sous M. Dupont de Nemours, secrétaire particulier du gouvernement provisoire, alla trouver M. de Laborde, attaché à la garde nationale ; il lui révéla le départ de M. de Talleyrand : « Il se dispose, lui « dit-il, à suivre la Régence ; il vous semblera peut-être « nécessaire de l'arrêter, afin d'être à même de négocier « avec les alliés, si besoin est. » La comédie fut jouée en perfection. On charge à grand bruit les voitures du prince ; il se met en route en plein midi, le 30 mars : arrivé à la barrière d'Enfer, on le renvoie inexorablement chez lui, malgré ses protestations. Dans le cas d'un retour miraculeux, les preuves étaient là, attestant que l'ancien ministre avait voulu rejoindre Marie-Louise et que la force armée lui avait refusé le passage.

PROCLAMATION DU PRINCE GÉNÉRALISSIME SCHWARTZENBERG. — DISCOURS D'ALEXANDRE. — CAPITULATION DE PARIS.

CEPENDANT, à la présence des alliés, le comte Alexandre de Laborde et M. Tourton, officiers supérieurs de la garde nationale, avaient été envoyés auprès du généralissime prince de Schwartzenberg, lequel avait été l'un des généraux de Bonaparte pendant la campagne de Russie. La proclamation du généralissime fut connue à Paris dans la soirée du 30 mars. Elle disait : « Depuis vingt ans l'Europe est « inondée de sang et de larmes : les tentatives pour mettre « un terme à tant de malheurs ont été inutiles, parce qu'il « existe, dans le principe même du gouvernement qui vous

« opprime, un obstacle insurmontable à la paix. Parisiens,
« vous connaissez la situation de votre patrie : la conserva-
« tion et la tranquillité de votre ville seront l'objet des soins
« des alliés. C'est dans ces sentiments que l'Europe, en
« armes devant vos murs, s'adresse à vous. »

Quelle magnifique confession de la grandeur de la France : *L'Europe en armes devant vos murs s'adresse à vous !*

Nous qui n'avions rien respecté, nous étions respectés de
ceux dont nous avions ravagé les villes et qui, à leur tour,
étaient devenus les plus forts. Nous leur paraissions une
nation sacrée ; nos terres leur semblaient une campagne
d'Elide [1] que, de par les dieux, aucun bataillon ne pouvait
fouler. Si, nonobstant, Paris eût cru devoir faire une
résistance, fort aisée, de vingt-quatre heures, les résultats
étaient changés ; mais personne, excepté les soldats enivrés
de feu et d'honneur, ne voulait plus de Bonaparte, et, dans
la crainte de le conserver, on se hâta d'ouvrir les barrières.

Paris capitula le 31 mars : la capitulation militaire est
signée au nom des maréchaux Mortier et Marmont par les
colonels Denis et Fabvier [2] ; la capitulation civile eut lieu au
nom des maires de Paris. Le conseil municipal et départe-
mental députa au quartier général russe pour régler les
divers articles : mon compagnon d'exil, Christian de Lamoignon, était du nombre des mandataires. Alexandre leur dit :

« Votre empereur, qui était mon allié, est venu jusque
« dans le cœur de mes Etats y apporter des maux dont les
« traces dureront longtemps ; une juste défense m'a amené
« jusqu'ici. Je suis loin de vouloir rendre à la France les
« maux que j'en ai reçus. Je suis juste, et je sais que ce n'est
« pas le tort des Français. Les Français sont mes amis, et je
« veux leur prouver que je viens leur rendre le bien pour le
« mal. Napoléon est mon seul ennemi. Je promets ma
« protection spéciale à la ville de Paris ; je protégerai, je
« conserverai tous les établissements publics ; je n'y ferai
« séjourner que des troupes d'élite ; je conserverai votre
« garde nationale, qui est composée de l'élite de vos
«

---

1. Territoire sacré pour les Grecs, parce que s'y élevaient les deux cités
des Grands Jeux, Pise et Olympie.
2. Voir p. 196.

« citoyens. C'est à vous d'assurer votre bonheur à venir ; il
« faut vous donner un gouvernement qui vous procure le
« repos et qui le procure à l'Europe. C'est à vous à émettre
« votre vœu : vous me trouverez toujours prêt à seconder
« vos efforts. »

Paroles qui furent accomplies ponctuellement : le bonheur de la victoire aux yeux des alliés l'emportait sur tout
autre intérêt. Quels devaient être les sentiments d'Alexandre, lorsqu'il aperçut les dômes des édifices de cette ville où
l'étranger n'était jamais entré que pour nous admirer, que
pour jouir des merveilles de notre civilisation et de notre
intelligence ; de cette inviolable cité, défendue pendant
douze siècles par ses grands hommes ; de cette capitale de la
gloire que Louis XIV semblait encore protéger de son
ombre, et Bonaparte de son retour !

ENTRÉE DES ALLIÉS DANS PARIS. — BONAPARTE
À FONTAINEBLEAU.

DIEU avait prononcé une de ces paroles par qui le silence de
l'éternité est de loin en loin interrompu. Alors se souleva, au
milieu de la présente génération, le marteau qui frappa
l'heure que Paris n'avait entendu sonner qu'une fois : le 25
décembre 496, Reims annonça le baptême de Clovis, et les
portes de Lutèce s'ouvrirent aux Francs ; le 30 mars 1814,
après le baptême de sang de Louis XVI, le vieux marteau
resté immobile se leva de nouveau au beffroi de l'antique
monarchie ; un second coup retentit, les Tartares pénétrè-
rent dans Paris. Dans l'intervalle de mille trois cent dix-huit
ans, l'étranger avait insulté les murailles de la capitale de
notre empire sans y pouvoir entrer jamais, hormis quand il
s'y glissa appelé par nos propres divisions. Les Normands

assiégèrent la cité des *Parisii* ; les *Parisii* donnèrent la volée aux éperviers qu'ils portaient sur le poing ; Eudes, enfant de Paris et roi futur, *rex futurus,* dit Abbon [1], repoussa les pirates du nord : les *Parisiens* lâchèrent leurs aigles en 1814 ; les alliés entrèrent au Louvre.

Bonaparte avait fait injustement la guerre à Alexandre son admirateur qui implorait la paix à genoux ; Bonaparte avait commandé le carnage de la Moskowa ; il avait forcé les Russes à brûler eux-mêmes Moscou ; Bonaparte avait dépouillé Berlin, humilié son roi, insulté sa reine : à quelles représailles devions-nous donc nous attendre ? vous l'allez voir.

J'avais erré dans les Florides autour de monuments inconnus, jadis dévastés par des conquérants dont il ne reste aucune trace, et j'étais réservé au spectacle des hordes caucasiennes campées dans la cour du Louvre. Dans ces événements de l'histoire qui, selon Montaigne [2], « sont « maigres témoins de notre prix et capacité », ma langue s'attache à mon palais.

Adhæret lingua mea faucibus meis [3].

L'armée des alliés entra dans Paris le 31 mars 1814, à midi, à dix jours seulement de l'anniversaire de la mort du duc d'Enghien, 21 mars 1804. Etait-ce la peine à Bonaparte d'avoir commis une action de si longue mémoire, pour un règne qui devait durer si peu ? L'empereur de Russie et le roi de Prusse étaient à la tête de leurs troupes. Je les vis défiler sur les boulevards. Stupéfait et anéanti au dedans de moi comme si l'on m'arrachait mon nom de Français pour y substituer le numéro par lequel je devais désormais être

1. Moine de Saint-Germain-des-Prés, auteur d'un poème sur *Le Siège de Paris par les Normands* (IXe-Xe siècle).
2. Essai *De l'art de conférer.*
3. Psaumes, XXI.

connu dans les mines de la Sibérie, je sentais en même temps mon exaspération s'accroître contre l'homme dont la gloire nous avait réduits à cette honte.

Toutefois cette première invasion des alliés est demeurée sans exemple dans les annales du monde : l'ordre, la paix et la modération régnèrent partout ; les boutiques se rouvrirent ; des soldats russes de la garde, hauts de six pieds, étaient pilotés à travers les rues par de petits polissons français qui se moquaient d'eux, comme des pantins et des masques du carnaval. Les vaincus pouvaient être pris pour les vainqueurs ; ceux-ci, tremblant de leurs succès, avaient l'air d'en demander excuse. La garde nationale occupait seule l'intérieur de Paris, à l'exception des hôtels où logeaient les rois et les princes étrangers. Le 31 mars 1814, des armées innombrables occupaient la France ; quelques mois après, toutes ces troupes repassèrent nos frontières, sans tirer un coup de fusil, sans verser une goutte de sang, depuis la rentrée des Bourbons. L'ancienne France se trouve agrandie sur quelques-unes de ses frontières ; on partage avec elle les vaisseaux et les magasins d'Anvers ; on lui rend trois cent mille prisonniers dispersés dans les pays où les avait laissés la défaite ou la victoire. Après vingt-cinq années de combats, le bruit des armes cesse d'un bout de l'Europe à l'autre ; Alexandre s'en va, nous laissant les chefs-d'œuvre conquis et la liberté déposée dans la Charte, liberté que nous dûmes autant à ses lumières qu'à son influence. Chef des deux autorités suprêmes, doublement autocrate par l'épée et par la religion, lui seul de tous les souverains de l'Europe avait compris qu'à l'âge de civilisation auquel la France était arrivée, elle ne pouvait être gouvernée qu'en vertu d'une constitution libre.

Dans nos inimitiés bien naturelles contre les étrangers, nous avons confondu l'invasion de 1814 et celle de 1815, qui ne se ressemblent nullement.

Alexandre ne se considérait que comme un instrument de la Providence et ne s'attribuait rien. Madame de Staël le complimentait sur le bonheur que ses sujets, privés d'une constitution, avaient d'être gouvernés par lui, il lui fit cette réponse si connue : « Je ne suis qu'un accident heureux. »

Un jeune homme, dans les rues de Paris, lui témoignait

son admiration de l'affabilité avec laquelle il accueillait les moindres citoyens; il lui répliqua : « Est-ce que les « souverains ne sont pas faits pour cela ? » Il ne voulut point habiter le château des Tuileries, se souvenant que Bonaparte s'était plu dans les palais de Vienne, de Berlin et de Moscou.

Regardant la statue de Napoléon sur la colonne de la place Vendôme, il dit : « Si j'étais élevé si haut, je craindrais « que la tête ne me tournât. »

Comme il parcourait le palais des Tuileries, on lui montra le salon de la Paix : « En quoi, dit-il en riant, ce salon « servait-il à Bonaparte ? »

Le jour de l'entrée de Louis XVIII à Paris, Alexandre se cacha derrière une croisée, sans aucune marque de distinction, pour voir passer le cortège.

Il avait quelquefois des manières élégamment affectueuses. Visitant une maison de fous, il demanda à une femme si le nombre des *folles par amour* [1] était considérable : « Jusqu'à présent il ne l'est pas, répondit-elle, mais il est à « craindre qu'il n'augmente à dater du moment de l'entrée « de Votre Majesté à Paris. »

Un grand dignitaire de Napoléon disait au czar : « Il y a « longtemps, sire, que votre arrivée était attendue et désirée « ici. — Je serais venu plus tôt, répondit-il : n'accusez de « mon retard que la valeur française. » Il est certain qu'en passant le Rhin il avait regretté de ne pouvoir se retirer en paix au milieu de sa famille.

A l'Hôtel des Invalides, il trouva les soldats mutilés qui l'avaient vaincu à Austerlitz : ils étaient silencieux et sombres; on n'entendait que le bruit de leurs jambes de bois dans leurs cours désertes et leur église dénudée; Alexandre s'attendrit à ce bruit des braves : il ordonna qu'on leur ramenât douze canons russes.

On lui proposait de changer le nom du pont d'Austerlitz : « Non, dit-il, il suffit que j'aie passé sur ce pont avec mon « armée. »

Alexandre avait quelque chose de calme et de triste : il se

---

1. Allusion à un opéra en un acte *Nina ou la Folle par amour*. La Dugazon y avait triomphé en 1786.

promenait dans Paris, à cheval ou à pied, sans suite et sans affectation. Il avait l'air étonné de son triomphe ; ses regards presque attendris erraient sur une population qu'il semblait considérer comme supérieure à lui : on eût dit qu'il se trouvait un barbare au milieu de nous, comme un Romain se sentait honteux dans Athènes. Peut-être aussi pensait-il que ces mêmes Français avaient paru dans sa capitale incendiée ; qu'à leur tour ses soldats étaient maîtres de ce Paris où il aurait pu retrouver quelques-unes des torches éteintes par qui fut Moscou affranchie et consumée. Cette destinée, cette fortune changeante, cette misère commune des peuples et des rois, devaient profondément frapper un esprit aussi religieux que le sien.

BONAPARTE À FONTAINEBLEAU. — LA RÉGENCE À BLOIS.

QUE faisait le vainqueur de Borodino [1] ? Aussitôt qu'il avait appris la résolution d'Alexandre, il avait envoyé l'ordre au major d'artillerie Maillard de Lescourt de faire sauter la poudrière de Grenelle : Rostopschine avait mis le feu à Moscou ; mais il en avait fait auparavant sortir les habitants. De Fontainebleau où il était revenu, Napoléon s'avança jusqu'à Villejuif : de là il jeta un regard sur Paris ; des soldats étrangers en gardaient les barrières ; le conquérant se rappelait les jours où ses grenadiers veillaient sur les remparts de Berlin, de Moscou et de Vienne.

Les événements détruisent les événements : quelle pauvreté ne nous paraît pas aujourd'hui la douleur de Henri IV apprenant à Villejuif la mort de Gabrielle, et retournant à Fontainebleau ! Bonaparte retourna aussi à cette solitude ; il

---

1. Ou de la Moskowa : victoire douteuse.

n'y était attendu que par le souvenir de son auguste prisonnier : le captif de la paix[1] venait de quitter le château afin de le laisser libre pour le captif de la guerre, « tant *le malheur* est prompt à remplir ses places[2]. »

La régence s'était retirée à Blois. Bonaparte avait ordonné que l'impératrice et le roi de Rome quittassent Paris, aimant mieux, disait-il, les voir au fond de la Seine que reconduits à Vienne en triomphe ; mais en même temps il avait enjoint à Joseph de rester dans la capitale. La retraite de son frère le rendit furieux et il accusa le ci-devant roi d'Espagne d'avoir tout perdu. Les ministres, les membres de la régence, les frères de Napoléon, sa femme et son fils arrivèrent pêle-mêle à Blois, emportés dans la débâcle : fourgons, bagages, voitures, tout était là ; les carrosses même du Roi y étaient et furent traînés à travers les boues de la Beauce à Chambord, seul morceau de la France laissé à l'héritier de Louis XIV. Quelques ministres passèrent outre, et s'allèrent cacher jusqu'en Bretagne, tandis que Cambacérès se prélassait en chaise à porteurs dans les rues montantes de Blois. Divers bruits couraient ; on parlait de deux camps et d'une réquisition générale. Pendant plusieurs jours on ignora ce qui se passait à Paris ; l'incertitude ne cessa qu'à l'arrivée d'un roulier dont le passe-port était contre-signé *Sacken*[3]. Bientôt le général russe Schouwaloff descendit à l'auberge de la Galère : il fut soudain assiégé par les grands, pressés d'obtenir de lui un visa pour leur sauve qui peut. Toutefois, avant de quitter Blois, chacun se fit payer sur les fonds de la régence ses frais de route et l'arriéré de ses appointements : d'une main on tenait ses passe-ports, de l'autre son argent, prenant soin d'envoyer en même temps son adhésion au gouvernement provisoire, car on ne perdit point la tête. Madame mère et son frère, le

---

1. Pie VII.
2. Bossuet, *Oraison funèbre d'Henriette d'Angleterre* :
« Elle va descendre à ces sombres lieux... pour y dormir dans la poussière... avec ces rois et ces princes anéantis parmi lesquels à peine peut-on la placer, tant les rangs y sont pressés, tant la mort est prompte à remplir ces places. »
3. Général russe ; les Alliés en avaient fait le gouverneur militaire de Paris.

cardinal Fesch, partirent pour Rome. Le prince Esterhazi vint chercher Marie-Louise et son fils de la part de François II. Joseph et Jérôme se retirèrent en Suisse, après avoir inutilement voulu forcer l'impératrice à s'attacher à leur sort. Marie-Louise se hâta de rejoindre son père : médiocrement attachée à Bonaparte, elle trouva le moyen de se consoler et se félicita d'être délivrée de la double tyrannie de l'époux et du maître. Quand Bonaparte rapporta l'année suivante cette confusion de fuite aux bourbons, ceux-ci, à peine arrachés à leurs longues tribulations, n'avaient pas eu quatorze ans d'une prospérité inouïe pour s'accoutumer aux aises du trône.

PUBLICATION DE MA BROCHURE « DE BONAPARTE ET DES BOURBONS »

CEPENDANT Napoléon n'était point encore détrôné ; plus de quarante mille des meilleurs soldats de la terre étaient autour de lui ; il pouvait se retirer derrière la Loire ; les armées françaises arrivées d'Espagne grondaient dans le Midi ; la population militaire bouillonnante pouvait répandre ses laves ; parmi les chefs étrangers même, il s'agissait encore de Napoléon ou de son fils pour règner sur la France : pendant deux jours Alexandre hésita. M. de Talleyrand inclinait secrètement, comme je l'ai dit, à la politique qui tendait à couronner le roi de Rome, car il redoutait les Bourbons ; s'il n'entrait pas alors tout à fait dans le plan de la régence de Marie-Louise, c'est que Napoléon n'ayant point péri, il craignait, lui prince de Bénévent, de ne pouvoir rester maître pendant une minorité menacée par l'existence d'un homme inquiet, imprévu, entreprenant et encore dans la vigueur de l'âge*.

Ce fut durant ces jours critiques que je lançai ma brochure *De Bonaparte et des Bourbons* pour faire pencher la balance : on sait quel fut son effet. Je me jetai à corps perdu dans la mêlée pour servir de bouclier à la liberté renaissante contre la tyrannie encore debout et dont le désespoir triplait les forces. Je parlai au nom de la légitimité afin d'ajouter à ma parole l'autorité des affaires positives. J'appris à la France ce que c'était que l'ancienne famille royale ; je dis combien il existait de membres de cette famille, quels étaient leurs noms et leur caractère : c'était comme si j'avais fait le dénombrement des enfants de l'empereur de la Chine ; tant la République et l'Empire avaient envahi le présent et relégué les Bourbons dans le passé. Louis XVIII déclara, je l'ai déjà plusieurs fois mentionné [1], que ma brochure lui avait plus profité qu'une armée de cent mille hommes ; il aurait pu ajouter qu'elle avait été pour lui un certificat de vie. Je contribuai à lui donner une seconde fois la couronne par l'heureuse issue de la guerre d'Espagne.

Dès le début de ma carrière politique je devins populaire dans la foule, mais dès lors aussi je manquai ma fortune auprès des hommes puissants. Tout ce qui avait été esclave sous Bonaparte m'abhorrait ; d'un autre côté j'étais suspect à tous ceux qui voulaient mettre la France en vasselage. Je n'eus pour moi dans le premier moment, parmi les souverains, que Bonaparte lui-même. Il parcourut ma brochure à Fontainebleau ; le duc de Bassano la lui avait portée ; il la discuta avec impartialité, disant : « Ceci est juste ; cela n'est pas juste. Je n'ai point de reproche à faire à Chateaubriand ; il m'a résisté dans ma puissance ; mais ces canailles, tels et tels ! » et il les nommait.

Mon admiration pour Bonaparte a toujours été grande et

* Voyez plus loin *les Cent-Jours à Gand* et le portrait de M. de Talleyrand, vers la fin de ces *Mémoires*. (Paris, note de 1839.)

1. Il est vrai ; mais Mme de Chateaubriand écrit expressément dans le *Cahier rouge* : « L'ouvrage de M. de Chateaubriand fit, comme l'a dit lui-même Bonaparte, plus de bien aux Bourbons qu'une armée de cent mille hommes ».

sincère, alors même que j'attaquais Napoléon avec le plus de vivacité.

La postérité n'est pas aussi équitable dans ses arrêts qu'on le dit : il y a des passions, des engouements, des erreurs de distance comme il y a des passions, des erreurs de proximité. Quand la postérité admire sans restriction, elle est scandalisée que les contemporains de l'homme admiré n'eussent pas de cet homme l'idée qu'elle en a. Cela s'explique pourtant : les choses qui blessaient dans ce personnage sont passées ; ses infirmités sont mortes avec lui ; il n'est resté de ce qu'il fut que sa vie impérissable ; mais le mal qu'il causa n'en est pas moins réel ; mal en soi-même et dans son essence, mal surtout pour ceux qui l'ont supporté.

Le train du jour est de magnifier les victoires de Bonaparte : les patients ont disparu ; on n'entend plus les imprécations, les cris de douleur et de détresse des victimes ; on ne voit plus la France épuisée, labourant son sol avec des femmes ; on ne voit plus les parents arrêtés en pleige de leurs fils, les habitants des villages frappés solidairement des peines applicables à un réfractaire ; on ne voit plus ces affiches de conscription collées au coin des rues, les passants attroupés devant ces immenses arrêts de mort et y cherchant, consternés, les noms de leurs enfants, de leurs frères, de leurs amis, de leurs voisins. On oublie que tout le monde se lamentait des triomphes ; on oublie que la moindre allusion contre Bonaparte au théâtre, échappée aux censeurs, était saisie avec transport ; on oublie que le peuple, la cour, les généraux, les ministres, les proches de Napoléon, étaient las de son oppression et de ses conquêtes, las de cette partie toujours gagnée et jouée toujours, de cette existence remise en question chaque matin par l'impossibilité du repos.

La réalité de nos souffrances est démontrée par la catastrophe même : si la France eût été fanatique de Bonaparte, l'eût-elle abandonné deux fois brusquement, complètement, sans tenter un dernier effort pour le garder ? Si la France devait tout à Bonaparte, gloire, liberté, ordre, prospérité, industrie, commerce, manufactures, monuments, littérature, beaux-arts ; si, avant lui, la nation n'avait rien fait elle-même ; si la République, dépourvue de génie et de courage, n'avait ni défendu ni agrandi le sol, la France a donc été bien ingrate, bien lâche, en laissant tomber Napoléon aux mains de ses ennemis, ou du moins en ne protestant pas contre la captivité d'un pareil bienfaiteur ?

Ce reproche, qu'on serait en droit de nous faire, on ne nous le fait pas cependant, et pourquoi ? Parce qu'il est évident qu'au moment de sa chute la France n'a pas prétendu défendre Napoléon, bien au contraire, elle l'a volontairement délaissé ; dans nos dégoûts amers, nous ne reconnaissions plus en lui que l'auteur et le contempteur de nos misères. Les alliés ne nous ont point vaincus : c'est nous qui, choisissant entre deux fléaux, avons renoncé à répandre notre sang, qui ne coulait plus pour nos libertés.

La République avait été bien cruelle, sans doute, mais chacun espérait qu'elle passerait, que tôt ou tard nous recouvrerions nos droits, en gardant les conquêtes préservatrices qu'elle nous avait données sur les Alpes et sur le Rhin. Toutes les victoires qu'elle remportait étaient gagnées en notre nom ; avec elle il n'était question que de la France ; c'était toujours la France qui avait triomphé, qui avait vaincu ; c'étaient nos soldats qui avaient tout fait et pour lesquels on instituait des fêtes triomphales ou funèbres ; les généraux (et il en était de fort grands) obtenaient une place honorable, mais modeste, dans les souvenirs publics : tels furent Marceau, Moreau, Hoche, Joubert ; les deux derniers destinés à tenir lieu de Bonaparte, lequel naissant à la gloire traversa soudain le général Hoche, et illustra de sa jalousie ce guerrier pacificateur mort tout à coup après ses triomphes d'Altenkirken, de Neuwied et de Kleinnister.

Sous l'Empire, nous disparûmes ; il ne fut plus question de nous, tout appartenait à Bonaparte : *J'ai ordonné, j'ai vaincu, j'ai parlé ; mes aigles, ma couronne, mon sang, ma famille, mes sujets.*

Qu'arriva-t-il pourtant dans ces deux positions à la fois semblables et opposées ? Nous n'abandonnâmes point la République dans ses revers ; elle nous tuait, mais elle nous honorait ; nous n'avions pas la honte d'être la propriété d'un homme ; grâce à nos efforts, elle ne fut point envahie ; les Russes, défaits au delà des monts, vinrent expirer à Zurich.

Quant à Bonaparte, lui, malgré ses énormes acquisitions, il a succombé, non parce qu'il était vaincu, mais parce que la France n'en voulait plus. Grande leçon ! qu'elle nous fasse à jamais ressouvenir qu'il y a cause de mort dans tout ce qui blesse la dignité de l'homme.

Les esprits indépendants de toute nuance et de toute opinion tenaient un langage uniforme à l'époque de la publication de ma brochure. La Fayette, Camille Jordan, Ducis, Lemercier, Lanjuinais, madame de Staël, Chénier, Benjamin Constant, Le Brun, pensaient et écrivaient comme moi. Lanjuinais disait : « Nous avons été chercher « un maître parmi les hommes dont les Romains ne vou- « laient pas pour esclaves. »

Chénier [1] ne traitait pas Bonaparte avec plus de faveur :

> *Un Corse a des Français dévoré l'héritage.*
> *Elite des héros au combat moissonnés,*
> *Martyrs avec la gloire à l'échafaud traînés,*
> *Vous tombiez satisfaits dans une autre espérance.*
> *Trop de sang, trop de pleurs ont inondé la France.*
> *De ces pleurs, de ce sang un homme est l'héritier.*
> . . . .
>
> *Crédule, j'ai longtemps célébré ses conquêtes,*
> *Au forum, au sénat, dans nos jeux, dans nos fêtes.*
> . . . .
>
> *Mais, lorsqu'en fugitif regagnant ses foyers,*
> *Il vint contre l'empire échanger des lauriers,*
> *Je n'ai point caressé sa brillante infamie ;*
> *Ma voix des oppresseurs fut toujours ennemie ;*
> *Et, tandis qu'il voyait des flots d'adorateurs*
> *Lui vendre avec l'Etat des vers adulateurs,*
> *Le tyran dans sa cour remarqua mon absence ;*
> *Car je chante la gloire et non pas la puissance.*
>
> (*Promenade*, 1805.)

Madame de Staël portait un jugement non moins rigou-reux de Napoléon :

« Ne serait-ce pas une grande leçon pour l'espèce

1. Marie-Joseph.

« humaine, si ces directeurs (les cinq membres du Direc-
« toire), hommes très-peu guerriers, se relevaient de leur
« poussière, et demandaient compte à Napoléon de la
« barrière du Rhin et des Alpes, conquise par la Républi-
« que ; compte des étrangers arrivés deux fois à Paris ;
« compte de trois millions de Français qui ont péri depuis
« Cadix jusqu'à Moscou ; compte surtout de cette sympathie
« que les nations ressentaient pour la cause de la liberté en
« France, et qui s'est maintenant changée en aversion
« invétérée ? »

(Considérations sur la Révolution française.)

Ecoutons Benjamin Constant :

« Celui qui, depuis douze années, se proclamait destiné à
« conquérir le monde, a fait amende honorable de ses
« prétentions . . . .
« Avant même que son territoire ne soit envahi, il est frappé
« d'un trouble qu'il ne peut dissimuler. A peine ses limites
« sont-elles touchées, qu'il jette au loin toutes ses conquê-
« tes. Il exige l'abdication d'un de ses frères, il consacre
« l'expulsion d'un autre ; sans qu'on le lui demande, il
« déclare qu'il renonce à tout.

« Tandis que les rois, même vaincus, n'abjurent point
« leur dignité, pourquoi le vainqueur de la terre cède-t-il au
« premier échec ? Les cris de sa famille, nous dit-il, déchi-
« rent son cœur. N'étaient-ils pas de cette famille ceux qui
« périssaient en Russie dans la triple agonie des blessures,
« du froid et de la famine ? Mais, tandis qu'ils expiraient,
« désertés par leur chef, ce chef se croyait en sûreté ;
« maintenant, le danger qu'il partage lui donne une sensibi-
« lité subite.

« La peur est un mauvais conseiller, là surtout où il n'y a
« pas de conscience : il n'y a dans l'adversité, comme dans
« le bonheur, de mesure que dans la morale. Où la morale
« ne gouverne pas, le bonheur se perd par la démence,
« l'adversité par l'avilissement.

. . . .

« Quel effet doit produire sur une nation courageuse
« cette aveugle frayeur, cette pusillanimité soudaine, sans
« exemple encore au milieu de nos orages ? L'orgueil natio-

« nal trouvait (c'était un tort) un certain dédommagement à
« n'être opprimé que par un chef invincible. Aujourd'hui
« que reste-t-il ? Plus de prestige, plus de triomphes, un
« empire mutilé, l'exécration du monde, un trône dont les
« pompes sont ternies, dont les trophées sont abattus, et qui
« n'a pour tout entourage que les ombres errantes du duc
« d'Enghien, de Pichegru, de tant d'autres qui furent
« égorgés pour le fonder *. »

Ai-je été aussi loin que cela dans mon écrit *De Bonaparte
et des Bourbons ?* les proclamations des autorités en 1814,
que je vais à l'instant reproduire, n'ont-elles pas redit,
affirmé, confirmé ces opinions diverses ? Que les autorités
qui s'expriment de la sorte aient été lâches et dégradées par
leur première adulation, cela nuit aux rédacteurs de ces
adresses, mais n'ôte rien à la force de leurs arguments.

Je pourrais multiplier les citations ; mais je n'en rappellerai plus que deux, à cause de l'opinion des deux hommes :
Béranger, ce constant et admirable admirateur de Bonaparte, ne croit-il pas devoir s'excuser lui-même, témoin ces
paroles : « Mon admiration enthousiaste et constante pour
« le génie de l'Empereur, cette idolâtrie, ne m'aveuglèrent
« jamais sur le despotisme toujours croissant de l'Empire. »
Paul-Louis Courier, parlant de l'avénement de Napoléon au
trône, dit : « Que signifie, dis-moi. . . . . . ., un homme
« comme lui, Bonaparte, soldat, chef d'armée, le premier
« capitaine du monde, vouloir qu'on l'appelle *majesté !* être
« Bonaparte et se faire *sire !* Il aspire à descendre : mais
« non, il croit monter en s'égalant aux rois. Il aime mieux
« un titre qu'un nom. Pauvre homme, ses idées sont
« au-dessous de sa fortune. Ce César l'entendait bien mieux,
« et aussi c'était un autre homme : il ne prit point de titres
« usés ; mais il fit de son nom un titre supérieur à celui des
« rois. » Les talents vivants ont pris la route de la même
indépendance, M. de Lamartine à la tribune [1], M. de
Latouche dans la retraite : dans deux ou trois de ses plus
belles odes, M. Victor Hugo a prolongé ces nobles accents :

* *De l'Esprit de conquête,* édition d'Allemagne.

1. Le 26 mai 1840, Lamartine déclare à la Chambre : « Je ne me
prosterne pas devant cette mémoire... ».

Dans la nuit des forfaits, dans l'éclat des victoires,
Cet homme ignorant Dieu, qui l'avait envoyé, etc. [1]

Enfin, à l'extérieur, le jugement européen était tout aussi sévère. Je ne citerai parmi les Anglais que le sentiment des hommes de l'opposition, lesquels s'accommodaient de tout dans notre révolution et la justifiaient de tout : lisez Mackintosh dans sa plaidoirie pour Pelletier ; Sheridan, à l'occasion de la paix d'Amiens, disait au parlement : « Qui-« conque arrive en Angleterre, en sortant de France, croit « s'échapper d'un donjon pour respirer l'air et la vie de « l'indépendance. »

Lord Byron, dans son Ode à Napoléon, le traite de la plus indigne manière :

'T is done-but yesterday a king !
And arm'd with kings to strive,
And now thou art a namless thing
So abject-yet alive.

« C'en est fait ! hier encore un roi ! et armé pour combat-« tre les rois ! Et aujourd'hui tu es une *chose* sans nom, si « abjecte ! vivant néanmoins. »

L'ode entière est de ce train ; chaque strophe enchérit sur l'autre, ce qui n'a pas empêché lord Byron de célébrer le tombeau de Sainte-Hélène. Les poëtes sont des oiseaux : tout bruit les fait chanter.

Lorsque l'élite des esprits les plus divers se trouve d'accord dans un jugement, aucune admiration factice ou sincère, aucun arrangement de faits, aucun système imaginé après coup, ne sauraient infirmer la sentence. Quoi ! on pourrait, comme le fit Napoléon, substituer sa volonté aux lois, persécuter toute vie indépendante, se faire une joie de déshonorer les caractères, de troubler les existences, de violenter les mœurs particulières autant que les libertés

---

1. Chateaubriand va chercher avec malice dans le premier recueil poétique de Hugo cette ode hostile à *Buonaparte*.

publiques et les oppositions généreuses qui s'élèveraient contre ces énormités seraient déclarées calomnieuses et blasphématrices ! Qui voudrait défendre la cause du faible contre le fort, si le courage, exposé à la vengeance des vdetés du présent, devait encore attendre le blâme des lâchetés de l'avenir ?

Cette illustre minorité, formée en partie des enfants des Muses, devint graduellement la majorité nationale : vers la fin de l'Empire tout le monde détestait le despotisme impérial. Un reproche grave s'attachera à la mémoire de Bonaparte : il rendit son joug si pesant que le sentiment hostile contre l'étranger s'en affaiblit, et qu'une invasion, déplorable aujourd'hui en souvenir, prit, au moment de son accomplissement, quelque chose d'une délivrance : c'est l'opinion républicaine même, énoncée par mon infortuné et brave ami Carrel. « Le retour des Bourbons, avait dit à son « tour Carnot[1], produisit en France un enthousiasme uni- « versel ; ils furent accueillis avec une effusion de cœur « inexprimable, les anciens républicains partagèrent sincè- « rement les transports de la joie commune. Napoléon les « avait particulièrement tant opprimés, toutes les classes de « la société avaient tellement souffert, qu'il ne se trouvait « personne qui ne fût réellement dans l'ivresse. »

Il ne manque à la sanction de ces opinions qu'une autorité qui les confirme : Bonaparte s'est chargé d'en certifier la vérité. En prenant congé de ses soldats dans la cour de Fontainebleau, il confesse hautement que la France le rejette : « La France elle-même, dit-il, a voulu d'autres « destinées. » Aveu inattendu et mémorable, dont rien ne peut diminuer le poids ni amoindrir la valeur.

Dieu, en sa patiente éternité, amène tôt ou tard la justice : dans les moments du sommeil apparent du ciel, il sera toujours beau que la désapprobation d'un honnête homme veille, et qu'elle demeure comme un frein à l'absolu pouvoir. La France ne reniera point les nobles âmes qui réclamèrent contre sa servitude, lorsque tout était prosterné, lorsqu'il y avait tant d'avantages à l'être, tant de grâces à recevoir pour des flatteries, tant de persécutions à recueillir

1. Dans son *Mémoire au roi* (1814).

pour des sincérités. Honneur donc aux La Fayette, aux de Staël, aux Benjamin Constant, aux Camille Jordan, aux Ducis, aux Lemercier, aux Lanjuinais, aux Chénier, qui, debout au milieu de la foule rampante des peuples et des rois, ont osé mépriser la victoire et protester contre la tyrannie !

Revu le 22 février 1845.

LE SÉNAT REND LE DÉCRET DE DÉCHÉANCE.

LE 2 avril les sénateurs, à qui l'on ne doit qu'un seul article de la Charte de 1814, l'ignoble article qui leur conserve leurs pensions, décrétèrent la déchéance de Bonaparte. Si ce décret libérateur pour la France, infâme pour ceux qui l'ont rendu, fait à l'espèce humaine un affront, en même temps il enseigne à la postérité le prix des grandeurs et de la fortune, quand elles ont dédaigné de s'asseoir sur les bases de la morale, de la justice et de la liberté.

DÉCRET DU SÉNAT CONSERVATEUR.

« LE Sénat conservateur, considérant que dans une monarchie constitutionnelle le monarque n'existe qu'en vertu de la constitution, ou du pacte social ;

« Que Napoléon Bonaparte, pendant quelque temps d'un gouvernement ferme et prudent, avait donné à la nation des sujets de compter, pour l'avenir, sur des actes de sagesse et de justice ; mais qu'ensuite il a déchiré le pacte qui l'unissait au peuple français, notamment en levant des impôts, en établissant des taxes autrement qu'en vertu de la loi, contre la teneur expresse du serment qu'il avait prêté à son avènement au trône, conformément à l'art. 53 des constitutions du 28 floréal an XII ;

« Qu'il a commis cet attentat aux droits du peuple, lors même qu'il venait d'ajourner sans nécessité le corps législatif, et de faire supprimer, comme criminel, un rapport de ce corps, auquel il contestait son titre et son rapport à la représentation nationale ;

« Qu'il a entrepris une suite de guerres, en violation de l'art. 50 de l'acte des constitutions de l'an VIII, qui veut que la déclaration de guerre soit proposée, discutée, décrétée et promulguée, comme des lois ;

« Qu'il a, inconstitutionnellement, rendu plusieurs décrets portant peine de mort, nommément les deux décrets du 5 mars dernier, tendant à faire considérer comme nationale une guerre qui n'avait lieu que dans l'intérêt de son ambition démesurée ;

« Qu'il a violé les lois constitutionnelles par ses décrets sur les prisons d'Etat ;

« Qu'il a anéanti la responsabilité des ministres, confondu tous les pouvoirs, et détruit l'indépendance des corps judiciaires ;

« Considérant que la liberté de la presse, établie et consacrée comme l'un des droits de la nation, a été constamment soumise à la censure arbitraire de sa police, et qu'en même temps il s'est toujours servi de la presse pour remplir la France et l'Europe de faits controuvés, de maximes fausses, de doctrines favorables au despotisme, et d'outrages contre les gouvernements étrangers ;

« Que des actes et rapports, entendus par le Sénat, ont subi des altérations dans la publication qui en a été faite ;

« Considérant que, au lieu de régner dans la seule vue de l'intérêt, du bonheur et de la gloire du peuple français, aux termes de son serment, Napoléon a mis le comble aux malheurs de la patrie par son refus de traiter à des conditions que l'intérêt national obligeait d'accepter, et qui ne compromettaient pas l'honneur français ; par l'abus qu'il a fait de tous les moyens qu'on lui a confiés en hommes et en argent; par l'abandon des blessés sans secours, sans pansement, sans subsistances; par différentes mesures dont les suites étaient la ruine des villes, la dépopulation des campagnes, la famine et les maladies contagieuses;

« Considérant que, par toutes ces causes, le gouvernement impérial établi par le sénatus-consulte du 28 floréal an XII, ou 18 mai 1804, a cessé d'exister, et que le vœu manifeste de tous les Français appelle un ordre de choses dont le premier résultat soit le rétablissement de la paix générale et qui soit aussi l'époque d'une réconciliation solennelle entre tous les Etats de la grande famille européenne, le Sénat déclare et décrète ce qui suit : *Napoléon déchu du trône; le droit d'hérédité aboli dans sa famille; le peuple français et l'armée déliés envers lui du serment de fidélité.* »

Le sénat romain fut moins dur lorsqu'il déclara Néron ennemi public : l'histoire n'est qu'une répétition des mêmes faits appliqués à des hommes et à des temps divers.

Se représente-t-on l'empereur lisant le document officiel à Fontainebleau ? Que devait-il penser de ce qu'il avait fait, et des hommes qu'il avait appelés à la complicité de son oppression de nos libertés ? Quand je publiai ma brochure *De Bonaparte et des Bourbons,* pouvais-je m'attendre à la voir amplifiée et convertie en décret de déchéance par le Sénat ? Qui empêcha ces législateurs, aux jours de la prospérité, de découvrir les maux dont ils reprochaient à Bonaparte d'être l'auteur, de s'apercevoir que la Constitution avait été violée ? quel zèle saisissait tout à coup ces muets *pour la liberté de la presse ?* Ceux qui avaient accablé Napoléon d'adulations au retour de chacune de ses guerres, comment trouvaient-ils maintenant qu'il ne les avait entreprises que *dans l'intérêt de son ambition démesurée ?* Ceux qui lui avaient jeté tant de conscrits à dévorer, comment s'attendrissaient-ils soudain sur des soldats blessés, *abandonnés sans secours, sans pansement, sans subsistances ?* Il y a des temps où l'on ne doit dépenser le mépris qu'avec économie, à cause du grand nombre de nécessiteux : je le leur plains pour cette heure, parce qu'ils en auront encore besoin pendant et après les Cent-Jours.

Lorsque je demande ce que Napoléon à Fontainebleau pensait des actes du Sénat, sa réponse était faite : un ordre du jour du 4 avril 1814, non publié officiellement, mais recueilli dans divers journaux au dehors de la capitale, remerciait l'armée de sa fidélité en ajoutant :

« Le Sénat s'est permis de disposer du gouvernement « français ; il a oublié qu'il doit à l'empereur le pouvoir « dont il abuse maintenant ; que c'est lui qui a sauvé une « partie de ses membres de l'orage de la révolution, tiré de « l'obscurité et protégé l'autre contre la haine de la nation. « Le Sénat se fonde sur les articles de la Constitution pour « la renverser ; il ne rougit pas de faire des reproches à « l'empereur sans remarquer que, comme premier corps de « l'Etat, il a pris part à tous les événements. Le Sénat ne « rougit pas de parler des libelles publiés contre les gouver- « nements étrangers : il oublie qu'ils furent rédigés dans « son sein. Si longtemps que la fortune s'est montrée « fidèle à leur souverain, ces hommes sont restés fidèles, « et nulle plainte n'a été entendue sur les abus du pouvoir. « Si l'empereur avait méprisé les hommes, comme « on le lui a reproché, alors le monde reconnaîtrait « aujourd'hui qu'il a eu des raisons qui motivaient son « mépris. »

C'est un hommage rendu par Bonaparte lui-même à la liberté de la presse : il devait croire qu'elle avait quelque chose de bon, puisqu'elle lui offrait un dernier abri et un dernier secours.

Et moi qui me débats contre le temps, moi qui cherche à lui faire rendre compte de ce qu'il a vu, moi qui écris ceci si loin des événements passés, sous le règne de Philippe, héritier contrefait d'un si grand héritage, que suis-je entre les mains de ce Temps, ce grand dévorateur des siècles que je croyais arrêtés, de ce Temps qui me fait pirouetter dans les espaces avec lui ?

HÔTEL DE LA RUE SAINT-FLORENTIN. —
M. DE TALLEYRAND.

ALEXANDRE était descendu chez M. de Talleyrand. Je n'assistai point aux conciliabules : on les peut lire dans les récits de l'abbé de Pradt et des divers tripotiers qui maniaient dans leurs sales et petites mains le sort d'un des plus grands hommes de l'histoire et la destinée du monde. Je comptais pour rien dans la politique en dehors des masses ; il n'y avait pas d'intrigant subalterne qui n'eût aux anti-chambres beaucoup plus de droit et de faveur que moi : homme futur de la Restauration possible, j'attendais sous les fenêtres, dans la rue.

Par les machinations de l'hôtel de la rue Saint-Florentin, le Sénat conservateur nomma un gouvernement provisoire composé du général Beurnonville[1], du sénateur Jaucourt, du duc de Dalberg, de l'abbé de Montesquiou, et de Dupont de Nemours ; le prince de Bénévent se nantit de la présidence.

En rencontrant ce nom pour la première fois, je devrais parler du personnage qui prit dans les affaires d'alors une part remarquable ; mais je réserve son portrait pour la fin de mes *Mémoires*.

L'intrigue qui retint M. de Talleyrand à Paris, lors de l'entrée des alliés, a été la cause de ses succès au début de la Restauration. L'empereur de Russie le connaissait pour l'avoir vu à Tilsit. Dans l'absence des autorités françaises, Alexandre descendit à l'hôtel de l'Infantado, que le maître de l'hôtel se hâta de lui offrir.

Dès lors M. de Talleyrand passa pour l'arbitre du monde ; ses salons devinrent le centre des négociations. Composant

1. Beurnonville et Jaucourt étaient sénateurs ; Dalberg suivait en tout Talleyrand ; Montesquiou n'avait eu que peu d'activité sous l'Empire ; Dupont de Nemours s'était fait connaître comme économiste ; le prince de Bénévent est Talleyrand lui-même.

le gouvernement provisoire à sa guise, il y plaça les partners de son wisth : l'abbé de Montesquiou y figura seulement comme une réclame de la légitimité.

Ce fut à l'infécondité de l'évêque d'Autun que les premières œuvres de la Restauration furent confiées : il frappa cette Restauration de stérilité, et lui communiqua un germe de flétrissure et de mort.

ADRESSES DU GOUVERNEMENT PROVISOIRE — CONSTITUTION PROPOSÉE PAR LE SÉNAT.

LES premiers actes du gouvernement provisoire, placé sous la dictature de son président, furent des proclamations adressées aux soldats et au peuple.

« Soldats, disaient-elles aux premiers, la France vient
« de briser le joug sous lequel elle gémit avec vous depuis
« tant d'années. Voyez tout ce que vous avez souffert de la
« tyrannie. Soldats, il est temps de finir les maux de la
« patrie. Vous êtes ses plus nobles enfants ; vous ne pouvez
« appartenir à celui qui l'a ravagée, qui a voulu rendre votre
« nom odieux à toutes les nations, qui aurait peut-être
« compromis votre gloire si un homme qui N'EST PAS MÊME
« FRANÇAIS pouvait jamais affaiblir l'honneur de nos armes
« et la générosité de nos soldats. »

Ainsi, aux yeux de ses plus serviles esclaves, celui qui remporta tant de victoires n'est *plus même Français !* Lorsqu'au temps de la Ligue Du Bourg rendit la Bastille à Henri IV, il refusa de quitter l'écharpe noire et de prendre l'argent qu'on lui offrait pour la reddition de la place. Sollicité de reconnaître le Roi, il répondit : « que c'était sans « doute un très-bon prince mais qu'il avait donné sa foi

« à M. de Mayenne. Qu'au reste Brissac était un traître[1],
« et que, pour le lui maintenir, il le combattrait entre
« quatre piques, en présence du Roi, et lui mangerait le
« cœur du ventre. » Différence des temps et des hommes !

Le 4 avril parut une nouvelle adresse du gouvernement
provisoire au peuple français ; elle lui disait :

« Au sortir de vos discordes civiles vous aviez choisi pour chef
« un homme qui paraissait sur la scène du monde avec les
« caractères de la grandeur. Sur les ruines de l'anarchie, il n'a
« fondé que le despotisme ; il devait au moins *par reconnais-*
« *sance devenir Français* avec vous : *il ne l'a jamais été.* Il n'a
« cessé d'entreprendre sans but et sans motif des guerres injus-
« tes, en aventurier qui veut être fameux. Peut-être rêve-t-il
« encore à ses desseins gigantesques, même quand des revers
« inouïs punissent avec tant d'éclat l'orgueil et l'abus de la vic-
« toire. Il n'a su régner ni dans l'intérêt national, ni dans
« l'intérêt même de son despotisme. Il a détruit tout ce qu'il
« voulait créer et recréé tout ce qu'il voulait détruire. Il ne
« croyait qu'à la force ; la force l'accable aujourd'hui : juste
« retour d'une ambition insensée. »

Vérités incontestables, malédictions méritées ; mais qui
les donnait ces malédictions ? que devenait ma pauvre petite
brochure, serrée entre ces virulentes adresses ? ne disparaît-
elle pas entièrement ? Le même jour, 4 avril, le gouvernement provisoire proscrit les signes et les emblèmes du
gouvernement impérial ; si l'Arc-de-Triomphe eût existé, on
l'aurait abattu. Mailhes, qui vota le premier la mort de
Louis XVI[2], Cambacérés, qui salua le premier Napoléon du
nom d'Empereur, reconnurent avec empressement les actes
du gouvernement provisoire.

Le 6, le Sénat broche une constitution : elle reposait à
peu près sur les bases de la Charte future ; le Sénat était
maintenu comme Chambre haute ; la dignité des sénateurs
était déclarée inamovible et héréditaire ; à leur titre de
majorat était attachée la dotation des sénatoreries ; la

---

1. C'est le maréchal de Cossé-Brissac, nommé gouverneur de Paris par
Mayenne, qui avait pris la décision de céder la ville à Henri IV.
2. De par le sort, lorsque la Convention eut à juger Louis XVI, il fut le
premier à voter. Il vota la mort. En avril 1814, il félicite les sénateurs dans
une lettre d'avoir voté la déchéance de Napoléon.

constitution rendait ces titres et majorats transmissibles aux descendants du possesseur : heureusement que ces ignobles hérédités avaient en elles des Parques, comme disaient les anciens.

L'effronterie sordide de ces sénateurs qui, au milieu de l'invasion de leur patrie, ne se perdent pas de vue un moment, frappe même dans l'immensité des événements publics.

N'aurait-il pas été plus commode pour les Bourbons d'adopter en arrivant le gouvernement établi, un corps législatif muet, un sénat secret et esclave, une presse enchaînée ? A la réflexion, on trouve la chose impossible : les libertés naturelles, se redressant dans l'absence du bras qui les courbait, auraient repris leur ligne verticale sous la faiblesse de la compression. Si les princes légitimes avaient licencié l'armée de Bonaparte, comme ils auraient dû le faire (c'était l'opinion de Napoléon à l'île d'Elbe), et s'ils eussent conservé en même temps le gouvernement impérial, c'eût été trop de briser l'instrument de la gloire pour ne garder que l'instrument de la tyrannie : la Charte était la rançon de Louis XVIII.

ARRIVÉE DU COMTE D'ARTOIS. — ABDICATION DE BONA-
PARTE À FONTAINEBLEAU.

LE 12 avril, le comte d'Artois arriva en qualité de lieutenant-général du royaume. Trois ou quatre cents hommes à cheval allèrent au-devant de lui ; j'étais de la troupe. Il charmait par sa bonne grâce, différente des manières de l'Empire. Les Français reconnaissaient avec plaisir dans sa personne leurs anciennes mœurs, leur ancienne politesse et leur ancien langage ; la foule l'entourait et le pressait ; consolante apparition du passé, double abri qu'il était contre l'étranger vainqueur et contre Bonaparte encore menaçant. Hélas ! ce prince ne remettait le pied sur le sol français que pour y voir assassiner son fils [1] et pour retourner mourir sur cette terre d'exil dont il revenait : Il y a des hommes à qui la vie a été jetée au cou comme une chaîne.

On m'avait présenté au frère du roi ; on lui avait fait lire ma brochure, autrement il n'aurait pas su mon nom : il ne se rappelait ni de m'avoir vu à la cour de Louis XVI, ni au camp de Thionville, et n'avait sans doute jamais entendu parler du *Génie du christianisme :* c'était tout simple. Quand on a beaucoup et longuement souffert, on ne se souvient plus que de soi ; l'infortune personnelle est une compagne un peu froide, mais exigeante ; elle vous obsède ; elle ne laisse de place à aucun autre sentiment, ne vous quitte point, s'empare de vos genoux et de votre couche.

La veille du jour de l'entrée du comte d'Artois, Napoléon, après avoir inutilement négocié avec Alexandre par l'entremise de M. de Caulaincourt [2], avait fait connaître l'acte de son abdication :

« Les puissances alliées ayant proclamé que l'empe-
« reur Napoléon était le seul obstacle au rétablissement de
« la paix en Europe, l'empereur Napoléon, fidèle à son
« serment, déclare qu'il renonce pour lui et ses héritiers au
« trône de France et d'Italie, parce qu'il n'est aucun
« sacrifice personnel, même celui de la vie, qu'il ne soit prêt
« à faire à l'intérêt des Français. »

A ces paroles éclatantes l'empereur ne tarda pas de donner, par son retour, un démenti non moins éclatant : il ne lui fallut que le temps d'aller à l'île d'Elbe. Il resta à Fontainebleau jusqu'au 20 avril.

Le 20 d'avril étant arrivé, Napoléon descendit le perron à deux branches qui conduit au péristyle du château désert de la monarchie des Capets. Quelques grenadiers, restes des

1. Le duc de Berry en 1820.
2. Caulaincourt était ministre des Relations extérieures depuis 1813 ; il avait été ambassadeur en Russie.

soldats vainqueurs de l'Europe, se formèrent en ligne dans la grande cour, comme sur leur dernier champ de bataille ; ils étaient entourés de ces vieux arbres, compagnons mutilés de François 1er et de Henri IV. Bonaparte adressa ces paroles aux derniers témoins de ses combats :

« Généraux, officiers, sous-officiers et soldats de « ma vieille garde, je vous fais mes adieux : depuis vingt « ans je suis content de vous ; je vous ai toujours trouvés sur « le chemin de la gloire.

« Les puissances alliées ont armé toute l'Europe contre « moi ; une partie de l'armée a trahi ses devoirs, et *la France* « *elle-même a voulu d'autres destinées.*

« Avec vous et les braves qui me sont restés fidèles, « j'aurais pu entretenir la guerre civile pendant trois ans ; « mais la France eût été malheureuse, ce qui était contraire « au but que je me suis proposé.

« Soyez fidèles au nouveau roi que la France s'est choisi ; « n'abandonnez pas notre chère patrie, trop longtemps « malheureuse ! Aimez-la toujours, aimez-la bien, cette « chère patrie.

« Ne plaignez pas mon sort ; je serai toujours heureux « lorsque je saurai que vous l'êtes.

« J'aurais pu mourir ; rien ne m'eût été plus facile ; mais « je suivrai sans cesse le chemin de l'honneur. J'ai encore à « écrire ce que nous avons fait.

« Je ne puis vous embrasser tous ; mais j'embrasserai votre général... Venez, général... » (Il serre le général Petit [1] dans ses bras.) Qu'on m'apporte l'aigle !... » (Il la baise.) Chère aigle ! que ces baisers retentissent dans le cœur de tous les braves !... Adieu, mes enfants !... Mes vœux vous accompagneront toujours ; conservez mon souvenir. »

Cela dit, Napoléon lève sa tente qui couvrait le monde.

1. Il se ralliera à Louis XVIII, puis reprendra sa place dans la Garde aux Cent-Jours.

ITINÉRAIRE DE NAPOLÉON À L'ILE D'ELBE.

BONAPARTE avait demandé à l'Alliance des commissaires, afin d'être protégé par eux jusqu'à l'île que les souverains lui accordaient en toute propriété et en avancement d'hoirie. Le comte Schouwaloff fut nommé pour la Russie, le général Kohler pour l'Autriche, le colonel Campbell pour l'Angleterre, et le comte Waldbourg-Truchsess pour la Prusse : celui-ci a écrit l'*Itinéraire de Napoléon de Fontainebleau à l'île d'Elbe.* Cette brochure et celle de l'abbé de Pradt sur l'ambassade de Pologne sont les deux comptes-rendus dont Napoléon a été le plus affligé. Il regrettait sans doute alors le temps de sa libérale censure, quand il faisait fusiller le pauvre Palm, libraire allemand, pour avoir distribué à Nuremberg l'écrit de M. de Gentz : *L'Allemagne dans son profond abaissement.* Nuremberg, à l'époque de la publication de cet écrit, étant encore ville libre, n'appartenait point à la France : Palm n'aurait-il pas dû deviner cette conquête ?

Le comte de Waldbourg fait d'abord le récit de plusieurs conversations qui précédèrent à Fontainebleau le départ. Il rapporte que Bonaparte donnait les plus grands éloges à lord Wellington et s'informait de son caractère et de ses habitudes. Il s'excusait de n'avoir pas fait la paix à Prague, à Dresde et à Francfort ; il convenait qu'il avait eu tort, mais qu'il avait d'autres vues. « Je n'ai point été usurpateur, « ajoutait-il, parce que je n'ai accepté la couronne que « d'après le vœu unanime de la nation, tandis que « Louis XVIII l'a usurpée, n'étant appelé au trône que par « un vil sénat dont plus de dix membres ont voté la mort de « Louis XVI. »

Le comte de Waldbourg poursuit ainsi son récit :

« L'empereur se mit en route, avec ses quatre autres « voitures, le 21 vers midi, après avoir eu encore avec le « général Kohler un long entretien, dont voici le résumé :

277

« Eh bien! vous avez entendu hier mon discours à la vieille
« garde; il vous a plu et vous avez vu l'effet qu'il a produit.
« Voilà comme il faut parler et agir avec eux, et si
« Louis XVIII ne suit pas cet exemple, il ne fera jamais rien
« du soldat français. » . . . .

. . . .

« Les cris de *vive l'Empereur* cessèrent dès que les troupes
« françaises ne furent plus avec nous. A Moulins nous
« vîmes les premières cocardes blanches, et les habitants
« nous reçurent aux acclamations de *vivent les alliés!* Le
« colonel Campbell partit de Lyon en avant, pour aller
« chercher à Toulon ou à Marseille une frégate anglaise qui
« pût, d'après le vœu de Napoléon, le conduire dans son île.

« A Lyon, où nous passâmes vers les onze heures du soir,
« il s'assembla quelques groupes qui crièrent *vive Napo-
« léon!* Le 24, vers midi, nous rencontrâmes le maréchal
« Augereau près de Valence. L'empereur et le maréchal
« descendirent de voiture; Napoléon ôta son chapeau, et
« tendit les bras à Augereau, qui l'embrassa, mais sans le
« saluer. *Où vas-tu comme ça?* lui dit l'empereur en le
« prenant par le bras, *tu vas à la cour?* Augereau répondit
« que pour le moment il allait à Lyon : ils marchèrent près
« d'un quart d'heure ensemble, en suivant la route de
« Valence. L'empereur fit au maréchal des reproches sur sa
« conduite envers lui et lui dit : *Ta proclamation est bien
« bête; pourquoi des injures contre moi? Il fallait simple-
« ment dire : Le vœu de la nation s'étant prononcé en
« faveur d'un nouveau souverain, le devoir de l'armée est de
« s'y conformer. Vive le Roi! vive Louis XVIII!* Augereau
« alors se mit aussi à tutoyer Bonaparte, et lui fit à son tour
« d'amers reproches sur son insatiable ambition, à laquelle
« il avait tout sacrifié, même le bonheur de la France
« entière. Ce discours fatiguant Napoléon, il se tourna avec
« brusquerie du côté du maréchal, l'embrassa, lui ôta
« encore son chapeau, et se jeta dans sa voiture.

« Augereau, les mains derrière le dos, ne dérangea pas sa
« casquette de dessus sa tête; et seulement, lorsque l'Empe-
« reur fut remonté dans sa voiture, il lui fit un geste
« méprisant de la main en lui disant adieu . . . .

. . . .

« Le 25, nous arrivâmes à Orange ; nous fûmes reçus aux
« cris de : *vive le Roi ! vive Louis XVIII !*

« Le même jour, le matin, l'empereur trouva un peu en
« avant d'Avignon, à l'endroit où l'on devait changer de
« chevaux, beaucoup de peuple rassemblé, qui l'attendait à
« son passage, et qui nous accueillit aux cris de : *Vive le*
« *Roi ! vivent les alliés ! A bas le tyran, le coquin, le mauvais*
« *gueux !...* Cette multitude vomit encore contre lui mille
« invectives.

« Nous fîmes tout ce que nous pûmes pour arrêter ce
« scandale, et diviser la foule qui assaillait sa voiture ; nous
« ne pûmes obtenir de ces forcenés qu'ils cessassent d'insul-
« ter l'homme qui, disaient-ils, les avait rendus si malheu-
« reux, et qui n'avait d'autre désir que d'augmenter encore
« leur misère . . . .

« Dans tous les endroits que nous traversâmes, il fut reçu
« de la même manière. A Orgon, petit village où nous
« changeâmes de chevaux, la rage du peuple était à son
« comble ; devant l'auberge même où il devait s'arrêter, on
« avait élevé une potence à laquelle était suspendu un
« mannequin, en uniforme français, couvert de sang, avec
« une inscription placée sur la poitrine et ainsi conçue : *Tel*
« *sera, tôt ou tard, le sort du tyran.*

« Le peuple se cramponnait à la voiture de Napoléon, et
« cherchait à le voir pour lui adresser les plus fortes injures.
« L'empereur se cachait derrière le général Bertrand le plus
« qu'il pouvait ; il était pâle et défait, ne disant pas un mot.
« A force de pérorer le peuple, nous parvînmes à le tirer de
« ce mauvais pas.

« Le comte Schouvaloff, à côté de la voiture de Bonaparte,
« harangua la populace en ces termes : « N'avez-vous pas
« honte d'insulter à un malheureux sans défense ? il est
« assez humilié par la triste situation où il se trouve, lui qui
« s'imaginait donner des lois à l'univers et qui se trouve
« aujourd'hui à la merci de votre générosité ! Abandonnez-le
« à lui-même ; regardez-le : vous voyez que le mépris est la
« seule arme que vous devez employer contre cet homme,
« qui a cessé d'être dangereux. Il serait au-dessous de la
« nation française d'en prendre une autre vengeance ! » Le
« peuple applaudissait à ce discours, et Bonaparte, voyant

« l'effet qu'il produisait, faisait des signes d'approbation à
« Schouwaloff, et le remercia ensuite du service qu'il lui
« avait rendu.

« A un quart de lieue en deçà d'Orgon, il crut indispensable
« la précaution de se déguiser : il mit une mauvaise redin-
« gote bleue, un chapeau rond sur sa tête avec une cocarde
« blanche, et monta un cheval de poste pour galoper devant
« sa voiture, voulant passer ainsi pour un courrier. Comme
« nous ne pouvions le suivre, nous arrivâmes à Saint-Canat
« bien après lui. Ignorant les moyens qu'il avait pris pour se
« soustraire au peuple, nous le croyions dans le plus
« grand danger, car nous voyions sa voiture entourée
« de gens furieux qui cherchaient à ouvrir les por-
« tières : elles étaient heureusement bien fermées, ce qui
« sauva le général Bertrand. La ténacité des femmes
« nous étonna le plus ; elles nous suppliaient de le leur
« livrer, disant : « Il l'a si bien mérité envers nous et envers
« vous-mêmes, que nous ne vous demandons qu'une chose
« juste. »

« A une demi-lieue de Saint-Canat, nous atteignîmes la
« voiture de l'empereur, qui, bientôt après, entra dans une
« mauvaise auberge située sur la grande route et appelée *la*
« *Calade*. Nous l'y suivîmes, et ce n'est qu'en cet endroit
« que nous apprîmes et le travestissement dont il s'était
« servi, et son arrivée dans cette auberge à la faveur de ce
« bizarre accoutrement ; il n'avait été accompagné que d'un
« seul courrier ; sa suite, depuis le général jusqu'au marmi-
« ton, était parée de cocardes blanches, dont ils paraissaient
« s'être approvisionnés à l'avance. Son valet de chambre,
« qui vint au devant de nous, nous pria de faire passer
« l'empereur pour le colonel Campbell, parce qu'en arrivant
« il s'était annoncé pour tel à l'hôtesse. Nous promîmes de
« nous conformer à ce désir, et j'entrai le premier dans une
« espèce de chambre où je fus frappé de trouver le ci-devant
« souverain du monde plongé dans de profondes réflexions,
« la tête appuyée dans ses mains. Je ne le reconnus pas
« d'abord, et je m'approchai de lui. Il se leva en sursaut en
« entendant quelqu'un marcher, et me laissa voir son visage
« arrosé de larmes. Il me fit signe de ne rien dire, me fit
« asseoir près de lui, et, tout le temps que l'hôtesse fut dans

« la chambre, il ne me parla que de choses indifférentes.
« Mais lorsqu'elle sortit, il reprit sa première position. Je
« jugeai convenable de le laisser seul ; il nous fit cependant
« prier de passer de temps en temps dans sa chambre pour
« ne pas faire soupçonner sa présence.

« Nous lui fîmes savoir qu'on était instruit que le colonel
« Campbell avait passé la veille justement par cet endroit,
« pour se rendre à Toulon. Il résolut aussitôt de prendre le
« nom de lord Burghers.

« On se mit à table ; mais comme ce n'étaient pas ses
« cuisiniers qui avaient préparé le dîner, il ne pouvait se
« résoudre à prendre aucune nourriture, dans la crainte
« d'être empoisonné. Cependant, nous voyant manger de
« bon appétit, il eut honte de nous faire voir les terreurs qui
« l'agitaient, et prit de tout ce qu'on lui offrit ; il fit
« semblant d'y goûter, mais il renvoyait les mets sans y
« toucher ; quelquefois il jetait dessous la table ce qu'il
« avait accepté, pour faire croire qu'il l'avait mangé. Son
« dîner fut composé d'un peu de pain et d'un flacon de vin
« qu'il fit retirer de sa voiture et qu'il partagea même avec
« nous.

« Il parla beaucoup et fut d'une amabilité très remarqua-
« ble. Lorsque nous fûmes seuls, et que l'hôtesse qui nous
« servait fut sortie, il nous fit connaître combien il croyait
« sa vie en danger ; il était persuadé que le gouvernement
« français avait pris des mesures pour le faire enlever ou
« assassiner dans cet endroit.

« Mille projets se croisaient dans sa tête sur la manière
« dont il pourrait se sauver ; il rêvait aussi aux moyens de
« tromper le peuple d'Aix, car on l'avait prévenu qu'une
« très-grande foule l'attendait à la poste. Il nous déclara
« donc que ce qui lui paraissait le plus convenable, c'était
« de retourner jusqu'à Lyon, et de prendre de là une autre
« route pour s'embarquer en Italie. Nous n'aurions pu, en
« aucun cas, consentir à ce projet, et nous cherchâmes à le
« persuader de se rendre directement à Toulon ou d'aller
« par Digne à Fréjus. Nous tâchâmes de le convaincre qu'il
« était impossible que le gouvernement français pût avoir
« des intentions si perfides à son égard sans que nous en
« fussions instruits, et que la populace, malgré les indécen-

« ces auxquelles elle se portait, ne se rendrait pas coupable
« d'un crime de cette nature.

« Pour nous mieux persuader, et pour nous prouver
« jusqu'à quel point ses craintes, selon lui, étaient fondées,
« il nous raconta ce qui s'était passé entre lui et l'hôtesse,
« qui ne l'avait pas reconnu. — Eh bien ! lui avait-elle dit,
« avez-vous rencontré Bonaparte ? — *Non,* avait-il répondu.
« — Je suis curieuse, continua-t-elle, de voir s'il pourra se
« sauver ; je crois toujours que le peuple va le massacrer :
« aussi faut-il convenir qu'il l'a bien mérité, ce coquin-là !
« Dites-moi donc, on va l'embarquer pour son île ? — *Mais*
« *oui.* — On le noiera, n'est-ce pas ? — *Je l'espère bien* ! lui
« répliqua Napoléon. *Vous voyez donc,* ajouta-t-il, *à quel*
« *danger je suis exposé.*

« Alors il recommença à nous fatiguer de ses inquiétudes
« et de ses irrésolutions. Il nous pria même d'examiner s'il
« n'y avait pas quelque part une porte cachée par laquelle il
« pourrait s'échapper, ou si la fenêtre, dont il avait fait
« fermer les volets en arrivant, n'était pas trop élevée pour
« pouvoir sauter et s'évader ainsi.

« La fenêtre était grillée en dehors, et je le mis dans un
« embarras extrême en lui communiquant cette découverte.
« Au moindre bruit il tressaillait et changeait de couleur.

« Après dîner nous le laissâmes à ses réflexions ; et
« comme, de temps en temps, nous entrions dans sa cham-
« bre, d'après le désir qu'il en avait témoigné, nous le
« trouvions toujours en pleurs. . . . .

. . . .

« L'aide de camp du général Schouwaloff vint dire que le
« peuple qui était ameuté dans la rue était presque entière-
« ment retiré. L'empereur résolut de partir à minuit.

« Par une prévoyance exagérée, il prit encore de nouveaux
« moyens pour n'être pas reconnu.

« Il contraignit, par ses instances, l'aide de camp du
« général Schouwaloff de se vêtir de la redingote bleue et
« du chapeau rond avec lesquels il était arrivé dans l'au-
« berge.

« Bonaparte, qui alors voulut se faire passer pour un
« colonel autrichien, mit l'uniforme du général Kohler, se
« décora de l'ordre de Sainte-Thérèse, que portait le géné-

« ral, mit ma casquette de voyage sur sa tête, et se couvrit
« du manteau du général Schouwaloff.

« Après que les commissaires des puissances alliées l'eu-
« rent ainsi équipé, les voitures s'avancèrent ; mais, avant de
« descendre, nous fîmes une répétition, dans notre chambre,
« de l'ordre dans lequel nous devions marcher. Le général
« Drouot ouvrait le cortège ; venait ensuite le soi-disant
« empereur, l'aide de camp du général Schouwaloff, ensuite
« le général Kohler, l'empereur, le général Schouwaloff et
« moi qui avais l'honneur de faire partie de l'arrière-garde,
« à laquelle se joignit la suite de l'empereur.

« Nous traversâmes ainsi la foule ébahie qui se donnait
« une peine extrême pour tâcher de découvrir parmi nous
« celui qu'elle appelait *son tyran.*

« L'aide de camp de Schouwaloff (le major Olewieff) prit
« la place de Napoléon dans sa voiture, et Napoléon partit
« avec le général Kohler dans sa calèche. . . . .

. . . .

« Toutefois, l'empereur ne se rassurait pas ; il restait
« toujours dans la calèche du général autrichien, et il
« commanda au cocher de fumer, afin que cette familiarité
« pût dissimuler sa présence. Il pria même le général
« Kohler de chanter, et comme celui-ci lui répondit qu'il ne
« savait pas chanter, Bonaparte lui dit de siffler.

« C'est ainsi qu'il poursuivit sa route, caché dans un des
« coins de la calèche, faisant semblant de dormir, bercé par
« l'agréable musique du général et encensé par la fumée du
« cocher.

« A Saint-Maximin, il déjeuna avec nous. Comme il
« entendit dire que le sous-préfet d'Aix était en cet endroit,
« il le fit appeler, et l'apostropha en ces termes : *Vous*
« *devez rougir de me voir en uniforme autrichien ; j'ai dû le*
« *prendre pour me mettre à l'abri des insultes des Proven-*
« *çaux. J'arrivais avec pleine confiance au milieu de vous,*
« *tandis que j'aurais pu emmener avec moi six mille*
« *hommes de ma garde. Je ne trouve ici que des tas*
« *d'enragés qui menacent ma vie. C'est une méchante race*
« *que les Provençaux ; ils ont commis toutes sortes d'hor-*
« *reurs et de crimes dans la révolution et sont tout prêts à*
« *recommencer : mais quand il s'agit de se battre avec*

« *courage, alors ce sont des lâches. Jamais la Provence ne*
« *m'a fourni un seul régiment dont j'aurais pu être content.*
« *Mais ils seront peut-être demain aussi acharnés contre*
« *Louis XVIII qu'ils le paraissent aujourd'hui contre moi;*
« *etc.*

« Ensuite, se tournant vers nous, il nous dit que
« Louis XVIII ne ferait jamais rien de la nation française
« s'il la traitait avec trop de ménagement. *Puis,* continua-t-il,
« *il faut nécessairement qu'il lève des impôts considérables,*
« *et ces mesures lui attireront aussitôt la haine de ses sujets.*

« Il nous raconta qu'il y avait dix-huit ans qu'il avait été
« envoyé en ce pays, avec plusieurs milliers d'hommes, pour
« délivrer deux royalistes qui devaient être pendus pour
« avoir porté la cocarde blanche. *Je les sauvai avec beau-*
« *coup de peine des mains de ces enragés; et aujourd'hui,*
« continua-t-il, *ces hommes recommenceraient les mêmes*
« *excès contre celui d'entre eux qui se refuserait à porter la*
« *cocarde blanche! Telle est l'inconstance du peuple fran-*
« *çais!*

« Nous apprîmes qu'il y avait au Luc deux escadrons de
« hussards autrichiens; et, d'après la demande de Napoléon,
« nous envoyâmes l'ordre au commandant d'y attendre
« notre arrivée pour escorter l'empereur jusqu'à Fréjus. »

Ici finit la narration du comte de Waldbourg : ces récits
font mal à lire. Quoi! les commissaires ne pouvaient-ils
mieux protéger celui dont ils avaient l'honneur de répondre? Qu'étaient-ils pour affecter des airs si supérieurs avec
un pareil homme? Bonaparte dit avec raison que, s'il l'eût
voulu, il aurait pu voyager accompagné d'une partie de sa
garde. Il est évident qu'on était indifférent à son sort : on
jouissait de sa dégradation; on consentait avec plaisir aux
marques de mépris que la victime requérait pour sa sûreté :
il est si doux de tenir sous ses pieds la destinée de celui qui
marchait sur les plus hautes têtes, de se venger de l'orgueil
par l'insulte! Aussi les commissaires ne trouvent pas un
mot, même un mot de sensibilité philosophique, sur un tel
changement de fortune, pour avertir l'homme de son néant
et de la grandeur des jugements de Dieu! Dans les rangs des
alliés, les anciens adulateurs de Napoléon avaient été nombreux : quand on s'est mis à genoux devant la force, on

n'est pas reçu à triompher du malheur. La Prusse, j'en conviens, avait besoin d'un effort de vertu pour oublier ce qu'elle avait souffert, elle, son roi et sa reine ; mais cet effort devait être fait. Hélas ! Bonaparte n'avait eu pitié de rien ; tous les cœurs s'étaient refroidis pour lui. Le moment où il s'est montré le plus cruel, c'est à Jaffa ; le plus petit, c'est sur la route de l'île d'Elbe : dans le premier cas, les nécessités militaires lui ont servi d'excuse ; dans le second, la dureté des commissaires étrangers donne le change aux sentiments des lecteurs et diminue son abaissement.

Le gouvernement provisoire de France ne me semble pas lui-même tout à fait irréprochable : je rejette les calomnies de Maubreuil[1] ; néanmoins, dans la terreur qu'inspirait encore Napoléon à ses anciens domestiques, une catastrophe fortuite aurait pu ne se présenter à leurs yeux que comme un malheur.

On voudrait douter de la vérité des faits rapportés par le comte de Waldbourg-Truchsess, mais le général Kohler a confirmé, dans une *suite de l'Itinéraire de Waldbourg*, une partie de la narration de son collègue ; de son côté le général Schouwaloff m'a certifié l'exactitude des faits : ses paroles contenues en disaient plus que le récit expansif de Waldbourg. Enfin l'*Itinéraire* de Fabry[2] est composé sur des documents français authentiques, fournis par des témoins oculaires.

Maintenant que j'ai fait justice des commissaires et des alliés, est-ce bien le vainqueur du monde que l'on aperçoit dans l'*Itinéraire de Waldbourg* ? Le héros réduit à des déguisements et à des larmes, pleurant sous une veste de courrier au fond d'une arrière-chambre d'auberge ! Etait-ce ainsi que Marius se tenait sur les ruines de Carthage, qu'Annibal mourut en Bithynie, César au sénat ? Comment Pompée se déguisa-t-il ? en se couvrant la tête de sa toge. Celui qui avait revêtu la pourpre se mettant à l'abri sous la cocarde blanche, poussant le cri de salut : Vive le Roi ! ce

1. Le marquis de Maubreuil, ancien écuyer de Jérôme Bonaparte, prétendit avoir été chargé par Talleyrand, au nom des Alliés, d'assassiner Napoléon. En 1827, à Saint-Denis, au cours d'une cérémonie commémorative de la mort de Louis XVI, il souffleta Talleyrand.

2. Publiciste royaliste.

roi dont il avait fait fusiller un héritier ! Le maître des peuples encourageant les humiliations que lui prodiguaient les commissaires afin de le mieux cacher, enchanté que le général Kohler sifflât devant lui, qu'un cocher lui fumât à la figure, forçant l'aide de camp du général Schouwaloff à jouer le rôle de l'empereur, tandis que lui Bonaparte portait l'habit d'un colonel autrichien et se couvrait du manteau d'un général russe ! Il fallait cruellement aimer la vie : ces immortels ne peuvent consentir à mourir.

Moreau disait de Bonaparte : « Ce qui le caractérise, c'est « le mensonge et l'amour de la vie : je le battrai et je le « verrai à mes pieds me demander grâce. » Moreau pensait de la sorte, ne pouvant comprendre la nature de Bonaparte ; il tombait dans la même erreur que lord Byron. Au moins, à Sainte-Hélène, Napoléon agrandi par les muses, bien que peu noble dans ses démêlés avec le gouverneur anglais, n'eut à supporter que le poids de son immensité. En France, le mal qu'il avait fait lui apparut personnifié dans les veuves et les orphelins, et le contraignit de trembler sous les mains de quelques femmes.

Tout cela est trop vrai ; mais Bonaparte ne doit pas être jugé d'après les règles que l'on applique aux grands génies, parce que la magnanimité lui manquait. Il y a des hommes qui ont la faculté de monter et qui n'ont pas la faculté de descendre. Lui, Napoléon, possédait les deux facultés : comme l'ange rebelle, il pouvait raccourcir sa taille incommensurable pour la renfermer dans un espace mesuré ; sa ductilité lui fournissait des moyens de salut et de renaissance : avec lui tout n'était pas fini quand il semblait avoir fini. Changeant à volonté de mœurs et de costume, aussi parfait dans le comique que dans le tragique, cet acteur savait paraître naturel sous la tunique de l'esclave comme sous le manteau de roi, dans le rôle d'Attale [1] ou dans le rôle de César. Encore un moment et vous verrez, du fond de sa dégradation, le nain relever sa tête de Briarée ; Asmodée [2] sortira en fumée énorme du flacon où il s'était comprimé.

1. Ce sénateur romain, créé empereur par Alaric, tomba en 414 aux mains d'Honorius qui fit de lui un objet de dérision.
2. Le « diable boiteux » de Le Sage.

Napoléon estimait la vie pour ce qu'elle lui rapportait; il avait l'instinct de ce qui lui restait encore à peindre; il ne voulait pas que la toile lui manquât avant d'avoir achevé ses tableaux.

Sur les frayeurs de Napoléon, Walter Scott[1], moins injuste que les commissaires, remarque avec candeur que la fureur du peuple fit beaucoup d'impression sur Bonaparte, qu'il répandit des larmes, qu'il montra plus de faiblesse que n'en admettait son courage reconnu; mais il ajoute : « Le « danger était d'une espèce particulièrement horrible et « propre à intimider ceux à qui la terreur des champs de « bataille était familière : le plus brave soldat peut frémir « devant la mort des de Witt[2]. »

Napoléon fut soumis à ces angoisses révolutionnaires dans les mêmes lieux où il commença sa carrière avec la Terreur.

Le général prussien, interrompant une fois son récit, s'est cru obligé de révéler un mal que l'empereur ne cachait pas : le comte de Waldbourg a pu confondre ce qu'il voyait avec les souffrances dont M. de Ségur avait été témoin dans la campagne de Russie, lorsque Bonaparte, contraint de descendre de cheval, s'appuyait la tête contre des canons[3]. Au nombre des infirmités des guerriers illustres, la véritable histoire ne compte que le poignard qui perça le cœur de Henri IV, ou le boulet qui emporta Turenne.

Après le récit de l'arrivée de Bonaparte à Fréjus, Walter Scott, débarrassé des grandes scènes, retombe avec joie dans son talent; il s'en *va en Bavardin*[4], comme parle madame de Sévigné; il devise du passage de Napoléon à l'île d'Elbe, de la séduction exercée par Bonaparte sur les matelots anglais, excepté sur Hinton, qui ne pouvait entendre les louanges données à l'empereur sans murmurer le mot :

1. Sur Walter Scott « historien de Napoléon » Cf. p. 107 *sq.*
2. Jean et Corneille de Witt furent assassinés et pendus en 1672 dans une émeute populaire. Spinoza protesta contre ces meurtres.
3. Il souffrait de la vessie.
4. Mme de Sévigné déforme plaisamment le nom de ses amies Lavardin en *Bavardin*, parce qu'elle aime bavarder avec elles. « Aller en Bavardin », c'est se donner une bonne partie de « causette ».

humbug [1]. Quand Napoléon partit, Hinton souhaita à *son honneur* bonne santé et meilleure chance une autre fois. Napoléon était toutes les misères et toutes les grandeurs de l'homme.

LOUIS XVIII À COMPIÈGNE. — SON ENTRÉE À PARIS. — LA VIEILLE GARDE. — FAUTE IRRÉPARABLE. — DÉCLARATION DE SAINT-OUEN. — TRAITÉ DE PARIS. — LA CHARTE. — DÉPART DES ALLIÉS.

TANDIS que Bonaparte, connu de l'univers, s'échappait de France au milieu des malédictions, Louis XVIII, oublié partout, sortait de Londres sous une voûte de drapeaux blancs et de couronnes. Napoléon, en débarquant à l'île d'Elbe, y retrouva sa force. Louis XVIII, en débarquant à Calais, eût pu voir Louvel [2]; il y rencontra le général Maison [3], chargé, seize ans après, d'embarquer Charles X à Cherbourg. Charles X, apparemment pour le rendre digne de sa mission future, donna dans la suite à M. Maison le bâton de maréchal de France, comme un chevalier, avant de se battre, conférait la chevalerie à l'homme inférieur avec lequel il daignait se mesurer.

Je craignais l'effet de l'apparition de Louis XVIII. Je me hâtai de le devancer dans cette résidence d'où Jeanne d'Arc tomba aux mains des Anglais [4] et où l'on me montra un

1. Mot anglais de style familier (c'est à peu près l'équivalent de « blague »).
2. Il songeait déjà à un assassinat et avait fait à cette intention le voyage de Calais.
3. Il s'était dès le premier jour rallié à la Restauration.
4. A Compiègne, en 1430.

volume atteint d'un des boulets lancés contre Bonaparte. Qu'allait-on penser à l'aspect de l'invalide royal remplaçant le cavalier qui avait pu dire comme Attila : « L'herbe ne « croît plus partout où mon cheval a passé ? » Sans mission et sans goût j'entrepris (on m'avait jeté un sort) une tâche assez difficile, celle de peindre *l'arrivée à Compiègne,* de faire voir le fils de saint Louis tel que je l'idéalisai à l'aide des Muses. Je m'exprimai ainsi [1] :

« Le carrosse du Roi était précédé des généraux et des « maréchaux de France, qui étaient allés au-devant de « S. M. Ce n'a plus été des cris de *Vive le Roi !* mais des « clameurs confuses dans lesquelles on ne distinguait rien « que les accents de l'attendrissement et de la joie. Le Roi « portait un habit bleu, distingué seulement par une plaque « et des épaulettes ; ses jambes étaient enveloppées de larges « guêtres de velours rouge, bordées d'un petit cordon d'or. « Quand il est assis dans son fauteuil, avec ses guêtres à « l'antique, tenant sa canne entre ses genoux, on croirait « voir Louis XIV à cinquante ans.
« « . . . . Les maréchaux Macdonald, Ney, Moncey, « « Serrurier, Brune, le prince de Neuchâtel, tous les généraux, « « toutes les personnes présentes, ont obtenu pareillement « « du Roi les paroles les plus affectueuses. Telle est en « « France la force du souverain légitime, cette magie atta- « « chée au nom du Roi. Un homme arrive seul de l'exil, « « dépouillée de tout, sans suite, sans gardes, sans richesses ; « « il n'a rien à donner, presque rien à promettre. Il descend « « de sa voiture, appuyé sur le bras d'une jeune femme ; il se « « montre à des capitaines qui ne l'ont jamais vu, à des « « grenadiers qui savent à peine son nom. Quel est cet « « homme ? c'est le Roi ! Tout le monde tombe à ses pieds. »

Ce que je disais là des guerriers, dans le but que je me proposais d'atteindre, était vrai quant aux chefs ; mais je mentais à l'égard des soldats. J'ai présent à la mémoire, comme si je le voyais encore, le spectacle dont je fus témoin lorsque Louis XVIII, entrant dans Paris le 3 mai, alla descendre à Notre-Dame : on avait voulu épargner au Roi l'aspect des troupes étrangères ; c'était un régiment de la

1. Dans la brochure *Compiègne, avril 1814.*

vieille garde à pied qui formait la haie depuis le Pont-Neuf jusqu'à Notre-Dame, le long du quai des Orfèvres. Je ne crois pas que figures humaines aient jamais exprimé quelque chose d'aussi menaçant et d'aussi terrible. Ces grenadiers couverts de blessures, vainqueurs de l'Europe, qui avaient vu tant de milliers de boulets passer sur leurs têtes, qui sentaient le feu et la poudre ; ces mêmes hommes, privés de leur capitaine, étaient forcés de saluer un vieux Roi, invalide du temps, non de la guerre, surveillés qu'ils étaient par une armée de Russes, d'Autrichiens et de Prussiens, dans la capitale envahie de Napoléon. Les uns, agitant la peau de leur front, faisaient descendre leur large bonnet à poils sur leurs yeux comme pour ne pas voir ; les autres abaissaient les deux coins de leur bouche dans le mépris de la rage ; les autres, à travers leurs moustaches, laissaient voir leurs dents comme des tigres. Quand ils présentaient les armes c'était avec un mouvement de fureur, et le bruit de ces armes faisait trembler. Jamais, il faut en convenir, hommes n'ont été mis à une pareille épreuve et n'ont souffert un tel supplice. Si dans ce moment ils eussent été appelés à la vengeance, il aurait fallu les exterminer jusqu'au dernier, ou ils auraient mangé la terre.

Au bout de la ligne était un jeune hussard, à cheval ; il tenait son sabre nu ; il le faisait sauter et comme danser par un mouvement convulsif de colère. Il était pâle ; ses yeux pivotaient dans leur orbite ; il ouvrait la bouche et la fermait tour à tour en faisant claquer ses dents et en étouffant des cris dont on n'entendait que le premier son. Il aperçut un officier russe : le regard qu'il lui lança ne peut se dire. Quand la voiture du Roi passa devant lui, il fit bondir son cheval, et certainement il eut la tentation de se précipiter sur le Roi.

La Restauration, à son début, commit une faute irréparable : elle devait licencier l'armée en conservant les maréchaux, les généraux, les gouverneurs militaires, les officiers dans leurs pensions, honneurs et grades ; les soldats seraient rentrés ensuite successivement dans l'armée reconstituée, comme ils l'ont fait depuis dans la garde royale : la légitimité n'eût pas eu d'abord contre elle ces soldats de l'Empire organisés, embrigadés, dénommés comme ils l'étaient aux jours de leurs victoires, sans cesse causant entre eux du temps passé, nourrissant des regrets et des sentiments hostiles à leur nouveau maître.

La misérable résurrection de la Maison-Rouge [1], ce mélange de militaires de la vieille monarchie et des soldats du nouvel empire, augmenta le mal : croire que des vétérans illustrés sur mille champs de bataille ne seraient pas choqués de voir des jeunes gens, très-braves sans doute, mais pour la plupart neufs au métier des armes, de les voir porter, sans les avoir gagnées, les marques d'un haut grade militaire, c'était ignorer la nature humaine.

Pendant le séjour que Louis XVIII avait fait à Compiègne, Alexandre était venu le visiter. Louis XVIII le blessa par sa hauteur : il résulta de cette entrevue la déclaration du 2 mai, de Saint-Ouen. Le Roi y disait : qu'il était résolu à donner pour base de la Constitution qu'il destinait à son peuple les garanties suivantes : *le gouvernement représentatif divisé en deux corps, l'impôt librement consenti, la liberté publique et individuelle, la liberté de la presse, la liberté des cultes, des propriétés inviolables et sacrées, la vente des biens nationaux irrévocable, les ministres responsables, les juges inamovibles et le pouvoir judiciaire indépendant, tout Français admissible à tous les emplois, etc., etc.*

Cette déclaration, quoiqu'elle fût naturelle à l'esprit de Louis XVIII, n'appartenait néanmoins ni à lui, ni à ses conseillers ; c'était tout simplement le temps qui partait de son repos : ses ailes avaient été ployées, sa fuite suspendue depuis 1792 ; il reprenait son vol ou son cours. Les excès de la Terreur, le despotisme de Bonaparte, avaient fait rebrousser les idées ; mais, sitôt que les obstacles qu'on leur avait opposés furent détruits, elles affluèrent dans le lit qu'elles devaient à la fois suivre et creuser. On reprit les choses au point où elles s'étaient arrêtées ; ce qui s'était passé fut comme non avenu : l'espèce humaine, reportée au commencement de la Révolution, avait seulement perdu quarante ans de sa vie [2] ; or, qu'est-ce que quarante ans

1. Compagnies privilégiées qui composaient la Maison militaire du roi.
2. Il n'y a que vingt-deux ans de 1792 à 1814.

dans la vie générale de la société ? Cette lacune a disparu lorsque les tronçons coupés du temps se sont rejoints.

Le 30 mai 1814 fut conclu le traité de Paris entre les alliés et la France. On convint que dans le délai de deux mois toutes les puissances qui avaient été engagées de part et d'autre dans la présente guerre enverraient des plénipotentiaires à Vienne pour régler dans un congrès général les arrangements définitifs.

Le 4 juin, Louis XVIII parut en séance royale dans une assemblée collective du Corps législatif et d'une fraction du Sénat. Il prononça un noble discours ; vieux, passés, usés, ces fastidieux détails ne servent plus que de fil historique.

La Charte, pour la plus grande partie de la nation, avait l'inconvénient d'être *octroyée :* c'était remuer, par ce mot très-inutile, la question brûlante de la souveraineté royale ou populaire. Louis XVIII aussi datait son bienfait de l'an de son règne, regardant Bonaparte comme non avenu, de même que Charles II avait sauté à pieds joints par-dessus Cromwell : c'était une espèce d'insulte aux souverains qui avaient tous reconnu Napoléon, et qui dans ce moment même se trouvaient dans Paris. Ce langage suranné et ces prétentions des anciennes monarchies n'ajoutaient rien à la légitimité du droit et n'étaient que de puérils anachronismes. A cela près, la Charte remplaçant le despotisme, nous apportant la liberté légale, avait de quoi satisfaire les hommes de conscience. Néanmoins, les royalistes qui en recueillaient tant d'avantages, qui, sortant ou de leur village, ou de leur foyer chétif, ou des places obscures dont ils avaient vécu sous l'Empire, étaient appelés à une haute et publique existence, ne reçurent le bienfait qu'en grommelant ; les libéraux, qui s'étaient arrangés à cœur joie de la tyrannie de Bonaparte, trouvèrent la Charte un véritable code d'esclaves. Nous sommes revenus au temps de Babel ; mais on ne travaille plus à un monument commun de confusion : chacun bâtit sa tour à sa propre hauteur, selon sa force et sa taille. Du reste, si la Charte parut défectueuse, c'est que la révolution n'était pas à son terme ; le principe de l'égalité et de la démocrate était au fond des esprits et travaillait en sens contraire de l'ordre monarchique.

Les princes alliés ne tardèrent pas à quitter Paris :

Alexandre, en se retirant, fit célébrer un sacrifice religieux sur la place de la Concorde. Un autel fut élevé où l'échafaud de Louis XVI avait été dressé. Sept prêtres moscovites célébrèrent l'office, et les troupes étrangères défilèrent devant l'autel. Le *Te Deum* fut chanté sur un des beaux airs de l'ancienne musique grecque. Les soldats et les souverains mirent genou en terre pour recevoir la bénédiction. La pensée des Français se reportait à 1793 et à 1794, alors que les bœufs refusaient de passer sur des pavés que leur rendait odieux l'odeur du sang. Quelle main avait conduit à la fête des expiations ces hommes de tous les pays, ces fils des anciennes invasions barbares, ces Tartares, dont quelques-uns habitaient des tentes de peaux de brebis au pied de la grande muraille de la Chine ? Ce sont là des spectacles que ne verront plus les faibles générations qui suivront mon siècle.

PREMIÈRE ANNÉE DE LA RESTAURATION.

DANS la première année de la Restauration, j'assistai à la troisième transformation sociale ; j'avais vu la vieille monarchie passer à la monarchie constitutionnelle et celle-ci à la république ; j'avais vu la république se convertir en despotisme militaire, je voyais le despotisme militaire revenir à une monarchie libre, les nouvelles idées et les nouvelles générations se reprendre aux anciens principes et aux vieux hommes. Les maréchaux d'empire devinrent des maréchaux de France ; aux uniformes de la garde de Napoléon se mêlèrent les uniformes des gardes du corps et de la Maison-

Rouge, exactement taillés sur les anciens patrons [1] ; le vieux duc d'Havré, avec sa perruque poudrée et sa canne noire, cheminait en branlant la tête, comme capitaine des gardes du corps, auprès du maréchal Victor, boiteux de la façon de Bonaparte ; le duc de Mouchy, qui n'avait jamais vu brûler une amorce, défilait à la messe auprès du maréchal Oudinot, criblé de blessures ; le château des Tuileries, si propre et si militaire sous Napoléon, au lieu de l'odeur de la poudre, se remplissait de la fumée des déjeuners qui montait de toutes parts : sous messieurs les gentilshommes de la chambre, avec messieurs les officiers de la bouche et de la garde-robe, tout reprenait un air de domesticité. Dans les rues, on voyait des émigrés caducs avec des airs et des habits d'autrefois, hommes les plus respectables sans doute, mais aussi étrangers parmi la foule moderne que l'étaient les capitaines républicains parmi les soldats de Napoléon. Les dames de la cour impériale introduisaient les douairières du faubourg Saint-Germain et leur enseignaient les *détours* du palais. Arrivaient des députations de Bordeaux, ornées de brassarts ; des capitaines de paroisse de la Vendée, surmontés de chapeaux à la La Rochejaquelein. Ces personnages divers gardaient l'expression des sentiments, des pensées, des habitudes, des mœurs qui leur étaient familières. La liberté, qui était au fond de cette époque, faisait vivre ensemble ce qui semblait au premier coup d'œil ne pas devoir vivre ; mais on avait peine à reconnaître cette liberté parce qu'elle portait les couleurs de l'ancienne monarchie et du despotisme impérial. Chacun aussi savait mal le langage constitutionnel ; les royalistes faisaient des fautes grossières en parlant Charte ; les impérialistes en étaient encore moins instruits ; les conventionnels, devenus tour à tour comtes, barons, sénateurs de Napoléon et pairs de Louis XVIII, retombaient tantôt dans le dialecte républicain qu'ils avaient presque oublié, tantôt dans l'idiome de l'absolutisme qu'ils avaient appris à fond. Des lieutenants généraux étaient promus à la garde des lièvres. On entendait des aides de camp du dernier tyran militaire discuter de la liberté

1. Le duc d'Havré (soixante-dix ans) et le duc de Mouchy (soixante-deux ans) étaient déjà maréchaux de camp en 1789.

inviolable des peuples, et des régicides soutenir le dogme sacré de la légitimité.

Ces métamorphoses seraient odieuses, si elles ne tenaient en partie à la flexibilité du génie français. Le peuple d'Athènes gouvernait lui-même ; des harangueurs s'adressaient à ses passions sur la place publique ; la foule souveraine était composée de sculpteurs, de peintres, d'ouvriers, *regardeurs de discours et auditeurs d'actions,* dit Thucydide[1]. Mais quand, bon ou mauvais, le décret était rendu, qui, pour l'exécuter, sortait de cette masse incohérente et inexperte ? Socrate, Phocion, Périclès, Alcibiade.

EST-CE AUX ROYALISTES QU'IL FAUT S'EN PRENDRE DE LA RESTAURATION ?

EST-CE aux royalistes qu'il faut *s'en prendre de la Restauration,* comme on l'avance aujourd'hui ? Pas le moins du monde : ne dirait-on pas que trente millions d'hommes étaient consternés tandis qu'une poignée de légitimistes accomplissaient, contre la volonté de tous, une restauration détestée, en agitant quelques mouchoirs et en mettant à leur chapeau un ruban de leur femme ? L'immense majorité des Français était, il est vrai, dans la joie ; mais cette majorité n'était point *légitimiste* dans le sens borné de ce mot, et comme ne s'appliquant qu'aux rigides partisans de la vieille monarchie. Cette majorité était une foule prise dans toutes les nuances des opinions, heureuse d'être délivrée et violemment animée contre l'homme qu'elle accusait de tous ses malheurs ; de là le succès de ma brochure. Combien comp-

1. *Guerre du Péloponnèse,* III, 38.

tait-on d'aristocrates avoués proclamant le nom du Roi ? MM. Matthieu et Adrien de Montmorency, MM. de Polignac, échappés de leur geôle [1], M. Alexis de Noailles [2], M. Sosthène de La Rochefoucauld [3]. Ces sept ou huit hommes, que le peuple méconnaissait et ne suivit pas, faisaient-ils la loi à toute une nation ?

Madame de Montcalm m'avait envoyé un sac de 1,200 francs pour les distribuer à la pure race légitimiste : je le lui renvoyai, n'ayant pas trouvé à placer un écu. On attacha une ignoble corde au cou de la statue qui surmontait la colonne de la place Vendôme ; il y avait si peu de royalistes pour faire du train à la gloire et pour tirer sur la corde, que ce furent les autorités, toutes bonapartistes, qui descendirent l'image de leur maître à l'aide d'une potence : le colosse courba de force la tête ; il tomba aux pied de ces souverains de l'Europe, tant de fois prosternés devant lui. Ce sont les hommes de la République et de l'Empire qui saluèrent avec enthousiasme la Restauration. La conduite et l'ingratitude des personnages élevés par la révolution furent abominables envers celui qu'ils affectent aujourd'hui de regretter et d'admirer.

Impérialistes et libéraux, c'est vous entre les mains desquels est échu le pouvoir, vous qui vous êtes agenouillés devant les fils de Henri IV ! Il était tout naturel que les royalistes fussent heureux de retrouver leurs princes et de voir finir le règne de celui qu'ils regardaient comme un usurpateur ; mais vous, créatures de cet usurpateur, vous dépassiez en exagération les sentiments des royalistes. Les ministres, les grands dignitaires, prêtèrent à l'envi serment à la légitimité ; toutes les autorités civiles et judiciaires faisaient queue pour jurer haine à la nouvelle dynastie proscrite, amour à la race antique qu'elles avaient cent et cent fois condamnée. Qui composait ces proclamations, ces adresses accusatrices et outrageantes pour Napoléon, dont

1. Jules et Armand de Polignac avaient été impliqués dans le procès de Moreau et arrêtés ; ils s'étaient évadés en 1813 et avaient rejoint le comte d'Artois.
2. Il venait de rentrer en France avec Bernadotte.
3. Duc de Doudeauville, gendre de Mathieu de Montmorency.

la France était inondée ? des royalistes ? Non : les ministres, les généraux, les autorités choisis et maintenus par Bonaparte. Où se tripotait la Restauration ? chez des royalistes ? Non : chez M. de Talleyrand. Avec qui ? avec M. de Pradt, aumônier du *dieu Mars* et saltimbanque mitré. Avec qui et chez qui dînait en arrivant le lieutenant général du royaume ? chez des royalistes et avec des royalistes ? Non : chez l'évêque d'Autun, avec M. de Caulincourt. Où donnait-on des fêtes aux *infâmes princes étrangers ?* aux châteaux des royalistes ? Non : à la Malmaison, chez l'impératrice Joséphine[1]. Les plus chers amis de Napoléon, Berthier par exemple, à qui portaient-ils leur ardent dévouement ? à la légitimité. Qui passait sa vie chez l'autocrate Alexandre, chez ce brutal Tartare ? Les classes de l'Institut, les savants, les gens de lettres, les philosophes philanthropes, théophilanthropes et autres ; ils en revenaient charmés, comblés d'éloges et de tabatières. Quant à nous, pauvres diables de légitimistes, nous n'étions admis nulle part ; on nous comptait pour rien. Tantôt on nous faisait dire dans la rue d'aller nous coucher ; tantôt on nous recommandait de ne pas crier trop haut *vive le Roi,* d'autres s'étant chargés de ce soin. Loin de forcer aucun à être légitimiste, les puissants déclaraient que personne ne serait obligé de changer de rôle et de langage, que l'évêque d'Autun ne serait pas plus contraint de dire la messe sous la royauté qu'il n'avait été contraint d'y aller sous l'Empire. Je n'ai point vu de châtelaine, point de Jeanne d'Arc, proclamer le souverain de droit, un faucon sur le poing ou la lance à la main ; mais madame de Talleyrand[2], que Bonaparte avait attachée à son mari comme un écriteau, parcourait les rues en calèche, chantant des hymnes sur la pieuse famille des Bourbons. Quelques draps pendillants aux fenêtres des familiers de la cour impériale faisaient croire aux bons Cosaques qu'il y avait autant de lis dans les cœurs des bonapartistes convertis que de chiffons blancs à leurs croisées. C'est merveille en France que la contagion, et l'on crierait *à bas ma tête !* si on l'entendait crier à son voisin. Les impérialistes entraient

1. Elle devait mourir le 29 mai 1814.
2. Mme Grant. Talleyrand l'avait épousée de force.

jusque dans nos maisons et nous faisaient, nous autres bourbonistes, exposer en drapeau sans tache les restes de blanc renfermés dans nos lingeries : c'est ce qui arriva chez moi. Mais madame de Chateaubriand n'y voulut entendre, et défendit vaillamment ses mousselines.

PREMIER MINISTERE. — JE PUBLIE LES « REFLEXIONS POLITIQUES ». — MADAME LA DUCHESSE DE DURAS. — JE SUIS NOMME AMBASSADEUR EN SUEDE.

LE Corps législatif transformé en Chambre des députés, et la Chambre des pairs, composée de cent cinquante-deux membres, nommés à vie, dans lesquels on comptait plus de soixante sénateurs, formèrent les deux premières Chambres législatives. M. de Talleyrand, installé au ministère des affaires étrangères, partit pour le Congrès de Vienne, dont l'ouverture était fixée au 3 de novembre, en exécution de l'article 32 du traité du 30 mai ; M. de Jaucourt eut le portefeuille pendant un intérim qui dura jusqu'à la bataille de Waterloo. L'abbé de Montesquiou devint ministre de l'intérieur, ayant pour secrétaire général M. Guizot ; M. Malouet entra à la marine ; il décéda et fut remplacé par M. Beugnot ; le général Dupont obtint le département de la guerre ; on lui substitua le maréchal Soult, qui s'y distingua par l'érection du monument funèbre de Quiberon ; le duc de Blacas fut ministre de la maison du roi, M. Anglès préfet de police, le chancelier Dambray ministre de la justice, l'abbé Louis ministre des finances.

Le 21 octobre, l'abbé de Montesquiou présenta la première loi au sujet de la presse ; elle soumettait à la censure

tout écrit de moins de vingt feuilles d'impression :
M. Guizot élabora cette première loi de liberté.

Carnot adressa une lettre au Roi : il avouait que les
Bourbons *avaient été reçus avec joie* ; mais, ne tenant
aucun compte ni de la briéveté du temps ni de tout ce que la
Charte accordait, il donnait, avec des conseils hasardés, des
leçons hautaines : tout cela ne vaut quand on doit accepter
le rang de *ministre* et le titre de *comte* de l'Empire ; point ne
convient de se montrer fier envers un prince faible et libéral
quand on a été soumis devant un prince violent et despotique ; quand, machine usée de la Terreur, on s'est trouvé
insuffisant au calcul des proportions de la guerre napoléonienne. Je fis imprimer en réponse les *Réflexions politiques* ; elles contiennent la substance de la *Monarchie selon
la Charte*. M. Lainé, président de la Chambre des députés,
parla au roi de cet ouvrage avec éloge. Le Roi paraissait
toujours charmé des services que j'avais le bonheur de lui
rendre ; le ciel semblait m'avoir jeté sur les épaules la
casaque de héraut de la légitimité : mais plus l'ouvrage
avait de succès, moins l'auteur plaisait à Sa Majesté. Les
Réflexions politiques divulguèrent mes doctrines constitutionnelles : la cour en reçut une impression que ma fidélité
aux Bourbons n'a pu effacer. Louis XVIII disait à ses
familiers : « Donnez-vous de garde d'admettre jamais un
« poëte dans vos affaires : il perdra tout. Ces gens-là ne
« sont bons à rien. »

Une forte et vive amitié remplissait alors mon cœur : la
duchesse de Duras avait de l'imagination, et un peu même
dans le visage de l'expression de madame de Staël : on a pu
juger de son talent d'auteur par *Ourika*. Rentrée de l'émigration, renfermée pendant plusieurs années dans son château d'Ussé, au bord de la Loire, ce fut dans les beaux
jardins de Méréville que j'en entendis parler pour la première fois, après avoir passé auprès d'elle à Londres sans
l'avoir rencontrée. Elle vint à Paris pour l'éducation de ses
charmantes filles, Félicie et Clara. Des rapports de famille,
de province, d'opinions littéraires et politiques, m'ouvrirent
la porte de sa société. La chaleur de l'âme, la noblesse du
caractère, l'élévation de l'esprit, la générosité de sentiments,
en faisaient une femme supérieure. Au commencement de

la Restauration, elle me prit sous sa protection ; car, malgré ce que j'avais fait pour la monarchie légitime et les services que Louis XVIII confessait avoir reçus de moi, j'avais été mis si fort à l'écart que je songeais à me retirer en Suisse. Peut-être eussé-je bien fait : dans ces solitudes que Napoléon m'avait destinées comme à son ambassadeur aux montagnes, n'aurais-je pas été plus heureux qu'au château des Tuileries ? Quand j'entrai dans ces salons au retour de la Légitimité, ils me firent une impression presque aussi pénible que le jour où j'y vis Bonaparte prêt à tuer le duc d'Enghien. Madame de Duras parla de moi à M. de Blacas. Il répondit que j'étais bien libre d'aller où je voudrais. Madame de Duras fut si orageuse, elle avait un tel courage pour ses amis, qu'on déterra une ambassade vacante, l'ambassade de Suède. Louis XVIII, déjà fatigué de mon bruit, était heureux de faire présent de moi à son bon frère le roi Bernadotte. Celui-ci ne se figurait-il pas qu'on m'envoyait à Stockholm pour le détrôner ? Eh ! bon Dieu ! princes de la terre, je ne détrône personne ; gardez vos couronnes, si vous pouvez, et surtout ne me les donnez pas, car je *n'en veux mie.*

Madame de Duras, femme excellente qui me permettait de l'appeler ma sœur, que j'eus le bonheur de revoir à Paris pendant plusieurs années, est allée mourir à Nice [1] : encore une plaie rouverte. La duchesse de Duras connaissait beaucoup madame de Staël : je ne puis comprendre comment je ne fus pas attiré sur les traces de madame Récamier, revenue d'Italie en France ; j'aurais salué le secours qui venait en aide à ma vie : déjà je n'appartenais plus à ces matins qui se consolent eux-mêmes, je touchais à ces heures du soir qui ont besoin d'être consolées.

1. En 1828.

EXHUMATION DES RESTES DE LOUIS XVI. — PREMIER 21 JANVIER À SAINT-DENIS.

LE 30 décembre de l'année 1814, les Chambres législatives furent ajournées au 1er mai 1815, comme si on les eût convoquées pour l'assemblée du Champ-de-Mai de Bonaparte. Le 18 janvier furent exhumés les restes de Marie-Antoinette et de Louis XVI. J'assistai à cette exhumation dans le cimetière où Fontaine et Percier ont élevé depuis, à la pieuse voix de madame la Dauphine et à l'imitation d'une église sépulcrale de Rimini, le monument peut-être le plus remarquable de Paris [1]. Ce cloître, formé d'un enchaînement de tombeaux, saisit l'imagination et la remplit de tristesse. Dans le livre IV de ces *Mémoires,* j'ai parlé des exhumations de 1815 : au milieu des ossements, je reconnus la tête de la reine par le sourire que cette tête m'avait adressé à Versailles [2].

Le 21 janvier on posa la première pierre des bases de la statue qui devait être élevée sur la place Louis XV, et qui ne l'a jamais été. J'écrivis la pompe funèbre du 21 janvier [3] ; je disais : « Ces religieux, qui vinrent avec l'oriflamme au-de-« vant de la châsse de saint Louis, ne recevront point le « descendant du saint roi. *Dans ces demeures souterraines* « *où dormaient ces rois et ces princes anéantis, Louis XVI* « *se touvera seul!*... Comment tant de morts se sont-ils « levés ? Pourquoi Saint-Denis est-il désert ? Demandons « plutôt pourquoi son toit est rétabli, pourquoi son autel est « debout ? Quelle main a reconstruit la voûte de ces

---

1. Sur l'emplacement de l'ancien cimetière de la Madeleine.
2. Voir Tome I, p. 215.
3. Dans la brochure intitulée *Le vingt-et-un janvier* par M. de Chateaubriand.

« caveaux, et préparé ces tombeaux vides ? La main de ce
« même homme qui était assis sur le trône des Bourbons.
« O Providence ! il croyait préparer des sépulcres à sa race
« et il ne faisait que bâtir le tombeau de Louis XVI. »

J'ai désiré assez longtemps que l'image de Louis XVI fût
placée dans le lieu même où le martyr répandit son sang : je
ne serais plus de cet avis. Il faut louer les Bourbons d'avoir,
dès le premier moment de leur retour, songé à Louis XVI ;
ils devaient toucher leur front avec ses cendres, avant de
mettre sa couronne sur leur tête. Maintenant je crois qu'ils
n'auraient pas dû aller plus loin. Ce ne fut pas à Paris
comme à Londres une commission qui jugea le monarque,
ce fut la Convention entière ; de là le reproche annuel
qu'une cérémonie funèbre répétée semblait faire à la
nation, en apparence représentée par une assemblée complète. Tous les peuples ont fixé des anniversaires à la
célébration de leurs triomphes, de leurs désordres ou de
leurs malheurs, car tous ont également voulu garder la
mémoire des uns et des autres : nous avons eu des solenni-
tés pour les barricades, des chants pour la Saint-Barthélemi,
des fêtes pour la mort de Capet ; mais n'est-il pas remarquable que la loi est impuissante à créer des jours de souvenir,
tandis que la religion a fait vivre d'âge en âge le saint le plus
obscur ? Si les jeûnes et les prières institués pour le sacrifice
de Charles Ier durent encore, c'est qu'en Angleterre l'Etat
unit la suprématie religieuse à la suprématie politique, et
qu'en vertu de cette suprématie le 30 janvier 1649 est
devenu jour *férié*. En France, il n'en est pas de la sorte :
Rome seule a le droit de commander en religion ; dès lors,
qu'est-ce qu'une ordonnance qu'un prince publie, un décret
qu'une assemblée politique promulgue, si un autre prince,
une autre assemblée, ont le droit de les effacer ? je pense
donc aujourd'hui que le symbole d'une fête qui peut être
abolie, que le témoignage d'une catastrophe tragique non
consacrée par le culte, n'est pas convenablement placé sur le
chemin de la foule allant insouciante et distraite à ses
plaisirs. Par le temps actuel, il serait à craindre qu'un
monument élevé dans le but d'imprimer l'effroi des excès
populaires donnât le désir de les imiter : le mal tente plus
que le bien, en voulant perpétuer la douleur, on ne fait

« souvent que perpétuer l'exemple. Les siècles n'adoptent
« point les legs de deuil, ils ont assez de sujet présent de pleurer
« sans se charger de verser encore des larmes héréditaires.
«   En voyant le catafalque qui partait du cimetière de
« Desclozeaux 1, chargé des restes de la reine et du roi, je me
sentis tout saisi ; je le suivais des yeux avec un pressentiment
funeste. Enfin Louis XVI reprit sa couche à Saint-Denis ;
Louis XVIII, de son côté, dormit au Louvre ; les deux frères
commençaient ensemble une autre ère de rois et de spectres
légitimes : vaine restauration du trône et de la tombe dont
le temps a déjà balayé la double poussière.

Puisque j'ai parlé de ces cérémonies funèbres qui si
souvent se répétèrent, je vous dirai le cauchemar dont j'étais
oppressé quand, la cérémonie finie, je me promenais le soir
dans la basilique à demi-détendue : que je songeasse à la
vanité des grandeurs humaines parmi ces tombeaux dévastés, cela va de suite : morale vulgaire qui sortait du
spectacle même ; mais mon esprit ne s'arrêtait pas là : je
percevais jusqu'à la nature de l'homme. Tout est-il vide et
absence dans la région des sépulcres ? N'y a-t-il rien dans ce
rien ? N'est-il point d'existences de néant, des pensées de
poussière ? Ces ossements n'ont-ils point des modes de vie
qu'on ignore ? Qui sait les passions, les plaisirs, les embrassements de ces morts ? Les choses qu'ils ont rêvées, crues,
attendues, sont-elles comme eux des idéalités, engouffrées
pêle-mêle avec eux ? Songes, avenirs, joies, douleurs, libertés et esclavages, puissances et faiblesses, crimes et vertus,
honneurs et infamies, richesses et misères, talents, génies,
intelligences, gloires, illusions, amours, êtes-vous des perceptions d'un moment, perceptions passées avec les crânes
détruits dans lesquels elles s'engendrèrent, avec le sein
anéanti où jadis battit un cœur ? Dans votre éternel silence,
ô tombeaux, si vous êtes des tombeaux, n'entend-on qu'un
rire moqueur et éternel ? Ce rire est-il le Dieu, la seule
réaction dérisoire, qui survivra à l'imposture de cet univers ?

1. Ce royaliste avait acheté le cimetière de la Madeleine désaffecté en
1794. Il dirigea en janvier 1815 les fouilles qui permirent de retrouver les
restes de Louis XVI et de Marie-Antoinette. Une chapelle expiatoire fut
construite sur l'emplacement du cimetière entre 1818 et 1826.

Fermons les yeux ; remplissons l'abîme désespéré de la vie par ces grandes et mystérieuses paroles du martyr : « Je suis chrétien. »

L'ILE D'ELBE.

BONAPARTE avait refusé de s'embarquer sur un vaisseau français, ne faisant cas alors que de la marine anglaise, parce qu'elle était victorieuse ; il avait oublié sa haine, les calomnies, les outrages dont il avait accablé la perfide Albion ; il ne voyait plus de digne de son admiration que le parti triomphant, et ce fut l'*Undaunted* qui le transporta au port de son premier exil ; il n'était pas sans inquiétude sur la manière dont il serait reçu : la garnison française lui remettrait-elle le territoire qu'elle gardait ? Des insulaires italiens, les uns voulaient appeler les Anglais, les autres demeurer libres de tout maître ; le drapeau tricolore et le drapeau blanc flottaient sur quelques caps rapprochés les uns des autres. Tout s'arrangea néanmoins. Quand on apprit que Bonaparte arrivait avec des millions, les opinions se décidèrent généreusement à recevoir l'*auguste victime*. Les autorités civiles et religieuses furent ramenées à la même conviction. Joseph-Philippe Arrighi, vicaire général, publia un mandement : « La divine Providence, disait la « pieuse injonction, a voulu que nous fussions, à l'avenir, « les sujets de Napoléon-le-Grand. L'île d'Elbe, élevée à un « honneur aussi sublime, reçoit dans son sein l'oint du

« Seigneur. Nous ordonnons qu'un *Te Deum* solennel soit
« chanté en actions de grâces, etc. »

L'empereur avait écrit au général Dalesme, commandant
de la garnison française, qu'il eût à faire connaître aux
Elbois qu'il *avait fait choix* de leur île pour son séjour, en
considération de la douceur de leurs mœurs et de leur
climat. Il mit pied à terre à Porto-Ferrajo, au milieu du
double salut de la frégate anglaise qui le portait et des
batteries de la côte. De là, il fut conduit sous le dais de la
paroisse à l'église où l'on chanta le *Te Deum*. Le bedeau,
maître des cérémonies, était un homme court et gros, qui ne
pouvait pas joindre ses mains autour de sa personne.
Napoléon fut ensuite conduit à la mairie ; son logement y
était préparé. On déploya le nouveau pavillon impérial, fond
blanc, traversé d'une bande rouge semée de trois abeilles
d'or. Trois violons et deux basses le suivaient avec des
râclements d'allégresse. Le trône, dressé à la hâte dans la
salle des bals publics, était décoré de papier doré et de
loques d'écarlate. Le côté comédien de la nature du prisonnier s'arrangeait de ces parades : Napoléon jouait à la
chapelle, comme il amusait sa cour avec de vieux petits jeux
dans l'intérieur de son palais aux Tuileries, allant après tuer
des hommes par passe-temps. Il forma sa maison : elle se
composait de quatre chambellans, de trois officiers d'ordonnance et de deux fourriers du palais. Il déclara qu'il
recevrait les dames deux fois par semaine, à huit heures du
soir. Il donna un bal. Il s'empara, pour y résider, du
pavillon destiné au génie militaire. Bonaparte retrouvait
sans cesse dans sa vie les deux sources dont elle était sortie,
la démocratie et le pouvoir royal ; sa puissance lui venait des
masses citoyennes, son rang de son génie ; aussi le voyez-
vous passer sans effort de la place publique au trône, des
rois et des reines qui se pressaient autour de lui à Erfurt,
aux boulangers et aux marchands d'huile qui dansaient
dans sa grange à Porto-Ferrajo. Il avait du peuple parmi les
princes, du prince parmi les peuples. A cinq heures du
matin, en bas de soie et en souliers à boucles, il présidait ses
maçons à l'île d'Elbe.

Etabli dans son empire, inépuisable en acier dès les jours
de Virgile,

Insula inexhaustis chalybum generosa metallis [1],

Bonaparte n'avait point oublié les outrages qu'il venait de traverser ; il n'avait point renoncé à déchirer son suaire ; mais il lui convenait de paraître enseveli, de faire seulement autour de son monument quelque apparition de fantôme. C'est pourquoi, comme s'il n'eût pensé à autre chose, il s'empressa de descendre dans ses carrières de fer cristallisé et d'aimant ; on l'eût pris pour l'ancien inspecteur des mines de ses ci-devant Etats. Il se repentit d'avoir affecté jadis le revenu des forges d'*Illua* à la Légion-d'Honneur ; 500,000 fr. lui semblaient alors mieux valoir qu'une croix baignée dans le sang sur la poitrine de ses grenadiers : « Où avais-je la « tête ? dit-il ; mais j'ai rendu plusieurs stupides décrets de « cette nature. » Il fit un traité de commerce avec Livourne et se proposait d'en faire un autre avec Gênes. Vaille que vaille, il entreprit cinq ou six toises de grand chemin et traça l'emplacement de quatre grandes villes, de même que Didon dessina les limites de Carthage. Philosophe revenu des grandeurs humaines, il déclara qu'il voulait vivre désormais comme un juge de paix dans un comté d'Angleterre : et pourtant, en gravissant un morne qui domine Porto-Ferrajo, à la vue de la mer qui s'avançait de tous côtés au pied des falaises, ces mots lui échappèrent : « Diable ! il faut « l'avouer, mon île est très-petite. » Dans quelques heures il eut visité son domaine ; il y voulut joindre un rocher appelé *Pianosa* [2]. « L'Europe va m'accuser, dit-il en riant, d'avoir « déjà fait une conquête. » Les puissances alliées se réjouissaient de lui avoir laissé en dérision quatre cents soldats ; il ne lui en fallait pas davantage pour les rappeler tous sous le drapeau.

La présence de Napoléon sur les côtes de l'Italie, qui avait vu commencer sa gloire et qui garde son souvenir, agitait

---

1. « Ile qui fournit en abondance ces métaux inépuisables chers aux forgerons » (Enéide, X, 174). Le nom *Chalybes* qui désignait au propre un peuple voisin du Pont-Euxin a fini par s'appliquer aux bons ouvriers du fer en général.

2 Petite île située au sud de l'île d'Elbe.

tout. Murat était voisin ; ses amis, des étrangers, abordaient secrètement ou publiquement à sa retraite ; sa mère et sa sœur, la princesse Pauline, le visitèrent ; on s'attendait à voir bientôt arriver Marie-Louise et son fils. En effet parut une femme et un enfant [1] : reçue en grand mystère, elle alla demeurer dans une villa retirée, au coin le plus écarté de l'île : sur le rivage d'Ogygie, Calypso parlait de son amour à Ulysse qui, au lieu de l'écouter, songeait à se défendre des prétendants. Après deux jours de repos, le cygne du Nord reprit la mer pour aborder aux myrtes de Baïes, emportant son petit dans sa yole blanche.

Si nous eussions été moins confiants, il nous eût été facile de découvrir l'approche d'une catastrophe. Bonaparte était trop près de son berceau et de ses conquêtes ; son île funèbre devait être plus lointaine et entourée de plus de flots. On ne s'explique pas comment les alliés avaient imaginé de reléguer Napoléon sur les rochers où il devait faire l'apprentissage de l'exil : pouvait-on croire qu'à la vue des Apennins, qu'en sentant la poudre des champs de Montenotte, d'Arcole et de Marengo, qu'en découvrant Venise, Rome et Naples, ses trois belles esclaves, les tentations les plus irrésistibles ne s'empareraient pas de son cœur ? Avait-on oublié qu'il avait remué la terre et qu'il avait partout des admirateurs et des obligés, les uns et les autres ses complices ? Son ambition était déçue, non éteinte ; l'infortune et la vengeance en ranimaient les flammes : quand le prince des ténèbres du bord de l'univers créé aperçut l'homme et le monde, il résolut de les perdre.

Avant d'éclater, le terrible captif se contint pendant quelques semaines. Auprès de l'immense *pharaon* public qu'il tenait, son génie négociait une fortune ou un royaume. Les Fouché, les Gusman d'Alfarache, pullulaient. Le grand acteur avait établi depuis longtemps le mélodrame à sa police et s'était réservé la haute scène ; il s'amusait des victimes vulgaires qui disparaissaient dans les trappes de son théâtre.

Le bonapartisme, dans la première année de la Restauration, passa du simple désir à l'action, à mesure que ses

1. La comtesse Walewska et le fils qu'elle avait eu de Napoléon.

espérances grandirent et qu'il eut mieux connu le caractère faible des Bourbons. Quand l'intrigue fut nouée au
dehors elle se noua au dedans, et la conspiration devint fla-
grante. Sous l'habile administration de M. Ferrand[1],
M. de Lavalette faisait la correspondance : les courriers de
la monarchie portaient les dépêches de l'empire. On ne se
cachait plus ; les caricatures annonçaient un retour souhai-
té[2] : on voyait des aigles rentrer par les fenêtres du château
des Tuileries, d'où sortait par les portes un troupeau de
dindons ; le *Nain jaune* ou *vert* parlait de plumes de *cane*[2].
Les avertissements venaient de toutes parts, et l'on n'y
voulait pas croire. Le gouvernement suisse s'était inutilement empressé de prévenir le gouvernement du Roi des
menées de Joseph Bonaparte, retiré dans le pays de Vaud.
Une femme arrivée de l'île d'Elbe donnait les détails les plus
circonstanciés de ce qui se passait à Porto-Ferrajo, et la
police la fit jeter en prison. On tenait pour certain que
Napoléon n'oserait rien tenter avant la dissolution du
Congrès, et que, dans tous les cas, ses vues se tourneraient
vers l'Italie. D'autres, plus avisés encore, faisaient des vœux
pour que le *petit caporal,* l'*ogre,* le *prisonnier,* abordât les
côtes de France : cela serait trop heureux ; on en finirait
d'un seul coup ! M. Pozzo di Borgo déclarait à Vienne que le
délinquant serait accroché à une branche d'arbre. Si l'on
pouvait avoir certains papiers, on y trouverait la preuve que
dès 1814 une conspiration militaire était ourdie et marchait
parallèlement avec la conspiration politique que le prince de
Talleyrand conduisait à Vienne, à l'instigation de Fouché.
Les amis de Napoléon lui écrivirent que s'il ne hâtait son
retour, il trouverait sa place prise aux Tuileries par le duc
d'Orléans : ils s'imaginent que cette révélation servit à
précipiter le retour de l'empereur. Je suis convaincu de
l'existence de ces menées, mais je crois aussi que la cause
déterminante qui décida Bonaparte était tout simplement la
nature de son génie.

La conspiration de Drouet d'Erlon et de Lefebvre-

1. Alors directeur général des Postes.
2. C'était un moyen de révéler que le débarquement aurait lieu près de
Cannes.

Desnouettes venait d'éclater[1]. Quelques jours avant la levée de boucliers de ces généraux, je dînais chez M. le maréchal Soult, nommé ministre de la guerre le 3 décembre 1814 : un niais racontait l'exil de Louis XVIII à Hartwell ; le maréchal écoutait ; à chaque circonstance il répondait par ces deux mots : « C'est historique. » — On apportait les pantoufles « de Sa Majesté. — « C'est historique ! » — Le roi avalait, les jours maigres, trois œufs frais avant de commencer son dîner. — « C'est historique ! » Cette réponse me frappa. Quand un gouvernement n'est pas solidement établi, tout homme dont la conscience ne compte pas devient, selon le plus ou le moins d'énergie de son caractère, un quart, une moitié, un trois quarts de conspirateur ; il attend la décision de la fortune : les événements font plus de traîtres que les opinions.

Revu en décembre 1846.

COMMENCEMENT DES CENT-JOURS. — RETOUR DE L'ILE D'ELBE.

TOUT À COUP le télégraphe annonça aux braves et aux incrédules le débarquement de l'homme : *Monsieur* court à Lyon avec le duc d'Orléans et le maréchal Macdonald ; il en revient aussitôt. Le maréchal Soult, dénoncé à la Chambre des députés, cède sa place le 11 mars au duc de Feltre. Bonaparte rencontra devant lui, pour ministre de la guerre

1. A peine montée elle échoua.

de Louis XVIII, en 1815, le général[1] qui avait été son dernier ministre de la guerre en 1814.

La hardiesse de l'entreprise était inouïe. Sous le point de vue politique, on pourrait regarder cette entreprise comme le crime irrémissible et la faute capitale de Napoléon. Il savait que les princes encore réunis au congrès, que l'Europe encore sous les armes, ne souffriraient pas son rétablissement ; son jugement devait l'avertir qu'un succès, s'il l'obtenait, ne pouvait être que d'un jour : il immolait à sa passion de reparaître sur la scène le repos d'un peuple qui lui avait prodigué son sang et ses trésors ; il exposait au démembrement la patrie dont il tenait tout ce qu'il avait été dans le passé et tout ce qu'il sera dans l'avenir. Il y eut dans cette conception fantastique un égoïsme féroce, un manque effroyable de reconnaissance et de générosité envers la France.

Tout cela est vrai selon la raison pratique, pour un homme à entrailles plutôt qu'à cervelle ; mais, pour les êtres de la nature de Napoléon, une raison d'une autre sorte existe ; ces créatures à haut renom ont une allure à part : les comètes décrivent des courbes qui échappent au calcul ; elles ne sont liées à rien, ne paraissent bonnes à rien ; s'il se trouve un globe sur leur passage, elles le brisent et rentrent dans les abîmes du ciel ; leurs lois ne sont connues que de Dieu. Les individus extraordinaires sont les monuments de l'intelligence humaine ; ils n'en sont pas la règle.

Bonaparte fut donc moins déterminé à son entreprise par les faux rapports de ses amis que par la nécessité de son génie : il se croisa en vertu de la foi qu'il avait en lui. Ce n'est pas tout de naître, pour un grand homme ; il faut mourir. L'île d'Elbe était-elle une fin pour Napoléon ? Pouvait-il accepter la souveraineté d'un carré de légumes, comme Dioclétien à Salone ? S'il eût attendu plus tard, aurait-il eu plus de chances de succès, alors qu'on eût été moins ému de son souvenir, que ses vieux soldats eussent quitté l'armée, que les nouvelles positions sociales eussent été prises ?

Eh bien ! il fit un coup de tête contre le monde : à son

1. Le duc de Feltre.

début, il dut croire ne s'être pas trompé sur le prestige de sa puissance.

Une nuit, entre le 25 et le 26 février, au sortir d'un bal dont la princesse Borghèse faisait les honneurs, il s'évade avec la victoire, longtemps sa complice et sa camarade ; il franchit une mer couverte de nos flottes, rencontre deux frégates, un vaisseau de 74 et le brick de guerre le *Zéphyr* qui l'accoste et l'interroge ; il répond lui-même aux questions du capitaine : la mer et les flots le saluent, et il poursuit sa course. Le tillac de l'*Inconstant,* son petit navire, lui sert de promenoir et de cabinet ; il dicte au milieu des vents, et fait copier sur cette table agitée, trois proclamations à l'armée et à la France ; quelques felouques, chargées de ses compagnons d'aventure, portent, autour de sa barque amirale, pavillon blanc semé d'étoiles. Le 1er mars, à trois heures du matin, il aborde la côte de France entre Cannes et Antibes, dans le golfe Juan : il descend, parcourt la rive, cueille des violettes et bivouaque dans une plantation d'oliviers. La population stupéfaite se retire. Il manque Antibes et se jette dans les montagnes de Grasse, traverse Séranon, Bárrême, Digne et Gap. A Sisteron, vingt hommes le peuvent arrêter, et il ne trouve personne. Il s'avance sans obstacle parmi ces habitants qui, quelques mois auparavant, avaient voulu l'égorger. Dans le vide qui se forme autour de son ombre gigantesque, s'il entre quelques soldats, ils sont invinciblement entraînés par l'attraction de ses aigles. Ses ennemis fascinés le cherchent et ne le voient pas ; il se cache dans sa gloire, comme le lion du Sahara se cache dans les rayons du soleil pour se dérober aux regards des chasseurs éblouis. Enveloppés dans une trombe ardente, les fantômes sanglants d'Arcole, de Marengo, d'Austerlitz, d'Iéna, de Friedland, d'Eylau, de la Moscowa, de Lutzen, de Bautzen, lui font cortège avec un million de morts. Du sein de cette colonne de feu et de nuée, sortent à l'entrée des villes quelques coups de trompette mêlés aux signaux du labarum tricolore : et les portes des villes tombent. Lorsque Napoléon passa le Niémen à la tête de quatre cent mille fantassins et de cent mille chevaux pour faire sauter le palais des czars à Moscou, il fut moins étonnant que lorsque, rompant son ban, jetant ses fers au visage des rois, il vint seul, de Cannes à Paris, coucher paisiblement aux Tuileries.

TORPEUR DE LA LÉGITIMITÉ. — ARTICLE DE BENJAMIN CONSTANT. — ORDRE DU JOUR DU MARÉCHAL SOULT. — SÉANCE ROYALE. — PÉTITION DE L'ÉCOLE DE DROIT À LA CHAMBRE DES DÉPUTÉS.

AUPRÈS du prodige de l'invasion d'un seul homme, il en faut placer un autre qui fut le contre-coup du premier : la légitimité tomba en défaillance ; la pamoison du cœur de l'État gagna les membres et rendit la France immobile. Pendant vingt jours, Bonaparte marche par étapes ; ses aigles volent de clocher en clocher [1], et, sur une route de deux cents lieues, le gouvernement, maître de tout, disposant de l'argent et des bras, ne trouve ni le temps ni le moyen de couper un pont, d'abattre un arbre, pour retarder au moins d'une heure la marche d'un homme à qui les populations ne s'opposaient pas, mais qu'elles ne suivaient pas non plus.

Cette torpeur du gouvernement semblait d'autant plus déplorable que l'opinion publique à Paris était fort animée ; elle se fût prêtée à tout, malgré la défection du maréchal Ney. Benjamin Constant écrivait dans les gazettes :

« Après avoir versé tous les fléaux sur notre patrie, il « a quitté le sol de la France. Qui n'eût pensé qu'il le « quittait pour toujours ? Tout à coup il se présente et « promet encore aux Français la liberté, la victoire, la paix.

---

1. Allusion à une phrase célèbre de la proclamation lancée par Napoléon du golfe Juan.

« Auteur de la constitution la plus tyrannique qui ait régi la
« France, il parle aujourd'hui de liberté ! Mais c'est lui qui,
« durant quatorze ans, a miné et détruit la liberté. Il n'avait
« pas l'excuse des souvenirs, l'habitude du pouvoir ; il
« n'était pas né sous la pourpre. Ce sont ses concitoyens
« qu'il a asservis, ses égaux qu'il a enchaînés. Il n'avait pas
« hérité de la puissance ; il a voulu et médité la tyrannie :
« quelle liberté peut-il promettre ? Ne sommes-nous pas
« mille fois plus libres que sous son empire ? Il promet la
« victoire, et trois fois il a laissé ses troupes, en Égypte, en
« Espagne et en Russie, livrant ses compagnons d'armes à
« la triple agonie du froid, de la misère et du désespoir. Il a
« attiré sur la France l'humiliation d'être envahie ; il a
« perdu les conquêtes que nous avions faites avant lui. Il
« promet la paix, et son nom seul est un signal de guerre.
« Le peuple assez malheureux pour le servir redeviendrait
« l'objet de la haine européenne ; son triomphe serait le
« commencement d'un combat à mort contre le monde
« civilisé... Il n'a donc rien à réclamer ni à offrir. Qui
« pourrait-il convaincre, ou qui pourrait-il séduire ? La
« guerre intestine, la guerre extérieure, voilà les présents
« qu'il nous apporte. »

L'ordre du jour du maréchal Soult, daté du 8 mars 1815,
répète à peu près les idées de Benjamin Constant avec une
effusion de loyauté :

Soldats,

« Cet homme qui naguère abdiqua aux yeux de
« l'Europe un pouvoir usurpé, dont il avait fait un si fatal
« usage, est descendu sur le sol français qu'il ne devait plus
« revoir.

« Que veut-il ? la guerre civile : que cherche-t-il ? des
« traîtres : où les trouvera-t-il ? Serait-ce parmi ces soldats
« qu'il a trompés et sacrifiés tant de fois, en égarant leur
« bravoure ? Serait-ce au sein de ces familles que son nom
« seul remplit encore d'effroi ?

« Bonaparte nous méprise assez pour croire que nous
« pourrons abandonner un souverain légitime et bien-aimé
« pour partager le sort d'un homme qui n'est plus qu'un

« aventurier. Il le croit, l'insensé ! et son dernier acte de
« démence achève de le faire connaître.

« Soldats, l'armée française est la plus brave armée de
« l'Europe, elle sera aussi la plus fidèle.

« Rallions-nous autour de la bannière des lis, à la voix
« de ce père du peuple, de ce digne héritier des vertus du
« grand Henri. Il vous a tracé lui-même les devoirs que vous
« avez à remplir. Il met à votre tête ce prince, modèle des
« chevaliers français, dont l'heureux retour dans notre
« patrie a déjà chassé l'usurpateur, et qui aujourd'hui va,
« par sa présence, détruire son seul et dernier espoir. »

Louis XVIII se présenta le 16 mars à la Chambre des
députés ; il s'agissait du destin de la France et du monde.
Quand S. M. entra, les députés et les spectateurs dans les
tribunes se découvrirent et se levèrent ; une acclamation
ébranla les murs de la salle. Louis XVIII monte lentement à
son trône ; les princes, les maréchaux et les capitaines des
gardes se rangent aux deux côtés du Roi. Les cris cessent ;
tout se tait : dans cet intervalle de silence, on croyait
entendre les pas lointains de Napoléon. S. M., assise,
regarde un moment l'assemblée et prononce ce discours
d'une voix ferme :

« Messieurs,

« Dans ce moment de crise où l'ennemi public a
« pénétré dans une partie de mon royaume et qu'il menace
« la liberté de tout le reste, je viens au milieu de vous
« resserrer encore les liens qui, vous unissant avec moi, font
« la force de l'Etat ; je viens, en m'adressant à vous, exposer
« à toute la France mes sentiments et mes vœux.

« J'ai revu ma patrie ; je l'ai réconciliée avec les
« puissances étrangères, qui seront, n'en doutez pas, fidèles
« aux traités qui nous ont rendus à la paix ; j'ai travaillé au
« bonheur de mon peuple ; j'ai recueilli, je recueille tous les
« jours les marques les plus touchantes de son amour ;
« pourrais-je à soixante ans mieux terminer ma carrière
« qu'en mourant pour sa défense ?

« Je ne crains donc rien pour moi, mais je crains pour
« la France : celui qui vient allumer parmi nous les torches
« de la guerre civile y apporte aussi le fléau de la guerre
« étrangère ; il vient remettre notre patrie sous son joug de
« fer ; il vient enfin détruire cette Charte constitutionnelle
« que je vous ai donnée, cette Charte, mon plus beau titre
« aux yeux de la postérité, cette Charte que tous les
« Français chérissent et que je jure ici de maintenir :
« rallions-nous donc autour d'elle. »

Le Roi parlait encore quand un nuage répandit l'obscurité dans la salle ; les yeux se tournèrent vers la voûte pour
chercher la cause de cette soudaine nuit. Lorsque le monarque législateur cessa de parler, les cris de *vive le Roi!*
recommencèrent au milieu des larmes. « L'assemblée, dit
« avec vérité le *Moniteur,* électrisée par les sublimes paroles
« du Roi, était debout, les mains étendues vers le trône. On
« n'entendait que ces mots : *Vive le Roi! mourir pour le
« Roi! le Roi à la vie et à la mort!* répétés avec un transport
« que tous les cœurs français partageront. »

En effet, le spectacle était pathétique : un vieux roi
infirme, qui, pour prix du massacre de sa famille et de
vingt-trois années d'exil, avait apporté à la France la paix,
la liberté, l'oubli de tous les outrages et de tous les
malheurs ; ce patriarche des souverains venant déclarer aux
députés de la nation qu'à son âge, après avoir revu sa patrie,
il ne pouvait mieux terminer sa carrière qu'en mourant
pour la défense de son peuple ! Les princes jurèrent fidélité
à la Charte ; ces serments tardifs furent clos par celui du
prince de Condé et par l'adhésion du père du duc d'Enghien.
Cette héroïque race prête à s'éteindre, cette race d'épée
patricienne, cherchant derrière la liberté un bouclier contre
une épée plébéienne plus jeune, plus longue et plus cruelle,
offrait, en raison d'une multitude de souvenirs, quelque
chose d'extrêmement triste.

Le discours de Louis XVIII, connu au dehors, excita des
transports inexprimables. Paris était tout royaliste et
demeura tel pendant les Cent-Jours. Les femmes particulièrement étaient bourbonistes.

La jeunesse adore aujourd'hui le souvenir de Bonaparte,
parce qu'elle est humiliée du rôle que le gouvernement

actuel [1] fait jouer à la France en Europe ; la jeunesse, en 1814, saluait la Restauration, parce qu'elle abattait le despotisme et relevait la liberté. Dans les rangs des volontaires royaux on comptait M. Odilon Barrot [2], grand nombre d'élèves de l'Ecole de médecine, et l'Ecole de droit tout entière ; celle-ci adressa la pétition suivante, le 13 mars, à la Chambre des députés :

« Messieurs,

« Nous nous offrons au Roi et à la patrie ; l'Ecole de « Droit tout entière demande à marcher. Nous n'abandon-« nerons ni notre souverain, ni notre Constitution. Fidèles à « l'honneur français, nous vous demandons des armes. Le « sentiment d'amour que nous portons à Louis XVIII vous « répond de la constance de notre dévouement. Nous ne « voulons plus de fers, nous voulons la liberté. Nous l'avons, « on vient nous l'arracher : nous la défendrons jusqu'à la « mort. Vive le Roi ! vive la Constitution ! »

Dans ce langage énergique, naturel et sincère, on sent la générosité de la jeunesse et l'amour de la liberté. Ceux qui viennent nous dire aujourd'hui que la Restauration fut reçue avec dégoût et douleur par la France sont ou des ambitieux qui jouent une partie, ou des hommes naissants qui n'ont point connu l'oppression de Bonaparte, ou de vieux menteurs révolutionnaires impérialisés qui, après avoir applaudi comme les autres au retour des Bourbons, insultent maintenant, selon leur coutume, ce qui est tombé, et retournent à leur instinct de meurtre, de police et de servitude.

1. Celui de Louis-Philippe.
2. Chef de l'opposition libérale sous la Restauration, il sera président du conseil en 1848-1849.

Projet de défense de Paris.

Le discours du Roi m'avait rempli d'espoir. Des conférences se tenaient chez le président de la Chambre des députés, M. Lainé. J'y rencontrai M. de La Fayette : je ne l'avais jamais vu que de loin à une autre époque, sous l'Assemblée constituante. Les propositions étaient diverses ; la plupart faibles, comme il advient dans le péril : les uns voulaient que le Roi quittât Paris et se retirât au Havre ; les autres parlaient de le transporter dans la Vendée ; ceux-ci barbouillaient des phrases sans conclusion ; ceux-là disaient qu'il fallait attendre et voir venir : ce qui venait était pourtant fort visible. J'exprimai une opinion différente : chose singulière ! M. de La Fayette l'appuya, et avec chaleur *. M. Lainé et le maréchal Marmont étaient aussi de mon avis. Je disais donc :

« Que le Roi tienne parole ; qu'il reste dans sa « capitale. La garde nationale est pour nous. Assurons-nous « de Vincennes. Nous avons les armes et l'argent : avec « l'argent nous aurons la faiblesse et la cupidité. Si le Roi « quitte Paris, Paris laissera entrer Bonaparte ; Bonaparte « maître de Paris est maître de la France. L'armée n'est pas « passée tout entière à l'ennemi ; plusieurs régiments, beau- « coup de généraux et d'officiers, n'ont point encore trahi « leur serment : demeurons fermes, ils resteront fidèles. « Dispersons la famille royale, ne gardons que le Roi. Que « Monsieur aille au Havre, le duc de Berry à Lille, le duc « de Bourbon dans la Vendée, le duc d'Orléans à Metz ; « madame la duchesse et monsieur le duc d'Angoulême sont « déjà dans le Midi. Nos divers points de résistance empê-

---

* M. de La Fayette confirme, dans des Mémoires précieux pour les faits, que l'on a publiés depuis sa mort, la rencontre singulière de son opinion et de la mienne au retour de Bonaparte. M. de La Fayette aimait sincèrement l'honneur et la liberté. (Note de Paris, 1840.)

« cheront Bonaparte de concentrer ses forces. Barricadons-
« nous dans Paris. Déjà les gardes nationales des départe-
« ments voisins viennent à notre secours. Au milieu de ce
« mouvement, notre vieux monarque, sous la protection du
« testament de Louis XVI, la Charte à la main, restera
« tranquille assis sur son trône aux Tuileries ; le corps
   diplomatique se rangera autour de lui ; les deux Chambres
« se rassembleront dans les deux pavillons du château ; la
« maison du Roi campera sur le Carrousel et dans le jardin
« des Tuileries. Nous borderons de canons les quais et la
« terrasse de l'eau : que Bonaparte nous attaque dans cette
« position ; qu'il emporte une à une nos barricades ; qu'il
« bombarde Paris, s'il le veut et s'il a des mortiers ; qu'il se
« rende odieux à la population entière, et nous verrons le
« résultat de son entreprise ! Résistons seulement trois
« jours, et la victoire est à nous. Le Roi, se défendant dans
« son château, causera un enthousiasme universel. Enfin,
« s'il doit mourir, qu'il meure digne de son rang ; que le
« dernier exploit de Napoléon soit l'égorgement d'un vieil-
« lard. Louis XVIII, en sacrifiant sa vie, gagnera la seule
« bataille qu'il aura livrée ; il la gagnera au profit de la
« liberté du genre humain »
   Ainsi je parlai : on n'est jamais reçu à dire que tout est
perdu quand on n'a rien tenté. Qu'y aurait-il eu de plus
beau qu'un vieux fils de saint Louis renversant avec des
Français, en quelques moments, un homme que tous les rois
conjurés de l'Europe avaient mis tant d'années à abattre ?
   Cette résolution, en apparence désespérée, était au fond
très-raisonnable et n'offrait pas le moindre danger. Je
resterai à toujours[1] convaincu que Bonaparte, trouvant
Paris ennemi et le Roi présent, n'aurait pas essayé de les
forcer. Sans artillerie, sans vivres, sans argent, il n'avait
avec lui que des troupes réunies au hasard, encore flottan-
tes, étonnées de leur brusque changement de cocarde, de
leurs serments prononcés à la volée sur les chemins : elles
se seraient promptement divisées. Quelques heures de retard
perdaient Napoléon ; il suffisait d'avoir un peu de cœur. On
pouvait même déjà compter sur une partie de l'armée ; les

   1. Tour archaïque. On dit encore, dans le même sens : « à jamais ».

deux régiments suisses gardaient leur foi : le maréchal Gouvion Saint-Cyr ne fit-il pas reprendre la cocarde blanche à la garnison d'Orléans deux jours après l'entrée de Bonaparte dans Paris ? De Marseille à Bordeaux, tout reconnut l'autorité du Roi pendant le mois de mars entier : à Bordeaux, les troupes hésitaient ; elles seraient restées à madame la duchesse d'Angoulême, si l'on avait appris que le Roi était aux Tuileries et que Paris se défendait. Les villes de province eussent imité Paris. Le 10e de ligne se battit très-bien sous le duc d'Angoulême ; Masséna se montrait cauteleux et incertain ; à Lille, la garnison répondit à la vive proclamation du maréchal Mortier. Si toutes ces preuves d'une fidélité possible eurent lieu en dépit d'une fuite, que n'auraient-elles point été dans le cas d'une résistance ?

Mon plan adopté, les étrangers n'auraient point de nouveau ravagé la France ; nos princes ne seraient point revenus avec les armées ennemies ; la légitimité eût été sauvée par elle-même. Un seule chose eût été à craindre après le succès : la trop grande confiance de la royauté dans ses forces, et par conséquent des entreprises sur les droits de la nation.

Pourquoi suis-je venu à une époque où j'étais si mal placé ? pourquoi ai-je été royaliste contre mon instinct dans un temps où une misérable race de cour ne pouvait ni m'entendre ni me comprendre ? Pourquoi ai-je été jeté dans cette troupe de médiocrités qui me prenaient pour un écervelé, quand je parlais courage ; pour un révolutionnaire, quand je parlais liberté ?

Il s'agissait bien de défense ! Le Roi n'avait aucune frayeur, et mon plan lui plaisait assez par une certaine grandeur *louis-quatorzième;* mais d'autres figures étaient allongées. On emballait les diamants de la couronne (autrefois acquis des deniers particuliers des souverains), en laissant trente-trois millions écus au trésor et quarante-deux millions en effets. Ces soixante-quinze millions étaient le fruit de l'impôt : que ne le rendait-on au peuple plutôt que de le laisser à la tyrannie ?

Une double procession montait et descendait les escaliers du pavillon de Flore ; on s'enquérait de ce qu'on avait à faire : point de réponse. On s'adressait au capitaine des gardes ; on interrogeait les chapelains, les chantres, les aumôniers : rien. De vaines causeries, de vains débits de nouvelles. J'ai vu des jeunes gens pleurer de fureur en demandant inutilement des ordres et des armes ; j'ai vu des femmes se trouver mal de colère et de mépris. Parvenir au Roi, impossible ; l'étiquette fermait la porte.

La grande mesure décrétée contre Bonaparte fut un ordre de *courir sus* : Louis XVIII, sans jambes, *courir sus* le conquérant qui enjambait la terre ! Cette formule des anciennes lois, renouvelée à cette occasion, suffit pour montrer la portée d'esprit des hommes d'Etat de cette époque. *Courir sus* en 1815 ! *courir sus* ! et *sus* qui ? *sus* un loup ? *sus* un chef de brigands ? *sus* un seigneur félon ? Non : *sus* Napoléon qui avait *couru sus* les rois, les avait saisis et marqués pour jamais à l'épaule de son *N* ineffaçable !

De cette ordonnance, considérée de plus près, sortait une vérité politique que personne ne voyait : la race légitime, étrangère à la nation pendant vingt-trois années, était restée au jour et à la place où la révolution l'avait prise, tandis que la nation avait marché dans le temps et l'espace. De là impossibilité de s'entendre et de se rejoindre ; religion, idées, intérêts, langage, terre et ciel, tout était différent pour le peuple et pour le Roi, parce qu'ils n'étaient plus au même point de la route, parce qu'ils étaient séparés par un quart de siècle équivalant à des siècles.

Mais si l'ordre de *courir sus* paraît étrange par la conservation du vieil idiome de la loi, Bonaparte eut-il d'abord l'intention d'agir mieux, tout en employant un nouveau langage ? Des papiers de M. d'Hauterive, inventoriés par M. Artaud [1], prouvent qu'on eut beaucoup de peine à empêcher Napoléon de faire fusiller le duc d'Angoulême, malgré la pièce officielle du *Moniteur,* pièce de parade qui nous reste : il trouvait mauvais que ce prince se fût défendu. Et pourtant le fugitif de l'île d'Elbe, en quittant Fontainebleau, avait recommandé aux soldats d'être *fidèles au monarque* que la France s'était choisi. La famille de Bonaparte avait été respectée ; la reine Hortense avait

1. Artaud de Montor à qui Chateaubriand avait succédé comme secrétaire d'ambassade à Rome en 1803.

accepté de Louis XVIII le titre de duchesse de Saint-Leu ; Murat, qui régnait encore à Naples, n'eut son royaume vendu que par M. de Talleyrand pendant le congrès de Vienne.

Cette époque, où la franchise manque à tous, serre le cœur : chacun jetait en avant une profession de foi, comme une passerelle pour traverser la difficulté du jour ; quitte à changer de direction, la difficulté franchie : la jeunesse seule était sincère, parce qu'elle touchait à son berceau. Bonaparte déclare solennellement qu'il renonce à la couronne ; il part et revient au bout de neuf mois. Benjamin Constant imprime son énergique protestation contre le tyran, et il change en vingt-quatre heures. On verra plus tard, dans un autre livre de ces *Mémoires,* qui [1] lui inspira ce noble mouvement auquel la mobilité de sa nature ne lui permit pas de rester fidèle. Le maréchal Soult anime les troupes contre leur ancien capitaine ; quelques jours après il rit aux éclats de sa proclamation dans le cabinet de Napoléon, aux Tuileries, et devient major général de l'armée à Waterloo ; le maréchal Ney baise les mains du Roi, jure de lui ramener Bonaparte enfermé dans une cage de fer, et il livre à celui-ci tous les corps qu'il commande. Hélas ! et le Roi de France ?... il déclare qu'à soixante ans il ne peut mieux terminer sa carrière qu'en mourant pour la défense de son peuple..., et il fuit à Gand ! A cette impossibilité de vérité dans les sentiments, à ce désaccord entre les paroles et les actions, on se sent saisi de dégoût pour l'espèce humaine.

Louis XVIII, au 20 mars, prétendait mourir au milieu de la France ; s'il eût tenu parole, la légitimité pouvait encore durer un siècle ; la nature même semblait avoir ôté au vieux Roi la faculté de se retirer, en l'enchaînant d'infirmités salutaires ; mais les destinées futures de la race humaine eussent été entravées par l'accomplissement de la résolution de l'auteur de la Charte. Bonaparte accourut au secours de l'avenir ; ce Christ de la mauvaise puissance prit par la main le nouveau paralytique et lui dit : « Levez-vous et emportez « votre lit ; *surge, tolle lectum tuum* [2]. »

1. C'est Madame Récamier.
2. *Ev. Matth.*, IX, 6.

FUITE DU ROI. — JE PARS AVEC MADAME DE CHATEAU-
BRIAND. — EMBARRAS DE LA ROUTE. — DUC D'ORLEANS
ET LE PRINCE DE CONDE. — TOURNAY, BRUXELLES. —
SOUVENIRS. — LE DUC DE RICHELIEU. — LE ROI A GAND
M'APELLE AUPRES DE LUI.

IL était évident que l'on méditait une escampative [1] : dans
la crainte d'être retenu, on n'avertissait pas même ceux qui,
comme moi, auraient été fusillés une heure après l'entrée de
Napoléon à Paris. Je rencontrai le duc de Richelieu [2] dans
les Champs-Elysées : « On nous trompe, me dit-il ; je monte
« la garde ici, car je ne compte pas attendre tout seul
« l'empereur aux Tuileries. »

Madame de Chateaubriand avait envoyé, le soir du 19, un
domestique au Carrousel, avec ordre de ne revenir que
lorsqu'il aurait la certitude de la fuite du Roi. A minuit, le
domestique n'étant pas rentré, je m'allai coucher. Je venais
de me mettre au lit quand M. Clausel de Coussergues entra.
Il nous apprit que Sa Majesté était partie et qu'elle se
dirigeait sur Lille. Il m'apportait cette nouvelle de la part du
chancelier, qui, me sachant en danger, violait pour moi le
secret et m'envoyait douze mille francs à reprendre sur mes
appointements de ministre de Suède. Je m'obstinai à rester,
ne voulant quitter Paris que quand je serais physiquement
sûr du déménagement royal. Le domestique envoyé à la
découverte revint : il avait vu défiler les voitures de la
cour. Madame de Chateaubriand me poussa dans sa voiture,

1. Fuite (mot forgé sur le vieux verbe *escamper*).
2. Le futur président du Conseil.

le 20 mars, à quatre heures du matin. J'étais dans un tel accès de rage que je ne savais où j'allais ni ce que je faisais.

Nous sortîmes par la barrière Saint-Martin. A l'aube, je vis des corbeaux descendre paisiblement des ormes du grand chemin où ils avaient passé la nuit pour prendre aux champs leur premier repas, sans s'embarrasser de Louis XVIII et de Napoléon : ils n'étaient pas, eux, obligés de quitter leur patrie, et, grâce à leurs ailes, ils se moquaient de la mauvaise route où j'étais cahoté. Vieux amis de Combourg ! nous nous ressemblions davantage quand jadis, au lever du jour, nous déjeunions des mûres de la ronce dans nos halliers de la Bretagne !

La chaussée était défoncée, le temps pluvieux, madame de Chateaubriand souffrante : elle regardait à tout moment par la lucarne du fond de la voiture si nous n'étions pas poursuivis. Nous couchâmes à Amiens, où naquit Du Cange, ensuite à Arras, patrie de Robespierre : là, je fus reconnu. Ayant envoyé demander des chevaux, le 22 au matin, le maître de poste les dit retenus pour un général qui portait à Lille la nouvelle de *l'entrée triomphante de l'empereur et roi à Paris;* madame de Chateaubriand mourait de peur, non pour elle, mais pour moi. Je courus à la poste et, avec de l'argent, je levai la difficulté.

Arrivés sous les remparts de Lille le 23, à deux heures du matin, nous trouvâmes les portes fermées ; ordre était de ne les ouvrir à qui que ce soit. On ne put ou on ne voulut nous dire si le Roi était entré dans la ville. J'engageai le postillon pour quelques louis à gagner, en dehors des glacis, l'autre côté de la place et à nous conduire à Tournai ; j'avais, en 1792, fait à pied, pendant la nuit, ce même chemin avec mon frère. Arrivé à Tournai, j'appris que Louis XVIII était certainement entré dans Lille avec le maréchal Mortier, et qu'il comptait s'y défendre. Je dépêchai un courrier à M. de Blacas [1], le priant de m'envoyer une permission pour être reçu dans la place. Mon courrier revint avec une permission du commandant, mais sans un mot de M. de Blacas. Laissant madame de Chateaubriand à Tournai, je remontais en voiture pour me rendre à Lille, lorsque le prince de

1. Ministre de la Maison du roi.

Condé arriva. Nous sûmes par lui que le Roi était parti et que le maréchal Mortier l'avait fait accompagner jusqu'à la frontière. D'après ces explications, il restait prouvé que Louis XVIII n'était plus à Lille lorsque ma lettre y parvint.

Le duc d'Orléans suivit de près le prince de Condé [1]. Mécontent en apparence, il était aise au fond de se trouver hors de la bagarre ; l'ambiguïté de sa déclaration et de sa conduite portait l'empreinte de son caractère. Quant au vieux prince de Condé, l'émigration était son Dieu Lare. Lui n'avait pas peur de monsieur de Bonaparte ; il se battait si l'on voulait, il s'en allait si l'on voulait : les choses étaient un peu brouillées dans sa cervelle ; il ne savait pas trop s'il s'arrêterait à Rocroi pour y livrer bataille, ou s'il irait dîner au Grand-Cerf. Il leva ses tentes quelques heures avant nous, me chargeant de recommander le café de l'auberge à ceux de sa maison qu'il avait laissés derrière lui. Il ignorait que j'avais donné ma démission à la mort de son petit-fils ; il n'était pas bien sûr d'avoir eu un petit-fils ; il sentait seulement dans son nom un certain accroissement de gloire, qui pouvait bien tenir à quelque Condé qu'il ne se rappelait plus.

Vous souvient-il de mon premier passage à Tournay avec mon frère, lors de ma première émigration ? Vous souvient-il, à ce propos, de l'homme métamorphosé en âne, de la fille des oreilles de laquelle sortaient des épis de blé, de la pluie de corbeaux qui mettaient le feu partout [2] ? En 1815, nous étions bien nous-mêmes une pluie de corbeaux ; mais nous ne mettions le feu nulle part. Hélas ! je n'étais plus avec mon malheureux frère. Entre 1792 et 1815 la République et l'empire avaient passé : que de révolutions s'étaient aussi accomplies dans ma vie ! Le temps m'avait ravagé comme le reste. Et vous, jeunes générations du moment, laissez venir vingt-trois années, et vous direz à ma tombe où en sont vos amours et vos illusions d'aujourd'hui.

A Tournay étaient arrivés les deux frères Bertin :

1. Le grand-père du duc d'Enghien (cf. Tome I, p. 102).
2. Cf. Tome I, p. 364.

M. Bertin de Vaux s'en retourna à Paris ; l'autre Bertin, Bertin l'aîné, était mon ami. Vous savez par ces *Mémoires* ce qui m'attachait à lui [1].

De Tournay nous allâmes à Bruxelles : là je ne retrouvai ni le baron de Breteuil, ni Rivarol, ni tous ces jeunes aides de camp devenus morts ou vieux, ce qui est la même chose. Aucune nouvelle du barbier qui m'avait donné asile. Je ne pris point le mousquet, mais la plume ; de soldat j'étais devenu barbouilleur de papier. Je cherchais Louis XVIII ; il était à Gand, où l'avaient conduit MM. de Blacas et de Duras : leur intention avait été d'abord d'embarquer le Roi pour l'Angleterre. Si le Roi avait consenti à ce projet, jamais il ne serait remonté sur le trône.

Etant entré dans un hôtel garni pour examiner un appartement, j'aperçus le duc de Richelieu fumant à demi-couché sur un sofa, au fond d'une chambre noire. Il me parla des princes de la manière la plus brutale, déclarant qu'il s'en allait en Russie et ne voulait plus entendre parler de ces gens-là. Madame la duchesse de Duras, arrivée à Bruxelles, eut la douleur d'y perdre sa nièce [2].

La capitale du Brabant m'est en horreur ; elle n'a jamais servi que de passage à mes exils ; elle a toujours porté malheur à moi ou à mes amis.

Un ordre du Roi m'appela à Gand. Les volontaires royaux et la petite armée du duc de Berry avaient été licenciés à Béthune, au milieu de la boue et des accidents d'une débâcle militaire : on s'était fait des adieux touchants. Deux cents hommes de la maison du Roi restèrent et furent cantonnés à Alost ; mes deux neveux, Louis et Christian de Chateaubriand, faisaient partie de ce corps.

1. Voir T. I, p. 580.
2. Sa mère, et non sa nièce.

LES CENT-JOURS A GAND.

LE ROI ET SON CONSEIL. — JE DEVIENS MINISTRE DE
L'INTÉRIEUR PAR *INTÉRIM*.— M. DE LALLY-TOLLENDAL.
— MADAME LA DUCHESSE DE DURAS. — LE MARÉCHAL
VICTOR. — L'ABBÉ LOUIS ET LE COMTE BEUGNOT. —
L'ABBÉ DE MONTESQUIOU. — DINERS DU POISSON BLANC :
CONVIVES.

ON m'avait donné un billet de logement dont je ne profitai
pas : une baronne dont j'ai oublié le nom vint trouver
madame de Chateaubriand à l'auberge et nous offrit un
appartement chez elle : elle nous priait de si bonne grâce !
« Vous ne ferez aucune attention, nous dit-elle, à ce que
« vous contera mon mari : il a la tête..... vous comprenez ?
« Ma fille aussi est tant soit peu extraordinaire ; elle a des
« moments terribles, la pauvre enfant ! mais elle est du reste
« douce comme un mouton. Hélas ! ce n'est pas celle-là qui
« me cause le plus de chagrin ; c'est mon fils Louis, le
« dernier de mes enfants : si Dieu n'y met la main, il sera
« pire que son père. » Madame de Chateaubriand refusa
poliment d'aller demeurer chez des personnes aussi raisonnables.

Le Roi, bien logé, ayant son service et ses gardes, forma
son conseil. L'empire de ce grand monarque consistait en
une maison du royaume des Pays-Bas, laquelle maison était
située dans une ville qui, bien que la ville natale de
Charles-Quint, avait été le chef-lieu d'une préfecture de
Bonaparte : ces noms font entre eux un assez bon nombre
d'événements et de siècles.

L'abbé de Montesquiou étant à Londres, Louis XVIII me
nomma ministre de l'intérieur par *interim*. Ma correspondance avec les *départements* ne me donnait pas grand'beso-
gne ; je mettais facilement à jour ma correspondance avec les

326

préfets, sous-préfets, maires et adjoints de nos bonnes villes, du côté intérieur de nos frontières ; je ne réparais pas beaucoup les chemins et je laissais tomber les clochers ; mon budget ne m'enrichissait guère ; je n'avais point de fonds secrets ; seulement, par un abus criant, *je cumulais;* j'étais toujours ministre plénipotentiaire de S. M. auprès du roi de Suède, qui, comme son compatriote Henri IV, régnait par droit de conquête, sinon par droit de naissance [1]. Nous discourions autour d'une table couverte d'un tapis vert dans le cabinet du Roi. M. de Lally-Tollendal, qui était, je crois, ministre de l'instruction publique, prononçait des discours plus amples, plus joufflus encore que sa personne : il citait ses illustres aïeux les rois d'Irlande et embarbouillait le procès de son père [2] dans celui de Charles Ier et de Louis XVI. Il se délassait le soir des larmes, des sueurs et des paroles qu'il avait versées au conseil, avec une dame accourue de Paris par enthousiasme de son génie [3] ; il cherchait vertueusement à la guérir, mais son éloquence trompait sa vertu et enfonçait le dard plus avant [4].

Madame la duchesse de Duras était venue rejoindre M. le duc de Duras parmi les bannis. Je ne veux plus dire de mal du malheur, puisque j'ai passé trois mois auprès de cette femme excellente, causant de tout ce que des esprits et des cœurs droits peuvent trouver dans une conformité de goûts, d'idées, de principes et de sentiments. Madame de Duras était ambitieuse pour moi : elle seule a connu d'abord ce que je pouvais valoir en politique ; elle s'est toujours désolée de l'envie et de l'aveuglement qui m'écartaient des conseils du Roi ; mais elle se désolait encore bien davantage des obstacles que mon caractère apportait à ma

---

1. Chateaubriand modifie plaisamment pour l'appliquer à Bernadotte le deuxième vers de la *Henriade* de Voltaire :
          ... ce héros qui régna sur la France
      Et par droit de conquête et par droit de naissance.
2. Voir T. I, p. 651.
3. Mme Charles, celle qui sera l'Elvire de Lamartine.
4. Il voulait par vertu la détourner de l'amour qu'elle avait pour lui ; mais il y avait dans ses discours tant d'onction et d'abondance qu'ils obtenaient un effet contraire et enfonçaient « plus avant » la flèche de l'amour dans son cœur.

fortune : elle me grondait, elle me voulait corriger de mon insouciance, de ma franchise, de mes naïvetés, et me faire prendre des habitudes de courtisanerie qu'elle-même ne pouvait souffrir. Rien peut-être ne porte plus à l'attachement et à la reconnaissance que de se sentir sous le patronage d'une amitié supérieure qui, en vertu de son ascendant sur la société, fait passer vos défauts pour des qualités, vos imperfections pour un charme. Un homme vous protége par ce qu'il vaut, une femme par ce que vous valez : voilà pourquoi de ces deux empires l'un est si odieux, l'autre si doux.

Depuis que j'ai perdu cette personne si généreuse, d'une âme si noble, d'un esprit qui réunissait quelque chose de la force de la pensée de madame de Staël à la grâce du talent de madame de La Fayette, je n'ai cessé, en la pleurant, de me reprocher les inégalités dont j'ai pu affliger quelquefois des cœurs qui m'étaient dévoués. Veillons bien sur notre caractère ! Songeons que nous pouvons, avec un attachement profond, n'en pas moins empoisonner des jours que nous rachèterions au prix de tout notre sang. Quand nos amis sont descendus dans la tombe, quel moyen avons-nous de réparer nos torts ? Nos inutiles regrets, nos vains repentirs, sont-ils un remède aux peines que nous leur avons faites ? Ils auraient mieux aimé de nous un sourire pendant leur vie que toutes nos larmes après leur mort.

La charmante Clara [1] (madame la duchesse de Rauzan) était à Gand avec sa mère. Nous faisions, à nous deux, de mauvais couplets sur l'air de la Tyrolienne. J'ai tenu sur mes genoux bien de belles petites filles qui sont aujourd'hui de jeunes grand'mères. Quand vous avez quitté une femme, mariée devant vous à seize ans, si vous revenez seize ans après, vous la retrouvez au même âge : « Ah ! madame, vous « n'avez pas pris un jour ! » Sans doute : mais c'est à la fille que vous contez cela, la fille que vous conduirez encore à l'autel. Mais vous, triste témoin des deux hymens, vous encoffrez les seize années que vous avez reçues à chaque union : présent de noces qui hâtera votre propre mariage avec une dame blanche, un peu maigre.

---

1. La deuxième fille de Mme de Duras.

Le maréchal Victor était venu se placer auprès de nous, à Gand, avec une simplicité admirable : il ne demandait rien, n'importunait jamais le roi de son empressement ; on le voyait à peine ; je ne sais si on lui fit jamais l'honneur et la grâce de l'inviter une seule fois au dîner de S. M. J'ai retrouvé dans la suite le maréchal Victor ; j'ai été son collègue au ministère, et toujours la même excellente nature m'est apparue. A Paris, en 1823, M. le dauphin fut d'une grande dureté pour cet honnête militaire : il était bien bon, ce duc de Bellune, de payer par un dévouement si modeste une ingratitude si à l'aise ! La candeur m'entraîne et me touche, lors même qu'en certaines occasions elle arrive à la dernière expression de sa naïveté. Ainsi le maréchal m'a raconté la mort de sa femme dans le langage du soldat, et il m'a fait pleurer : il prononçait des mots scabreux si vite, et il les changeait avec tant de pudicité, qu'on aurait pu même les écrire.

M. de Vaublanc et M. Capelle nous rejoignirent. Le premier disait avoir de tout dans son portefeuille. Voulez-vous du Montesquieu ? en voici ; du Bossuet ? en voilà. A mesure que la partie paraissait vouloir prendre une autre face, il nous arrivait des voyageurs.

L'abbé Louis et M. le comte Beugnot descendirent à l'auberge où j'étais logé. Madame de Chateaubriand avait des étouffements affreux, et je la veillais. Les deux nouveaux venus s'installèrent dans une chambre séparée seulement de celle de ma femme par une mince cloison ; il était impossible de ne pas entendre, à moins de se boucher les oreilles : entre onze heures et minuit les débarqués élevèrent la voix ; l'abbé Louis, qui parlait comme un loup et à saccades, disait à M. Beugnot : « Toi, ministre ? tu ne le « seras plus ! tu n'as fait que des sottises ! » Je n'entendis pas clairement la réponse de M. le comte Beugnot, mais il parla de 33 millions laissés au trésor royal. L'abbé poussa, apparemment de colère, une chaise qui tomba. A travers le fracas, je saisis ces mots : « Le duc d'Angoulême ? il faut « qu'il achète du bien national à la barrière de Paris. Je « vendrai le reste des forêts de l'Etat. Je couperai tout, les « ormes du grand chemin, le bois de Boulogne, les « Champs-Elysées : à quoi ça sert-il ? heim ! » La brutalité faisait le principal mérite de M. Louis ; son talent était un amour stupide des intérêts matériels. Si le ministre des finances entraînait les forêts à sa suite, il avait sans doute un autre secret qu'Orphée, qui *faisait aller après soi les bois par son beau vieller*. Dans l'argot du temps on appelait M. Louis un homme *spécial* ; sa spécialité financière l'avait conduit à entasser l'argent des contribuables dans le trésor, pour le faire prendre par Bonaparte. Bon tout au plus pour le Directoire, Napoléon n'avait pas voulu de cet homme spécial, qui n'était pas du tout un homme unique.

L'abbé Louis était venu jusqu'à Gand réclamer son ministère : il était fort bien auprès de M. de Talleyrand, avec lequel il avait officié solennellement à la première fédération du Champ-de-Mars : l'évêque faisait le prêtre, l'abbé Louis le diacre et l'abbé d'Ernaud [1] le sous-diacre. M. de Talleyrand, se souvenant de cette admirable profanation, disait au baron Louis : « L'abbé, tu étais bien beau en « diacre au Champ-de-Mars ! » Nous avons supporté cette honte derrière la grande tyrannie de Bonaparte : devions-nous la supporter plus tard ?

Le Roi *très-chrétien* s'était mis à l'abri de tout reproche de cagoterie : il possédait dans son conseil un évêque marié, M. de Talleyrand ; un prêtre concubinaire, M. Louis ; un abbé peu pratiquant, M. de Montesquiou.

Ce dernier, homme ardent comme un poitrinaire, d'une certaine facilité de parole, avait l'esprit étroit et dénigrant, le cœur haineux, le caractère aigre. Un jour que j'avais péroré au Luxembourg pour la liberté de la presse, le descendant de Clovis [2] passant devant moi, qui ne venais que du Breton Mormoran [3], me donna un grand coup de genou dans la cuisse, ce qui n'était pas de bon goût ; je le lui rendis, ce qui n'était pas poli : nous jouions au coadjuteur [4] et au duc de La Rochefoucauld. L'abbé de Montesquiou

1. Ou Desrenaudes. Il était déjà à Autun en 1790 le grand vicaire de Talleyrand ; il le suivit dans toute sa carrière.
2. La famille de Montesquiou est l'une des plus anciennes de France.
3. Chef breton qui aurait combattu Louis le Débonnaire, ancêtre hypothétique des Chateaubriand.
4. Retz. Entre eux l'algarade fut plus vive qu'entre Montesquiou et Chateaubriand.

appelait plaisamment M. de Lally-Tollendal : « un animal à l'anglaise. »

On pêche, dans les rivières de Gand, un poisson blanc fort délicat : nous allions, *tutti quanti,* manger ce bon poisson dans une guinguette, en attendant les batailles et la fin des empires. M. Laborie [1] ne manquait point au rendez-vous : je l'avais rencontré pour la première fois à Savigny, lorsque, fuyant Bonaparte, il entra par une fenêtre chez madame de Beaumont, et se sauva par une autre. Infatigable au travail, multipliant ses courses autant que ses billets, aimant à rendre des services comme d'autres aiment à les recevoir, il a été calomnié : la calomnie n'est pas l'accusation du calomnié, c'est l'excuse du calomniateur. J'ai vu se lasser des promesses dont M. Laborie était riche ; mais pourquoi ? Les chimères sont comme la torture : ça fait toujours passer une heure ou deux [2]. J'ai souvent mené en main, avec une bride d'or, de vieilles rosses de souvenirs qui ne pouvaient se tenir debout, et que je prenais pour de jeunes et fringantes espérances.

Je vis aussi aux dîners du poisson blanc M. Mounier, homme de raison et de probité. M. Guizot daignait nous honorer de sa présence.

SUITE DES CENT-JOURS A GAND.

MONITEUR DE GAND. — MON RAPPORT AU ROI : EFFET DE CE RAPPORT À PARIS. — FALSIFICATION.

ON avait établi à Gand *un Moniteur :* mon rapport au Roi du 12 mai, inséré dans ce journal, prouve que mes senti-

1. Voir Tome I, p. 520.
2. Réplique de Dandin dans *Les Plaideurs* de Racine (III, IV).

ments sur les libertés de la presse et sur la domination étrangère ont en tout temps été les mêmes. Je puis aujourd'hui citer ces passages ; ils ne démentent point ma vie :

« Sire, vous vous apprêtiez à couronner les institutions « dont vous aviez posé la base..... Vous aviez déterminé une « époque pour le commencement de la pairie héréditaire ; le « ministère eût acquis plus d'unité ; les ministres seraient « devenus membres des deux Chambres, selon l'esprit même « de la Charte ; une loi eût été proposée afin qu'on pût être « élu membre de la Chambre des députés avant quarante « ans et que les citoyens eussent une véritable carrière « politique. On allait s'occuper d'un code pénal pour les « délits de la presse, après l'adoption de laquelle loi la « presse eût été entièrement libre, car cette liberté est « inséparable de tout gouvernement représentatif . . . . . .

« Sire, et c'est ici l'occasion d'en faire la protestation « solennelle : tous vos ministres, tous les membres de votre « conseil, sont inviolablement attachés aux principes d'une « sage liberté ; ils puisent auprès de vous cet amour des lois, « de l'ordre et de la justice, sans lesquels il n'est point de « bonheur pour un peuple. Sire, qu'il nous soit permis de « vous le dire, nous sommes prêts à verser pour vous la « dernière goutte de notre sang, à vous suivre au bout de la « terre, à partager avec vous les tribulations qu'il plaira au « Tout-Puissant de vous envoyer, parce que nous croyons « devant Dieu que vous maintiendrez la constitution que « vous avez donnée à votre peuple, que le vœu le plus « sincère de votre âme royale est la liberté des Français. S'il « en avait été autrement, sire, nous serions toujours morts à « vos pieds pour la défense de votre personne sacrée ; mais « nous n'aurions plus été que vos soldats, nous aurions « cessé d'être vos conseillers et vos ministres . . . .

« Sire, nous partageons dans ce moment votre royale « tristesse : il n'y a pas un de vos conseillers et de vos « ministres qui ne donnât sa vie pour prévenir l'invasion de « la France. Sire, vous êtes Français, nous sommes Fran- « çais ! Sensibles à l'honneur de notre patrie, fiers de la « gloire de nos armes, admirateurs du courage de nos

« soldats, nous voudrions, au milieu de leurs bataillons,
« verser jusqu'à la dernière goutte de notre sang pour les
« ramener à leur devoir ou pour partager avec eux des
« triomphes légitimes. Nous ne voyons qu'avec la plus
« profonde douleur les maux prêts à fondre sur notre pays. »

Ainsi, à Gand, je proposais de donner à la Charte ce qui
lui manquait encore, et je montrais ma douleur de la
nouvelle invasion qui menaçait la France : je n'étais pourtant qu'un banni dont les vœux étaient en contradiction
avec les faits qui me pouvaient rouvrir les portes de ma
patrie. Ces pages étaient écrites dans les Etats de souverains
alliés, parmi des Rois et des émigrés qui détestaient la
liberté de la presse, au milieu des armées marchant à la
conquête, et dont nous étions, pour ainsi dire, les prisonniers : ces circonstances ajoutent peut-être quelque force
aux sentiments que j'osais exprimer.

Mon rapport, parvenu à Paris, eut un grand retentissement ; il fut réimprimé par M. Le Normant fils, qui joua sa
vie dans cette occasion, et pour lequel j'ai eu toutes les
peines du monde à obtenir un brevet stérile d'imprimeur du
roi. Bonaparte agit ou laissa agir d'une manière peu digne
de lui : à l'occasion de mon rapport on fit ce que le
Directoire avait fait à l'apparition des Mémoires de Cléry [1],
on en falsifia des lambeaux : j'étais censé proposer à
Louis XVIII des stupidités pour le rétablissement des droits
féodaux, pour les dîmes du clergé, pour la reprise des biens
nationaux, comme si l'impression de la pièce originale dans
le *Moniteur de Gand*, à date fixe et connue, ne confondait
pas l'imposture : mais on avait besoin d'un mensonge
d'une heure. Le pseudonyme chargé d'un pamphlet sans
sincérité était un militaire d'un grade assez élevé : il fut
destitué après les Cent-Jours ; on motiva sa destitution sur
la conduite qu'il avait tenue envers moi ; il m'envoya ses
amis ; ils me prièrent de m'interposer afin qu'un homme
de mérite ne perdît pas ses seuls moyens d'existence :
j'écrivis au ministre de la guerre, et j'obtins une pension de retraite pour cet officier. Il est mort : la femme
de cet officier est restée attachée à madame de

1. Voir T. I, p. 451.

Chateaubriand avec une reconnaissance à laquelle j'étais loin d'avoir des droits [1]. Certains procédés sont trop estimés ; les personnes les plus vulgaires sont susceptibles de ces générosités. On se donne un renom de vertu à peu de frais : l'âme supérieure n'est pas celle qui pardonne ; c'est celle qui n'a pas besoin de pardon.

Je ne sais où Bonaparte, à Sainte-Hélène, a trouvé que *j'avais rendu à Gand des services essentiels* [2] : s'il jugeait trop favorablement mon rôle, du moins il y avait dans son sentiment une appréciation de ma valeur politique.

SUITE DES CENT-JOURS A GAND.

LE BÉGUINAGE. — COMMENT J'ÉTAIS REÇU. — GRAND DINER. — VOYAGE DE MADAME DE CHATEAUBRIAND À OSTENDE. — ANVERS. — UN BÈGUE. — MORT D'UNE JEUNE ANGLAISE.

JE me dérobais à Gand, le plus que je pouvais, à des intrigues antipathiques à mon caractère et misérables à mes yeux ; car, au fond, dans notre mesquine catastrophe j'apercevais la catastrophe de la société. Mon refuge contre les oisifs et les croquants était l'*enclos du Béguinage* : je parcourais ce petit univers de femmes voilées ou aguimpées.

1. Il s'agit de Charles-Joseph Bail et de sa femme. Voir M. Levaillant, *Splendeurs et misères de M. de Chateaubriand,* chap. VIII.
2. Voir p. 433 *sq.* Selon Montholon, Napoléon aurait parlé d'« éminents services ».

consacrées aux diverses œuvres chrétiennes ; région calme, placée comme les syrtes africaines au bord des tempêtes. Là aucune disparate ne heurtait mes idées, car le sentiment religieux est si haut, qu'il n'est jamais étranger aux plus graves révolutions : les solitaires de la Thébaïde et les Barbares, destructeurs du monde romain, ne sont point des faits discordants et des existences qui s'excluent.

J'étais reçu gracieusement dans l'enclos comme l'auteur du *Génie du christianisme :* partout où je vais, parmi les chrétiens, les curés m'arrivent ; ensuite les mères m'amènent leurs enfants ; ceux-ci me récitent mon chapitre sur *la première communion.* Puis se présentent des personnes malheureuses qui me disent le bien que j'ai eu le bonheur de leur faire. Mon passage dans une ville catholique est annoncé comme celui d'un missionnaire et d'un médecin. Je suis touché de cette double réputation : c'est le seul souvenir agréable de moi que je conserve ; je me déplais dans tout le reste de ma personne et de ma renommée.

J'étais assez souvent invité à des festins dans la famille de M. et madame d'Ops, père et mère vénérables entourés d'une trentaine d'enfants, petits-enfants et arrière-petits-enfants. Chez M. Coppens, un gala, que je fus forcé d'accepter, se prolongea depuis une heure de l'après-midi jusqu'à huit heures du soir. Je comptai neuf services : on commença par les confitures et l'on finit par les côtelettes. Les Français seuls savent dîner avec méthode, comme eux seuls savent composer un livre.

Mon *ministère* me retenait à Gand ; madame de Chateaubriand, moins occupée, alla voir Ostende, où je m'embarquai pour Jersey en 1792. J'avais descendu exilé et mourant ces mêmes canaux au bord desquels je me promenais exilé encore, mais en parfaite santé : toujours des fables dans ma carrière ! Les misères et les joies de ma première émigration revivaient dans ma pensée ; je revoyais l'Angleterre, mes compagnons d'infortune, et cette Charlotte que je devais apercevoir encore. Personne ne se crée comme moi une société réelle en évoquant des ombres ; c'est au point que la vie de mes souvenirs absorbe le sentiment de ma vie réelle. Des personnes mêmes dont je ne me suis jamais occupé, si elles meurent, envahissent ma mémoire : on dirait que nul ne peut devenir mon compagnon s'il n'a passé à travers la tombe, ce qui me porte à croire que je suis un mort. Où les autres trouvent une éternelle séparation, je trouve une réunion éternelle ; qu'un de mes amis s'en aille de la terre, c'est comme s'il venait demeurer à mes foyers ; il ne me quitte plus. A mesure que le monde présent se retire, le monde passé me revient. Si les générations actuelles dédaignent les générations vieillies, elles perdent les frais de leur mépris en ce qui me touche : je ne m'aperçois même pas de leur existence.

Ma toison d'or n'était pas encore à Bruges [1], madame de Chateaubriand ne me l'apporta pas [2]. A Bruges, en 1426, il y *avait un homme appelé Jean* [3], lequel inventa ou perfectionna la peinture à l'huile : remercions Jean de Bruges ; sans la propagation de sa méthode, les chefs-d'œuvre de Raphaël seraient aujourd'hui effacés. Où les peintres flamands ont-ils dérobé la lumière dont ils éclairent leurs tableaux ? Quel rayon de la Grèce s'est égaré au rivage de la Batavie ?

Après son voyage d'Ostende, madame de Chateaubriand fit une course à Anvers. Elle y vit, dans un cimetière, des âmes du purgatoire en plâtre toutes barbouillées de noir et de feu. A Louvain elle me recruta un bègue, savant professeur qui vint tout exprès à Gand pour contempler un homme aussi extraordinaire que le mari de ma femme. Il me dit : « Illus... ttt... rr... » sa parole manqua à son admiration et je le priai à dîner. Quand l'helléniste eut bu du curaçao, sa langue se délia. Nous nous mîmes sur les mérites de Thucydide, que le vin nous faisait trouver clair comme de l'eau. A force de tenir tête à mon hôte, je finis, je crois, par parler hollandais ; du moins je ne me comprenais plus.

1. L'ordre de la Toison d'or fut fondé à Bruges en 1429.
2. Chateaubriand ne reçut les insignes de la Toison d'or qu'en 1823.
3. Allusion à l'Ev. s. saint Jean I, 6 : « Fuit homo... cui nomen erat Johannes ». Il s'agit ici du grand peintre flamand Jean Van Eyck (1386-1440), appelé aussi Jean de Bruges.

Madame de Chateaubriand eut une triste nuit d'auberge à Anvers : une jeune Anglaise, nouvellement accouchée, se mourait ; pendant deux heures elle fit entendre des plaintes ; puis sa voix s'affaiblit et son dernier gémissement, que saisit à peine une oreille étrangère, se perdit dans un éternel silence. Les cris de cette voyageuse, solitaire et abandonnée, semblaient préluder aux mille voix de la mort prêtes à s'élever à Waterloo.

SUITE DES CENT-JOURS A GAND.

Mouvement inaccoutumé de Gand. — Le duc de Wellington. — Monsieur. — Louis XVIII.

La solitude accoutumée de Gand était rendue plus sensible par la foule étrangère qui l'animait alors, et qui bientôt s'allait écouler. Des recrues belges et anglaises apprenaient l'exercice sur les places et sous les arbres des promenades ; des canonniers, des fournisseurs, des dragons, mettaient à terre des trains d'artillerie, des troupeaux de bœufs, des chevaux qui se débattaient en l'air tandis qu'on les descendait suspendus dans des sangles ; des vivandières débarquaient avec les sacs, les enfants et les fusils de leurs maris : tout cela se rendait, sans savoir pourquoi et sans y avoir le moindre intérêt, au grand rendez-vous de destruction que leur avait donné Bonaparte. On voyait des politiques gesticuler le long d'un canal, auprès d'un pêcheur immobile, des émigrés trotter de chez le Roi chez *Monsieur*, de chez *Monsieur* chez le Roi. Le chancelier de France, M. d'Ambray, habit vert, chapeau rond, un vieux roman sous le bras, se rendait au conseil pour amender la Charte ; le duc de Lévis allait faire sa cour avec des savates débordées qui lui sortaient des pieds, parce que, fort brave et nouvel Achille, il avait été blessé au talon. Il était plein d'esprit, on peut en juger par le recueil de ses pensées [1].

Le duc de Wellington venait de temps en temps passer des revues. Louis XVIII sortait chaque après-dînée dans un carrosse à six chevaux avec son premier gentilhomme de la chambre et ses gardes, pour faire le tour de Gand, tout comme s'il eût été dans Paris. S'il rencontrait dans son chemin le duc de Wellington, il lui faisait en passant un petit signe de tête de protection.

Louis XVIII ne perdit jamais le souvenir de la prééminence de son berceau ; il était roi partout, comme Dieu est Dieu partout, dans une crèche ou dans un temple, sur un autel d'or ou d'argile. Jamais son infortune ne lui arracha la plus petite concession ; sa hauteur croissait en raison de son abaissement ; son diadème était son nom ; il avait l'air de dire : « Tuez-moi, vous ne tuerez pas les siècles écrits sur « mon front. » Si l'on avait ratissé ses armes au Louvre, peu lui importait : n'étaient-elles pas gravées sur le globe ? Avait-on envoyé des commissaires les gratter dans tous les coins de l'Univers ? Les avait-on effacées aux Indes, à Pondichéry, en Amérique, à Lima et à Mexico ; dans l'Orient, à Antioche, à Jérusalem, à Saint-Jean d'Acre, au Caire, à Constantinople, à Rhodes, en Morée ; dans l'Occident, sur les murailles de Rome, aux plafonds de Caserte et de l'Escurial, aux voûtes des salles de Ratisbonne et de Westminster, dans l'écusson de tous les rois ? Les avait-on arrachées à l'aiguille de la boussole, où elles semblent annoncer le règne des lis aux diverses régions de la terre ?

L'idée fixe de la grandeur, de l'antiquité, de la dignité, de la majesté de sa race, donnait à Louis XVIII un véritable empire. On en sentait la domination ; les généraux même de Bonaparte la confessaient : ils étaient plus intimidés devant ce vieillard impotent que devant le maître terrible qui les avait commandés dans cent batailles. A Paris, quand

1. Duc de Lévis (1755-1830). Ses *Maximes et réflexions sur différents sujets* avaient paru en 1808.

Louis XVIII accordait aux monarques triomphants l'honneur de dîner à sa table, il passait sans façon le premier devant ces princes dont les soldats campaient dans la cour du Louvre ; il les traitait comme des vassaux qui n'avaient fait que leur devoir en amenant des hommes d'armes à leur seigneur suzerain. En Europe, il n'est qu'une monarchie, celle de France ; le destin des autres monarchies est lié au sort de celle-là. Toutes les races royales sont d'hier auprès de la race de Hugues Capet, et presque toutes en sont filles. Notre ancien pouvoir royal était l'ancienne royauté du monde : du bannissement des Capets datera l'ère de l'expulsion des rois.

Plus cette superbe du descendant de Saint-Louis était impolitique (elle est devenue funeste à ses héritiers), plus elle plaisait à l'orgueil national : les Français jouissaient de voir des souverains qui, vaincus, avaient porté les chaînes d'un homme, porter, vainqueurs, le joug d'une race.

La foi inébranlable de Louis XVIII dans son sang est la puissance réelle qui lui rendit le sceptre ; c'est cette foi qui, à deux reprises, fit tomber sur sa tête une couronne pour laquelle l'Europe ne croyait pas, ne prétendait pas épuiser ses populations et ses trésors. Le banni sans soldats se trouvait au bout de toutes les batailles qu'il n'avait pas livrées. Louis XVIII était la légitimité incarnée ; elle a cessé d'être visible quand il a disparu.

SUITE DES CENT-JOURS A GAND.

SOUVENIRS DE L'HISTOIRE À GAND. — MADAME LA DUCHESSE D'ANGOULÊME ARRIVE À GAND. — MADAME DE SÈZE. — MADAME LA DUCHESSE DE LÉVIS.

JE faisais à Gand, comme je fais en tous lieux, des courses à part. Les barques glissant sur d'étroits canaux, obligées de traverser dix à douze lieues de prairies pour arriver à la mer, avaient l'air de voguer sur l'herbe ; elles me rappelaient les canots sauvages dans les marais à folle avoine du Missouri. Arrêté au bord de l'eau, tandis qu'on immergeait des zones de toile écrue, mes yeux erraient sur les clochers de la ville ; l'histoire m'apparaissait sur les nuages du ciel.

Les Gantois s'insurgent contre Henri de Chatillon, gouverneur pour la France ; la femme d'Edouard III met au monde Jean de Gand, tige de la maison de Lancastre ; règne populaire d'Artevelle [1] : « Bonnes gens, qui vous meut ? « Pourquoi êtes-vous si troublés sur moi ? En quoi puis-je « vous avoir courroucés ? » — Il vous faut mourir ! » criait le peuple. C'est ce que le temps nous crie à tous. Plus tard je voyais les ducs de Bourgogne ; les Espagnols arrivaient. Puis la pacification [2], les siéges et les prises de Gand.

Quand j'avais rêvé parmi les siècles, le son d'un petit clairon ou d'une musette écossaise me réveillait. J'apercevais des soldats vivants qui accouraient pour rejoindre les bataillons ensevelis de la Batavie : toujours destructions, puissances abattues, et, en fin de compte, quelques ombres évanouies et des noms passés.

La Flandre maritime fut un des premiers cantonnements des compagnons de Clodion et de Clovis. Gand, Bruges et leurs campagnes, fournissaient près d'un dixième des grenadiers de la vieille garde : cette terrible milice fut tirée en partie du berceau de nos pères, et elle s'est venue faire exterminer auprès de ce berceau. La *Lys* [3] a-t-elle donné sa fleur aux armes de nos rois ?

Les mœurs espagnoles impriment leur caractère : les édifices de Gand me retraçaient ceux de Grenade, moins le ciel de la Vega. Une grande ville presque sans habitants, des rues désertes, des canaux aussi déserts que ces rues... vingt-six îles formées par ces canaux, qui n'étaient pas ceux de Venise, une énorme pièce d'artillerie

1. Ce brasseur de Gand sembla quelque temps le maître de la Flandre. Il fut tué au cours d'une émeute en 1382. — Le dialogue imaginé ici a lieu entre Artevelle assiégé dans son hôtel et les émeutiers.

2. Signée en 1576 : elle scellait l'union des provinces du nord et du sud contre les Espagnols.

3. C'est la rivière de Gand.

du moyen âge, voilà ce qui remplaçait à Gand la cité des Zegris, le Duero et le Xenil, le Généralife et l'Alhambra : mes vieux songes, vous reverrai-je jamais ?

Madame la duchesse d'Angoulême, embarquée sur la Gironde, nous arriva par l'Angleterre avec le général Donnadieu et M. de Sèze, qui avait traversé l'Océan, son cordon bleu par-dessus sa veste. Le duc et la duchesse de Lévis vinrent à la suite de la princesse : ils s'étaient jetés dans la diligence et sauvés de Paris par la route de Bordeaux. Les voyageurs, leurs compagnons, parlaient politique : « Ce « scélérat de Chateaubriand, disait l'un d'eux, n'est pas si « bête ! depuis trois jours, sa voiture était chargée dans sa « cour : l'oiseau a déniché. Ce n'est pas l'embarras, si « Napoléon l'avait attrapé !... »

Madame la duchesse de Lévis était une personne très-belle, très-bonne, aussi calme que madame la duchesse de Duras était agitée. Elle ne quittait point madame de Chateaubriand ; elle fut à Gand notre compagne assidue. Personne n'a répandu dans ma vie plus de quiétude, chose dont j'ai grand besoin. Les moments les moins troublés de mon existence sont ceux que j'ai passés à Noisiel [1], chez cette femme dont les paroles et les sentiments n'entraient dans votre âme que pour y ramener la sérénité. Je les rappelle avec regret ces moments écoulés sous les grands marronniers de Noisiel ! l'esprit apaisé, le cœur convalescent, je regardais les ruines de l'abbaye de Chelles, les petites lumières des barques arrêtées parmi les saules de la Marne.

Le souvenir de madame de Lévis est pour moi celui d'une silencieuse soirée d'automne. Elle a passé en peu d'heures [2] ; elle s'est mêlée à la mort comme à la source de tout repos. Je l'ai vue descendre sans bruit dans son tombeau au cimetière du Père-Lachaise ; elle est placée au-dessus de M. de Fontanes, et celui-ci dort auprès de son fils Saint-Marcellin, tué en duel. C'est ainsi qu'en m'inclinant au monument de madame de Lévis, je suis venu me heurter à deux autres sépulcres ; l'homme ne peut éveiller une douleur

1. En Seine-et-Marne. Le duc de Lévis y avait son château.
2. En 1819.

sans en réveiller une autre : pendant la nuit, les diverses fleurs qui ne s'ouvrent qu'à l'ombre s'épanouissent.

À l'affectueuse bonté de madame de Lévis pour moi était jointe l'amitié de M. le duc de Lévis le père : je ne dois plus compter que par générations. M. de Lévis écrivait bien ; il avait l'imagination variée et féconde qui sentait sa noble race comme on la retrouvait à Quiberon dans son sang répandu sur les grèves.

Tout ne devait pas finir là ; c'était le mouvement d'une amitié qui passait à la seconde génération. M. le duc de Lévis le fils [1], aujourd'hui attaché à M. le comte de Chambord, s'est approché de moi ; mon affection hérédi-taire ne lui manquera pas plus que ma fidélité à son auguste maître. La nouvelle et charmante duchesse de Lévis, sa femme, réunit au grand nom de d'Aubusson les plus brillantes qualités du cœur et de l'esprit : il y a de quoi vivre quand les grâces empruntent à l'histoire des ailes infatiga-bles !

SUITE DES CENT-JOURS À GAND.

PAVILLON MARSAN À GAND. — M. GAILLARD, CONSEILLER À LA COUR ROYALE. — VISITE SECRÈTE DE MADAME LA BARONNE DE VITROLLES. — BILLET DE LA MAIN DE MON-SIEUR. — FOUCHÉ.

À GAND, comme à Paris, le pavillon Marsan [2] existait. Chaque jour apportait de France à Monsieur des nouvelles qu'enfantait l'intérêt ou l'imagination.

M. Gaillard, ancien oratorien, conseiller à la cour royale,

1. 1794-1863.
2. Le parti du comte d'Artois qui résidait lui-même au pavillon Marsan.

ami intime de Fouché, descendit au milieu de nous ; il se fit reconnaître et fut mis en rapport avec M. Capelle.

Quand je me rendais chez Monsieur, ce qui était rare, son entourage m'entretenait, à paroles couvertes et avec maints soupirs, d'un *homme qui (il fallait en convenir) se conduisait à merveille : il entravait toutes les opérations de l'empereur ; il défendait le faubourg Saint-Germain, etc., etc., etc.* Le fidèle maréchal Soult était aussi l'objet des prédilections de Monsieur, et, après Fouché, l'homme le plus loyal de France.

Un jour, une voiture s'arrête à la porte de mon auberge, j'en vois descendre madame la baronne de Vitrolles : elle arrivait chargée des pouvoirs du duc d'Otrante[1]. Elle remporta un billet écrit de la main de Monsieur, par lequel le prince déclarait conserver une reconnaissance éternelle à celui qui sauvait M. de Vitrolles. Fouché n'en voulait pas davantage ; armé de ce billet, il était sûr de son avenir en cas de restauration. Dès ce moment il ne fut plus question à Gand que des immenses obligations que l'on avait à l'excellent M. Fouché de Nantes, que de l'impossibilité de rentrer en France autrement que par le bon plaisir de ce juste : l'embarras était de faire goûter au Roi le nouveau rédempteur de la monarchie.

Après les Cent-Jours, madame de Custine me força de dîner chez elle avec Fouché. Je l'avais vu une fois, cinq ans auparavant, à propos de la condamnation de mon pauvre cousin Armand. L'ancien ministre savait que je m'étais opposé à sa nomination à Roye, à Gonesse, à Arnouville ; et comme il me supposait puissant, il voulait faire sa paix avec moi. Ce qu'il y avait de mieux en lui, c'était la mort de Louis XVI : le régicide était son innocence. Bavard, ainsi que tous les révolutionnaires, battant l'air de phrases vides, il débitait un ramas de lieux communs farcis de *destin,* de *nécessité ;* de *droit des choses,* mêlant à ce non-sens philosophique des non-sens sur le progrès et la marche de la société, d'impudentes maximes au profit du fort contre le faible ; ne se faisant faute d'aveux effrontés sur la justice des succès, le peu de valeur d'une tête qui tombe, l'équité de

1. Fouché.

ce qui prospère, l'iniquité de ce qui souffre, affectant de parler des plus affreux désastres avec légèreté et indifférence, comme un génie au-dessus de ces niaiseries. Il ne lui échappa, à propos de quoi que ce soit, une idée choisie, un aperçu remarquable. Je sortis en haussant les épaules au crime.

M. Fouché ne m'a jamais pardonné ma sécheresse et le peu d'effet qu'il produisit sur moi. Il avait pensé me fasciner en faisant monter et descendre à mes yeux, comme une gloire du Sinaï, le coutelas de l'instrument fatal ; il s'était imaginé que je tiendrais à colosse l'énergumène qui, parlant du sol de Lyon, avait dit : « Ce sol sera bouleversé ; « sur les débris de cette ville superbe et rebelle s'élèveront « des chaumières éparses que les amis de l'égalité s'empres- « seront de venir habiter. . . . . Nous aurons le courage « énergique de traverser les vastes tombeaux des conspira- « teurs. . . . . Il faut que leurs cadavres ensanglantés, « précipités dans le Rhône, offrent sur les deux rives et à « son embouchure l'impression de l'épouvante et l'image de « la toute-puissance du peuple . . . . « . . . . Nous célébrerons la victoire de Toulon ; « nous enverrons ce soir deux cent cinquante rebelles sous « le fer de la foudre. »

Ces horribles pretintailles ne m'imposèrent point : parce que M. *de Nantes* avait délayé des forfaits républicains dans de la boue impériale ; que le sans-culotte, métamorphosé en duc, avait enveloppé la corde de la lanterne dans le cordon de la Légion-d'Honneur, il ne m'en paraissait ni plus habile ni plus grand. Les Jacobins détestent les hommes qui ne font aucun cas de leurs atrocités et qui méprisent leurs meurtres ; leur orgueil est irrité, comme celui des auteurs dont on conteste le talent.

AFFAIRES A VIENNE.

Négociations de M. de Saint-Léon envoyé de Fouché.
— Proposition relative à M. le duc d'Orléans. —
M. de Talleyrand. — Mécontentement d'Alexandre
contre Louis XVIII. — Divers prétendants — Rapport de La Besnardière. — Proposition inattendue
d'Alexandre au congrès : lord Clancarthy la fait
échouer. — M. de Talleyrand se retourne : sa dépêche a Louis XVIII. — Déclaration de l'alliance,
tronquée dans le journal officiel de Francfort. —
M. de Talleyrand veut que le Roi entre en France
par les provinces du sud-est. — Divers marchés du
prince de Bénévent à Vienne. — Il m'écrit à Gand :
sa lettre.

En même temps que Fouché envoyait à Gand M. Gaillard
négocier avec le frère de Louis XVI, ses agents à Bâle
pourparlaient avec ceux du prince de Metternich au sujet de
Napoléon II, et M. de Saint-Léon, dépêché par ce même
Fouché, arrivait à Vienne pour traiter de la couronne
possible de M. le duc d'Orléans. Les amis du duc d'Otrante
ne pouvaient pas plus compter sur lui que ses ennemis : au
retour des princes légitimes, il maintint sur la liste des exilés
son ancien collègue M. Thibaudeau, tandis que de son côté
M. Talleyrand retranchait de la liste ou ajoutait au catalo-
gue tel ou tel proscrit, selon son caprice. Le faubourg
Saint-Germain n'avait pas bien raison de croire en
M. Fouché ?

M. de Saint-Léon à Vienne apportait trois billets dont
l'un était adressé à M. de Talleyrand : le duc d'Otrante
proposait à l'ambassadeur de Louis XVIII de pousser au
trône, s'il y voyait jour, le fils d'Egalité. Quelle probité dans
ces négociations ! qu'on était heureux d'avoir affaire à de si
honnêtes gens ! Nous avons pourtant admiré, encensé, béni

ces Cartouche ; nous leur avons fait la cour ; nous les avons appelés monseigneur ! Cela explique le monde actuel. M. de Montrond [1] vint de surcroît après M. de Saint-Léon.

M. le duc d'Orléans ne conspirait pas de fait, mais de consentement ; il laissait intriguer les affinités révolutionnaires : douce société ! Au fond de ce bois, le plénipotentiaire du Roi de France prêtait l'oreille aux ouvertures de Fouché.

A propos de l'arrestation de M. de Talleyrand à la barrière d'Enfer, j'ai dit quelle avait été jusqu'alors l'idée fixe de M. de Talleyrand sur la régence de Marie-Louise : il fut obligé de se ranger par l'événement à l'éventualité des Bourbons ; mais il était toujours mal à l'aise ; il lui semblait que, sous les hoirs de saint Louis, un évêque marié ne serait jamais sûr de sa place. L'idée de substituer la branche cadette à la branche aînée lui sourit donc, et d'autant plus qu'il avait eu d'anciennes liaisons avec le Palais-Royal.

Prenant parti, toutefois sans se découvrir en entier, il hasarda quelques mots du projet de Fouché à Alexandre. Le czar avait cessé de s'intéresser à Louis XVIII : celui-ci l'avait blessé à Paris par son affectation de supériorité de race ; il l'avait encore blessé en rejetant le mariage du duc de Berry avec une sœur de l'empereur ; on refusait la princesse pour trois raisons : elle était schismatique ; elle n'était pas d'une assez vieille souche ; elle était d'une famille de fous : raisons qu'on ne présentait pas debout, mais de biais, et qui entrevues offensaient triplement Alexandre. Pour dernier sujet de plainte contre le vieux souverain de l'exil, le czar accusait l'alliance projetée entre l'Angleterre, la France et l'Autriche. Du reste, il semblait que la succession fût ouverte ; tout le monde prétendait hériter des fils de Louis XIV : Benjamin Constant, au nom de madame Murat, plaidait les droits que la sœur de Napoléon croyait avoir au royaume de Naples ; Bernadotte jetait un regard lointain sur Versailles, apparemment parce que le roi de Suède venait de Pau.

1. Etrange personnage, très lié avec Talleyrand. Il avait épousé Aimée de Coigny, « la jeune captive ».

La Besnardière[1], chef de division aux relations extérieures, passa à M. de Caulaincourt; il brocha un rapport *des griefs et contredits de la France* à l'endroit de la légitimité. La ruade lâchée, M. de Talleyrand trouva le moyen de communiquer le rapport à Alexandre : mécontent et mobile, l'autocrate fut frappé du pamphlet de la Besnardière. Tout à coup, en plein congrès, à la stupéfaction de chacun, le czar demande si ce ne serait pas matière à délibération d'examiner en quoi M. le duc d'Orléans pourrait convenir comme roi à la France et à l'Europe. C'est peut-être une des choses les plus surprenantes de ces temps extraordinaires, et peut-être est-il plus extraordinaire encore qu'on en ait si peu parlé*. Lord Clancarthy[2] fit échouer la proposition russe : sa seigneurie déclara n'avoir point de pouvoirs pour traiter une question aussi grave : « Quant à « moi, dit-il en opinant comme simple particulier, je pense « que mettre M. le duc d'Orléans sur le trône de France « serait remplacer une usurpation militaire par une usurpa-« tion de famille, plus dangereuse aux monarques que « toutes les autres usurpations. » Les membres du congrès allèrent dîner et marquèrent avec le sceptre de saint Louis, comme avec un fétu, le feuillet où ils en étaient restés dans leurs protocoles.

Sur les obstacles que rencontra le czar, M. de Talleyrand fit volte-face : prévoyant que le coup retentirait, il rendit compte à Louis XVIII (dans une dépêche que j'ai vue et qui portait le n° 25 ou 27) de l'étrange séance du congrès** : il se croyait obligé d'informer Sa Majesté d'une démarche aussi exorbitante, parce que cette nouvelle, disait-il, ne

1. Encore un homme de Talleyrand.
2. Second plénipotentiaire britannique.
* Une brochure qui vient de paraître, intitulée : *Lettres de l'étranger,* et qui semble écrite par un diplomate habile et bien instruit, indique cette étrange négociation russe à Vienne. (Paris, note de 1840.)
** On prétend qu'en 1830 M. de Talleyrand a fait enlever des archives particulières de la couronne sa correspondance avec Louis XVIII, de même qu'il avait fait enlever dans les archives de l'Empire tout ce qu'il avait écrit, lui, M. de Talleyrand, relativement à la mort du duc d'Enghien et aux affaires d'Espagne. (Paris, note de 1840.)

tarderait pas de parvenir aux oreilles du Roi : singulière naïveté pour M. le prince de Talleyrand.

Il avait été question d'une déclaration de l'Alliance, afin de bien avertir le monde qu'on n'en voulait qu'à Napoléon ; qu'on ne prétendait imposer à la France ni une forme obligée de gouvernement, ni un souverain qui ne fût pas de son choix. Cette dernière partie de la déclaration fut supprimée, mais elle fut positivement annoncée dans le journal officiel de Francfort. L'Angleterre, dans ses négociations avec les cabinets, se sert toujours de ce langage libéral, qui n'est qu'une précaution contre la tribune parlementaire.

On voit qu'à la seconde restauration, pas plus qu'à la première, les alliés ne se souciaient point du rétablissement de la légitimité : l'évènement seul a tout fait. Qu'importait à des souverains dont la vue était si courte que la mère des monarchies de l'Europe fût égorgée ? Cela les empêcherait-il de donner des fêtes et d'avoir des gardes ? Aujourd'hui les monarques sont si solidement assis, le globe dans une main, l'épée dans l'autre !

M. de Talleyrand, dont les intérêts étaient alors à Vienne, craignait que les Anglais, dont l'opinion ne lui était plus aussi favorable, engageassent la partie militaire avant que toutes les armées fussent en ligne, et que le cabinet de Saint-James acquît ainsi la prépondérance : c'est pourquoi il voulait amener le Roi à rentrer par les provinces du sud-est, afin qu'il se trouvât sous la tutelle des troupes de l'Empire et du cabinet autrichien. Le duc de Wellington avait donc l'ordre précis de ne point commencer les hostilités ; c'est Napoléon qui a voulu la bataille de Waterloo : on n'arrête point les destinées d'une telle nature.

Ces faits historiques, les plus curieux du monde, ont été généralement ignorés ; c'est encore de même qu'on s'est formé une opinion confuse des traités de Vienne, relativement à la France : on les a crus l'œuvre inique d'une troupe de souverains victorieux acharnés à notre perte ; malheureusement, s'ils sont durs, ils ont été envenimés par une main française : quand M. de Talleyrand ne conspire pas, il trafique.

La Prusse voulait avoir la Saxe, qui tôt ou tard sera sa

proie ; la France devait favoriser ce désir, car la Saxe obtenant un dédommagement dans les cercles du Rhin, Landau nous restait avec nos enclaves ; Coblentz et d'autres forteresses passaient à un petit Etat ami qui, placé entre nous et la Prusse, empêchait les points de contact ; les clefs de la France n'étaient point livrées à l'ombre de Frédéric. Pour trois millions qu'il en coûta à la Saxe, M. de Talleyrand s'opposa aux combinaisons du cabinet de Berlin ; mais, afin d'obtenir l'assentiment d'Alexandre à l'existence de la vieille-Saxe, notre ambassadeur fut obligé d'abandonner la Pologne au czar, bien que les autres puissances désirassent qu'une Pologne quelconque rendît les mouvements du Moscovite moins libres dans le Nord. Les Bourbons de Naples se rachetèrent, comme le souverain de Dresde, à prix d'argent. M. de Talleyrand prétendait qu'il avait droit à une subvention, en échange de son duché de Bénévent : il vendait sa livrée en quittant son maître. Lorsque la France perdait tant, M. de Talleyrand n'aurait-il pu perdre aussi quelque chose ? Bénévent, d'ailleurs, n'appartenait pas au grand chambellan : en vertu du rétablissement des anciens traités, cette principauté dépendait des Etats de l'Eglise.

Telles étaient les transactions diplomatiques que l'on passait à Vienne, tandis que nous séjournions à Gand. Je reçus, dans cette dernière résidence, cette lettre de M. de Talleyrand :

Vienne, le 4 mai.

« J'ai appris avec grand plaisir, Monsieur, que vous
« étiez à Gand, car les circonstances exigent que le Roi soit
« entouré d'hommes forts et indépendants.
« Vous aurez sûrement pensé qu'il était utile de
« réfuter par des publications fortement raisonnées toute la
« nouvelle doctrine que l'on veut établir dans les pièces
« officielles qui paraissent en France.
« Il y aurait de l'utilité à ce qu'il parût quelque
« chose dont l'objet serait d'établir que la déclaration du
« 31 mars, faite à Paris par les alliés, que la déchéance, que
« l'abdication, que le traité du 11 avril qui en a été la

« conséquence, sont autant de conditions préliminaires,
« indispensables et absolues du traité du 30 mai ; c'est-à-
« dire que sans ces conditions préalables le traité n'eût pas
« été fait. Cela posé, celui qui viole lesdites conditions, ou
« qui en seconde la violation, rompt la paix que ce traité a
« établie. Ce sont donc lui et ses complices qui déclarent la
« guerre à l'Europe.

« Pour le dehors comme pour le dedans, une discus-
« sion prise dans ce sens ferait du bien ; il faut seulement
« qu'elle soit bien faite, ainsi chargez-vous-en.

« Agréez, Monsieur, l'hommage de mon sincère atta-
« chement et de ma haute considération.

« TALLEYRAND.

« J'espère avoir l'honneur de vous voir à la fin du
« mois. »

Notre ministre à Vienne était fidèle à sa haine contre la
grande chimère échappée des ombres ; il redoutait un coup
de fouet de son aile. Cette lettre montre du reste tout ce que
M. de Talleyrand était capable de faire, quand il écrivait
seul : il avait la bonté de m'enseigner le *motif,* s'en
rapportant à mes fioritures. Il s'agissait bien de quelques
phrases diplomatiques sur la déchéance, sur l'abdication,
sur le traité du 11 avril et du 30 mai, pour arrêter
Napoléon ! Je fus très-reconnaissant des instructions en
vertu de mon brevet d'*homme fort,* mais je ne les suivis
pas : ambassadeur *in petto,* je ne me mêlais point en ce
moment des *affaires étrangères ;* je ne m'occupais que de
mon *ministère de l'intérieur par intérim.*

Mais que se passait-il à Paris ?

LES CENT-JOURS À PARIS.

EFFET DU PASSAGE DE LA LÉGITIMITÉ EN FRANCE. — ÉTONNEMENT DE BONAPARTE. — IL EST OBLIGÉ DE CAPITULER AVEC LES IDÉES QU'IL AVAIT CRU ÉTOUFFÉES. — SON NOUVEAU SYSTÈME. — TROIS ÉNORMES JOUEURS RESTÉS. — CHIMÈRES DES LIBÉRAUX. — CLUBS ET FÉDÉRÉS. — ESCAMOTAGE DE LA RÉPUBLIQUE : L'ACTE ADDITIONNEL. — CHAMBRE DES REPRÉSENTANTS CONVOQUÉE. — INUTILE CHAMP DE MAI.

JE vous fais voir l'envers des événements que l'histoire ne montre pas ; l'histoire n'étale que l'endroit. Les *Mémoires* ont l'avantage de présenter l'un et l'autre côté du tissu : sous ce rapport, ils peignent mieux l'humanité complète en exposant, comme les tragédies de Shakspeare, les scènes basses et hautes. Il y a partout une chaumière auprès d'un palais, un homme qui pleure auprès d'un homme qui rit, un chiffonnier qui porte sa hotte auprès d'un Roi qui perd son trône : que faisait à l'esclave présent à la bataille d'Arbelles la chute de Darius ?

Gand n'était donc qu'un vestiaire derrière les coulisses du spectacle ouvert à Paris. Des personnages renommés restaient encore en Europe. J'avais en 1800 commencé ma carrière avec Alexandre et Napoléon ; pourquoi n'avais-je pas suivi ces premiers acteurs, mes contemporains, sur le grand théâtre ? Pourquoi seul à Gand ? Parce que le ciel vous jette où il veut. Des *petits Cent-Jours* à Gand, passons aux *grands Cent-Jours* à Paris.

Je vous ai dit les raisons qui auraient dû arrêter Bonaparte à l'île d'Elbe, et les raisons primantes ou plutôt la nécessité tirée de sa nature qui le contraignirent de sortir de l'exil. Mais la marche de Cannes à Paris épuisa ce qui lui restait du vieil homme. A Paris le talisman fut brisé.

Le peu d'instants que la légalité avait reparu avait suffi pour rendre impossible le rétablissement de l'arbitraire. Le despotisme muselle les masses, et affranchit les individus dans une certaine limite ; l'anarchie déchaîne les masses, et asservit les indépendances individuelles. De là, le despotisme ressemble à la liberté, quand il succède à l'anarchie ; il reste ce qu'il est véritablement quand il remplace la liberté : libérateur après la Constitution directoriale, Bonaparte était oppresseur après la Charte. Il le sentait si bien qu'il se crut obligé d'aller plus loin que Louis XVIII et de retourner aux sources de la souveraineté nationale. Lui, qui avait foulé le peuple en maître, fut réduit à se refaire tribun du peuple, à courtiser la faveur des faubourgs, à parodier l'enfance révolutionnaire, à bégayer un vieux langage de liberté qui faisait grimacer ses lèvres, et dont chaque syllabe mettait en colère son épée.

Sa destinée, comme puissance, était en effet si bien accomplie, qu'on ne reconnut plus le génie de Napoléon pendant les Cent-Jours. Ce génie était celui du succès et de l'ordre, non celui de la défaite et de la liberté : or, il ne pouvait rien par la victoire qui l'avait trahi, rien pour l'ordre, puisqu'il existait sans lui. Dans son étonnement il disait : « Comme les Bourbons m'ont arrangé la France en « quelques mois ! il me faudra des années pour la refaire. » Ce n'était pas l'œuvre de la *légitimité* que le conquérant voyait, c'était l'œuvre de la *Charte ;* il avait laissé la France muette et prosternée, il la trouvait debout et parlante : dans la naïveté de son esprit absolu, il prenait la liberté pour le désordre.

Et pourtant Bonaparte est obligé de capituler avec les idées qu'il ne peut vaincre de prime abord. A défaut de popularité réelle, des ouvriers, payés à quarante sous par tête, viennent, à la fin de leur journée, brailler au Carrousel *vive l'Empereur !* cela s'appelait aller *à la criée.* Des proclamations annoncent d'abord une merveille d'oubli et de pardon ; les individus sont déclarés libres, la nation libre, la presse libre ; on ne veut que la paix, l'indépendance et le bonheur du peuple ; tout le système impérial est changé ; l'âge d'or va renaître. Afin de rendre la pratique conforme à la théorie, on partage la France en sept grandes divisions de police ; les sept lieutenants sont investis des mêmes pouvoirs qu'avaient, sous le Consulat et l'Empire, les directeurs généraux : on sait ce que furent à Lyon, à Bordeaux, à Milan, à Florence, à Lisbonne, à Hambourg, à Amsterdam, ces protecteurs de la liberté individuelle. Au-dessus de ces lieutenants, Bonaparte élève, dans une hiérarchie de plus en plus *favorable à la liberté,* des commissaires extraordinaires, à la manière des représentants du peuple sous la Convention.

La police que dirige Fouché apprend au monde, par des proclamations solennelles, qu'elle ne va plus servir qu'à répandre la philosophie, qu'elle n'agira plus que d'après des principes de vertu.

Bonaparte rétablit, par un décret, la garde nationale du royaume, dont le nom seul lui donnait jadis des vertiges. Il se voit forcé d'annuler le divorce prononcé sous l'Empire entre le despotisme et la démagogie, et de favoriser leur nouvelle alliance : de cet hymen doit naître, au Champ de mai, une liberté, le bonnet rouge et le turban sur la tête, le sabre du mameluck à la ceinture et la hache révolutionnaire à la main, liberté entourée des ombres de ces milliers de victimes sacrifiées sur les échafauds ou dans les campagnes brûlantes de l'Espagne et les déserts glacés de la Russie. Avant le succès, les mamelucks sont jacobins ; après le succès, les jacobins deviendront mamelucks : Sparte est pour l'instant du danger, Constantinople pour celui du triomphe.

Bonaparte aurait bien voulu ressaisir à lui seul l'autorité, mais cela ne lui était pas possible ; il trouvait des hommes disposés à la lui disputer : d'abord les républicains de bonne foi, délivrés des chaînes du despotisme et des lois de la monarchie, désiraient garder une indépendance qui n'est peut-être qu'une noble erreur ; ensuite les furieux de l'ancienne faction de la montagne : ces derniers, humiliés de n'avoir été sous l'Empire que les espions de police d'un despote, semblaient résolus à reprendre, pour leur propre compte, cette liberté de tout faire dont ils avaient cédé pendant quinze années le privilège à un maître.

Mais ni les républicains, ni les révolutionnaires, ni les satellites de Bonaparte, n'étaient assez forts pour établir leur puissance séparée, ou pour se subjuguer mutuellement. Menacés au dehors d'une invasion, poursuivis au dedans par l'opinion publique, ils comprirent que s'ils se divisaient, ils étaient perdus : afin d'échapper au danger, ils ajournèrent leur querelle ; les uns apportaient à la défense commune leurs systèmes et leurs chimères, les autres leur terreur et leur perversité. Nul n'était de bonne foi dans ce pacte ; chacun, la crise passée, se promettait de le tourner à son profit ; tous cherchaient d'avance à s'assurer les résultats de la victoire. Dans cet effrayant trente et un, trois énormes joueurs tenaient la banque tour à tour : la liberté, l'anarchie, le despotisme, tous trois trichant et s'efforçant de gagner une partie perdue pour tous.

Pleins de cette pensée, ils ne sévissaient point contre quelques enfants perdus qui pressaient les mesures révolutionnaires : des fédérés s'étaient formés dans les faubourgs et des fédérations s'organisaient sous de rigoureux serments dans la Bretagne, l'Anjou, le Lyonnais et la Bourgogne ; on entendait chanter la *Marseillaise* et la *Carmagnole ;* un club, établi à Paris, correspondait avec d'autres clubs dans les provinces ; on annonçait la résurrection du *Journal des patriotes.* Mais, de ce côté-là, quelle confiance pouvaient inspirer les ressuscités de 1793 ? Ne savait-on pas comment ils expliquaient la liberté, l'égalité, les droits de l'homme ? Etaient-ils plus moraux, plus sages, plus sincères après qu'avant leurs énormités ? Est-ce parce qu'ils s'étaient souillés de tous les vices qu'ils étaient devenus capables de toutes les vertus ? On n'abdique pas le crime aussi facilement qu'une couronne ; le front que ceignit l'affreux bandeau en conserve des marques ineffaçables.

L'idée de faire descendre un ambitieux de génie du rang d'empereur à la condition de généralissime ou de président de la République était une chimère : le bonnet rouge, dont on chargeait la tête de ses bustes pendant les Cent-Jours, n'aurait annoncé à Bonaparte que la reprise du diadème, s'il était donné à ces athlètes qui parcourent le monde de fournir deux fois la même carrière.

Toutefois, des libéraux de choix se promettaient la victoire : des hommes fourvoyés, comme Benjamin Constant, des niais, comme M. Simonde-Sismondi, parlaient de placer le prince de Canino [1] au ministère de l'intérieur, le lieutenant général comte Carnot au ministère de la guerre, le comte Merlin [2] à celui de la justice. En apparence abattu, Bonaparte ne s'opposait point à des mouvements démocratiques qui, en dernier résultat, fournissaient des conscrits à son armée. Il se laissait attaquer dans des pamphlets ; des caricatures lui répétaient : *Île d'Elbe,* comme les perroquets criaient à Louis XI : *Péronne.* On prêchait à l'échappé de prison, en le tutoyant, la liberté et l'égalité ; il écoutait ces remontrances d'un air de componction. Tout à coup, rompant les liens dont on avait prétendu l'envelopper, il proclame de sa propre autorité, non une constitution plébéienne, mais une constitution aristocratique, un *acte additionnel* aux constitutions de l'Empire.

La république rêvée se change par cet adroit escamotage dans le vieux gouvernement impérial, rajeuni de féodalité. L'*acte additionnel* enlève à Bonaparte le parti républicain et fait des mécontents dans presque tous les autres partis. La licence règne à Paris, l'anarchie dans les provinces ; les autorités civiles et militaires se combattent ; ici on menace de brûler les châteaux et d'égorger les prêtres ; là on arbore le drapeau blanc et on crie *Vive le Roi !* Attaqué, Bonaparte recule ; il retire à ses commissaires extraordinaires la nomination des maires des communes et rend cette nomination au peuple. Effrayé de la multiplicité des votes négatifs contre l'*acte additionnel,* il abandonne sa dictature de fait et convoque la Chambre des représentants en vertu de cet acte qui n'est point encore accepté. Errant d'écueil en écueil, à peine délivré d'un danger, il heurte contre un autre : souverain d'un jour, comment instituer une pairie héréditaire que l'esprit d'égalité repousse ? Comment gouverner les deux Chambres ? Montreront-elles une obéissance passive ? Quels seront les rapports de ces Chambres avec l'assemblée projetée du Champ de mai, laquelle n'a plus de véritable but, puisque l'acte additionnel est mis à exécution avant que les suffrages eussent été comptés ? Cette assem-

1. Lucien Bonaparte.
2. Merlin de Douai, ancien conventionnel.

blée, composée de trente mille électeurs, ne se croira-t-elle pas la représentation nationale ?

Ce Champ de mai, si pompeusement annoncé et célébré le 1er juin, se résout en un simple défilé de troupes et une distribution de drapeaux devant un autel méprisé. Napoléon, entouré de ses frères, des dignitaires de l'Etat, des maréchaux, des corps civils et judiciaires, proclame la souveraineté du peuple à laquelle il ne croyait pas. Les citoyens s'étaient imaginé qu'ils fabriqueraient eux-mêmes une constitution dans ce jour solennel ; les paisibles bourgeois s'attendaient qu'on y déclarerait l'abdication de Napoléon en faveur de son fils ; abdication manigancée à Bâle entre les agents de Fouché et du prince Metternich : il n'y eut rien qu'une ridicule attrape politique. L'*acte additionnel* se présentait, au reste, comme un hommage à la légitimité : à quelques différences près, et surtout moins l'*abolition de la confiscation* [1], c'était la Charte.

SUITE DES CENT-JOURS À PARIS.

SOUCIS ET AMERTUMES DE BONAPARTE.

CES changements subits, cette confusion de toutes choses, annonçaient l'agonie du despotisme. Toutefois l'empereur ne peut recevoir du dedans l'atteinte mortelle, car le pouvoir qui le combat est aussi exténué que lui ; le Titan révolutionnaire, que Napoléon avait jadis terrassé, n'a point recouvré

1. La Charte avait aboli la peine de la confiscation des biens.

son énergie native ; les deux géants se portent maintenant d'inutiles coups ; ce n'est plus que la lutte de deux ombres.

À ces impossibilités générales se joignent pour Bonaparte des tribulations domestiques et des soucis de palais : il annonçait à la France le retour de l'impératrice et du roi de Rome, et l'une et l'autre ne revenaient point. Il disait à propos de la reine de Hollande, devenue par Louis XVIII duchesse de Saint-Leu : « Quand on a accepté les prospéri- « tés d'une famille, il faut en embrasser les adversités. » Joseph, accouru de la Suisse, ne lui demandait que de l'argent ; Lucien l'inquiétait par ses liaisons libérales ; Murat[1], d'abord conjuré contre son beau-frère, s'était trop hâté, en revenant à lui, d'attaquer les Autrichiens : dépouillé du royaume de Naples et fugitif de mauvais augure, il attendait aux arrêts, près de Marseille, la catastrophe que je vous raconterai plus tard.

Et puis l'empereur pouvait-il se fier à ses anciens partisans et ses prétendus amis ? ne l'avaient-ils pas indignement abandonné au moment de sa chute ? Ce sénat qui rampait à ses pieds, maintenant blotti dans la pairie, n'avait-il pas décrété la déchéance de son bienfaiteur ? Pouvait-il les croire, ces hommes, lorsqu'ils venaient lui dire : « L'intérêt « de la France est inséparable du vôtre. Si la fortune « trompait vos efforts, des revers, sire, n'affaibliraient pas « notre persévérance et redoubleraient notre attachement « pour vous. » Votre persévérance ! votre attachement redou- blé par l'infortune ! Vous disiez ceci le 11 juin 1815 : qu'aviez-vous dit le 2 avril 1814 ? que direz-vous quelques semaines après, le 19 juillet 1815 ?

Le ministre de la police impériale, ainsi que vous l'avez vu, correspondait avec Gand, Vienne et Bâle ; les maréchaux auxquels Bonaparte était contraint de donner le comman- dement de ses soldats avaient naguère prêté serment à Louis XVIII ; ils avaient fait contre lui, Bonaparte, les procla- mations les plus violentes * : depuis ce moment, il est vrai, ils avaient rééposé leur sultan ; mais s'il eût été arrêté à Grenoble, qu'en auraient-ils fait ? Suffit-il de rompre un

---

1. Voir p. 658 *sq*.
* Voyez plus haut celle du maréchal Soult.

serment pour rendre à un autre serment violé toute sa force ? Deux parjures équivalent-ils à la fidélité ?

Encore quelques jours, et ces jureurs du Champ de mai rapporteront leur dévouement à Louis XVIII dans les salons des Tuileries ; ils s'approcheront de la sainte Table du Dieu de paix, pour se faire nommer ministres aux banquets de la guerre ; hérauts d'armes et brandisseurs des insignes royaux au sacre de Bonaparte, ils rempliront les mêmes fonctions au sacre de Charles X ; puis, commissaires d'un autre pouvoir, ils mèneront ce Roi prisonnier à Cherbourg, trouvant à peine un petit coin libre dans leur conscience pour y accrocher la plaque de leur nouveau serment. Il est dur de naître aux époques d'improbité, dans ces jours où deux hommes causant ensemble s'étudient à retrancher des mots de la langue, de peur de s'offenser et de se faire rougir mutuellement.

Ceux qui n'avaient pu s'attacher à Napoléon par sa gloire, qui n'avaient pu tenir par la reconnaissance au bienfaiteur duquel ils avaient reçu leurs richesses, leurs honneurs et jusqu'à leurs noms, s'immoleraient-ils maintenant à ses indigentes espérances ? S'enchaîneraient-ils à une fortune précaire et recommençante, les ingrats que ne fixa point une fortune consolidée par des succès inouïs et par une possession de seize années de victoires ? Tant de chrysalides qui, entre deux printemps, avaient dépouillé et revêtu, quitté et repris la peau du légitimiste et du révolutionnaire, du napoléonien et du bourboniste ; tant de paroles données et faussées ; tant de croix passées de la poitrine du chevalier à la queue du cheval, et de la queue du cheval à la poitrine du chevalier ; tant de preux changeant de bandières, et semant la lice de leurs gages de Foi-mentie ; tant de nobles dames, tour à tour suivantes de Marie-Louise et de Marie-Caroline [1], ne devaient laisser au fond de l'âme de Napoléon que défiance, horreur et mépris ; ce grand homme vieilli était seul au milieu de tous ces traîtres, hommes et sort, sur une terre chancelante, sous un ciel ennemi, en face de sa destinée accomplie et du jugement de Dieu.

1. La duchesse de Berry.

NAPOLÉON n'avait trouvé de fidèles que les fantômes de sa gloire passée ; ils l'escortèrent, ainsi que je vous l'ai dit, du lieu de son débarquement jusqu'à la capitale de la France. Mais les aigles, qui avaient *volé de clocher en clocher* [1] de Cannes à Paris, s'abattirent fatiguées sur les cheminées des Tuileries, sans pouvoir aller plus loin.

Napoléon ne se précipite point, avec les populations émues, sur la Belgique, avant qu'une armée anglo-prussienne s'y fût rassemblée ; il s'arrête ; il essaie de négocier avec l'Europe et de maintenir humblement les traités de la légitimité. Le congrès de Vienne oppose à M. le duc de Vicence [2] l'abdication du 11 avril 1814 : par cette abdication Bonaparte *reconnaissait qu'il était le seul obstacle au rétablissement de la paix en Europe,* et en conséquence *renonçait, pour lui et ses héritiers, aux trônes de France et d'Italie.* Or, puisqu'il vient rétablir son pouvoir, il viole manifestement le traité de Paris, et se replace dans la situation politique antérieure au 31 mars 1814 : donc c'est lui Bonaparte qui déclare la guerre à l'Europe, et non l'Europe à Bonaparte. Ces arguties logiques de procureurs diplomates, comme je l'ai fait remarquer à propos de la lettre de M. de Talleyrand, valaient ce qu'elles pouvaient avant le combat.

La nouvelle du débarquement de Bonaparte à Cannes

1. Cf. p. 312.
2. Caulaincourt était redevenu ministre des Relations extérieures au retour de l'île d'Elbe.

était arrivée à Vienne le 3 mars, au milieu d'une fête où l'on représentait l'assemblée des divinités de l'Olympe et du Parnasse. Alexandre venait de recevoir le projet d'alliance entre la France, l'Autriche et l'Angleterre : il hésita un moment entre les deux nouvelles, puis il dit : « Il ne s'agit pas de moi, mais du salut du monde. » Et une estafette porte à Saint-Pétersbourg l'ordre de faire partir la garde. Les armées qui se retiraient s'arrêtent ; leur longue file fait volte-face, et huit cent mille ennemis tournent le visage vers la France. Bonaparte se prépare à la guerre ; il est attendu à de nouveaux champs catalauniques : Dieu l'a ajourné à la bataille qui doit mettre fin au règne des batailles.

Il avait suffi de la chaleur des ailes de la renommée de Marengo et d'Austerlitz pour faire éclore des armées dans cette France qui n'est qu'un grand nid de soldats. Bonaparte avait rendu à ses légions leurs surnoms d'*invincible,* de *terrible, d'incomparable* ; sept armées reprenaient le titre d'armées des Pyrénées, des Alpes, du Jura, de la Moselle, du Rhin : grands souvenirs qui servaient de cadre à des troupes supposées, à des triomphes en espérance. Une armée véritable était réunie à Paris et à Laon ; cent cinquante batteries attelées, dix mille soldats d'élite entrés dans la garde ; dix-huit mille marins illustrés à Lutzen et à Bautzen ; trente mille vétérans, officiers et sous-officiers, en garnison dans les places fortes ; sept départements du nord et de l'est prêts à se lever en masse ; cent quatre-vingt mille hommes de la garde nationale rendus mobiles ; des corps francs dans la Lorraine, l'Alsace et la Franche-Comté ; des fédérés offrant leurs piques et leurs bras ; Paris fabriquant par jour trois mille fusils : telles étaient les ressources de l'empereur. Peut-être aurait-il encore une fois bouleversé le monde, s'il avait pu se résoudre, en affranchissant la patrie, à appeler les nations étrangères à l'indépendance. Le moment était propice : les rois qui promirent à leurs sujets des gouvernements constitutionnels venaient de manquer honteusement à leur parole. Mais la liberté était antipathique à Napoléon depuis qu'il avait bu à la coupe du pouvoir ; il aimait mieux être vaincu avec des soldats que de vaincre avec des peuples. Les corps qu'il poussa successivement vers les Pays-Bas se montaient à soixante-dix mille hommes.

CE QUE NOUS FAISIONS À GAND. — M. DE BLACAS.

NOUS autres émigrés, nous étions dans la ville de Charles-Quint[1] comme les femmes de cette ville : assises derrière leurs fenêtres, elles voient dans un petit miroir incliné les soldats passer dans la rue. Louis XVIII était là dans un coin, complètement oublié ; à peine recevait-il de temps en temps un billet du prince de Talleyrand revenant de Vienne, quelques lignes des membres du corps diplomatique résidant auprès du duc de Wellington en qualité de commissaires, MM. Pozzo di Borgo, de Vincent[2], etc., etc. On avait bien autre chose à faire qu'à songer à nous ! Un homme étranger à la politique n'aurait jamais cru qu'un impotent caché au bord de la Lys serait rejeté sur le trône par le choc des milliers de soldats prêts à s'égorger : soldats dont il n'était ni le roi ni le général, qui ne pensaient pas à lui, qui ne connaissaient ni son nom ni son existence. De deux points si rapprochés, Gand et Waterloo, jamais l'un ne parut si obscur, l'autre si éclatant : la légitimité gisait au dépôt comme un vieux fourgon brisé.

Nous savions que les troupes de Bonaparte s'approchaient ; nous n'avions pour nous couvrir que nos deux petites compagnies sous les ordres du duc de Berry, prince dont le sang ne pouvait nous servir, car il était déjà demandé ailleurs. Mille chevaux, détachés de l'armée française, nous auraient enlevés en quelques heures. Les fortifications de Gand étaient démolies ; l'enceinte qui reste eût

1. Il était né à Gand.
2. Ambassadeur de Russie et d'Autriche.

été d'autant plus facilement forcée que la population belge ne nous était pas favorable. La scène dont j'avais été témoin aux Tuileries se renouvela : on préparait secrètement les voitures de S.M. ; les chevaux étaient commandés. Nous, fidèles ministres, nous aurions pataugé derrière, à la grâce de Dieu. MONSIEUR partit pour Bruxelles, chargé de surveiller de plus près les mouvements.

M. de Blacas était devenu soucieux et triste ; moi, pauvre homme, je le solaciais[1]. A Vienne on ne lui était pas favorable ; M. de Talleyrand s'en moquait ; les royalistes l'accusaient d'être la cause du retour de Napoléon. Ainsi, dans l'une ou l'autre chance, plus d'exil honoré pour lui en Angleterre, plus de premières places possibles en France : j'étais son unique appui. Je le rencontrais assez souvent au Marché aux chevaux, où il trottait seul ; m'attelant à son côté, je me conformais *à sa triste pensée*[2]. Cet homme que j'ai défendu à Gand et en Angleterre, que je défendis en France après les Cent-Jours, et jusque dans la préface de la *Monarchie selon la Charte,* cet homme m'a toujours été contraire : cela ne serait rien, s'il n'eût été un mal pour la monarchie. Je ne me repens pas de ma niaiserie passée ; mais je dois redresser dans ces *Mémoires* les surprises faites à mon jugement ou à mon bon cœur.

BATAILLE DE WATERLOO.

LE 18 juin 1815, vers midi, je sortis de Gand par la porte de Bruxelles ; j'allai seul achever ma promenade sur la grande

1. Consolais (archaïsme).
2. Souvenir du récit de Théramène (*Phèdre* V).

route. J'avais emporté les *Commentaires de César* et je cheminais lentement, plongé dans ma lecture. J'étais déjà à plus d'une lieue de la ville, lorsque je crus ouïr un roulement sourd : je m'arrêtai, regardai le ciel assez chargé de nuées, délibérant en moi-même si je continuerais d'aller en avant, ou si je me rapprocherais de Gand dans la crainte d'un orage. Je prêtai l'oreille ; je n'entendis plus que le cri d'une poule d'eau dans des joncs et le son d'une horloge de village. Je poursuivis ma route : je n'avais pas fait trente pas que le roulement recommença, tantôt bref, tantôt long et à intervalles inégaux ; quelquefois il n'était sensible que par une trépidation de l'air, laquelle se communiquait à la terre sur ces plaines immenses, tant il était éloigné. Ces détonations moins vastes, moins onduleuses, moins liées ensemble que celles de la foudre, firent naître dans mon esprit l'idée d'un combat. Je me trouvais devant un peuplier planté à l'angle d'un champ de houblon. Je traversai le chemin et je m'appuyai debout contre le tronc de l'arbre, le visage tourné du côté de Bruxelles. Un vent du sud s'étant levé m'apporta plus distinctement le bruit de l'artillerie. Cette grande bataille, encore sans nom, dont j'écoutais les échos au pied d'un peuplier, et dont une horloge de village venait de sonner les funérailles inconnues, était la bataille de Waterloo !

Auditeur silencieux et solitaire du formidable arrêt des destinées, j'aurais été moins ému si je m'étais trouvé dans la mêlée : le péril, le feu, la cohue de la mort ne m'eussent pas laissé le temps de méditer ; mais seul sous un arbre, dans la campagne de Gand, comme le berger des troupeaux qui paissaient autour de moi, le poids des réflexions m'accablait : Quel était ce combat ? Etait-il définitif ? Napoléon était-il là en personne ? Le monde, comme la robe du Christ, était-il jeté au sort [1] ? Succès ou revers de l'une ou l'autre armée, quelle serait la conséquence de l'événement pour les peuples, liberté ou esclavage ? Mais quel sang coulait ! chaque bruit parvenu à mon oreille n'était-il pas le dernier soupir d'un Français ? Etait-ce un nouveau Crécy, un nouveau Poitiers, un nouvel Azincourt, dont allaient jouir les

1. Cf. Ev. s saint Jean IX, 23 *sq*.

plus implacables ennemis de la France ? S'ils triomphaient, notre gloire n'était-elle pas perdue ? Si Napoléon l'emportait, que devenait notre liberté ? Bien qu'un succès de Napoléon m'ouvrît un exil éternel, la patrie l'emportait dans ce moment dans mon cœur ; mes vœux étaient pour l'oppresseur de la France, s'il devait, en sauvant notre honneur, nous arracher à la domination étrangère.

Wellington triomphait-il ? La légitimité rentrerait donc dans Paris derrière ces uniformes rouges qui venaient de reteindre leur pourpre au sang des Français ! La royauté aurait donc pour carrosse de son sacre les chariots d'ambulance remplis de nos grenadiers mutilés ! Que sera-ce qu'une restauration accomplie sous de tels auspices ?... Ce n'est là qu'une bien petite partie des idées qui me tourmentaient. Chaque coup de canon me donnait une secousse et doublait le battement de mon cœur. A quelques lieues d'une catastrophe immense, je ne la voyais pas ; je ne pouvais toucher le vaste monument funèbre croissant de minute en minute à Waterloo, comme du rivage de Boulaq, au bord du Nil, j'étendais vainement mes mains vers les Pyramides.

Aucun voyageur ne paraissait ; quelques femmes dans les champs, sarclant paisiblement des sillons de légumes, n'avaient pas l'air d'entendre le bruit que j'écoutais. Mais voici venir un courrier : je quitte le pied de mon arbre et je me place au milieu de la chaussée ; j'arrête le courrier et l'interroge. Il appartenait au duc de Berry et venait d'Alost. Il me dit : « Bonaparte est entré hier (17 juin) dans Bruxel-« les, après un combat sanglant. La bataille a dû recom-« mencer aujourd'hui (18 juin). On croit à la défaite « définitive des alliés, et l'ordre de la retraite est donné. » Le courrier continua sa route.

Je le suivis en me hâtant : je fus dépassé par la voiture d'un négociant qui fuyait en poste avec sa famille ; il me confirma le récit du courrier.

CONFUSION À GAND. — QUELLE FUT LA BATAILLE DE WATERLOO.

TOUT était dans la confusion quand je rentrai à Gand : on fermait les portes de la ville ; les guichets seuls demeuraient entre-bâillés ; des bourgeois mal armés et quelques soldats de dépôt faisaient sentinelle. Je me rendis chez le Roi.

Monsieur venait d'arriver par une route détournée : il avait quitté Bruxelles sur la fausse nouvelle que Bonaparte y allait entrer, et qu'une première bataille perdue ne laissait aucune espérance du gain d'une seconde. On racontait que les Prussiens ne s'étant pas trouvés en ligne, les Anglais avaient été écrasés.

Sur ces bulletins, le *sauve qui peut* devint général : les possesseurs de quelques ressources partirent ; moi, qui ai la coutume de n'avoir jamais rien, j'étais toujours prêt et dispos. Je voulais faire déménager avant moi madame de Chateaubriand, grande bonapartiste, mais qui n'aime pas les coups de canon : elle ne me voulut pas quitter.

Le soir, conseil auprès de S. M. : nous entendîmes de nouveau les rapports de Monsieur et les *on-dit* recueillis chez le commandant de la place ou chez le baron d'Eckstein[1]. Le fourgon des diamants de la couronne était attelé : je n'avais pas besoin de fourgon pour emporter mon trésor. J'enfermai le mouchoir de soie noire dont j'entortille ma tête la nuit dans mon flasque portefeuille de ministre de l'intérieur, et je me mis à la disposition du prince, avec ce document important des affaires de la légitimité. J'étais plus

1. Gouverneur de Gand.

riche dans ma première émigration, quand mon havresac me tenait lieu d'oreiller et servait de maillot à *Atala* : mais en 1815 *Atala* était une grande petite fille dégingandée de 13 à 14 ans, qui courait le monde toute seule, et qui, pour l'honneur de son père, avait fait trop parler d'elle.

Le 19 juin, à une heure du matin, une lettre de M. Pozzo, transmise au roi par estafette, rétablit la vérité des faits. Bonaparte n'était point entré dans Bruxelles ; il avait décidément perdu la bataille de Waterloo. Parti de Paris le 12 juin, il rejoignit son armée le 14. Le 15 il force les lignes de l'ennemi sur la Sambre. Le 16, il bat les Prussiens dans ces champs de Fleurus où la victoire semble à jamais fidèle aux Français. Les villages de Ligny et de Saint-Amand sont emportés. Aux Quatre-Bras, nouveau succès : le duc de Brunswick reste parmi les morts. Blücher en pleine retraite se rabat sur une réserve de 30 000 hommes, aux ordres du général de Bulow ; le duc de Wellington, avec les Anglais et les Hollandais, s'adosse à Bruxelles.

Le 18 au matin, avant les premiers coups de canon, le duc de Wellington déclara qu'il pourrait tenir jusqu'à trois heures ; mais qu'à cette heure, si les Prussiens ne paraissaient pas, il serait nécessairement écrasé : acculé sur Planchenois et Bruxelles, toute retraite lui était interdite. Surpris par Napoléon, sa position militaire était détestable ; il l'avait acceptée et ne l'avait pas choisie.

Les Français emportèrent d'abord, à l'aile gauche de l'ennemi, les hauteurs qui dominent le château d'Hougoumont jusqu'aux fermes de la Haie-Sainte et de Papelotte ; à l'aile droite ils attaquèrent le village de Mont-Saint-Jean ; la ferme de la Haie-Sainte est enlevée au centre par le prince Jérôme. Mais la réserve prussienne paraît vers Saint-Lambert à six heures du soir : une nouvelle et furieuse attaque est donnée au village de la Haie-Sainte ; Blücher survient avec des troupes fraîches et isole du reste de nos troupes déjà rompues les carrés de la garde impériale. Autour de cette phalange immortelle, le débordement des fuyards entraîne tout parmi des flots de poussière, de fumée ardente et de mitraille, dans des ténèbres sillonnées de fusées à la congrève[1], au milieu des rugissements de trois cents pièces d'artillerie et du galop précipité de vingt-cinq mille chevaux : c'était comme le sommaire de toutes les batailles de l'Empire. Deux fois les Français ont crié : Victoire ! deux fois leurs cris sont étouffés sous la pression des colonnes ennemies. Le feu de nos lignes s'éteint ; les cartouches sont épuisées ; quelques grenadiers blessés, au milieu de trente mille morts, de cent mille boulets sanglants, refroidis et conglobés à leurs pieds, restent debout appuyés sur leur mousquet, baïonnette brisée, canon sans charge. Non loin d'eux l'homme des batailles écoutait, l'œil fixe, le dernier coup de canon qu'il devait entendre de sa vie. Dans ces champs de carnage, son frère Jérôme combattait encore avec ses bataillons expirants accablés par le nombre, mais son courage ne put ramener la victoire.

Le nombre des morts du côté des alliés était estimé à dix-huit mille hommes, du côté des Français à vingt-cinq mille ; douze cents officiers anglais avaient péri ; presque tous les aides de camp du duc de Wellington étaient tués ou blessés : il n'y eut pas en Angleterre une famille qui ne prît le deuil. Le prince d'Orange[2] avait été atteint d'une balle à l'épaule, le baron de Vincent, ambassadeur d'Autriche, avait eu la main percée. Les Anglais furent redevables du succès aux Irlandais et à la brigade des montagnards écossais que les charges de notre cavalerie ne purent rompre. Le corps du général Grouchy, ne s'étant pas avancé, ne se trouva point à l'affaire. Les deux armées croisèrent le fer et le feu avec une bravoure et un acharnement qu'animait une inimitié nationale de dix siècles. Lord Castlereagh, rendant compte de la bataille à la Chambre des lords, disait : « Les soldats anglais et les soldats français, « après l'affaire, lavaient leurs mains sanglantes dans un « même ruisseau, et d'un bord à l'autre se congratulaient « mutuellement sur leur courage. » Wellington avait tou-

1. Fusées inventées par un lieutenant-colonel d'artillerie anglais, Sir William Congreve.
2. Il devint peu après roi des Pays-Bas sous le nom de Guillaume Ier.

jours été funeste à Bonaparte, ou plutôt le génie rival de la France, le génie anglais, barrait le chemin à la victoire. Aujourd'hui les Prussiens réclament contre les Anglais l'honneur de cette affaire décisive ; mais, à la guerre, ce n'est pas l'action accomplie, c'est le nom qui fait le triomphateur : ce n'est pas Bonaparte qui a gagné la véritable bataille d'Iena [1].

Les fautes des Français furent considérables : ils se trompèrent sur des corps ennemis ou amis ; ils occupèrent trop tard la position des Quatre-Bras ; le maréchal Grouchy [2], qui était chargé de contenir les Prussiens avec ses trente-six mille hommes, les laissa passer sans les voir : de là des reproches que nos généraux se sont adressés. Bonaparte attaqua de front selon sa coutume, au lieu de tourner les Anglais, et s'occupa, avec la présomption du maître, de couper la retraite à un ennemi qui n'était pas vaincu.

Beaucoup de menteries et quelques vérités assez curieuses ont été débitées sur cette catastrophe. Le mot : *La garde meurt et ne se rend pas,* est une invention qu'on n'ose plus défendre. Il paraît certain qu'au commencement de l'action, Soult fit quelques observations stratégiques à l'empereur : « Parce que Wellington vous a battu, lui répondit sèche-« ment Napoléon, vous croyez toujours que c'est un grand « général. » A la fin du combat, M. de Turenne [3] pressa Bonaparte de se retirer pour éviter de tomber entre les mains de l'ennemi : Bonaparte, sorti de ses pensées comme d'un rêve, s'emporta d'abord ; puis tout à coup, au milieu de sa colère, il s'élance sur son cheval et fuit.

---

1. Selon Chateaubriand, la vraie victoire de ce jour-là fut celle de Davout à Auerstaedt.

2. A quelques lignes d'intervalle Grouchy est appelé « général » et « maréchal ». Napoléon l'avait fait maréchal aux Cent-Jours ; la Restauration ne lui reconnut pas cette dignité, qui ne lui fut rendue qu'en 1831.

3. Le comte de Turenne (1776-1852), aide de camp de Napoléon.

RETOUR DE L'EMPEREUR. — RÉAPPARITION DE LA
FAYETTE. — NOUVELLE ABDICATION DE BONAPARTE. —
SÉANCES ORAGEUSES À LA CHAMBRE DES PAIRS. — PRÉSA-
GES MENAÇANTS POUR LA SECONDE RESTAURATION.

LE 19 juin, cent coups de canon des Invalides avaient
annoncé les succès de Ligny, de Charleroi, des Quatre-Bras ;
on célébrait des victoires mortes la veille à Waterloo. Le
premier courrier qui transmit à Paris la nouvelle de cette
défaite, une des plus grandes de l'histoire par ses résultats,
fut Napoléon lui-même : il rentra dans les barrières la nuit
du 21 ; on eût dit de ses mânes revenant pour apprendre à
ses amis qu'il n'était plus. Il descendit à l'Elysée-Bourbon :
lorsqu'il arriva de l'île d'Elbe, il était descendu aux Tuileries ; ces deux asiles, instinctivement choisis, révélaient le
changement de sa destinée.

   Tombé à l'étranger dans un noble combat, Napoléon eut
à supporter à Paris les assauts des avocats qui voulaient
mettre à sac ses malheurs : il regrettait de n'avoir pas
dissous la Chambre avant son départ pour l'armée ; il s'est
souvent aussi repenti de n'avoir pas fait fusiller Fouché et
Talleyrand. Mais il est certain que Bonaparte, après Waterloo, s'interdit toute violence, soit qu'il obéît au calme
habituel de son tempérament, soit qu'il fût dompté par la
destinée ; il ne dit plus comme avant sa première abdication : « On verra ce que c'est que la *mort d'un grand
« homme.* » Cette verve était passée. Antipathique à la
liberté, il songea à casser cette Chambre des représentants
que présidait Lanjuinais[1] , de citoyen devenu sénateur, de
sénateur devenu pair, depuis redevenu citoyen, de citoyen

---

1. Denis Lanjuinais (1753-1827), président de la Convention en 1795 et
de la Chambre en 1815.

allant redevenir pair. Le général La Fayette, député, lut à la tribune une proposition qui déclarait : «la Chambre en « permanence, crime de haute trahison toute tentative pour « la dissoudre, traître à la patrie, et jugé comme tel, « quiconque s'en rendrait coupable. » (21 juin 1815.)

Le discours du général commençait par ces mots :

« Messieurs, lorsque pour la première fois depuis bien « des années j'élève une voix que les vieux amis de la liberté « reconnaîtront encore, je me sens appelé à vous parler du « danger de la patrie . . . . « . . . . Voici l'instant de nous rallier autour du drapeau « tricolore, de celui de 89, celui de la liberté, de l'égalité et « de l'ordre public. »

L'anachronisme de ce discours causa un moment d'illusion ; on crut voir la Révolution, personnifiée dans La Fayette, sortir du tombeau et se présenter pâle et ridée à la tribune. Mais ces motions d'ordre, renouvelées de Mirabeau, n'étaient plus que des armes hors d'usage, tirées d'un vieil arsenal. Si La Fayette rejoignait noblement la fin et le commencement de sa vie, il n'était pas en son pouvoir de souder les deux bouts de la chaîne rompue du temps. Benjamin Constant se rendit auprès de l'empereur à l'Elysée-Bourbon ; il le trouva dans son jardin. La foule remplissait l'avenue de Marigny et criait : *Vive l'empereur!* cri touchant échappé des entrailles populaires ; il s'adressait au vaincu ! Bonaparte dit à Benjamin Constant : «Que me « doivent ceux-ci? je les ai trouvés, je les ai laissés pau- « vres.» C'est peut-être le seul mot qui lui soit sorti du cœur, si toutefois l'émotion du député n'a pas trompé son oreille. Bonaparte, prévoyant l'événement, vint au-devant de la sommation qu'on se préparait à lui faire ; il abdiqua pour n'être pas contraint d'abdiquer : «Ma vie politique est finie, « dit-il : je déclare mon fils, sous le nom de Napoléon II, « empereur des Français.» Inutile disposition, telle que celle de Charles X en faveur de Henri V : on ne donne des couronnes que lorsqu'on les possède, et les hommes cassent le testament de l'adversité. D'ailleurs l'empereur n'était pas plus sincère en descendant du trône une seconde fois qu'il ne l'avait été dans sa première retraite ; aussi, lorsque les commissaires français allèrent apprendre au duc de Wellington que Napoléon avait abdiqué, il leur répondit : « Je le « savais depuis un an. »

La Chambre des représentants, après quelques débats où Manuel [1] prit la parole, accepta la nouvelle abdication de son souverain, mais vaguement et sans nommer de régence.

Une commission exécutive est créée : le duc d'Otrante la préside ; trois ministres, un conseiller d'Etat et un général de l'empereur la composent et dépouillent de nouveau leur maître : c'étaient Fouché, Caulaincourt, Carnot, Quinette [2] et Grenier [3].

Pendant ces transactions, Bonaparte retournait ses idées dans sa tête : « Je n'ai plus d'armée, disait-il, je n'ai plus « que des fuyards. La majorité de la Chambre des députés « est bonne ; je n'ai contre moi que La Fayette, Lanjuinais « et quelques autres. Si la nation se lève, l'ennemi sera « écrasé ; si, au lieu d'une levée, on dispute, tout sera perdu. « La nation n'a pas envoyé les députés pour me renverser, « mais pour me soutenir. Je ne les crains point, quelque « chose qu'ils fassent ; je serai toujours l'idole du peuple et « de l'armée : si je disais un mot ils seraient assommés. « Mais si nous nous querellons au lieu de nous entendre, « nous aurons le sort du Bas-Empire. »

Une députation de la Chambre des représentants étant venue le féliciter sur sa nouvelle abdication, il répondit : « Je vous remercie : je désire que mon abdication puisse « faire le bonheur de la France ; mais je ne l'espère pas. »

Il se repentit bientôt après, lorsqu'il apprit que la Chambre des représentants avait nommé une commission de gouvernement composée de cinq membres. Il dit aux ministres : « Je n'ai point abdiqué en faveur d'un nouveau « Directoire, j'ai abdiqué en faveur de mon fils : si on ne le « proclame point, mon abdication est nulle et non avenue. « Ce n'est point en se présentant devant les alliés l'oreille « basse et le genou en terre que les Chambres les forceront « à reconnaître l'indépendance nationale. »

---

1. Il sera sous la Restauration un des chefs de l'opposition libérale (1775-1827).
2. Ancien conventionnel comblé d'honneur sous l'Empire (1762-1821).
3. Vice-président de la Chambre (1766-1827).

Il se plaignait que La Fayette, Sébastiani, Pontécoulant [1], Benjamin Constant, avaient conspiré contre lui, que d'ailleurs les Chambres n'avaient pas assez d'énergie. Il disait que lui seul pouvait tout réparer, mais que les meneurs n'y consentiraient jamais, qu'ils aimeraient mieux s'engloutir dans l'abîme que de s'unir avec lui, Napoléon, pour le fermer.

Le 27 juin, à la Malmaison, il écrivit cette sublime lettre : « En abdiquant le pouvoir, je n'ai point renoncé au plus « noble droit du citoyen, au droit de défendre mon pays. « Dans ces graves circonstances, j'offre mes services comme « général, me regardant encore comme le premier soldat de « la patrie. »

Le duc de Bassano [2] lui ayant représenté que les Chambres ne seraient pas pour lui : « Alors je le vois bien, dit-il, il « faut toujours céder. Cet infâme Fouché vous trompe ; il « n'y a que Caulaincourt et Carnot qui valent quelque « chose ; mais que peuvent-ils faire, avec un traître, Fouché, « et deux niais, Quinette et Grenier, et deux Chambres qui « ne savent ce qu'elles veulent ? Vous croyez tous comme « des imbéciles aux belles promesses des étrangers ; vous « croyez qu'ils vous mettront la poule au pot, et qu'ils vous « donneront un prince de leur façon, n'est-ce pas ? Vous « vous trompez *. »

Des plénipotentiaires furent envoyés aux alliés. Napoléon requit le 29 juin deux frégates, stationnées à Rochefort, pour le transporter hors de France ; en attendant il s'était retiré à la Malmaison.

Les discussions étaient vives à la Chambre des pairs. Longtemps ennemi de Bonaparte, Carnot [3] , qui signait l'ordre des égorgements d'Avignon sans avoir le temps de le lire, avait eu le temps, pendant les Cent-Jours, d'immoler son républicanisme au titre de comte. Le 22 juin, il avait lu au Luxembourg une lettre du ministre de la guerre, conte-

1. Ancien conventionnel, sénateur sous l'Empire, pair de France sous la Restauration et la Monarchie de juillet.

2. Maret.

3. Napoléon l'avait fait aux Cent-Jours comte d'Empire et ministre de l'Intérieur.

* Voyez les *Œuvres de Napoléon*, Tome Ier, dernières pages.

nant un rapport exagéré sur les ressources militaires de la France. Ney, nouvellement arrivé, ne put entendre ce rapport sans colère. Napoléon, dans ses bulletins, avait parlé du maréchal avec un mécontentement mal déguisé, et Gourgaud accusa Ney d'avoir été la principale cause de la perte de la bataille de Waterloo. Ney se leva et dit : « Ce rapport « est faux, faux de tous points : Grouchy ne peut avoir sous « ses ordres que vingt à vingt-cinq mille hommes tout au « plus. Il n'y a plus un seul soldat de la garde à rallier ; je la « commandais ; je l'ai vu massacrer tout entière avant de « quitter le champ de bataille. L'ennemi est à Nivelle avec « quatre-vingt mille hommes ; il peut être à Paris dans six « jours : vous n'avez d'autre moyen de sauver la patrie que « d'ouvrir des négociations. »

L'aide de camp Flahaut voulut soutenir le rapport du ministre de la guerre ; Ney répliqua avec une nouvelle véhémence : « Je le répète, vous n'avez d'autre voie de « salut que la négociation. Il faut que vous rappeliez « les Bourbons. Quant à moi, je me retirerai aux Etats- « Unis. »

A ces mots, Lavalette et Carnot accablèrent le maréchal de reproches ; Ney leur répondit avec dédain : « Je ne suis « pas de ces hommes pour qui leur intérêt est tout : que « gagnerai-je au retour de Louis XVIII ? d'être fusillé pour « crime de désertion ; mais je dois la vérité à mon pays. »

Dans la séance des pairs du 23, le général Drouot, rappelant cette scène, dit : « J'ai vu avec chagrin ce qui fut « dit hier pour diminuer la gloire de nos armes, exagérer « nos désastres et diminuer nos ressources. Mon étonne- « ment a été d'autant plus grand que ces discours étaient « prononcés par un général distingué (Ney), qui, par sa « grande valeur et ses connaissances militaires, a tant de « fois mérité la reconnaissance de la nation. »

Dans la séance du 22, un second orage avait éclaté à la suite du premier : il s'agissait de l'abdication de Bonaparte ; Lucien insistait pour qu'on reconnût son neveu empereur. M. de Pontécoulant interrompit l'orateur, et demanda de quel droit Lucien, étranger et prince romain, se permettait de donner un souverain à la France. « Comment, ajouta-t-il, « reconnaître un enfant qui réside en pays étranger ? » A cette question, La Bédoyère [1] s'agitant devant son siège :

« J'ai entendu des voix autour du trône du souverain
« heureux ; elles s'en éloignent aujourd'hui qu'il est dans le
« malheur. Il y a des gens qui ne veulent pas reconnaître
« Napoléon II, parce qu'ils veulent recevoir la loi de l'étran-
« ger, à qui ils donnent le nom d'*alliés*.

« L'abdication de Napoléon est indivisible. Si l'on ne
« veut pas reconnaître son fils, il doit tenir l'épée, environné
« de Français qui ont versé leur sang pour lui, et qui sont
« encore tout couverts de blessures.

« Il sera abandonné par de vils généraux qui l'ont déjà
« trahi.

« Mais si l'on déclare que tout Français qui quit-
« tera son drapeau sera couvert d'infamie, sa maison rasée,
« sa famille proscrite, alors plus de traîtres, plus de manœu-
« vres qui ont occasionné les dernières catastrophes et dont
« peut-être quelques auteurs siègent ici. »

La Chambre se lève en tumulte : « A l'ordre ! à l'ordre ! à
« l'ordre ! » mugit-on blessé du coup : « Jeune homme, vous
« vous oubliez ! s'écria Masséna. — Vous vous croyez
« encore au corps de garde ? » disait Lameth [2].

Tous les présages de la seconde restauration furent
menaçants : Bonaparte était revenu à la tête de quatre
cents Français, Louis XVIII revenait derrière quatre cent
mille étrangers ; il passa près de la mare de sang de
Waterloo, pour aller à Saint-Denis comme à sa sépulture.

C'était pendant que la légitimité s'avançait ainsi que
retentissaient les interpellations de la Chambre des pairs ; il
y avait là je ne sais quoi de ces terribles scènes révolutionnaires aux grands jours de nos malheurs, quand le poignard
circulait au tribunal entre les mains des victimes. Quelques
militaires dont la funeste fascination avait amené la ruine
de la France, en déterminant la seconde invasion de l'étranger, se débattaient sur le seuil du palais ; leur désespoir
prophétique, leurs gestes, leurs paroles de la tombe, sem-

1. Il sera fusillé sous la Restauration.
2. Ancien Constituant, préfet sous l'Empire, préfet sous la Restauration.

blaient annoncer une triple mort : mort à eux-mêmes, mort à l'homme qu'ils avaient béni, mort à la race qu'ils avaient proscrite.

DÉPART DE GAND. — ARRIVÉE À MONS. — JE MANQUE MA PREMIÈRE OCCASION DE FORTUNE DANS MA CARRIÈRE POLITIQUE. — M. DE TALLEYRAND À MONS. — SCÈNE AVEC LE ROI. — JE M'INTÉRESSE BÊTEMENT À M. DE TALLEY-RAND.

TANDIS que Bonaparte se retirait à la Malmaison avec l'Empire fini, nous, nous partions de Gand avec la monarchie recommençante. Pozzo, qui savait combien il s'agissait peu de la légitimité en haut lieu, se hâta d'écrire à Louis XVIII de partir et d'arriver vite, s'il voulait régner avant que la place fût prise : c'est à ce billet que Louis XVIII dut sa couronne en 1815.

À Mons, je manquai la première occasion de fortune de ma carrière politique ; j'étais mon propre obstacle et je me trouvais sans cesse sur mon chemin. Cette fois, mes *qualités* me jouèrent le mauvais tour que m'auraient pu faire mes défauts.

M. de Talleyrand, dans tout l'orgueil d'une négociation [1] qui l'avait enrichi, prétendait avoir rendu à la légitimité les plus grands services et il revenait en maître. Etonné que déjà on n'eût point suivi pour le retour à Paris la route qu'il avait tracée, il fut bien plus mécontent de retrouver M. de Blacas avec le Roi. Il regardait M. de Blacas comme le fléau de la monarchie ; mais ce n'était pas là le vrai motif de son

1. Au congrès de Vienne.

aversion : il considérait dans M. de Blacas le favori, par conséquent le rival ; il craignait aussi Monsieur et s'était emporté lorsque, quinze jours auparavant, Monsieur lui avait fait offrir son hôtel sur la Lys. Demander l'éloignement de M. de Blacas, rien de plus naturel ; l'exiger, c'était trop se souvenir de Bonaparte.

M. de Talleyrand entra dans Mons vers les six heures du soir, accompagné de l'abbé Louis : M. de Ricé, M. de Jaucourt et quelques autres commensaux, volèrent à lui. Plein d'une humeur qu'on ne lui avait jamais vue, l'humeur d'un roi qui croit son autorité méconnue, il refusa de prime abord d'aller chez Louis XVIII, répondant à ceux qui l'en pressaient par sa phrase ostentatrice : « Je ne suis jamais « pressé ; il sera temps demain. » Je l'allai voir ; il me fit toutes ces cajoleries avec lesquelles il séduisait les petits ambitieux et les niais importants. Il me prit par le bras, s'appuya sur moi en me parlant : familiarités de haute faveur, calculées pour me tourner la tête, et qui étaient, avec moi, tout à fait perdues ; je ne comprenais même pas. Je l'invitai à venir chez le Roi où je me rendais.

Louis XVIII était dans ses grandes douleurs : il s'agissait de se séparer de M. de Blacas ; celui-ci ne pouvait rentrer en France ; l'opinion était soulevée contre lui ; bien que j'eusse eu à me plaindre du favori à Paris, je ne lui en avais témoigné à Gand aucun ressentiment. Le Roi m'avait su gré de ma conduite ; dans son attendrissement, il me traita à merveille. On lui avait déjà rapporté les propos de M. de Talleyrand : « Il se vante, me dit-il, de m'avoir remis une « seconde fois la couronne sur la tête et il me menace de « reprendre le chemin de l'Allemagne : qu'en pensez-vous, « M. de Chateaubriand ? » Je répondis : « On aura mal « instruit Votre Majesté ; M. de Talleyrand est seulement « fatigué. Si le Roi y consent, je retournerai chez le « ministre. » Le Roi parut bien aise ; ce qu'il aimait le moins, c'étaient les tracasseries ; il désirait son repos aux dépens même de ses affections.

M. de Talleyrand au milieu de ses flatteurs était plus monté que jamais. Je lui représentai qu'en un moment aussi critique, il ne pouvait songer à s'éloigner. Pozzo le prêcha dans ce sens : bien qu'il n'eût pas la moindre inclination pour lui, il aimait dans ce moment à le voir aux affaires comme une ancienne connaissance ; de plus il le supposait en faveur près du czar. Je ne gagnai rien sur l'esprit de M. de Talleyrand, les habitués du prince me combattaient ; M. Mounier même pensait que M. de Talleyrand devait se retirer. L'abbé Louis, qui mordait tout le monde, me dit en secouant trois fois sa mâchoire : « Si j'étais le prince, je ne « resterais pas un quart d'heure à Mons. » Je lui répondis : « Monsieur l'abbé, vous et moi nous pouvons nous « en aller où nous voulons ; personne ne s'en apercevra ; il « n'en est pas de même de M. de Talleyrand. » J'insistai encore et je dis au prince : « Savez-vous que le Roi continue « son voyage ? » M. de Talleyrand parut surpris, puis il me dit superbement, comme le Balafré à ceux qui le voulaient mettre en garde contre les desseins d'Henri III : « Il n'osera ! »

Je revins chez le Roi où je trouvai M. de Blacas. Je dis à S. M., pour excuser son ministre, qu'il était malade, mais qu'il aurait très-certainement l'honneur de faire sa cour au Roi le lendemain. « Comme il voudra, répliqua Louis « XVIII : je pars à trois heures ; » et puis il ajouta affectueusement ces paroles : « Je vais me séparer de M. de « Blacas ; la place sera vide, monsieur de Chateaubriand. »

C'était la maison du roi mise à mes pieds. Sans s'embarrasser davantage de M. de Talleyrand, un politique avisé aurait fait attacher ses chevaux à sa voiture pour suivre ou précéder le Roi : je demeurai sottement dans mon auberge.

M. de Talleyrand, ne pouvant se persuader que le Roi s'en irait, s'était couché : à trois heures on le réveille pour lui dire que le Roi part ; il n'en croit pas ses oreilles : « Joué ! trahi ! » s'écria-t-il. On le lève, et le voilà, pour la première fois de sa vie, à trois heures du matin dans la rue, appuyé sur le bras de M. de Ricé. Il arrive devant l'hôtel du Roi ; les deux premiers chevaux de l'attelage avaient déjà la moitié du corps hors de la porte cochère. On fait signe au postillon de s'arrêter ; le Roi demande ce que c'est ; on lui crie : Sire, « c'est M. de Talleyrand. » — « Il dort, dit Louis XVIII. — « Le voilà, sire. — Allons ! répondit le Roi. » Les chevaux reculent avec la voiture ; on ouvre la portière, le Roi descend, rentre en se traînant dans son appartement, suivi du ministre boiteux. Là M. de Talleyrand commence en colère une explication ; S. M. l'écoute et lui répond : « Prince de Bénévent, vous nous quittez ? Les eaux vous « feront du bien : vous nous donnerez de vos nouvelles. » Le Roi laisse le prince ébahi, se fait reconduire à sa berline et part.

M. de Talleyrand bavait de colère ; le sang-froid de Louis XVIII l'avait démonté : lui, M. de Talleyrand, qui se piquait de tant de sang-froid, être battu sur son propre terrain, planté là, sur une place à Mons, comme l'homme le plus insignifiant : il n'en revenait pas ! Il demeure muet, regarde s'éloigner le carrosse, puis saisissant le duc de Lévis par un bouton de son spencer : « Allez, monsieur le duc, « allez dire comme on me traite ! J'ai remis la couronne sur « la tête du Roi (il en revenait toujours à cette couronne), et « je m'en vais en Allemagne commencer la nouvelle émigra- « tion. »

M. de Lévis écoutant en distraction, se haussant sur la pointe du pied, dit : « Prince, je pars, il faut qu'il y ait au « moins un grand seigneur avec le Roi. »

M. de Lévis se jeta dans une carriole de louage qui portait le chancelier de France [1] : les deux grandeurs de la monarchie capétienne [2] s'en allèrent côte à côte la rejoindre, à moitié frais, dans une *benne* [3] mérovingienne.

J'avais prié M. de Duras de travailler à la réconciliation et de m'en donner les premières nouvelles. « Quoi ! m'avait dit M. de Duras, vous restez après ce que vous a dit le Roi ? » M. de Blacas, en partant de Mons de son côté me remercia de l'intérêt que je lui avais montré.

Je retrouvai M. de Talleyrand embarrassé ; il en était au regret de n'avoir pas suivi mon conseil, et d'avoir, comme un sous-lieutenant mauvaise tête, refusé d'aller le soir chez le Roi ; il craignait que des arrangements eussent lieu sans lui, qu'il ne pût participer à la puissance politique et profiter des tripotages d'argent qui se préparaient. Je lui dis que, bien que je différasse de son opinion, je ne lui en restais pas moins attaché, comme un ambassadeur à son

1. Dambray (p. 298).
2. Le grand seigneur et le chancelier.
3. Sorte de voiture publique.

ministre ; qu'au surplus j'avais des amis auprès du Roi, et que j'espérais bientôt apprendre quelque chose de bon. M. de Talleyrand était une vraie tendresse, il se penchait sur mon épaule ; certainement il me croyait dans ce moment un très-grand homme.

Je ne tardai point à recevoir un billet de M. de Duras ; il m'écrivait de Cambrai que l'affaire était arrangée, et que M. de Talleyrand allait recevoir l'ordre de se mettre en route ; cette fois le prince ne manqua pas d'obéir.

Quel diable me poussait ? je n'avais point suivi le Roi qui m'avait pour ainsi dire offert ou plutôt donné le ministère de sa maison et qui fut blessé de mon obstination à rester à Mons : je me cassais le cou pour M. de Talleyrand que je connaissais à peine, que je n'estimais point, que je n'admirais point ; pour M. de Talleyrand qui allait entrer dans des combinaisons nullement les miennes, qui vivait dans une atmosphère de corruption dans laquelle je ne pouvais respirer !

Ce fut de Mons même, au milieu de tous ses embarras, que le prince de Bénévent envoya M. Duperey toucher à Naples les millions d'un de ses marchés de Vienne. M. de Blacas cheminait en même temps avec l'ambassade de Naples dans sa poche, et d'autres millions que le généreux exilé de Gand lui avait donnés à Mons. Je m'étais tenu dans de bons rapports avec M. de Blacas, précisément parce que tout le monde le détestait ; j'avais encouru l'amitié de M. de Talleyrand pour ma fidélité à un caprice de son humeur ; Louis XVIII m'avait positivement appelé auprès de sa personne, et je préférai la turpitude d'un homme sans foi à la faveur du Roi : il était trop juste que je reçusse la récompense de ma stupidité, que je fusse abandonné de tous, pour les avoir voulu servir tous. Je rentrai en France n'ayant pas de quoi payer ma route, tandis que les trésors pleuvaient sur les disgraciés : je méritais cette correction. C'est fort bien de s'escrimer en pauvre chevalier quand tout le monde est cuirassé d'or ; mais encore ne faut-il pas faire des fautes énormes : moi demeuré auprès du Roi, la combinaison du ministère Talleyrand et Fouché devenait presque impossible ; la Restauration commençait par un ministère moral et honorable, toutes les combinaisons de l'avenir pouvaient changer. L'insouciance que j'avais de ma personne me trompa sur l'importance des faits : la plupart des hommes ont le défaut de se trop compter ; j'ai le défaut de ne me pas compter assez : je m'enveloppai dans le dédain habituel de ma fortune ; j'aurais dû voir que la fortune de la France se trouvait liée dans ce moment à celle de mes petites destinées : ce sont de ces enchevêtrements historiques fort communs.

DE MONS À GONESSE. — JE M'OPPOSE AVEC M. LE COMTE BEUGNOT À LA NOMINATION DE FOUCHÉ COMME MINISTRE : MES RAISONS. — LE DUC DE WELLINGTON L'EMPORTE. — ARNOUVILLE. — SAINT-DENIS. — DERNIÈRE CONVERSATION AVEC LE ROI.

SORTI enfin de Mons, j'arrivai au Cateau-Cambresis ; M. de Talleyrand m'y rejoignit : nous avions l'air de venir refaire le traité de paix de 1559 entre Henri II de France et Philippe II d'Espagne.

A Cambrai, il se trouva que le marquis de La Suze, maréchal des logis du temps de Fénélon [1], avait disposé des billets de logement de madame de Lévis, de madame de Chateaubriand et du mien : nous demeurâmes dans la rue, au milieu des feux de joie, de la foule circulant autour de nous et des habitants qui criaient : *Vive le Roi!* Un

_____

1. Ce marquis était un homme de l'ancien temps ; d'où, puisque nous sommes à Cambrai, « du temps de Fénélon ». — On appelait « maréchaux des logis » les officiers chargés de préparer les logements pour la cour en voyage.

étudiant, ayant appris que j'étais là, nous conduisit à la maison de sa mère.

Les amis des diverses monarchies de France commençaient à paraître ; ils ne venaient pas à Cambrai pour la ligue contre Venise[1], mais pour s'associer contre les nouvelles constitutions ; ils accouraient mettre aux pieds du Roi leurs fidélités successives et leur haine pour la Charte : passeport qu'ils jugeaient nécessaire auprès de MONSIEUR ; moi et deux ou trois raisonnables Gilles[2], nous sentions déjà la jacobinerie.

Le 23 juin, parut la déclaration de Cambrai. Le Roi y disait : « Je ne veux éloigner de ma personne que ces « hommes dont la renommée est un sujet de douleur pour la « France et d'effroi pour l'Europe. » Or voyez, le nom de Fouché était prononcé avec gratitude par le pavillon Marsan ! le Roi riait de la nouvelle passion de son frère et disait : « Elle ne lui est pas venue de l'inspiration divine. » Je « vous ai déjà raconté qu'en traversant Cambrai après les Cent-Jours, je cherchai vainement mon logis du temps du régiment de Navarre et le café que je fréquentais avec La Martinière[3] : tout avait disparu avec ma jeunesse.

De Cambrai, nous allâmes coucher à Roye : la maîtresse de l'auberge prit madame de Chateaubriand pour madame la Dauphine ; elle fut portée en triomphe dans une salle où il y avait une table mise de trente couverts : la salle, éclairée de bougies, de chandelles et d'un large feu, était suffocante. L'hôtesse ne voulait pas recevoir de payement, et elle disait : « Je me regarde de travers pour n'avoir pas su me « faire guillotiner pour nos Rois. » Dernière étincelle d'un feu qui avait animé les Français pendant tant de siècles.

Le général Lamothe, beau-frère de M. Laborie, vint, envoyé par les autorités de la capitale, nous instruire qu'il nous serait impossible de nous présenter à Paris sans la cocarde tricolore. M. de La Fayette et d'autres commissaires, d'ailleurs fort mal reçus des alliés, valetaient d'état-major en état-major, mendiant près des étrangers un maître

---

1. Conclue à Cambrai en 1508 entre le pape et l'empereur.
2. Naïfs, niais, comme le Gilles de la foire.
3. Voir T. I, p. 160. *sq.*

quelconque pour la France : tout roi, au choix des cosaques, serait excellent, pourvu qu'il ne descendît pas de saint Louis et de Louis XIV.

A Roye, on tint conseil : M. de Talleyrand fit attacher deux haridelles à sa voiture et se rendit chez S.M. Son équipage occupait la largeur de la place, à partir de l'auberge du ministre jusqu'à la porte du Roi. Il descendit de son char avec un mémoire qu'il nous lut : il examinait le parti qu'on aurait à suivre en arrivant ; il hasardait quelques mots sur la nécessité d'admettre indistinctement tous le monde au partage des places ; il faisait entendre qu'on pourrait aller généreusement jusqu'aux juges de Louis XVI. S.M. rougit et s'écria en frappant des deux mains les deux bras de son fauteuil : « Jamais ! » Jamais de vingt-quatre heures.

A Senlis, nous nous présentâmes chez un chanoine : sa servante nous reçut comme des chiens ; quant au chanoine, qui n'était pas saint Rieul [1], patron de la ville, il ne voulut seulement pas nous regarder. Sa bonne avait ordre de ne nous rendre d'autre service que de nous acheter de quoi manger, pour notre argent : le *Génie du Christianisme* me fut néant. Pourtant Senlis aurait dû nous être de bon augure, puisque ce fut dans cette ville que Henri IV se déroba aux mains de ses geôliers en 1576 : « Je n'ai de « regret, s'écriait en s'échappant le Roi, compatriote de « Montaigne, que pour deux choses que j'ai laissées à Paris, « la messe et ma femme. »

De Senlis nous nous rendîmes au berceau de Philippe-Auguste, autrement Gonesse. En approchant du village, nous aperçûmes deux personnes qui s'avançaient vers nous : c'étaient le maréchal Macdonald et mon fidèle ami Hyde de Neuville [2]. Ils arrêtèrent notre voiture et nous demandèrent où était M. de Talleyrand ; ils ne firent aucune difficulté de m'apprendre qu'ils le cherchaient afin d'informer le Roi que S.M. ne devait pas songer à franchir la barrière avant d'avoir pris Fouché pour ministre. L'inquiétude me

1. Premier évêque de Senlis (IIIe siècle).
2. Ami intime de Chateaubriand. Il a fait une carrière politique et diplomatique sous la Restauration (1776-1857).

gagna, car, malgré la manière dont Louis XVIII s'était prononcé à Roye, je n'étais pas très-rassuré. Je questionnai le maréchal : « Quoi, monsieur le maréchal, lui dis-je, est-il « certain que nous ne pouvons rentrer qu'à des conditions si « dures ? — Ma foi, monsieur le vicomte, me répondit le « maréchal, je n'en suis pas bien convaincu. »

Le Roi s'arrêta deux heures à Gonesse. Je laissai madame de Chateaubriand au milieu du grand chemin dans sa voiture, et j'allai au conseil à la mairie. Là fut mise en délibération une mesure d'où devait dépendre le sort futur de la monarchie. La discussion s'entama : je soutins, seul avec M. Beugnot, qu'en aucun cas Louis XVIII ne devait admettre dans ses conseils M. Fouché. Le Roi écoutait : je voyais qu'il eût tenu volontiers la parole de Roye ; mais il était absorbé par Monsieur et pressé par le duc de Wellington.

Dans un chapitre de *la Monarchie selon la Charte*, j'ai résumé les raisons que je fis valoir à Gonesse. J'étais animé ; la parole parlée a une puissance qui s'affaiblit dans la parole écrite : « Partout où il y a une tribune ouverte, dis-je « dans ce chapitre, quiconque peut être exposé à des « reproches d'une certaine nature ne peut être placé à la « tête du gouvernement. Il y a tel discours, tel mot, qui « obligerait un pareil ministre à donner sa démission en « sortant de la Chambre. C'est cette impossibilité résultante « du principe libre des gouvernements représentatifs que « l'on ne sentit pas lorsque toutes les illusions se réunirent « pour porter un homme fameux au ministère, malgré la « répugnance trop fondée de la couronne. L'élévation de cet « homme devait produire l'une de ces deux choses : ou « l'abolition de la Charte, ou la chute du ministère à « l'ouverture de la session. Se représente-t-on le ministre « dont je veux parler, écoutant à la Chambre des députés la « discussion sur le 21 janvier, pouvant être apostrophé à « chaque instant par quelque député de Lyon, et toujours « menacé du terrible *Tu es ille vir*[1] ! Les hommes de cette « sorte ne peuvent être employés ostensiblement qu'avec les

1. « C'est toi qui es cet homme ! ». Apostrophe du prophète Nathan à David (*Rois* II, 12).

« muets du sérail de Bajazet, ou les muets du Corps
« législatif de Bonaparte. Que deviendra le ministre si un
« député, montant à la tribune un *Moniteur* à la main, lit le
« rapport de la Convention du 9 août 1795 ; s'il demande
« l'expulsion de Fouché comme indigne en vertu de ce
« rapport qui le *chassait,* lui Fouché (je cite textuel-
« lement), *comme un voleur et un terroriste, dont la condui-
« te atroce et criminelle communiquait le déshonneur et
« l'opprobre à toute assemblée quelconque dont il devien-
« drait membre ? »*

Voilà les choses que l'on a oubliées !

Après tout, avait-on le malheur de croire qu'un homme
de cette espèce pouvait jamais être utile ? Il fallait le laisser
derrière le rideau, consulter sa triste expérience ; mais faire
violence à la couronne et à l'opinion, appeler à visage
découvert un pareil ministre aux affaires, un homme que
Bonaparte, dans ce moment même, traitait d'infâme,
n'était-ce pas déclarer qu'on renonçait à la liberté et à la
vertu ? Une couronne vaut-elle un pareil sacrifice ? On
n'était plus maître d'éloigner personne : qui pouvait-on
exclure après avoir pris Fouché ?

Les partis agissaient sans songer à la forme du gouvernement qu'ils avaient adoptée ; tout le monde parlait de
constitution, de liberté, d'égalité, de droit des peuples, et
personne n'en voulait ; verbiage à la mode : on demandait,
sans y penser, des nouvelles de la Charte, tout en espérant
qu'elle crèverait bientôt. Libéraux et royalistes inclinaient
au gouvernement absolu, amendé par les mœurs : c'est le
tempérament et le train de la France. Les intérêts matériels
dominaient ; on ne voulait point renoncer à ce qu'on avait,
dit-on, fait pendant la Révolution ; chacun était chargé de sa
propre vie et prétendait en onérer le voisin : le mal,
assurait-on, était devenu un élément public, lequel devait
désormais se combiner avec les gouvernements, et entrer
comme principe vital dans la société.

Ma lubie relative à une Charte, mise en mouvement par
l'action religieuse et morale, a été la cause du mauvais
vouloir que certains partis m'ont porté : pour les royalistes,
j'aimais trop la liberté ; pour les révolutionnaires, je mépri-
sais trop les crimes. Si je ne m'étais trouvé là, à mon grand

détriment, pour me faire maître d'école de constitutionna-
lité, dès les premiers jours les ultra et les jacobins auraient
mis la Charte dans la poche de leur frac à fleurs de lis, ou
de leur carmagnole à la Cassius.

M. de Talleyrand n'aimait pas M. Fouché ; M. Fouché
détestait et, ce qu'il y a de plus étrange, méprisait M. de
Talleyrand : il était difficile d'arriver à ce succès. M. de
Talleyrand, qui d'abord eût été content de n'être pas
accouplé à M. Fouché, sentant que celui-ci était inévitable,
donna les mains au projet ; il ne s'aperçut pas qu'avec la
Charte (lui surtout uni au mitrailleur de Lyon) il n'était
guère plus possible que Fouché.

Promptement se vérifia ce que j'avais annoncé : on n'eut
pas le profit de l'admission du duc d'Otrante, on n'en eut
que l'opprobre ; l'ombre des Chambres approchant suffit
pour faire disparaître des ministres trop exposés à la
franchise de la tribune.

Mon opposition fut inutile : selon l'usage des caractères
faibles, le Roi leva la séance sans rien déterminer ; l'ordonnance ne devait être arrêtée qu'au château d'Arnouville.

On ne tint point conseil en règle dans cette dernière
résidence ; les intimes et les affiliés au secret furent seuls
assemblés. M. de Talleyrand, nous ayant devancés, prit
langue avec ses amis. Le duc de Wellington arriva : je le vis
passer en calèche ; les plumes de son chapeau flottaient en
l'air ; il venait octroyer à la France M. Fouché et M. de
Talleyrand, comme le double présent que la victoire de
Waterloo faisait à notre patrie. Lorsqu'on lui représentait
que le régicide de M. le duc d'Otrante était peut-être un
inconvénient, il répondait : « C'est une *frivolité.* » Un Irlandais protestant [1], un général anglais étranger à nos mœurs
et à notre histoire, un esprit ne voyant dans l'année
française de 1793 que l'antécédent anglais de l'année 1649 [2],
était chargé de régler nos destinées ! L'ambition de Bonaparte nous avait réduits à cette misère.

Je rôdais à l'écart dans les jardins d'où le contrôleur
général Machault, à l'âge de quatre-vingt-treize ans, était

1. Wellington était né près de Dublin, d'une famille irlandaise.
2. Année de l'exécution de Charles Ier.

allé s'éteindre aux Madelonnettes [1] ; car la mort dans sa grande revue n'oubliait alors personne. Je n'étais plus appelé ; les familiarités de l'infortune commune avaient cessé entre le souverain et le sujet : le Roi se préparait à rentrer dans son palais, moi dans ma retraite. Le vide se reforme autour des monarques sitôt qu'ils retrouvent le pouvoir. J'ai rarement traversé sans faire des réflexions sérieuses les salons silencieux et déshabités des Tuileries, qui me conduisaient au cabinet du Roi : à moi, déserts d'une autre sorte, solitudes infinies où les mondes mêmes s'évanouissent devant Dieu, seul être réel.

On manquait de pain à Arnouville ; sans un officier du nom de Dubourg et qui dénichait [2] de Gand comme nous, nous eussions jeûné. M. Dubourg* alla à la picorée [3] ; il nous rapporta la moitié d'un mouton au logis du maire en fuite. Si la servante de ce maire, héroïne de Beauvais demeurée seule, avait eu des armes, elle nous aurait reçus comme Jeanne Hachette [4].

Nous nous rendîmes à Saint-Denis : sur les deux bords de la chaussée s'étendaient les bivouacs des Prussiens et des Anglais ; les yeux rencontraient au loin les flèches de l'abbaye : dans ses fondements Dagobert jeta ses joyaux, dans ses souterrains les races successives ensevelirent leurs rois et leurs grands hommes ; quatre mois passés, nous avions déposé là les os de Louis XVI pour tenir lieu des autres poussières. Lorsque je revins de mon premier exil en 1800, j'avais traversé cette même plaine de Saint-Denis ; il n'y campait encore que les soldats de Napoléon ; des Français remplaçaient encore les vieilles bandes du connétable de Montmorency [5].

Un boulanger nous hébergea. Le soir, vers les neuf

1. Dans la prison des Madelonnettes en 1794.
2. Décampait.
3. A la recherche des vivres chez l'habitant (expression militaire).
4. Comme Jeanne Hachette avait reçu Charles le Téméraire. Cette servante, selon Mme de Chateaubriand, n'était généreuse que d'injures.
5. Anne de Montmorency fut tué à Saint-Denis en 1567 dans un combat contre les protestants.

* Nous retrouverons mon ami, le général Dubourg, dans les journées de juillet.

heures, j'allai faire ma cour au Roi. Sa Majesté était logée dans les bâtiments de l'abbaye : on avait toutes les peines du monde à empêcher les petites filles de la Légion-d'Honneur de crier : Vive Napoléon ! J'entrai d'abord dans l'église ; un pan de mur attenant au cloître était tombé ; l'antique abbatial n'était éclairé que d'une lampe. Je fis ma prière à l'entrée du caveau où j'avais vu descendre Louis XVI : plein de crainte sur l'avenir, je ne sais si j'ai jamais eu le cœur noyé d'une tristesse plus profonde et plus religieuse. Ensuite je me rendis chez Sa Majesté : introduit dans une des chambres qui précédaient celle du Roi, je ne trouvai personne ; je m'assis dans un coin et j'attendis[1]. Tout à coup une porte s'ouvre : entre silencieusement le vice appuyé sur le bras du crime, M. de Talleyrand marchant soutenu par M. Fouché ; la vision infernale passe lentement devant moi, pénètre dans le cabinet du Roi et disparaît. Fouché venait jurer foi et hommage à son seigneur ; le féal régicide, à genoux, mit les mains qui firent tomber la tête de Louis XVI entre les mains du frère du roi martyr ; l'évêque apostat fut caution du serment.

Le lendemain, le faubourg Saint-Germain arriva : tout se mêlait de la nomination de Fouché déjà obtenue, la religion comme l'impiété, la vertu comme le vice, le royaliste comme le révolutionnaire, l'étranger comme le Français ; on criait de toute part : « Sans Fouché point de sûreté pour le Roi, « sans Fouché point de salut pour la France ; lui seul a déjà « sauvé la patrie, lui seul peut achever son ouvrage. » La vieille duchesse de Duras[2] était une des nobles dames les plus animées à l'hymne ; le bailli de Crussol, survivant de Malte, faisait chorus ; il déclarait que si sa tête était encore sur ses épaules, c'est que M. Fouché l'avait permis[3]. Les peureux avaient eu tant de frayeur de Bonaparte, qu'ils avaient pris le massacreur de Lyon pour un Titus. Pendant plus de trois mois les salons du faubourg Saint-Germain me

---

1. La scène se passe le 7 juillet 1815, vers onze heures du soir. — Voir Tome I, p. 20 de l'introduction.

2. Belle-mère de celle que Chateaubriand appelait sa « chère sœur ».

3. Ce mot est attribué par Mme de Chateaubriand à la vieille duchesse de Duras.

regardèrent comme un mécréant parce que je désapprouvais la nomination de leurs ministres. Ces pauvres gens, ils s'étaient prosternés aux pieds des *parvenus;* ils n'en faisaient pas moins grand bruit de leur noblesse, de leur haine contre les révolutionnaires, de leur fidélité à toute épreuve, de l'inflexibilité de leurs principes, et ils adoraient Fouché.

Fouché avait senti l'incompatibilité de son existence ministérielle avec le jeu de la monarchie représentative : comme il ne pouvait s'amalgamer avec les éléments d'un gouvernement légal, il essaya de rendre les éléments politiques homogènes à sa propre nature. Il avait créé une terreur factice ; supposant des dangers imaginaires, il prétendait forcer la couronne à reconnaître les deux Chambres de Bonaparte et à recevoir la déclaration des droits qu'on s'était hâté de parachever ; on murmurait même quelques mots sur la nécessité d'exiler Monsieur et ses fils : le chef-d'œuvre eût été d'isoler le Roi.

On continuait à être dupe : en vain la garde nationale passait par-dessus les murs de Paris et venait protester de son dévouement ; on assurait que cette garde était mal disposée. La faction avait fait fermer les barrières afin d'empêcher le peuple, resté royaliste pendant les Cent-Jours, d'accourir, et l'on disait que ce peuple menaçait d'égorger Louis XVIII à son passage. L'aveuglement était miraculeux, car l'armée française se retirait sur la Loire, cent cinquante mille alliés occupaient les postes extérieurs de la capitale, et l'on prétendait toujours que le Roi n'était pas assez fort pour pénétrer dans une ville où il ne restait pas un soldat, où il n'y avait plus que des bourgeois, très-capables de contenir une poignée de fédérés, s'ils s'étaient avisés de remuer. Malheureusement le Roi, par une suite de coïncidences fatales, semblait le chef des Anglais et des Prussiens ; il croyait être environné de libérateurs, et il était accompagné d'ennemis ; il paraissait entouré d'une escorte d'honneur, et cette escorte n'était en réalité que les gendarmes qui le menaient hors de son royaume : il traversait seulement Paris en compagnie des étrangers dont le souvenir servirait un jour de prétexte au bannissement de sa race.

Le gouvernement provisoire formé depuis l'abdication de Bonaparte fut dissous par une espèce d'acte d'accusation contre la couronne : pierre d'attente sur laquelle on espérait bâtir un jour une nouvelle révolution.

A la première Restauration j'étais d'avis que l'on gardât la cocarde tricolore : elle brillait de toute sa gloire ; la cocarde blanche était oubliée ; en conservant des couleurs qu'avaient légitimées tant de triomphes, on ne préparait point à une révolution prévoyable un signe de ralliement. Ne pas prendre la cocarde blanche eût été sage ; l'abandonner après qu'elle avait été portée par les grenadiers mêmes de Bonaparte était une lâcheté : on ne passe point impunément sous les fourches caudines ; ce qui déshonore est funeste : un soufflet ne vous fait physiquement aucun mal, et cependant il vous tue.

Avant de quitter Saint-Denis je fus reçu par le Roi et j'eus avec lui cette conversation :

— « Eh bien ? » me dit Louis XVIII, ouvrant le dialogue par cette exclamation.

— « Eh bien, sire : vous prenez le duc d'Otrante ?

— « Il l'a bien fallu : depuis mon frère jusqu'au bailli de Crussol (et celui-là n'est pas suspect), tous disaient que nous ne pouvions pas faire autrement : qu'en pensez-vous ?

— « Sire, la chose est faite : je demande à Votre Majesté la permission de me taire.

— « Non, non, dites : vous savez comme j'ai résisté depuis Gand.

— « Sire, je ne fais qu'obéir à vos ordres ; pardonnez à ma fidélité : je crois la monarchie finie. »

Le Roi garda le silence ; je commençais à trembler de ma hardiesse, quand S. M. reprit :

— « Eh bien, monsieur de Chateaubriand, je suis de votre avis. »

Cette conversation termine mon récit des *Cent-Jours*.

Revu en décembre 1846.

Bonaparte à la Malmaison. — Abandon général.

Si un homme était soudain transporté des scènes les plus bruyantes de la vie au rivage silencieux de l'océan glacé, il éprouverait ce que j'éprouve auprès du tombeau de Napoléon, car nous voici tout à coup au bord de ce tombeau.

Sorti de Paris le 29 juin, Napoléon attendait à la Malmaison l'instant de son départ de France. Je retourne à lui : revenant sur les jours écoulés, anticipant sur les temps futurs, je ne le quitterai plus qu'après sa mort.

La Malmaison, où l'empereur se reposa, était vide. Joséphine était morte [1] ; Bonaparte dans cette retraite se trouvait seul. Là il avait commencé sa fortune ; là il avait été heureux ; là il s'était enivré de l'encens du monde ; là, du sein de son tombeau, partaient les ordres qui troublaient la terre. Dans ces jardins où naguère les pieds de la foule râtelaient les allées sablées, l'herbe et les ronces verdissaient ; je m'en étais assuré en m'y promenant. Déjà, faute de soins, dépérissaient les arbres étrangers ; sur les canaux ne voguaient plus les cygnes noirs de l'Océanie ; la cage n'emprisonnait plus les oiseaux du tropique : ils s'étaient envolés pour aller attendre leur hôte dans leur patrie.

Bonaparte aurait pu cependant trouver un sujet de consolation en tournant les yeux vers ses premiers jours : les rois tombés s'affligent surtout, parce qu'ils n'aperçoivent en amont de leur chute qu'une splendeur héréditaire et les pompes de leur berceau : mais que découvrait Napoléon antérieurement à ses prospérités ? la crèche de sa naissance dans un village de Corse. Plus magnanime en jetant le

1. Voir p. 297, note 1.

manteau de pourpre, il aurait repris avec orgueil le sayon du chevrier ; mais les hommes ne se replacent point à leur origine quand elle fut humble ; il semble que l'injuste ciel les prive de leur patrimoine lorsqu'à la loterie du sort ils ne font que perdre ce qu'ils avaient gagné, et néanmoins la grandeur de Napoléon vient de ce qu'il était parti de lui-même : rien de son sang ne l'avait précédé et n'avait préparé sa puissance.

À l'aspect de ces jardins abandonnés, de ces chambres déshabitées, de ces galeries fanées par les fêtes, de ces salles où les chants et la musique avaient cessé, Napoléon pouvait repasser sur sa carrière : il se pouvait demander si avec un peu plus de modération il n'aurait pas conservé ses félicités. Des étrangers, des ennemis, ne le bannissaient pas maintenant ; il ne s'en allait pas quasi vainqueur, laissant les nations dans l'admiration de son passage, après la prodigieuse campagne de 1814 ; il se retirait battu. Des Français, des amis, exigeaient son abdication immédiate, pressaient son départ, ne le voulaient plus même pour général, lui dépêchaient courriers sur courriers, pour l'obliger à quitter le sol sur lequel il avait versé autant de gloire que de fléaux.

À cette leçon si dure se joignaient d'autres avertissements : les Prussiens rôdaient dans le voisinage de la Malmaison ; Blücher, aviné, ordonnait en trébuchant de saisir, de *prendre* le conquérant qui avait mis *le pied sur le cou des rois*. La rapidité des fortunes, la vulgarité des mœurs, la promptitude de l'élévation et de l'abaissement des personnages modernes, ôtera, je le crains, à notre temps, une partie de la noblesse de l'histoire : Rome et la Grèce n'ont point parlé de *pendre* Alexandre et César.

Les scènes qui avaient eu lieu en 1814 se renouvelèrent en 1815, mais avec quelque chose de plus choquant, parce que les ingrats étaient stimulés par la peur : il se fallait débarrasser de Napoléon vite ; les alliés arrivaient ; Alexandre n'était pas là, au premier moment, pour tempérer le triomphe et contenir l'insolence de la fortune ; Paris avait cessé d'être orné de sa lustrale inviolabilité ; une première invasion avait souillé le sanctuaire ; ce n'était plus la colère de Dieu qui tombait sur nous, c'était le mépris du ciel : le foudre s'était éteint.

Toutes les lâchetés avaient acquis par les Cent-Jours un nouveau degré de malignité : affectant de s'élever, par amour de la patrie, au-dessus des attachements personnels, elles s'écriaient que Bonaparte était aussi trop criminel d'avoir violé les traités de 1814. Mais les vrais coupables n'étaient-ils pas ceux qui favorisèrent ses desseins ? Si en 1815, au lieu de lui refaire des armées, après l'avoir délaissé une première fois pour le délaisser encore, ils lui avaient dit, lorsqu'il vint coucher aux Tuileries : « Votre génie vous a « trompé ; l'opinion n'est plus à vous ; prenez pitié de la « France. Retirez-vous après cette dernière visite à la terre ; « allez vivre dans la patrie de Washington. Qui sait si les « Bourbons ne commettront point de fautes ? qui sait si un « jour la France ne tournera pas les yeux vers vous, lorsque, « à l'école de la liberté, vous aurez appris le respect des « lois ? Vous reviendrez alors, non en ravisseur qui fond sur « sa proie, mais en grand citoyen pacificateur de son pays. »

Ils ne lui tinrent point ce langage : ils se prêtèrent aux passions de leur chef revenu ; ils contribuèrent à l'aveugler, sûrs qu'ils étaient de profiter de sa victoire ou de sa défaite. Le soldat seul mourut pour Napoléon avec une sincérité admirable ; le reste ne fut qu'un troupeau paissant, s'engraissant à droite et à gauche. Encore si les visirs du calife dépouillé s'étaient contentés de lui tourner le dos ! mais non : ils profitaient de ses derniers instants ; ils l'accablaient de leurs sordides demandes ; tous voulaient tirer de l'argent de sa pauvreté.

Oncques ne fut plus complet abandon ; Bonaparte y avait donné lieu : insensible aux peines d'autrui, le monde lui rendit indifférence pour indifférence. Ainsi que la plupart des despotes, il était bien avec sa domesticité ; au fond il ne tenait à rien : homme solitaire, il se suffisait ; le malheur ne fit que le rendre au désert de sa vie.

Quand je recueille mes souvenirs, quand je me rappelle avoir vu Washington dans sa petite maison de Philadelphie, et Bonaparte dans ses palais, il me semble que Washington, retiré dans son champ de la Virginie, ne devait pas éprouver les syndérèses de Bonaparte attendant l'exil dans ses jardins de la Malmaison. Rien n'était changé dans la vie du premier ; il retombait sur ses habitudes modestes ; il ne s'était point élevé au-dessus de la félicité des laboureurs qu'il avait affranchis ; tout était bouleversé dans la vie du second.

DÉPART DE LA MALMAISON. — RAMBOUILLET. — ROCHEFORT.

NAPOLÉON quitta la Malmaison accompagné des généraux Bertrand, Rovigo[1] et Becker, ce dernier en qualité de surveillant ou de commissaire. Chemin faisant, il lui prit envie de s'arrêter à Rambouillet. Il en partit pour s'embarquer à Rochefort, comme Charles X pour s'embarquer à Cherbourg : Rambouillet, retraite inglorieuse où s'éclipsa ce qu'il y eut de plus grand, en race et en homme ; lieu fatal où mourut François Ier, où Henri III, échappé des barricades, coucha tout botté en passant ; où Louis XVI a laissé son ombre ! Heureux Louis, Napoléon et Charles, s'ils n'eussent été que les obscurs gardiens des troupeaux de Rambouillet[2] !

Arrivé à Rochefort, Napoléon hésitait : la commission exécutive envoyait des ordres impératifs : « Les garnisons de Rochefort et de La Rochelle doivent, disaient les dépêches, prêter main-forte pour faire embarquer Napoléon... Employez la force... faites-le partir... Ses services ne peuvent être acceptés. »

---

1. Savary, duc de Rovigo (voir T. I, p. 615 *sq.*
2. C'est à la ferme de Rambouillet créée par Louis XVI que fut amené le premier troupeau de moutons mérinos importés d'Espagne.

Les services de Napoléon ne pouvaient être acceptés ! Et n'aviez-vous pas accepté ses bienfaits et ses chaînes ? Napoléon ne s'en allait point ; il était chassé : et par qui ?

Bonaparte n'avait cru qu'à la fortune ; il n'accordait au malheur ni le feu ni l'eau ; il avait d'avance innocenté les ingrats : un juste talion le faisait comparaître devant son système. Quand le succès cessant d'animer sa personne s'incarna dans un autre individu, les disciples abandonnèrent le maître pour l'école. Moi qui crois à la légitimité des bienfaits et à la souveraineté du malheur, si j'avais servi Bonaparte, je ne l'aurais pas quitté ; je lui aurais prouvé, par ma fidélité, la fausseté de ses principes politiques ; en partageant ses disgrâces, je serais resté auprès de lui, comme un démenti vivant de ses stériles doctrines et du peu de valeur du droit de la prospérité.

Depuis le 1er juillet, des frégates l'attendaient dans la rade de Rochefort : des espérances qui ne meurent jamais, des souvenirs inséparables d'un dernier adieu, l'arrêtèrent. Qu'il devait regretter les jours de son enfance, alors que ses yeux sereins n'avaient point encore vu tomber la première pluie ! Il laissa le temps à la flotte anglaise d'approcher. Il pouvait encore s'embarquer sur deux lougres qui devaient joindre en mer un navire danois (c'est le parti que prit son frère Joseph), mais la résolution lui faillit en regardant le rivage de France. Il avait aversion d'une république ; l'égalité et la liberté des Etats-Unis lui répugnaient. Il penchait à demander un asile aux Anglais : « Quel inconvénient trouvez-vous à ce parti ? disait-il à ceux qu'il consultait — « L'inconvénient de vous déshonorer, lui répondit un officier de marine : vous ne devez pas même tomber mort « entre les mains des Anglais. Ils vous feront empailler pour « vous montrer à un schelling par tête. »

MALGRÉ ces observations, l'empereur résolut de se livrer à
ses vainqueurs. Le 13 juillet, Louis XVIII étant déjà à Paris
depuis cinq jours, Napoléon envoya au capitaine du vaisseau
anglais *le Bellérophon* cette lettre pour le Prince régent :

« Altesse Royale, en butte aux factions qui divisent
« mon pays et à l'inimitié des plus grandes puissances de
« l'Europe, j'ai terminé ma carrière politique, et je viens,
« comme Thémistocle [1], m'asseoir au foyer du peuple
« britannique. Je me mets sous la protection de ses lois, que
« je réclame de Votre Altesse Royale comme du plus
« puissant, du plus constant et du plus généreux de mes
« ennemis.

« Rochefort, 13 juillet 1815. »

Si Bonaparte n'avait pendant vingt ans accablé d'outrages
le peuple anglais, son gouvernement, son roi et l'héritier de
ce roi, on aurait pu trouver quelque convenance de ton dans
cette lettre ; mais comment cette *Altesse Royale* tant méprisée, tant insultée par Napoléon, est-elle devenue tout à coup
le plus *puissant,* le plus *constant,* le plus *généreux* des
ennemis, par la seule raison qu'elle est victorieuse ? Il ne
pouvait pas être persuadé de ce qu'il disait ; or ce qui n'est
pas vrai n'est pas éloquent. La phrase exposant le fait d'une
grandeur tombée qui s'adresse à un ennemi est belle ;
l'exemple banal de Thémistocle est de trop.

Il y a quelque chose de pire qu'un défaut de sincérité dans
la démarche de Bonaparte ; il y a oubli de la France :
l'empereur ne s'occupa que de sa catastrophe individuelle ;
la chute arrivée, nous ne comptâmes plus pour rien à ses

1. Frappé d'ostracisme, Thémistocle avait demandé hospitalité à son
ennemi Admède, roi des Molosses.

yeux. Sans penser qu'en donnant la préférence à l'Angleterre sur l'Amérique, son choix devenait un outrage au deuil de la patrie. Il sollicita un asile du gouvernement qui depuis vingt ans soudoyait l'Europe contre nous, de ce gouvernement dont le commissaire à l'armée russe, le général Wilson, pressait Kutuzoff, dans la retraite de Moscou, d'achever de nous exterminer : les Anglais, heureux à la bataille finale, campaient dans le bois de Boulogne. Allez donc, ô Thémistocle, vous asseoir tranquillement au foyer britannique, tandis que la terre n'a pas encore achevé de boire le sang français versé pour vous à Waterloo ! Quel rôle le fugitif, fêté peut-être, eût-il joué au bord de la Tamise, en face de la France envahie, de Wellington devenu dictateur au Louvre ? La haute fortune de Napoléon le servit mieux : les Anglais, se laissant emporter à une politique étroite et rancunière, manquèrent leur dernier triomphe ; au lieu de perdre leur suppliant en l'admettant à leurs bastilles ou à leurs festins, ils lui rendirent plus brillante pour la postérité la couronne qu'ils croyaient lui avoir ravie. Il s'accrut dans sa captivité de l'énorme frayeur des puissances : en vain l'Océan l'enchaînait, l'Europe armée campait au rivage, les yeux attachés sur la mer.

BONAPARTE SUR LE « BELLÉROPHON ». — TORBAY. — ACTE QUI CONFINE BONAPARTE À SAINTE-HÉLÈNE. — IL PASSE SUR LE « NORTHUMBERLAND » ET FAIT VOILE.

LE 15 juillet, *l'Epervier* transporta Bonaparte au *Bellérophon*. L'embarcation française était si petite, que du bord du vaisseau anglais on n'apercevait pas le géant sur les vagues. L'empereur, en abordant le capitaine Maitland, lui dit : « Je viens me mettre sous la protection des lois de

« l'Angleterre. » Une fois du moins le contempteur des lois en confessait l'autorité.

La flotte fit voile pour Torbay : une foule de barques se croisaient autour du *Bellérophon;* même empressement à Plymouth. Le 30 juillet, lord Keith délivra au requérant l'acte qui le confinait à Sainte-Hélène : « C'est pis que la « cage de Tamerlan [1], » dit Napoléon.

Cette violation du droit des gens et du respect de l'hospitalité était révoltante : si vous recevez le jour dans un navire *quelconque,* pourvu qu'il soit *sous voile,* vous êtes *Anglais de naissance;* en vertu des vieilles coutumes de Londres, les *flots* sont réputés *terre d'Albion.* Et un navire anglais n'était point pour un suppliant un autel inviolable, il ne plaçait point le grand homme qui embrassait la poupe du *Bellérophon* sous la protection du trident britannique ! Bonaparte protesta ; il argumenta de lois, parla de trahison et de perfidie, en appela à l'avenir : cela lui allait-il bien ? ne s'était-il pas ri de la justice ? n'avait-il pas dans sa force foulé aux pieds les choses saintes dont il invoquait la garantie ? n'avait-il pas enlevé Toussaint-Louverture et le roi d'Espagne ? n'avait-il pas fait arrêter et détenir prisonniers pendant des années les voyageurs anglais qui se trouvaient en France au moment de la rupture du traité d'Amiens ? Permis donc à la marchande Angleterre d'imiter ce qu'il avait fait lui-même, et d'user d'ignobles représailles ; mais on pouvait agir autrement.

Chez Napoléon, la grandeur du cœur ne répondait pas à la largeur de la tête : ses querelles avec les Anglais sont déplorables ; elles révoltent lord Byron. Comment daigna-t-il honorer d'un mot ses geôliers ? On souffre de le voir s'abaisser à des conflits de paroles avec lord Keith à Torbay, avec sir Hudson Lowe à Sainte-Hélène, publier des factum parce qu'on lui manque de foi, chicaner sur un titre, sur un peu plus, sur un peu moins d'or ou d'honneurs. Bonaparte, réduit à lui-même, était réduit à sa gloire, et cela lui devait suffire : il n'avait rien à demander aux hommes ; il ne traitait pas assez despotiquement l'adversité ; on lui aurait

1. La cage dans laquelle Tamerlan, le conquérant tartare, enferma le sultan Bajazet, lorsqu'il l'eut fait prisonnier (en 1402).

pardonné d'avoir fait du malheur son dernier esclave. Je ne trouve de remarquable dans sa protestation contre la violation de l'hospitalité que la date et la signature de cette protestation : « *A bord du Bellérophon, à la mer. Napo-* « *léon.* » Ce sont là des harmonies d'immensité.

Du *Bellérophon,* Bonaparte passa sur *le Northumberland.* Deux frégates chargées de la garnison future de Sainte-Hélène l'escortaient. Quelques officiers de cette garnison avaient combattu à Waterloo. On permit à cet explorateur du globe de garder auprès de lui M. et madame Bertrand, MM. de Montholon, Gourgaud et de Las Cases, volontaires et généreux passagers sur la planche submergée. Par un article des instructions du capitaine, *Bonaparte devait être désarmé :* Napoléon seul, prisonnier dans un vaisseau, au milieu de l'Océan, *désarmé !* quelle magnifique terreur de sa puissance ! Mais quelle leçon du ciel donnée aux hommes qui abusent du glaive ! La stupide amirauté traitait en sentencié de Botany-Bay[1] le grand *convict* de la race humaine : le prince Noir[2] fit-il *désarmer* le roi Jean[3] ?

L'escadre leva l'ancre. Depuis la barque qui porta César, aucun vaisseau ne fut chargé d'une pareille destinée. Bonaparte se rapprochait de cette mer des miracles, où l'Arabe du Sinaï l'avait vu passer. La dernière terre de France que découvrit Napoléon fut le cap la Hogue ; autre trophée des Anglais[4].

L'empereur s'était trompé dans l'intérêt de sa mémoire, lorsqu'il avait désiré rester en Europe ; il n'aurait bientôt été qu'un prisonnier vulgaire ou flétri : son vieux rôle était terminé. Mais au delà de ce rôle une nouvelle position le rajeunit d'une renommée nouvelle. Aucun homme de bruit universel n'a eu une fin pareille à celle de Napoléon. On ne le proclama point, comme à sa première chute, autocrate de quelques carrières de fer et de marbre, les unes pour lui fournir une épée, les autres une statue ; aigle, on lui donna

---

1. En Australie, lieu de déportation des condamnés anglais.
2. Edouard III.
3. Jean le Bon, vaincu à Poitiers par le prince Noir en 1356.
4. En 1692 les Anglais avaient détruit dans la rade de la Hogue la flotte de Tourville.

un rocher à la pointe duquel il est demeuré au soleil jusqu'à sa mort, et d'où il était vu de toute la terre.

JUGEMENT SUR BONAPARTE.

AU moment où Bonaparte quitte l'Europe, où il abandonne sa vie pour aller chercher les destinées de sa mort, il convient d'examiner cet homme à deux existences, de peindre le faux et le vrai Napoléon : ils se confondent et forment un tout, du mélange de leur réalité et de leur mensonge.

De la réunion de ces remarques il résulte que Bonaparte était un poëte en action, un génie immense dans la guerre, un esprit infatigable, habile et sensé dans l'administration, un législateur laborieux et raisonnable. C'est pourquoi il a tant de prise sur l'imagination des peuples, et tant d'autorité sur le jugement des hommes positifs. Mais comme politique ce sera toujours un homme défectueux aux yeux des hommes d'Etat. Cette observation, échappée à la plupart de ses panégyristes, deviendra j'en suis convaincu, l'opinion définitive qui restera de lui ; elle expliquera le contraste de ses actions prodigieuses et de leurs misérables résultats. A Sainte-Hélène, il a condamné lui-même avec sévérité sa conduite politique sur deux points : la guerre d'Espagne et la guerre de Russie ; il aurait pu étendre sa confession à d'autres coulpes. Ses enthousiastes ne soutiendront peut-être pas qu'en se blâmant il s'est trompé sur lui-même. Récapitulons :

Bonaparte agit contre toute prudence, sans parler de nouveau de ce qu'il y eut d'odieux dans l'action, en tuant le duc d'Enghien : il attacha un poids à sa vie. Malgré les puérils apologistes, cette mort, ainsi que nous l'avons vu, fut le levain secret des discordes qui éclatèrent dans la suite entre Alexandre et Napoléon comme entre la Prusse et la France.

L'entreprise sur l'Espagne fut complètement abusive : la Péninsule était à l'empereur ; il en pouvait tirer le parti le plus avantageux : au lieu de cela, il en fit une école pour les soldats anglais, et le principe de sa propre destruction par le soulèvement d'un peuple.

La détention du pape et la réunion des Etats de l'Eglise à la France n'était que le caprice de la tyrannie par lequel il perdit l'avantage de passer pour le restaurateur de la religion.

Bonaparte ne s'arrêta pas lorsqu'il eut épousé la fille des Césars, ainsi qu'il l'aurait dû faire : la Russie et l'Angleterre lui criaient merci.

Il ne ressuscita pas la Pologne quand du rétablissement de ce royaume dépendait le salut de l'Europe.

Il se précipita sur la Russie malgré les représentations de ses généraux et de ses conseillers.

La folie commencée, il dépassa Smolensk ; tout lui disait qu'il ne devait pas aller plus loin à son premier pas, que sa première campagne du Nord était finie, et que la seconde (il le sentait lui-même) le rendrait maître de l'empire des czars.

Il ne sut ni computer les jours, ni prévoir l'effet des climats, que tout le monde à Moscou computait et prévoyait. Voyez en son lieu ce que j'ai dit du *blocus continental* et de la *confédération du Rhin;* le premier, conception gigantesque, mais acte douteux, la seconde, ouvrage considérable, mais gâté dans l'exécution par l'instinct de camp et l'esprit de fiscalité. Napoléon reçut en don la vieille monarchie française telle que l'avaient faite les siècles et une succession ininterrompue de grands hommes, telle que l'avaient laissée la majesté de Louis XIV et les alliances de Louis XV, telle que l'avait agrandie la République. Il s'assit sur ce magnifique piédestal, étendit les bras, se saisit des peuples et les ramassa autour de lui ; mais il perdit l'Europe avec autant de promptitude qu'il l'avait prise ; il amena deux fois les alliés à Paris, malgré les miracles de son intelligence militaire. Il avait le monde sous ses pieds et il n'en a tiré qu'une prison pour lui, un exil pour sa famille, la perte de toutes ses conquêtes et d'une portion du vieux sol français.

C'est là l'histoire prouvée par les faits et que personne ne saurait nier. D'où naissaient les fautes que je viens d'indiquer, suivies d'un dénoûment si prompt et si funeste ? Elles naissaient de l'imperfection de Bonaparte en politique.

Dans ses alliances il n'enchaînait les gouvernements que par des concessions de territoire, dont il changeait bientôt les limites ; montrant sans cesse l'arrière-pensée de reprendre ce qu'il avait donné, faisant toujours sentir l'oppresseur ; dans ses envahissements, il ne réorganisait rien, l'Italie exceptée. Au lieu de s'arrêter après chaque pas pour relever sous une autre forme derrière lui ce qu'il avait abattu, il ne discontinuait pas son mouvement de progression parmi des ruines : il allait si vite, qu'à peine avait-il le temps de respirer où il passait. S'il eût par une espèce de traité de Westphalie, réglé et assuré l'existence des États en Allemagne, en Prusse, en Pologne, à sa première marche rétrograde il se fût adossé à des populations satisfaites et il eût trouvé des abris. Mais son poétique édifice de victoires, manquant de base et n'étant suspendu en l'air que par son génie, tomba quand ce génie vint à se retirer. Le Macédonien fondait des empires en courant, Bonaparte en courant ne les savait que détruire ; son unique but était d'être personnellement le maître du globe, sans s'embarrasser des moyens de le conserver.

On a voulu faire de Bonaparte un être parfait, un type de sentiment, de délicatesse, de morale et de justice, un écrivain comme César et Thucydide, un orateur et un historien comme Démosthène et Tacite. Les discours publics de Napoléon, ses phrases de tente ou de conseil, sont d'autant moins inspirées du souffle prophétique que ce qu'elles annonçaient de catastrophes ne s'est pas accompli, tandis que l'Isaïe du glaive a lui-même disparu : des paroles niniviennes [1] qui courent après des États sans les joindre et les détruire restent puériles au lieu d'être sublimes. Bonaparte a été véritablement le Destin pendant seize années :

1. Semblables à celles par lesquelles Isaïe annonçait aux Ninivites la ruine de leur ville.

le Destin est muet, et Bonaparte aurait dû l'être. Bonaparte n'était point César ; son éducation n'était ni savante ni choisie ; demi-étranger, il ignorait les premières règles de notre langue : qu'importe, après tout, que sa parole fût fautive ? il donnait le mot d'ordre à l'univers. Ses bulletins ont l'éloquence de la victoire. Quelquefois, dans l'ivresse du succès, on affectait de les brocher sur un tambour ; du milieu des plus lugubres accents partaient de fatals éclats de rire. J'ai lu avec attention ce qu'a écrit Bonaparte, les premiers manuscrits de son enfance, ses romans, ensuite ses brochures à Buttafuoco, *le souper de Beaucaire,* ses lettres privées à Joséphine, les cinq volumes de ses discours, de ses ordres et de ses bulletins, ses dépêches restées inédites et gâtées par la rédaction des bureaux de M. de Talleyrand. Je m'y connais : je n'ai guère trouvé que dans un méchant autographe laissé à l'île d'Elbe des pensées qui ressemblent à la nature du grand insulaire :

« Mon cœur se refuse aux joies communes comme à la « douleur ordinaire. »

« Ne m'étant pas donné la vie, je ne me l'ôterai pas non « plus, tant qu'elle voudra bien de moi. »

« Mon mauvais génie m'apparut et m'annonça ma fin « que j'ai trouvée à Leipsick. »

« J'ai conjuré le terrible esprit de nouveauté qui parcou- « rait le monde. »

C'est là très-certainement du vrai Bonaparte.

Si les bulletins, les discours, les allocutions, les proclamations de Bonaparte se distinguent par l'énergie, cette énergie ne lui appartenait point en propre ; elle était de son temps, elle venait de l'inspiration révolutionnaire qui s'affaiblit dans Bonaparte, parce qu'il marchait à l'inverse de cette inspiration. Danton disait : « Le métal bouillonne ; si vous

« ne surveillez la fournaise, vous serez tous brûlés. » Saint-Just disait : « *Osez !* » Ce mot renferme toute la politique de notre révolution ; ceux qui font des révolutions à moitié ne font que se creuser un tombeau.

Les bulletins de Bonaparte s'élèvent-ils au-dessus de cette fierté de parole ?

Quant aux nombreux volumes publiés sous le titre de : *Mémoires de Sainte-Hélène, Napoléon dans l'exil,* etc., etc., etc., ces documents, recueillis de la bouche de Bonaparte, ou dictés par lui à différentes personnes, ont quelques beaux passages sur des actions de guerre, quelques appréciations remarquables de certains hommes ; mais en définitive Napoléon n'est occupé qu'à faire son apologie, qu'à justifier son passé, qu'à bâtir sur des idées nées, des événements accomplis, des choses auxquelles il n'avait jamais songé pendant le cours de ces événements. Dans cette compilation, où le pour et le contre se succèdent, où chaque opinion trouve une autorité favorable et une réfutation péremptoire, il est difficile de démêler ce qui appartient à Napoléon de ce qui appartient à ses secrétaires. Il est probable qu'il avait une version différente pour chacun d'eux, afin que les lecteurs choisissent selon leur goût et se créassent dans l'avenir des Napoléons à leur guise. Il dictait son histoire telle qu'il la voulait laisser ; c'était un auteur faisant des articles sur son propre ouvrage. Rien donc de plus absurde que de s'extasier sur des répertoires de toutes mains, qui ne sont pas comme les *Commentaires de César* un ouvrage court, sorti d'une grande tête, rédigé par un écrivain supérieur ; et pourtant ces brefs commentaires, Asinius Pollion[1] le pensait, n'étaient ni exacts ni fidèles. Le *Mémorial de Sainte-Hélène* est bon, toute part faite à la candeur et à la simplicité de l'admiration.

Une des choses qui a le plus contribué à rendre de son vivant Napoléon haïssable, était son penchant à tout ravaler : dans une ville embrassée, il accouplait des décrets sur le rétablissement de quelques comédiens à des arrêts qui supprimaient des monarques ; parodie de l'omnipotence de Dieu, qui règle le sort du monde et d'une fourmi. A la chute

---

1. Ami d'Auguste et de Virgile qui lui a adressé sa IVe Bucolique.

des empires il mêlait des insultes à des femmes[1]. Il se complaisait dans l'humiliation de ce qu'il avait abattu ; il calomniait et blessait particulièrement ce qui avait osé lui résister. Son arrogance égalait son bonheur ; il croyait paraître d'autant plus grand qu'il abaissait les autres. Jaloux de ses généraux, il les accusait de ses propres fautes, car pour lui il ne pouvait jamais avoir failli. Contempteur de tous les mérites, il leur reprochait durement leurs erreurs. Après le désastre de Ramillies, il n'aurait jamais dit, comme Louis XIV au maréchal de Villeroi : « Monsieur « le maréchal, à notre âge on n'est pas heureux. » Touchante magnanimité qu'ignorait Napoléon. Le siècle de Louis XIV a été fait par Louis le Grand : Bonaparte a fait son siècle.

L'histoire de l'empereur, changée par de fausses traditions, sera faussée encore par l'état de la société à l'époque impériale. Toute révolution écrite en présence de la liberté de la presse peut laisser arriver l'œil au fond des faits, parce que chacun les rapporte comme il les a vus : le règne de Cromwell est connu, car on disait au Protecteur ce qu'on pensait de ses actes et de sa personne. En France, même sous la République, malgré l'inexorable censure du bourreau, la vérité perçait ; la faction triomphante n'était pas toujours la même ; elle succombait vite, et la faction qui lui succédait vous apprenait ce que vous avait caché sa devancière : il y avait liberté d'un échafaud à l'autre, entre deux têtes abattues. Mais lorsque Bonaparte saisit le pouvoir, que la pensée fût bâillonnée, qu'on n'entendît plus que la voix d'un despotisme qui ne parlait que pour se louer et ne permettait pas de parler d'autre chose que de lui, la vérité disparut.

Les pièces soi-disant authentiques de ce temps sont corrompues ; rien ne se publiait, livres et journaux, que par l'ordre du maître : Bonaparte veillait aux articles du *Moniteur* ; ses préfets renvoyaient des divers départements les récitations, les congratulations, les félicitations, telles que les autorités de Paris les avaient dictées et transmises, telles qu'elles exprimaient une opinion publique convenue, entiè-

1. Chateaubriand songe surtout à la reine Louise de Prusse.

rement différente de l'opinion réelle. Ecrivez l'histoire d'après de pareils documents ! En preuve de vos impartiales études, cotez les authentiques où vous avez puisé : vous ne citerez qu'un mensonge à l'appui d'un mensonge.

Si l'on pouvait révoquer en doute cette imposture universelle, si des hommes qui n'ont point vu les jours de l'Empire s'obstinaient à tenir pour sincère ce qu'ils rencontrent dans les documents imprimés, ou même ce qu'ils pourraient déterrer dans certains cartons des ministères, il suffirait d'en appeler à un témoignage irrécusable, au sénat *conservateur* : là, dans le décret que j'ai cité plus haut, vous avez vu ces propres paroles : «Considérant que la liberté de la « presse a été constamment soumise à la censure arbitraire « de sa police, et qu'en même temps *il s'est toujours servi de* « *la presse pour remplir la France et l'Europe de faits* « *controuvés, de maximes fausses;* que des *actes* et *rapports* « entendus par le sénat ont subi des altérations dans la « publication qui en a été faite, etc. » Y a-t-il quelque chose à répondre à cette déclaration ?

La vie de Bonaparte était une vérité incontestable, que l'imposture s'était chargée d'écrire.

CARACTÈRE DE BONAPARTE.

UN orgueil monstrueux et une affectation incessante gâtent le caractère de Napoléon. Au temps de sa domination, qu'avait-il besoin d'exagérer sa stature, lorsque le Dieu des armées lui avait fourni ce char dont *les roues sont vivantes ?*

Il tenait du sang italien ; sa nature était complexe : les grands hommes, très-petite famille sur la terre, ne trouvent malheureusement qu'eux-mêmes pour s'imiter. A la fois

405

modèle et copie, personnage réel et acteur représentant ce personnage, Napoléon était son propre mime ; il ne se serait pas cru un héros s'il ne se fût affublé du costume d'un héros. Cette étrange faiblesse donne à ses étonnantes réalités quelque chose de faux et d'équivoque ; on craint de prendre le Roi des rois pour Roscius[1], ou Roscius pour le Roi des rois.

Les qualités de Napoléon sont si adultérées dans les gazettes, les brochures, les vers, et jusque dans les chansons envahies de l'impérialisme, que ces qualités sont complètement méconnaissables. Tout ce qu'on prête de touchant à Bonaparte dans les *Ana* sur les *prisonniers,* les *morts,* les *soldats,* sont des billevesées que démentent les actions de sa vie *.

La Grand'mère[2] de mon illustre ami Béranger n'est qu'un admirable Pont-Neuf[3] : Bonaparte n'avait rien du bonhomme. Domination personnifiée, il était sec ; cette frigidité faisait antidote à son imagination ardente ; il ne trouvait point en lui de parole, il n'y trouvait qu'un fait, et un fait prêt à s'irriter de la plus petite indépendance : un moucheron qui volait sans son ordre était à ses yeux un insecte révolté.

Ce n'était pas tout que de mentir aux oreilles, il fallait mentir aux yeux : ici, dans une gravure, c'est Bonaparte qui se découvre devant les blessés autrichiens, là c'est un petit *tourlourou* qui empêche l'empereur de passer, plus loin Napoléon touche les pestiférés de Jaffa[4], et il ne les a jamais touchés ; il traverse le Saint-Bernard sur un cheval fougueux dans des tourbillons de neige, et il faisait le plus beau temps du monde.

Ne veut-on pas transformer l'empereur aujourd'hui en un Romain des premiers jours du mont Aventin, en un missionnaire de liberté, en un citoyen qui n'instituait l'esclavage que par amour de la vertu contraire ? Jugez à deux traits du

1. Comédien romain pour qui Cicéron a plaidé.
2. Le vrai titre de cette chanson est *Les Souvenirs du peuple.*
3. Chanson populaire.
4. Dans le tableau de Gros (cf. p. 101).
* Voyez plus haut dans leur ordre chronologique les actions de Bonaparte.

grand fondateur de l'égalité : il ordonna de casser le mariage de son frère Jérôme avec mademoiselle Paterson, parce que le frère de Napoléon ne se pouvait allier qu'au sang des princes ; plus tard, revenu de l'île d'Elbe, il revêt la nouvelle constitution *démocratique* d'une pairie et la couronne de l'*acte additionnel.*

Que Bonaparte, continuateur des succès de la République, semât partout des principes d'indépendance, que ses victoires aidassent au relâchement des liens entre les peuples et les rois, arrachassent ces peuples à la puissance des vieilles mœurs et des anciennes idées ; que, dans ce sens, il ait contribué à l'affranchissement social, je ne le prétends point contester : mais que de sa propre volonté il ait travaillé sciemment à la délivrance politique et civile des nations ; qu'il ait établi le despotisme le plus étroit dans l'idée de donner à l'Europe et particulièrement à la France la constitution la plus large ; qu'il n'ait été qu'un tribun déguisé en tyran, c'est une supposition qu'il m'est impossible d'adopter.

Bonaparte, comme la race des princes, n'a voulu et n'a cherché que la puissance, en y arrivant toutefois à travers la liberté, parce qu'il débuta sur la scène du monde en 1793. La Révolution, qui était la nourrice de Napoléon, ne tarda pas à lui apparaître comme une ennemie ; il ne cessa de la battre. L'empereur, du reste, connaissait très-bien le mal, quand le mal ne venait pas directement de l'empereur ; car il n'était pas dépourvu du sens moral. Le sophisme mis en avant touchant l'amour de Bonaparte pour la liberté ne prouve qu'une chose, l'abus que l'on peut faire de la raison ; aujourd'hui elle se prête à tout. N'est-il pas établi que la Terreur était un temps d'humanité ? En effet, ne demandait-on pas l'abolition de la peine de mort lorsqu'on tuait tant de monde ? Les grands civilisateurs, comme on les *appelle,* n'ont-ils pas toujours immolé les hommes, et n'est-ce pas par-là comme on le *prouve,* que Robespierre était le continuateur de Jésus-Christ ?

L'empereur se mêlait de toutes choses ; son intellect ne se reposait jamais ; il avait une espèce d'agitation perpétuelle d'idées. Dans l'impétuosité de sa nature, au lieu d'un train franc et continu, il s'avançait par bonds et haut-lecorps, il se jetait sur l'univers et lui donnait des saccades ; il n'en voulait point, de cet univers, s'il était obligé de l'attendre : être incompréhensible, qui trouvait le secret d'abaisser, en les dédaignant, ses plus dominantes actions, et qui élevait jusqu'à sa hauteur ses actions les moins élevées. Impatient de volonté, patient de caractère, incomplet et comme inachevé, Napoléon avait des lacunes dans le génie : son entendement ressemblait au ciel de cet autre hémisphère sous lequel il devait aller mourir, à ce ciel dont les étoiles sont séparées par des espaces vides.

On se demande par quel prestige Bonaparte, si aristocrate, si ennemi du peuple, a pu arriver à la popularité dont il jouit : car ce forgeur de jougs est très-certainement resté populaire chez une nation dont la prétention a été d'élever des autels à l'indépendance et à l'égalité ; voici le mot de l'énigme :

Une expérience journalière fait reconnaître que les Français vont instinctivement au pouvoir ; ils n'aiment point la liberté ; l'égalité seule est leur idole. Or, l'égalité et le despotisme ont des liaisons secrètes. Sous ces deux rapports, Napoléon avait sa source au cœur des Français, militairement inclinés vers la puissance, démocratiquement amoureux du niveau. Monté au trône, il y fit asseoir le peuple avec lui ; Roi prolétaire, il humilia les Rois et les nobles dans ses antichambres ; il nivela les rangs, non en les abaissant, mais en les élevant : le niveau descendant aurait charmé davantage l'envie plébéienne, le niveau ascendant a plus flatté son orgueil [1]. La vanité française se bouffit aussi de la supériorité que Bonaparte nous donna sur le reste de l'Europe ; une autre cause de la popularité de Napoléon tient à l'affliction de ses derniers jours. Après sa mort, à mesure que l'on connut mieux ce qu'il avait souffert à Sainte-Hélène, on commença à s'attendrir ; on oublia sa tyrannie pour se souvenir qu'après avoir d'abord vaincu nos ennemis, qu'après les avoir ensuite attirés en France, il nous avait défendu contre eux ; nous nous figurons qu'il nous sauverait aujourd'hui de la honte où nous sommes : sa

1. Il faut sans doute comprendre « l'orgueil de la plèbe », « la vanité française ».

renommée nous fut ramenée par son infortune ; sa gloire a profité de son malheur.

Enfin les miracles de ses armes ont ensorcelé la jeunesse, en nous apprenant à adorer la force brutale. Sa fortune inouïe a laissé à l'outrecuidance de chaque ambition l'espoir d'arriver où il était parvenu.

Et pourtant cet homme, si populaire par le cylindre qu'il avait roulé sur la France, était l'ennemi mortel de l'égalité et le plus grand organisateur de l'aristocratie dans la démocratie.

Je ne puis acquiescer aux faux éloges dont on insulte Bonaparte, en voulant tout justifier dans sa conduite ; je ne puis renoncer à ma raison, m'extasier devant ce qui me fait horreur ou pitié.

Si j'ai réussi à rendre ce que j'ai senti, il restera de mon portrait une des premières figures de l'histoire ; mais je n'ai rien adopté de cette créature fantastique composée de mensonges ; mensonges que j'ai vus naître, qui, pris d'abord pour ce qu'ils étaient, ont passé avec le temps à l'état de vérité par l'infatuation et l'imbécile crédulité humaine. Je ne veux pas être une sotte grue[1] et tomber du haut mal[2] d'admiration. Je m'attache à peindre les personnages en conscience, sans leur ôter ce qu'ils ont, sans leur donner ce qu'ils n'ont pas. Si le succès était réputé l'innocence ; si, débauchant jusqu'à la postérité, il la chargeait de ses chaînes ; si, esclave future, engendrée d'un passé esclave, cette postérité subornée devenait la complice de quiconque aurait triomphé, où serait le droit, où serait le prix des sacrifices ? Le bien et le mal n'étant plus que relatifs, toute moralité s'effacerait des actions humaines.

Tel est l'embarras que cause à l'écrivain impartial une éclatante renommée ; il l'écarte autant qu'il peut, afin de mettre le vrai à nu ; mais la gloire revient comme une vapeur radieuse et couvre à l'instant le tableau.

1. Un niais.
2. « Tomber du haut mal » est une expression populaire qui signifie : avoir une crise d'épilepsie. Chateaubriand ne veut pas se laisser méduser par l'admiration.

Si Bonaparte nous a laissé en renommée ce qu'il nous a ôté en force.

POUR ne pas avouer l'amoindrissement de territoire et de puissance que nous devons à Bonaparte, la génération actuelle se console en se figurant que ce qu'il nous a retranché en force, il nous l'a rendu en illustration : « Désormais ne sommes-nous pas, dit-elle, renommés aux « quatre coins de la terre ? un Français n'est-il pas craint, « remarqué, recherché, connu à tous les rivages ? »

Mais étions-nous placés entre ces deux conditions, ou l'immortalité sans puissance, ou la puissance sans immortalité ? Alexandre fit connaître à l'univers le nom des Grecs ; il ne leur en laissa pas moins quatre empires en Asie ; la langue et la civilisation des Hellènes s'étendirent du Nil à Babylone et de Babylone à l'Indus. A sa mort, son royaume patrimonial de Macédoine, loin d'être diminué, avait centuplé de force. Bonaparte nous a fait connaître à tous les rivages ; commandés par lui, les Français jetèrent l'Europe si bas à leurs pieds que la France prévaut encore par son nom, et que l'arc de l'Etoile peut s'élever sans paraître un puéril trophée ; mais avant nos revers ce monument eût été un témoin au lieu de n'être qu'une chronique. Cependant Dumouriez avec des réquisitionnaires n'avait-il pas donné à l'étranger les premières leçons, Jourdan gagné la bataille de Fleurus, Pichegru conquis la Belgique et la Hollande, Hoche passé le Rhin, Masséna triomphé à Zurich, Moreau à Hohenlinden ; tous exploits les plus difficiles à obtenir et qui préparaient les autres ? Bonaparte a donné un corps à ces succès épars ; il les a continués, il a fait rayonner ces

410

victoires : mais sans ces premières merveilles eût-il obtenu les dernières ? Il n'était au-dessus de tout que quand la raison chez lui exécutait les inspirations du poëte.

L'illustration de notre suzerain ne nous a coûté que deux ou trois cent mille hommes par an ; nous ne l'avons payée que de trois millions de nos soldats ; nos concitoyens ne l'ont achetée qu'au prix de leurs souffrances et de leurs libertés pendant quinze années : ces bagatelles peuvent-elles compter ? Les générations venues après ne sont-elles pas resplendissantes ? Tant pis pour ceux qui ont disparu ! Les calamités sous la République servirent au salut de tous ; nos malheurs sous l'Empire ont bien plus fait : ils ont déifié Bonaparte ! cela nous suffit.

Cela ne me suffit pas à moi, je ne m'abaisserai point à cacher ma nation derrière Bonaparte ; il n'a pas fait la France, la France l'a fait. Jamais aucun talent, aucune supériorité ne m'amènera à consentir au pouvoir qui peut d'un mot me priver de mon indépendance, de mes foyers, de mes amis ; si je ne dis pas de ma fortune et de mon honneur, c'est que la fortune ne me paraît pas valoir la peine qu'on la défende ; quant à l'honneur, il échappe à la tyrannie : c'est l'âme des martyrs ; les liens l'entourent et ne l'enchaînent pas ; il perce la voûte des prisons et emporte avec soi tout l'homme.

Le tort que la vraie philosophie ne pardonnera pas à Bonaparte, c'est d'avoir façonné la société à l'obéissance passive, repoussé l'humanité vers les temps de dégradation morale, et peut-être abâtardi les caractères de manière qu'il serait impossible de dire quand les cœurs commenceront à palpiter de sentiments généreux. La faiblesse où nous sommes plongés vis-à-vis de nous-mêmes et vis-à-vis de l'Europe, notre abaissement actuel, sont la conséquence de l'esclavage napoléonien : il ne nous est resté que les facultés du joug. Bonaparte a dérangé jusqu'à l'avenir ; point ne m'étonnerais si l'on nous voyait dans le malaise de notre impuissance nous amoindrir, nous barricader contre l'Europe au lieu de l'aller chercher, livrer nos franchises au dedans pour nous délivrer au dehors d'une frayeur chimérique, nous égarer dans d'ignobles prévoyances, contraires à notre génie et aux quatorze siècles dont se composent nos mœurs nationales. Le despotisme que Bonaparte a laissé dans l'air descendra sur nous en forteresses [1].

La mode est aujourd'hui d'accueillir la liberté d'un rire sardonique, de la regarder comme vieillerie tombée en désuétude avec l'honneur. Je ne suis point à la mode, je pense que sans la liberté il n'y a rien dans le monde ; elle donne du prix à la vie ; dussé-je rester le dernier à la défendre, je ne cesserai de proclamer ses droits. Attaquer Napoléon au nom de choses passées, l'assaillir avec des idées mortes, c'est lui préparer de nouveaux triomphes. On ne le peut combattre qu'avec quelque chose de plus grand que lui, la liberté : il s'est rendu coupable envers elle et par conséquent envers le genre humain.

INUTILITÉ DES VÉRITÉS CI-DESSUS EXPOSÉES.

VAINES paroles ! mieux que personne j'en sens l'inutilité. Désormais toute observation, si modérée qu'elle soit, est réputée profanatrice ; il faut du courage pour oser braver les cris du vulgaire, pour ne pas craindre de se faire traiter d'intelligence bornée, incapable de comprendre et de sentir le génie de Napoléon, par la seule raison qu'au milieu de l'admiration vive et vraie que l'on professe pour lui, on ne peut néanmoins encenser toutes ses imperfections. Le monde appartient à Bonaparte ; ce que le ravageur n'avait

1. Chateaubriand est hostile à la ceinture de fortifications dont Thiers décide, en 1840, d'entourer Paris.

412

pu achever de conquérir, sa renommée l'usurpe ; vivant, il a manqué le monde, mort il le possède. Vous avez beau réclamer, les générations passent sans vous écouter. L'antiquité fait dire à l'ombre du fils de Priam : « Ne juge pas « Hector d'après sa petite tombe : l'Iliade, Homère, les « Grecs en fuite, voilà mon sépulcre : je suis enterré sous « toutes ces grandes actions [1]. »

Bonaparte n'est plus le vrai Bonaparte, c'est une figure légendaire composée des lubies du poëte, des devis du soldat et des contes du peuple ; c'est le Charlemagne et l'Alexandre des épopées du moyen âge que nous voyons aujourd'hui. Ce héros fantastique restera le personnage réel ; les autres portraits disparaîtront. Bonaparte appartenait si fort à la domination absolue, qu'après avoir subi le despotisme de sa personne, il nous faut subir le despotisme de sa mémoire. Ce dernier despotisme est plus dominateur que le premier, car si l'on combattit quelquefois Napoléon alors qu'il était sur le trône, il y a consentement universel à accepter les fers que mort il nous jette. Il est un obstacle aux événements futurs : comment une puissance sortie des camps pourrait-elle s'établir après lui ? n'a-t-il pas tué en la surpassant toute gloire militaire ? Comment un gouvernement libre pourrait-il naître, lorsqu'il a corrompu dans les cœurs le principe de toute liberté ? Aucune puissance légitime ne peut plus chasser de l'esprit de l'homme le spectre usurpateur : le soldat et le citoyen, le républicain et le monarchiste, le riche et le pauvre, placent également les bustes et les portraits de Napoléon à leurs foyers, dans leurs palais ou dans leurs chaumières ; les anciens vaincus sont d'accord avec les anciens vainqueurs ; on ne peut faire un pas en Italie qu'on ne le retrouve ; on ne pénètre pas en Allemagne qu'on ne le rencontre, car dans ce pays la jeune génération qui le repoussa est passée. Les siècles s'asseyent d'ordinaire devant le portrait d'un grand homme, ils l'achèvent par un travail long et successif. Le genre humain cette fois n'a pas voulu attendre ; peut-être s'est-il trop hâté d'estomper un pastel. Il est temps de placer en regard de la partie défectueuse de l'idole la partie achevée.

1. Epigramme de l'*Anthologie*.

Bonaparte n'est point grand par ses paroles, ses discours, ses écrits, par l'amour des libertés qu'il n'a jamais eu et n'a jamais prétendu établir ; il est grand pour avoir créé un gouvernement régulier et puissant, un code de lois adopté en divers pays, des cours de justice, des écoles, une administration forte, active, intelligente, et sur laquelle nous vivons encore ; il est grand pour avoir ressuscité, éclairé et géré supérieurement l'Italie ; il est grand pour avoir fait renaître en France l'ordre du sein du chaos, pour avoir relevé les autels, pour avoir réduit de furieux démagogues, d'orgueil-leux savants, des littérateurs anarchiques, des athées voltai-riens, des orateurs de carrefours, des égorgeurs de prison et de rues, des claque-dents de tribune, de clubs et d'échafauds, pour les avoir réduits à servir sous lui ; il est grand pour avoir enchaîné une tourbe anarchique ; il est grand pour avoir fait cesser les familiarités d'une commune fortune, pour avoir forcé des soldats ses égaux, des capitaines ses chefs ou ses rivaux, à fléchir sous sa volonté ; il est grand surtout pour être né de lui seul, pour avoir su, sans autre autorité que celle de son génie, pour avoir su, lui, se faire obéir par trente-six-millions de sujets à l'époque où aucune illusion n'environne les trônes ; il est grand pour avoir abattu tous les rois ses opposants, pour avoir défait toutes les armées quelle qu'ait été la différence de leur disci-pline et de leur valeur, pour avoir appris son nom aux peu-ples civilisés, pour avoir surpassé tous les vainqueurs qui le précédèrent, pour avoir rempli dix années de tels prodiges qu'on a peine aujourd'hui à les compren-dre.

Le fameux délinquant en matière triomphale n'est plus ; le peu d'hommes qui comprennent encore les sentiments nobles peuvent rendre hommage à la gloire sans la craindre, mais sans se repentir d'avoir proclamé ce que cette gloire eut de funeste, sans reconnaître le destructeur des indépen-dances pour le père des émancipations : Napoléon n'a nul besoin qu'on lui prête des mérites ; il fut assez doué en naissant.

Or donc que, détaché de son temps, son histoire est finie et que son épopée commence, allons le voir mourir : quittons l'Europe ; suivons-le sous le ciel de son apothéose !

Le frémissement des mers, là où ses vaisseaux caleront [1] la voile, nous indiquera le lieu de sa disparition : « A l'extré-« mité de notre hémisphère, on entend, dit Tacite, le bruit « que fait le soleil en s'immergeant, *sonum insuper immer-gentis audiri* [2]. »

Sans date

ILE DE SAINTE-HÉLÈNE. — BONAPARTE TRAVERSE L'ATLANTIQUE.

JEAN DE NOYA, navigateur portugais, s'était égaré dans les eaux qui séparent l'Afrique de l'Amérique. En 1502, le 18 août, fête de sainte Hélène, mère du premier empereur chrétien, il rencontra une île par le 16e degré de latitude méridionale et le 11e de longitude ; il y toucha et lui donna le nom du jour de la découverte.

Après avoir fréquenté cette île quelques années, les Portugais la délaissèrent ; les Hollandais s'y établirent, et l'abandonnèrent ensuite pour le cap de Bonne-Espérance ; la Compagnie des Indes d'Angleterre s'en saisit ; les Hollandais la reprirent en 1672 ; les Anglais l'occupèrent de nouveau et s'y fixèrent.

Lorsque Jean de Noya surgit à Sainte-Hélène, l'intérieur du pays inhabité n'était qu'une forêt. Fernand Lopez, renégat portugais, déporté à cette oasis, la peupla de vaches,

1. Baisseront.
2. Tacite, *De moribus Germanorum*, 45.

de chèvres, de poules, de pintades et d'oiseaux des quatre parties de la terre. On y fit monter successivement, comme à bord de l'arche, des animaux de toute la création.

Cinq cents blancs, quinze cents nègres, mêlés de mulâtres, de Javanais et de Chinois, composent la population de l'île. Jamestown en est la ville et le port. Avant que les Anglais fussent maîtres du cap de Bonne-Espérance, les flottes de la Compagnie, au retour des Indes, relâchaient à Jamestown. Les matelots étalaient leurs pacotilles au pied des palmistes : une forêt muette et solitaire se changeait, une fois l'an, en un marché bruyant et peuplé.

Le climat de l'île est sain, mais pluvieux : ce donjon de Neptune, qui n'a que sept à huit lieues de tour, attire les vapeurs de l'Océan. Le soleil de l'équateur chasse à midi tout ce qui respire, force au silence et au repos jusqu'aux moucherons, oblige les hommes et les animaux à se cacher. Les vagues sont éclairées la nuit de ce qu'on appelle la *lumière de mer*, lumière produite par des myriades d'insectes dont les amours, électrisés par les tempêtes, allument à la surface de l'abîme les illuminations d'une noce universelle. L'ombre de l'île, obscure et fixe, repose au milieu d'une plaine mobile de diamants. Le spectacle du ciel est semblablement magnifique, selon mon savant et célèbre ami M. de Humboldt * : « On éprouve, dit-il, je ne sais quel « sentiment inconnu, lorsqu'en approchant de l'équateur, et « surtout en passant d'un hémisphère à l'autre, on voit « s'abaisser progressivement et enfin disparaître les étoiles « que l'on connut dès sa première enfance. On sent qu'on « n'est point en Europe, lorsqu'on voit s'élever sur l'horizon « l'immense constellation du *Navire,* ou les nuées phospho- « rescentes de *Magellan.*

« Nous ne vîmes pour la première fois distinctement, « continue-t-il, la croix du Sud que dans la nuit du 4 au « 5 juillet, par les 16 degrés de latitude.

« Je me rappelais le passage sublime de Dante que les « commentateurs les plus célèbres ont appliqué à cette « constellation :

---

* *Voyage aux régions équinoxiales.*

« *Io mi volsi a man destra* [1], *etc.*

« Chez les Portugais et les Espagnols, un sentiment reli-
« gieux les attache à une constellation dont la forme leur
« rappelle ce signe de la foi, planté par leurs ancêtres dans
« les déserts du nouveau monde. »

Les poëtes de la France et de la Lusitanie ont placé des
scènes de l'Elégie aux rivages du Mélinde et des îles
avoisinantes. Il y a loin de ces douleurs fictives aux tourments réels de Napoléon sous ces astres prédits par le
chantre de Beatrice et dans ces mers d'Eléonore et de
Virginie [2]. Les grands de Rome, relégués aux îles de la
Grèce, se souciaient-ils des charmes de ces rives et des
divinités de la Crète et de Naxos ? Ce qui ravissait Vasco de
Gama et Camoens ne pouvait émouvoir Bonaparte : couché
à la poupe du vaisseau, il ne s'apercevait pas qu'au-dessus
de sa tête étincelaient des constellations inconnues dont les
rayons rencontraient pour la première fois ses regards. Que
lui faisaient ces astres qu'il ne vit jamais de ses bivouacs,
qui n'avaient pas brillé sur son empire ? Et cependant
aucune étoile n'a manqué à sa destinée : la moitié du
firmament éclaira son berceau, l'autre était réservée à la
pompe de sa tombe.

La mer que Napoléon franchissait n'était point cette mer
amie qui l'apporta des havres de la Corse, des sables
d'Aboukir, des rochers de l'île d'Elbe, aux rives de la
Provence ; c'était cet Océan ennemi qui, après l'avoir
enfermé dans l'Allemagne, la France, le Portugal et l'Espagne, ne s'ouvrait devant sa course que pour se refermer
derrière lui. Il est probable qu'en voyant les vagues pousser
son navire, les vents alizés l'éloigner d'un souffle constant, il
ne faisait pas sur sa catastrophe les réflexions qu'elle
m'inspire : chaque homme sent sa vie à sa manière ; celui
qui donne au monde un grand spectacle est moins touché et
moins enseigné que le spectateur. Occupé du passé comme
s'il pouvait renaître, espérant encore dans ses souvenirs,
Bonaparte s'aperçut à peine qu'il franchissait la ligne, et il

1. « Je me tournai vers ma droite... » (*Purgatoire* I, 22 *sq.*)
2. Des héroïnes de Parny et de Bernardin de Saint-Pierre.

ne demanda point quelle main traça ces cercles dans lesquels les globes sont contraints d'emprisonner leur marche éternelle.

Le 15 août, la colonie errante célébra la Saint-Napoléon à bord du vaisseau qui conduisait Napoléon à sa dernière halte. Le 15 octobre, le *Northumberland* était à la hauteur de Sainte-Hélène. Le passager monta sur le pont ; il eut peine à découvrir un point noir imperceptible dans l'immensité bleuâtre ; il prit une lunette ; il observa ce grain de terre ainsi qu'il eût autrefois observé une forteresse au milieu d'un lac. Il aperçut la bourgade de Saint-James enchâssée dans des rochers escarpés ; pas une ride de cette façade stérile à laquelle ne fût suspendu un canon : on semblait avoir voulu recevoir le captif selon son génie.

Le 16 octobre 1815, Bonaparte aborda l'écueil, son mausolée, de même que le 12 octobre 1492 Christophe Colomb aborda le nouveau monde, son monument : « Là, dit Walter Scott, à l'entrée de l'Océan indien, Bona- « parte était privé des moyens de faire un second *avatar* ou « incarnation sur la terre. »

NAPOLÉON PREND TERRE A SAINTE-HÉLÈNE. — SON ÉTABLISSEMENT A LONGWOOD. — PRÉCAUTIONS. — VIE A LONGWOOD. — VISITES.

AVANT d'être transporté à la résidence de Longwood, Bonaparte occupa une case à *Briars* près de *Balcomb's cottage* [1]. Le 9 décembre, Longwood, augmenté à la hâte par les

1. Au chalet des Eglantiers, dépendance du cottage appartenant au négociant Balcombe.

charpentiers de la flotte anglaise, reçut son hôte. La maison, située sur un plateau de montagnes, se composait d'un salon, d'une salle à manger, d'une bibliothèque, d'un cabinet d'étude et d'une chambre à coucher. C'était peu : ceux qui habitèrent la tour du Temple et le donjon de Vincennes furent encore moins bien logés ; il est vrai qu'on eut l'attention d'abréger leur séjour. Le général Gourgaud, M. et madame de Montholon avec leurs enfants, M. de Las Cases et son fils, campèrent provisoirement sous des tentes ; M. et madame Bertrand s'établirent à *Hut's gate,* cabine placée à la limite du terrain de Longwood.

Bonaparte avait pour promenoir une arène de douze milles ; des sentinelles entouraient cet espace, et des vigies étaient placées sur les plus hauts pitons. Le lion pouvait étendre ses courses au-delà, mais il fallait alors qu'il consentît à se laisser garder par un bestiaire anglais. Deux camps défendaient l'enceinte excommuniée : le soir, le cercle des factionnaires se resserrait sur Longwood. A neuf heures, Napoléon consigné ne pouvait plus sortir, les patrouilles faisaient la ronde ; des cavaliers en vedette, des fantassins plantés çà et là, veillaient dans les criques et dans les ravins qui descendaient à la grève. Deux bricks armés croisaient, l'un sous le vent, l'autre au vent de l'île. Que de précautions pour garder un seul homme au milieu des mers ! Après le coucher du soleil, aucune chaloupe ne pouvait mettre à la mer ; les bâteaux pêcheurs étaient comptés, et la nuit ils restaient au port sous la responsabilité d'un lieutenant de marine. Le souverain généralissime qui avait cité le monde à son étrier était appelé à comparaître deux fois le jour devant un hausse-col. Bonaparte ne se soumettait point à cet appel ; quand, par fortune, il ne pouvait éviter les regards de l'officier de service, cet officier n'aurait osé dire où et comment il avait vu celui dont il était plus difficile de constater l'absence que de prouver la présence à l'univers.

Sir George Cockburn, auteur de ces règlements sévères, fut remplacé par sir Hudson Lowe. Alors commencèrent les pointilleries dont tous les *Mémoires* [1] nous ont entretenus.

---

1. Chateaubriand songe surtout au *Mémorial* de Las Cases et aux *Mémoires* de Montholon.

Si l'on en croyait ces *Mémoires,* le nouveau gouverneur aurait été de la famille des énormes araignées de Sainte-Hélène, et le reptile de ces bois où les serpents sont inconnus. L'Angleterre manqua d'élévation, Napoléon de dignité. Pour mettre un terme à ses exigences d'étiquette, Bonaparte semblait quelquefois décidé à se voiler sous un pseudonyme, comme un monarque en pays étranger ; il eut l'idée touchante de prendre le nom d'un de ses aides de camp tué à la bataille d'Arcole [1]. La France, l'Autriche, la Russie, désignèrent des commissaires à la résidence de Sainte-Hélène : le captif était accoutumé à recevoir les ambassadeurs des deux dernières puissances ; la légitimité, qui n'avait pas reconnu Napoléon empereur, aurait agi plus noblement en ne reconnaissant pas Napoléon prisonnier.

Une grande maison de bois, construite à Londres, fut envoyée à Sainte-Hélène ; mais Napoléon ne se trouva plus assez bien portant pour l'habiter. Sa vie à Longwood était ainsi réglée : il se levait à des heures incertaines ; M. Marchand, son valet de chambre, lui faisait la lecture lorsqu'il était au lit ; quand il s'était levé matin, il dictait aux généraux Montholon et Gourgaud, et au fils de M. de Las Cases. Il déjeunait à dix heures, se promenait à cheval ou en voiture jusque vers les trois heures, rentrait à six et se couchait à onze. Il affectait de s'habiller comme il est peint dans le portrait d'Isabey : le matin il s'enveloppait d'un cafetan et entortillait sa tête d'un mouchoir des Indes.

Sainte-Hélène est située entre les deux pôles. Les navigateurs qui passent d'un lieu à l'autre saluent cette première station, où la terre délasse les regards fatigués du spectacle de l'Océan et offre des fruits et la fraîcheur de l'eau douce à des bouches échauffées par le sel. La présence de Bonaparte avait changé cette île de promission en un roc pestiféré : les vaisseaux étrangers n'y abordaient plus ; aussitôt qu'on les signalait à vingt lieues de distance, une croisière les allait reconnaître et leur enjoignait de passer au large ; on n'admettait en relâche, à moins d'une tourmente, que les seuls navires de la marine britannique.

1. Le capitaine Muiron.

Quelques-uns des voyageurs anglais qui venaient d'admirer ou qui allaient voir les merveilles du Gange visitaient sur leur chemin une autre merveille : l'Inde, accoutumée aux conquérants, en avait un enchaîné à ses portes.

Napoléon admettait ces visites avec peine. Il consentit à recevoir lord Amherst [1] à son retour de son ambassade de la Chine. L'amiral sir Pultney Malcolm [2] lui plut : « Votre « gouvernement, lui dit-il un jour, a-t-il l'intention de me « retenir sur ce rocher jusqu'à ma mort ? » L'amiral répondit qu'il le craignait. « — Alors ma mort arrivera bientôt. « — J'espère que non, *Monsieur;* vous vivrez assez de temps « pour écrire vos grandes actions ; elles sont si nombreuses, « que cette tâche vous assure une longue vie. »

Napoléon ne se choqua point de cette simple appellation, *monsieur;* il se reconnut en ce moment par sa véritable grandeur. Heureusement pour lui, il n'a point écrit sa vie ; il l'eût rapetissée : les hommes de cette nature doivent laisser leurs mémoires à raconter par cette voix inconnue qui n'appartient à personne et qui sort des peuples et des siècles. A nous seuls vulgaires il est permis de parler de nous, parce que personne n'en parlerait.

Le capitaine Basil Hall [3] se présenta à Longwood : Bonaparte se souvint d'avoir vu le père du capitaine à Brienne : « Votre père, dit-il, était le premier Anglais que « j'eusse jamais vu ; c'est pourquoi j'en ai gardé le souvenir « toute ma vie. » Il s'entretint avec le capitaine de la récente découverte de l'île de Lou-Tchou : « Les habitants n'ont « point d'armes, dit le capitaine. — Point d'armes ! s'écria « Bonaparte. — Ni canons ni fusils. — Des lances au « moins, des arcs et des flèches ? — Rien de tout cela. — Ni « poignards ? — Ni poignards. — Mais comment se bat-« on ? — Ils ignorent tout ce qui se passe dans le monde ; ils « ne savent pas que la France et l'Angleterre existent ; ils « n'ont jamais entendu parler de Votre Majesté. » Bonaparte sourit d'une manière qui frappa le capitaine : plus le visage est sérieux, plus le sourire est beau.

1. William Pitt.
2. Chef de la station navale de juin 1816 à juin 1817.
3. Explorateur.

Ces différents voyageurs remarquèrent qu'aucune trace de couleur ne paraissait sur le visage de Bonaparte : sa tête ressemblait à un buste de marbre dont la blancheur était légèrement jaunie par le temps. Rien de sillonné sur son front, ni de creusé dans ses joues ; son âme semblait sereine. Ce calme apparent fit croire que la flamme de son génie s'était envolée. Il parlait avec lenteur ; son expression était affectueuse et presque tendre ; quelquefois il lançait des regards éblouissants, mais cet état passait vite : ses yeux se voilaient et devenaient tristes.

Ah ! sur ces rivages avaient jadis comparu d'autres voyageurs connus de Napoléon.

Après l'explosion de la machine infernale, un sénatus-consulte du 5 janvier 1801 prononça sans jugement, par simple mesure de police, l'exil outre-mer de cent trente républicains : embarqués sur la frégate *la Chiffonne* et sur la corvette *la Flèche*, ils furent conduits aux îles Séchelles et dispersés peu après dans l'archipel des Comores, entre l'Afrique et Madagascar ; ils y moururent presque tous. Deux des déportés, Lefranc et Saunois, parvenus à se sauver sur un vaisseau américain, touchèrent en 1803 à Sainte-Hélène : c'était là que douze ans plus tard la Providence devait enfermer leur grand oppresseur.

Le trop fameux général Rossignol[1] leur compagnon d'infortune, un quart d'heure avant son dernier soupir, s'écria : « Je meurs accablé des plus horribles douleurs ; « mais je mourrais content si je pouvais apprendre que le « tyran de ma patrie endurât les mêmes souffrances. » Ainsi jusque dans l'autre hémisphère les imprécations de la liberté attendaient celui qui la trahit.

1. Ami de Robespierre et de Babeuf. Proscrit en 1801, il mourut dans une île des Comores, l'année suivante.

MANZONI. — MALADIE DE BONAPARTE. — OSSIAN. — RÊVE-
RIES DE NAPOLÉON À LA VUE DE LA MER. — PROJETS
D'ENLÈVEMENT. — DERNIÈRE OCCUPATION DE BONAPARTE.
— IL SE COUCHE ET NE SE RELÈVE PLUS. — IL DICTE SON
TESTAMENT. — SENTIMENTS RELIGIEUX DE NAPOLÉON. —
L'AUMÔNIER VIGNALI. — NAPOLÉON APOSTROPHE
ANTOMARCHI, SON MÉDECIN. — IL REÇOIT LES DERNIERS
SACREMENTS. — IL EXPIRE.

L'ITALIE, arrachée à son long sommeil par Napoléon,
tourna les yeux vers l'illustre enfant qui la voulut rendre à
sa gloire et avec lequel elle était retombée sous le joug. Les
fils des Muses, les plus nobles et les plus reconnaissants des
hommes, quand ils n'en sont pas les plus vils et les plus
ingrats, regardaient Sainte-Hélène. Le dernier poëte de la
patrie de Virgile chantait le dernier guerrier de la patrie de
César :

> Tutto ei provò, la gloria
> Maggior dopo il periglio,
> La fuga e la vittoria,
> La reggia e il triste esiglio :
> Due volte nelle polvere,
> Due volte sugli altar.
>
> Ei si nomò : due secoli,
> L'un contro l'altro armato,
> Sommessi a lui si volsero,
> Come aspettando il fato :
> Ei fè silenzio ed arbitro
> S'assise in mezzo a lor.

« Il éprouva tout, dit Manzoni, la gloire plus grande
« après le péril, la fuite et la victoire, la royauté et le triste
« exil, deux fois dans la poudre, deux fois sur l'autel.

423

« Il se nomma : deux siècles l'un contre l'autre armés
« se tournèrent vers lui, comme attendant leur sort : il fit
« silence, et s'assit arbitre entre eux. »

Bonaparte approchait de sa fin ; rongé d'une plaie intérieure[1], envenimée par le chagrin, il l'avait portée, cette
plaie, au sein de la prospérité : c'était le seul héritage qu'il
eût reçu de son père ; le reste lui venait des munificences de
Dieu.

Déjà il comptait six années d'exil ; il lui avait fallu moins
de temps pour conquérir l'Europe. Il restait presque toujours renfermé, et lisait Ossian de la traduction italienne de
Cesarotti. Tout l'attristait sous un ciel où la vie semblait
plus courte, le soleil restant trois jours de moins dans cet
hémisphère que dans le nôtre. Quand Bonaparte sortait, il
parcourait des sentiers scabreux que bordaient des aloès et
des genêts odoriférants. Il se promenait parmi les gommiers
à fleurs rares que les vents généraux faisaient pencher du
même côté, ou il se cachait dans les gros nuages qui
roulaient à terre. On le voyait assis sur les bases du *pic de
Diane,* du *Flay Staff,* du *Leader Hill,* contemplant la mer
par les brèches des montagnes. Devant lui se déroulait cet
Océan qui d'une part baigne les côtes de l'Afrique, de
l'autre les rives américaines, et qui va, comme un fleuve
sans bords, se perdre dans les mers australes. Point de terre
civilisée plus voisine que le cap des Tempêtes. Qui dira les
pensées de ce Prométhée déchiré vivant par la mort, lorsque,
la main appuyée sur sa poitrine douloureuse, il promenait
ses regards sur les flots ? Le Christ fut transporté
au sommet d'une montagne d'où il aperçut les royaumes
du monde ; mais pour le Christ il était écrit au
séducteur de l'homme : « Tu ne tenteras point le Fils de
« Dieu[2]. »

Bonaparte, oubliant une pensée de lui, que j'ai citée
(Ne m'étant pas donné la vie, je ne me l'ôterai pas), parlait
de se tuer ; il ne se souvenait plus aussi de son *ordre du jour*
à propos du suicide d'un de ses soldats. Il espérait assez
dans l'attachement de ses compagnons de captivité pour

1. Un cancer à l'estomac.
2. Évangile selon saint Matthieu IV, 7.

croire qu'ils consentiraient à s'étouffer avec lui à la vapeur d'un brasier : l'illusion était grande. Tels sont les enivrements d'une longue domination ; mais il ne faut considérer, dans les impatiences de Napoléon, que le degré de souffrances auquel il était parvenu. M. de Las Cases ayant écrit à Lucien sur un morceau de soie blanche, en contravention avec les règlements, reçut l'ordre de quitter Sainte-Hélène : son absence augmenta le vide autour du banni.

Le 18 mai 1817, lord Holland, dans la Chambre des pairs, fit une proposition au sujet des plaintes transmises en Angleterre par le général Montholon : « La postérité n'exa- « minera pas, dit-il, *si Napoléon a été justement puni de ses* « *crimes*, mais si l'Angleterre a montré la générosité qui « convenait à une grande nation. » Lord Bathurst combattit la motion.

Le cardinal Fesch dépêcha d'Italie deux prêtres à son neveu. La princesse Borghèse sollicitait la faveur de rejoindre son frère : « Non, dit Napoléon, je ne veux pas qu'elle « soit témoin de mon humiliation et des insultes auxquelles « je suis exposé. » Cette sœur aimée, *germana Jovis* [1], ne traversa pas les mers ; elle mourut aux lieux où Napoléon avait laissé sa renommée.

Des projets d'enlèvement se formèrent : un colonel Latapie, à la tête d'une bande d'aventuriers américains, méditait une descente à Sainte-Hélène. Johnston, hardi contrebandier, prétendit dérober Bonaparte au moyen d'un bateau sous-marin. De jeunes lords entraient dans ces projets ; on conspirait pour rompre les chaînes de l'oppresseur ; on aurait laissé périr dans les fers, sans y penser, le libérateur du genre humain. Bonaparte espérait sa délivrance des mouvements politiques de l'Europe. S'il eût vécu jusqu'en 1830, peut-être nous serait-il revenu ; mais qu'eût-il fait parmi nous ? il eût semblé caduc et arriéré au milieu des idées nouvelles. Jadis sa tyrannie paraissait liberté à notre servitude ; maintenant sa grandeur paraîtrait despotisme à notre petitesse. A l'époque actuelle tout est décrépit dans un jour ; qui vit trop, meurt vivant. En avançant dans la vie, nous laissons trois ou quatre images de nous, différentes les

1. Sœur de Jupiter. Pauline Borghèse mourut à Florence en 1825.

unes des autres ; nous les revoyons ensuite dans la vapeur du passé comme des portraits de nos différents âges.

Bonaparte affaibli ne s'occupait plus que comme un enfant : il s'amusait à creuser dans son jardin un petit bassin ; il y mit quelques poissons : le mastic du bassin se trouvant mêlé de cuivre, les poissons moururent. Bonaparte dit : « Tout ce qui m'attache est frappé. »

Vers la fin de février 1821, Napoléon fut obligé de se coucher et ne se leva plus. « Suis-je assez tombé ! « murmurait-il : je remuais le monde et je ne puis soulever « ma paupière ! » Il ne croyait pas à la médecine et s'opposait à une consultation d'Antomarchi[1] avec des médecins de Jamestown. Il admit cependant à son lit de mort le docteur Arnold[2]. Du 15 au 25 avril, il dicta son testament ; le 28, il ordonna d'envoyer son cœur à Marie-Louise ; il défendit à tout chirurgien anglais de porter la main sur lui après son décès. Persuadé qu'il succombait à la maladie dont avait été atteint son père, il recommanda de faire passer un duc de Reichstadt le procès-verbal de l'autopsie : le renseignement paternel est devenu inutile ; Napoléon II a rejoint Napoléon Ier.

À cette dernière heure, le sentiment religieux dont Bonaparte avait toujours été pénétré se réveilla. Thibaudeau, dans ses *Mémoires sur le Consulat,* raconte, à propos du rétablissement du culte, que le premier consul lui avait dit : « Dimanche dernier, au milieu du silence de la nature, je « me promenais dans ces jardins (la Malmaison) ; le son de « la cloche de Ruel vint tout à coup frapper mon oreille, et « renouvela toutes les impressions de ma jeunesse ; je fus « ému, tant est forte la puissance des premières habitudes, « et je me dis : S'il en est ainsi pour moi, quel effet de « pareils souvenirs ne doivent-ils pas produire sur les hom- « mes simples et crédules ? Que vos philosophes répondent « à cela ! . . . . et, levant les mains vers le ciel : « Quel est celui qui a fait tout cela ? »

En 1797, par sa proclamation de Macerata, Bonaparte

1. Médecin d'origine corse envoyé à Napoléon par le cardinal Fesch avec deux prêtres.
2. Médecin anglais.

autorise le séjour des prêtres français réfugiés dans les Etats du pape, défend de les inquiéter, ordonne aux couvents de les nourrir, et leur assigne un traitement en argent.

Ses variations en Egypte, ses colères contre l'Eglise dont il était le restaurateur, montrent qu'un instinct de spiritualisme le dominait au milieu même de ses égarements, car ses chutes et ses irritations ne sont point d'une nature philosophique et portent l'empreinte du caractère religieux.

Bonaparte, donnant à Vignali [1] les détails de la chapelle ardente dont il voulait qu'on environnât sa dépouille, crut s'apercevoir que sa recommandation déplaisait à Antomarchi ; il s'en expliqua avec le docteur et lui dit : « Vous êtes au-dessus « de ces faiblesses : mais que voulez-vous, je ne suis ni « philosophe ni médecin ; je crois à Dieu ; je suis de la « religion de mon père. N'est pas athée qui veut . . . . « Pouvez-vous ne pas croire à Dieu ? car enfin tout pro- « clame son existence, et les plus grands génies l'ont cru . . « . . . . Vous êtes médecin . . . . « ces gens-là ne brassent que de la matière ; ils ne croient « jamais rien. »

Fortes têtes du jour, quittez votre admiration pour Napoléon ; vous n'avez rien à faire de ce pauvre homme : ne se figurait-il pas qu'une comète était venue le chercher, comme jadis elle emporta César ? De plus, *il croyait à Dieu; il était de la religion de son père;* il n'était pas *philosophe;* il n'était pas *athée;* il n'avait pas, comme vous, livré de bataille à l'Eternel, bien qu'il eût vaincu bon nombre de rois ; il trouvait que *tout proclamait l'existence* de l'Etre suprême ; il déclarait que les *plus grands génies avaient cru à cette existence,* et il voulait croire comme ses pères. Enfin, chose monstrueuse ! ce premier homme des temps modernes, cet homme de tous les siècles, était chrétien dans le dix-neuvième siècle ! Son testament commence par cet article :

« JE MEURS DANS LA RELIGION APOSTOLIQUE ET « ROMAINE, DANS LE SEIN DE LAQUELLE JE SUIS NÉ IL Y A « PLUS DE CINQUANTE ANS. »

1. L'un des deux prêtres envoyés à Napoléon par le cardinal Fesch.

Au troisième paragraphe du testament de Louis XVI on lit :

« JE MEURS DANS L'UNION DE NOTRE SAINTE MÈRE « L'ÉGLISE CATHOLIQUE, APOSTOLIQUE ET ROMAINE. »

La Révolution nous a donné bien des enseignements ; mais en est-il un seul comparable à celui-ci ? Napoléon et Louis XVI faisant la même profession de foi ! Voulez-vous savoir le prix de la croix ? Cherchez dans le monde entier ce qui convient le mieux à la vertu malheureuse, ou à l'homme de génie mourant.

Le 3 mai, Napoléon se fit administrer l'extrême-onction et reçut le saint viatique. Le silence de la chambre n'était interrompu que par le hoquet de la mort mêlé au bruit régulier du balancier d'une pendule : l'ombre, avant de s'arrêter sur le cadran, fit encore quelques tours ; l'astre qui la dessinait avait de la peine à s'éteindre. Le 4, la tempête de l'agonie de Cromwell s'éleva : presque tous les arbres de Longwood furent déracinés. Enfin, le 5, à six heures moins onze minutes du soir, au milieu des vents, de la pluie et du fracas des flots, Bonaparte rendit à Dieu le plus puissant souffle de vie qui jamais anima l'argile humaine. Les derniers mots saisis sur les lèvres du conquérant furent : « Tête... armée, ou tête d'armée. » Sa pensée errait encore au milieu des combats. Quand il ferma pour jamais les yeux, son épée, expirée avec lui, était couchée à sa gauche, un crucifix reposait sur sa poitrine : le symbole pacifique appliqué au cœur de Napoléon calma les palpitations de ce cœur, comme un rayon du ciel fait tomber la vague.

FUNÉRAILLES.

BONAPARTE désira d'abord être enseveli dans la cathédrale d'Ajaccio, puis, par un codicille daté du 16 avril 1821, il légua ses os à la France : le ciel l'avait mieux servi ; son véritable mausolée est le rocher où il expira : revoyez mon récit de la mort du duc d'Enghien [1]. Napoléon, prévoyant à ses dernières volontés l'opposition du gouvernement britannique, fit choix éventuellement d'une sépulture à Sainte-Hélène.

Dans une étroite vallée appelée la vallée de *Slane* ou du *Géranium,* maintenant du *Tombeau,* coule une source ; les domestiques chinois de Napoléon, fidèles comme le Javanais de Camoens, avaient accoutumé d'y remplir des amphores : deux saules pleureurs pendent sur la fontaine ; une herbe fraîche, parsemée de *tchampas,* croît autour. « Le tchampas, « malgré son éclat et son parfum, n'est pas une plante « qu'on recherche parce qu'elle fleurit sur les tombeaux, » disent les poésies sanscrites. Dans les déclivités des roches déboisées, végètent mal des citronniers amers, des cocotiers porte-noix, des mélèzes et des conises dont on recueille la gomme attachée à la barbe des chèvres.

Napoléon se plaisait aux saules de la fontaine ; il demandait la paix à la vallée de Slane, comme Dante banni demandait la paix au cloître de Corvo. En reconnaissance du repos passager qu'il y goûta les derniers jours de sa vie, il indiqua cette vallée pour l'abri de son repos éternel. Il disait en parlant de la source : « Si Dieu voulait que je me « rétablisse, j'élèverais un monument dans le lieu où elle « jaillit. » Ce monument fut son tombeau. Du temps de Plutarque, dans un endroit consacré aux nymphes aux bords

1. Voir Tome I, p. 648 *sq.*

429

du Strymon, on voyait encore un siège de pierre sur lequel s'était assis Alexandre.

Napoléon, botté, éperonné, habillé en uniforme de colonel de la garde, décoré de la Légion-d'Honneur, fut exposé mort dans sa couchette de fer ; sur ce visage qui ne s'étonna jamais, l'âme, en se retirant, avait laissé une stupeur sublime. Les planeurs et les menuisiers soudèrent et clouèrent Bonaparte en une quadruple bière d'acajou, de plomb, d'acajou encore et de ferblanc ; on semblait craindre qu'il ne fût jamais assez emprisonné. Le manteau que le vainqueur d'autrefois portait aux vastes funérailles de Marengo servit de drap mortuaire au cercueil.

Les obsèques se firent le 28 mai. Le temps était beau ; quatre chevaux, conduits par des palefreniers à pied, tiraient le corbillard ; vingt-quatre grenadiers anglais, sans armes, l'environnaient ; suivait le cheval de Napoléon. La garnison de l'île bordait les précipices du chemin. Trois escadrons de dragons précédaient le cortége ; le 20e régiment d'infanterie, les soldats de marine, les volontaires de Sainte-Hélène, l'artillerie royale avec quinze pièces de canon, fermaient la marche. Des groupes de musiciens, placés de distance en distance sur les rochers, se renvoyaient des airs lugubres. A un défilé, le corbillard s'arrêta ; les vingt-quatre grenadiers sans armes enlevèrent le corps et eurent l'honneur de le porter sur leurs épaules jusqu'à la sépulture. Trois salves d'artillerie saluèrent les restes de Napoléon au moment où il descendit dans la terre : tout le bruit qu'il avait fait sur cette terre ne pénétrait pas à deux lignes au-dessous.

Une pierre, qui devait être employée à la construction d'une nouvelle maison pour l'exilé, est abaissée sur son cercueil comme la trappe de son dernier cachot.

On récita les versets du psaume 87 : « J'ai été pauvre et « plein de travail dans ma jeunesse ; j'ai été élevé, puis « humilié... j'ai été percé de vos colères. » De minute en minute le vaisseau amiral tirait. Cette harmonie de la guerre, perdue dans l'immensité de l'Océan, répondait au *requiescat in pace*. L'empereur, enterré par ses vainqueurs de Waterloo, avait ouï le dernier coup de canon de cette bataille ; il n'entendit point la dernière détonation dont l'Angleterre troublait et honorait son sommeil à Sainte-Hélène. Chacun se retira, tenant en main une branche de saule comme en revenant de la fête des Palmes.

Lord Byron crut que le dictateur des rois avait abdiqué sa renommée avec son glaive, qu'il allait s'éteindre oublié. Le poëte aurait dû savoir que la destinée de Napoléon était une muse, comme toutes les hautes destinées. Cette muse sut changer un dénoûment avorté en une péripétie qui renouvelait son héros. La solitude de l'exil et de la tombe de Napoléon a répandu sur une mémoire éclatante une autre sorte de prestige. Alexandre ne mourut point sous les yeux de la Grèce ; il disparut dans les lointains superbes de Babylone. Bonaparte n'est point mort sous les yeux de la France ; il s'est perdu dans les fastueux horizons des zones torrides. Il dort comme un ermite ou comme un paria dans un vallon, au bout d'un sentier désert. La grandeur du silence qui le presse égale l'immensité du bruit qui l'environna. Les nations sont absentes, leur foule s'est retirée ; l'oiseau des tropiques *attelé,* dit Buffon, *au char du soleil,* se précipite de l'astre de la lumière ; où se repose-t-il aujourd'hui ? Il se repose sur des cendres dont le poids a fait pencher le globe.

DESTRUCTION DU MONDE NAPOLÉONIEN.

*Imposuerunt omnès sibi diademata, post mortem ejus,
. . . . et multiplicata sunt mala in terra* (MACHAB.).
« Ils prirent tous le diadème après sa mort, ...
« et les maux se multiplièrent sur la terre. »

Ce résumé des Machabées sur Alexandre semble être fait pour Napoléon : « Les diadèmes ont été *pris* et les maux se

431

« sont multipliés sur la terre. » Vingt années se sont à peine écoulées depuis la mort de Bonaparte, et déjà la monarchie française et la monarchie espagnole [1] ne sont plus. La carte du monde a changé ; il a fallu apprendre une géographie nouvelle ; séparés de leurs légitimes souverains, des peuples ont été jetés à des souverains de rencontre ; des acteurs renommés sont descendus de la scène où sont montés des acteurs sans nom ; les aigles se sont envolés de la cime du haut pin tombé dans la mer, tandis que de frêles coquillages se sont attachés aux flancs du tronc encore protecteur.

Comme en dernier résultat tout marche à ses fins, *le terrible esprit de nouveauté qui parcourait le monde* disait l'empereur, et auquel il avait opposé la barre de son génie, reprend son cours ; les institutions du conquérant défaillent ; il sera la dernière des grandes existences individuelles ; rien ne dominera désormais dans les sociétés infimes et nivelées ; l'ombre de Napoléon s'élèvera seule à l'extrémité du vieux monde détruit, comme le fantôme du déluge au bord de son abîme : la postérité lointaine découvrira cette ombre par-dessus le gouffre où tomberont des siècles inconnus, jusqu'au jour marqué de la renaissance sociale.

MES DERNIERS RAPPORTS AVEC BONAPARTE.

PUISQUE c'est ma propre vie que j'écris en m'occupant de celles des autres, grandes ou petites, je suis forcé de mêler cette vie aux choses et aux hommes, quand par hasard elle est rappelée. Ai-je traversé d'une traite, sans m'y arrêter

1. En octobre 1840 la reine-régente d'Espagne Marie-Christine avait dû abdiquer.

jamais, le souvenir du déporté qui, dans sa prison de l'Océan, attendait l'exécution de l'arrêt de Dieu ? Non.

La paix que Napoléon n'avait pas conclue avec les rois ses geôliers, il l'avait faite avec moi : j'étais fils de la mer comme lui, ma nativité était du rocher comme la sienne. Je me flatte d'avoir mieux connu Napoléon que ceux qui l'ont vu plus souvent et approché de plus près.

Napoléon à Sainte-Hélène, cessant d'avoir à garder contre moi sa colère, avait renoncé à ses inimitiés ; devenu plus juste à mon tour, j'écrivis dans le *Conservateur* cet article [1] :

« Les peuples ont appelé Bonaparte un fléau ; mais les « fléaux de Dieu conservent quelque chose de l'éternité et « de la grandeur du courroux divin dont ils émanent : *Ossa « arida... dabo vobis spiritum et vivetis*. Ossements arides, « je vous donnerai mon souffle et vous vivrez. Né dans une « île pour aller mourir dans une île, aux limites de trois « continents ; jeté au milieu des mers où Camoens sembla le « prophétiser en y plaçant le génie des tempêtes, Bonaparte « ne se peut remuer sur son rocher que nous n'en soyons « avertis par une secousse ; un pas du nouvel Adamastor à « l'autre pôle se fait sentir à celui-ci. Si Napoléon, échappé « aux mains de ses geôliers, se retirait aux Etats-Unis, ses « regards attachés sur l'Océan suffiraient pour troubler les « peuples de l'ancien monde ; sa seule présence sur le rivage « américain de l'Atlantique forcerait l'Europe à camper sur « le rivage opposé. »

Cet article parvint à Bonaparte à Sainte-Hélène ; une main qu'il croyait ennemie versa le dernier baume sur ses blessures ; il dit à M. de Montholon :

« Si, en 1814 et en 1815, la confiance royale n'avait « point été placée dans des hommes dont l'âme était « détrempée par des circonstances trop fortes, ou qui, « renégats à leur patrie, ne voient de salut et de gloire pour « le trône de leur maître que dans le joug de la Sainte « Alliance ; si le duc de Richelieu, dont l'ambition fut de « délivrer son pays de la présence des baïonnettes étrangè- « res, si Chateaubriand, qui venait de rendre à Gand

---

1. Daté du 17 novembre 1818.

« d'éminents services, avaient eu la direction des affaires, la
« France serait sortie puissante et redoutée de ces deux
« grandes crises nationales. Chateaubriand a reçu de la
« nature le feu sacré : ses ouvrages l'attestent. Son style
« n'est pas celui de Racine, c'est celui du prophète. Si
« jamais il arrive au timon des affaires, il est possible que
« Chateaubriand s'égare : tant d'autres y ont trouvé leur
« perte ! Mais ce qui est certain, c'est que tout ce qui est
« grand et national doit convenir à son génie, et qu'il eût
« repoussé avec indignation ces actes infamants de l'admi-
« nistration d'alors*. »

Telles ont été mes dernières relations avec Bonaparte, —
Pourquoi ne conviendrais-je pas que ce jugement *chatouille
de mon cœur l'orgueilleuse faiblesse* [1] ? Bien de petits
hommes à qui j'ai rendu de grands services ne m'ont pas
jugé si favorablement que le géant dont j'avais osé attaquer
la puissance.

SAINTE-HÉLÈNE DEPUIS LA MORT DE NAPOLÉON.

TANDIS que le monde napoléonien s'effaçait, je m'enquérais
des lieux où Napoléon lui-même s'était évanoui. Le tombeau
de Sainte-Hélène a déjà usé un des saules ses contemporains : l'arbre décrépit et tombé est mutilé chaque jour par
les pèlerins. La sépulture est entourée d'un grillage en
fonte ; trois dalles sont posées transversalement sur la fosse ;

* *Mémoires pour servir à l'Histoire de France sous Napoléon,* par M.
de Montholon. T. IV, p. 243.
1. Vers de Racine (*Iphigénie* I. ɪ : c'est Agamemnon qui parle).

434

quelques iris croissent aux pieds et à la tête ; la fontaine de la vallée coule° encore là où des jours prodigieux se sont taris. Des voyageurs apportés par la tempête croient devoir consigner leur obscurité à la sépulture éclatante. Une vieille s'est établie auprès et vit de l'ombre d'un souvenir ; un invalide fait sentinelle dans une guérite.

Le vieux Longwood, à deux cents pas du nouveau, est abandonné. A travers un enclos rempli de fumier, on arrive à une écurie ; elle servait de chambre à coucher à Bonaparte. Un nègre vous montre une espèce de couloir occupé par un moulin à bras et vous dit : « *Here he dead,* ici il « mourut. » La chambre où Napoléon reçut le jour n'était vraisemblablement ni plus grande ni plus riche.

Au nouveau Longwood, *Plantation house,* chez le gouverneur, on voit le duc de Wellington en peinture et les tableaux de ses batailles. Une armoire vitrée renferme un morceau de l'arbre près duquel se trouvait le général anglais à Waterloo ; cette relique est placée entre une branche d'olivier cueillie au jardin des Olives et des ornements de sauvages de la mer du Sud : bizarre association des abuseurs des vagues. Inutilement le vainqueur veut ici se substituer au vaincu, sous la protection d'un rameau de la Terre-Sainte et du souvenir de Cook ; il suffit qu'on retrouve à Sainte-Hélène la solitude, l'Océan et Napoléon.

Si l'on recherchait l'histoire de la transformation des bords illustrés par des tombeaux, des berceaux, des palais, quelle variété de choses et de destinées ne verrait-on pas, puisque de si étranges métamorphoses s'opèrent jusque dans les habitations obscures auxquelles sont attachées nos chétives vies ! Dans quelle hutte naquit Clovis ? Dans quel chariot Attila reçut-il le jour ? Quel torrent couvre la sépulture d'Alaric, Quel chacal occupe la place du cercueil en or ou en cristal d'Alexandre [1] ? Combien de fois ces poussières ont-elles changé de place ? Et tous ces mausolées de l'Egypte et des Indes, à qui appartiennent-ils ? Dieu seul connaît la cause de ces mutations liées à des mystères de l'avenir : il est pour les hommes des vérités cachées dans la profondeur du temps ; elles ne se manifestent qu'à l'aide des

1. Dès le IVᵉ siècle de notre ère ce cercueil avait disparu.

siècles, comme il y a des étoiles si éloignées de la terre que leur lumière n'est pas encore parvenue jusqu'à nous.

EXHUMATION DE BONAPARTE.

MAIS tandis que j'écrivais ceci le temps a marché ; il a produit un événement qui aurait de la grandeur, si les événements ne tombaient aujourd'hui dans la boue. On a redemandé à Londres la dépouille de Bonaparte ; la demande a été accueillie [1] : qu'importent à l'Angleterre de vieux ossements ? Elle nous fera tant que nous voudrons de ces sortes de présents. Les dépouilles de Napoléon nous sont revenues au moment de notre humiliation ; elles auraient pu subir le droit de visite ; mais l'étranger s'est montré facile : il a donné un laisser-passer aux cendres.

La translation des restes de Napoléon est une faute contre la renommée. Une sépulture à Paris ne vaudra jamais la vallée de Slane [2] : qui voudrait voir Pompée ailleurs que dans le sillon de sable élevé par un pauvre affranchi, aidé d'un vieux légionnaire [3] ? Que ferons-nous de ces magnifiques reliques au milieu de nos misères ? Le granit le plus dur représentera-t-il la pérennité des œuvres de Bonaparte ? Encore si nous possédions un Michel-Ange pour sculpter la statue funèbre ! Comment façonnera-t-on le monument ? Aux petits hommes des mausolées, aux grands hommes une pierre et un nom. Du moins, si on avait suspendu le cercueil

1. Thiers put annoncer à la Chambre la réponse favorable de l'Angleterre, le 12 mai 1840.
2. Voir p. 429.
3. Voir Tome I, p. 707 *sq.*

436

au couronnement de l'Arc de Triomphe, si les nations avaient aperçu de loin leur maître porté sur les épaules de ses victoires ! L'urne de Trajan n'était-elle pas placée à Rome au haut de sa colonne ? Napoléon, parmi nous, se perdra dans la tourbe de ces va-nu-pieds de morts qui se dérobent en silence. Dieu veuille qu'il ne soit pas exposé aux vicissitudes de nos changements politiques, tout défendu qu'il est par Louis XIV, Vauban et Turenne ! Gare ces violations de tombeaux si communes dans notre patrie ! Qu'un certain côté de la révolution triomphe, et la poussière du conquérant pourra rejoindre les poussières que nos passions ont dispersées : on oubliera le vainqueur des peuples pour ne se souvenir que de l'oppresseur des libertés. Les os de Napoléon ne reproduiront pas son génie, ils enseigneront son despotisme à de médiocres soldats.

Quoi qu'il en soit, une frégate a été fournie à un fils de Louis-Philippe [1] : un nom cher à nos anciennes victoires maritimes [2] la protégeait sur les flots. Parti de Toulon, où Bonaparte s'était embarqué dans sa puissance pour la conquête de l'Égypte, le nouvel Argo est venu à Sainte-Hélène revendiquer le néant. Le sépulcre, avec son silence, continuait à s'élever immobile dans la vallée de Slane ou du Géranium. Des deux saules pleureurs l'un était tombé ; lady Dallas, femme d'un gouverneur de l'île, avait fait planter en remplacement de l'arbre défailli dix-huit jeunes saules et trente-quatre cyprès ; la source, toujours là, coulait comme quand Napoléon en buvait l'eau. Pendant toute une nuit, sous la conduite d'un capitaine anglais nommé Alexander, on a travaillé à percer le monument. Les quatre cercueils emboîtés les uns dans les autres, le cercueil d'acajou, le cercueil de plomb, le second cercueil d'acajou ou de bois des Iles et le cercueil de fer blanc, ont été trouvés intacts. On procéda à l'inspection de ces moules de momie sous une tente, au milieu d'un cercle d'officiers dont quelques-uns avaient connu Bonaparte.

Lorsque la dernière bière fut ouverte, les regards s'y

1. Au prince de Joinville.
2. *La Belle-Poule.* C'était la troisième du nom ; les deux précédentes s'étaient illustrées contre les Anglais sous Louis XVI et sous l'Empire.

plongèrent : « Ils vinrent, dit l'abbé Coquereau[1], se heurter
« contre une masse blanchâtre qui couvrait le corps dans
« toute son étendue. Le docteur Gaillard, la touchant,
« reconnut un coussin de satin blanc qui garnissait à
« l'intérieur la paroi supérieure du cercueil : il s'était
« détaché et enveloppait la dépouille comme un linceul...
« Tout le corps paraissait couvert comme d'une mousse
« légère ; on eût dit que nous l'apercevions à travers un
« nuage diaphane. C'était bien sa tête : un oreiller l'exhaus-
« sait un peu ; son large front, ses yeux dont les orbites se
« dessinaient sous les paupières, garnis encore de quelques
« cils ; ses joues étaient bouffies, son nez seul avait souffert,
« sa bouche entr'ouverte laissait apercevoir trois dents d'une
« grande blancheur ; sur son menton se distinguait parfaite-
« ment l'empreinte de la barbe ; ses deux mains surtout
« paraissaient appartenir à quelqu'un de respirant encore,
« tant elles étaient vives de ton et de coloris ; l'une d'elles, la
« main gauche, était un peu plus élevée que la droite ; ses
« ongles avaient poussé après la mort : ils étaient longs et
« blancs ; une de ses bottes était décousue et laissait passer
« quatre doigts de ses pieds d'un blanc mat. »

Qu'est-ce qui a frappé les nécrobies[2] ? L'inanité des
choses terrestres ? La vanité de l'homme ? Non, la beauté du
mort ; ses ongles seulement s'étaient allongés, pour déchirer,
je présume, ce qui restait de liberté au monde. Ses pieds,
rendus à l'humilité, ne s'appuyaient plus sur des coussins de
diadème ; ils reposaient nus dans leur poussière. Le fils de
Condé était aussi habillé dans le fossé de Vincennes ;
cependant Napoléon, si bien conservé, était arrivé tout juste
à ces *trois dents* que les balles avaient laissées à la mâchoire
du duc d'Enghien.

L'astre éclipsé à Sainte-Hélène a reparu à la grande joie
des peuples : l'univers a revu Napoléon ; Napoléon n'a point
revu l'univers. Les cendres vagabondes du conquérant ont
été regardées par les mêmes étoiles qui le guidèrent à son

1. Aumônier de *la Belle-Poule*.
2. Les « nécrobies » sont au propre les insectes qui vivent sur les
cadavres. C'est à eux que Chateaubriand compare l'abbé Coquereau dont il
vient de citer quelques lignes.

exil : Bonaparte a passé par le tombeau, comme il a passé partout, sans s'y arrêter. Débarqué au Havre, le cadavre est arrivé à l'Arc de Triomphe, dais sous lequel le soleil montre son front à certains jours de l'année [1]. Depuis cet Arc jusqu'aux Invalides, on n'a plus rencontré que des colonnes de planches, des bustes de plâtre, une statue du grand Condé (hideuse bouillie qui pleurait), des obélisques de sapin remémoratifs de la vie indestructible du vainqueur. Un froid rigoureux faisait tomber les généraux autour du char funèbre, comme dans la retraite de Moscou. Rien n'était beau, hormis le bateau de deuil qui avait porté en silence sur la Seine Napoléon et un crucifix.

Privé de son catafalque de rochers, Napoléon est venu s'ensevelir dans les immondices de Paris. Au lieu de vaisseaux qui saluaient le nouvel Hercule, consumé sur le mont Œta, les blanchisseuses de Vaugirard rôderont à l'entour avec des invalides inconnus à la grande armée. Pour préluder à cette impuissance, de petits hommes n'ont pu rien imaginer de mieux qu'un salon de Curtius [2] en plein vent. Après quelques jours de pluie, il n'est demeuré de ces décorations que des bribes crottées. Quoi qu'on fasse, on verra toujours au milieu des mers le vrai sépulcre du triomphateur : à nous le corps, à Sainte-Hélène la vie immortelle.

Napoléon a clos l'ère du passé : il a fait la guerre trop grande pour qu'elle revienne de manière à intéresser l'espèce humaine. Il a tiré impétueusement sur ses talons les portes du temple de Janus ; et il a entassé derrière ces portes des monceaux de cadavres, afin qu'elles ne se puissent rouvrir.

1. En particulier, d'après une tradition bonapartiste, le 5 mai et le 15 août, jours de la naissance et de la fête de Napoléon.
2. Cf. Tome I, p. 508, note 1. — Allusion aux statues de plâtre qu'on avait dressées à Paris le 15 décembre 1840, de l'Arc de Triomphe aux Invalides. Cf. Hugo (*Choses vues*) : « Presque toutes ces statues de plâtre sont mauvaises. Quelques-unes sont ridicules. »

MA VISITE À CANNES.

EN Europe je suis allé visiter les lieux où Bonaparte aborda après avoir rompu son ban à l'île d'Elbe. Je descendis à l'auberge de Cannes au moment même que le canon tirait en commémoration du 29 juillet ; un de ces résultats de l'incursion de l'empereur, non sans doute prévu par lui. La nuit était close quand j'arrivai au golfe Juan ; je mis pied à terre à une maison isolée au bord de la grande route. Jacquemin, potier et aubergiste, propriétaire de cette maison, me mena à la mer. Nous prîmes des chemins creux entre des oliviers sous lesquels Bonaparte avait bivouaqué : Jacquemin lui-même l'avait reçu et me conduisait. A gauche du sentier de traverse s'élevait une espèce de hangar : Napoléon, qui envahissait seul la France, avait déposé dans ce hangar les effets de son débarquement.

Parvenu à la grève, je vis une mer calme que ne ridait pas le plus petit souffle ; la lame mince comme une gaze se déroulait sur le sablon sans bruit et sans écume. Un ciel émerveillable, tout resplendissant de constellations, couronnait ma tête. Le croissant de la lune s'abaissa bientôt et se cacha derrière une montagne. Il n'y avait dans le golfe qu'une seule barque à l'ancre, et deux bateaux : à gauche on apercevait le phare d'Antibes, à droite les îles de Lérins ; devant moi, la haute mer s'ouvrait au midi vers cette Rome où Bonaparte m'avait d'abord envoyé.

Les îles de Lérins, aujourd'hui îles Sainte-Marguerite, reçurent autrefois quelques chrétiens fuyant devant les Barbares. Saint Honorat venant de Hongrie aborda l'un de ces écueils [1] : il monta sur un palmier, fit le signe de la croix, tous les serpents expirèrent, c'est-à-dire le paganisme disparut, et la nouvelle civilisation naquit dans l'Occident.

1. Il aurait fondé le monastère des îles de Lérins (v⁰ siècle).

Quatorze cents ans après, Bonaparte vint terminer cette civilisation dans les lieux où le saint l'avait commencée. Le dernier solitaire de ces laures [1] fut le Masque de fer, si le Masque de fer est une réalité. Du silence du golfe Juan, de la paix des îles aux anciens anachorètes, sortit le bruit de Waterloo, qui traversa l'Atlantique, et vint expirer à Sainte-Hélène.

Entre les souvenirs de deux sociétés, entre un monde éteint et un monde prêt à s'éteindre, la nuit, au bord abandonné de ces marines, on peut supposer ce que je sentis. Je quittai la plage dans une espèce de consternation religieuse, laissant le flot passer et repasser, sans l'effacer, sur la trace de l'avant-dernier pas de Napoléon.

A la fin de chaque grande époque, on entend quelque voix dolente des regrets du passé, et qui sonne le *couvre-feu* : ainsi gémirent ceux qui virent desparaître Charlemagne, saint Louis, François Ier, Henri IV et Louis XIV. Que ne pourrais-je pas dire à mon tour, témoin oculaire que je suis de deux ou trois mondes écoulés ? Quand on a rencontré comme moi Washington et Bonaparte, que reste-t-il à regarder derrière la charrue du Cincinnatus américain et la tombe de Sainte-Hélène ? Pourquoi ai-je survécu au siècle et aux hommes à qui j'appartenais par la date de ma vie ? Pourquoi ne suis-je pas tombé avec mes contemporains, les derniers d'une race épuisée ? Pourquoi suis-je demeuré seul à chercher leurs os dans les ténèbres et la poussière d'une catacombe remplie ? Je me décourage de durer. Ah ! si du moins j'avais l'insouciance d'un de ces vieux Arabes de rivage, que j'ai rencontrés en Afrique ! Assis les jambes croisées sur une petite natte de corde, la tête enveloppée dans leur burnous, ils perdent leurs dernières heures à suivre des yeux, parmi l'azur du ciel, le beau phénicoptère [2] qui vole le long des ruines de Carthage ; bercés du murmure de la vague, ils entr'oublient leur existence et chantent à voix basse une chanson de la mer : ils vont mourir.

1. Monastères.
2. Nom ancien du flamant rose.

Revu le 22 février 1845.

Changement du monde.

RETOMBER de Bonaparte et de l'Empire à ce qui les a suivis, c'est tomber de la réalité dans le néant, du sommet d'une montagne dans un gouffre. Tout n'est-il pas terminé avec Napoléon ? Aurais-je dû parler d'autre chose ? Quel personnage peut intéresser en dehors de lui ? De qui et de quoi peut-il être question, après un pareil homme ? Dante a eu seul le droit de s'associer aux grands poëtes qu'il rencontre dans les régions d'une autre vie. Comment nommer Louis XVIII en place de l'empereur ? Je rougis en pensant qu'il me faut nasillonner à cette heure d'une foule d'infimes créatures dont je fais partie, êtres douteux et nocturnes que nous fûmes d'une scène dont le large soleil avait disparu.

Les bonapartistes eux-mêmes s'étaient racornis. Leurs membres s'étaient repliés et contractés ; l'âme manqua à l'univers nouveau sitôt que Bonaparte retira son souffle ; les objets s'effacèrent dès qu'ils ne furent plus éclairés de la lumière qui leur avait donné le relief et la couleur. Au commencement de ces *Mémoires* je n'éus à parler que de moi : or, il y a toujours une sorte de primauté dans la solitude individuelle de l'homme ; ensuite je fus environné de miracles : ces miracles soutinrent ma voix ; mais à cette heure plus de conquête d'Egypte, plus de batailles de Marengo, d'Austerlitz et d'Iéna, plus de retraite de Russie, plus d'invasion de la France, de prise de Paris, de retour de l'île d'Elbe, de bataille de Waterloo, de funérailles de

Sainte-Hélène : quoi donc ? des portraits à qui le génie de Molière pourrait seul donner la gravité du comique !

En m'exprimant sur notre peu de valeur, j'ai serré de près ma conscience ; je me suis demandé si je ne m'étais pas incorporé par calcul à la nullité de ces temps, pour acquérir le droit de condamner les autres ; persuadé que j'étais *in petto* que mon nom se lirait au milieu de toutes ces effaçures. Non : je suis convaincu que nous nous évanouirons tous : premièrement parce que nous n'avons pas en nous de quoi vivre ; secondement parce que le siècle dans lequel nous commençons ou finissons nos jours n'a pas lui-même de quoi nous faire vivre. Des générations mutilées, épuisées, dédaigneuses, sans foi, vouées au néant qu'elles aiment, ne sauraient donner l'immortalité ; elles n'ont aucune puissance pour créer une renommée ; quand vous cloueriez votre oreille à leur bouche vous n'entendriez rien : nul son ne sort du cœur des morts.

Une chose cependant me frappe : le petit monde dans lequel j'entre à présent était supérieur au monde qui lui a succédé en 1830 ; nous étions des géants en comparaison de la société de cirons qui s'est engendrée.

La Restauration offre du moins un point où l'on peut retrouver de l'importance : après la dignité d'un seul homme, cet homme passé, renaquit la dignité des hommes. Si le despotisme a été remplacé par la liberté, si nous entendons quelque chose à l'indépendance, si nous avons perdu l'habitude de ramper, si les droits de la nature humaine ne sont plus méconnus, c'est à la Restauration que nous en sommes redevables. Aussi me jetai-je dans la mêlée pour, autant que je le pouvais, raviver l'espèce quand l'individu fut fini.

Allons, poursuivons notre tâche ! descendons en gémissant jusqu'à moi et à mes collègues. Vous m'avez vu au milieu de mes songes ; vous allez me voir dans mes réalités : si l'intérêt diminue, si je tombe, lecteur, soyez juste ; faites la part de mon sujet.

APRÈS la seconde rentrée du Roi et la disparition finale de
Bonaparte, le ministère étant aux mains de M. le duc
d'Otrante et de M. le prince de Talleyrand, je fus nommé
président du collège électoral du département du Loiret. Les
élections de 1815 donnèrent au Roi la Chambre *introuvable*.
Toutes les voix se portaient sur moi à Orléans, lorsque
l'ordonnance qui m'appelait à la Chambre des pairs m'arriva[1]. Ma carrière d'action à peine commencée changea
subitement de route : qu'eût-elle été si j'eusse été placé
dans la Chambre élective ? Il est assez probable que cette
carrière aurait abouti, en cas de succès, au ministère de
l'intérieur, au lieu de me conduire au ministère des affaires
étrangères. Mes habitudes et mes mœurs étaient plus en
rapport avec la pairie, et quoique celle-ci me devînt hostile
dès le premier moment, à cause de mes opinions libérales, il
est toutefois certain que mes doctrines sur la liberté de la
presse et contre le vasselage des étrangers donnèrent à la
noble Chambre cette popularité dont elle a joui tant qu'elle
souffrit mes opinions.

Je reçus en arrivant le seul honneur que mes collègues
m'aient jamais fait pendant mes quinze années de résidence
au milieu d'eux : je fus nommé l'un des quatre secrétaires
pour la session de 1816. Lord Byron n'obtint pas plus de
faveur lorsqu'il parut à la Chambre des lords et il s'en
éloigna pour toujours : j'aurais dû rentrer dans mes déserts.

Mon début à la tribune fut un discours sur *l'inamovibilité
des juges :* je louais le principe, mais j'en blâmais l'application immédiate. Dans la révolution de 1830 les hommes de

1. Elle est datée du 17 août 1815.

444

la gauche les plus dévoués à cette révolution voulaient suspendre pour un temps l'inamovibilité.

Le 22 février 1816, le duc de Richelieu nous apporta le testament autographe de la Reine ; je montai à la tribune et je dis :

« Celui qui nous a conservé le testament de Marie-
« Antoinette avait acheté la terre de Montboissier [1] : juge
« de Louis XVI, il avait élevé dans cette terre un monument
« à la mémoire du défenseur de Louis XVI ; il avait gravé
« lui-même sur ce monument une épitaphe en vers français
« à la louange de M. de Malesherbes. Cette étonnante
« impartialité annonce que tout est déplacé dans le monde
« moral. »

Le 12 mars 1816 on agita la question des pensions ecclésiastiques. « Vous refuseriez, disais-je, des aliments au
« pauvre vicaire qui consacre aux autels le reste de ses jours
« et vous accorderiez des pensions à Joseph Lebon, qui fit
« tomber tant de têtes, à François Chabot, qui demandait
« pour les émigrés une loi si simple qu'un enfant pût les
« mener à la guillotine, à Jacques Roux [2], lequel refusant
« au Temple de recevoir le testament de Louis XVI répondit
« à l'infortuné monarque : Je ne suis chargé que de te
« conduire à la mort. »

On avait apporté à la Chambre héréditaire un projet de loi relatif aux élections : je me prononçai pour le renouvellement intégral de la Chambre des députés ; ce n'est qu'en 1824, étant ministre, que je le fis entrer dans la loi.

Ce fut aussi dans ce premier discours sur la loi d'élections, en 1816, que je répondis à un adversaire : « Je ne
« relève point ce qu'on a dit de l'Europe attentive à nos
« discussions. Quant à moi, messieurs, je dois sans doute au
« sang français qui coule dans mes veines cette impatience
« que j'éprouve quand, pour déterminer mon suffrage, on
« me parle des opinions placées hors ma patrie ; et si

1. Le testament de Marie-Antoinette, daté du 16 octobre 1793, avait été retrouvé chez un conventionnel thermidorien Courtois qui l'avait découvert lui-même dans les papiers de Robespierre. — Sur Montboissier, voir T. I, p. 116.
2. Les deux premiers de ces prêtres avaient fait partie de la Convention ; le troisième avait conduit Louis XVI à l'échafaud.

« l'Europe civilisée voulait m'imposer la Charte, j'irais vivre
« à Constantinople. »

Le 9 avril 1816 je fis à la Chambre une proposition
relative aux puissances barbaresques. La Chambre décida
qu'il y avait lieu de s'en occuper. Je songeais déjà à
combattre l'esclavage, avant que j'eusse obtenu cette décision favorable de la pairie qui fut la première intervention
politique d'une grande puissance en faveur des Grecs : « J'ai
« vu, disais-je à mes collègues, les ruines de Carthage ; j'ai
« rencontré parmi ces ruines les successeurs de ces malheu-
« reux chrétiens pour la délivrance desquels saint Louis fit
« le sacrifice de sa vie. La philosophie pourra prendre sa
« part de la gloire attachée au succès de ma proposition et
« se vanter d'avoir obtenu dans un siècle de lumières ce que
« la religion tenta inutilement dans un siècle de ténèbres »

J'étais placé dans une assemblée où ma parole les trois
quarts du temps tournait contre moi. On peut remuer une
chambre populaire ; une chambre aristocratique est sourde.
Sans tribune, à huis clos devant des vieillards, restes dessé-
chés de la vieille monarchie, de la révolution et de l'Empire,
ce qui sortait du ton le plus commun paraissait folie. Un
jour le premier rang des fauteuils, tout près de la tribune,
était rempli de respectables pairs, plus sourds les uns que
les autres, la tête penchée en avant et tenant à l'oreille un
cornet dont l'embouchure était dirigée vers la tribune. Je les
endormis, ce qui est bien naturel. Un d'eux laissa tomber
son cornet ; son voisin, réveillé par la chute, voulut ramasser
poliment le cornet de son confrère ; il tomba. Le mal fut que
je me pris à rire, quoique je parlasse alors pathétiquement
sur je ne sais plus quel sujet d'humanité.

Les orateurs qui réussissaient dans cette Chambre étaient
ceux qui parlaient sans idées, d'un ton égal et monotone, ou
qui ne trouvaient de sensibilité que pour s'attendrir sur les
pauvres ministres. M. de Lally-Tollendal[1] tonnait en faveur
des libertés publiques : il faisait retentir les voûtes de notre
solitude de l'éloge de trois ou quatre lords de la chancellerie
anglaise, ses aïeux disait-il. Quand son panégyrique de la
liberté de la presse était terminé, arrivait un *mais* fondé sur

1. Voir p. 327.

446

des *circonstances,* lequel *mais* nous laissait l'honneur sauf, sous l'utile surveillance de la censure.

La Restauration donna un mouvement aux intelligences ; elle délivra la pensée comprimée par Bonaparte : l'esprit, comme une cariatide déchargée de l'architecture qui lui courbait le front, releva la tête. L'Empire avait frappé la France de mutisme ; la liberté restaurée la toucha et lui rendit la parole : il se trouva des talents de tribune qui reprirent les choses où les Mirabeau et les Cazalès [1] les avaient laissées, et la révolution continua son cours.

« MONARCHIE SELON LA CHARTE. »

MES travaux ne se bornaient pas à la tribune, si nouvelle pour moi. Epouvanté des systèmes que l'on embrassait et de l'ignorance de la France sur les principes du gouvernement représentatif, j'écrivais et je faisais imprimer *la Monarchie selon la Charte* [2]. Cette publication a été une des grandes époques de ma vie politique : elle me fit prendre rang parmi les publicistes ; elle servit à fixer l'opinion sur la nature de notre gouvernement. Les journaux anglais portèrent cet écrit aux nues ; parmi nous, l'abbé Morellet même ne revenait pas de la métamorphose de mon style et de la précision dogmatique des vérités.

La Monarchie selon la Charte est un catéchisme constitutionnel : c'est là que l'on a puisé la plupart des propositions que l'on avance comme nouvelles aujourd'hui. Ainsi ce

---

1. Jacques de Cazalès (1752-1805), député royaliste aux Etats-généraux, adversaire de Mirabeau.
2. L'ouvrage parut en septembre 1816.

principe, que *le Roi règne et ne gouverne pas,* se trouve tout entier dans les chapitres IV, V, VI et VII sur la prérogative royale.

Les principes constitutionnels étant posés dans la première partie de *la Monarchie selon la Charte,* j'examine dans la seconde les systèmes des trois ministères qui jusqu'alors s'étaient succédé dpuis 1814 jusqu'à 1816 ; dans cette partie se rencontrent des prédictions depuis trop vérifiées et des expositions de doctrines alors cachées. On lit ces mots, chapitre XXVI, deuxième partie : « Il passe pour « constant, dans un certain parti, qu'une révolution de la « nature de la nôtre ne peut finir que par un changement de « dynastie ; d'autres, plus modérés, disent par un change- « ment dans l'ordre de successibilité à la couronne. »

Comme je terminais mon ouvrage, parut l'ordonnance du 5 septembre 1816[1] : cette mesure dispersait le peu de royalistes rassemblés pour reconstruire la monarchie légitime. Je me hâtai d'écrire le *post-scriptum* qui fit faire explosion à la colère de M. le duc de Richelieu et du favori de Louis XVIII, M. Decazes[2].

Le *post-scriptum* ajouté, je courus chez M. Le Normant, mon libraire : je trouvai en arrivant des alguazils et un commissaire de police qui instrumentaient. Ils avaient saisi des paquets et apposé des scellés. Je n'avais pas bravé Bonaparte pour être intimidé par M. Decazes : je m'opposai à la saisie ; je déclarai, comme Français libre et comme pair de France, que je ne céderais qu'à la force : la force arriva et je me retirai. Je me rendis le 18 septembre chez MM. Louis-Marthe Mesnier et son collègue, notaires royaux ; je protestai à leur étude et je les requis de consigner ma déclaration du fait de l'arrestation de mon ouvrage, voulant assurer par cette protestation les droits des citoyens français. M. Baude[3] m'a imité en 1830.

Je me trouvai engagé ensuite dans une correspondance

1. Ordonnance de dissolution de la « Chambre introuvable ».
2. Richelieu était président du conseil, et Decazes, détesté de Chateaubriand, ministre de la police.
3. Baron Baude (1792-1862). Rédacteur au journal *Le Temps,* il refusa d'ouvrir à la police la porte de son imprimerie le 27 juillet 1830 (voir tome III, p. 167). Le commissaire dut faire venir un serrurier.

assez longue avec M. le chancelier [1], M. le ministre de la police et M. le procureur-général Bellard [2], jusqu'au 9 novembre, jour que le chancelier m'annonça l'ordonnance rendue en ma faveur par le tribunal de première instance, laquelle me remit en possession de mon ouvrage saisi. Dans une de ses lettres, M. le chancelier me mandait qu'il avait été désolé de voir le mécontentement que le Roi avait exprimé publiquement de mon ouvrage. Ce mécontentement venait des chapitres où je m'élevais contre l'établissement d'un ministre de la police générale dans un pays constitutionnel.

LOUIS XVIII.

DANS mon récit du voyage de Gand, vous avez vu ce que Louis XVIII valait comme fils de Hugues Capet ; dans mon écrit, *Le Roi est mort : vive le Roi!* j'ai dit les qualités réelles de ce prince. Mais l'homme n'est pas un et simple : pourquoi y a-t-il si peu de portraits fidèles ? parce qu'on a fait poser le modèle à telle époque de sa vie ; dix ans après, le portrait ne ressemble plus.

Louis XVIII n'apercevait pas loin les objets devant lui ni autour de lui ; tout lui semblait beau ou laid d'après l'angle de son regard. Atteint de son siècle, il est à craindre que la religion ne fût pour le *Roi très-chrétien* qu'un élixir propre à l'amalgame des drogues de quoi se compose la royauté. L'imagination libertine qu'il avait reçue de son grand-père [3]

1. Dambray (voir p. 298).
2. C'est lui qui a requis contre Ney.
3. Louis XV.

aurait pu inspirer quelque défiance de ses entreprises ; mais il se connaissait, et quand il parlait d'une manière affirmative, il se vantait en se raillant de lui-même. Je lui parlais un jour de la nécessité d'un nouveau mariage pour M. le duc de Bourbon[1], afin de rappeler la race des Condé à la vie : il approuvait fort cette idée, quoiqu'il ne se souciât guère de ladite résurrection ; mais à ce propos il me parla de M. le comte d'Artois et me dit : « Mon frère pourrait se remarier « sans rien changer à la succession au trône, il ne ferait que « des cadets ; pour moi, je ne ferais que des aînés : je ne « veux point déshériter M. le duc d'Angoulême. » Et il se rengorgea d'un air capable et goguenard ; mais je ne prétendais disputer au Roi aucune puissance.

Egoïste et sans préjugés, Louis XVIII voulait sa tranquillité à tout prix : il soutenait ses ministres tant qu'ils avaient la majorité ; il les renvoyait aussitôt que cette majorité était ébranlée et que son repos pouvait être dérangé ; il ne balançait pas à reculer dès que pour obtenir la victoire il eût fallu faire un pas en avant. Sa grandeur était de la patience ; il n'allait pas aux événements, les événements venaient à lui.

Sans être cruel, ce Roi n'était pas humain ; les catastrophes tragiques ne l'étonnaient ni ne le touchaient pas : il se contenta de dire au duc de Berry, qui s'excusait d'avoir eu le malheur de troubler par sa mort le sommeil du roi : « J'ai « fait ma nuit. » Pourtant cet homme tranquille, lorsqu'il était contrarié, entrait dans d'horribles colères ; enfin ce prince si froid, si insensible, avait des attachements qui ressemblaient à des passions : ainsi se succédèrent dans son intimité le comte d'Avarai, M. de Blacas, M. Decazes ; madame de Balbi, madame du Cayla[2] : toutes ces personnes aimées étaient des favoris ; malheureusement elles ont entre leurs mains beaucoup trop de lettres.

Louis XVIII nous apparut dans toute la profondeur des traditions historiques ; il se montra avec le favoritisme des anciennes royautés. Se fait-il dans le cœur des monarques isolés un vide qu'ils remplissent avec le premier objet qu'ils

1. Le père du duc d'Enghien. Il avait alors cinquante-neuf ans.
2. Zoé Talon, comtesse du Cayla (1784-1850).

trouvent ? Est-ce sympathie, affinité d'une nature analogue à la leur ? Est-ce une amitié qui leur tombe du ciel pour consoler leurs grandeurs ? Est-ce un penchant pour un esclave qui se donne corps et âme, devant lequel on ne se cache de rien, esclave qui devient un vêtement, un jouet, une idée fixe liée à tous les sentiments, à tous les goûts, à tous les caprices de celui qu'elle a soumis et qu'elle tient sous l'empire d'une fascination invincible ? Plus le favori a été bas et intime, moins on le peut renvoyer, parce qu'il est en possession de secrets qui feraient rougir s'ils étaient divulgués : ce préféré puise une double force dans sa turpitude et dans les faiblesses de son maître.

Quand le favori est par hasard un grand homme, comme l'obsesseur[1] Richelieu ou l'inrenvoyable Mazarin, les nations en le détestant profitent de sa gloire ou de sa puissance ; elles ne font que changer un misérable Roi de droit pour un illustre Roi de fait.

M. DECAZES.

AUSSITÔT QUE M. Decazes fut nommé ministre, les voitures encombrèrent le soir le quai Malaquais, pour déposer dans le salon du parvenu ce qu'il y avait de plus noble dans le faubourg Saint-Germain. Le Français aura beau faire, il ne sera jamais qu'un courtisan, n'importe de qui, pourvu que ce soit un puissant du jour.

Il se forma bientôt en faveur du nouveau favori une

1. Qui « obsédait » Louis XIII, ne le quittait pas et l'isolait de tous.

coalition formidable de bêtises. Dans la société démocratique, bavardez de libertés, déclarez que vous voyez la marche du genre humain et l'avenir des choses, en ajoutant à vos discours quelques croix d'honneur, et vous êtes sûr de votre place ; dans la société aritocratique, jouez au wist, débitez d'un air grave et profond des lieux communs et des bons mots arrangés d'avance, et la fortune de votre génie est assurée.

Compatriote de Murat[1], mais de Murat sans royaume, M. Decazes nous était venu de la mère de Napoléon[2]. Il était familier, obligeant, jamais insolent ; il me voulait du bien, je ne sais pourquoi je ne m'en souciai pas : de là vint le commencement de mes disgrâces. Cela devait m'apprendre qu'on ne doit jamais manquer de respect à un favori. Le Roi le combla de bienfaits et de crédit, et le maria dans la suite à une personne très-bien née, fille de M. de Saint-Aulaire. Il est vrai que M. Decazes servait trop bien la royauté ; ce fut lui qui déterra le maréchal Ney dans les montagnes d'Auvergne où il s'était caché.

Fidèle aux inspirations de son trône, Louis XVIII disait de M. Decazes : « Je l'élèverai si haut qu'il fera envie aux plus « grands seigneurs. » Ce mot, emprunté d'un autre Roi, n'était qu'un anachronisme : pour élever les autres il faut être sûr de ne pas descendre ; or, au temps où Louis XVIII était arrivé, qu'était-ce que les monarques ? S'ils pouvaient encore faire la fortune d'un homme, ils ne pouvaient en faire la grandeur ; ils n'étaient plus que les banquiers de leurs favoris.

Madame Princeteau, sœur de M. Decazes, était une agréable, modeste et excellente personne ; le Roi s'en était amouraché en perspective. M. Decazes le père, que je vis dans la salle du trône en habit habillé[3], l'épée au côté, chapeau sous le bras, n'eut cependant aucun succès.

Enfin la mort de M. le duc de Berry[4] accrut les inimitiés

1. Decazes était de Libourne ; Murat était né près de Cahors. Entre les deux villes il y a près de deux cents kilomètres.
2. Decazes avait été sous l'Empire le secrétaire des commandements de Laetitia Bonaparte.
3. En habit de cérémonie.
4. Le 13 février 1820.

de part et d'autre et amena la chute du favori. J'ai dit que *les pieds lui glissèrent dans le sang* [1], ce qui ne signifie pas, à Dieu ne plaise ! qu'il fut coupable du meurtre, mais qu'il tomba dans la mare rougie qui se forma sous le couteau de Louvel.

JE SUIS RAYÉ DE LA LISTE DES MINISTRES D'ÉTAT. — JE VENDS MES LIVRES ET MA VALLÉE.

J'AVAIS résisté à la saisie de *la Monarchie selon la Charte* pour éclairer la Royauté abusée et pour soutenir la liberté de la pensée et de la presse ; j'avais embrassé franchement nos institutions et j'y suis resté fidèle.

Ces tracasseries passées, je demeurai saignant des blessures qu'on m'avait faites à l'apparition de ma brochure. Je ne pris pas possession de ma carrière politique sans porter les cicatrices des coups que je reçus en entrant dans cette carrière : je m'y sentais mal, je n'y pouvais respirer.

Peu de temps après, une ordonnance contresignée Richelieu me raya de la liste des ministres d'Etat, et je fus privé d'une place réputée jusqu'alors inamovible ; elle m'avait été donnée à Gand, et la pension attachée à cette place me fut retirée : la main qui avait pris Fouché me frappa.

J'ai eu l'honneur d'être dépouillé trois fois pour la légitimité : la première, pour avoir suivi les fils de saint

1. Cette phrase, souvent reproduite, avait paru dans *Le Conservateur* (numéro du 3 mars 1820).

Louis dans leur exil ; la seconde, pour avoir écrit en faveur des principes de la monarchie *octroyée* ; la troisième, pour m'être tu sur une loi funeste au moment que je venais de faire triompher nos armes : la campagne d'Espagne avait rendu des soldats au drapeau blanc, et si j'avais été maintenu au pouvoir, j'aurais reporté nos frontières aux rives du Rhin.

Ma nature me rendit parfaitement insensible à la perte de mes appointements ; j'en fus quitte pour me remettre à pied et pour aller, les jours de pluie, en fiacre à la Chambre des pairs. Dans mon équipage populaire, sous la protection de la canaille qui roulait autour de moi, je rentrai dans les droits des prolétaires dont je fais partie : du haut de mon char je domine le train des rois.

Je fus obligé de vendre mes livres[1] : M. Merlin les exposa à la criée, à la salle Sylvestre, rue des Bons-Enfants. Je ne gardai qu'un petit Homère grec, à la marge duquel se trouvaient des essais de traductions et des remarques écrites de ma main. Bientôt il me fallut tailler dans le vif ; je demandai à M. le ministre de l'intérieur la permission de mettre en loterie ma maison de campagne : la loterie fut ouverte chez M. Denis, notaire. Il y avait quatre-vingt-dix billets à 1,000 francs chaque : les numéros ne furent point pris par les royalistes ; madame la duchesse d'Orléans, douairière, prit trois numéros : mon ami M. Lainé, ministre de l'intérieur, qui avait contresigné l'ordonnance du 5 septembre, et consenti dans le conseil à ma radiation, prit, sous un faux nom, un quatrième billet. L'argent fut rendu aux souscripteurs ; toutefois, M. Lainé refusa de retirer ses mille francs ; il les laissa au notaire pour les pauvres.

Peu de temps après, ma *Vallée aux Loups* fut vendue[2], comme on vend les meubles des pauvres, sur la place du Châtelet. Je souffris beaucoup de cette vente ; je m'étais attaché à mes arbres, plantés et grandis, pour ainsi dire, dans mes souvenirs. La mise à prix était de 50,000 francs ; elle fut couverte par M. le vicomte de Montmorency, qui seul osa mettre une surenchère de cent francs : la *Vallée* lui

1. La vente se fit le 28 avril 1817.
2. Aux enchères, le 21 juillet 1818.

resta. Il a depuis habité ma retraite : il n'est pas bon de se mêler à ma fortune : cet homme de vertu n'est plus[1].

SUITE DE MES DISCOURS EN 1817 ET 1818.

APRÈS la publication de *la Monarchie selon la Charte* et à l'ouverture de la nouvelle session au mois de novembre 1816, je continuai mes combats. Je fis à la Chambre des pairs, dans la séance du 23 de ce mois, une proposition tendante à ce que le Roi fût humblement supplié de faire examiner ce qui s'était passé aux dernières élections. La corruption et la violence du ministère dans ces dernières élections étaient flagrantes.

Dans mon opinion sur le projet de loi relatif aux finances (21 mars 1817), je m'élevai contre le titre XI de ce projet : il s'agissait des forêts de l'Etat que l'on prétendait affecter à la caisse d'amortissement et dont on voulait vendre ensuite cent cinquante mille hectares. Ces forêts se composaient de trois sortes de propriétés : les anciens domaines de la couronne, quelques commanderies de l'Ordre de Malte et le reste des biens de l'Eglise. Je ne sais pourquoi, même aujourd'hui, je trouve un intérêt triste dans mes paroles ; elles ont quelque ressemblance avec mes Mémoires :

« N'en déplaise à ceux qui n'ont administré que dans « nos troubles, ce n'est pas le gage matériel, c'est la morale « d'un peuple qui fait le crédit public. Les propriétaires « nouveaux feront-ils valoir les titres de leur propriété « nouvelle ? on leur citera, pour les dépouiller, des héritages

1. Mathieu de Montmorency mourut soudainement alors qu'il était en prières à Saint-Thomas d'Aquin, le Vendredi saint 24 mars 1826.

de neuf siècles enlevés à leurs anciens possesseurs. Au lieu de ces immuables patrimoines où la même famille survivait à la race des chênes, vous aurez des propriétés mobiles où les roseaux auront à peine le temps de naître et de mourir avant qu'elles aient changé de maîtres. Les foyers cesseront d'être les gardiens des mœurs domestiques ; ils perdront leur autorité vénérable ; chemins de passage ouverts à tout venant, ils ne seront plus consacrés par le siége de l'aïeul et par le berceau du nouveau-né.

« Pairs de France, c'est votre cause que je plaide ici et non « la mienne : je vous parle pour l'intérêt de vos enfants ; « moi je n'aurai rien à démêler avec la postérité ; je « n'ai point de fils, j'ai perdu le champ de mon père, et « quelques arbres que j'ai plantés ne seront bientôt plus à « moi. »

RÉUNION PIET.

PAR la ressemblance des opinions, alors très-vives, il s'était établi une camaraderie entre les minorités des deux Chambres. La France apprenait le gouvernement représentatif : comme j'avais la sottise de le prendre à la lettre et d'en faire, à mon dam, une véritable passion, je soutenais ceux qui l'adoptaient, sans m'embarrasser s'il n'entrait pas dans leur opposition plus de motifs humains que d'amour pur comme celui que j'éprouvais pour la Charte ; non que je fusse un niais, mais j'étais idolâtre de ma dame, et j'aurais traversé les flammes pour l'emporter dans mes bras. Ce fut dans cet accès de constitution que je connus M. de Villèle en 1816. Il était plus calme ; il surmontait son ardeur ; il prétendait aussi conquérir la liberté ; mais il en faisait le siége en règle ; il ouvrait méthodiquement la tranchée : moi, qui voulais enlever d'assaut la place, je grimpais à l'escalade et j'étais souvent renversé dans le fossé.

Je rencontrai pour la première fois M. de Villèle chez madame la duchesse de Lévis. Il devint le chef de l'opposition royaliste dans la Chambre élective, comme je l'étais dans la Chambre héréditaire. Il avait pour ami son collègue M. de Corbière[1]. Celui-ci ne le quittait plus, et l'on disait *Villèle* et *Corbière,* comme on dit *Oreste* et *Pylade, Euryale* et *Nisus.*

Entrer dans de fastidieux détails pour des personnages dont on ne saura pas le nom demain serait d'une vanité idiote. D'obscurs et ennuyeux remuements, qu'on croit d'un intérêt immense et qui n'intéressent personne ; des tripotages passés, qui n'ont déterminé aucun événement majeur, doivent être laissés à ces béats heureux, lesquels se figurent être ou avoir été l'objet de l'attention de la terre.

Il y avait pourtant des moments d'orgueil où mes démêlés avec M. de Villèle me paraissaient être à moi-même les dissensions de Sylla et de Marius, de César et de Pompée. Avec les autres membres de l'opposition, nous allions assez souvent, rue Thérèse, passer la soirée en délibération chez M. Piet[2]. Nous arrivions extrêmement laids, et nous nous asseyions en rond autour d'un salon éclairé d'une lampe qui filait. Dans ce brouillard législatif, nous parlions de la loi présentée, de la motion à faire, du camarade à porter au secrétariat, à la questure, aux diverses commissions. Nous ne ressemblions pas mal aux assemblées des premiers fidèles, peintes par les ennemis de la foi : nous débitions les plus mauvaises nouvelles ; nous disions que les affaires allaient changer de face, que Rome serait troublée par des divisions, que nos armées seraient défaites.

M. de Villèle écoutait, résumait et ne concluait point :

1. On appelait le comte de Villèle (1773-1854) et son ami inséparable le comte de Corbière (1767-1853) « les deux magots de la cheminée ministérielle ».
2. Jean-Pierre Piet-Tardiveau, député ultra. La rue Thérèse existe toujours au quartier du Palais-Royal.

c'était un grand aideur d'affaires ; marin[1] circonspect, il ne mettait jamais en mer pendant la tempête, et, s'il entrait avec dextérité dans un port connu, il n'aurait jamais découvert le Nouveau-Monde. Je remarquai souvent, à propos de nos discussions sur la vente des biens du clergé, que les plus chrétiens d'entre nous étaient les plus ardents à défendre les doctrines constitutionnelles. La religion est la source de la liberté : à Rome, le *flamen dialis*[2] ne portait qu'un anneau creux au doigt, parce qu'un anneau plein avait quelque chose d'une chaîne ; dans son vêtement et sur sa tête le pontife de Jupiter ne devait souffrir aucun nœud.

Après la séance, M. de Villèle se retirait accompagné de M. de Corbière. J'étudiais beaucoup d'individus, j'apprenais beaucoup de choses, je m'occupais de beaucoup d'intérêts dans ces réunions : les finances, que j'ai toujours sues, l'armée, la justice, l'administration, m'initiaient à leurs éléments. Je sortais de ces conférences un peu plus homme d'Etat et un peu plus persuadé de la pauvreté de toute cette science. Le long de la nuit, dans mon demi-sommeil, j'apercevais les diverses attitudes des têtes chauves, les diverses expressions des figures de ces Solons peu soignés et mal accompagnés de leurs corps : c'était bien vénérable assurément ; mais je préférais l'hirondelle qui me réveillait dans ma jeunesse et les Muses qui remplissaient mes songes : les rayons de l'aurore qui, frappant un cygne, faisaient tomber l'ombre de ces blancs oiseaux sur une vague d'or ; le soleil levant qui m'apparaissait en Syrie dans la tige d'un palmier, comme le nid du phénix, me plaisaient mieux.

1. Il avait été officier de marine et avait assez longtemps séjourné dans sa jeunesse à l'île Maurice et à la Réunion.
2. Prêtre de Jupiter.

« LE CONSERVATEUR. »

JE sentais que mes combats de tribune dans une Chambre fermée, et au milieu d'une assemblée qui m'était peu favorable, restaient inutiles à la victoire et qu'il me fallait avoir une autre arme. La censure étant établie sur les feuilles périodiques quotidiennes, je ne pouvais remplir mon dessein qu'au moyen d'une feuille libre, semi-quotidienne, à l'aide de laquelle j'attaquerais à la fois le système des ministres et les opinions de l'extrême gauche exprimées dans la *Minerve* par M. Etienne[1]. J'étais à Noisiel, chez madame la duchesse de Lévis, dans l'été de 1818, lorsque mon libraire M. Le Normant me vint voir. Je lui fis part de l'idée qui m'occupait ; il prit feu, s'offrit à courir tous les risques et se chargea de tous les frais. Je parlai à mes amis MM. de Bonald et de Lamennais, je leur demandai s'ils voulaient s'associer : ils y consentirent et le journal ne tarda pas à paraître sous le nom de *Conservateur*.

La révolution opérée par ce journal fut inouïe : en France il changea la majorité dans les Chambres ; à l'étranger il transforma l'esprit des cabinets.

Ainsi les royalistes me durent l'avantage de sortir du néant dans lequel ils étaient tombés auprès des peuples et des rois. Je mis la plume à la main aux plus grandes familles de France. J'affublai en journalistes les Montmorency et les Lévis ; je convoquai l'arrière-ban ; je fis marcher la féodalité au secours de la liberté de la presse. J'avais réuni les hommes les plus éclatants du parti royaliste, MM. de Villèle, de Corbière, de Vitrolles, de Castelbajac, etc. Je ne pouvais m'empêcher de bénir la Providence toutes les fois que j'étendais la robe rouge d'un prince de l'Eglise sur le *Conservateur* pour lui servir de couverture, et que j'avais le plaisir de lire un article signé en toutes lettres : *le*

1. Auteur dramatique devenu l'un des chefs de l'opposition libérale.

cardinal de la Luzerne[1]. Mais il arriva qu'après avoir mené mes chevaliers à la croisade constitutionnelle, aussitôt qu'ils eurent conquis le pouvoir par la délivrance de la liberté, aussitôt qu'ils furent devenus princes d'Edesse, d'Antioche, de Damas[2], ils s'enfermèrent dans leurs nouveaux Etats avec Léonore d'Aquitaine[3], et me laissèrent me morfondre au pied de Jérusalem dont les infidèles avaient repris le saint tombeau.

Ma polémique commença dans le *Conservateur*, et dura depuis 1818 jusqu'en 1820, c'est-à-dire jusqu'au rétablissement de la censure, dont le prétexte fut la mort du duc de Berri. A cette première époque de ma polémique, je culbutai l'ancien ministère et fis entrer M. de Villèle au pouvoir.

Après 1824, quand je repris la plume dans des brochures et dans le *Journal des Débats,* les positions étaient changées. Que m'importaient pourtant ces futiles misères, à moi qui n'ai jamais cru au temps où je vivais, à moi qui appartenais au passé, à moi sans foi dans les rois, sans conviction à l'égard des peuples, à moi qui ne me suis jamais soucié de rien, excepté des songes, à condition encore qu'ils ne durent qu'une nuit !

Le premier article du *Conservateur* peint la position des choses au moment où je descendis dans la lice. Pendant les deux années que dura ce journal, j'eus successivement à traiter des accidents du jour et à examiner des intérêts considérables. J'eus occasion de relever les lâchetés de cette *correspondance privée* que la police de Paris publiait à Londres. Ces *correspondances privées* pouvaient calomnier, mais elles ne pouvaient déshonorer : ce qui est vil n'a pas le pouvoir d'avilir ; l'honneur seul peut infliger le déshonneur. « Calomniateurs anonymes, disais-je, ayez le courage de « dire qui vous êtes ; un peu de honte est bientôt passée ; « ajoutez votre nom à vos articles, ce ne sera qu'un mot « méprisable de plus. »

1. Prélat d'ancien régime ; il n'avait pas approuvé le Concordat.
2. Principautés instituées par les Croisés au profit de leurs chefs.
3. Elle avait accompagné Louis VII, son époux à la deuxième Croisade.

Je me moquais quelquefois des ministres et je donnais cours à ce penchant ironique que j'ai toujours réprouvé en moi.

Enfin, sous la date du 5 décembre 1818, le *Conservateur* contenait un article sérieux sur la morale des intérêts et sur celle des devoirs : c'est de cet article, qui fit du bruit, qu'est née la phraséologie des *intérêts moraux* et des *intérêts matériels,* mise d'abord en avant par moi, adoptée ensuite par tout le monde. Le voici fort abrégé ; il s'élève au-dessus de la portée d'un journal et c'est un de mes ouvrages auquel ma raison attache quelque valeur. Il n'a point vieilli, parce que les idées qu'il renferme sont de tous les temps.

DE LA MORALE DES INTÉRÊTS MATÉRIELS ET DE CELLE DES DEVOIRS.

« LE ministère a inventé une morale nouvelle, la morale des « intérêts ; celle des devoirs est abandonnée aux imbéciles. « Or, cette morale des intérêts, dont on veut faire la base de « notre gouvernement, a plus corrompu le peuple dans « l'espace de trois années que la révolution dans un quart de « siècle.

« Ce qui fait périr la morale chez les nations, et avec « la morale les nations elles-mêmes, ce n'est pas la violence, « mais la séduction ; et par séduction j'entends ce que toute « fausse doctrine a de flatteur et de spécieux. Les hommes « prennent souvent l'erreur pour la vérité, parce que chaque « faculté du cœur ou de l'esprit a sa fausse image : la « froideur ressemble à la vertu, le raisonner à la raison, le « vide à la profondeur, ainsi du reste.

« Le dix-huitième siècle fut un siècle destructeur ; « nous fûmes tous séduits. Nous denaturâmes la politique,

« nous nous égarâmes dans de coupables nouveautés en
« cherchant l'existence sociale dans la corruption de nos
« mœurs. La révolution vint nous réveiller : en poussant le
« Français hors de son lit, elle le jeta dans la tombe.
« Toutefois le règne de la terreur est peut-être, de toutes les
« époques de la révolution, celle qui fut la moins dange-
« reuse à la morale, parce qu'aucune conscience n'était
« forcée : le crime paraissait dans sa franchise. Des orgies
« au milieu du sang, des scandales qui n'en étaient plus à
« force d'être horribles ; voilà tout. Les femmes du peuple
« venaient travailler à leurs ouvrages autour de la machine
« à meurtre comme à leurs foyers : les échafauds étaient les
« mœurs publiques et la mort le fond du gouvernement.
« Rien de plus net que la position de chacun : on ne parlait
« ni de *spécialité*, ni de positif, ni de *système* d'*intérêts*. Ce
« galimatias des petits esprits et des mauvaises consciences
« était inconnu. On disait à un homme : «Tu es royaliste,
« noble, riche : meurs ;» et il mourait. Antonelle[1] écrivait
« qu'on ne trouvait aucune charge contre tels prisonniers,
« mais qu'il les vait condamnés comme aristocrates : mons-
« treuses franchise, qui nonobstant laissait subsister l'ordre
« moral ; car ce n'est pas de tuer l'innocent comme innocent
« qui perd la société, c'est de le tuer comme coupable.
« coupable.

« En conséquence, ces temps affreux sont ceux des
« grands dévouements. Alors les femmes marchèrent héroï-
« quement au supplice ; les pères se livrèrent pour les fils,
« les fils pour les pères ; des secours inattendus s'introdui-
« saient dans les prisons, et le prêtre que l'on cherchait
« consolait la victime auprès du bourreau qui ne le recon-
« naissait pas.

« La morale sous le *Directoire* eut plutôt à combattre
« la corruption des mœurs que celle des doctrines ; il y eut
« débordement. On fut jeté dans les plaisirs comme on avait
« été entassé dans les prisons ; on forçait le présent à
« avancer des joies sur l'avenir, dans la crainte de voir
« renaître le passé. Chacun, n'ayant pas encore eu le temps

---

1. Le marquis d'Antonelli (1747-1817), chef du jury au Tribunal révolutionnaire.

« de se créer un intérieur, vivait dans la rue, sur les
« promenades, dans les salons publics. Familiarisé avec les
« échafauds, et déjà à moitié sorti du monde, on trouvait
« que cela ne valait pas la peine de rentrer chez soi. Il
« n'était question que d'arts, de bals, de modes ; on chan-
« geait de parures et de vêtement aussi facilement qu'on se
« serait dépouillé de la vie.

« Sous Bonaparte la séduction recommença, mais ce
« fut une séduction qui portait son remède avec elle :
« Bonaparte séduisait par un prestige de gloire, et tout ce
« qui est grand porte en soi un principe de législation. Il
« concevait qu'il était utile de laisser enseigner la doctrine
« de tous les peuples, la morale de tous les temps, la religion
« de toute éternité.

« Je ne serais pas étonné de m'entendre répondre :
« Fonder la société sur un *devoir,* c'est l'élever sur une
« fiction ; la placer dans un *intérêt,* c'est l'établir dans une
« réalité. Or, c'est précisément le *devoir* qui est un fait et
« l'*intérêt* une fiction. Le *devoir* qui prend source dans la
« divinité descend dans la famille, où il établit des relations
« réelles entre le père et les enfants ; de là passant à la
« société et se partageant en deux branches, il règle dans
« l'ordre politique les rapports du Roi et du sujet ; il établit
« l'ordre moral, la chaîne des services et des protections, des
« bienfaits et de la reconnaissance.

« C'est donc un fait très-positif que le devoir, puisqu'il
« donne à la société humaine la seule existence durable
« qu'elle puisse avoir.

« L'intérêt au contraire est une action quand il est
« pris comme on le prend aujourd'hui, dans son sens
« physique et rigoureux, puisqu'il n'est plus le soir ce qu'il
« était le matin ; puisque à chaque instant il change de
« nature, puisque fondé sur la fortune il en a la mobilité.

« Par la morale des intérêts chaque citoyen est en état
« d'hostilité avec les lois et le gouvernement, parce que dans
« la société c'est toujours le grand nombre qui souffre. On
« ne se bat point pour des idées abstraites d'ordre, de paix,
« de patrie ; ou si l'on se bat pour elles, c'est qu'on y attache
« des idées de *sacrifices ;* alors on sort de la morale des
« intérêts pour rentrer dans celle des devoirs : tant il est

« vrai que l'on ne peut trouver l'existence de la société hors
« de cette sainte limite !

« Qui remplit ses devoirs s'attire l'estime ; qui cède à
« ses intérêts est peu estimé. C'était bien du siècle de puiser
« un principe de gouvernement dans une source de mépris !
« Elevez les hommes politiques à ne penser qu'à ce qui les
« touche, et vous verrez comment ils arrangeront l'Etat ;
« vous n'aurez par-là que des ministres corrompus et avides,
« semblables à ces esclaves mutilés qui gouvernaient le
« Bas-Empire et qui vendaient tout, se souvenant d'avoir
« eux-mêmes été vendus.

« Remarquez ceci : les intérêts ne sont puissants que
« lors même qu'ils prospèrent ; le temps est-il rigoureux, ils
« s'affaiblissent. Les devoirs, au contraire, ne sont jamais si
« énergiques que quand il en coûte à les remplir. Le temps
« est-il bon ? ils se relâchent. J'aime un principe de gouver-
« nement qui grandit dans le malheur : cela ressemble
« beaucoup à la vertu.

« Quoi de plus absurde que de crier aux peuples : Ne
« soyez pas dévoués ! n'ayez pas d'enthousiasme ! ne songez
« qu'à vos intérêts ! C'est comme si on leur disait : Ne venez
« pas à notre secours, abandonnez-nous si tel est votre
« intérêt. Avec cette profonde politique, lorsque l'heure du
« dévouement arrivera, chacun fermera sa porte, se mettra
« à la fenêtre et regardera passer la monarchie. »

Tel était cet article sur la morale des intérêts et sur la
morale des devoirs.

Le 3 décembre 1819 je remontai à la tribune de la
Chambre des pairs : je m'élevai contre les mauvais Français
qui pouvaient nous donner pour motif de tranquillité la
surveillance des armées européennes. « Avions-nous besoin
« de tuteurs ? viendrait-on encore nous entretenir de cir-
« constances ? devions-nous encore recevoir, par des notes
« diplomatiques, des certificats de bonne conduite ? et
« n'aurions-nous fait que changer une garnison de cosaques
« en une garnison d'ambassadeurs ? »

Dès ce temps-là je parlais des étrangers comme j'en ai
parlé depuis dans la guerre d'Espagne ; je songeais à notre
affranchissement à une heure où les libéraux mêmes me
combattaient. Les hommes opposés d'opinion font bien du

bruit pour arriver au silence ! Laissez venir quelques années, les acteurs descendront de la scène et les spectateurs ne seront plus là pour blâmer ou pour applaudir.

Année de ma vie 1820. — Mort du duc de Berri.

Je venais de me coucher le 13 février au soir, lorsque le marquis de Vibraye entra chez moi pour m'apprendre l'assassinat du duc de Berri. Dans sa précipitation, il ne me dit pas le lieu où s'était passé l'événement. Je me levai à la hâte et je montai dans la voiture de M. de Vibraye[1]. Je fus surpris de voir le cocher prendre la rue de Richelieu, et plus étonné encore quand il nous arrêta à l'Opéra[2] : la foule aux abords était immense. Nous montâmes, au milieu de deux haies de soldats, par la porte latérale à gauche, et, comme nous étions en habits de pairs, on nous laissa passer. Nous arrivâmes à une sorte de petite antichambre : cet espace était encombré de toutes les personnes du château. Je me faufilai jusqu'à la porte d'une loge et je me trouvai face à face de M. le duc d'Orléans. Je fus frappé d'une expression mal déguisée, jubilante, dans ses yeux, à travers la contenance contrite qu'il s'imposait ; il voyait de plus près le trône. Mes regards l'embarrassèrent ; il quitta la place et me tourna le dos. On racontait autour de moi les détails du forfait, le nom de l'homme, les conjectures des divers participants à l'arrestation ; on était agité, affairé : les

1. Aide de camp du comte d'Artois.
2. L'Opéra où le duc de Berry est mort s'élevait rue de Richelieu sur l'emplacement actuel du square Louvois, en face de la Bibliothèque Nationale.

hommes aiment ce qui est spectacle, surtout la mort, quand cette mort est celle d'un grand. A chaque personne qui sortait du laboratoire ensanglanté, on demandait des nouvelles. On entendait le général A. de Girardin[1] raconter qu'ayant été laissé pour mort sur le champ de bataille, il n'en était pas moins revenu de ses blessures : tel espérait et se consolait, tel s'affligeait. Bientôt le recueillement gagna la foule ; le silence se fit ; de l'intérieur de la loge sortit un bruit sourd : je tenais l'oreille appliquée contre la porte ; je distinguai un râlement ; ce bruit cessa : la famille royale venait de recevoir le dernier soupir d'un petit-fils de Louis XIV ! J'entrai immédiatement.

Qu'on se figure une salle de spectacle vide, après la catastrophe d'une tragédie : le rideau levé, l'orchestre désert, les lumières éteintes, les machines immobiles, les décorations fixes et enfumées, les comédiens, les chanteurs, les danseuses, disparus par les trappes et les passages secrets !

J'ai donné dans un ouvrage à part[2] la vie et la mort de M. le duc de Berri. Mes réflexions d'alors sont encore vraies aujourd'hui :

« Un fils de saint Louis, dernier rejeton de la branche
« aînée, échappe aux traverses d'un long exil et revient dans
« sa patrie ; il commence à goûter le bonheur ; il se flatte de
« se voir renaître, de voir renaître en même temps la
« monarchie dans les enfants que Dieu lui promet : tout à
« coup il est frappé au milieu de ses espérances, presque
« dans les bras de sa femme. Il va mourir, et il n'est pas
« plein de jours ! Ne pourrait-il pas accuser le ciel, lui
« demander pourquoi il le traite avec tant de rigueur ? Ah !
« qu'il lui eût été pardonnable de se plaindre de sa destinée !
« Car, enfin, quel mal faisait-il ? Il vivait familièrement au
« milieu de nous dans une simplicité parfaite, il se mêlait à
« nos plaisirs et soulageait nos douleurs ; déjà six de ses
« parents ont péri ; pourquoi l'égorger encore, le rechercher,

1. Fils du marquis René de Girardin chez qui Rousseau est mort à Ermenonville, et père du journaliste Emile de Girardin.
2. *Mémoires, lettres et pièces authentiques touchant la vie et la mort de S.A.R. Monseigneur Charles-Ferdinand d'Artois, fils de France, duc de Berri.*

« lui, innocent, lui si loin du trône, vingt-sept ans après la
« mort de Louis XVI ? Connaissons mieux le cœur d'un
« Bourbon ! Ce cœur, tout percé du poignard, n'a pu
« trouver contre nous un seul murmure : pas un regret de
« la vie, pas une parole amère n'a été prononcée par ce
« prince. Epoux, fils, père et frère, en proie à toutes les
« angoisses de l'âme, à toutes les souffrances du corps, il ne
« cesse de demander la grâce de *l'homme*, qu'il n'appelle
« pas même son assassin ! Le caractère le plus impétueux
« devient tout à coup le caracère le plus doux. C'est un
« homme attaché à l'existence par tous les liens du cœur ;
« c'est un prince dans la fleur de l'âge ; c'est l'héritier du
« plus beau royaume de la terre qui expire, et vous diriez
« que c'est un infortuné qui ne perd rien ici-bas. »

Le meurtrier Louvel était un petit homme à figure sale et
chafouine, comme on en voit des milliers sur le pavé de
Paris. Il tenait du roquet ; il avait l'air hargneux et solitaire.
Il est probable que Louvel ne faisait partie d'aucune
société ; il était d'une secte, non d'un complot ; il appartenait à l'une de ces conjurations d'idées, dont les membres se
peuvent quelquefois réunir, mais agissent le plus souvent un
à un, d'après leur impulsion individuelle. Son cerveau
nourrissait une seule pensée, comme un cœur s'abreuve
d'une seule passion. Son action était conséquente à ses
principes : il avait voulu tuer la race entière d'un seul coup.
Louvel a des admirateurs de même que Robespierre. Notre
société matérielle, complice de toute entreprise matérielle, a
détruit vite la chapelle élevée en expiation d'un crime [1].
Nous avons l'horreur du sentiment moral parce qu'on y voit
l'ennemi et l'accusateur : les larmes auraient paru une
récrimination ; on avait hâte d'ôter à quelques chrétiens une
croix pour pleurer.

Le 18 février 1820, le *Conservateur* paya le tribut de ses
regrets à la mémoire de M. le duc de Berri. L'article se
terminait par ce vers de Racine :

Si du sang de nos Rois quelque goutte échappée ! [1]

1. L'Opéra où était mort le duc de Berri fut aussitôt démoli ; la
chapelle expiatoire élevée sur son emplacement fut rasée par ordre de
Thiers en 1832.

Hélas ! cette goutte de sang s'écoule sur la terre étrangère !

M. Decazes tomba. La censure arriva, et, malgré l'assassinat du duc de Berri, je votai contre elle : ne voulant pas qu'elle souillât le *Conservateur*, ce journal finit par cette apostrophe au duc de Berri :

« Prince chrétien ! digne fils de saint Louis ! illustre
« rejeton de tant de monarques, avant que vous soyez
« descendu dans cette dernière demeure, recevez notre der-
« nier hommage. Vous aimiez, vous lisiez un ouvrage que la
« censure va détruire. Vous nous avez dit quelquefois que
« cet ouvrage sauvait le trône : hélas ! nous n'avons pu
« sauver vos jours ! Nous allons cesser d'écrire au moment
« que vous cessez d'exister : nous aurons la douloureuse
« consolation d'attacher la fin de nos travaux à la fin de
« votre vie. »

NAISSANCE DU DUC DE BORDEAUX. — LES DAMES DE LA HALLE DE BORDEAUX.

M. LE DUC DE BORDEAUX vint au monde le 29 septembre 1820. Le nouveau-né fut nommé l'*enfant de l'Europe* et l'*enfant du miracle*, en attendant qu'il devînt l'enfant de l'exil.

Quelque temps avant les couches de la princesse, trois dames de la halle de Bordeaux, au nom de toutes les dames leurs compagnes, firent faire un berceau et me choisirent pour les présenter, elles et leur berceau, à madame la

---

1. *Athalie* I. Allusion à la grossesse de la duchesse de Berri (voir la première phrase du chapitre suivant).

duchesse de Berri. Mesdames Dasté, Duranton, Aniche, m'arrivèrent. Je m'empressai de demander aux gentilshommes de service l'audience d'étiquette. Voilà que M. de Sèze [1] crut qu'un tel honneur lui appartenait de droit : il était dit que je ne réussirais jamais à la cour. Je n'étais pas encore réconcilié avec le ministère, et je ne parus pas digne de la charge d'introducteur de mes humbles ambassadrices. Je me tirai de cette grande négociation comme de coutume, en payant leur dépense.

Tout cela devint une affaire d'Etat ; le cancan passa dans les journaux. Les dames bordelaises en eurent connaissance et m'écrivirent à ce sujet la lettre qui suit :

« Bordeaux, le 24 octobre 1820.

« Monsieur le vicomte,

« Nous vous devons des remercîments pour la bonté que
« vous avez eue de mettre aux pieds de madame la duchesse
« de Berri notre joie et nos respects : pour cette fois du
« moins on ne vous aura pas empêché d'être notre inter-
« prète. Nous avons appris avec la plus grande peine l'éclat
« que M. le comte de Sèze a fait dans les journaux ; et si
« nous avons gardé le silence, c'est parce que nous avons
« craint de vous faire de la peine. Cependant, monsieur le
« vicomte, personne ne peut mieux que vous rendre hom-
« mage à la vérité et tirer d'erreur M. de Sèze sur nos
« véritables intentions pour le choix d'un introducteur chez
« son altesse royale. Nous vous offrons de déclarer dans un
« journal à votre choix tout ce qui s'est passé ; et comme
« personne n'avait le droit de nous choisir un guide, que
« jusqu'au dernier moment nous nous étions flattées que vous
« seriez ce guide, ce que nous déclarerons à cet égard ferait
« nécessairement taire tout le monde.

« Voilà à quoi nous sommes décidées, monsieur le
« vicomte ; mais nous avons cru qu'il était de notre devoir de
« ne rien faire sans votre agrément. Comptez que ce serait
« de grand cœur que nous publierions les bons procédés que

---

1. L'ancien défenseur de Louis XVI (1748-1828). Il était alors premier président de la Cour de cassation, pair de France et académicien.

« vous avez eus pour tout le monde au sujet de notre
« présentation. Si nous sommes la cause du mal, nous voilà
« prêtes à le réparer.
    « Nous sommes et nous serons toujours de vous,
              « Monsieur le vicomte,
      Les très-humbles et très-respectueuses
        « servantes,
           « Femme DASTÉ, DURANTON,
         « ANICHE. »

    Je répondis à ces généreuses dames qui ressemblaient si
peu aux grandes dames :
    « Je vous remercie bien, mes chères dames, de l'offre
« que vous me faites de publier dans un journal tout ce qui
« s'est passé relativement à M. de Sèze. Vous êtes d'excel-
« lentes royalistes, et moi aussi je suis un bon royaliste :
« nous devons nous souvenir avant tout que M. de Sèze est
« un homme respectable, et qu'il a été le défenseur de notre
« Roi. Cette belle action n'est point effacée par un petit
« mouvement de vanité. Ainsi gardons le silence : il me
« suffit de votre bon témoignage auprès de vos amis. Je vous
« ai déjà remerciées de vos excellents fruits : madame de
« Chateaubriand et moi nous mangeons tous les jours vos
« marrons en parlant de vous.
    « A présent permettez à votre hôte de vous embrasser.
« Ma femme vous dit mille choses, et moi je suis
        « Votre serviteur et ami,
                  « CHATEAUBRIAND. »
Paris, 2 novembre 1820. »

    Mais qui pense aujourd'hui à ces futiles débats ? Les joies
et les fêtes du baptême sont loin derrière nous. Quand Henri
naquit le jour de Saint-Michel, ne disait-on pas que l'ar-
change allait mettre le dragon sous ses pieds ? Il est à
craindre au contraire que l'épée flamboyante n'ait été tirée
du fourreau que pour faire sortir l'innocent du paradis
terrestre, et pour en garder contre lui les portes.

JE FAIS ENTRER M. DE VILLÈLE ET M. DE CORBIÈRE DANS LEUR PREMIER MINISTÈRE. — MA LETTRE AU DUC DE RICHELIEU.— BILLET DU DUC DE RICHELIEU ET MA RÉPONSE. — BILLETS DE M. DE POLIGNAC. — LETTRES DE M. DE MONTMORENCY ET DE M. PASQUIER.
— JE SUIS NOMMÉ AMBASSADEUR À BERLIN.
— JE PARS POUR CETTE AMBASSADE.

CEPENDANT les événements qui se compliquaient ne décidaient rien encore. L'assassinat de M. le duc de Berri avait amené la chute de M. Decazes, qui ne se fit pas sans déchirements. M. le duc de Richelieu ne consentit à affliger son vieux maître que sur une promesse de M. Molé de donner à M. Decazes une mission lointaine. Il partit pour l'ambassade de Londres où je devais le remplacer. Rien n'était fini. M. de Villèle restait à l'écart avec sa fatalité M. de Corbière. J'offrais de mon côté un grand obstacle. Madame de Montcalm [1] ne cessait de m'engager à la paix : j'y étais très-disposé, ne voulant sincèrement que sortir des affaires qui m'envahissaient, et pour lesquelles j'avais un souverain mépris. M. de Villèle, quoique plus souple, n'était pas alors facile à manier.

Il y a deux manières de devenir ministre : l'une brusquement et par force, l'autre par longueur de temps et par adresse ; la première n'était point à l'usage de M. de Villèle : le cauteleux exclut l'énergique, mais il est plus sûr et moins exposé à perdre la place qu'il a gagnée. L'essentiel dans cette manière d'arriver est d'agréer maints soufflets et de savoir avaler une quantité de couleuvres : M. de Talleyrand faisait grand usage de ce régime des ambitions de seconde espèce. En général, on parvient aux affaires par ce que l'on a de médiocre, et l'on y reste par ce que l'on a de supérieur. Cette réunion d'éléments antagonistes est la

1. L'aînée des deux sœurs du duc de Richelieu.

chose la plus rare, et c'est pour cela qu'il y a si peu d'hommes d'Etat.

M. de Villèle avait précisément le terre à terre des qualités par lesquelles le chemin lui était ouvert : il laissait faire du bruit autour de lui, pour recueillir le fruit de l'épouvante qui s'emparait de la cour. Parfois il prononçait des discours belliqueux, mais où quelques phrases laissaient luire l'espérance d'une nature abordable. Je pensais qu'un homme de son espèce devait commencer par entrer dans les affaires, n'importe comment, et dans une place non trop effrayante. Il me semblait qu'il lui fallait être d'abord ministre sans portefeuille afin d'obtenir un jour la présidence même du ministère. Cela lui donnerait un renom de modération, il serait vêtu parfaitement à son air ; il deviendrait évident que le chef parlementaire de l'opposition royaliste n'était pas un ambitieux, puisqu'il consentait pour le bien de la paix à se faire si petit. Tout homme qui a été ministre, n'importe à quel titre, le redevient : un premier ministère est l'échelon du second ; il reste sur l'individu qui a porté l'habit brodé une odeur de portefeuille qui le fait retrouver tôt ou tard par les bureaux.

Madame de Montcalm m'avait dit de la part de son frère qu'il n'y avait plus de ministère vacant ; mais que si mes deux amis voulaient entrer au conseil comme ministres d'Etat sans portefeuille, le roi en serait charmé, promettant mieux pour la suite. Elle ajoutait que si je consentais à m'éloigner, je serais envoyé à Berlin. Je lui répondis qu'à cela ne tenait ; que quant à moi, j'étais toujours prêt à partir et que j'irais chez le diable, dans le cas que les Rois eussent quelque mission à remplir auprès de leur cousin ; mais que je n'acceptais pourtant un exil que si M. de Villèle acceptait son entrée au conseil. J'aurais voulu aussi placer M. Lainé auprès de mes deux amis. Je me chargeai de la triple négociation. J'étais devenu le maître de la France politique par mes propres forces. On ne se doute guère que c'est moi qui ai fait le premier ministre de M. de Villèle et qui ai poussé le maire de Toulouse [1] dans la carrière.

Je trouvai dans le caractère de M. Lainé une obstination

1. Villèle était maire de sa ville natale depuis 1815.

invincible. M. de Corbière ne voulait pas une simple entrée au conseil ; je le flattai de l'espoir qu'on y joindrait l'instruction publique. M. de Villèle, ne se prêtant qu'avec répugnance à ce que je désirais, me fit d'abord mille objections ; son bon esprit et son ambition le décidèrent enfin à marcher en avant : tout fut arrangé. Voici les preuves irrécusables de ce que je viens de raconter ; documents fastidieux de ces petits faits justement passés à l'oubli, mais utiles à ma propre histoire :

« 20 décembre, trois heures et demie.

« A M. le duc de Richelieu.

« J'ai eu l'honneur de passer chez vous, monsieur le
« duc, pour vous rendre compte de l'état des choses : tout
« va à merveille. J'ai vu les deux amis : Villèle consent
« enfin à entrer ministre secrétaire d'Etat au conseil, sans
« portefeuille, si Corbière consent à entrer au même titre,
« avec la direction de l'instruction publique. Corbière, de
« son côté, veut bien entrer à ces conditions, moyennant
« l'approbation de Villèle. Ainsi il n'y a plus de difficultés.
« Achevez votre ouvrage, monsieur le duc ; voyez les deux
« amis ; et quand vous aurez entendu ce que je vous écris,
« de leur propre bouche, vous rendrez à la France la paix
« intérieure, comme vous lui avez donné la paix avec les
« étrangers.
« Permettez-moi de vous soumettre encore une idée :
« trouveriez-vous un grand inconvénient à remettre à Vil-
« lèle la direction vacante par la retraite de M. de Baran-
« te [1] ? il serait alors placé dans une position plus égale
« avec son ami. Toutefois, il m'a positivement dit qu'il consen-
« tirait à entrer au conseil sans portefeuille, si Corbière
« avait l'instruction publique. Je ne dis ceci que comme
« un moyen de plus de satisfaire complètement les royalis-
« tes, et de vous assurer une majorité immense et inébran-
« lable.

1. La Direction des Contributions directes à laquelle était attaché un traitement de cent mille francs.

« J'aurai enfin l'honneur de vous faire observer que
« c'est demain au soir qu'a lieu chez Piet la grande réunion
« royaliste, et qu'il serait bien utile que les deux amis
« pussent demain au soir dire quelque chose qui calmât
« toutes les effervescences et empêchât toutes les divisions.

« Comme je suis, monsieur le duc, hors de tout ce
« mouvement, vous ne verrez, j'espère, dans mon empresse-
« ment que la loyauté d'un homme qui désire le bien de son
« pays et vos succès.

« Agréez, je vous prie, monsieur le duc, l'assurance de
« ma haute considération.

« CHATEAUBRIAND. »

« Mercredi.

« Je viens d'écrire à MM. de Villèle et de Corbière, mon-
« sieur, et je les engage à passer ce soir chez moi, car dans
« une œuvre aussi utile il ne faut pas perdre un moment. Je
« vous remercie d'avoir fait marcher l'affaire aussi vite ;
« j'espère que nous arriverons à une heureuse conclusion.
« Soyez persuadé, monsieur, du plaisir que j'ai à vous avoir
« cette obligation, et recevez l'assurance de ma haute
« considération.

« RICHELIEU. »

« Permettez-moi, monsieur le duc de vous féliciter de
« l'heureuse issue de cette grande affaire, et de m'applaudir
« d'y avoir eu quelque part. Il est bien à désirer que les
« ordonnances paraissent demain : elles feront cesser toutes
« les oppositions. Sous ce raport je puis être utile aux deux
« amis.

« J'ai l'honneur, monsieur le duc, de vous renouveler
« l'assurance de ma haute considération.

« CHATEAUBRIAND. »

« Vendredi.

« J'ai reçu avec un extrême plaisir le billet que M. le
« vicomte de Chateaubriand m'a fait l'honneur de m'écrire.
« Je crois qu'il n'aura pas à se repentir de s'en être rapporté
« à la bonté du Roi, et s'il me permet d'ajouter au désir que
« j'ai de contribuer à ce qui pourra lui être agréable. Je le
« prie de recevoir l'assurance de ma haute considération.

« RICHELIEU. »

Ce jeudi.

« Vous savez sans doute, mon noble collègue, que
« l'affaire a été conclue hier soir à onze heures, et que tout
« s'est arrangé sur les bases convenues entre vous et le duc
« de Richelieu. Votre intervention nous a été fort utile :
« grâces vous soient rendues pour cet acheminement vers un
« mieux qu'on doit désormais regarder comme problable.

« Tout à vous pour la vie,

« J. DE POLIGNAC. »

« Paris, mercredi 20 décembre, onze heures et demie du soir.

« Je viens de passer chez vous qui étiez retiré, noble
« vicomte : j'arrive de chez Villèle qui lui-même est rentré
« tard de la conférence que vous lui aviez préparée et
« annoncée. Il m'a chargé, comme votre plus proche voisin,
« de vous faire savoir ce que Corbière voulait aussi vous
« mander de son côté, que l'affaire que vous avez réelle-
« ment conduite et ménagée dans la journée est décidément
« finie de la manière la plus simple et la plus abrégée : lui
« *sans portefeuille*, son ami *avec l'instruction*. Il paraissait
« croire qu'on aurait pu attendre un peu plus et obtenir
« d'autres conditions ; mais il ne convenait pas de dédire un
« interprète, un négociateur tel que vous. C'est vous réelle-
« ment qui leur avez ouvert l'entrée de cette nouvelle
« carrière : ils comptent sur vous pour la leur aplanir. De
« votre côté, pendant le peu de temps que nous aurons

« encore l'avantage de vous conserver parmi nous, parlez à
« vos amis les plus vifs dans le sens de seconder ou du moins
« de ne pas combattre les projets d'union. Bonsoir. Je vous
« fais encore mon compliment de la promptitude avec
« laquelle vous menez les négociations. Vous arrangerez
« ainsi l'Allemagne pour revenir plus tôt au milieu de vos
« amis. Je suis charmé, pour mon compte, de ce qu'il y a de
« simplifié dans votre position.
« Je vous renouvelle tous mes sentiments.

« M. DE MONTMORENCY. »

« Voici, monsieur, une demande adressée par un garde du
« corps du Roi au Roi de Prusse : elle m'est remise et recom-
« mandée par un officier supérieur des gardes. Je vous prie
« donc de l'emporter avec vous et d'en faire usage, si vous
« croyez, quand vous aurez un peu examiné le terrain à Berlin,
« qu'elle est de nature à obtenir quelque succès.
« Je saisis avec grand plaisir cette occasion de me féliciter
avec vous du *Moniteur* de ce matin et de vous remercier de
« la part que vous avez eue à cette heureuse issue qui, je
« l'espère, aura sur les affaires de notre France la plus
« heureuse influence.
« Veuillez recevoir l'assurance de ma haute considération
« et de mon sincère attachement.

« PASQUIER. »

Cette suite de billets montre assez que je ne me vante
pas ; cela m'ennuierait trop d'être la mouche du coche ; le
timon ou le nez du cocher ne sont pas des places où j'aie
jamais eu l'ambition de m'asseoir : que le coche arrive au
haut [1] ou roule en bas, point ne m'en chaut. Accoutumé à
vivre caché dans mes propres replis, ou momentanément
dans la large vie des siècles, je n'avais aucun goût aux
mystères d'antichambre. J'entre mal dans la circulation en

---

1. Souvenir de La Fontaine (*Le Coche et la Mouche*).

pièce de monnaie courante ; pour me sauver je me retire auprès de Dieu ; une idée fixe qui vient du ciel vous isole et fait tout mourir autour de vous.

Revu en décembre 1846.

ANNÉE DE MA VIE 1821. — AMBASSADE DE BERLIN. — ARRIVÉE A BERLIN. — M. ANCILLON. —FAMILLE ROYALE. — FÊTES POUR LE MARIAGE DU GRAND-DUC NICOLAS. — SOCIÉTÉ DE BERLIN. — LE COMTE DE HUMBOLDT. — M. DE CHAMISSO.

JE quittai la France, laissant mes amis en possession d'une autorité que je leur avais achetée au prix de mon absence : j'étais un petit Lycurgue [1]. Ce qu'il y avait de bon, c'est que le premier essai que j'avais fait de ma force politique me rendait ma liberté ; j'allais jouir au dehors de cette liberté dans le pouvoir. Au fond de cette position nouvelle à ma personne, j'aperçois je ne sais quels romans confus parmi des réalités : n'y avait-il rien dans les cours ? N'étaient-elles point des solitudes d'une autre sorte ? C'étaient peut-être des Champs-Elysées avec leurs ombres.

Je partis de Paris le 1er janvier 1821 : la Seine était gelée, et pour la première fois je courais sur les chemins avec les conforts de l'argent. Je revenais peu à peu de mon mépris des richesses ; je commençais à sentir qu'il était assez doux de rouler dans une bonne voiture, d'être bien servi, de n'avoir à se mêler de rien, d'être devancé par un énorme

1. Lycurgue abandonna Sparte après l'avoir dotée d'une constitution.

chasseur de Varsovie, toujours affamé, et qui, au défaut des czars, aurait à lui seul dévoré la Pologne [1]. Mais je m'habituai vite à mon bonheur ; j'avais le pressentiment qu'il durerait peu, et que je serais bientôt remis à pied comme il était convenable. Avant d'être arrivé à ma destination, il ne me resta du voyage que mon goût primitif pour le voyage même ; goût d'indépendance —, satisfaction d'avoir rompu les attaches de la société.

Vous verrez, lorsque je reviendrai de Prague en 1833, ce que je dis de mes vieux souvenirs du Rhin : je fus obligé, à cause des glaces, de remonter ses rives et de le traverser au-dessus de Mayence. Je ne m'occupai guère de *Moguntia* [2], de son archevêque, de ses trois ou quatre siéges, et de l'*imprimerie* [3] par qui cependant je régnais. Francfort, cité de Juifs, ne m'arrêta que pour une de leurs affaires : un change de monnaie.

La route fut triste : le grand chemin était neigeux et le givre appendu aux branches des pins. Iéna m'apparut de loin avec les larves de sa double bataille. Je traversai Erfurt et Weimar : dans Erfurt, l'empereur manquait ; dans Weimar, habitait Goethe que j'avais tant admiré, et que j'admire beaucoup moins. Le chantre de la matière vivait, et sa vieille poussière se modelait encore autour de son génie. J'aurais pu voir Goethe, et je ne l'ai point vu : il laisse un vide dans la procession des personnages célèbres qui ont défilé sous mes yeux.

Le tombeau de Luther à Wittemberg ne me tenta point : le protestantisme n'est en religion qu'une hérésie illogique ; en politique, qu'une révolution avortée. Après avoir mangé, en passant l'Elbe, un petit pain noir pétri à la vapeur du tabac, j'aurais eu besoin de boire dans le grand verre de Luther, conservé comme une relique. De là traversant Potsdam et franchissant la Sprée, rivière d'encre sur laquelle se traînent des barques gardées par un chien blanc, j'arrivai à Berlin. Là demeura, comme je l'ai dit [4], *le faux*

---

1. Grand mangeur, grand buveur aussi, semble-t-il.
2. Nom latin de Mayence.
3. Gutenberg était de Mayence.
4. Voir Tome I, p. 150.

Julien dans sa fausse Athènes. Je cherchai en vain le soleil du mont Hymette. J'ai écrit à Berlin la partie de ces *Mémoires* où vous avez trouvé la description de cette ville, ma course à Potsdam, mes souvenirs du grand Frédéric, de son cheval, de ses levrettes et de Voltaire.

Descendu le 11 janvier à l'auberge, j'allai demeurer ensuite *Sous les Tilleuls,* dans l'hôtel qu'avait quitté M. le marquis de Bonnay, et qui appartenait à madame la duchesse de Dino : j'y fus reçu par MM. Decaux, de Flavigny et de Cussy, secrétaires de légation.

Le 17 de janvier j'eus l'honneur de présenter au Roi [1] les lettres de recréance de M. le marquis de Bonnay et mes lettres de créance. Le Roi, logé dans une simple maison, avait pour toute distinction deux sentinelles à sa porte : entrait qui voulait ; on lui parlait *s'il était chez lui.* Cette simplicité des princes allemands contribue à rendre moins sensibles aux petits le nom et les prérogatives des grands. Frédéric-Guillaume allait chaque jour, à la même heure, dans une carriole découverte qu'il conduisait lui-même, casquette en tête, manteau grisâtre sur le dos, fumer son cigare dans le parc. Je le rencontrais souvent et nous continuions nos promenades, chacun de notre côté. Quand il rentrait dans Berlin, la sentinelle de la porte de Brandebourg criait à tue-tête ; la garde prenait les armes et sortait ; le Roi passait, tout était fini.

Dans la même journée, je fis ma cour au Prince royal et aux princes ses frères, jeunes militaires fort gais. Je vis le grand-duc Nicolas et la grande-duchesse nouvellement mariés et auxquels on donnait des fêtes. Je vis aussi le duc et la duchesse de Cumberland [2], le prince Guillaume, frère du Roi, le prince Auguste de Prusse, longtemps notre prisonnier : il avait voulu épouser madame Récamier ; il possédait l'admirable portrait que Gérard avait fait d'elle et qu'elle avait échangé avec le prince pour le tableau de Corinne.

Je m'étais empressé de chercher M. Ancillon [3]. Nous nous connaissions mutuellement par nos ouvrages. Je l'avais

---

1. Frédéric-Guillaume III, roi de Prusse de 1797 à 1840.
2. Le duc de Cumberland était fils de George III, roi d'Angleterre.
3. Descendant de protestants français émigrés, historien et diplomate.

rencontré à Paris avec le prince royal son élève ; il était chargé à Berlin par intérim du portefeuille des affaires étrangères pendant l'absence de M. le comte de Bernstorff [1]. Sa vie était très-touchante ; sa femme avait perdu la vue : toutes les portes de sa maison étaient ouvertes ; la pauvre aveugle se promenait de chambre en chambre parmi des fleurs, et se reposait au hasard comme un rossignol en cage : elle chantait bien et mourut tôt.

M. Ancillon, de même que beaucoup d'hommes illustres de la Prusse, était d'origine française : ministre protestant, ses opinions avaient d'abord été très-libérales ; peu à peu il se refroidit. Quand je le retrouvai à Rome en 1828, il était revenu à la monarchie tempérée et il a rétrogradé jusqu'à la monarchie absolue. Avec un amour éclairé des sentiments généreux, il avait la haine et la peur des révolutionnaires : c'est cette haine qui l'a poussé vers le despotisme, afin d'y demander abri. Ceux qui vantent encore 1793 et qui en admirent les crimes ne comprendront-ils jamais combien l'horreur dont on est saisi pour ces crimes est un obstacle à l'établissement de la liberté ?

Il y eut une fête à la cour, et là commencèrent pour moi des honneurs dont j'étais bien peu digne. Jean Bart avait mis pour aller à Versailles un habit de drap d'or doublé de drap d'argent, ce qui le gênait beaucoup. La grande-duchesse aujourd'hui l'impératrice de Russie, et la duchesse de Cumberland choisirent mon bras dans une marche polonaise : mes romans du monde commençaient. L'air de la marche était une espèce de pot-pourri composé de plusieurs morceaux parmi lesquels, à ma grande satisfaction, je reconnus la chanson du roi Dagobert : cela m'encouragea et vint au secours de ma timidité. Ces fêtes se répétèrent ; une d'elles surtout eut lieu dans le grand palais du Roi. Ne voulant pas en prendre le récit sur mon compte, je le donne tel qu'il est consigné dans le *Morgenblatt* de Berlin par madame la baronne de Hohenhausen :

---

1. Danois, devenu ministre des Affaires Etrangères de Prusse.

Morgenblatt (Feuille du matin), n°70.

« Un des personnages remarquables qui assistaient à
« cette fête était le vicomte de Chateaubriand, ministre de
« France, et, quelle que fût la splendeur du spectacle qui se
« développait à leurs yeux, les belles Berlinoises avaient
« encore des regards pour l'auteur d'*Atala,* ce superbe et
« mélancolique roman où l'amour le plus ardent succombe
« dans le combat contre la religion. La mort d'Atala et
« l'heure du bonheur de Chactas, pendant un orage dans les
« antiques forêts de l'Amérique, dépeint avec les couleurs
« de Milton, resteront à jamais gravées dans la mémoire de
« tous les lecteurs de ce roman. M. de Chateaubriand écrivit
« *Atala* dans sa jeunesse péniblement éprouvée par l'exil de
« sa patrie : de là cette profonde mélancolie et cette passion
« brûlante qui respirent dans l'ouvrage entier. A présent,
« cet homme d'Etat consommé a voué uniquement sa
« plume à la politique. Son dernier ouvrage, *la Vie et la*
« *mort du duc de Berri,* est tout à fait écrit dans le ton
« qu'employaient les panégyristes de Louis XIV.
    « M. de Chateaubriand est d'une taille assez petite, et
« pourtant élancée. Son visage ovale a une expression de
« piété et de mélancolie. Il a les cheveux et les yeux noirs [1] :
« ceux-ci brillent du feu de son esprit qui se prononce dans
« ses traits. »
    Mais j'ai les cheveux blancs : pardonnez donc à madame
la baronne de Hohenhausen de m'avoir croqué dans mon
bon temps, bien qu'elle m'octroie déjà des années. Le
portrait est d'ailleurs fort joli ; mais je dois à ma sincérité de
dire qu'il n'est pas ressemblant.

----

    1. Ils étaient d'un bleu foncé, « pers » dira-t-il lui-même (Tome III.
p. 275.)

MINISTRES ET AMBASSADEURS. — HISTORIQUE DE LA COUR ET DE LA SOCIÉTÉ.

L'HÔTEL Sous les Tilleuls. *Unter den Linden*, était beaucoup trop grand pour moi, froid et délabré : je n'en occupais qu'une petite partie.

Parmi mes collègues, ministres et ambassadeurs, le seul remarquable était M. d'Alopeus [1]. J'ai depuis rencontré sa femme et sa fille à Rome auprès de la grande-duchesse Hélène [2] : si celle-ci eût été à Berlin au lieu de la grande-duchesse Nicolas, sa belle-sœur, j'aurais été plus heureux.

M. d'Alopeus, mon collègue, avait la douce manie de se croire adoré. Il était persécuté par les passions qu'il inspirait : « Ma foi, disait-il, je ne sais ce que j'ai ; partout où je « vais, les femmes me suivent. Madame d'Alopeus s'est « attachée obstinément à moi. » Il eût été excellent saint-simonien. La société privée, comme la société publique, a son allure : dans la première, ce sont toujours des attachements formés et rompus, des affaires de famille, des morts, des naissances, des chagrins et des plaisirs particuliers ; le tout varié d'apparences selon les siècles. Dans l'autre, ce sont toujours des changements de ministres, des batailles perdues ou gagnées, des négociations avec les cours, des Rois qui s'en vont, ou des royaumes qui tombent.

Sous Frédéric II, électeur de Brandebourg, surnommé *Dent de Fer;* sous Joachim II, empoisonné par le Juif Lippold ; sous Jean Sigismond, qui réunit à son électorat le duché de Prusse ; sous Georges-Guillaume, l'*Irrésolu,* qui, perdant ses forteresses, laissait Gustave Adolphe s'entretenir avec les dames de sa cour et disait : « Que faire ? ils ont « des canons » ; sous le Grand-Electeur, qui ne rencontra

1. Ministre plénipotentiaire de Russie à Berlin.
2. Cf. Tome III, p. 107.

482

dans ses états que des monceaux de cendres, lesquels empê-
chaient l'herbe de croître, qui donna une audience à l'ambassade tartare dont l'interprète avait un nez de bois et des
oreilles coupées ; sous son fils, premier Roi de Prusse, qui,
réveillé en sursaut par sa femme, prit la fièvre de peur et en
mourut ; sous tous ces règnes, les divers mémoires ne
laissent voir que la répétition des mêmes aventures dans la
société privée.

Frédéric-Guillaume 1er, père du grand Frédéric, homme
dur et bizarre, fut élevé par madame de Rocoules la
réfugiée : il aima une jeune femme qui ne put l'adoucir ;
son salon fut une tabagie. Il nomma le bouffon Gundling [1]
président de l'Académie royale de Berlin ; il fit enfermer son
fils dans la citadelle de Custrin, et Quatt eut la tête tranchée
devant le jeune prince ; c'était la vie privée de ce temps. Le
grand Frédéric, monté sur le trône, eut une intrigue avec
une danseuse italienne, la Barbarini, seule femme dont il
s'approcha jamais : il se contenta de jouer de la flûte la
première nuit de ses noces sous la fenêtre de la princesse
Elisabeth de Brunswick lorsqu'il l'épousa. Frédéric avait le
goût de la musique et la manie des vers. Les intrigues et les
épigrammes des deux poètes, Frédéric et Voltaire, trou-
blèrent madame de Pompadour, l'abbé de Bernis [2] et
Louis XV. La margrave de Bayreuth [3] était mêlée dans tout
cela avec de l'amour, comme en pouvait avoir un poëte. Des
cercles littéraires chez le Roi, puis des chiens sur des fauteuils
malpropres ; puis des concerts devant des statues d'Antinoüs ; puis des grands dîners ; puis beaucoup de philosophie ; puis la liberté de la presse et des coups de bâton ; puis
enfin un homard ou un pâté d'anguille qui mit fin aux jours
d'un vieux grand homme, lequel voulait vivre [4] : voilà de
quoi s'occupa la société privée de ce temps de lettres et de
batailles. — Et, nonobstant, Frédéric a renouvelé l'Allema-

1. Historiographe de Prusse d'extérieur ridicule.
2. Le futur cardinal de Bernis (1715-1794), favori de Mme de Pompadour.
3. Sœur de Frédéric II.
4. La Mettrie (1709-1751), médecin et philosophe français, lecteur de
Frédéric II. Il mourut, en effet, d'indigestion, mais seulement à 42 ans, ce
« *vieux* grand homme ». Il était né à Saint-Malo.

gne, établi un contre-poids à l'Autriche, et changé tous les rapports et tous les intérêts politiques de la Germanie.

Dans les nouveaux règnes[1] nous trouvons le Palais de marbre, madame Rietz[2] avec son fils, Alexandre comte de la Marche[3], la baronne de Stoltzemberg, maîtresse du margrave Schwed, autrefois comédienne, le prince Henri et ses amis suspects, mademoiselle Voss, rivale de madame Rietz, une intrigue de bal masqué entre un jeune Français et la femme d'un général prussien, enfin madame de F...., dont on peut lire l'aventure dans l'Histoire secrète de la cour de Berlin[4] : qui sait tous ces noms ? qui se rappellera les nôtres ? Aujourd'hui, dans la capitale de la Prusse, c'est à peine si des octogénaires ont conservé la mémoire de cette génération passée.

GUILLAUME DE HUMBOLDT. — ADALBERT DE CHAMISSO.

LA société à Berlin me convenait par ses habitudes : entre cinq et six heures on *allait en soirée;* tout était fini à neuf et je me couchais tout juste comme si je n'eusse pas été ambassadeur. Le sommeil dévore l'existence, c'est ce qu'il y a de bon : « Les heures sont longues et la vie est courte, » dit

1. Celui de Frédéric-Guillaume II, neveu et successeur du grand Frédéric, et celui de son fils Frédéric-Guillaume III.
2. Mme Rietz et Mlle de Voss furent les deux favorites rivales de Frédéric-Guillaume II.
3. Le comte de la Marche était le fils du roi et de Mme Rietz. — Le prince Henri était un frère cadet de Frédéric II.
4. Il s'agit d'un recueil de lettres diplomatiques de Mirabeau, que Chateaubriand avait parcouru en se rendant à Berlin (voir p. 503).

Fénelon. M. Guillaume de Humboldt, frère de mon illustre ami le baron Alexandre [1], était à Berlin : je l'avais connu ministre à Rome ; suspect au gouvernement à cause de ses opinions [2], il menait une vie retirée ; pour tuer le temps, il apprenait toutes les langues et même tous les patois de la terre. Il retrouvait les peuples, habitants anciens d'un sol, par les dénominations géographiques du pays. Une de ses filles parlait indifféremment le grec ancien ou le grec moderne ; si l'on fût tombé dans un bon jour, on aurait pu deviser à table en sanscrit.

Adalbert de Chamisso [3] demeurait au Jardin-des-Plantes, à quelque distance de Berlin. Je le visitai dans cette solitude où les plantes gelaient en serre. Il était grand, d'une figure assez agréable. Je me sentais un attrait pour cet exilé voyageur comme moi : il avait vu ces mers du pôle où je m'étais flatté de pénétrer. Emigré comme moi, il avait été élevé à Berlin en qualité de page. Adalbert, parcourant la Suisse, s'arrêta un moment à Coppet. Il se trouva dans une partie sur le lac, où il pensa périr. Il écrivait ce jour-là même : « Je vois bien qu'il faut chercher mon salut sur les « grandes mers. »

M. de Chamisso avait été nommé par M. de Fontanes professeur à Napoléonville [4], puis professeur de grec à Strasbourg ; il repoussa l'offre par ces nobles paroles : « La « première condition pour travailler à l'instruction de la « jeunesse est l'indépendance : bien que j'admire le génie « de Bonaparte, il ne peut me convenir. » Il refusa de même les avantages que lui offrait la Restauration : « Je n'ai rien « fait pour les Bourbons, disait-il, et je ne puis recevoir le « prix des services et du sang de mes pères. Dans ce siècle « chaque homme doit pourvoir à son existence. » On conserve dans la famille de M. de Chamisso ce billet écrit au Temple, de la main de Louis XVI : « Je recommande M. de « Chamisso, un de mes fidèles serviteurs, à mes frères. » Le roi martyr avait caché ce petit billet dans son sein pour le

1. Le baron Alexandre de Humboldt, géographe et physicien, faisait partie du cercle de Mme Récamier.
2. Guillaume de Humboldt était libéral.
3. Poète et naturaliste (1781-1838). Il était d'origine française.
4. Ou plutôt Napoléon-Vendée (La Roche-sur-Yon).

faire remettre à son premier page, Chamisso, oncle d'Adalbert.

L'ouvrage le plus touchant peut-être de cet enfant des
muses, caché sous les armes étrangères et adopté des bardes
de la Germanie, ce sont ces vers qu'il fit d'abord en
allemand et qu'il traduisit en vers français, sur le château de
Boncours, sa demeure paternelle :

> *Je rêve encore à mon jeune âge*
> *Sous le poids de mes cheveux blancs ;*
> *Tu me poursuis, fidèle image,*
> *Et renais sous la faux du temps.*
> *Du sein d'une mer de verdure*
> *S'élève ce noble château :*
> *Je reconnais et sa toiture,*
> *Et ses tours avec ses créneaux ;*
> *Ces lions de nos armoiries*
> *Ont encor leurs regards d'amour ;*
> *Je vous souris, gardes chéries,*
> *Et je m'élance dans la cour.*
> *Voilà le sphinx à la fontaine,*
> *Voilà le figuier verdoyant ;*
> *Là s'épanouit l'ombre vaine*
> *Des premiers songes de l'enfant.*
> *De mon aïeul, dans la chapelle,*
> *Je cherche et revois le tombeau ;*
> *Voilà la colonne à laquelle*
> *Pendent ses armes en faisceau.*
> *Ce marbre que le soleil dore,*
> *Et ces caractères pieux,*
> *Non, je ne puis les lire encore,*
> *Un voile humide est sur mes yeux.*
> *Fidèle château de mes pères,*
> *Je te retrouve tout en moi !*
> *Tu n'es plus, superbe naguères,*
> *La charrue a passé sur toi !...*
> *Sol que je chéris, sois fertile,*
> *Je te bénis d'un cœur serein ;*
> *Bénis, quel qu'il soit, l'homme utile*
> *Dont le soc sillonne ton sein.*

Chamisso bénit le laboureur qui laboure le sillon dont il a été dépouillé ; son âme devait habiter les régions où planait mon ami Joubert. Je regrette Combourg, mais avec moins de résignation, bien qu'il ne soit pas sorti de ma famille. Embarqué sur le vaisseau armé par le comte de Romanzoff, M. de Chamisso découvrit, avec le capitaine Kotzebue, le détroit à l'est du détroit de Behring, et donne son nom à l'une des îles d'où Cook avait entrevu la côte de l'Amérique. Il retrouva au Kamtschatka le portrait de madame Réca- mier sur porcelaine, et le petit conte *Peter Schlemihl*[1], traduit en hollandais. Le héros d'Adalbert, Peter Schlemihl, avait vendu son ombre au diable : j'aurais mieux aimé lui vendre mon corps.

Je me souviens de Chamisso comme du souffle insensible qui faisait légèrement fléchir la tige des brandes que je traversai en retournant à Berlin.

LA PRINCESSE GUILLAUME. — L'OPÉRA. — RÉUNION MUSICALE.

D'APRÈS un règlement de Frédéric II, les princes et princes- ses du sang à Berlin ne voient pas le corps diplomatique ; mais, grâce au carnaval, au mariage du duc de Cumberland avec la princesse Frédérique de Prusse, sœur de la feue Reine, grâce encore à une certaine inflexion d'étiquette que l'on se permettait, disait-on, à cause de ma personne, j'avais l'occasion de me trouver plus souvent que mes collègues

---

1. C'est l'œuvre la plus célèbre de Chamisso : *Histoire merveilleuse de Pierre Schlemihl ou l'homme qui a perdu son ombre* (1814).

avec la famille royale. Comme je visitais de fois à autre *le grand palais,* j'y rencontrais la princesse Guillaume [1] : elle se plaisait à me conduire dans les appartements. Je n'ai jamais vu un regard plus triste que le sien ; dans les salons inhabités derrière le château, sur la Sprée, elle me montrait une chambre hantée à certains jours par une dame blanche. De son côté, la duchesse de Cumberland me racontait qu'elle et sa sœur la reine de Prusse, toutes deux encore très-jeunes, avaient entendu leur mère qui venait de mourir leur parler sous ses rideaux fermés.

Le Roi, en présence duquel je tombais en sortant de mes visites de curieux, me menait à ses oratoires : il m'en faisait remarquer les crucifix et les tableaux, et rapportait à moi l'honneur de ces innovations, parce qu'ayant lu, me disait-il, dans le *Génie du Christianisme,* que les protestants avaient trop dépouillé leur culte, il avait trouvé juste ma remarque : il n'était pas encore arrivé à l'excès de son fanatisme luthérien.

Le soir à l'Opéra j'avais une loge auprès de la loge royale, placée en face du théâtre. Je causais avec les princesses ; le Roi sortait dans les entr'actes ; je le rencontrais dans le corridor, il regardait si personne n'était autour de nous et si l'on ne pouvait nous entendre ; il m'avouait alors tout bas sa détestation de Rossini et son amour pour Gluck. Il s'étendait en lamentations sur la décadence de l'art et surtout sur ces gargarismes de notes destructeurs du chant dramatique : il me confiait qu'il n'osait dire cela qu'à moi, à cause des personnes qui l'environnaient. Voyait-il venir quelqu'un, il se hâtait de rentrer dans sa loge.

Je vis jouer la *Jeanne d'Arc* de Schiller : la cathédrale de Reims était parfaitement imitée. Le Roi, sérieusement religieux, ne supportait qu'avec peine sur le théâtre la représentation du culte catholique. M. Spontini [2], l'auteur de *la Vestale,* avait la direction de l'Opéra. Madame Spontini, fille de M. Erard [3], était agréable, mais elle semblait

1. Belle-sœur du roi.
2. Compositeur italien (1777-1851). *La Vestale* a été représentée pour la première fois en 1807.
3. L'inventeur des « pianos à queue ».

expier la volubilité du langage des femmes par la lenteur qu'elle mettait à parler : chaque mot divisé en syllabes expirait sur ses lèvres ; si elle avait voulu vous dire : *Je vous aime*, l'amour d'un Français aurait pu s'envoler entre le commencement et la fin de ces trois mots. Elle ne pouvait pas finir mon nom, et elle n'arrivait pas au bout sans une certaine grâce.

Une réunion publique musicale avait lieu deux ou trois fois la semaine. Le soir, en revenant de leur ouvrage, de petites ouvrières, leur panier au bras, des garçons ouvriers portant les instruments de leurs métiers, se pressaient pêle-mêle dans une salle ; on leur donnait en entrant un feuillet noté, et ils se joignaient au chœur général avec une précision étonnante. C'était quelque chose de surprenant que ces deux ou trois cents voix confondues. Le morceau fini, chacun reprenait le chemin de sa demeure. Nous sommes bien loin de ce sentiment de l'harmonie, moyen puissant de civilisation ; il a introduit dans la chaumière des paysans de l'Allemagne une éducation qui manque à nos hommes rustiques : partout où il y a un piano, il n'y a plus de grossièreté.

MES PREMIÈRES DÉPÊCHES. — M. DE BONNAY.

VERS le 13 de janvier, j'ouvris le cours de mes dépêches avec le ministre des affaires étrangères. Mon esprit se plie facilement à ce genre de travail : pourquoi pas ? Dante, Arioste et Milton n'ont-ils pas aussi bien réussi en politique qu'en poésie ? Je ne suis sans doute ni Dante, ni Arioste, ni Milton ; l'Europe et la France ont vu néanmoins par le *Congrès de Vérone* ce que je pourrais faire.

Mon prédécesseur à Berlin[1] me traitait en 1816 comme il traitait M. de Lameth dans ses petits vers au commencement de la révolution : Quand on est si aimable, il ne faut pas laisser derrière soi de registres, ni avoir la rectitude d'un commis quand on n'a pas la capacité d'un diplomate. Il arrive, dans les temps où nous vivons, qu'un coup de vent envoie dans votre place celui contre lequel vous vous étiez élevé ; et comme le devoir d'un ambassadeur est d'abord de connaître les archives de l'ambassade, voilà qu'il tombe sur les notes où il est arrangé de main de maître. Que voulez-vous ? ces esprits profonds, qui travaillaient au succès de la bonne cause, ne pouvaient pas penser à tout.

EXTRAITS DES REGISTRES DE M. DE BONNAY.

N° 64.   23 novembre 1816.

« Les paroles que le Roi a adressées au bureau
« nouvellement formé de la Chambre des pairs ont été
« connues et approuvées de toute l'Europe. On m'a
« demandé s'il était possible que des hommes dévoués au
« Roi, que des personnes attachées à sa personne et occu-
« pant des places dans sa maison, ou dans celles de nos
« princes, eussent pu en effet donner leurs suffrages pour
« porter M. de Chateaubriand à la secrétairerie. Ma réponse
« a été que le scrutin étant secret, personne ne pouvait
« connaître les votes particuliers. « Ah ! s'est écrié un
« homme principal, si le Roi pouvait en être assuré, j'espère
« que l'accès des Tuileries serait aussitôt fermé à ces
« serviteurs infidèles. » J'ai cru que je ne devais rien répon-
« dre, et je n'ai rien répondu. »

15 octobre 1816.

. . . .

« Il en sera de même monsieur le duc de la mesure
« du 5 et de celle du 20 septembre[2] : l'une et l'autre ne
« trouvent en Europe que des approbateurs. Mais ce qui

1. Le marquis de Bonnay.
2. Mesure enlevant à Chateaubriand son titre de ministre d'Etat (après la publication de *La monarchie selon la Charte*).

490

« étonné, c'est de voir que de très-purs et très-dignes
« royalistes continuent de sa passionner pour M. de Cha-
« teaubriand, malgré la publication d'un livre qui établit en
« principe que le Roi de France, en vertu de la Chartre, n'est
« plus qu'un être moral, essentiellement nul et sans volonté
« propre. Si tout autre que lui avait avancé une pareille
« maxime, les mêmes hommes, non sans apparence de
« raison, l'auraient qualifié de jacobin. »

Me voilà bien remis à ma place. C'est du reste une bonne
leçon ; cela rabat notre orgueil, en nous apprenant ce que
nous deviendrons après nous.

Par les dépêches de M. de Bonnay et par celles de
quelques autres ambassadeurs appartenant à l'ancien
régime, il m'a paru que ces dépêches traitaient moins des
affaires diplomatiques que des anecdotes relatives à des
personnages de la société et de la cour : elles se réduisaient à un journal louangeur de Dangeau ou satirique
de Tallemant [1]. Aussi Louis XVIII et Charles X aimaient-ils
beaucoup mieux les lettres amusantes de mes collègues que
ma correspondance sérieuse. J'aurais pu rire et me moquer
comme mes devanciers ; mais le temps où les aventures
scandaleuses et les petites intrigues se liaient aux affaires
était passé. Quel bien aurait-il résulté pour mon pays du
portrait de M. Hardenberg [2], beau vieillard blanc comme un
cygne, sourd comme un pot, allant à Rome sans permission,
s'amusant de trop de choses, croyant à toutes sortes de
rêveries, livré en dernier lieu au magnétisme entre les mains
du docteur Koreff [3] que je rencontrais à cheval trottant
dans les lieux écartés entre le diable, la médecine et les
muses ?

Ce mépris pour une correspondance frivole me fait dire à
M. Pasquier [4] dans ma lettre du 13 février 1821, n°13 :

« Je ne vous ai point parlé, monsieur le baron, selon
« l'usage, des réceptions, des bals, des spectacles, etc ; je ne
« vous ai point fait de petits portraits et d'inutiles satires ;

1. Entendez : louangeur comme celui de Dangeau ou satirique comme
celui de Tallemant des Réaux.
2. Chancelier de Prusse depuis 1810.
3. Médecin magnétiseur. Il séjourna surtout en France.
4. Il était alors ministre des Affaires Etrangères.

« j'ai tâché de faire sortir la diplomatie du commérage.
« Le règne du commun reviendra lorsque le temps
« extraordinaire sera passé : aujourd'hui il ne faut
« peindre que ce qui doit vivre et n'attaquer que ce qui me-
« nace. »

LE PARC. — LA DUCHESSE DE CUMBERLAND.

BERLIN m'a laissé un souvenir durable, parce que la nature
des récréations que j'y trouvai me reporta au temps de mon
enfance et de ma jeunesse ; seulement, des princesses très-
réelles remplissaient le rôle de ma Sylphide. De vieux
corbeaux, mes éternels amis, venaient se percher sur les
tilleuls devant ma fenêtre ; je leur jetais à manger : quand
ils avaient saisi un morceau de pain trop gros, ils le
rejetaient avec une adresse inimaginable pour en saisir un
plus petit ; de manière qu'ils pouvaient en prendre un autre
un peu plus gros, et ainsi de suite jusqu'au morceau capital
qui, à la pointe de leur bec, le tenait ouvert, sans qu'aucune
des couches croissantes de la nourriture pût tomber. Le
repas fait, l'oiseau chantait à sa manière : *cantus cornicum
ut secla vetusta* [1]. J'errais dans les espaces déserts de Berlin
glacé ; mais je n'entendais pas sortir de ses murs, comme
des vieilles murailles de Rome, de belles voix de jeunes filles.
Au lieu de capucins à barbe blanche traînant leurs sandales
parmi des fleurs, je rencontrais des soldats qui roulaient des
boules de neige.

1. « Le chant des corneilles est comme la voix des siècles passés. »
(citation déformée de Lucrère V, 1085).

Un jour, au détour de la muraille d'enceinte, Hyacinthe[1] et moi nous nous trouvâmes nez à nez avec un vent d'est si perçant, que nous fûmes obligés de courir dans la campagne pour regagner la ville à moitié morts. Nous franchîmes des terrains enclos, et tous les chiens de garde nous sautaient aux jambes en nous poursuivant. Le thermomètre descendit ce jour-là à 22 degrés au-dessous de glace. Un ou deux factionnaires, à Potsdam, furent gelés.

De l'autre côté du parc était une ancienne faisanderie abandonnée ; — les princes de Prusse ne chassent point. Je passais un petit pont de bois sur un canal de la Sprée, et je me trouvais parmi les colonnes de sapins qui faisaient le portique de la faisanderie. Un renard, en me rappelant ceux du Mail de Combourg, sortait par un trou pratiqué dans le mur de la réserve, venait me demander de mes nouvelles et se retirait dans son taillis.

Ce qu'on nomme le parc, à Berlin, est un bois de chênes, de bouleaux, de hêtres, de tilleuls et de blancs de hollande. Il est situé à la porte de Charlottenbourg et traverse par la grande route qui mène à cette résidence royale. A droite du parc est un champ-de-mars ; à gauche, des guinguettes.

Dans l'intérieur du parc, qui n'était pas alors percé d'allées régulières, on rencontrait des prairies, des endroits sauvages et des bancs de hêtre sur lesquels la Jeune Allemagne avait naguère gravé, avec un couteau, des cœurs percés de poignards : sous ces cœurs poignardés on lisait le nom de *Sand*[2]. Des bandes de corbeaux, habitant les arbres aux approches du printemps, commencèrent à ramager. La nature vivante se ranimait avant la nature végétale, et des grenouilles toutes noires étaient dévorées par des canards, dans les eaux çà et là dégelées : ces rossignols-là *ouvraient le printemps dans les bois*[3] de Berlin. Cependant le parc n'était pas sans quelques jolis animaux : des écureuils circulaient sur les branches ou se jouaient à terre, en se

1. Hyacinthe Pilorge, secrétaire de Chateaubriand de 1816 à 1843. Il était de Fougères.
2. Etudiant libéral qui tua Kotzebue et fut exécuté en 1819.
3. Citation de Mme de Sévigné (lettre du 29 avril 1671).

faisant un pavillon de leur queue. Quand j'approchais de la fête, les acteurs remontaient le tronc des chênes, s'arrêtaient dans une fourche et grognaient en me voyant passer au-dessous d'eux. Peu de promeneurs fréquentaient la futaie dont le sol inégal était bordé et coupé de canaux. Quelquefois je rencontrais un vieil officier goutteux qui me disait, tout réchauffé et tout réjoui, en me parlant du pâle rayon de soleil sous lequel je grelottais : « Ça pique ! » De temps en temps je trouvais le duc de Cumberland, à cheval et presque aveugle, arrêté devant un blanc de Hollande contre lequel il était venu se cogner le nez. Quelques voitures attelées de six chevaux passaient : elles portaient ou l'ambassadrice d'Autriche, ou la princesse de Radzivill et sa fille, âgée de quinze ans, charmante comme une de ces nues à figure de vierge qui entourent la lune d'Ossian. La duchesse de Cumberland faisait presque tous les jours la même promenade que moi : tantôt elle revenait de secourir dans une chaumière une pauvre femme de Spandau, tantôt elle s'arrêtait et me disait gracieusement qu'elle avait voulu me rencontrer ; aimable fille des trônes descendue de son char comme la déesse de la nuit pour errer dans les forêts ! Je la voyais aussi chez elle : elle me répétait qu'elle me voulait confier son fils, ce petit *Georges* 1 devenu le prince que sa cousine Victoria aurait dit-on, désiré placer à ses côtés sur le trône de l'Angleterre.

La princesse Frédérique a traîné depuis ses jours aux bords de la Tamise, dans ces jardins de Kew qui me virent jadis errer entre mes deux acolytes, l'illusion et la misère. Après mon départ de Berlin, elle m'a honoré d'une correspondance ; elle y peint d'heure en heure la vie d'un habitant de ces bruyères où passa Voltaire, où mourut Frédéric, où se cacha ce Mirabeau qui devait commencer la révolution dont je fus la victime. L'attention est captivée en apercevant les anneaux par qui se touchent tant d'hommes inconnus les uns aux autres.

Voici quelques extraits de la correspondance qu'ouvre avec moi madame la duchesse de Cumberland :

1. Il devint en 1851 roi de Hanovre.

« Ce matin, à mon réveil, on m'a remis le *dernier*
« témoignage de votre souvenir ; plus tard j'ai passé devant
« votre maison, j'y ai vu des fenêtres ouvertes comme de
« coutume, tout était à la même place, excepté vous[1] ! Je ne
« puis vous dire ce que cela m'a fait éprouver ! Je ne sais
« plus maintenant où vous trouver ; chaque instant vous
« éloigne davantage. le seul point fixe est le 26, jour où
« vous comptez arriver, et le souvenir que je vous conserve.
« Dieu veuille que vous trouviez tout changé pour le
« mieux et pour vous et pour le bien général ! Accoutumée
« aux sacrifices, je saurai encore porter celui de ne plus
« vous revoir, si c'est pour votre bonheur et celui de la
« France. »

« 22.

« Depuis *jeudi* j'ai passé devant votre maison tous
« les jours pour aller à l'église ; j'y ai bien prié pour vous.
« Vos fenêtres sont constamment ouvertes, cela me touche :
« qui est-ce qui a pour vous cette attention à suivre vos
« goûts et vos ordres, malgré votre absence ? Il me prend
« l'idée, quelquefois, que vous n'êtes pas parti ; que des
« affaires vous arrêtent, ou que vous avez voulu écarter les
« *importuns* pour en finir à votre aise. Ne croyez pas que
« cela soit un reproche : il n'y a que ce moyen ; mais si cela
« est, veuillez me le confier. »

« 23.

« Il fait aujourd'hui une chaleur si prodigieuse, même
« à l'église, que je ne puis faire ma promenade à l'heure
« ordinaire : cela m'est bien égal *à présent*. Le cher petit bois
« n'a plus de charme pour moi, tout le monde m'y ennuie !
« Ce changement subit du froid au chaud est com-
« mun dans le nord ; les habitants ne tiennent pas, par leur
« modération de caractère et de sentiments, du climat. »

1. Chateaubriand venait de quitter Berlin pour assister au baptême du
duc de Bordeaux. Il ne devait pas y revenir.

« La nature est bien embellie ; toutes les feuilles ont
« poussé depuis votre départ : j'aurais voulu qu'elles fussent
« venues deux jours plus tôt, pour que vous ayez pu
« emporter dans votre souvenir une image plus riante de
« votre séjour ici. »

« Berlin, 12 mai 1821.

« Dieu merci, voilà enfin une lettre de vous ! Je savais
« bien que vous ne pouviez m'écrire plus tôt ; mais, malgré
« tous les calculs que faisait ma raison, trois semaines ou
« pour mieux dire vingt-trois jours sont bien longs pour
« l'amitié dans la privation, et rester sans nouvelles ressem-
« ble au plus triste exil : il me restait pourtant le souvenir
« et l'espérance. »

« Le 15 mai.

« Ce n'est pas de mon étrier, comme le Grand Turc, mais
« toujours de mon lit, que je vous écris ; mais cette retraite
« m'a donné tout le temps de réfléchir au nouveau régime
« que vous voulez faire tenir à Henri V. J'en suis très-con-
« tente ; le lion rôti ne pourra que lui faire grand bien ; je
« vous conseille seulement de le faire commencer par le
« cœur. Il faudra faire manger de l'agneau à l'autre de vos
« élèves (George) pour qu'il ne fasse pas trop le diable à
« quatre. Il faut absolument que ce plan d'éducation se
« réalise et que George et Henri V deviennent bons amis et
« bons alliés.

Madame la duchesse de Cumberland continua de m'écrire
des eaux d'Ems, ensuite des eaux de Schwalbach, et après de
Berlin, où elle revint le 22 septembre de l'année 1821. Elle
me mandait d'Ems : « Le couronnement en Angleterre [1] se
« fera sans moi ; je suis peinée que le Roi ait fixé, pour se
« faire couronner, le jour le plus triste de ma vie : celui
« auquel j'ai vu mourir cette sœur adorée (la reine de

1. George IV fut couronné roi d'Angleterre le 19 juillet 1821.

« Prusse [1]]. La mort de Bonaparte [2] m'a aussi fait penser
« aux souffrances qu'il lui a causées. »

« De Berlin, le 22 septembre.

« J'ai déjà revu ces grandes allées solitaires. Que je
« vous serai redevable, si vous m'envoyez comme vous me le
« promettez les vers que vous avez faits pour Charlotten-
« bourg [3] ! J'ai aussi repris le chemin de la maison dans le
« bois où vous eûtes la bonté de m'aider à secourir la pauvre
« femme de Spandau ; que vous êtes bon de vous souvenir
« de ce nom ! Tout me rappelle des temps heureux. Il n'est
« pas nouveau de regretter le bonheur.
« Au moment où j'allais expédier cette lettre, j'ap-
« prends que le Roi a été détenu en mer par des tempêtes, et
« probablement repoussé sur les côtes de l'Irlande ; il n'était
« pas arrivé à Londres le 14, mais vous serez instruit de son
« retour plus tôt que nous.
« La pauvre princesse Guillaume a reçu aujourd'hui
« la triste nouvelle de la mort de sa mère, la Landgrave
« douairière de Hesse-Hombourg. Vous voyez comme je
« vous parle de tout ce qui concerne notre famille ; veuille le
« ciel que vous ayez de meilleures nouvelles à me donner ! »
Ne semblerait-il pas que la sœur de la belle reine de
Prusse me parle de *notre famille* comme si elle avait la
bonté de m'entretenir de mon aïeule, de ma tante et de mes
obscurs parents de Plancouët ? La famille royale de France
m'a-t-elle jamais honoré d'un sourire pareil à celui de cette
famille royale étrangère, qui pourtant me connaissait à
peine et ne me devait rien ? Je supprime plusieurs autres
lettres affectueuses : elles ont quelque chose de souffrant et
de contenu, de résigné et de noble, de familier et d'élevé ;
elles servent de contre-poids à ce que j'ai dit de trop sévère
peut-être sur les races souveraines. Mille ans en arrière, et
la princesse Frédérique étant fille de Charlemagne eût

---

1. La reine Louise de Prusse était morte le 19 juillet 1810 ; la duchesse
de Cumberland était sa sœur.
2. Elle fut connue en Europe au début de juillet 1821.
3. Chateaubriand les cite plus loin (p. 507 sq.).

emporté la nuit Eginhard sur ses épaules, afin qu'il ne laissât sur la neige aucune trace [1].

Je viens de relire ce livre en 1840 : je ne puis m'empêcher d'être frappé de ce continuel roman de ma vie. Que de destinées manquées ! Si j'étais retourné en Angleterre avec le petit George, l'héritier possible de cette couronne, j'aurais vu s'évanouir le nouveau songe qui aurait pu me faire changer de patrie, de même que si je n'eusse pas été marié je serais resté une première fois dans la patrie de Shakespeare et de Milton. Le jeune duc de Cumberland, qui a perdu la vue, n'a point épousé sa cousine la reine d'Angleterre. La duchesse de Cumberland est devenue reine de Hanovre : où est-elle ? est-elle heureuse ? où suis-je ? Grâce à Dieu, dans quelques jours je n'aurai plus à promener mes regards sur ma vie passée, ni à me faire ces questions. Mais il m'est impossible de ne pas prier le ciel de répandre ses faveurs sur les dernières années de la princesse Frédérique.

Je n'avais été envoyé à Berlin qu'avec le rameau de la paix, et parce que ma présence jetait le trouble dans l'administration ; mais connaissant les inconstances de la fortune et sentant que mon rôle politique n'était pas fini, je surveillais les événements : je ne voulais pas abandonner mes amis. Je m'aperçus bientôt que la réconciliation entre le parti royaliste et le parti ministériel n'avait pas été sincère ; des défiances et des préjugés restaient ; on ne faisait pas ce qu'on m'avait promis : on commençait à m'attaquer. L'entrée au conseil de MM. de Villèle et Corbière avait excité la jalousie de l'extrême droite ; elle ne marchait plus sous la bannière du premier, et celui-ci, dont l'ambition était impatiente, commençait à se fatiguer. Nous échangeâmes quelques lettres. M. de Villèle regrettait d'être entré au conseil : il se trompait ; la preuve que j'avais vu juste, c'est

1. Et que le secret de leurs amours ne fût pas découvert.

qu'un an ne s'était pas écoulé qu'il devint ministre des finances et que M. de Corbière eut l'intérieur.

Je m'expliquai aussi avec M. le baron Pasquier ; je lui mandais, le 10 février 1821 :

« J'apprends de Paris, monsieur le baron, par le « courrier arrivé ce matin 9 février, qu'on a trouvé mauvais « que j'eusse écrit de Mayence au prince de Hardenberg, ou « même que je lui eusse envoyé un courrier. Je n'ai point « écrit à M. de Hardenberg et encore moins lui ai-je envoyé « un courrier. Je désire, monsieur le baron, que l'on m'évite [1] « des tracasseries. Quand mes services ne seront plus « agréables, on ne peut me faire un plus grand plaisir que « de me le dire tout rondement. Je n'ai ni sollicité ni désiré « la mission dont on m'a chargé ; ce n'est ni par goût ni par « choix que j'ai accepté un honorable exil, mais pour le « bien de la paix. Si les royalistes se sont ralliés au « ministère, le ministère n'ignore pas que j'ai eu le bonheur « de contribuer à cette réunion. J'aurais quelque droit de « me plaindre. Qu'a-t-on fait pour les royalistes depuis mon « départ ? Je ne cesse d'écrire pour eux : m'écoute-t-on ? « Monsieur le baron, j'ai grâce à Dieu autre chose à faire « dans la vie qu'à assister à des bals. Mon pays me réclame, « ma femme malade a besoin de mes soins, mes amis « redemandent leur guide. Je suis au-dessus ou au-dessous « d'une ambassade et même d'un ministère d'Etat. Vous ne « manquerez pas d'hommes plus habiles que moi pour « conduire les affaires diplomatiques ; ainsi il serait inutile « de chercher des prétextes pour me faire des chicanes. « J'entendrai à demi-mot, et vous me trouverez disposé à « rentrer dans mon obscurité. »

Tout cela était sincère : cette facilité à tout planter là, et à ne regretter rien, m'eût été une grande force, eussé-je eu quelque ambition.

SUITE DE MES DÉPÊCHES.

Ma correspondance diplomatique avec M. Pasquier allait

1. Le texte autographe donne correctement : « m'épargne ».

son train : continuant de m'occuper de l'affaire de Naples[1],
je disais :

N° 15 20 février 1821.

« L'Autriche rend un service aux monarchies en détrui-
« sant l'édifice jacobin des Deux-Siciles ; mais elle perdrait
« ces mêmes monarchies, si le résultat d'une expédition
« salutaire et obligée était la conquête d'une province ou
« l'oppression d'un peuple. Il faut affranchir Naples de
« l'indépendance démagogique, et y établir la liberté monar-
« chique ; y briser des fers, et non pas y porter des chaînes.
« Mais l'Autriche ne veut pas de constitution à Naples :
« qu'y mettra-t-elle ? des hommes ? où sont-ils ? Il suffira
« d'un curé libéral et de deux cents soldats pour recommen-
« cer.

« C'est après l'occupation volontaire ou forcée que
« vous devez vous interposer pour faire établir à Naples un
« gouvernement constitutionnel où toutes les libertés socia-
« les soient respectées. »

J'avais toujours conservé en France une prépondérance
d'opinion qui m'obligeait à porter mes regards sur l'intérieur. J'osai soumettre ce plan à mon ministre :

« Adopter franchement le gouvernement constitution-
« nel.

« Présenter le renouvellement septennal, sans prétendre
« conserver une partie de la Chambre actuelle, ce qui serait
« suspect, ni garder le tout, ce qui est dangereux,

« Renoncer aux lois d'exception, source d'arbitraire,
« sujet éternel de querelles et de calomnies.

« Affranchir les communes du despotisme ministériel. »

Dans ma dépêche du 3 mars, n° 18, je revenais sur
l'Espagne ; je disais :

« Il serait possible que l'Espagne changeât prompte-
« ment sa monarchie en république : sa constitution doit
« porter son fruit. Le Roi ou fuira ou sera massacré ou
« déposé ; il n'est pas homme assez fort pour s'emparer de
« la révolution. Il est possible encore que cette même

---

1. Il y avait en juillet 1820 à Naples une révolte provoquée par les
carbonari. Les Autrichiens l'écrasèrent en mars 1821.

« Espagne subsistât pendant quelque temps dans l'état
« populaire, si elle se formait en républiques fédératives,
« agrégation à laquelle elle est plus propre que tout autre
« pays par la diversité de ses royaumes, de ses mœurs, de ses
« lois et même de son langage. »

L'affaire de Naples revient encore trois ou quatre fois. Je
fais observer (6 mars, n° 19) :

« Que la légitimité n'a pu jeter de profondes racines
« dans un Etat qui a changé si souvent de maîtres, et dont
« les habitudes ont été bouleversées par tant de révolutions.
« Les affections n'ont pas eu le temps de naître, les mœurs
« de recevoir l'empreinte uniforme des siècles et des institu-
« tions. Il y a dans la nation napolitaine beaucoup d'hom-
« mes corrompus ou sauvages qui n'ont aucun rapport
« entre eux, et qui ne sont attachés à la couronne que par
« de faibles liens : la royauté, pour être respectée, est trop
« près du lazzarone et trop loin du Calabrais. Pour établir
« la liberté démocratique, les Français eurent trop de vertus
« militaires ; les Napolitains n'en auront pas assez. »

Enfin je dis quelques mots du Portugal et de l'Espagne
encore.

Le bruit se répandait que Jean VI s'était embarqué à
Rio-Janeiro pour Lisbonne [1]. C'était un jeu de la fortune
digne de notre temps qu'un roi de Portugal allant chercher
auprès d'une révolution en Europe un abri contre une
révolution en Amérique, et passant au pied du rocher où
était retenu le conquérant qui le contraignit autrefois de se
réfugier dans le Nouveau-Monde.

« Tout est à craindre de l'Espagne, disais-je (17 mars,
« n° 21) ; la révolution de la Péninsule parcourra ses pério-
« des, à moins qu'il ne se lève un bras capable de l'arrêter ;
« mais ce bras, où est-il ? c'est toujours là la question. »

Le bras, j'ai eu le bonheur de le trouver en 1823 : c'est
celui de la France.

Je retrouve avec plaisir, dans ce passage de ma dépêche
du 10 avril, n° 26, ma jalouse antipathie contre les alliés et
ma préoccupation pour la dignité de la France ; je disais à
propos du Piémont :

1. Le Brésil venait de se déclarer indépendant.

« Je ne crains nullement la prolongation des troubles
« du Piémont [1] dans ses résultats immédiats ; mais elle peut
« produire un mal éloigné en motivant l'intervention mili-
« taire de l'Autriche et de la Russie. L'armée russe est
« toujours en mouvement et n'a point reçu de contre-ordre.

« Voyez si dans ce cas il ne serait pas de la dignité et
« de la sûreté de la France de faire occuper la Savoie par
« vingt-cinq mille hommes, tout le temps que la Russie et
« l'Autriche occuperaient le Piémont. Je suis persuadé que cet
« acte de vigueur et de haute politique, en flattant l'amour-
« propre français, serait par cela seul très-populaire et ferait
« un honneur infini aux ministres. Dix mille hommes de la
« garde royale et un choix fait sur le reste de nos troupes vous
« composeraient facilement une armée de vingt-cinq mille
« soldats excellents et fidèles : la cocarde blanche sera assurée
« lorsqu'elle aura revu l'ennemi.

« Je sais, monsieur le baron, que nous devons éviter de
« blesser l'amour-propre français et que la domination des
« Russes et des Autrichiens en Italie peut soulever notre
« orgueil militaire ; mais nous avons un moyen facile de le
« contenter, c'est d'occuper nous-mêmes la Savoie. Les
« royalistes seront charmés et les libéraux ne pourraient
« qu'applaudir en nous voyant prendre une attitude digne
« de notre force. Nous aurions à la fois le bonheur d'écraser
« une révolution démagogique et l'honneur de rétablir la
« prépondérance de nos armes. Ce serait mal connaître
« l'esprit français que de craindre de rassembler vingt-cinq
« mille hommes pour marcher en pays étranger, et pour
« tenir rang avec les Russes et les Autrichiens, comme
« puissance militaire. Je répondrais de l'événement sur ma
« tête. Nous avons pu rester neutres dans l'affaire de
« Naples : pouvons-nous l'être pour notre sûreté et pour
« notre gloire dans les troubles du Piémont ? »

Ici se découvre tout mon système : j'étais Français ;
j'avais une politique assurée bien avant la guerre d'Espagne, et j'entrevoyais la responsabilité que mes succès
mêmes, si j'en obtenais, feraient peser sur ma tête.

---

1. Une révolution libérale semblable à celle de Naples avait éclaté dans
le Piémont en mars 1821. L'Autriche intervint militairement.

Tout ce que je rappelle ici ne peut sans doute intéresser personne ; mais tel est l'inconvénient des *Mémoires* : lorsqu'ils n'ont point de faits historiques à raconter, ils ne vous entretiennent que de la personne de l'auteur et vous en assomment. Laissons là ces ombres oubliées ! J'aime mieux rappeler que Mirabeau inconnu remplissait à Berlin en 1786 une mission ignorée *, et qu'il fut obligé de dresser un pigeon pour annoncer au Roi de France le dernier soupir du terrible Frédéric.

«Je fus dans quelque perplexité, dit Mirabeau. Il
« était sûr que les portes de la ville seraient fermées ; il était
« même possible que les ponts de l'île de Potsdam fussent
« levés aussitôt l'événement, et dans ce dernier cas on
« pouvait être aussi longtemps incertain que le nouveau Roi
« le voudrait. Dans la première supposition, comment faire
« partir un courrier ? nul moyen d'escalader les remparts ou
« les palissades, sans s'exposer à une affaire ; les sentinelles
« faisant une chaîne de quarante en quarante pas derrière
« la palissade, de soixante en soixante derrière la muraille,
« que faire ? Si j'eusse été ministre, la certitude des symptô-
« mes mortels m'aurait décidé à expédier avant la mort, car
« que fait de plus le mot *mort* ? Dans ma position le
« devais-je ? Quoi qu'il en fût, le plus important était de
« servir. J'avais de grandes raisons de me méfier de l'activité
« de notre légation. Que fais-je ? J'envoie sur un cheval vif
« et vigoureux un homme sûr à quatre milles de Berlin,
« dans une ferme, du pigeonnier de laquelle je possédais
« depuis quelques jours deux paires de pigeons, dont le
« retour avait été essayé, en sorte qu'à moins que les ponts
« de l'île de Potsdam ne fussent levés, j'étais sûr de mon
« fait.

«J'ai donc trouvé que nous n'étions pas assez riches
« pour jeter cent louis par la fenêtre ; j'ai renoncé à toutes
« mes belles avances qui m'avaient coûté quelque médita-
« tion, quelque activité, quelques louis, et j'ai lâché mes
« pigeons avec des *revenez*. Ai-je bien fait ? ai-je mal fait ?
« je l'ignore ; mais je n'avais pas mission expresse, et l'on
« sait quelquefois mauvais gré de la surérogation. »

* Il donnait des conseils hardis qu'on n'écoutait pas à Versailles.

MÉMOIRE COMMENCÉ SUR L'ALLEMAGNE.

On enjoignait aux ambassadeurs d'écrire, pendant leur séjour à l'étranger, un *mémoire* sur l'état des peuples et des gouvernements auprès desquels ils étaient accrédités. Cette suite de mémoires pouvait être utile à l'histoire. Aujourd'hui on fait les mêmes injonctions, mais presque aucun agent diplomatique ne s'y soumet. J'ai été trop peu de temps dans mes ambassades pour metrre à fin de longues études, néanmoins je les ai ébauchées ; ma patience au travail n'a pas entièrement été stérile. Je trouve cette esquisse commencée de mes recherches sur l'Allemagne :

« Après la chute de Napoléon, l'introduction des gou-
« vernements représentatifs dans la confédération ger-
« manique a réveillé en Allemagne ces premières idées
« d'innovation que la révolution y avait d'abord fait naître.
« Elles y ont fermenté quelque temps avec une grande
« violence : on avait appelé la jeunesse à la défense de la
« patrie par une promesse de liberté ; cette promesse avait
« été avidement reçue par des écoliers qui trouvaient dans
« leurs maîtres le penchant que les sciences ont eu dans ce
« siècle à seconder les théories libérales. Sous le ciel de la
« Germanie, cet amour de la liberté devint une espèce de
« fanatisme sombre et mystérieux qui se propagea par des
« associations secrètes. Sand vint effrayer l'Europe. Cet
« homme, au reste, qui révélait une secte puissante, n'était
« qu'un enthousiaste vulgaire ; il se trompa et prit pour un
« esprit transcendant un esprit commun : son crime s'alla
« perdre sur un écrivain dont le génie ne pouvait aspirer à
« l'empire, et n'avait pas assez du conquérant et du roi pour
« mériter un coup de poignard.

« Une espèce de tribunal d'inquisition politique et la
« suppression de la liberté de la presse ont arrêté ce
« mouvement des esprits ; mais il ne faut pas croire qu'ils
« en aient brisé le ressort. L'Allemagne comme l'Italie
« désire aujourd'hui l'unité politique, et avec cette idée qui
« restera dormante plus ou moins de temps, selon les
« événements et les hommes, on pourra toujours en la
« réveillant, être sûr de remuer les peuples germaniques.
« Les princes ou les ministres qui pourront paraître dans les
« rangs de la Confédération des Etats allemands hâteront
« ou retarderont la révolution dans ce pays, mais ils n'empê-
« cheront point la race humaine de se développer : chaque
« siècle a sa race. Aujourd'hui il n'y a plus personne en
« Allemagne, ni même en Europe : on est passé des géants
« aux nains, et tombé de l'immense dans l'étroit et le borné.
« La Bavière, par les bureaux qu'a formés M. de Montge-
« las¹, pousse encore aux idées nouvelles, quoiqu'elle ait
« reculé dans la carrière, tandis que le Landgraviat de Hesse
« n'admettait pas même qu'il y eût une révolution en
« Europe. Le prince qui vient de mourir voulait que ses
« soldats, naguère soldats de Jérôme Bonaparte, portassent
« de la poudre et des queues ; il prenait les vieilles modes
« pour les vieilles mœurs, oubliant qu'on peut copier les
« premières, mais qu'on ne rétablit jamais les secondes. »

CHARLOTTENBOURG.

A BERLIN et dans le Nord, les monuments sont des forteresses ; leur seul aspect serre le cœur. Qu'on retrouve ces

1. Entre 1799 et 1814 le comte de Montgelas avait occupé en Bavière
des postes ministériels et y avait fait preuve d'une grande activité.

places dans des pays habités et fertiles, elles font naître l'idée d'une légitime défense ; les femmes et les enfants, assis ou jouant à quelque distance des sentinelles, contrastent assez agréablement ; mais une forteresse sur des bruyères, dans un désert, rappelle seulement des colères humaines : contre qui sont-ils élevés, ces remparts, si ce n'est contre la pauvreté et l'indépendance ? Il faut être moi pour trouver un plaisir à rôder au pied de ces bastions, à entendre le vent siffler dans ces tranchées, à voir ces parapets élevés en prévision d'ennemis qui peut-être n'apparaîtront jamais. Ces labyrinthes militaires, ces canons muets en face les uns des autres sur des angles saillants et gazonnés, ces vedettes de pierre où l'on n'aperçoit personne et d'où aucun œil ne vous regarde, sont d'une incroyable morosité. Si, dans la double solitude de la nature et de la guerre, vous rencontrez une pâquerette abritée sous le redan d'un glacis, cette aménité de Flore vous soulage. Lorsque, dans les châteaux de l'Italie, j'apercevais des chèvres appendues aux ruines, et la chevrière assise sous un pin à parasol ; quand, sur les murs du moyen âge dont Jérusalem est entourée, mes regards plongeaient dans la vallée de Cédron sur quelques femmes arabes qui gravissaient des escarpements parmi des cailloux ; le spectacle était triste sans doute, mais l'histoire était là et le silence du présent ne laissait que mieux entendre le bruit du passé.

J'avais demandé un congé à l'occasion du baptême du duc de Bordeaux. Ce congé m'étant accordé, je me préparais à partir : Voltaire, dans une lettre à sa nièce, dit qu'il voit couler la Sprée, que la Sprée se jette dans l'Elbe, l'Elbe dans la mer, et que la mer reçoit la Seine ; il descendait ainsi vers Paris. Avant de quitter Berlin, j'allai faire une dernière visite à Charlottenbourg : ce n'était ni Windsor, ni Aranjuez, ni Caserte[1], ni Fontainebleau : la villa, appuyée sur un hameau, est environnée d'un parc anglais de peu d'étendue et d'où l'on découvre au dehors des friches. La reine de Prusse jouit ici d'une paix que la mémoire de Bonaparte ne pourra plus troubler. Quel bruit le conquérant fit jadis dans cet asile du silence, quand il y surgit avec ses fanfares et ses

1. Palais voisin de Naples.

légions ensanglantées à Iéna ! C'est de Berlin, après avoir effacé de la carte le royaume de Frédéric-le-Grand, qu'il dénonça le blocus continental et prépara dans son esprit la campagne de Moscou ; ses paroles avaient déjà porté la mort au cœur d'une princesse accomplie : elle dort maintenant à Charlottenbourg, dans un caveau monumental ; une statue, beau portrait de marbre, la représente. Je fis sur le tombeau des vers que me demandait la duchesse de Cumberland :

LE VOYAGEUR.
Sous les hauts pins qui protègent ces sources,
Gardien, dis-moi quel est ce monument nouveau ?

LE GARDIEN.
Un jour il deviendra le terme de tes courses :
O voyageur ! c'est un tombeau.

LE VOYAGEUR.
Qui repose en ces lieux ?

LE GARDIEN.
Un objet plein de charmes.

LE VOYAGEUR.
Qu'on aima ?

LE GARDIEN.
Qui fut adoré.

LE VOYAGEUR.
Ouvre-moi.

LE GARDIEN.

Si tu crains les larmes,
N'entre pas.

LE VOYAGEUR.

J'ai souvent pleuré
De la Grèce ou de l'Italie
On a ravi ce marbre à la pompe des morts ;
Quel tombeau l'a cédé pour enchanter ces bords ?
Est-ce Antigone ou Cornélie ?

LE GARDIEN.

La beauté dont l'image excite tes transports
Parmi nos bois passa sa vie.

LE VOYAGEUR.

Qui pour elle, à ces murs de marbre revêtus,
Suspendit tour à tour ces couronnes fanées ?

LE GARDIEN.

Les beaux enfants dont ses vertus
Ici-bas furent couronnées.

LE VOYAGEUR.

On vient.

LE GARDIEN.

C'est un époux : il porte ici ses pas
Pour nourrir en secret un souvenir funeste.

LE VOYAGEUR.

Il a donc tout perdu ?

LE GARDIEN.
Non : un trône lui reste.

LE VOYAGEUR.
Un trône ne console pas.

INTERVALLE ENTRE L'AMBASSADE DE BERLIN ET L'AMBAS-
SADE DE LONDRES. — BAPTÊME DE M. LE DUC DE BOR-
DEAUX. — LETTRE A M. PASQUIER. — LETTRE DE M. DE
BERNSTORFF. — LETTRE DE M. ANCILLON. — DERNIÈRE
LETTRE DE MADAME LA DUCHESSE DE CUMBERLAND.

J'ARRIVAI à Paris à l'époque des fêtes du baptême de
M. le duc de Bordeaux. Le berceau du petit-fils de Louis XIV
dont j'avais eu l'honneur de payer le port a disparu comme
celui du roi de Rome. Dans un temps différent de celui-ci, le
forfait de Louvel eût assuré le sceptre à Henri V ; mais le
crime n'est plus un droit que pour l'homme qui le commet.

Après le baptême de M. le duc de Bordeaux, on me
réintégra enfin dans mon ministère d'Etat : M. de Richelieu
me l'avait ôté, M. de Richelieu me le rendit ; la réparation
ne me fut pas plus agréable que le tort ne m'avait blessé.

Tandis que je me flattais d'aller revoir mes corbeaux [1],
les cartes se brouillèrent : M. de Villèle se retira. Fidèle à
mon amitié et à mes principes politiques, je crus devoir
rentrer dans la retraite avec lui. J'écrivis à M. Pasquier :

1. À Berlin : cf. p. 492.

« Monsieur le baron,

« Lorsque vous voulûtes bien m'inviter à passer chez
« vous, le 14 de ce mois, ce fut pour me déclarer que ma
« présence était nécessaire à Berlin. J'eus l'honneur de vous
« répondre que MM. de Corbière et de Villèle paraissant se
« retirer du ministère, mon devoir était de les suivre. Dans
« la pratique du gouvernement représentatif, l'usage est que
« les hommes de la même opinion partagent la même
« fortune. Ce que l'usage veut, monsieur le baron, l'hon-
« neur me le commande, puisqu'il s'agit, non d'une faveur,
« mais d'une disgrâce. En conséquence, je viens vous réité-
« rer par écrit l'offre que je vous ai faite verbalement de ma
« démission de ministre plénipotentiaire à la cour de Ber-
« lin : j'espère, monsieur le baron, que vous voudrez bien la
« mettre aux pieds du roi. Je supplie Sa Majesté d'en agréer
« les motifs, et de croire à ma profonde et respectueuse
« reconnaissance pour les bontés dont elle avait daigné
« m'honorer.

« J'ai l'honneur d'être, etc.

« CHATEAUBRIAND. »

J'annonçai à M. le comte de Bernstorff l'événement qui
interrompait nos relations diplomatiques ; il me répondit :

« Monsieur le vicomte,

« Bien que depuis longtemps je dusse m'attendre à
« l'avis que vous avez bien voulu me donner, je n'en suis
« pas moins péniblement affecté. Je connais et je respecte
« les motifs qui, dans cette circonstance délicate, ont déter-
« miné vos résolutions ; mais, en ajoutant de nouveaux titres
« à ceux qui vous ont valu dans ce pays une estime
« universelle, ils augmentent aussi les regrets qu'on y

« éprouve par la certitude d'une perte longtemps redoutée et
« à jamais irréparable. Ces sentiments sont vivement parta-
« gés par le Roi et la famille royale, et je n'attends que le
« moment de votre rappel pour vous le dire d'une manière
« officielle.

« Conservez-moi, je vous prie, souvenir et bienveil-
« lance, et agréez la nouvelle expression de mon inviolable
« dévouement et de la haute considération avec laquelle j'ai
« l'honneur d'être, etc., etc.

                                              « BERNSTORFF.

« Berlin le 25 août 1821. »

Je m'étais empressé d'exprimer mon amitié et mes regrets
à M. Ancillon : sa très-belle réponse (mon éloge à part)
mérite d'être consignée ici :

                                   « Berlin, le 22 septembre 1821.

« Vous êtes donc, monsieur et illustre ami, irrévocable-
« ment perdu pour nous ? Je prévoyais ce malheur, et
« cependant il m'a affecté comme s'il avait été inattendu.
« Nous méritions de vous conserver et de vous posséder,
« parce que nous avions du moins le faible mérite de sentir,
« de reconnaître, d'admirer toute votre supériorité. Vous
« dire que le Roi, les princes, la cour et la ville vous
« regrettent, c'est faire leur éloge plus que le vôtre ; vous
« dire que je me réjouis de ces regrets, que j'en suis fier
« pour ma patrie, et que je les partage vivement, ce serait
« rester fort au-dessous de la vérité, et vous donner une bien
« faible idée de ce que j'éprouve. Permettez-moi de croire
« que vous me connaissez assez pour lire dans mon cœur. Si
« ce cœur vous accuse, mon esprit non-seulement vous
« absout, mais rend encore hommage à votre noble démar-
« che et aux principes qui vous l'ont dictée. Vous deviez à la
« France une grande leçon et un bel exemple ; vous lui avez
« donné l'une et l'autre en refusant de servir un ministère
« qui ne sait pas juger sa situation, ou qui n'a pas le
« courage d'esprit nécessaire pour en sortir. Dans une
« monarchie représentative, les ministres et ceux qui les

« emploient dans les premières places doivent former un
« tout homogène, et dont toutes les parties soient solidaires
« les unes des autres. Là, moins que partout ailleurs, on doit
« se séparer de ses amis, on se soutient et l'on monte avec
« eux, on descend et tombe de même. Vous avez prouvé à la
« France la vérité de cette maxime, en vous retirant avec
« messieurs de Villèle et Corbière. Vous lui avez appris en
« même temps que la fortune n'entre pas en considéra-
« tion quand il s'agit des principes ; et, certes, quand
« les vôtres n'auraient pas pour eux la raison, la
« conscience et l'expérience de tous les siècles, il suffi-
« rait des sacrifices qu'ils dictent à un homme tel que
« vous pour établir en leur faveur une présomption
« puissante aux yeux de tous ceux qui se connaissent en
« dignité.
« J'attends avec impatience le résultat des prochaines
« élections pour tirer l'horoscope de la France. Elles décide-
« ront de son avenir.
« Adieu, mon illustre ami ; faites quelquefois tomber
« des hauteurs que vous habitez quelques gouttes de rosée
« sur un cœur qui ne cessera de vous admirer et de vous
« aimer que lorsqu'il cessera de battre.

                                        « ANCILLON. »

Attentif au bien de la France, sans plus m'occuper de moi
ni de mes amis, je remis à cette époque la note suivante à
Monsieur :

NOTE.

« Si le Roi me faisait l'honneur de me consulter, voici ce
« que je proposerais pour le bien de son service et le repos
« de la France.
« Le centre gauche de la Chambre élective a satisfac-
« tion dans la nomination de M. Royer-Collard [1] ; pourtant
« je croirais la paix plus assurée si l'on introduisait dans le

« 1. L'illustre « doctrinaire » (1763-1845).

« conseil un homme de mérite pris dans cette opinion et
« choisi parmi les membres de la Chambre des pairs ou de
« la Chambre des députés.

« Placer encore dans le conseil un député du côté droit
« indépendant ;

« Achever de distribuer les directions dans cet esprit.

« Quant aux choses :

« Présenter dans un temps opportun une loi complète
« sur la liberté dans la presse, dans laquelle loi la poursuite
« en tendance et la censure facultative seraient abolies ;
« préparer une loi communale ; compléter la loi sur la
« septennalité, en portant l'âge éligible à trente ans ; en un
« mot marcher la Charte à la main, défendre courageuse-
« ment la religion contre l'impiété, mais la mettre en même
« temps à l'abri du fanatisme et des imprudences d'un zèle
« qui lui font beaucoup de mal.

« Quant aux affaires du dehors, trois choses doivent
« guider les ministres du Roi : l'honneur, l'indépendance et
« l'intérêt de la France.

« La France nouvelle est toute royaliste ; elle peut devenir
« toute révolutionnaire : que l'on suive les institutions, et je
« répondrais sur ma tête d'un avenir de plusieurs siècles ;
« que l'on viole ou que l'on tourmente ces institutions, et je
« ne répondrais pas d'un avenir de quelques mois.

« Moi et mes amis nous sommes prêts à appuyer de
« tout notre pouvoir une administration formée d'après les
« bases ci-dessus indiquées.

« CHATEAUBRIAND. »

Une voix où la femme dominait la princesse vint donner
une consolation à ce qui n'était que le déplaisir d'une vie
variant sans cesse. L'écriture de madame la duchesse de
Cumberland était si altérée que j'eus quelque peine à la
reconnaître. La lettre portait la date du 28 septembre 1821 :
c'est la dernière que j'aie reçue de cette main royale*.

* La princesse Frédérique, reine de Hanovre, vient de succomber après
une longue maladie : la mort se trouve toujours dans la *Note* au bout de
mon texte ! (Note de Paris, juillet 1841.)

Hélas ! les autres nobles amies qui dans ces temps me soutenaient à Paris ont quitté cette terre ! Resterai-je donc avec une telle obstination ici-bas, qu'aucune des personnes auxquelles je suis attaché ne puisse me survivre ? Heureux ceux sur qui l'âge fait l'effet du vin, et qui perdent la mémoire quand ils sont rassasiés de jours !

M. DE VILLÈLE, MINISTRE DES FINANCES. — JE SUIS NOMMÉ A L'AMBASSADE DE LONDRES.

LES démissions de MM. de Villèle et de Corbière ne tardèrent pas à produire la dissolution du cabinet et à faire rentrer mes amis au conseil, comme je l'avais prévu : M. le vicomte de Montmorency fut nommé ministre des affaires étrangères, M. de Villèle ministre des finances, M. de Corbière ministre de l'intérieur. J'avais eu trop de part aux derniers mouvements politiques et j'exerçais une trop grande influence sur l'opinion pour qu'on me pût laisser de côté. Il fut résolu que je remplacerais M. le duc Decazes à l'ambassade de Londres : Louis XVIII consentait toujours à m'éloigner. Je l'allai remercier ; il me parla de son favori avec une constance d'attachement rare chez les rois ; il me *pria* d'effacer dans la tête de George IV les préventions que ce prince avait conçues contre M. Decazes, d'oublier moi-même les divisions qui avaient existé entre moi et l'ancien ministre de la police. Ce monarque, à qui tant de malheurs n'avaient pu arracher une larme, était ému de quelques souffrances dont pouvait avoir été affligé l'homme qu'il avait honoré de son amitié.

Ma nomination réveilla mes souvenirs : Charlotte revint à ma pensée ; ma jeunesse, mon émigration, m'apparurent avec leurs peines et leurs joies. La faiblesse humaine me faisait aussi un plaisir de reparaître connu et puissant là où j'avais été ignoré et faible. Madame de Chateaubriand, craignant la mer, n'osa passer le détroit, et je partis seul. Les secrétaires de l'ambassade m'avaient devancé.

Revu en décembre 1846.

ANNÉE 1822. — PREMIÈRES DÉPÊCHES DE LONDRES.

C'EST à Londres, en 1822, que j'ai écrit de suite la plus longue partie de ces *Mémoires,* renfermant mon voyage en Amérique, mon retour en France, mon mariage, mon passage à Paris, mon émigration en Allemagne avec mon frère, ma résidence et mes malheurs en Angleterre depuis 1793 jusqu'à 1800. Là se trouve la peinture de la vieille Angleterre, et comme je retraçais tout cela lors de mon ambassade (1822), les changements survenus dans les mœurs et dans les personnages de 1793 à la fin du siècle me frappaient ; j'étais naturellement amené à comparer ce que je voyais en 1822 à ce que j'avais vu pendant les sept années de mon exil d'outre-Manche.

Ainsi ont été relatées par anticipation des choses que j'aurais à placer maintenant sous la propre date de ma mission diplomatique. Je vous ai parlé de mon émotion, des sentiments que me rappela la vue de ces lieux chers à ma mémoire ; mais peut-être n'avez-vous pas lu cette partie de mon livre ? Vous avez bien fait. Il me suffit maintenant de vous avertir de l'endroit où sont comblées les lacunes qui vont exister dans le récit actuel de mon ambassade de

Londres. Me voici donc, en écrivant en 1839, parmi les morts de 1822 et les morts qui les précédèrent en 1793.

A Londres, au mois d'avril 1822, j'étais à cinquante lieues de madame Sutton [1]. Je me promenais dans le parc de Kensington avec mes impressions récentes et l'ancien passé de mes jeunes années : confusion de temps qui produit en moi une confusion de souvenirs ; la vie qui se consume mêle, comme l'incendie de Corinthe, l'airain fondu des statues des Muses et de l'Amour, des trépieds et des tombeaux.

Les vacances parlementaires continuaient quand je descendis à mon hôtel, Portland-Place. Le sous-secrétaire d'Etat, M. Planta, me proposa, de la part du marquis de Londonderry, d'aller dîner à North-Cray, campagne du noble lord. Cette *villa,* avec un gros arbre devant les fenêtres du côté du jardin, avait vue sur quelques prairies ; un peu de bois taillis sur des collines distinguaient .ce site des sites ordinaires de l'Angleterre. Lady Londonderry était très à la mode en qualité de marquise et de femme du premier ministre.

Ma dépêche du 12 avril, nº 4, raconte ma première entrevue avec lord Londonderry ; elle touche aux affaires dont je devais m'occuper.

« Londres, le 12 avril 1822.

« Monsieur le vicomte [2],
« Je suis allé avant-hier, mercredi, 10 du courant, à
« *North-Cray.* Je vais avoir l'honneur de vous rendre compte
« de ma conversation avec le marquis de Londonderry. Elle
« a duré une heure et demie avant dîner, et nous l'avons
« reprise après, mais moins à notre aise, parce que nous
« n'étions plus tête à tête.
« Lord Londonderry s'est d'abord informé des nouvel-
« les de la santé du roi, avec une insistance qui décelait
« visiblement un intérêt politique : rassuré par moi sur ce
« point, il a passé au ministère : « Il s'affermit », m'a-t-il

1. C'était maintenant le nom de Charlotte Ives (cf. I, 454 *sq.)*
2. Dépêche adressée à Mathieu de Montmorency, ministre des Affaires Étrangères.

« dit. J'ai répondu : « Il n'a jamais été ébranlé, et comme il
« appartient à une opinion, il restera le maître tant que
« cette opinion dominera dans les Chambres. » Cela nous a
« amenés à parler des élections : il m'a semblé frappé de ce
« que je lui disais sur l'avantage d'une session d'été pour
« rétablir l'ordre dans l'année financière ; il n'avait pas bien
« compris jusqu'alors l'état de la question.

« La guerre entre la Russie et la Turquie est ensuite
« devenue le sujet de l'entretien. Lord Londonderry, en me
« parlant de soldats et d'armées, m'a paru être dans l'opi-
« nion de notre ancien ministère sur le danger qu'il y aurait
« pour nous à réunir de grands corps de troupe ; j'ai
« repoussé cette idée, j'ai soutenu qu'en menant le soldat
« français au combat il n'y avait rien à craindre ; qu'il ne
« sera jamais infidèle à la vue du drapeau de l'ennemi ; que
« notre armée vient d'être augmentée ; qu'elle serait triplée
« demain, si cela était nécessaire, sans le moindre inconvé-
« nient, qu'à la vérité quelques sous-officiers pourraient
« crier *vive la Charte* dans une garnison, mais que nos
« grenadiers crieraient toujours *vive le Roi* sur le champ de
« bataille.

« Je ne sais si cette grande politique a fait oublier à
« Lord Londonderry la traite des nègres ; il ne m'en a pas dit
« un mot. Changeant de sujet, il m'a parlé du message par
« lequel le président des Etats-Unis engage le Congrès à
« reconnaître l'indépendance des colonies espagnoles. « Les
« intérêts commerciaux, lui ai-je dit, en pourront tirer
« quelque avantage, mais je doute que les intérêts politiques
« y trouvent le même profit ; il y a déjà assez d'idées
« républicaines dans le monde. Augmenter la masse de ces
« idées, c'est compromettre de plus en plus le sort des
« monarchies en Europe. » Lord Londonderry a abondé dans
« mon sens, et il m'a dit ces mots remarquables : « *Quant à*
« *nous* (les Anglais), *nous ne sommes nullement disposés à*
« *reconnaître ces gouvernements révolutionnaires.* » Etait-il
« sincère ?

« J'ai dû, monsieur le vicomte, vous rappeler textuel-
« lement une conversation importante. Toutefois, nous ne
« devons pas nous dissimuler que l'Angleterre reconnaîtra
« tôt ou tard l'indépendance des colonies espagnoles ; l'opi-

« nion publique et le mouvement de son commerce l'y
« forceront. Elle a déjà fait, depuis trois ans, des frais
« considérables pour établir secrètement des relations avec
« les provinces insurgées au midi et au nord de l'isthme de
« Panama.

« En résumé, monsieur le vicomte, j'ai trouvé dans
« M. le marquis de Londonderry un homme d'esprit, d'une
« franchise peut-être un peu douteuse ; un homme encore
« imbu du vieux système ministériel ; un homme accoutumé
« à une diplomatie soumise, et surpris, sans en être blessé,
« d'un langage plus digne de la France ; un homme enfin
« qui ne pouvait se défendre d'une sorte d'étonnement en
« causant avec un de ces royalistes que, depuis sept ans, on
« lui représentait comme des fous ou des imbéciles.

                    « J'ai l'honneur, etc. »

A ces affaires générales étaient mêlées, comme dans
toutes les ambassades, des transactions particulières. J'eus à
m'occuper des requêtes de M. le duc de Fitz-James [1], du
procès du navire anglais *l'Eliza-Ann,* des déprédations des
pêcheurs de Jersey sur les bancs d'huîtres de Granville, etc.,
etc. Je regrettais d'être obligé de consacrer une petite case
de ma cervelle aux dossiers des réclamants. Quand on
fouille dans sa mémoire, il est dur de rencontrer
MM. Usquin, Coppinger, Deliège et Piffre. Mais, dans
quelques années, serons-nous plus connus que ces messieurs ? Un certain M. Bonnet étant mort en Amérique, tous
les Bonnet de France m'écrivirent pour réclamer sa succession ; ces bourreaux m'écrivent encore ! Il serait temps
toutefois de me laisser tranquille. J'ai beau leur répondre
que le petit accident de la chute du trône étant survenu, je
ne m'occupe plus de ce monde : ils tiennent bon et veulent
hériter coûte que coûte.

Quant à l'Orient, il fut question de rappeler les divers
ambassadeurs de Constantinople. Je prévis que l'Angleterre
ne suivrait pas le mouvement de l'alliance continentale ; je
l'annonçai à M. de Montmorency. La rupture qu'on avait

---

1. Ami de Chateaubriand ; d'origine écossaise, il était en désaccord
d'intérêts avec le gouvernement britannique.

crainte entre la Russie et la Porte n'arriva pas : la modération d'Alexandre retarda l'événement. Je fis à ce propos une grande dépense d'allées et venues, de sagacité et de raisonnement ; j'écrivis maintes dépêches qui sont allées moisir dans nos archives avec le rendu-compte d'événements non advenus. J'avais du moins l'avantage sur mes collègues de ne mettre aucune importance à mes travaux ; je les voyais sans souci s'engloutir dans l'oubli avec toutes les idées perdues des hommes.

Le Parlement reprit ses séances le 17 avril ; le roi revint le 18, et je lui fus présenté le 19. Je rendis compte de cette présentation dans ma dépêche du 19 ; elle se terminait ainsi :

« S. M. B., par sa conversation serrée et variée, ne « m'a pas laissé le maître de lui dire une chose dont le Roi « m'avait spécialement chargé ; mais l'occasion favorable et « prochaine d'une nouvelle audience va se présenter ».

CONVERSATION AVEC GEORGE IV SUR M. DECAZES. — NOBLESSE DE NOTRE DIPLOMATIE SOUS LA LÉGITIMITÉ. — SÉANCE DU PARLEMENT.

CETTE *chose* dont le Roi m'avait spécialement chargé auprès de George IV était relative à M. le duc Decazes. Plus tard je remplis mes ordres : je dis à George IV que Louis XVIII était affligé de la froideur avec laquelle l'ambassadeur de S.M.T.C. avait été reçu. George IV me répondit :

« Ecoutez, monsieur de Chateaubriand, je vous « l'avouerai : la mission de M. Decazes ne me plaisait pas ; « c'était agir envers moi un peu cavalièrement. Mon amitié

« pour le Roi de France m'a seule fait supporter un favori
« qui n'a d'autre mérite que celui de l'attachement de son
« maître. Louis XVIII a beaucoup compté sur ma bonne
« volonté, et il a eu raison ; mais je n'ai pu pousser
« l'indulgence jusqu'à traiter M. Decazes avec une distinc-
« tion dont l'Angleterre aurait été blessée. Cependant dites
« à votre Roi que je suis touché de ce qu'il vous a chargé de
« me représenter, et que je serai toujours heureux de lui
« témoigner mon attachement véritable. «

Enhardi par ces paroles, j'exposai à George IV tout ce
qui me vint à l'esprit en faveur de M. Decazes. Il me
répondit, moitié en anglais, moitié en français : *« A merveil-*
« le ! you are a true gentleman [1]. » De retour à Paris, je
rendis compte à Louis XVIII de cette conversation : il me
parut reconnaissant. George IV m'avait parlé comme un
prince bien élevé, mais comme un esprit léger ; il était sans
amertume parce qu'il pensait à autre chose. Il ne fallait
cependant pas se jouer à lui qu'avec mesure. Un de ses
compagnons de table avait parié qu'il prierait George IV
de tirer le cordon de la sonnette et que George IV obéirait.
En effet, George IV tira le cordon et dit au *gentleman* de
service : « Mettez monsieur à la porte. »

L'idée de rendre de la force et de l'éclat à nos armes me
dominait toujours. J'écrivais à M. de Montmorency, le
13 avril : « Il m'est venu une idée, monsieur le vicomte, que
« je soumets à votre jugement : trouveriez-vous mauvais
« qu'en forme de conversation, en causant avec le prince
« Esterhazy [2], je lui fisse entendre que si l'Autriche avait
« besoin de retirer une partie de ses troupes, nous pourrions
« les remplacer dans le Piémont ? Quelques bruits répandus
« sur un prétendu rassemblement de nos troupes dans le
« Dauphiné m'offriraient un texte favorable. J'avais pro-
« posé à l'ancien ministère de mettre garnison en Savoie,
« lors de la révolte du mois de juin 1821 (voyez une de mes
« dépêches de Berlin). Il rejeta cette mesure, et je pense
« qu'il fit en cela une faute capitale. Je persiste à croire que
« la présence de quelques troupes françaises en Italie

1. « A merveille ! Vous êtes un vrai gentilhomme ».
2. Ambassadeur d'Autriche à Londres.

« produirait un grand effet sur l'opinion et que le gouverne-
« ment du Roi en retirerait beaucoup de gloire. »

Les preuves surabondent de la noblesse de notre diplomatie pendant la Restauration. Qu'importe aux partis ? N'ai-je
pas lu encore ce matin, dans un journal de gauche, que
l'*Alliance* nous avait forcés d'être ses gendarmes et de faire
la guerre à l'Espagne, quand le *Congrès de Vérone* est là,
quand les documents diplomatiques montrent d'une
manière irrécusable que toute l'Europe, à l'exception de la
Russie, ne voulait pas de cette guerre ; que non-seulement
elle ne la voulait pas, mais que l'Angleterre la repoussait
ouvertement, et que l'Autriche nous contrariait en secret
par les mesures les moins nobles ? Cela n'empêchera pas de
mentir de nouveau demain ; on ne se donnera pas même la
peine d'examiner la question, de lire ce dont on parle
sciemment sans l'avoir lu ! Tout mensonge répété devient
une vérité : on ne saurait avoir trop de mépris pour les
opinions humaines.

Lord J. Russel fit, le 25 d'avril, à la Chambre des
communes, une motion sur l'état de la représentation
nationale dans le Parlement : M. Canning la combattit.
Celui-ci proposa à son tour un bill pour rapporter une
partie de l'acte qui prive les pairs catholiques de leur droit
de voter et de siéger à la Chambre. J'assistai à ces séances
sur le sac de laine où le speaker m'avait fait asseoir.
M. Canning assistait en 1822 à la séance de la Chambre des
pairs qui rejeta son bill ; il fut blessé d'une phrase du vieux
chancelier : celui-ci, parlant de l'auteur du bill, s'écria avec
dédain : « On assure qu'il part pour les Indes : ah ! qu'il
« aille, ce *beau gentleman (this fine gentleman)!* qu'il
« aille ! bon voyage ! » M. Canning me dit en sortant : « Je le
retrouverai. »

Lord Holland discourut très bien, sans rappeler toutefois
M. Fox. Il tournait sur lui-même, en sorte qu'il présentait
souvent le dos à l'assemblée et qu'il adressait ses phrases à
la muraille. On criait : « *Hear! hear* [1] ! » On n'était point
choqué de cette originalité.

En Angleterre chacun s'exprime comme il peut ; l'avocas-

1. « Écoutez ! Écoutez ! ». C'est l'équivalent de notre « Bravo ».

serie est inconnue; rien ne se ressemble ni dans la voix ni dans la déclamation des orateurs. On écoute avec patience; on ne se choque pas quand le parleur n'a aucune facilité : qu'il bredouille, qu'il ânonne, qu'il cherche ses mots, on trouve qu'il a fait *a fine speech*[1] s'il a dit quelques phrases de bon sens. Cette variété d'hommes restés tels que la nature les a faits finit par être agréable; elle rompt la monotonie. Il est vrai qu'il n'y a qu'un petit nombre de lords et de membres de la Chambre des communes à se lever. Nous, toujours placés sur un théâtre, nous pérorons et gesticulons en sérieuses marionnettes. Ce m'était une étude utile que ce passage de la secrète et silencieuse monarchie de Berlin à la publique et bruyante monarchie de Londres : on pouvait retirer quelque instruction du contraste de deux peuples aux deux extrémités de l'échelle.

SOCIÉTÉ ANGLAISE.

L'ARRIVÉE du roi, la rentrée du parlement, l'ouverture de la saison des fêtes, mêlaient les devoirs, les affaires et les plaisirs : on ne pouvait rencontrer les ministres qu'à la cour, au bal ou au parlement. Pour célébrer l'anniversaire de la naissance de Sa Majesté je dînais chez lord Londonderry, je dînais sur la galère du lord-maire, qui remontait jusqu'à Richmond : j'aime mieux le Bucentaure en miniature à l'arsenal de Venise, ne portant plus que le souvenir des doges et un nom virgilien. Jadis émigré, maigre et

1. « Un beau discours ».

522

demi-nu, je m'étais amusé, sans être Scipion[1], à jeter des pierres dans l'eau, le long de cette rive que rasait la barque dodue et bien fourrée du *Lord mayor.*

Je dînais aussi dans l'Est de la ville chez M. Rothschild de Londres, de la branche cadette de Salomon : où ne dînais-je pas ? Le roastbeef égalait la prestance de la tour de Londres ; les poissons étaient si longs qu'on n'en voyait pas la queue ; des dames, que je n'ai aperçues que là, chantaient comme Abigaïl[2]. J'avalais le tokai non loin des lieux qui me virent sabler l'eau à pleine cruche et quasi mourir de faim ; couché au fond de ma moelleuse voiture, sur de petits matelas de soie, j'apercevais ce Westminster dans lequel j'avais passé une nuit enfermé, et autour duquel je m'étais promené tout crotté avec Hingant et Fontanes. Mon hôtel, qui me coûtait 30,000 francs de loyer, était en regard du grenier qu'habita mon cousin de La Bouëtardais, lorsque, en robe rouge, il jouait de la guitare sur un grabat emprunté, auquel j'avais donné asile auprès du mien.

Il ne s'agissait plus de ces sauteries d'émigrés où nous dansions au son du violon d'un conseiller du parlement de Bretagne ; c'était Almack's[3] dirigé par Colinet qui faisait mes délices ; bal public sous le patronage des plus grandes dames du West-end. Là se rencontraient les vieux et les jeunes dandys. Parmi les vieux brillait le vainqueur de Waterloo, qui promenait sa gloire comme un piége à femmes tendu à travers les quadrilles ; à la tête des jeunes se distinguait lord Clamwilliam, fils, disait-on, du duc de Richelieu. Il faisait des choses admirables : il courait à cheval à Richmond et revenait à Almack's après être tombé deux fois. Il avait une certaine façon de prononcer à la manière d'Alcibiade, qui ravissait. Les modes des mots, les affectations de langage et de prononciation, changeant dans la haute·société de Londres presque à chaque session parlementaire, un honnête homme est tout ébahi de ne plus savoir l'anglais, qu'il croyait savoir six mois auparavant. En

1. Cicéron dans le *De oratore* (II, 22) parle du plaisir qu'avaient Scipion l'Africain et Lelius à « redevenir enfants » en jouant sur la plage.
2. Femme juive dont David devint amoureux en l'entendant chanter.
3. Voir Tome I, p. 246.

1822 le fashionable devait offrir au premier coup d'œil un homme malheureux et malade ; il devait avoir quelque chose de négligé dans sa personne, les ongles longs, la barbe non pas entière, non pas rasée, mais grandie un moment par surprise, par oubli, pendant les préoccupations du désespoir ; mèche de cheveux au vent, regard profond, sublime, égaré et fatal ; lèvres contractées en dédain de l'espèce humaine ; cœur ennuyé, byronien, noyé dans le dégoût et le mystère de l'être.

Aujourd'hui ce n'est plus cela : le *dandy* doit avoir un air conquérant, léger, insolent ; il doit soigner sa toilette, porter des moustaches ou une barbe taillée en rond comme la fraise de la reine Elisabeth, ou comme le disque radieux du soleil ; il décèle la fière indépendance de son caractère en gardant son chapeau sur sa tête, en se roulant sur les sofas, en allongeant ses bottes au nez des ladies assises en admiration sur des chaises devant lui ; il monte à cheval avec une canne qu'il porte comme un cierge, indifférent au cheval qui est entre ses jambes par hasard. Il faut que sa santé soit parfaite, et son âme toujours au comble de cinq ou six félicités. Quelques dandys radicaux, les plus avancés vers l'avenir, ont une pipe.

Mais sans doute toutes ces choses sont changées dans le temps même que je mets à les décrire. On dit que le dandy de cette heure ne doit plus savoir s'il existe, si le monde est là, s'il y a des femmes, et s'il doit saluer son prochain. N'est-il pas curieux de retrouver l'original du dandy sous Henri III : « Ces beaux mignons, dit l'auteur [1] de l'*Isle des Hermaphrodites*, portoient les cheveux longuets, frisés et refrisés, remontans par-dessus leurs petits bonnets de velours, comme font les femmes, et leurs fraises de chemises de toile d'atour empesées et longues de demi-pied, de façon que voir leurs têtes dessus leurs fraises, il sembloit que ce fust le chef de saint Jean en un plat. »

« Ils partent pour se rendre dans la chambre de Henri III, « branlant tellement le corps, la tête et les jambes, que je

---

1. Thomas Artus ; il a publié vers 1605 ce pamphlet dirigé contre Henri III.

« croyois à tout propos qu'ils dussent tomber de leur long...
« Ils trouvoient cette façon-là de marcher plus belle que pas
« une autre. »

Tous les Anglais sont fous par nature ou par ton.

Lord Clamwilliam a passé vite : je l'ai retrouvé à Vérone ;
il est devenu après moi ministre d'Angleterre à Berlin. Nous
avons suivi un moment la même route, quoique nous ne
marchions pas du même pas.

Rien ne réussissait, à Londres, comme l'insolence, témoin
Dorset [1], frère de la duchesse de Guiche : il s'était mis à
galoper dans Hyde-Park, à sauter des barrières, à jouer, à
tutoyer sans façon les dandys : il avait un succès sans égal,
et, pour y mettre le comble, il finit par enlever une famille
entière, père, mère et enfants.

Les ladies les plus à la mode me plaisaient peu ; il y en
avait une charmante cependant, lady Gwidir : elle ressemblait par le ton et les manières à une Française. Lady Jersey
se maintenait encore en beauté. Je rencontrais chez elle
l'opposition. Lady Conyngham appartenait à l'opposition, et
le roi lui-même gardait un secret penchant pour ses anciens
amis. Parmi les patronesses d'Almack's, on remarquait
l'ambassadrice de Russie.

La comtesse de Lieven [2] avait eu des histoires assez
ridicules avec madame d'Osmond et George IV. Comme elle
était hardie et passait pour être bien en cour, elle était
devenue extrêmement fashionable. On lui croyait de l'esprit,
parce qu'on supposait que son mari n'en avait pas ; ce qui
n'était pas vrai : M. de Lieven était fort supérieur à
madame. Madame de Lieven, au visage aigu et mésavenant,
est une femme commune, fatigante, aride, qui n'a qu'un
seul genre de conversation, la politique vulgaire ; du reste,
elle ne sait rien, et elle cache la disette de ses idées sous
l'abondance de ses paroles. Quand elle se trouve avec des
gens de mérite, sa stérilité se tait ; elle revêt sa nullité d'un
air supérieur d'ennui, comme si elle avait le droit d'être

1. Il s'agit du comte d'Orsay qui s'exerçait, à Londres et à Paris, à
devenir le prince de la jeunesse dorée.
2. Son mari était alors ambassadeur de Russie à Londres. La comtesse
(1794-1857) est surtout connue pour sa liaison avec Guizot ; cette liaison
dura à Paris de la mort de son mari (1839) jusqu'à sa propre mort.

ennuyée : tombée par l'effet du temps, et ne pouvant s'empêcher de se mêler de quelque chose, la douairière des congrès est venue de Vérone donner à Paris, avec la permission de MM. les magistrats de Pétersbourg, une représentation des puérilités diplomatiques d'autrefois. Elle entretient des correspondances privées, et elle a paru très-forte en mariages manqués. Nos novices se sont précipités dans ses salons pour apprendre le beau monde et l'art des secrets : ils lui confient les leurs, qui, répandus par madame de Lieven, se changent en sourds cancans. Les ministres, et ceux qui aspiraient à le devenir, sont tout fiers d'être protégés par une dame qui a eu l'honneur de voir M. de Metternich aux heures où le grand homme, pour se délasser du poids des affaires, s'amuse à effiloquer de la soie. Le ridicule attendait à Paris madame de Lieven. Un doctrinaire grave[1] est tombé aux pieds d'Omphale : « Amour, tu perdis Troie[2]. »

La journée de Londres était ainsi distribuée : à six heures du matin, on courait à une partie fine, consistant dans un premier déjeuner à la campagne ; on revenait déjeuner à Londres ; on changeait de toilette pour la promenade de Bond-Street ou de Hyde-Park ; on se rhabillait pour dîner à sept heures et demie ; on se rhabillait pour l'Opéra ; à minuit, on se rhabillait pour une soirée ou pour un raout. Quelle vie enchantée ! J'aurais préféré cent fois les galères. Le suprême bon ton était de ne pouvoir pénétrer dans les petits salons d'un bal privé, de rester dans l'escalier obstrué par la foule, et de se trouver nez à nez avec le duc de Somerset ; béatitude où je suis arrivé une fois. Les Anglais de la nouvelle race sont infiniment plus frivoles que nous ; la tête leur tourne pour un *show*[3] : si le bourreau de Paris se rendait à Londres, il ferait courir l'Angleterre. Le maréchal Soult n'a-t-il pas enthousiasmé les ladies[4], comme Blücher, de qui elles baisaient la moustache ? Notre maréchal, qui n'est ni Antipater, ni Antigonus, ni Seleucus, ni

1. Guizot.
2. La Fontaine, *Les Deux coqs.*
3. Un spectacle.
4. En 1838, il représenta Louis-Philippe au couronnement de la reine Victoria.

526

Antiochus, ni Ptolémée, ni aucun des capitaines-rois d'Alexandre, est un soldat distingué, lequel a pillé l'Espagne en se faisant battre, et auprès de qui des capucins ont rédimé leur vie pour des tableaux. Mais il est vrai qu'il a publié, au mois de mars 1814, une furieuse proclamation contre Bonaparte, lequel il recevait en triomphe quelques jours après : il a fait depuis ses pâques à Saint-Thomas-d'Aquin. On montre pour un schilling, à Londres, sa vieille paire de bottes.

Toute renommée vient vite au bord de la Tamise et s'en va de même. En 1822 je trouvai cette grande ville plongée dans les souvenirs de Bonaparte ; on était passé du dénigrement pour *Nic* [1] à un enthousiasme bête. Les mémoires de Bonaparte pullulaient ; son buste ornait toutes les cheminées, ses gravures brillaient sur toutes les fenêtres des marchands d'images ; sa statue colossale, par Canova, décorait l'escalier du duc de Wellington. N'aurait-on pu consacrer un autre sanctuaire à Mars enchaîné ? Cette déification semble plutôt l'œuvre de la vanité d'un concierge que de l'honneur d'un guerrier. — Général, vous n'avez point vaincu Napoléon à Waterloo ; vous avez seulement faussé le dernier anneau d'un destin déjà brisé.

SUITE DES DÉPÊCHES.

APRÈS ma présentation officielle à George IV, je le vis plusieurs fois. La reconnaissance des colonies espagnoles par l'Angleterre était à peu près décidée, du moins les

1. Napoléon (abréviation de *Nicoals*, prénom donné par les Anglais à l'Empereur pour le ridiculiser).

vaisseaux de ces Etats indépendants paraissaient devoir être reçus sous leur pavillon dans les ports de l'empire britannique. Ma dépêche du 7 mai rend compte d'une conversation que j'avais eue avec lord Londonderry, et des idées de ce ministre. Cette dépêche, importante pour les affaires d'alors, serait presque sans intérêt pour le lecteur d'aujourd'hui. Deux choses étaient à distinguer dans la position des colonies espagnoles relativement à l'Angleterre et à la France : les intérêts commerciaux et les intérêts politiques. J'entre dans les détails de ces intérêts. « Plus je vois le « marquis de Londonderry, disais-je à M. de Montmorency, « plus je lui trouve de finesse. C'est un homme plein de « ressources, qui ne dit jamais que ce qu'il veut dire ; on « serait quelquefois tenté de le croire bonhomme. Il a dans « la voix, le rire, le regard, quelque chose de M. Pozzo di « Borgo. Ce n'est pas précisément la confiance qu'il inspi-« re. »

La dépêche finit ainsi : « Si l'Europe est obligée de « reconnaître les gouvernements de fait en Amérique, toute « sa politique doit tendre à faire naître des monarchies dans « le nouveau monde, au lieu de ces républiques révolution-« naires qui nous enverront leurs principes avec les produits « de leur sol.

« En lisant cette dépêche, monsieur le vicomte, vous « éprouverez sans doute comme moi un mouvement de « satisfaction. C'est avoir déjà fait un grand pas en politi-« que que d'avoir forcé l'Angleterre à vouloir s'associer avec « nous dans des intérêts sur lesquels elle n'eût pas daigné « nous consulter il y a six mois. Je me félicite en bon « Français de tout ce qui tend à replacer notre patrie à ce « haut rang qu'elle doit occuper parmi les nations étrangè-« res. »

Cette lettre était la base de toutes mes idées et de toutes les négociations sur les affaires coloniales dont je m'occupai pendant la guerre d'Espagne, près d'un an avant que cette guerre éclatât.

REPRISE DES TRAVAUX PARLEMENTAIRES. — BAL POUR LES IRLANDAIS. — DUEL DU DUC DE BEDFORD ET DU DUC DE BUCKINGHAM. — DÎNER A ROYAL-LODGE. — LA MARQUISE DE CONYNGHAM ET SON SECRET.

LE 17 de mai j'allai à Covent-Garden, dans la loge du duc d'York. Le roi parut. Ce prince, jadis détesté, fut salué par des acclamations telles qu'il n'en aurait pas autrefois reçu de semblables des moines, habitants de cet ancien couvent. Le 26, le duc d'York vint dîner à l'ambassade : George IV était fort tenté de me faire le même honneur ; mais il craignait les jalousies diplomatiques de mes collègues.

Le vicomte de Montmorency refusa d'entrer en négociations sur les colonies espagnoles avec le cabinet de Saint-James. J'appris, le 19 mai, la mort presque subite de M. le duc de Richelieu[1]. Cet honnête homme avait supporté patiemment sa première retraite du ministère ; mais les affaires venant à lui manquer trop longtemps, il défaillit parce qu'il n'avait pas une double vie pour remplacer celle qu'il avait perdue. Le grand nom de Richelieu n'a été transmis jusqu'à nous que par des femmes.

Les révolutions continuaient en Amérique. Je mandais à M. de Montmorency :

(N° 26.)   « Londres, 28 mai 1822.

« Le Pérou vient d'adopter une constitution monarchi-
« que. La politique européenne devrait mettre tous ses soins
« à obtenir un pareil résultat pour les colonies qui se

1. Il était mort le 17 mai au soir.

« déclarent indépendantes. Les Etats-Unis craignent singu-
« lièrement l'établissement d'un empire au Mexique. Si le
« Nouveau-Monde tout entier est jamais républicain, les
« monarchies de l'ancien monde périront. »

On parlait beaucoup de la détresse des paysans irlandais,
et l'on dansait afin de les consoler. Un grand bal paré à
l'Opéra occupait les âmes sensibles. Le Roi, m'ayant rencontré dans un corridor, me demanda ce que je faisais là, et,
me prenant par le bras, il me conduisit dans sa loge.

Le parterre anglais était, dans mes jours d'exil, turbulent
et grossier ; des matelots buvaient de la bière au parterre,
mangeaient des oranges, apostrophaient les loges. Je me
trouvais un soir auprès d'un matelot entré ivre dans la salle ;
il me demanda où il était ; je lui dis : « A Covent-Garden. —
« *Pretty garden, indeed !* » (Joli jardin, vraiment !) s'écria-t-il,
saisi, comme les dieux d'Homère, d'un rire inextinguible.

Invité dernièrement à une soirée chez lord Lansdowne[1],
Sa Seigneurie m'a présenté à une dame sévère, âgée de
soixante-treize ans : elle était habillée de crêpe, portait un
voile noir comme un diadème sur ses cheveux blancs, et
ressemblait à une reine abdiquée. Elle me salua d'un ton
solennel et de trois phrases estropiées du *Génie du
Christianisme* ; puis elle me dit avec non moins de solenni-
té : « Je suis mistress Siddons[2]. » Si elle m'avait dit : « Je
« suis lady Macbeth, » je l'aurais cru. Je l'avais vue autrefois sur le théâtre dans toute la force de son talent. Il suffit
de vivre pour retrouver ces débris d'un siècle jetés par les
flots du temps sur le rivage d'un autre siècle.

Mes visiteurs français à Londres furent M. le duc et
madame la duchesse de Guiche, dont je vous parlerai à
Prague ; M. le marquis de Custine[3], dont j'avais vu l'enfance à Fervaques ; et madame la vicomtesse de Noailles[4],
aussi agréable, spirituelle et gracieuse que si elle eût encore
erré à quatorze ans dans les beaux jardins de Méréville.

On était fatigué de fêtes ; les ambassadeurs aspiraient à

1. Un des chefs du parti whig (1780-1863).
2. Tragédienne célèbre ; elle n'avait alors que soixante-sept ans.
3. Astolphe, fils de Delphine.
4. Fille de Natalie ; elle avait épousé son cousin.

s'en aller en congé : le prince Esterhazy se préparait à partir pour Vienne ; il espérait être appelé au Congrès, car on parlait déjà d'un congrès. M. Rothschild retournait en France après avoir terminé avec son frère l'emprunt russe de 23 millions de roubles. Le duc de Bedford s'était battu avec l'immense duc de Buckingham, au fond d'un trou, dans Hyde-Park ; une chanson injurieuse contre le roi de France, envoyée de Paris et imprimée dans les gazettes de Londres, amusait la canaille radicale anglaise qui riait sans savoir de quoi.

Je partis le 6 de juin pour Royal-Lodge où le Roi était allé. Il m'avait invité à dîner et à coucher.

Je revis George IV le 12, le 13 et le 14, au lever, au drawing-room et au bal de S. M. Le 24, je donnai une fête au prince et à la princesse de Danemarck : le duc d'York s'y était invité.

C'eût été une chose importante jadis que la bienveillance avec laquelle me traitait la marquise de Conyngham : elle m'apprit que l'idée du voyage de S. M. B. [1] au continent n'était pas tout à fait abandonnée. Je gardai religieusement ce grand secret dans mon sein. Que de dépêches importantes sur cette parole d'une favorite au temps de mesdames de Verneuil, de Maintenon, des Ursins, de Pompadour ! Du reste, je me serais échauffé mal à propos pour obtenir quelques renseignements de la cour de Londres : en vain vous parlez, on ne vous écoute pas.

PORTRAITS DES MINISTRES.

LORD LONDONDERRY surtout était impassible : il embarrassait à la fois par sa sincérité de ministre et sa retenue

1. Sa Majesté Britannique.

d'homme. Il expliquait franchement de l'air le plus glacé sa *politique* et gardait un silence profond sur les faits. Il avait l'air indifférent à ce qu'il disait comme à ce qu'il ne disait pas ; on ne savait ce qu'on devait croire de ce qu'il montrait ou de ce qu'il cachait. Il n'aurait pas bougé quand vous lui auriez *lâché un saucisson*[1] *dans l'oreille,* comme dit Saint-Simon.

Lord Londonderry avait un genre d'éloquence irlandaise qui souvent excitait l'hilarité de la Chambre des lords et la gaieté du public ; ses *blunders*[2] étaient célèbres, mais il arrivait aussi quelquefois à des traits d'éloquence qui transportaient la foule, comme ses paroles à propos de la bataille de Waterloo : je les ai rappelées[3].

Lord Harrowby était président du conseil ; il parlait avec propriété, lucidité et connaissance des faits. On trouverait inconvenant à Londres qu'un président des ministres s'exprimât avec prolixité et faconde. C'était d'ailleurs un parfait gentleman pour le ton. Un jour[4], aux Pâquis, à Genève, on m'annonça un Anglais : lord Harrowby entra ; je ne le reconnus qu'avec peine : il avait perdu son ancien roi ; le mien était exilé. C'est la dernière fois que l'Angleterre de mes grandeurs m'est apparue.

J'ai mentionné M. Peel et lord Westmoreland dans le *Congrès de Vérone.*

Je ne sais si lord Bathurst descendait et s'il était petit-fils de ce comte Bathurst dont Sterne écrivait : « Ce seigneur est « un prodige ; à 80 ans il a l'esprit et la vivacité d'un homme « de 30, une disposition à se laisser charmer et le pouvoir de « plaire au delà de tout ce que je connais. » Lord Bathurst, le ministre dont je vous entretiens, était instruit et poli ; il gardait la tradition des anciennes manières françaises de la bonne compagnie. Il avait trois ou quatre filles qui couraient, ou plutôt qui volaient comme des hirondelles de mer,

---

1. Une charge de poudre mise en rouleau dans de la toile goudronnée et attachée à une fusée.
2. Bévues.
3. Cf. p. 367 (Lord Londonderry est appelé à cet endroit Lord Castlereagh : il était marquis de Londonderry et vicomte Castlereagh).
4. En 1831.

le long des flots, blanches, allongées et légères. Que sont-elles devenues ? Sont-elles tombées dans le Tibre avec la jeune Anglaise de leur nom[1] ?

Lord Liverpool n'était pas, comme lord Londonderry, le principal ministre ; mais c'était le ministre le plus influent et le plus respecté. Il jouissait de cette réputation d'homme religieux et d'homme de bien, si puissante pour celui qui la possède ; on vient à cet homme avec la confiance que l'on a pour un père ; nulle action ne paraît bonne si elle n'est approuvée de ce personnage saint, investi d'une autorité très-supérieure à celle des talent. Lord Liverpool était fils de Charles Jenkinson, baron de Hawkesbury, comte de Liverpool, favori de lord Bute. Presque tous les hommes d'Etat anglais ont commencé par la carrière littéraire, par des pièces de vers plus ou moins bons, et par des articles, en général excellents, insérés dans les revues. Il reste un portrait de ce premier comte de Liverpool lorsqu'il était secrétaire particulier de lord Bute ; sa famille en est fort affligée : cette vanité, puérile en tous temps, l'est sans doute encore beaucoup plus aujourd'hui ; mais n'oublions pas que nos plus ardents révolutionnaires puisèrent leur haine de la société dans des disgrâces de nature ou dans des infériorités sociales.

Il est possible que lord Liverpool, enclin aux réformes, et à qui M. Canning a dû son dernier ministère, fût influencé, malgré la rigidité de ses principes religieux, par quelque déplaisance de souvenirs. A l'époque où j'ai connu lord Liverpool, il était presque arrivé à l'illumination puritaine. Habituellement il demeurait seul avec une vieille sœur, à quelques lieues de Londres. Il parlait peu ; son visage était mélancolique ; il penchait souvent l'oreille et il avait l'air d'écouter quelque chose de triste : on eût dit qu'il entendait tomber ses dernières années, comme les gouttes d'une pluie d'hiver sur le pavé. Du reste, il n'avait aucune passion, et il vivait selon Dieu.

M. Croker, membre de l'Amirauté, célèbre comme orateur et comme écrivain, appartenait à l'école de M. Pitt, ainsi que M. Canning ; mais il était plus détrompé

1. Cf. Tome III, p. 42.

que celui-ci. Il occupait à White-Hall un de ces appartements sombres d'où Charles Ier était sorti par une fenêtre
pour aller de plain-pied à l'échafaud. On est étonné quand
on entre à Londres dans les habitations où siègent les
directeurs de ces établissements dont le poids se fait sentir
au bout de la terre. Quelques hommes en redingote noire
devant une table nue, voilà tout ce que vous rencontrez : ce
sont pourtant là les directeurs de la marine anglaise, ou les
membres de cette compagnie de marchands, successeurs des
empereurs du Mogol, lesquels comptent aux Indes deux
cents millions de sujets.

M. Crocker vint, il y a deux ans, me visiter à l'infirmerie
de Marie-Thérèse. Il m'a fait remarquer la similitude de nos
opinions et de nos destinées. Des événements nous séparent
du monde ; la politique fait des solitaires, comme la religion
fait des anachorètes. Quand l'homme habite le désert, il
trouve en lui quelque lointaine image de l'être infini qui,
vivant seul dans l'immensité, voit s'accomplir les révolutions
des mondes.

SUITE DE MES DÉPÊCHES.

DANS le courant des mois de juin et de juillet, les affaires
d'Espagne[1] commencèrent à occuper sérieusement le cabinet de Londres. Lord Londonderry et la plupart des ambassadeurs montraient en parlant de ces affaires une inquiétude et presque une peur risible. Le ministère craignait
qu'en cas de rupture nous ne l'emportassions sur les
Espagnols ; les ministres des autres puissances tremblaient

1. A Madrid une révolte a éclaté : le roi Ferdinand VII est prisonnier.

que nous ne fussions battus ; ils voyaient toujours notre armée prenant la cocarde tricolore.

Dans ma dépêche du 28 juin, n° 35, les dispositions de l'Angleterre sont fidèlement exprimées :

(N° 35.)   « Londres, ce 28 juin 1822.

          « Monsieur le vicomte,

    « Il m'a été plus difficile de vous dire ce que pense
« lord Londonderry, relativement à l'Espagne, qu'il ne me
« sera aisé de pénétrer le secret des instructions données à
« Sir W. A'Court[1] ; cependant je ne négligerai rien pour me
« procurer les renseignements que vous demandez par votre
« dernière dépêche n° 18. Si j'ai bien jugé de la politique du
« cabinet anglais et du caractère de lord Londonderry, je
« suis persuadé que Sir W. A'Court n'a presque rien
« emporté d'écrit. On lui aura recommandé verbalement
« d'observer les partis sans se mêler de leurs querelles. Le
« cabinet de Saint-James n'aime point les Cortès, mais il
« méprise Ferdinand. Il ne fera certainement rien pour les
« royalistes. D'ailleurs, il suffirait que notre influence
« s'exerçât sur une opinion pour que l'influence anglaise
« appuyât l'opinion contraire. Notre prospérité renaissante
« inspire une vive jalousie. Il y a bien ici, parmi les hommes
« d'Etat, une certaine crainte vague des passions révolution-
« naires qui travaillent l'Espagne ; mais cette crainte se tait
« devant les intérêts particuliers : de telle sorte que si d'un
« côté la Grande-Bretagne pouvait exclure nos marchandi-
« ses de la Péninsule, et que de l'autre elle pût reconnaître
« l'indépendance des colonies espagnoles, elle prendrait
« facilement son parti sur les événements, et se consolerait
« des malheurs qui pourraient accabler de nouveau les
« monarchies continentales. Le même principe qui empêche
« l'Angleterre de retirer son ambassadeur de Constantinople
« lui fait envoyer un ambassadeur à Madrid : elle se sépare
« des destinées communes, et n'est attentive, qu'au

    1. Ambassadeur d'Angleterre à Madrid.

                                                    535

« parti qu'elle pourra tirer des révolutions des empires.

« J'ai l'honneur, etc »

Revenant dans ma dépêche du 16 juillet, n° 40, sur les nouvelles d'Espagne, je dis à M. de Montmorency :

(N° 40.)   « Londres, ce 16 juillet 1822.

        « Monsieur le vicomte,

« Les journaux anglais, d'après les journaux fran-
« çais, donnent ce matin des nouvelles de Madrid jusqu'au 8
« inclusivement. Je n'ai jamais espéré mieux du Roi d'Espa-
« gne, et n'ai point été surpris. Si ce malheureux prince doit
« périr, le genre de la catastrophe n'est pas indifférent au
« reste du monde : le poignard n'abattrait que le monar-
« que, l'échafaud pourrait tuer la monarchie. C'est déjà
« beaucoup trop que le jugement de Charles 1er et que celui
« de Louis XVI : le ciel nous préserve d'un troisième
« jugement qui semblerait établir par l'autorité des crimes
« une espèce de droit des peuples et un corps de jurispru-
« dence contre les rois ! On peut maintenant s'attendre à
« tout : une déclaration de guerre de la part du gouverne-
« ment espagnol est au nombre des chances que le gouver-
« nement français a dû prévoir. Dans tous les cas, nous
« serons bientôt obligés d'en finir avec le cordon sanitaire[1],
« car, une fois le mois de septembre passé, et la peste ne
« reparaissant pas à Barcelone, ce serait une véritable
« dérision que de parler encore d'un *cordon sanitaire;* il
« faudrait donc avouer tout franchement une *armée,* et dire
« la raison qui nous oblige à maintenir cette armée. Cela
« n'équivaudra-t-il pas à une déclaration de guerre aux
« Cortès ? D'un autre côté, dissoudrons-nous le cordon
« sanitaire ? Cet acte de faiblesse compromettrait la sûreté
« de la France, avilirait le ministère, et ranimerait parmi
« nous les espérances de la faction révolutionnaire.

« J'ai l'honneur d'être, etc., etc., etc. »

1. Troupes disposées le long de la frontière espagnole pour prévenir la contagion de la fièvre jaune qui s'était déclarée à Barcelone.

POURPARLER SUR LE CONGRÈS DE VÉRONE. — LETTRE À
M. DE MONTMORENCY; SA RÉPONSE QUI ME LAISSE
ENTREVOIR UN REFUS. — LETTRE DE M. DE VILLÈLE PLUS
FAVORABLE. — J'ÉCRIS A MADAME DE DURAS. — BILLET
DE M. DE VILLÈLE À MADAME DE DURAS.

DEPUIS le Congrès de Vienne et d'Aix-la-Chapelle, les
princes de l'Europe avaient la tête tournée de congrès :
c'était là qu'on s'amusait et qu'on se partageait quelques
peuples. À peine le Congrès commencé à Laybach et
continué à Troppau était-il fini, qu'on songea à en convo-
quer un autre à Vienne, à Ferrare ou à Vérone : les affaires
d'Espagne offraient l'occasion d'en hâter le moment. Chaque cour avait déjà désigné son ambassadeur.

Je voyais à Londres tout le monde se préparer à partir
pour Vérone : comme ma tête était remplie des affaires
d'Espagne, et comme je rêvais un plan pour l'honneur de la
France, je croyais pouvoir être de quelque utilité au nouveau Congrès en me faisant connaître sous un rapport
auquel on ne songeait pas. J'avais écrit dès le
24 mai à M. de Montmorency; mais je ne trouvai aucune
faveur. La longue réponse du ministre est évasive, embarrassée, entortillée ; un éloignement marqué pour moi s'y
déguise mal sous la bienveillance ; elle finit par ce paragraphe :

« Puisque je suis en train de confidences, noble
« vicomte, je veux vous dire ce que je ne voudrais pas
« insérer dans une dépêche officielle, mais ce que m'ont
« inspiré quelques observations personnelles, et quelques
« avis aussi de personnes qui connaissent bien le terrain sur

« lequel vous êtes placé. N'avez-vous pas pensé le premier
« qu'il faut soigner, vis-à-vis du ministère anglais, certains
« effets de la jalousie et de l'humeur qu'il est toujours prêt
« à concevoir sur les marques directes de faveur auprès du
« Roi, et de *crédit* dans la *société*? Vous me direz s'il ne
« vous est pas arrivé d'en remarquer quelques traces. »

Par qui les plaintes de mon *crédit* auprès du Roi et dans
la *société* (c'est-à-dire, je suppose, auprès de la marquise de
Conyngham) étaient-elles arrivées au vicomte de Montmorency ? Je l'ignore.

Prévoyant, par cette dépêche privée, que ma partie était
perdue du côté du ministre des affaires étrangères, je
m'adressai à M. de Villèle, alors mon ami, et qui n'inclinait
pas beaucoup vers son collègue. Dans sa lettre du 6 mai
1822, il me répondit d'abord un mot favorable.

« Paris, le 5 mai 1822.

« Je vous remercie, me dit-il, de tout ce que vous
« faites pour nous à Londres ; la détermination de cette cour
« au sujet des colonies espagnoles ne peut influer sur la
« nôtre ; la position est bien différente ; nous devons éviter
« par-dessus tout d'être empêchés, par une guerre avec
« l'Espagne, d'agir ailleurs comme nous le devons, si les
« affaires de l'Orient amenaient de nouvelles combinaisons
« politiques en Europe.
« Nous ne laisserons pas déshonorer le gouverne-
« ment français par le défaut de participation aux événe-
« ments qui peuvent résulter de la situation actuelle du
« monde ; d'autres pourront y intervenir avec plus d'avanta-
« ges, aucuns avec plus de courage et de loyauté.
« On se méprend fort, je crois, et sur les moyens réels
« de notre pays, et sur le pouvoir que peut encore exercer le
« gouvernement du Roi dans les formes qu'il s'est prescri-
« tes ; elles offrent plus de ressources qu'on ne paraît le
« croire, et j'espère qu'à l'occasion nous saurons le montrer.
« Vous nous seconderez, mon cher, dans ces grandes
« circonstances si elles se présentent. Nous le savons et nous
« y comptons ; l'honneur sera pour tous, et ce n'est pas de
« ce partage dont il s'agit en ce moment, il se fera selon les

services rendus ; rivalisons tous de zèle à qui en rendra de plus signalés.

« Je ne sais en vérité si ceci tournera à un congrès ; « mais, en tout cas, je n'oublierai pas ce que vous m'avez « dit.

« Jh DE VILLÈLE »

Sur ce premier mot de bonne entente, je fis presser le ministre des finances par madame la duchesse de Duras ; elle m'avait déjà prêté l'appui de son amitié contre l'oubli de la cour en 1814. Elle reçut bientôt ce billet de M. de Villèle :

« Tout ce que nous dirions est dit ; tout ce qu'il est « dans mon cœur et dans mon opinion de faire pour le bien « public et pour mon ami est fait et sera fait soyez-en « certaine. Je n'ai besoin ni d'être prêché, ni d'être converti, « je vous le répète ; j'agis de conviction et de sentiment.

« Recevez, madame, l'hommage de mon affectueux « respect. »

MORT DE LORD LONDONDERRY.

MA dernière dépêche, en date du 9 août, annonçait à M. de Montmorency que lord Londonderry partirait du 15 au 20 pour Vienne. Le brusque et grand démenti aux projets des mortels me fut donné ; je croyais n'avoir à entretenir le conseil du Roi T. C. que des affaires humaines, et j'eus à lui rendre compte des affaires de Dieu :

« Londres, 12 août 1822, à 4 heures de l'après-midi.

« *Dépêche transmise à Paris par le télégraphe de « Calais.*

« Le marquis de Londonderry est mort subitement ce matin 12, à neuf heures du matin, dans sa maison de campagne de North-Cray. »

(N° 49.)   «Londres, 13 août 1822.

     « Monsieur le vicomte,

     « Si le temps n'a pas mis obstacle à ma dépêche
« télégraphique, et s'il n'est point arrivé d'accident à mon
« courrier extraordinaire, expédié hier à quatre heures,
« j'espère que vous avez reçu le premier sur le continent la
« nouvelle de la mort subite de lord Londonderry.
«   « Cette mort a été extrêmement tragique. Le noble
« marquis était à Londres vendredi ; il sentit sa tête un peu
« embarrassée ; il se fit saigner entre les épaules. Après quoi
« il partit pour North-Cray, où la marquise de Londonderry
« était établie depuis un mois. La fièvre se déclara le samedi
« 10 et le dimanche 11 ; mais elle parut céder dans la nuit de
« dimanche au lundi, et, lundi matin 12, le malade semblait
« si bien, que sa femme, qui le gardait, crut pouvoir le
« quitter un moment. Lord Londonderry, dont la tête était
« égarée, se trouvant seul, se leva, passa dans un cabinet,
« saisit un rasoir, et du premier coup se coupa la jugulaire.
« Il tomba baigné dans son sang aux pieds d'un médecin
« qui venait à son secours.
     « On cache autant qu'on le peut cet accident déplo-
« rable, mais il est parvenu défiguré à la connaissance du
« public et a donné naissance à des bruits de toute espèce.
     « Pourquoi lord Londonderry aurait-il attenté à ses
« jours ? Il n'avait ni passions ni malheurs ; il était plus que
« jamais affermi dans sa place. Il se préparait à partir jeudi
« prochain. Il se faisait une partie de plaisir d'un voyage
« d'affaire. Il devait être de retour le 15 octobre pour des
« chasses arrangées d'avance et auxquelles il m'avait invité.
« La Providence en a ordonné autrement, et lord London-
« derry a suivi le duc de Richelieu. »
     Voici quelques détails qui ne sont point entrés dans mes
dépêches.
     A son retour de Londres, George IV me raconta que
lord Londonderry était allé lui porter le projet d'instruction

qu'il avait rédigé pour lui-même, et qu'il devait suivre au Congrés. George IV prit le manuscrit pour mieux en peser les termes, et commença à le lire à haute voix. Il s'aperçut qu'il lord Londonderry ne l'écoutait pas, et qu'il promenait ses yeux sur le plafond du cabinet :. «Qu'avez-vous donc, « mylord ? dit le Roi. — Sire, répondit le marquis, c'est cet « insupportable John (un jockey) qui est à la porte ; il ne « veut pas s'en aller, quoique je ne cesse de le lui ordon- « ner. » Le Roi, étonné, ferma le manuscrit et dit : «Vous « êtes malade, mylord : retournez chez vous ; faites-vous « saigner. » Lord Londonderry sortit et alla acheter le canif avec lequel il se coupa la gorge.

Le 15 août, je continuai mes dires à M. de Montmorency.

« On a envoyé des courriers de toutes parts, aux eaux, aux « bains de mer, dans les châteaux, pour chercher les « ministres absents. Au moment où l'accident est arrivé, « aucun d'eux n'était à Londres. On les attend aujourd'hui « et demain ; ils tiendront un conseil, mais ils ne pourront « rien décider, car, en dernier résultat, c'est le Roi qui leur « nommera un collègue, et le Roi est à Edimbourg. Il est « probable que Sa Majesté britannique ne se pressera pas « de faire un choix au milieu des fêtes. La mort du marquis « de Londonderry est funeste à l'Angleterre : il n'était pas « aimé, mais il était craint ; les radicaux le détestaient, mais « ils avaient peur de lui. Singulièrement brave, il imposait à « l'opposition qui n'osait pas trop l'insulter à la tribune et « dans les journaux. Son imperturbable sang-froid, son « indifférence profonde pour les hommes et pour les choses, « son instinct de despotisme et son mépris secret pour les « libertés constitutionnelles, en faisaient un ministre propre « à lutter avec succès contre les penchants du siècle. Ses « défauts devenaient des qualités à une époque où l'exagé- « ration et la démocratie menacent le monde.

        « J'ai l'honneur, etc. »

                                  « Londres, le 15 août 1822.

    « Monsieur le vicomte,

    « Les renseignements ultérieurs ont confirmé ce que j'ai « eu l'honneur de vous dire sur la mort du marquis de

« Londonderry, dans ma dépêche ordinaire d'avant-hier,
« n°49. Seulement, l'instrument fatal avec lequel l'infortuné
« ministre s'est coupé la veine jugulaire est un canif et non
« pas un rasoir, comme je vous l'avais mandé. Le rapport
« du *coroner,* que vous lirez dans les journaux, vous ins-
« truira de tout. Cette enquête, faite sur le cadavre du
« premier ministre de la Grande-Bretagne, comme sur le
« corps d'un meurtrier, ajoute encore quelque chose de plus
« affreux à cet événement.

« Vous savez sans doute à présent, monsieur le vicomte,
« que lord Londonderry avait donné des preuves d'aliénation
« mentale quelques jours avant son suicide, et que le roi
« même s'en était aperçu. Une petite circonstance à laquelle
« je n'avais pas fait attention, mais qui m'est revenue en
« mémoire depuis la catastrophe, mérite d'être racontée.
« J'étais allé voir le marquis de Londonderry, il y a douze ou
« quinze jours. Contre son usage et les usages du pays, il me
« reçut avec familiarité dans son cabinet de toilette. Il allait
« se raser, et il me fit en riant d'un rire à demi sardonique
« l'éloge des rasoirs anglais. Je le complimentai sur la
« clôture prochaine de la session. Oui, dit-il, il faut que cela
« finisse ou que je finisse.

« J'ai l'honneur, etc. »

Tout ce que les radicaux d'Angleterre et les libéraux de
France ont raconté de la mort de lord Londonderry, à
savoir : qu'il s'était tué par désespoir politique, sentant que
les principes opposés aux siens allaient triompher, est une
pure fable inventée par l'imagination des uns, l'esprit de
parti et la niaiserie des autres. Lord Londonderry n'était pas
homme à se repentir d'avoir péché contre l'humanité, dont
il ne se souciait guère, ni envers les lumières du siècle, pour
lesquelles il avait un profond mépris : la folie était entrée
par les femmes dans la famille Castlereagh.

Il fut décidé que le duc de Wellington, accompagné de
lord Clamwilliam, prendrait la place de lord Londonderry au
Congrès. Les instructions officielles se réduisaient à ceci :
oublier entièrement l'Italie, ne se mêler en rien des affaires
d'Espagne, négocier pour celles de l'Orient en maintenant la
paix sans accroître l'influence de la Russie. Les chances

étaient toujours pour M. Canning, et le portefeuille des affaires étrangères était confié par *intérim* à lord Bathurst, ministre des colonies.

J'assistai aux funérailles de lord Londonderry, à Westminster, le 20 août. Le duc de Wellington paraissait ému ; lord Liverpool était obligé de se couvrir le visage de son chapeau pour cacher ses larmes. On entendit au dehors quelques cris d'insulte et de joie lorsque le corps entra dans l'église : Colbert et Louis XIV furent-ils plus respectés ? Les vivants ne peuvent rien apprendre aux morts ; les morts, au contraire, instruisent les vivants.

NOUVELLE LETTRE DE M. DE MONTMORENCY. — VOYAGE À HARTWELL. — BILLET DE M. DE VILLÈLE M'ANNONÇANT MA NOMINATION AU CONGRÈS.

LETTRE DE M. DE MONTMORENCY.

« Paris, ce 17 août.

« Quoiqu'il n'y ait pas de dépêches bien importantes à « confier à votre fidèle Hyacinthe, je veux cependant le « faire repartir, noble vicomte, d'après votre propre désir et « celui qu'il m'a exprimé, de la part de madame de « Chateaubriand, de le voir promptement retourner auprès « de vous. J'en profiterai pour vous adresser quelques mots « plus confidentiels sur la profonde impression que nous « avons reçue, comme à Londres, de cette terrible mort du « marquis de Londonderry, et aussi par la même occasion, « sur une affaire à laquelle vous semblez mettre un intérêt

« bien exagéré et bien exclusif. Le conseil du Roi en a
« profité et a fixé à ces jours-ci, immédiatement après la
« clôture qui a eu lieu ce matin même, la discussion des
« directions principales à arrêter, des instructions à donner,
« de même des personnes à choisir : la première question
« est de savoir si elles seront une ou plusieurs. Vous avez
« exprimé quelque part, ce me semble, de l'étonnement que
« l'on pût songer à ..... [1], non pas à vous préférer à lui, vous
« savez très-bien qu'il ne peut pas être sur la même ligne
« pour nous. Si, après le plus mûr examen, nous ne croyions
« pas possible de mettre à profit la bonne volonté que vous
« nous avez montrée très-franchement à cet égard, il fau-
« drait sans doute pour nous déterminer de graves motifs
« que je vous communiquerais avec la même franchise :
« l'ajournement est plutôt favorable à votre désir, en ce sens
« qu'il serait tout à fait inconvenable, et pour vous et pour
« nous, que vous quittassiez Londres d'ici à quelques semai-
« nes et avant la décision ministérielle qui ne laisse pas
« d'occuper tous les cabinets. Cela frappe tellement tout le
« monde que quelques amis me disaient l'autre jour : si
« M. de Chateaubriand était venu tout de suite à Paris, il
« aurait été assez contrariant pour lui d'être obligé de
« repartir pour Londres. Nous attendons donc cette nomina-
« tion importante au retour d'Edimbourg. Le chevalier
« Stuart [2] disait hier que sûrement le duc de Wellington
« irait au Congrès ; c'est ce qu'il nous importe de savoir le
« plus tôt possible. M. Hyde de Neuville est arrivé hier bien
« portant. J'ai été charmé de le voir. Je vous renouvelle,
« noble vicomte, tous mes inviolables sentiments.

                                   « MONTMORENCY. »

Cette nouvelle lettre de M. de Montmorency, mêlée de
quelques phrases ironiques, me confirma pleinement qu'il
ne voulait pas de moi au Congrès.

Je donnai un dîner le jour de la Saint-Louis en l'honneur de Louis XVIII, et j'allai voir Hartwell en mémoire
de l'exil de ce roi ; je remplissais un devoir plutôt que je

1. A Caraman, ambassadeur de France à Vienne.
2. Ambassadeur d'Angleterre à Paris.

ne jouissais d'un plaisir. Les infortunes royales sont maintenant si communes qu'on ne s'intéresse guère aux lieux que n'ont point habités le génie ou la vertu. Je ne vis dans le triste petit parc d'Hartwell que la fille de Louis XVI.

Enfin je reçus tout à coup de M. de Villèle ce billet inattendu qui faisait mentir mes prévisions et mettait fin à mes incertitudes :

« 27 août 1822.

« « Mon cher Chateaubriand, il vient d'être arrêté qu'aussi-
« tôt que les convenances relatives au retour du Roi à Londres
« vous le permettront, vous serez autorisé à vous rendre à
« Paris, pour de là pousser jusqu'à Vienne ou jusqu'à Vérone
« comme un des trois plénipotentiaires chargés de représenter
« la France au Congrès. Les deux autres seront MM. de Cara-
« man et de La Ferronnays ; ce qui n'empêche pas M. le
« vicomte de Montmorency de partir après-demain pour
« Vienne, afin d'y assister aux conférences qui pourront avoir
« lieu dans cette ville avant le Congrès. Il devra revenir à Paris
« lors du départ des souverains pour Vérone.

« Ceci pour vous seul. Je suis heureux que cette affaire ait
« pris la tournure que vous désiriez ; de cœur tout à vous. »

D'après ce billet, je me préparai à partir.

FIN DE LA VIEILLE ANGLETERRE. — CHARLOTTE. —
RÉFLEXIONS. — JE QUITTE LONDRES.

CETTE foudre qui tombe sans cesse à mes pieds me suivait partout. Avec lord Londonderry expira la vieille Angleterre, jusqu'alors se débattant au milieu des innovations croissantes. Survint M. Canning : l'amour-propre l'emporta jusqu'à parler à la tribune la langue du propagandiste. Après lui parut le duc de Wellington, conservateur qui venait démolir : quand l'arrêt des sociétés est prononcé, la main qui devait élever ne sait qu'abattre. Lord Gray, O'Connell, tous ces ouvriers en ruines, travaillèrent successivement à la chute des vieilles institutions. Réforme parlementaire, émancipation de l'Irlande, toutes choses excellentes en soi, devinrent, par l'insalubrité des temps, des causes de destruction. La peur accrut les maux : si l'on ne s'était pas si fort effrayé des menaces, on eût pu résister avec un certain succès.

Qu'avait besoin l'Angleterre de consentir à nos derniers troubles ? Renfermée dans son île et dans ses inimitiés nationales, elle était à l'abri. Qu'avait besoin le cabinet de Saint-James de redouter la séparation de l'Irlande ? L'Irlande n'est que la chaloupe de l'Angleterre : coupez la corde, et la chaloupe, séparée du grand navire, ira se perdre au milieu des flots. Lord Liverpool avait lui-même de tristes pressentiments. Je dînais un jour chez lui : après le repas nous causâmes à une fenêtre qui s'ouvrait sur la Tamise ; on apercevait en aval de la rivière une partie de la cité dont le brouillard et la fumée élargissaient la masse. Je faisais à mon hôte l'éloge de la solidité de cette monarchie anglaise pondérée par le balancement égal de la liberté et du pouvoir. Le vénérable lord, levant et allongeant le bras, me montra de la main la cité et me dit : « Qu'y a-t-il de « solide avec ces villes énormes ? Une insurrection sérieuse à « Londres, et tout est perdu. »

Il me semble que j'achève une course en Angleterre, comme celle que je fis autrefois sur les débris d'Athènes, de Jérusalem, de Memphis et de Carthage. En appelant devant moi les siècles d'Albion, en passant de renommée en renommée, en les voyant s'abîmer tour à tour, j'éprouve une espèce de douloureux vertige. Que sont devenus ces jours éclatants et tumultueux où vécurent Shakespeare et Milton, Henri VIII et Elisabeth, Cromwell et Guillaume, Pitt et Burke ? Tout cela est fini ; supériorités et médiocrités, haines et amours, félicités et misères, oppresseurs et opprimés, bourreaux et victimes, rois et peuples, tout dort dans le même silence et la même poussière. Quel néant sommes-nous donc, s'il en est ainsi de la partie la plus vivante de l'espèce humaine, du génie qui reste comme une ombre des vieux temps dans les générations présentes, mais qui ne vit plus par lui-même, et qui ignore s'il a jamais été !

Combien de fois l'Angleterre, dans l'espace de quelques cents ans, a-t-elle été détruite ! A travers combien de révolutions n'a-t-elle point passé pour arriver au bord d'une révolution plus grande, plus profonde et qui enveloppera la postérité ! J'ai vu ces fameux Parlements britanniques dans toute leur puissance : que deviendront-ils ? J'ai vu l'Angleterre dans ses anciennes mœurs et dans son ancienne prospérité : partout la petite église solitaire avec sa tour, le cimetière de campagne de Gray, partout des chemins étroits et sablés, des vallons remplis de vaches, des bruyères marbrées de moutons, des parcs, des châteaux, des villes : peu de grands bois, peu d'oiseaux, le vent de la mer. Ce n'était pas ces champs de l'Andalousie où je trouvais les vieux chrétiens et les jeunes amours [1] parmi les débris voluptueux du palais des Maures au milieu des aloès et des palmiers.

> *Quid dignum memorare tuis, Hispania, terris*
> *Vox humana valet ?*

« Quelle voix humaine, ô Espagne, est digne de « remémorer tes rivages ? » [2]

Ce n'était pas là cette Campagne romaine dont le charme irrésistible me rappelle sans cesse ; ces flots et ce soleil n'étaient pas ceux qui baignent et éclaire le promontoire sur lequel Platon enseignait ses disciples, ce Sunium où j'entendis chanter le grillon demandant en vain à Minerve le foyer des prêtres de son temple ; mais enfin, telle qu'elle était, cette Angleterre, entourée de ses navires, couverte de ses troupeaux et professant le culte de ses grands hommes, était charmante et redoutable.

Aujourd'hui ses vallées sont obscurcies par les fumées des forges et des usines, ses chemins changés en ornières de fer ; et sur ces chemins, au lieu de Milton et de Shakespeare, se

---

1. Allusion à Natalie de Noailles et à la rencontre de Grenade en 1807.
2. Claudien, *Eloge de Serena*.

meuvent des chaudières errantes. Déjà les pépinières de la science, Oxford et Cambridge, prennent un air désert : leurs collèges et leurs chapelles gothiques, demi-abandonnés, affligent les regards ; dans leurs cloîtres, auprès des pierres sépulcrales du moyen âge, reposent oubliées les annales de marbre des anciens peuples de la Grèce ; ruines qui gardent les ruines.

A ces monuments, autour desquels commençait à se former le vide, je laissais la partie des jours printaniers que j'avais retrouvée ; je me séparais une seconde fois de ma jeunesse, au même bord où je l'avais abandonnée autrefois : Charlotte avait tout à coup réapparu comme cet astre, la joie des ombres, qui, retardé par le cours des mois, se lèverait au milieu de la nuit. Si vous n'êtes pas trop las, cherchez dans ces *Mémoires* l'effet que produisit sur moi en 1822 la vision subite de cette femme. [1] Lorsqu'elle m'avait remarqué autrefois, je ne connaissais point ces autres Anglaises dont la troupe venait de m'environner à l'heure de mon renom et de ma puissance : leurs hommages ont eu la légèreté de ma fortune. Aujourd'hui, après seize nouvelles années évanouies depuis mon ambassade de Londres, après tant de nouvelles destructions, mes regards se reportent sur la fille du pays de Desdémone et de Juliette : elle ne compte plus dans ma mémoire que du jour où sa présence inattendue ralluma le flambeau de mes souvenirs. Nouvel Epiménide [2], réveillé après un long sommeil, j'attache mes regards sur un phare d'autant plus radieux que les autres sont éteints sur le rivage ; un seul [3] excepté brillera longtemps après moi.

Je n'ai point achevé tout ce qui concerne Charlotte dans les pages précédentes de ces *Mémoires :* elle vint avec une partie de sa famille me voir en France, lorsque j'étais ministre, en 1823. Par une de ces misères inexplicables de l'homme, préoccupé que j'étais d'une guerre d'où dépendait le sort de la monarchie française, quelque chose sans doute

1. Voir Tome I, p. 434 *sq.*
2. Législateur crétois qui serait resté endormi cinquante ans dans une caverne.
3. Juliette Récamier.

aura manqué à ma voix, puisque Charlotte, retournant en Angleterre, me laissa une lettre dans laquelle elle se montre blessée de la froideur de ma réception. Je n'ai osé ni lui écrire ni lui renvoyer des fragments littéraires qu'elle m'avait rendus et que j'avais promis de lui remettre augmentés. S'il était vrai qu'elle eût eu une raison véritable de se plaindre, je jetterais au feu ce que j'ai raconté de mon premier séjour outre-mer.

Souvent il m'est venu en pensée d'aller éclaircir mes doutes ; mais pourrais-je retourner en Angleterre, moi qui suis assez faible pour n'oser visiter le rocher paternel sur lequel j'ai marqué ma tombe [1] ? J'ai peur maintenant des sensations : le temps, en m'enlevant mes jeunes années, m'a rendu semblable à ces soldats dont les membres sont restés sur le champ de bataille ; mon sang, ayant un chemin moins long à parcourir, se précipite dans mon cœur avec une affluence si rapide que ce vieil organe de mes plaisirs et de mes douleurs palpite comme prêt à se briser. Le désir de brûler ce qui regarde Charlotte, bien qu'elle soit traitée avec un respect religieux, se mêle chez moi à l'envie de détruire ces *Mémoires :* s'ils m'appartenaient encore, ou si je pouvais les racheter, je succomberais à la tentation. J'ai un tel dégoût de tout, un tel mépris pour le présent et pour l'avenir immédiat, une si ferme persuasion que les hommes désormais, pris ensemble comme public (et cela pour plusieurs siècles), seront pitoyables, que je rougis d'user mes derniers moments au récit des choses passées, à la peinture d'un monde fini dont on ne comprendra plus le langage et le nom.

L'homme est aussi trompé par la réussite de ses vœux que par leur désappointement : j'avais désiré, contre mon instinct naturel, aller au Congrès ; profitant d'une prévention de M. de Villèle, je l'avais amené à forcer la main à M. de Montmorency. Eh bien ! mon vrai penchant n'était pas pour ce que j'avais obtenu ; j'aurais eu sans doute quelque dépit si l'on m'eût contraint de rester en Angleterre ; mais bientôt l'idée d'aller voir madame Sutton, de faire le voyage des trois royaumes, l'eût emporté sur le mouvement d'une

1. Le rocher du Grand-Bey.

ambition postiche qui n'adhère point à ma nature. Dieu en ordonna autrement et je partis pour Vérone : de là le changement de ma vie ; de la mon ministère, la guerre d'Espagne, mon triomphe, ma chute, bientôt suivie de celle de la monarchie.

Un des deux beaux enfants pour lesquels Charlotte m'avait prié de m'intéresser en 1822 vient de venir me voir à Paris : c'est aujourd'hui le capitaine Sutton ; il est marié à une jeune femme charmante, et il m'a appris que sa mère, très-malade, a passé dernièrement un hiver à Londres.

Je m'embarquai à Douvres le 8 de septembre 1822, dans le même port d'où 22 ans auparavant M. *Lassagne*[1], le Neuchâtelois, avait fait voile. De ce premier départ au moment où je tiens la plume, trente-neuf années sont accomplies. Lorsqu'on regarde ou qu'on écoute sa vie passée, on croit voir sur une mer déserte la trace d'un vaisseau qui a disparu ; on croit entendre les glas d'une cloche dont on n'aperçoit point la vieille tour.

ANNÉES 1824, 1825, 1826 ET 1827.

Revu en décembre 1846.

Délivrance du roi d'Espagne. — Ma destitution.

Ici vient se placer dans l'ordre des dates le *Congrès de Vérone,* que j'ai publié en deux volumes à part. Si on avait par hasard envie de le relire, on peut le trouver partout. Ma guerre d'Espagne, le grand événement politique de ma vie, était une gigantesque entreprise. La légitimité allait pour la

1. Cf. Tome I, p. 493.

première fois brûler de la poudre sous le drapeau blanc, tirer son premier coup de canon après ces coups de canon de l'Empire qu'entendra la dernière postérité. Enjamber d'un pas les Espagnes, réussir sur le même sol où naguère les armées d'un conquérant [1] avaient eu des revers, faire en six mois ce qu'il n'avait pu faire en sept ans, qui aurait pu prétendre à ce prodige ? C'est pourtant ce que j'ai fait ; mais par combien de malédictions ma tête a été frappée à la table de jeu où la Restauration m'avait assis ! J'avais devant moi une France ennemie des Bourbons et deux grands ministres étrangers, le prince de Metternich et M. Canning. Il ne se passait pas de jour que je ne reçusse des lettres qui m'annonçaient une catastrophe, car la guerre avec l'Espagne n'était pas du tout populaire, ni en France, ni en Europe. En effet, quelque temps après mes succès dans la Péninsule, ma chute ne tarda pas à arriver.

Dans notre ardeur, après la dépêche télégraphique qui annonçait la délivrance du Roi d'Espagne, nous autres ministres nous courûmes au château. Là j'eus un pressentiment de ma chute : je reçus sur la tête un seau d'eau froide qui me fit rentrer dans l'humilité de mes habitudes. Le Roi et Monsieur ne nous aperçurent point. Madame la duchesse d'Angoulême, éperdue du triomphe de son mari, ne distinguait personne. Cette victime immortelle écrivit sur la délivrance de Ferdinand une lettre terminée par cette exclamation sublime dans la bouche de la fille de Louis XVI : « Il « est donc prouvé qu'on peut sauver un Roi malheureux ! »

Le dimanche, je retournai avant le conseil faire ma cour à la famille royale ; l'auguste princesse dit à chacun de mes collègues un mot obligeant : elle ne m'adressa pas une parole. Je ne méritais pas sans doute un tel honneur. Le silence de l'orpheline du Temple ne peut jamais être ingrat : le Ciel a droit aux adorations de la terre et ne doit rien à personne.

Je traînai ensuite jusqu'à la Pentecôte ; pourtant mes

---

1. Correction des éditeurs. Chateaubriand avait écrit : « les armées de l'homme fastique » (entendez : l'homme digne d'être inscrit sur les *fastes*, les registres publics où étaient consignés les actes mémorables et les noms glorieux).

amis n'étaient pas sans inquiétude ; ils me disaient souvent :
vous serez renvoyé demain. Tout à l'heure si l'on veut,
répondais-je. Le jour de la Pentecôte, 6 juin 1824, j'étais
arrivé dans les premiers salons de Monsieur : un huissier
vint me dire qu'on me demandait. C'était Hyacinthe, mon
secrétaire. Il m'annonça en me voyant que je n'étais plus
ministre. j'ouvris le paquet qu'il me présentait ; j'y trouvai
ce billet de M. de Villèle :

« Monsieur le vicomte,

« J'obéis aux ordres du Roi en transmettant de suite à
« Votre Excellence une ordonnance que Sa Majesté vient de
« rendre.

« Le sieur comte de Villèle, président de notre conseil
« des ministres, est chargé par intérim du portefeuille des
« affaires étrangères, en remplacement du sieur vicomte de
« Chateaubriand. »

Cette ordonnance était écrite de la main de M. de
Renneville [1], assez bon pour en être encore embarrassé
devant moi. Eh ! mon Dieu ! est-ce que je connais M. de
Renneville ? Est-ce que j'ai jamais songé à lui ? Je le
rencontre assez souvent. S'est-il jamais aperçu que je savais
que l'ordonnance qui m'avait rayé de la liste des ministres
était écrite de sa main ?

Et pourtant qu'avais-je fait ? Où étaient mes intrigues et
mon ambition ? Avais-je désiré la place de M. de Villèle en
allant seul et caché me promener au fond du bois de
Boulogne ? Ce fut cette vie étrange qui me perdit. J'avais la
simplicité de rester tel que le ciel m'avait fait, et, parce que
je n'avais envie de rien, on crut que je voulais tout.
Aujourd'hui je conçois très-bien que ma vie à part était une
grande faute. Comment ! vous ne voulez rien être ? Allez-
vous-en ! Nous ne voulons pas qu'un homme méprise ce que
nous adorons, et qu'il se croie en droit d'insulter à la
médiocrité de notre vie.

Les embarras de la richesse et les inconvénients de la

1. Secrétaire et confident de Villèle.

misère me suivirent dans mon logement de la rue de l'Université : le jour de mon congé, j'avais au ministère un immense dîner prié ; il me fallut envoyer des excuses aux convives, et faire replier dans ma petite cuisine à deux maîtres trois grands services préparés pour quarante personnes. Montmirel[1] et ses aides se mirent à l'ouvrage, et, nichant casseroles, lèchefrites et bassines dans tous les coins, il mit son chef-d'œuvre réchauffé à l'abri. Un viel ami[2] vint partager mon premier repas de matelot mis à terre. La ville et la cour accoururent, car il n'y eut qu'un cri sur l'outrecuidance de mon renvoi après le service que je venais de rendre ; on était persuadé que ma disgrâce serait de courte durée ; on se donnait l'air de l'indépendance en consolant un malheur de quelques jours, au bout desquels on rappellerait fructueusement à l'infortuné revenu en puissance qu'on ne l'avait point abandonné.

On se trompait ; on en fut pour les frais de courage : on avait compté sur ma platitude, sur mes pleurnicheries, sur mon ambition de chien couchant, sur mon empressement à me déclarer moi-même coupable, à faire le pied de grue auprès de ceux qui m'avaient chassé : c'était mal me connaître. Je me retirai sans réclamer même le traitement qui m'était dû, sans recevoir ni une faveur, ni une obole de la cour ; je fermai ma porte à quiconque m'avait trahi ; je refusai la foule condoléante et je pris les armes. Alors tout se dispersa ; le blâme universel éclata, et ma partie, qui d'abord avait semblé belle aux salons et aux antichambres, parut effroyable.

Après mon renvoi, n'eussé-je pas mieux fait de me taire ? La brutalité du procédé ne m'avait-elle pas fait revenir le public ? M. de Villèle a répété que la lettre de destitution avait été retardée ; par ce hasard, elle avait eu le malheur de ne m'être rendue qu'au château : peut-être en fut-il ainsi ; mais, quand on joue, on doit calculer les chances de la partie ; on doit surtout ne pas écrire à un ami de quelque valeur une lettre telle qu'on rougirait d'en adresser une

1. Cuisinier que Chateaubriand avait à Londres et qu'il avait ramené à Paris.
2. Clausel de Coussergues.

semblable au valet coupable qu'on jetterait sur le pavé, sans convenances et sans remords. L'irritation du parti Villèle était d'autant plus grande contre moi, qu'il voulait s'approprier mon ouvrage, et que j'avais montré de l'entente dans des matières qu'on m'avait supposé ignorer.

Sans doute, avec du silence et de la modération (comme on disait), j'aurais été loué de la race en adoration perpétuelle du portefeuille ; en faisant pénitence de mon innocence, j'aurais préparé ma rentrée au conseil. C'eût été mieux dans l'ordre commun ; mais c'était me prendre pour l'homme que point ne suis ; c'était me supposer le désir de ressaisir le timon de l'Etat, l'envie de faire mon chemin ; désir et envie qui dans cent mille ans ne m'arriveraient pas.

L'idée que j'avais du gouvernement représentatif me conduisit à entrer dans l'opposition ; l'opposition systématique me semble la seule propre à ce gouvernement ; l'opposition surnommée de *conscience* est impuissante. La conscience peut arbitrer un fait *moral*, elle ne juge point d'un fait *intellectuel*. Force est de se ranger sous un chef, appréciateur des bonnes et des mauvaises lois. N'en est-il ainsi, alors tel député prend sa bêtise pour sa conscience et la met dans l'urne. L'opposition dite de *conscience* consiste à flotter entre les partis, à ronger son frein, à voter même, selon l'occurrence, pour le ministère, à se faire magnanime en enrageant ; opposition d'imbécillités mutines chez les soldats, de capitulations ambitieuses parmi les chefs. Tant que l'Angleterre a été saine, elle n'a jamais eu qu'une opposition systématique : on entrait et l'on sortait avec ses amis ; en quittant le portefeuille on se plaçait sur le banc des attaquants. Comme on était censé s'être retiré pour n'avoir pas voulu accepter un système, ce système étant resté près de la couronne devait être nécessairement combattu. Or, les hommes ne représentant que des principes, l'opposition systématique ne voulait emporter que les *principes,* lorsqu'elle livrait l'assaut aux *hommes.*

L'OPPOSITION ME SUIT.

MA chute fit grand bruit : ceux qui se montraient les plus satisfaits en blâmaient la forme. J'ai appris depuis que M. de Villèle hésita ; M. de Corbière décida la question : « S'il « rentre par une porte au conseil, dut-il dire, je sors par « l'autre. » On me laissa sortir : il était tout simple qu'on me préférât M. de Corbière. Je ne lui en veux pas ; je l'importunais, il m'a fait chasser : il a bien fait.

Le lendemain de mon renvoi et les jours suivants, on lut dans le *Journal des Débats* ces paroles si honorables pour MM. Bertin :

« C'est pour la seconde fois que M. de Chateaubriand « subit l'épreuve d'une destitution solennelle.

« Il fut destitué en 1816, comme ministre d'Etat, pour « avoir attaqué, dans son immortel ouvrage de *la Monarchie* « *selon la Charte,* la fameuse ordonnance du 5 septembre, « qui prononçait la dissolution de la Chambre introuvable « de 1815. MM. de Villèle et Corbière étaient alors de « simples députés, chefs de l'opposition royaliste, et c'est « pour avoir embrassé leur défense que M. de Chateau- « briand devint la victime de la colère ministérielle.

« En 1824, M. de Chateaubriand est encore destitué, « et c'est par MM. de Villèle et Corbière, devenus ministres, « qu'il est sacrifié. Chose singulière ! en 1816, il fut puni « d'avoir parlé ; en 1824, on le punit de s'être tu ; son crime « est d'avoir gardé le silence dans la discussion sur la loi des « rentes. Toutes les disgrâces ne sont pas des malheurs ; « l'opinion publique, juge suprême, nous apprendra dans « quelle classe il faut placer M. de Chateaubriand ; elle « nous apprendra aussi à qui l'ordonnance de ce jour aura « été le plus fatale, ou du vainqueur ou du vaincu.

« Qui nous eût dit, à l'ouverture de la session, que nous

« gâterions ainsi tous les résultats de l'entreprise d'Espa-
« gne ? Que nous fallait-il cette année ? Rien que la loi sur
« la septennalité (mais la loi complète) et le budget. Les
« affaires de l'Espagne, de l'Orient et des Amériques,
« conduites comme elles l'étaient, prudemment et en
« silence, seraient éclaircies ; le plus bel avenir était devant
« nous ; on a voulu cueillir un fruit vert ; il n'est pas tombé,
« et on a cru remédier à de la précipitation par de la
« violence.

« La colère et l'envie sont de mauvais conseillers ; ce
« n'est pas avec les passions et en marchant par saccades
« que l'on conduit les Etats.

« *P.-S.* La loi sur la septennalité a passé, ce soir, à la
« Chambre des députés. On peut dire que les doctrines de
« M. de Chateaubriand triomphent après sa sortie du
« ministère. Cette loi, qu'il avait conçue depuis longtemps,
« comme complément de nos institutions, marquera à
« jamais, avec la guerre d'Espagne, son passage dans les
« affaires. On regrette bien vivement que M. de Corbière ait
« enlevé la parole, samedi, à celui qui était alors son illustre
« collègue. La Chambre des pairs aurait au moins entendu
« le chant du cygne.

« Quant à nous, c'est avec le plus vif regret que nous
« rentrons dans une carrière de combats, dont nous espé-
« rions être à jamais sortis par l'union des royalistes ; mais
« l'honneur, la fidélité politique, le bien de la France, ne
« nous ont pas permis d'hésiter sur le parti que nous
« devions prendre »

Le signal de la réaction fut ainsi donné. M. de Villèle n'en
fut pas d'abord trop alarmé ; il ignorait la force des
opinions. Plusieurs années furent nécessaires pour l'abattre
mais enfin il tomba.

Je reçus du président du conseil une lettre qui réglait tout, et qui prouvait, à ma grande simplicité, que je n'avais rien pris de ce qui rend un homme respecté et respectable :

« Paris, 16 juin 1824.

« Monsieur le vicomte,

« Je me suis empressé de soumettre à Sa Majesté
« l'ordonnance par laquelle il vous est accordé décharge
« pleine et entière des sommes que vous avez reçues du
« trésor royal, pour dépenses secrètes, pendant tout le temps
« de votre ministère.
« Le Roi a approuvé toutes les dispositions de cette
« ordonnance que j'ai l'honneur de vous transmettre ci-
« jointe en original.
« Agréez, monsieur le vicomte, etc. »

Mes amis et moi, nous expédiâmes une prompte correspondance :

M. DE CHATEAUBRIAND À M. DE TALARU[1]

« Paris, 9 juin 1824.

« Je ne suis plus ministre, mon cher ami ; on prétend
« que vous l'êtes. Quand je vous obtins l'ambassade de
« Madrid, je dis à plusieurs personnes qui s'en souviennent
« encore : « Je viens de nommer mon successeur. » Je désire
« avoir été prophète. C'est M. de Villèle qui a le portefeuille
« par intérim.

« CHATEAUBRIAND. »

M. DE CHATEAUBRIAND À M. DE RAYNEVAL[2].

« Paris, le 16 juin 1824.

« J'ai fini, monsieur ; j'espère que vous en avez encore

1. Ambassadeur à Madrid.
2. Ambassadeur à Berlin.

« pour longtemps. J'ai tâché que vous n'eussiez pas à vous
« plaindre de moi.

« Il est possible que je me retire à Neuchâtel, en
« Suisse ; si cela arrive, demandez pour moi d'avance à Sa
« Majesté prussienne sa protection et ses bontés : offrez
« mon hommage au comte de Bernstorff, mes amitiés à M.
« Ancillon, et mes compliments à tous vos secrétaires. Vous,
« monsieur, je vous prie de croire à mon dévouement et à
« mon attachement très-sincère.

« CHATEAUBRIAND. »

M. DE CHATEAUBRIAND À M. DE CARAMAN.

« Paris, 22 juin 1824.

« J'ai reçu, monsieur le marquis, vos lettres du 11 de
« ce mois. D'autres que moi vous apprendront la route que
« vous aurez à suivre désormais ; si elle est conforme à ce
« que vous avez entendu, elle vous mènera loin. Il est
« probable que ma destitution fera grand plaisir à M. de
« Metternich pendant une quinzaine de jours.

« Recevez, monsieur le marquis, mes adieux et la
« nouvelle assurance de mon dévouement et de ma haute
« considération.

« CHATEAUBRIAND. »

M. DE CHATEAUBRIAND À M. HYDE DE NEUVILLE [1].

« Paris, le 22 juin 1824.

« Vous aurez sans doute appris ma destitution. Il ne me
« reste qu'à vous dire combien j'étais heureux d'avoir avec
« vous des relations que l'on vient de briser. Continuez,
« monsieur et ancien ami, à rendre des services à votre pays,
« mais ne comptez pas trop sur la reconnaissance ; et ne
« croyez pas que vos succès soient une raison pour vous
« maintenir au poste où vous faites tant d'honneur.

« Je vous souhaite, monsieur, tout le bonheur que vous
« méritez, et je vous embrasse.

« P.-S. je reçois à l'instant votre lettre du 5 de ce mois,

1. Ami de Chateaubriand, alors ministre de France à Lisbonne.

« où vous m'apprenez l'arrivée de M. de Mérona. Je vous
« remercie de votre bonne amitié ; soyez sûr que je n'ai
« cherché que cela dans vos lettres.

« CHATEAUBRIAND. »

M. DE CHATEAUBRIAND À M. LE COMTE DE SERRE[1].

« Paris, le 23 juin 1824.

« Ma destitution vous aura prouvé, monsieur le comte,
« mon impuissance à vous servir ; il ne me reste qu'à faire
« des souhaits pour vous voir où vos talents vous appellent.
« Je me retire, heureux d'avoir contribué à rendre à la
« France son indépendance militaire et politique, et d'avoir
« introduit la septennalité dans son système électoral ; elle
« n'est pas telle que je l'aurais voulue ; le changement d'âge
« en était une conséquence nécessaire ; mais enfin le prin-
« cipe est posé ; le temps fera le reste, si toutefois il ne
« défait pas. J'ose me flatter, monsieur le comte, que vous
« n'avez pas eu à vous plaindre de nos relations ; et moi je
« me féliciterai toujours d'avoir rencontré dans les affaires
« un homme de votre mérite.

« Recevez, avec mes adieux, etc.

« CHATEAUBRIAND. »

M. DE CHATEAUBRIAND À M. DE LA FERRONNAYS.

« Paris, le 16 juin 1824.

« Si par hasard vous étiez encore à Saint-Pétersbourg,
« monsieur le comte, je ne veux pas terminer notre corres-
« pondance sans vous dire toute l'estime et toute l'amitié
« que vous m'avez inspirées ; portez-vous bien ; soyez plus
« heureux que moi, et croyez que vous me retrouverez dans
« toutes les circonstances de la vie. J'écris un mot à
« l'empereur.

« CHATEAUBRIAND. »

1. Ambassadeur de France à Naples.

La réponse à cet adieu m'arriva dans les premiers jours d'août. M. de La Ferronnays avait consenti aux fonctions d'ambassadeur sous mon ministère ; plus tard je devins à mon tour ambassadeur sous le ministère de M. de la Ferronnays : ni l'un ni l'autre n'avons cru monter ou descendre. Compatriotes et amis, nous nous sommes rendu mutuellement justice. M. de la Ferronnays a supporté les plus rudes épreuves sans se plaindre ; il est resté fidèle à ses souffrances et à sa noble pauvreté. Après ma chute, il a agi pour moi à Pétersbourg comme j'aurais agi pour lui : un honnête homme est toujours sûr d'être compris d'un honnête homme. Je suis heureux de produire ce touchant témoignage du courage, de la loyauté et de l'élévation d'âme de M. de La Ferronnays. Au moment où je reçus ce billet, il me fut une compensation très-supérieure aux faveurs capricieuses et banales de la fortune. Ici seulement, pour la première fois, je crois devoir violer le secret honorable que me recommandait l'amitié.

M. DE LA FERRONNAYS À M. DE CHATEAUBRIAND.

« Saint-Pétersbourg, le 4 juillet 1824.

« Le courrier russe arrivé avant-hier m'a remis votre
« petite lettre du 16 ; elle devient pour moi une des plus
« précieuses de toutes celles que j'ai eu le bonheur de
« recevoir de vous ; je la conserve comme un titre dont je
« m'honore, et j'ai la ferme espérance et l'intime conviction
« que bientôt je pourrai vous le présenter dans des circons-
« tances moins tristes. J'imiterai, monsieur le vicomte,
« l'exemple que vous me donnez, et ne me permettrai
« aucune réflexion sur l'événement qui vient de rompre
« d'une manière si brusque et si peu attendue les rapports
« que le service établissait entre vous et moi ; la nature
« même de ces rapports, la confiance dont vous m'honoriez,
« enfin des considérations bien plus graves, puisqu'elles ne
« sont pas exclusivement personnelles, vous expliqueront
« assez les motifs et toute l'étendue de mes regrets. Ce qui
« vient de se passer reste encore pour moi entièrement
« inexplicable ; j'en ignore absolument les causes, mais j'en
« vois les effets : ils étaient si faciles, si naturels à prévoir,

« que je suis étonné que l'on ait si peu craint de les braver.
« Je connais trop cependant la noblesse des sentiments qui
« vous animent, et la pureté de votre patriotisme, pour
« n'être pas bien sûr que vous approuverez la conduite que
« j'ai cru devoir suivre dans cette circonstance ; elle m'était
« commandée par mon devoir, par mon amour pour mon
« pays, et même par l'intérêt de votre gloire ; et vous êtes
« trop Français pour accepter, dans la situation où vous
« vous trouvez, la protection et l'appui des étrangers. Vous
« avez pour jamais acquis la confiance et l'estime de
« l'Europe ; mais c'est la France que vous servez, c'est à elle
« seule que vous appartenez ; elle peut être injuste ; mais ni
« vous ni vos véritables amis ne souffriront jamais que l'on
« rende votre cause moins pure et moins belle en confiant
« sa défense à des voix étrangères. J'ai donc fait taire toute
« espèce de sentiments et de considérations ·particulières
« devant l'intérêt général ; j'ai prévenu des démarches dont
« le premier effet devait être de susciter parmi nous des
« divisions dangereuses, et de porter atteinte à la dignité du
« trône. C'est le dernier service que j'aie rendu ici avant
« mon départ ; vous seul, monsieur le vicomte, en aurez la
« connaissance ; la confidence vous en était due, et je
« connais trop la noblesse de votre caractère pour n'être pas
« bien sûr que vous me garderez le secret, et que vous
« trouverez ma conduite, dans cette circonstance, conforme
« aux sentiments que vous avez le droit d'exiger de ceux que
« vous honorez de votre estime et de votre amitié.

« Adieu, monsieur le vicomte : si les rapports que j'ai eu
« le bonheur d'avoir avec vous ont pu vous donner une idée
« juste de mon caractère, vous devez savoir que ce ne sont
« point les changements de situation qui peuvent influencer
« mes sentiments, et vous ne douterez jamais de l'attache-
« ment et du dévouement de celui qui, dans les circonstan-
« ces actuelles, s'estime le plus heureux des hommes d'être
« placé par l'opinion au nombre de vos amis.

LA FERRONNAYS.

« MM. de Fontenay et de Pontcarré [1] sentent vive-
« ment le prix du souvenir que vous voulez bien leur
« conserver : témoins, ainsi que moi, de l'accroissement de
« considération que la France avait acquis depuis votre
« entrée au ministère, il est tout simple qu'ils partagent mes
« sentiments et mes regrets. »

NEUCHÂTEL EN SUISSE.

JE commençai le combat de ma nouvelle opposition immédiatement après ma chute ; mais il fut interrompu par la
mort de Louis XVIII, et il ne reprit vivement qu'après le
sacre de Charles X. Au mois de juillet, je rejoignis à
Neuchâtel madame de Chateaubriand qui était allée m'y
attendre. Elle avait loué une cabane au bord du lac. La
chaîne des Alpes se déroulait nord et sud à une grande
distance devant nous ; nous étions adossés contre le Jura
dont les flancs noircis de pins montaient à pic sur nos têtes.
Le lac était désert ; une galerie de bois me servait de
promenoir. Je me souvenais de milord Mareschal [2]. Quand
je montais au sommet du Jura, j'apercevais le lac de Bienne
aux brises et aux flots de qui J.-J. Rousseau doit une de ses
plus heureuses inspirations [3]. Madame de Chateaubriand
alla visiter Fribourg et une maison de campagne que l'on
nous avait dit charmante, et qu'elle trouva glacée, quoiqu'elle fût surnommée la *Petite Provence*. Un maigre chat
noir, demi-sauvage, qui pêchait de petits poissons en plon-
geant sa patte dans un grand seau rempli de l'eau du lac,
était toute ma distraction. Une vieille femme tranquille, qui
tricotait toujours, faisait, sans bouger de sa chaise, notre

1. Secrétaires de l'ambassade de France en Russie.
2. Lord Keith, gouverneur pour Frédéric II de la principauté de
Neuchâtel, prit sous sa protection Rousseau réfugié à Motiers-Travers.
3. *Cinquième Rêverie.*

festin dans une huguenote [1]. Je n'avais pas perdu l'habitude du repas du rat des champs.

Neuchâtel avait eu ses beaux jours ; il avait appartenu à la duchesse de Longueville ; J.-J. Rousseau s'était promené en habit d'Arménien sur ses monts, et madame de Charrière, si délicatement observée par M. de Sainte-Beuve [2], en avait décrit la société dans les lettres *Neuchâteloises ;* mais *Juliane,* mademoiselle de *La Prise, Henri Meyer* [3], n'étaient plus là ; je n'y voyais que le pauvre Fauche-Borel [4], de l'ancienne émigration : il se jeta bientôt après par sa fenêtre. Les jardins peignés de M. Pourtalès [5] ne me charmaient pas plus qu'un rocher anglais élevé de main d'homme dans une vigne voisine en regard du Jura. Berthier, dernier prince de Neuchâtel, de par Bonaparte, était oublié malgré son petit Simplon du Val de Travers [6], et quoiqu'il se fût brisé le crâne de la même façon que Fauche-Borel [7].

MORT DE LOUIS XVIII. — SACRE DE CHARLES X.

LA maladie du Roi me rappela à Paris. Le Roi mourut le 16 septembre, quatre mois à peine après ma destitution.

1. Petit fourneau.
2. L'article de Sainte-Beuve sur madame de Charrière venait de paraître (15 mars 1833) dans la *Revue des deux mondes.* Il a pris place dans les *Portraits de femmes.*
3. Ce sont les trois principaux personnages des Lettres *neuchâteloises* de Mme de Charrière (1784).
4. Fauche-Borel était un agent royaliste (1762-1829) que la misère poussa au désespoir.
5. Gouverneur de Neuchâtel.
6. Le maréchal Berthier avait fait construire la route de la Tourne dans le Val-Travers.
7. Berthier avait perdu la raison.

Ma brochure ayant pour titre : *Le Roi est mort : vive le Roi* !
dans laquelle je saluais le nouveau souverain, opéra pour
Charles X ce que ma brochure *De Bonaparte et des
Bourbons* avait opéré pour Louis XVIII. J'allai chercher
madame de Chateaubriand à Neuchâtel, et nous vînmes à
Paris loger rue du Regard. Charles X popularisa l'ouverture
de son règne par l'abolition de la censure ; le sacre eut lieu
au printemps de 1825. *« Jà commençoient les abeilles à
bourdonner, les oiseaux à rossignoler et les agneaux à
sauteler.* [1] »

Je trouve parmi mes papiers les pages suivantes écrites à
Reims :

« Reims, 26 mai 1825.

« Le Roi arrive après-demain : il sera sacré dimanche
« 29 ; je lui verrai mettre sur la tête une couronne à laquelle
« personne ne pensait en 1814 quand j'élevai la voix. J'ai
« contribué à lui ouvrir les portes de la France ; je lui ai
« donné des défenseurs, en conduisant à bien l'affaire
« d'Espagne ; j'ai fait adopter la Charte, et j'ai su retrouver
« une armée, les deux seules choses avec lesquelles le Roi
« puisse régner au-dedans et au-dehors : quel rôle m'est
« réservé au sacre ? celui d'un proscrit. Je viens recevoir
« dans la foule un cordon prodigué [2], que je ne tiens pas
« même de Charles X. Les gens que j'ai servis et placés me
« tournent le dos. Le Roi tiendra mes mains dans les
« siennes ; il me verra à ses pieds sans être ému, quand je
« prêterai mon serment, comme il me voit sans intérêt
« recommencer mes misères. Cela me fait-il quelque chose ?
« Non. Délivré de l'obligation d'aller aux Tuileries, l'indé-
« pendance compense tout pour moi.

« J'écris cette page de mes *Mémoires* dans la chambre
« où je suis oublié au milieu du bruit. J'ai visité ce matin

1. Longus, *Daphnis et Chloé* (I), traduction d'Amyot.
2. Le cordon bleu de chevalier des ordres du roi. Louis XVIII avait
conféré cette distinction à Chateaubriand le 8 janvier 1824, cinq mois avant
de le destituer.

« Saint-Rémi et la cathédrale décorée de papier peint. Je
« n'aurai eu une idée claire de ce dernier édifice que par les
« décorations de la *Jeanne d'Arc* de Schiller, jouée devant
« moi à Berlin [1] : des machines d'opéra m'ont fait voir au
« bord de la Sprée ce que des machines d'opéra me cachent
« au bord de la Vesle : du reste, j'ai pris mon divertisse-
« ment parmi les vieilles races, depuis Clovis avec ses
« Francs et son pigeon descendu du ciel, jusqu'à Charles
« VII avec Jeanne d'Arc.

> *Je suis venu de mon pays*
> *Pas plus haut qu'une botte,*
> *Avecque mi, avecque mi,*
> *Avecque ma marmotte.*

« Un petit sou, monsieur, s'il vous plaît.

« Voilà ce que m'a chanté, au retour de ma course, un
« petit savoyard arrivé tout juste à Reims. « Et qu'es-tu venu
« faire ici ? lui ai-je dit. — Je suis venu au sacre, monsieur.
« — Avec ta marmotte ? — Oui, monsieur, *avecque mi*
« *avecque mi, avecque ma marmotte,* m'a-t-il répondu en
« dansant et en tournant. — Eh bien, c'est comme moi,
« mon garçon. »
« Cela n'était pas exact : j'étais venu au sacre sans
« marmotte, et une marmotte est une grande ressource ; je
« n'avais dans mon coffret que quelque vieille songerie qui
« ne m'aurait pas fait donner un petit sou par le passant
« pour la voir grimper autour d'un bâton.
« Louis XVII et Louis XVIII n'ont point été sacrés ; le
« sacre de Charles X vient immédiatement après celui de
« Louis XVI. Charles X assista au couronnement de son
« frère ; il représentait le duc de Normandie, Guillaume le
« Conquérant. Sous quels heureux auspices Louis XVI ne
« montait-il pas au trône ? Comme il était populaire en
« succédant à Louis XV ! Et pourtant, qu'est-il devenu ? Le
« sacre actuel sera la représentation d'un sacre, non un
« sacre : nous verrons le maréchal Moncey, acteur au sacre

1. Cf. p. 488.

« de Napoléon, ce maréchal qui jadis célébra dans son
« armée la mort du tyran Louis XVI, nous le verrons
« brandir l'épée royale à Reims, en qualité de comte de
« Flandre ou de duc d'Aquitaine. À qui cette parade
« pourrait-elle faire illusion ? Je n'aurais voulu aujourd'hui
« aucune pompe : le Roi à cheval, l'église nue, ornée
« seulement de ses vieilles voûtes et de ses vieux tombeaux ;
« les deux Chambres présentes, le serment de fidélité à la
« Charte prononcé à haute voix sur l'Evangile. C'était ici le
« renouvellement de la monarchie ; on la pouvait recom-
« mencer avec la liberté et la religion ; malheureusement on
« aimait peu la liberté : encore si l'on avait eu du moins le
« goût de la gloire !

> *Ah ! que diront là-bas, sous les tombes poudreuses,*
> *De tant de vaillants rois les ombres généreuses ?*
> *Que diront Pharamond, Clodion et Clovis,*
> *Nos Pépins, nos Martels, nos Charles, nos Louis,*
> *Qui, de leur propre sang, à tous périls de guerre*
> *Ont acquis à leurs fils une si belle terre* [1] *?*

« Enfin le sacre nouveau [2], où le pape est venu oindre un
« homme aussi grand que le chef de la seconde race [3],
« n'a-t-il pas, en changeant les têtes, détruit l'effet de
« l'antique cérémonie de notre histoire ? Le peuple a été
« amené à penser qu'un rite pieux ne dédiait personne au
« trône, ou rendait indifférent le choix du front auquel
« s'appliquait l'huile sainte. Les figurants à Notre-Dame de
« Paris, jouant pareillement dans la cathédrale de Reims, ne
« seront plus que les personnages obligés d'une scène
« devenue vulgaire : l'avantage demeurera à Napoléon qui
« envoie ses comparses à Charles X. La figure de l'Empe-
« reur domine tout désormais. Elle apparaît au fond des
« événements et des idées : les feuillets des bas temps où
« nous sommes arrivés se recroquevillent aux regards de ses
« aigles. »

1. Ronsard, *Discours des misères de ce temps. A la reine mère* (1562).
2. Celui de Napoléon.
3. Charlemagne.

« J'ai vu entrer le Roi ; j'ai vu passer les carrosses dorés du
« monarque qui naguère n'avait pas une monture ; j'ai vu
« rouler ces voitures pleines de courtisans qui n'ont pas su
« défendre leur maître. Cette tourbe est allée à l'église
« chanter le *Te Deum,* et moi je suis allé voir une ruine
« romaine et me promener seul dans un bois d'ormeaux
« appelé *le bois d'Amour.* J'entendais de loin la jubilation
« des cloches, je regardais les tours de la cathédrale,
« témoins séculaires de cette cérémonie toujours la même et
« pourtant si diverse par l'histoire, les temps, les idées, les
« mœurs, les usages et les coutumes. La monarchie a péri,
« et la cathédrale a pendant quelques années été changée en
« écurie. Charles X, qui la revoit aujourd'hui, se souvient-il
« qu'il a vu Louis XVI recevoir l'onction aux mêmes lieux
« où il va la recevoir à son tour ? Croira-t-il qu'un sacre
« mette à l'abri du malheur ? Il n'y a plus de main assez
« vertueuse pour guérir les écrouelles, plus de sainte
« ampoule assez salutaire pour rendre les rois inviolables. »

RÉCEPTION DES CHEVALIERS DES ORDRES.

J'ÉCRIVIS à la hâte ce qu'on vient de lire sur les pages
demi-blanches d'une brochure ayant pour titre : *Le Sacre,
par Barnage de Reims, avocat,* et sur une lettre imprimée du
grand référendaire, M. de Sémonville, disant : « Le grand

1. Le 28 mai 1825.

« référendaire a l'honneur d'informer sa seigneurie, mon-
« sieur le vicomte de Chateaubriand, que des places dans le
« sanctuaire de la cathédrale de Reims sont destinées et
« réservées pour ceux de MM. les pairs qui voudront
« assister le lendemain du sacre et couronnement de Sa
« Majesté à la cérémonie de la réception du chef et
« souverain grand-maître des ordres du Saint-Esprit et de
« Saint-Michel et de la réception de MM. les chevaliers et
« commandeurs. »

Charles X avait eu pourtant l'intention de me réconcilier[1]. L'archevêque de Paris lui parlant à Reims des hommes dans l'opposition, le Roi avait dit : « Ceux qui ne
« veulent pas de moi, je les laisse. » L'archevêque reprit :
« Mais, sire, M. de Chateaubriand ? — Oh ! celui-là, je le
« regrette. » L'archevêque demanda au Roi s'il me le pouvait
dire ; le Roi hésita, fit deux ou trois tours dans la chambre
et répondit : « Eh bien, oui, dites-le-lui, » et l'archevêque
oublia de m'en parler.

A la cérémonie des chevaliers des ordres, je me trouvai à
genoux aux pieds du Roi, dans le moment que M. de Villèle
prêtait son serment. J'échangeai deux ou trois mots de
politesse avec mon compagnon de chevalerie, à propos de
quelque plume détachée de mon chapeau. Nous quittâmes
les genoux du prince et tout fut fini. Le Roi, ayant eu de la
peine à ôter ses gants pour prendre mes mains entre les
siennes, m'avait dit en riant : « Chat ganté ne prend point
« de souris. » On avait cru qu'il m'avait parlé longtemps, et
le bruit de ma faveur renaissante s'était répandu. Il est
probable que Charles X, s'imaginant que l'archevêque
m'avait entretenu de sa bonne volonté, attendait de moi un
mot de remercîment et qu'il fut choqué de mon silence.

Ainsi j'ai assisté au dernier sacre des successeurs de
Clovis ; je l'avais déterminé par les pages où j'avais sollicité
ce sacre, et dépeint dans ma brochure *Le Roi est mort : vive
le Roi !* Ce n'est pas que j'eusse la moindre foi à la
cérémonie ; mais comme tout manquait à la légitimité, il
fallait pour la soutenir user de tout, vaille que vaille. Je

1. Peut-être au sens religieux : on « réconcilie » un pécheur en lui
donnant l'absolution.

rappelais cette définition d'Adalbéron[1] : « Le couronne-
« ment d'un Roi de France est un intérêt public, non une
« affaire particulière : *publia sunt hœc negotia, non priva-
« ta;* » je citais l'admirable prière réservée pour le sacre :
Dieu qui par tes vertus conseilles tes peuples, donne à
celui-ci, ton serviteur, l'esprit de ta sapience ! Qu'en ces
jours naisse à tous équité et justice : aux amis secours, aux
ennemis obstacle, aux affligés consolation, aux élevés correction ; aux riches enseignement, aux indigents pitié, aux
pèlerins hospitalité, aux pauvres sujets paix et sûreté en la
patrie ! Qu'il apprenne (le Roi) à se commander soi-même, à
modérément gouverner un chacun, selon son état, afin, ô
Seigneur, qu'il puisse donner à tout le peuple exemple de vie
à toi agréable. »

Avant d'avoir rapporté dans ma brochure, *Le Roi est
mort : vive le Roi !* cette prière conservée par Du Tillet[2], je
m'étais écrié : « Supplions humblement Charles X d'imiter
« ses aïeux : trente-deux souverains de la troisième race ont
« reçu l'onction royale »   Tous mes devoirs étant remplis, je
quittai Reims et je pus dire comme Jeanne d'Arc : « Ma
mission est finie. »

JE RÉUNIS AUTOUR DE MOI MES ANCIENS ADVERSAIRES. —
MON PUBLIC EST CHANGÉ.

PARIS avait vu ses dernières fêtes : l'époque d'indulgence,
de réconciliation, de faveur, était passée : la triste vérité
restait seule devant nous.

1. L'archevêque de Reims qui avait sacré Hugues Capet.
2. Érudit du XVIe siècle.

Lorsque, en 1820, la censure mit fin au *Conservateur,* je ne m'attendais guère à recommencer sept ans après la même polémique sous une autre forme et par le moyen d'une autre presse. Les hommes qui combattaient avec moi dans le *Conservateur* réclamaient comme moi la liberté de penser et d'écrire ; ils étaient dans l'opposition comme moi, dans la disgrâce comme moi, et ils se disaient mes amis. Arrivés au pouvoir en 1820, encore plus par mes travaux que par les leurs, ils se tournèrent contre la liberté de la presse : de persécutés, ils devinrent persécuteurs ; ils cessèrent d'être et de se dire mes amis ; ils soutinrent que la licence de la presse n'avait commencé que le 6 de juin 1824, jour de mon renvoi du ministère ; leur mémoire était courte : s'ils avaient relu les opinions qu'ils prononcèrent, les articles qu'ils écrivirent contre un autre ministère et pour la liberté de la presse, ils auraient été obligés de convenir qu'ils étaient au moins en 1818 et 1819 les sous-chefs de la licence.

D'un autre côté, mes anciens adversaires se rapprochèrent de moi. J'essayai de rattacher les partisans de l'indépendance à la royauté légitime, avec plus de fruit que je ne ralliai à la Charte les serviteurs du trône et de l'autel. Mon public avait changé. J'étais obligé d'avertir le gouvernement des dangers de l'absolutisme, après l'avoir prémuni contre l'entraînement populaire. Accoutumé à respecter mes lecteurs, je ne leur livrais pas une ligne que je ne l'eusse écrite avec tout le soin dont j'étais capable : tel de ces opuscules d'un jour m'a coûté plus de peine, proportion gardée, que les plus longs ouvrages sortis de ma plume. Ma vie était incroyablement remplie. L'honneur et mon pays me rappelèrent sur le champ de bataille. J'étais arrivé à l'âge où les hommes ont besoin de repos ; mais si j'avais jugé de mes années par la haine toujours croissante que m'inspiraient l'oppression et la bassesse, j'aurais pu me croire rajeuni.

Je réunis autour de moi une société d'écrivains pour donner de l'ensemble à mes combats. Il y avait parmi eux des pairs, des députés, des magistrats, de jeunes auteurs commençant leur carrière. Arrivèrent chez moi MM. de

Montalivet [1], Salvandy [2], Duvergier de Hauranne [3], bien d'autres qui furent mes écoliers et qui débitent aujourd'hui, comme choses nouvelles sur la monarchie représentative, des choses que je leur ai apprises et qui sont à toutes les pages de mes écrits. M. de Montalivet est devenu ministre de l'intérieur et favori de Philippe ; les hommes qui aiment à suivre les variations d'une destinée trouveront ce billet assez curieux :

« Monsieur le vicomte,

« J'ai l'honneur de vous envoyer le relevé des erreurs
« que j'avais trouvées dans le tableau de jugements en Cour
« royale qui vous a été communiqué. Je les ai vérifiées
« encore, et je crois pouvoir répondre de l'exactitude de la
« liste ci-jointe.
« Daignez, monsieur le vicomte, agréer l'hommage du
« profond respect avec lequel j'ai l'honneur d'être
« Votre bien dévoué collègue
« et sincère admirateur,
« MONTALIVET. »

Cela n'a pas empêché mon *respectueux collègue et sincère admirateur,* M. le comte de Montalivet, en son temps si grand partisan de la liberté de la presse, de m'avoir fait entrer comme fauteur de cette liberté dans la geôle de M. Gisquet [4].

De ma nouvelle polémique qui dura cinq ans, mais qui finit par triompher, un abrégé fera connaître la force des idées contre les faits appuyés même du pouvoir. Je fus renversé le 6 juin 1824 ; le 21 j'étais descendu dans l'arène [5] ; j'y restai jusqu'au 18 décembre 1826 : j'y entrai seul,

1. Pair de tendances libérales.
2. Rédacteur au *Journal des Débats.*
3. Rédacteur au *Globe.*
4. En juin 1832 (voir Tome III, p. 328 *sq.*) Gisquet sera préfet de police de 1831 à 1836.
5. Le 21 juin 1824, en effet, paraissait dans le *Journal des Débats* le premier article de la campagne libérale menée par Chateaubriand.

dépouillé et nu, et j'en sortis victorieux. C'est de l'histoire que je fais ici, en faisant l'extrait des arguments que j'employai.

EXTRAIT DE MA POLÉMIQUE APRÈS MA CHUTE.

« Nous [1] avons eu le courage et l'honneur de faire une
« guerre dangereuse en présence de la liberté de la presse, et
« c'était la première fois que ce noble spectacle était donné
« à la monarchie. Nous nous sommes vite repentis de notre
« loyauté. Nous avions bravé les journaux lorsqu'ils ne
« pouvaient nuire qu'au succès de nos soldats et de nos
« capitaines ; il a fallu les asservir lorsqu'ils ont osé parler
« des commis et des ministres.

« Si ceux qui administrent l'Etat semblent complè-
« tement ignorer le génie de la France dans les choses
« sérieuses, ils n'y sont pas moins étrangers dans ces choses
« de grâces et d'ornements qui se mêlent, pour l'embellir, à
« la vie des nations civilisées.

« Les largesses que le gouvernement légitime répand
« sur les arts surpassent les secours que leur accordait le
« gouvernement usurpateur ; mais comment sont-elles
« départies ? Voués à l'oubli par nature et par goût, les
« dispensateurs de ces largesses paraissent avoir de l'antipa-
« thie pour la renommée ; leur obscurité est si invincible,
« qu'en approchant des lumières ils les font pâlir ; on dirait
« qu'ils versent l'argent sur les arts pour les éteindre,
« comme sur nos libertés pour les étouffer.

1. Extrait discontinu, mais très fidèle, de l'article publié par Chateau-briand dans les *Débats* le 28 juin 1824.

« Encore si la machine étroite dans laquelle on met
« la France à la gêne ressemblait à ces modèles achevés que
« l'on examine à la loupe dans le cabinet des amateurs, la
« délicatesse de cette curiosité pourrait intéresser
« un moment ; mais point : c'est une petite chose mal
« faite.

« « Nous avons dit[1] que le système suivi aujourd'hui
« par l'administration blesse le génie de la France : nous
« allons essayer de prouver qu'il méconnaît également
« l'esprit de nos institutions.
« La monarchie s'est rétablie sans efforts en France,
« parce qu'elle est forte de toute notre histoire, parce que la
« couronne est portée par une famille qui a presque vu
« naître la nation, qui l'a formée, civilisée, qui lui a donné
« toutes ses libertés, qui l'a rendue immortelle ; mais le
« temps a réduit cette monarchie à ce qu'elle a de réel.
« L'âge des fictions est passé en politique ; on ne peut plus
« avoir un gouvernement d'adoration, de culte et de mystè-
« re : chacun connaît ses droits ; rien n'est possible hors des
« limites de la raison ; et jusqu'à la faveur, dernière illusion
« des monarchies absolues, tout est pesé, tout est apprécié
« aujourd'hui.
« Ne nous y trompons pas ; une nouvelle ère com-
« mence pour les nations ; sera-t-elle plus heureuse ? La
« Providence le sait. Quant à nous, il ne nous est donné que
« de nous préparer aux événements de l'avenir. Ne nous
« figurons pas que nous puissions rétrograder : il n'y a de
« salut pour nous que dans la Charte.
« « La monarchie constitutionnelle n'est point née parmi
« nous d'un système écrit, bien qu'elle ait un Code impri-
« mée ; elle est fille du temps et des événements, comme
« l'ancienne monarchie de nos pères.
« « Pourquoi la liberté ne se maintiendrait-elle pas dans
« l'édifice élevé par le despotisme et où il a laissé des tra-
« ces ? La victoire, pour ainsi dire encore parée des trois cou-
« leurs, s'est réfugiée dans la tente du duc d'Angoulême ;

1. Ce paragraphe est le premier de l'article du 5 juillet 1824. Ceux qui
suivent ont été pris aussi çà et là dans le même article.

« la légitimité habite le Louvre, bien qu'on y voie encore des
« aigles.

« Dans une monarchie constitutionnelle, on respecte
« les libertés publiques ; on les considère comme la sauve-
« garde du monarque, du peuple et des lois.

« Nous entendons autrement le gouvernement repré-
« sentatif. On forme une compagnie (on dit même deux
« compagnies rivales, car il faut de la concurrence) pour
« corrompre des journaux à prix d'argent. On ne craint pas
« de soutenir des procès scandaleux contre des propriétaires
« qui n'ont pas voulu se vendre ; on voudrait les forcer à
« subir le mépris par arrêt des tribunaux. Les hommes
« d'honneur répugnant au métier, on enrôle, pour soutenir
« un ministère royaliste, des libellistes qui ont poursuivi la
« famille royale de leurs calomnies. On recrute tout ce qui a
« servi dans l'ancienne police et dans l'antichambre impé-
« riale ; comme chez nos voisins, lorsqu'on veut se procurer
« des matelots, on fait la presse dans les tavernes et les lieux
« suspects. Ces chiourmes d'écrivains libres sont embar-
« quées dans cinq ou six journaux achetés, et ce qu'ils
« disent s'appelle l'*opinion publique* chez les ministres. »

Voilà, très en abrégé, et peut-être encore trop longuement, un *specimen* de ma polémique dans mes brochures et
dans le *Journal des Débats* : on y retrouve tous les principes
que l'on proclame aujourd'hui.

JE REFUSE LA PENSION DE MINISTRE D'ÉTAT QU'ON VEUT
ME RENDRE. — COMITÉ GREC. — BILLET DE M. MOLÉ. —
LETTRE DE CANARIS À SON FILS. — MADAME RÉCAMIER
M'ENVOIE L'EXTRAIT D'UNE AUTRE LETTRE. —
MES ŒUVRES COMPLÈTES.

LORSQU'ON me chassa du ministère, on ne me rendit point
ma pension de ministre d'Etat ; je ne la réclamai point ;

mais M. de Villèle, sur une observation du Roi, s'avisa de me faire expédier un nouveau brevet de cette pension par M. de Peyronnet [1]. Je la refusai. Ou j'avais droit à mon ancienne pension, ou je n'y avais pas droit : dans le premier cas, je n'avais pas besoin d'un nouveau brevet ; dans le second, je ne voulais pas devenir le pensionnaire du président du conseil.

Les Hellènes secouèrent le joug : il se forma à Paris un comité grec dont je fis partie. Le comité s'assemblait chez M. Ternaux [2], place des Victoires. Les sociétaires arrivaient successivement au lieu des délibérations. M. le général Sébastiani [3] déclarait, lorsqu'il était assis, que c'était une *grosse affaire;* il la rendait longue : cela déplaisait à notre positif président, M. Ternaux, qui voulait bien faire un châle [4] pour Aspasie, mais qui n'aurait pas perdu son temps avec elle. Les dépêches de M. Fabvier [5] faisaient souffrir le comité ; il nous grognait fort [6] ; il nous rendait responsables de ce qui n'allait pas selon ses vues, nous qui n'avions pas gagné la bataille de Marathon. Je me dévouai à la liberté de la Grèce : il me semblait remplir un devoir filial envers une mère. J'écrivis une *note;* je m'adressai aux successeurs de l'empereur de Russie, comme je m'étais adressé à lui-même à Vérone. La *note* a été imprimée et puis réimprimée à la tête de l'itinéraire.

Je travaillais dans le même sens à la Chambre des pairs, pour mettre en mouvement un corps politique. Ce billet de M. Molé fait voir les obstacles que je rencontrais, et les moyens détournés que j'étais obligé de prendre :

«Vous nous trouverez tous demain à l'ouverture, prêts
« à voler sur vos traces. Je vais écrire à Lainé si je ne le
« trouve pas. Il ne faut lui laisser prévoir que des phrases
« sur les Grecs ; mais prenez garde qu'on ne vous oppose les

---

1. Ministre de la Justice.
2. Grand industriel.
3. Un des chefs du parti libéral. Il sera maréchal et ministre des Affaires étrangères sous Louis-Philippe.
4. Il avait importé des chèvres du Thibet et fabriquait avec leur laine des « cachemires français ».
5. Général d'artillerie, célèbre philhellène.
6. « Grogner » employé activement, au sens de gronder, est populaire.

« limites de tout amendement, et que, le règlement à la
« main, on ne vous repousse. Peut-être on vous dira de
« déposer votre proposition sur le bureau : vous pourriez le
« faire alors subsidiairement, et après avoir dit tout ce que
« vous avez à dire. Pasquier vient d'être assez malade, et je
« crains qu'il ne soit pas encore sur pied demain. Quant au
« scrutin, nous l'aurons. Ce qui vaut mieux que tout cela,
« c'est l'arrangement que vous avez fait avec vos libraires. Il
« est beau de retrouver par son talent tout ce que l'injustice
« et l'ingratitude des hommes nous avaient ôté.

    « A vous pour la vie,

« MOLÉ. »

    La Grèce est devenue libre du joug de l'Islamisme ; mais,
au lieu d'une république fédérative, comme je le désirais,
une monarchie bavaroise s'est établie à Athènes. Or, comme
les Rois n'ont pas de mémoire, moi qui avais quelque peu
servi la cause des Argiens, je n'ai plus entendu parler d'eux
que dans Homère. La Grèce délivrée ne m'a pas dit : « Je
« vous remercie. » Elle ignore mon nom autant et plus qu'au
jour où je pleurais sur ses débris en traversant ses déserts.

    L'Hellénie non encore royale avait été plus reconnais-
sante. Parmi quelques enfants que le comité faisait élever,
se trouvait le jeune Canaris : son père, digne des marins de
Mycale [1], lui écrivit un billet que l'enfant traduisait en
français sur le papier blanc qui restait au bas du billet.
Voici cette traduction :

    « Mon cher enfant,

    « Aucun des Grecs n'a eu le même bonheur que toi :
« celui d'être choisi par la société bienfaisante qui s'inté-
« resse à nous pour apprendre les devoirs de l'homme. Moi,
« je t'ai fait naître ; mais ces personnes recommandables te
« donneront une éducation qui rend véritablement homme.

---

    1. Face au mont Mycale (rivage de l'Asie Mineure) la flotte grecque a
remporté en 479 av. J.-C. une grande victoire sur les Perses.

« Sois bien docile aux conseils de ces nouveaux pères, si tu
« veux faire la consolation des derniers moments de celui
« qui t'a donné le jour. Porte-toi bien.

« Ton père,
« C. CANARIS. »

De Napoli de Romanie, le 5 septembre 1825.

J'ai conservé le double texte comme la récompense du comité grec.

La Grèce républicaine avait témoigné ses regrets particuliers lorsque je sortis du ministère. Madame Récamier m'avait écrit de Naples le 29 octobre 1824 :

« Je reçois une lettre de la Grèce qui a fait un long
« détour avant de m'arriver. J'y trouve quelque lignes sur
« vous que je veux vous faire connaître ; les voici :

« *L'ordonnance du 6 juin* [1] *nous est parvenue, elle a*
« *produit sur nos chefs la plus vive sensation. Leurs espé-*
« *rances les plus fondées étant dans la générosité de la*
« *France, ils se demandent avec inquiétude ce que présage*
« *l'éloignement d'un homme dont le caractère leur promet-*
« *tait un appui.*

« Ou je me trompe, ou cet hommage doit vous plaire.
« Je joins ici la lettre : la première page ne concernait que
« moi. »

On lira bientôt la vie de madame Récamier : on saura s'il m'était doux de recevoir un souvenir de la patrie des Muses par une femme qui l'eût embellie.

Quant au billet de M. Molé donné plus haut, il fait allusion au marché que j'avais conclu relativement à la publication de mes *Œuvres complètes* [2]. Cet arrangement aurait dû, en effet, assurer la paix de ma vie ; il a néanmoins tourné mal pour moi, bien qu'il ait été heureux pour les éditeurs auxquels M. Ladvocat, après sa faillite, a laissé mes Œuvres. En fait de Plutus ou de Pluton (les mythologistes les confondent), je suis comme Alceste, *je vois*

---

1. Celle qui chassait Chateaubriand du ministère.
2. Le 26 mars 1826. Il s'agit de l'édition Ladvocat.

577

toujours la barque fatale [1] ; ainsi que William Pitt, et c'est mon excuse, je suis un panier percé ; mais je ne fais pas moi-même le trou au panier.

A la fin de la Préface générale de mes Œuvres, 1826, 1er volume. j'apostrophe ainsi la France :

« O France ! *mon cher pays et mon premier amour* [2], « un de vos fils, au bout de sa carrière, rassemble sous vos « yeux les titres qu'il peut avoir à votre bienveillance. S'il ne « peut plus rien pour vous, vous pouvez tout pour lui, en « déclarant que son attachement à votre religion, à votre « Roi, à vos libertés, vous fut agréable. Illustre et belle « patrie, je n'aurais désiré un peu de gloire que pour « augmenter la tienne. »

SÉJOUR À LAUSANNE.

MADAME DE CHATEAUBRIAND, étant malade, fit un voyage dans le Midi de la France, ne s'en trouva pas bien, revint à Lyon, où le docteur Prunelle la condamna. Je l'allai rejoindre ; je la conduisis à Lausanne, où elle fit mentir M. Prunelle. Je demeurai à Lausanne tour à tour chez M. de Sivry et chez madame de Cottens, femme affectueuse, spirituelle et infortunée. Je vis madame de Montolieu [3] : elle demeurait retirée sur une haute colline ; elle mourait dans les illusions du roman, comme madame de

1. Chateaubriand cite la traduction que donne Racine, dans la préface d'*Iphigénie*, d'un vers de l'*Alceste* d'Euripide.
2. Souvenir de Corneille : *Horace* I, I (invocation d'Albe par Sabine).
3. Romancière intarissable.

Genlis [1], sa contemporaine. Gibbon [2] avait composé à ma porte son Histoire de l'empire romain : «c'est au milieu des « débris du Capitole, écrit-il à Lausanne, le 27 juin 1787, « que j'ai formé le projet d'un ouvrage qui a occupé et « amusé près de vingt années de ma vie.» Madame de Staël avait paru avec madame Récamier à Lausanne. Toute l'émigration, tout un monde fini s'était arrêté quelques moments dans cette cité riante et triste, espèce de fausse ville de Grenade. Madame de Duras en a retracé le souvenir dans ses *Mémoires,* et ce billet m'y vint apprendre la nouvelle perte à laquelle j'étais condamné :

« Bex, 13 juillet 1826.

« C'en est fait, monsieur, votre amie [3] n'existe plus ; elle a « rendu son âme à Dieu, sans agonie, ce matin à onze « heures moins un quart. Elle s'était encore promenée en « voiture hier au soir. Rien n'annonçait une fin aussi « prochaine ; que dis-je, nous ne pensions pas que « sa maladie dût se terminer ainsi. M. de Custine [4], à qui « la douleur ne permet pas de vous écrire lui-même, avait « encore été hier matin sur une des montagnes qui environ- « nent Bex, pour faire venir tous les matins du lait des « montagnes pour la chère malade.

« Je suis trop accablé de douleur pour pouvoir entrer « dans de plus long détails. Nous nous disposons pour « retourner en France avec les restes précieux de la meil- « leure des mères et des amies. Enguerrand [5] reposera entre « ses deux mères.

« Nous passerons par Lausanne, où M. de Custine ira « vous chercher aussitôt notre arrivée.

1. Cf. p. 639 *sq.*
2. Historien britannique (1737-1794). Il passa une grande partie de sa vie à Lausanne.
3. Delphine de Custine.
4. Astolphe.
5. Le fils d'Astolphe. Cet enfant, sa mère et Delphine de Custine elle-même ont été inhumés dans une chapelle rustique voisine du château de Fervacques.

« Recevez, monsieur, l'assurance de l'attachement res-
« pectueux avec lequel je suis, etc.

« BERSTECHER[1]. »

Cherchez plus haut et plus bas ce que j'ai eu le bonheur
et le malheur de rappeler relativement à la mémoire de
madame de Custine.

Les *Lettres écrites de Lausanne*[2], ouvrage de madame de
Charrière, rendent bien la scène que j'avais chaque jour
sous les yeux, et les sentiments de grandeur qu'elle inspire :
« Je me repose seule, dit la mère de Cécile, vis-à-vis d'une
« fenêtre ouverte qui donne sur le lac. Je vous remercie,
« montagnes, neige, soleil, de tout le plaisir que vous me
« faites. Je vous remercie, auteur de tout ce que je vois,
« d'avoir voulu que ces choses fussent si agréables à voir.
« Beautés frappantes et aimables de la nature ! tous les
« jours mes yeux vous admirent, tous les jours vous vous
« faites sentir à mon cœur. »

Je commençai, à Lausanne, les *Remarques* sur le premier
ouvrage de ma vie, l'*Essai sur les révolutions anciennes et
modernes*. Je voyais de mes fenêtres les rochers de Meille-
rie : « Rousseau, écrivais-je dans une de ces *Remarques,*
« n'est décidément au-dessus des auteurs de son temps que
« dans une soixantaine de lettres de *la Nouvelle Héloïse,*
« dans quelques pages de ses *Rêveries* et de ses *Confessions.*
« Là, placé dans la véritable nature de son talent, il arrive à
« une éloquence de passion inconnue avant lui. Voltaire et
« Montesquieu ont trouvé des modèles de style dans les
« écrivains du siècle de Louis XIV ; Rousseau, et même un
« peu Buffon, dans un autre genre, ont créé une langue qui
« fut ignorée du grand siècle. »

1. Ancien précepteur d'Astolphe, devenu l'intendant de Delphine.
2. Sous-titre du roman *Caliste* (1786). — Sur Mme de Charrière, voir
p. 563.

RETOUR A PARIS. — LES JÉSUITES. — LETTRE DE
M. DE MONTLOSIER ET MA RÉPONSE.

DE retour à Paris, ma vie se trouva occupée entre mon établissement, rue d'Enfer [1], mes combats renouvelés à la Chambre des pairs et dans mes brochures contre les différents projets de lois contraires aux libertés publiques ; entre mes discours et mes écrits en faveur des Grecs, et mon travail pour mes Œuvres complètes. L'empereur de Russie mourut [2], et avec lui la seule amitié royale qui me restât. Le duc de Montmorency était devenu gouverneur du duc de Bordeaux. Il ne jouit pas longtemps de ce pesant honneur : il expira le vendredi-saint 1826 [3], dans l'église de Saint-Thomas d'Aquin, à l'heure où Jésus expira sur la croix ; il alla à Dieu avec le dernier soupir du Christ.

L'attaque était commencée contre les jésuites ; on entendit les déclamations banales et usées contre cet ordre célèbre, dans lequel, il faut en convenir, règne quelque chose d'inquiétant, car un mystérieux nuage couvre toujours les affaires des jésuites.

A propos des jésuites je reçus cette lettre de M. de Montlosier [4] et je lui fis la réponse qu'on lira après cette lettre.

Ne derelinquas amicum antiquum,
Novus enim non erit similis illi [5].

(ÉCCLÈS)

« Mon cher ami, ces paroles ne sont pas seulement « d'une haute antiquité, elles ne sont pas seulement d'une

1. Dans une petite maison dépendant de l'Infirmerie Marie-Thérèse. M. et Mme de Chateaubriand y ont habité de juillet 1826 à juillet 1838.
2. Alexandre 1er était mort le 1er décembre 1825.
3. Cf. p. 455.
4. Montlosier était ardemment gallican et hostile aux Jésuites.
5. « N'abandonne pas un vieil ami ; car un nouveau ne le vaudra pas ».

« haute sagesse ; pour le chrétien, elles sont sacrées. J'invo-
« que auprès de vous tout ce qu'elles ont d'autorité. Jamais
« entre les anciens amis, jamais entre les bons citoyens, le
« rapprochement n'a été plus nécessaire. *Serrer ses rangs,*
« serrer entre nous tous les liens, exciter avec émulation
« tous nos vœux, tous nos efforts, tous nos sentiments, est
« un devoir commandé par l'état éminemment déplorable
« du Roi et de la patrie. En vous adressant ces paroles, je
« n'ignore pas qu'elles seront reçues par un cœur que
« l'ingratitude et l'injustice ont navré ; et cependant je vous
« les adresse encore avec confiance, certain que je suis
« qu'elles se feront jour à travers toutes les nuées. En ce
« point délicat, je ne sais, mon cher ami, si vous serez
« content de moi ; mais, au milieu de vos tribulations, si par
« hasard j'ai entendu vous accuser, je ne me suis point
« occupé à vous défendre : je n'ai pas même écouté. Je me
« suis dit en moi-même : et quand cela serait ? Je ne sais si
« Alcibiade n'eut pas un peu trop d'humeur quand il mit
« hors de sa propre maison le rhéteur qui ne put lui
« montrer les ouvrages d'Homère. Je ne sais si Annibal
« n'eut pas un peu trop de violence quand il jeta hors de son
« siège le sénateur qui parlait contre son avis. Si j'étais
« admis à dire ma façon de penser sur Achille, peut-être ne
« l'approuverais-je pas de s'être séparé de l'armée des Grecs
« pour je ne sais quelle petite fille qui lui fut enlevée [1].
« Après cela, il suffit de prononcer les noms d'Alcibiade,
« d'Annibal et d'Achille, pour que toute contention soit
« finie. Il en est de même aujourd'hui de l'*iracundus,*
« *inexorabilis* [2] Chateaubriand. Quand on a prononcé son
« nom, tout est fini. Avec ce nom, quand je me dis en
« moi-même : *Il se plaint,* je sens s'émouvoir ma tendresse ;
« quand je me dis : *La France lui doit,* je me sens pénétré
« de respect. Oui, mon ami, *la France vous doit.* Il faut
« qu'elle vous doive encore davantage ; elle a recouvré de
« vous l'amour de la religion de ses pères : il faut lui
« conserver ce bienfait ; et, pour cela, il faut la préserver de

1. Briséis.
2. « Irascible, inexorable » : ce sont les épithètes qu'Horace *(A. P.,* 121)
applique à Achille.

« l'erreur de ses prêtres, préserver ces prêtres eux-mêmes de
« la pente funeste où ils se sont placés.

« Mon cher ami, vous et moi n'avons cessé depuis
« longues années de combattre. C'est de la prépondérance
« ecclésiastique se disant religieuse qu'il nous reste à préser-
« ver le Roi et l'Etat. Dans les anciennes situations, le mal
« avec ses racines était au dedans de nous : on pouvait le
« circonvenir et s'en rendre maître. Aujourd'hui les
« rameaux qui nous couvrent au dedans ont leurs racines au
« dehors. Des doctrines couvertes du sang de Louis XVI et
« de Charles Ier ont consenti à laisser leur place à des
« doctrines teintes du sang d'Henri IV et d'Henri III. Ni
« vous ni moi ne supporterons sûrement cet état de choses ;
« c'est pour m'unir à vous, c'est pour recevoir de vous une
« approbation qui m'encourage, c'est pour vous offrir
« comme soldat mon cœur et mes armes, que je vous
« écris.

« C'est dans ces sentiments d'admiration pour vous et
« d'un véritable dévouement que je vous implore avec
« tendresse et aussi avec respect.

« COMTE DE MONTLOSIER.

« Randane, 28 novembre 1825. »

« Paris, ce 3 décembre 1825.

« Votre lettre, mon cher et vieil ami, est très-sérieuse,
« et pourtant elle m'a fait rire pour ce qui me regarde.
« Alcibiade, Annibal, Achille ! Ce n'est pas sérieusement
« que vous me dites tout cela. Quant à la petite-fille du fils
« de Pélée, si c'est mon portefeuille dont il s'agit, je vous
« proteste que je n'ai pas aimé l'infidèle trois jours, et que
« je ne l'ai pas regrettée un quart d'heure. Mon ressenti-
« ment, c'est une autre affaire. M. de Villèle, que j'aimais
« sincèrement, cordialement, a non-seulement manqué aux
« devoirs de l'amitié, aux marques publiques d'attachement

« que je lui ai données, aux sacrifices que j'avais faits pour
« lui, mais encore aux plus simples procédés.

   « Le Roi n'avait plus besoin de mes services, rien de
« plus naturel que de m'éloigner de ses conseils ; mais la
« manière est tout pour un galant homme, et comme je
« n'avais pas volé la montre du Roi sur sa cheminée, je ne
« devais pas être *chassé* comme je l'ai été. J'avais fait seul la
« guerre d'Espagne et maintenu l'Europe en paix pendant
« cette période dangereuse ; j'avais par ce seul fait donné
« une armée à la légitimité, et, de tous les ministres de la
« Restauration, j'ai été le seul jeté hors de ma place sans
« aucune marque de souvenir de la couronne, comme si
« j'avais trahi le prince et la patrie. M. de Villèle a cru que
« j'accepterais ce traitement, il s'est trompé. J'ai été ami
« sincère, je resterai ennemi irréconciliable. Je suis malheu-
« reusement né : les blessures qu'on me fait ne se ferment
« jamais.

   « Mais en voilà trop sur moi : parlons de quelque
« chose plus important. J'ai peur de ne pas m'entendre avec
« vous sur des objets graves, et j'en serais désolé ! Je veux la
« Charte, toute la Charte, les libertés publiques dans toute
« leur étendue ? Les voulez-vous ?

   « Je veux la religion comme vous ; je hais comme vous
« la congrégation et ces associations d'hypocrites qui trans-
« forment mes domestiques en espions [1] et qui ne cher-
« chent à l'autel que le pouvoir. Mais je pense que le clergé,
« débarrassé de ces plantes parasites, peut très-bien entrer
« dans un régime constitutionnel, et devenir même le sou-
« tien de nos institutions nouvelles. Ne voulez-vous pas trop
« le séparer de l'ordre politique ? Ici je vous donne une
« preuve de mon extrême impartialité. Le clergé, qui, j'ose
« le dire, me doit tant, ne m'aime point, ne m'a jamais
« défendu ni rendu aucun service. Mais qu'importe ? Il
« s'agit d'être juste et de voir ce qui convient à la religion et
« à la monarchie.

   « Je n'ai pas, mon vieil ami, douté de votre courage ;
« vous ferez, j'en suis convaincu, tout ce qui vous paraîtra

   1. Decazes payait le valet de chambre de Chateaubriand pour qu'il
espionnât son maître.

584

« utile, et votre talent vous garantit le triomphe. J'attends
« vos nouvelles communications, et j'embrasse de tout mon
« cœur mon fidèle compagnon d'exil.

« CHATEAUBRIAND. »

SUITE DE MA POLÉMIQUE.

JE repris ma polémique. J'avais chaque jour des escarmou-
ches et des affaires d'avant-garde avec les soldats de la
domesticité ministérielle ; ils ne se servaient pas toujours
d'une belle épée. Dans les deux premiers siècles de Rome,
on punissait les cavaliers qui allaient mal à la charge, soit
qu'ils fussent trop gros ou pas assez braves, en les condam-
nant à subir une saignée : je me chargeais du châtiment.

« L'univers [1] change autour de nous, disais-je : de nou-
« veaux peuples paraissent sur la scène du monde ; d'an-
« ciens peuples ressuscitent au milieu des ruines ; des
« découvertes étonnantes annoncent une révolution pro-
« chaine dans les arts de la paix et de la guerre : religion,
« politique, mœurs, tout prend un autre caractère. Nous
« apercevons-nous de ce mouvement ? Marchons-nous avec
« la société ? Suivons-nous le cours du temps ? Nous prépa-
« rons-nous à garder notre rang dans la civilisation trans-
« formée ou croissante ? Non : les hommes qui nous
« conduisent sont aussi étrangers à l'état des choses de
« l'Europe que s'ils appartenaient à ces peuples derniè-
« rement découverts dans l'intérieur de l'Afrique. Que

1. C'est la conclusion du très long article que Chateaubriand donne aux
Débats le 8 août 1825.

« savent-ils donc ? La bourse ! et encore ils la savent mal.
« Sommes-nous condamnés à porter le poids de l'obscurité [1]
« pour nous punir d'avoir subi le joug de la gloire ? »

La transaction relative à Saint-Domingue [2] me fournit
l'occasion de développer quelques points de notre droit
public, auquel personne ne songeait.

Arrivé à de hautes considérations et annonçant la transformation du monde, je répondais à des opposants qui
m'avaient dit : « Quoi [3] ! nous pourrions être *républicains*
« *un jour ? radotage ! Qui est-ce qui rêve aujourd'hui la*
« *République* ? etc., etc. »

« Attaché à l'ordre monarchique par raison, répli-
« quais-je, je regarde la monarchie constitutionnelle comme
« le meilleur gouvernement possible à cette époque de la
« société.

« Mais si l'on veut tout réduire aux intérêts person-
« nels, si l'on suppose que pour moi-même je croirais avoir
« tout à craindre dans un état républicain, on est dans
« l'erreur.

« Me traiterait-il plus mal que ne m'a traité la
« monarchie ? Deux ou trois fois dépouillé pour elle ou par
« elle, l'Empire, qui aurait tout fait pour moi si je l'avais
« voulu, m'a-t-il plus rudement renié ? J'ai en horreur la
« servitude ; la liberté plaît à mon indépendance naturelle ;
« je préfère cette liberté dans l'ordre monarchique, mais je
« la conçois dans l'ordre populaire. Qui a moins à craindre
« de l'avenir que moi ? J'ai ce qu'aucune révolution ne peut
« me ravir : sans place, sans honneurs, sans fortune, tout
« gouvernement qui ne serait pas assez stupide pour dédai-
« gner l'opinion serait obligé de me compter pour quelque
« chose. Les gouvernements populaires surtout se compo-
« sent des existences individuelles, et se font une valeur géné-
« rale des valeurs particulières de chaque citoyen. Je serai
« toujours sûr de l'estime publique, parce que je ne ferai
« jamais rien pour la perdre, et je trouverais peut-être plus

1. Chateaubriand avait écrit dans les *Débats* : « de la médiocrité ».
2. Il s'agissait de l'indemnité que Saint-Domingue paierait aux anciens
colons français dépossédés.
3. Conclusion abrégée de l'important article du 24 octobre 1825.

« de justice parmi mes ennemis que chez mes prétendus
« amis.

« Ainsi, de compte fait, je serais sans frayeur des
« républiques, comme sans antipathie contre leur liberté :
« je ne suis pas Roi ; je n'attends point de couronne ce n'est
« pas ma cause que je plaide.

« J'ai dit sous un autre ministère et à propos de ce
« ministère : qu'un matin on se mettrait à la fenêtre pour
« voir passer la monarchie [1].

« Je dis aux ministres actuels : « En continuant de
« marcher, toute la révolution pourrait se réduire dans un
« temps donné, *à une nouvelle édition de la Charte dans*
« *laquelle on se contenterait de changer seulement deux ou*
« *trois mots.* »

J'ai souligné ces dernières phrases pour arrêter les yeux
du lecteur sur cette frappante prédiction. Aujourd'hui
même que les opinions s'en vont à vau de route [2], que
chaque homme dit à tort et à travers ce qui lui passe dans la
cervelle, ces idées républicaines exprimées par un royaliste
pendant la restauration sont encore hardies. En fait d'avenir, les prétendus esprits progessifs n'ont l'initiative sur
rien.

LETTRE DU GÉNÉRAL SÉBASTIANI.

MES derniers articles ranimèrent jusqu'à M. de La Fayette
qui, pour tout compliment, me fit passer une feuille

1. Voir p. 464.
2. A la débandade.

de laurier. L'effet de mes opinions, à la grande surprise de ceux qui n'y avaient pas cru, se fit sentir depuis les libraires qui vinrent en députation chez moi, jusqu'aux hommes parlementaires les moins rapprochés d'abord de ma politique. La lettre donnée ci-dessous, en preuve de ce que j'avance, cause une sorte d'étonnement par la signature. Il ne faut faire attention qu'à la signification de cette lettre, au changement survenu dans les idées et dans la position de celui qui l'écrit et de celui qui la reçoit : quant au libellé, je suis *Bossuet* et *Montesquieu,* cela va sans dire ; nous autres auteurs, c'est notre pain quotidien, de même que les ministres sont toujours Sully et Colbert.

« Monsieur le vicomte,

« Permettez que je m'associe à l'admiration universel-
« le : j'éprouve depuis trop longtemps ce sentiment pour
« résister au besoin de vous l'exprimer.

« Vous réunissez la hauteur de Bossuet à la profon-
« deur de Montesquieu : vous avez retrouvé leur plume et
« leur génie. Vos articles sont de grands enseignements pour
« tous les hommes d'Etat.

« Dans le nouveau genre de guerre que vous avez créé,
« vous rappelez la main puissante de celui qui dans d'autres
« combats a aussi rempli le monde de sa gloire. Puissent vos
« succès être plus durables : ils intéressent la patrie et
« l'humanité.

« Tous ceux qui, comme moi, professent les principes
« de la monarchie constitutionnelle, sont fiers de trouver en
« vous leur plus noble interprète.

« Agréez, monsieur le vicomte, une nouvelle assurance
« de ma haute considération,

« HORACE SÉBASTIANI. [1]

« Dimanche, 30 octobre. »

Ainsi tombaient à mes pieds amis, ennemis, adversaires, au moment de la victoire. Tous les pusillanimes et les ambitieux qui m'avaient cru perdu commençaient à me voir sortir radieux des tourbillons de poussière de la lice : c'était

1. Voir p. 575.

ma seconde guerre d'Espagne ; je triomphais de tous les partis intérieurs comme j'avais triomphé au dehors des ennemis de la France. Il m'avait fallu payer de ma personne, de même qu'avec mes dépêches j'avais paralysé et rendu vaines les dépêches de M. de Metternich et de M. Canning.

MORT DU GÉNÉRAL FOY. — LA « LOI DE JUSTICE ET D'AMOUR » — LETTRE DE M. ÉTIENNE. — LETTRE DE M. BENJAMIN CONSTANT. — J'ATTEINS AU PLUS HAUT POINT DE MON IMPORTANCE POLITIQUE. — ARTICLE SUR LA FÊTE DU ROI. — RETRAIT DE LA LOI SUR LA POLICE DE LA PRESSE. — PARIS ILLUMINÉ. — BILLET DE M. MICHAUD.

LE général Foy et le député Manuel moururent et enlevèrent à l'opposition de gauche ses premiers orateurs. M. de Serre et Camille Jordan descendirent également dans la tombe. Jusque dans le fauteuil de l'Académie, je fus obligé de défendre la liberté de la presse contre les larmoyantes supplications de M. de Lally-Tollendal [1]. La loi sur la police de la presse, que l'on appela la *loi de justice et d'amour,* dut principalement sa chute à mes attaques. Mon opinion sur le projet de cette loi est un travail historiquement curieux ; j'en reçus des compliments parmi lesquels deux noms sont singuliers à rappeler.

« Monsieur le vicomte,

« Je suis sensible aux remercîments que vous voulez « bien m'adresser. Vous appelez obligeance ce que je

---

1. Lally-Tollendal (voir Tome I, p. 651 et Tome II, p. 327) avait combattu à l'Académie l'envoi d'une supplique à Charles X en faveur de la liberté de presse. Mais Chateaubriand l'emporta et rédigea la supplique. Charles X refusa de recevoir la délégation qui devait la lui présenter.

« regardais comme une dette, et j'ai été heureux de la payer
« à l'éloquent écrivain. Tous les vrais amis des lettres
« s'associent à votre triomphe et doivent se regarder comme
« solidaires de votre succès. De loin comme de près, j'y
« contribuerai de tout mon pouvoir, s'il est possible
« que vous ayez besoin d'efforts aussi faibles que les
« miens.

     « Dans un siècle éclairé comme le nôtre, le génie est la
« seule puissance qui soit au-dessus des coups de la disgrâ-
« ce ; c'est à vous, monsieur, qu'il appartenait d'en fournir
« la preuve vivante à ceux qui s'en réjouissent comme à
« ceux qui ont le malheur de s'en affliger.

     « J'ai l'honneur d'être, avec la considération la plus
« distinguée, votre, etc., etc.

                                        « ÉTIENNE[1].

« Paris, ce 5 avril 1826. »

     « J'ai bien tardé, monsieur, à vous rendre grâce de
« votre admirable discours. Une fluxion sur les yeux, des
« travaux pour la Chambre, et plus encore les épouvanta-
« bles séances de cette Chambre, me serviront d'excuse.
« Vous savez d'ailleurs combien mon esprit et mon âme
« s'associent à tout ce que vous dites et sympathisent avec
« tout le bien que vous essayez de faire à notre malheureux
« pays. Je suis heureux de réunir mes faibles efforts à votre
« puissante influence, et le délire d'un ministère qui tour-
« mente la France et voudrait la dégrader, tout en m'inquié-
« tant sur ses résultats prochains, me donne l'assurance
« consolante qu'un tel état de choses ne peut se prolonger.
« Vous aurez puissamment contribué à y mettre un terme,
« et si je mérite un jour qu'on place mon nom bien après le
« vôtre dans la lutte qu'il faut soutenir contre tant de folie
« et de crime, je m'estimerai bien récompensé.

     « Agréez, monsieur, l'hommage d'une admiration sin-

1. Voir p. 459.

590

« cère, d'une estime profonde et de la plus haute considéra-
« tion.

« BENJAMIN CONSTANT.

« Paris, ce 21 mai 1827. »

C'est au moment dont je parle que j'arrivai au plus haut point de mon importance politique. Par la guerre d'Espagne j'avais dominé l'Europe ; mais une opposition violente me combattait en France : après ma chute, je devins à l'intérieur le dominateur avoué de l'opinion. Ceux qui m'avaient accusé d'avoir commis une faute irréparble en reprenant la plume étaient obligés de reconnaître que je m'étais formé un empire plus puissant que le premier. La jeune France était passée tout entière de mon côté et ne m'a pas quitté depuis. Dans plusieurs classes industrielles, les ouvriers étaient à mes ordres, et je ne pouvais plus faire un pas dans les rues sans être entouré. D'où me venait cette popularité ? de ce que j'avais connu le véritable esprit de la France. J'étais parti pour le combat avec un seul journal, et j'étais devenu le maître de tous les autres. Mon audace me venait de mon indifférence : comme il m'aurait été parfaitement égal d'échouer, j'allais au succès sans m'embarrasser de la chute. Il ne m'est resté que cette satisfaction de moi-même, car que fait aujourd'hui à personne une popularité passée et qui s'est justement effacée du souvenir de tous ?

La fête du Roi étant survenue, j'en profitai pour faire éclater une loyauté que mes opinions libérales n'ont jamais altérée. Je fis paraître cet article [1] :

« Encore une trêve du Roi !

« Paix aujourd'hui aux ministres !

« Gloire, honneur, longue félicité et longue vie à
« Charles X ! c'est la Saint-Charles !

«   « C'est à nous surtout, vieux compagnons d'exil de notre
« monarque, qu'il faut demander l'histoire de Charles X.

« Vous autres, Français qui n'avez point été forcés de
« quitter votre patrie, vous qui n'avez reçu un Français de

---

1. Extraits de l'article publié dans les *Débats* le 3 novembre 1825, veille de la Saint-Charles.

« plus[1] que pour vous soustraire au despotisme impérial et
« au joug de l'étranger, habitants de la grande et bonne
« ville, vous n'avez vu que le prince heureux, quand vous
« vous pressiez autour de lui, le 12 d'avril 1814 ; quand vous
« touchiez en pleurant d'attendrissement des mains sacrées,
« quand vous retrouviez sur un front ennobli par l'âge et le
« malheur toutes les grâces de la jeunesse, comme on voit la
« beauté à travers un voile, vous n'aperceviez que la vertu
« triomphante, et vous conduisiez le fils des rois à la couche
« royale de ses pères.

« Mais nous, nous l'avons vu dormir sur la terre,
« comme nous sans asile, comme nous proscrit et dépouillé.
« Eh bien ! cette bonté qui vous charme était la même ; il
« portait le malheur comme il porte aujourd'hui la cou-
« ronne, sans trouver le fardeau trop pesant, avec cette
« bénignité chrétienne qui tempérait l'éclat de son infor-
« tune, comme elle adoucit l'éclat de sa prospérité.

« Les bienfaits de Charles X s'accroissent de tous les
« bienfaits dont nous ont comblés ses aïeux : la fête d'un
« Roi très-chrétien est pour les Français la fête de la
« reconnaisance : livrons-nous donc aux transports de grati-
« tude qu'elle doit nous inspirer. Ne laissons pénétrer dans
« notre âme rien qui puisse un moment rendre notre joie
« moins pure ! Malheur aux hommes qui ont... ! Nous
« allions violer la trêve ! Vive le Roi ! »

« Mes yeux se sont remplis de larmes en copiant cette
page de ma polémique, et je n'ai plus le courage d'en
continuer les extraits. Oh mon Roi ! vous que j'avais vu sur
la terre étrangère, je vous ai revu sur cette même terre où
vous alliez mourir ! Quand je combattais avec tant d'ardeur
pour vous arracher à des mains qui commençaient à vous
perdre, jugez, par les paroles que je viens de transcrire, si
j'étais votre ennemi, ou bien le plus tendre et le plus sincère
de vos serviteurs ! Hélas ! je vous parle, et vous ne m'entendez plus.

Le projet de loi sur la police de la presse ayant été retiré,
Paris illumina. Je fus frappé de cette manifestation publique ; pronostic mauvais pour la monarchie : l'opposi-

---

1. Comme l'avait dit le comte d'Artois lui-même à son retour d'exil.

tion avait passé dans le peuple, et le peuple, par son caractère, transforme l'opposition en révolution.

La haine contre M. de Villèle allait croissant ; les royalistes, comme au temps du *Conservateur,* étaient redevenus, derrière moi, constitutionnels : M. Michaud m'écrivait :

« Mon honorable maître,

« J'ai fait imprimer hier l'annonce de votre ouvrage « sur la censure ; mais l'article, composé de deux lignes, a « été rayé par MM. les censeurs, M. Capefigue[1] vous « expliquera pourquoi nous n'avons pas mis de blancs ou de « noirs.

« Si Dieu ne vient à notre secours, tout est perdu ; la « royauté est comme la malheureuse Jérusalem entre les « mains des Turcs, à peine ses enfants peuvent-ils en « approcher ; à quelle cause nous sommes-nous donc sacri-« fiés !

« MICHAUD. »

IRRITATION DE M. DE VILLÈLE. — CHARLES X VEUT PASSER LA REVUE DE LA GARDE NATIONALE AU CHAMP-DE-MARS. — JE LUI ÉCRIS : MA LETTRE.

L'OPPOSITION avait enfin donné de l'irascibilité au tempérament froid de M. de Villèle, et rendu despotique l'esprit

1. Collaborateur de *La Quotidienne* dont Michaud était le directeur.

malfaisant de M. de Corbière. Celui-ci avait destitué le duc de Liancourt[1] de dix-sept places gratuites. Le duc de Liancourt n'était pas un saint, mais on trouvait en lui un homme bienfaisant, à qui la philanthropie avait décerné le titre de vénérable ; par le bénéfice du temps de vieux révolutionnaires ne marchent plus qu'avec une épithète comme les dieux d'Homère : c'est toujours le respectable M. tel, c'est toujours l'inflexible citoyen tel, qui, comme Achille, n'a jamais mangé de *bouillie* (a-chylos[2]). A l'occasion du scandale arrivé au convoi de M. de Liancourt[3], M. de Sémonville nous dit, à la Chambre des pairs : « Soyez tranquilles, messieurs, cela n'ar-
« rivera plus ; je vous conduirai moi-même au cime-
« tière. »

Le Roi, au mois d'avril 1827, voulut passer la revue de la garde nationale au Champ-de-Mars. Deux jours avant cette fatale revue, poussé par mon zèle et ne demandant qu'à mettre bas les armes, j'adressai à Charles X une lettre qui lui fut remise par M. de Blacas et dont il m'accusa réception par ce billet :

« Je n'ai pas perdu un instant, monsieur le vicomte, pour
« remettre au Roi la lettre que vous m'avez fait l'honneur
« de m'adresser pour Sa Majesté ; et si elle daigne me
« charger d'une réponse, je ne mettrai pas moins d'empres-
« sement à vous la faire parvenir.

« Recevez, monsieur le vicomte, mes compliments les
« plus sincères,

« BLACAS D'AULPS. »

1. Le duc de Liancourt (1747-1827) : philanthrope, fondateur de la première caisse d'épargne de France.
2. Etymologie burlesque.
3. Aux obsèques du duc de Liancourt en 1827 des assistants ayant voulu porter son cercueil sur leurs épaules, une bagarre éclata entre eux et la police.

Ce 27 avril 1827, à 1 heure après midi.

AU ROI.

« Sire,

« Permettez à un sujet fidèle, que les moments d'agi-
« tation retrouveront toujours au pied du trône, de confier à
« Votre Majesté quelques réflexions qu'il croit utiles à la
« gloire de la couronne comme au bonheur et à la sûreté du
« Roi.

« Sire, il n'est que trop vrai, il y a péril dans l'Etat ;
« mais il est également certain que ce péril n'est rien si on
« ne contrarie pas les principes mêmes du gouvernement.

« Un grand secret, Sire, a été révélé : vos ministres
« ont eu le malheur d'apprendre à la France que ce peuple
« que l'on disait ne plus *exister* était tout vivant encore.
« Paris, pendant deux fois vingt-quatre heures, a échappé à
« l'autorité. Les mêmes scènes se répètent dans toute la
« France : les factions n'oublieront pas cet essai.

« Mais les rassemblements populaires, si dangereux
« dans les monarchies absolues, parce qu'ils sont en pré-
« sence du souverain même, sont peu de chose dans la
« monarchie représentative, parce qu'ils ne sont en contact
« qu'avec des ministres ou des lois. Entre le monarque et les
« sujets se trouve une barrière qui arrête tout : les deux
« Chambres et les institutions publiques. En dehors de ces
« mouvements, le Roi voit toujours son autorité et sa
« personne sacrée à l'abri.

« Mais, Sire, il y a une condition indispensable à la
« sûreté générale, c'est d'agir dans l'esprit des institutions :
« une résistance de votre conseil à cet esprit rendrait les
« mouvements populaires aussi dangereux dans la monar-
« chie représentative qu'ils le sont dans la monarchie
« absolue.

« De la théorie je passe à l'application :
« Votre Majesté va paraître à la revue : elle y sera
« accueillie comme elle le doit ; mais il est possible qu'elle
« entende au milieu des cris de *vive le Roi !* d'autres cris qui
« lui feront connaître l'opinion publique sur ses ministres.

« De plus, Sire, il est faux qu'il y ait à présent,
« comme on le dit, une faction républicaine ; mais il est vrai

« qu'il y a des partisans d'une monarchie illégitime : or,
« ceux-ci sont trop habiles pour ne pas profiter de l'occa-
« sion et ne pas mêler leurs voix le 29 à celle de la France
« pour donner le change.

« Que fera le Roi ? cédera-t-il ses ministres aux
« acclamations populaires ? ce serait tuer le pouvoir. Le Roi
« gardera-t-il ses ministres ? ces ministres feront retomber
« sur la tête de leur auguste maître toute l'impopularité qui
« les poursuit. Je sais bien que le Roi aurait le courage de se
« charger d'une douleur personnelle pour éviter un mal à la
« monarchie ; mais on peut, par le moyen le plus simple,
« éviter ces calamités ; permettez-moi, Sire, de vous le dire :
« on le peut en se renfermant dans l'esprit de nos institu-
« tions : les ministres ont perdu la majorité dans la Cham-
« bre des pairs et dans la nation : la conséquence naturelle
« de cette position critique est leur retraite. Comment, avec
« le sentiment de leur devoir, pourraient-ils s'obstiner, en
« restant au pouvoir, à compromettre la couronne ? En
« mettant leur démission aux pieds de Votre Majesté, ils
« calmeront tout, ils finiront tout : ce n'est plus le Roi qui
« cède, ce sont les ministres qui se retirent d'après tous les
« usages et tous les principes du gouvernement représenta-
« tif. Le Roi pourra reprendre ensuite parmi eux ceux qu'il
« jugera à propos de conserver : il y en a deux que l'opinion
« honore, M. le Duc de Doudeauville et M. le comte de
« Chabrol.

« La revue perdrait ainsi ses inconvénients et ne serait
« plus qu'un triomphe sans mélange. La session s'achèvera
« en paix au milieu des bénédictions répandues sur la tête
« de mon Roi.

« Sire, pour avoir osé vous écrire cette lettre, il faut
« que je sois bien persuadé de la nécessité de prendre une
« résolution ; il faut qu'un devoir bien impérieux m'ait
« poussé. Les ministres sont mes ennemis ; je suis le leur ; je
« leur pardonne comme chrétien ; mais je ne leur pardonne-
« rai jamais comme homme : dans cette position, je n'au-
« rais jamais parlé au Roi de leur retraite s'il n'y allait du
« salut de la monarchie.

« Je suis, etc.

« CHATEAUBRIAND. »

LA REVUE. — LICENCIEMENT DE LA GARDE NATIONALE. — LA CHAMBRE ÉLECTIVE EST DISSOUTE. — LA NOUVELLE CHAMBRE. — REFUS DE CONCOURS. — CHUTE DU MINISTÈRE VILLÈLE. — JE CONTRIBUE À FORMER LE NOUVEAU MINISTÈRE ET J'ACCEPTE L'AMBASSADE DE ROME.

MADAME LA DAUPHINE et madame la duchesse de Berry furent insultées en se rendant à la revue ; le Roi fut généralement bien accueilli ; mais une ou deux compagnies de la 6e légion crièrent : « A bas les ministres ! à bas les « jésuites ! » Charles X offensé répliqua : « Je suis venu ici « pour recevoir des hommages, non des leçons. » Il avait souvent à la bouche de nobles paroles que ne soutenait pas toujours la vigueur de l'action : son esprit était hardi, son caractère timide. Charles X, en rentrant au château, dit au maréchal Oudinot [1] : « L'effet total a été satisfaisant. S'il y « a quelques brouillons, la masse de la garde nationale est « bonne : témoignez-lui ma satisfaction. » M. de Villèle arriva. Des légions à leur retour avaient passé devant l'hôtel des finances et crié : A bas Villèle ! Le ministre, irrité par toutes les attaques précédentes, n'était plus à l'abri des mouvements d'une froide colère ; il proposa au conseil de licencier la garde nationale. Il fut appuyé de MM. de Corbière, de Peyronnet, de Damas et de Clermont-Tonnerre, combattu par M. de Chabrol, l'évêque d'Hermopolis [2] et le duc de Doudeauville. Une ordonnance du Roi prononça le licenciement, coup le plus funeste porté à la monarchie

1. Commandant en chef de la Garde nationale.
2. Mgr Frayssinous.

avant le dernier coup' des journées de juillet : si à ce moment la garde nationale ne se fût pas trouvée dissoute, les barricades n'auraient pas eu lieu. M. le duc de Doudeauville donna sa démission ; il écrivit au Roi une lettre motivée dans laquelle il annonçait l'avenir, que tout le monde, au reste, prévoyait.

Le gouvernement commençait à craindre ; les journaux redoublaient d'audace, et on leur opposait, par habitude, un projet de censure ; on parlait en même temps d'un ministère La Bourdonnais, où aurait figuré M. de Polignac. J'avais eu le malheur de faire nommer M. de Polignac ambassadeur à Londres, malgré ce qu'avait pu me dire M. de Villèle : en cette occasion il vit mieux et plus loin que moi. En entrant au ministère, je m'étais empressé de faire quelque chose d'agréable à MONSIEUR. Le président du conseil était parvenu à réconcilier les deux frères, dans la prévision d'un changement prochain de règne : cela lui réussit ; moi, en m'avisant une fois dans ma vie de vouloir être fin, je fus bête. Si M. de Polignac n'eût pas été ambassadeur, il ne serait pas devenu ministre des affaires étrangères.

M. de Villèle, obsédé d'un côté par l'opposition royaliste libérale, importuné de l'autre par les exigences des évêques, trompé par les préfets consultés, qui étaient eux-mêmes trompés, résolut de dissoudre la Chambre élective malgré les trois cents qui lui restaient fidèles. Le rétablissement de la censure précéda la dissolution. J'attaquai plus vivement que jamais ; les oppositions s'unirent ; les élections des petits colléges furent toutes contre le ministère ; à Paris la gauche triompha ; sept colléges nommèrent M. Royer-Collard, et les deux colléges où se présenta M. de Peyronnet, ministre, le rejetèrent. Paris illumina de nouveau : il y eut des scènes sanglantes ; des barricades se formèrent, et les troupes envoyées pour rétablir l'ordre furent obligées de faire feu : ainsi se préparaient les dernières et fatales journées. Sur ces entrefaites, on reçut la nouvelle du combat de Navarin[1], succès dont je pouvais revendiquer ma part. Les grands malheurs de la Restauration ont été annoncés par des

1. Le 20 octobre 1827.

victoires ; elles avaient de la peine à se détacher des héritiers de Louis-le-Grand.

La Chambre des pairs jouissait de la faveur publique par sa résistance aux lois oppressives ; mais elle ne savait pas se défendre elle-même : elle se laissa gorger de fournées contre lesquelles je fus presque le seul à réclamer. Je lui prédis que ces nominations vicieraient son principe et lui feraient perdre à la longue toute force dans l'opinion : me suis-je trompé ? Ces fournées dans le but de rompre une majorité ont non-seulement détruit l'aristocratie en France, mais elles sont devenues le moyen dont on se servira contre l'aristocratie anglaise ; celle-ci sera étouffée sous une nombreuse fabrication de toges, et finira par perdre son hérédité, comme la pairie dénaturée [1] l'a perdue en France.

La nouvelle Chambre arrivée prononça son fameux refus de coucours : M. de Villèle, réduit à l'extrémité, songea à renvoyer une partie de ses collègues et négocia avec MM. Laffitte et Casimir Perier. Les deux chefs de l'opposition de gauche prêtèrent l'oreille : la mèche fut éventée ; M. Laffite n'osa franchir le pas ; l'heure du président sonna, et le portefeuille tomba de ses mains [2]. J'avais rugi en me retirant des affaires ; M. de Villèle se coucha : il eut la velléité de rester à la Chambre des députés ; parti qu'il aurait dû prendre, mais il n'avait ni une connaissance assez profonde du gouvernement représentatif, ni une autorité assez grande sur l'opinion extérieure, pour jouer un pareil rôle : les nouveaux ministres exigèrent son bannissement à la Chambre des pairs, et il l'accepta. Consulté sur quelques remplaçants pour le cabinet, j'invitai à prendre M. Casimir Périer et le général Sébastiani : mes paroles furent perdues.

M. de Chabrol, chargé de composer le nouveau ministère, me mit en tête de la liste : j'en fus rayé avec indignation par Charles X. M. Portalis, le plus misérable caractère qui fut oncques, fédéré pendant les Cent-Jours, rampant aux pieds de la légitimité dont il parla comme aurait rougi de parler le plus ardent royaliste, aujourd'hui prodiguant sa banale adulation à Philippe, reçut les sceaux. A la guerre,

1. Celle de Louis-Philippe. Elle n'était plus héréditaire.
2. La chute de Villèle est du 2 décembre 1827.

M. de Caux remplaça M. de Clermont-Tonnerre. M. le comte Roy, l'habile artisan de son immense fortune, fut chargé des finances. Le comte de La Ferronnays, mon ami, eut le portefeuille des affaires étrangères. M. de Martignac entra au ministère de l'interieur ; le Roi ne tarda pas à le détester. Charles X suivait plutôt ses goûts que ses principes : s'il repoussait M. de Martignac à cause de son penchant aux plaisirs, il aimait MM. de Corbière et de Villèle qui n'allaient pas à la messe.

M. de Chabrol et l'évêque d'Hermopolis restèrent provisoirement au ministère. L'évêque, avant de se retirer, me vint voir ; il me demanda si je le voulais remplacer à l'instruction publique : « Prenez M. Royer-Collard, lui dis-
« je ; je n'ai nulle envie d'être ministre ; mais si le Roi me
« voulait absolument rappeler au conseil, je n'y rentrerais
« que par le ministère des affaires étrangères, en réparation
« de l'affront que j'y ai reçu. Or je ne puis avoir aucune
« prétention sur ce portefeuille, si bien placé entre les
« mains de mon noble ami. »

Après la mort de M. Matthieu de Montmorency, M. de Rivière était devenu gouverneur du duc de Bordeaux ; il travaillait dès lors au renversement de M. de Villèle, car la partie dévote de la cour s'était ameutée contre le ministre des finances. M. de Rivière me donna rendez-vous rue de Taranne, chez M. de Marcellus, pour me faire inutilement la même proposition que me fit plus tard l'abbé Frayssinous. M. de Rivière mourut, et M. le baron de Damas lui succéda auprès de M. le duc de Bordeaux. Il s'agissait donc toujours de la succession de M. de Chabrol et de M. l'évêque d'Hermopolis. L'abbé Feutrier, évêque de Beauvais, fut installé au ministère des cultes, que l'on détacha de l'instruction publique, laquelle tomba à M. de Vatimesnil. Restait le ministère de la marine : on me l'offrit ; je ne l'acceptai point. M. le comte Roy me pria de lui indiquer quelqu'un qui me fût agréable et que je choisirais dans la couleur de mon opinion. Je désignai M. Hyde de Neuville. Il fallait en outre trouver le précepteur de M. le duc de Bordeaux ; le comte Roy m'en parla : M. de Chéverus se présenta tout d'abord à ma pensée. Le ministre des finances

courut chez Charles X ; le Roi lui dit : « Soit : Hyde à la
« marine ; mais pourquoi Chateaubriand ne prend-il
« lui-même ce ministère ? Quant à M. de Chéverus,
« le choix serait excellent ; je suis fâché de n'y avoir pas
« pensé ; deux heures plus tôt, la chose était faite :
« dites-le bien à Chateaubriand, mais M. Tharin[1] est
« nommé. »

M. Roy me vint apprendre le succès de sa négociation ; il
ajouta : « Le Roi désire que vous acceptiez une ambassade :
si vous le voulez, vous irez à Rome. » Ce mot de Rome eut
sur moi un effet magique ; j'éprouvai la tentation à laquelle
les anachorètes étaient exposés dans le désert. Charles X, en
prenant à la marine l'ami que je lui avais désigné, faisait les
premières avances ; je ne pouvais plus me refuser à ce qu'il
attendait de moi : je consentis donc encore à m'éloigner. Du
moins cette fois l'exil me plaisait : *Pontificum veneranda
sedes, sacrum solium*[2]. Je me sentis saisi du désir de fixer
mes jours, de l'envie de disparaître (même par calcul de
renommée) dans la ville des funérailles, au moment de mon
triomphe politique. Je n'aurais plus élevé la voix, sinon
comme l'oiseau fatidique de Pline[3], pour dire chaque matin
Ave au Capitole et à l'aurore. Il se peut qu'il fût utile à mon
pays de se trouver débarrassé de moi : par le poids dont je
me sens, je devine le fardeau que je dois être pour les
autres. Les esprits de quelque puissance qui se rongent
et se retournent sur eux-même sont fatigants. Dante
met aux enfers des âmes torturées sur une couche de
feu.

M. le duc de Laval, que j'allais remplacer à Rome, fut
nommé à l'ambassade de Vienne.

1. Evêque de Strasbourg.
2. « Siége vénérable des pontifes, trône sacré » (texte liturgique).
3. Pline l'Ancien (*Histoire naturelle* X, 121 *sq.*).

Examen d'un reproche.

Avant de changer de sujet, je demande la permission de revenir sur mes pas et de me soulager d'un fardeau. Je ne suis pas entré sans souffrir dans le détail de mon long différend avec M. de Villèle. On m'a accusé d'avoir contribué à la chute de la monarchie légitime ; il me convient d'examiner ce reproche.

Les événements arrivés sous le ministère dont j'ai fait partie ont une importance qui le lie à la fortune commune de la France : il n'y a pas un Français dont le sort n'ait été atteint du bien que je puis avoir fait, du mal que j'ai subi. Par des affinités bizarres et inexplicables, par des rapports secrets qui entrelacent quelquefois de hautes destinées à des destinées vulgaires, les Bourbons ont prospéré tant qu'ils ont daigné m'écouter, quoique je sois loin de croire, avec le poète[1], que *mon éloquence a fait l'aumône à la royauté.* Sitôt qu'on a cru devoir briser le roseau qui croissait au pied du trône, la couronne a penché, et bientôt elle est tombée : souvent, en arrachant un brin d'herbe, on fait crouler une grande ruine.

Ces faits incontestables, on les expliquera comme on voudra ; s'ils donnent à ma carrière politique une valeur relative qu'elle n'a pas d'elle-même, je n'en tirerai point vanité, je ne ressens point une mauvaise joie du hasard qui mêle mon nom d'un jour aux événements des siècles. Quelle qu'ait été la variété des accidents de ma course aventureuse, où que les noms et les faits m'aient promené, le dernier horizon du tableau est toujours menaçant et triste.

1. Béranger, chanson *A Chateaubriand* (cf. Tome III, p. 286).

. . . . Juga cœpta moveri
Silvarum, visaeque canes ululare per umbram [1].

Mais si la scène a changé d'une manière déplorable, je ne dois, dit-on, accuser que moi-même : pour venger ce qui m'a semblé une injure, j'ai tout divisé, et cette division a produit en dernier résultat le renversement du trône. Voyons.

M. de Villèle a déclaré qu'on ne pouvait gouverner ni avec moi ni sans moi. Avec moi, c'était une erreur ; sans moi, à l'heure où M. de Villèle disait cela, il disait vrai, car les opinions les plus diverses me composaient une majorité.

M. le président du conseil ne m'a jamais connu. Je lui étais sincèrement attaché ; je l'avais fait entrer dans son premier ministère, ainsi que le prouvent le billet de remercî- ments de M. le duc de Richelieu et les autres billets que j'ai cités. J'avais donné ma démission de plénipotentiaire à Berlin, lorsque M. de Villèle s'était retiré. On lui persuada qu'à sa seconde rentrée dans les affaires, je désirais sa place. Je n'avais point ce désir. Je ne suis point de la race intrépide, sourde à la voix du dévouement et de la raison. La vérité est que je n'ai aucune ambition ; c'est précisément la passion qui me manque, parce que j'en ai une autre qui me domine. Lorsque je priais M. de Villèle de porter au Roi quelque dépêche importante, pour m'éviter la peine d'aller au château, afin de me laisser le loisir de visiter une chapelle gothique dans la rue Saint-Julien-le-Pauvre, il aurait été bien rassuré contre mon ambition, s'il eût mieux jugé de ma candeur puérile ou de la hauteur de mes dédains.

Rien ne m'agréait dans la vie positive, hormis peut-être le ministère des affaires étrangères. Je n'étais pas insensible à l'idée que la patrie me devrait, dans l'intérieur la liberté, à l'extérieur l'indépendance. Loin de chercher à renverser M. de Villèle, j'avais dit au Roi : « Sire, M. de Villèle est un « président plein de lumières ; Votre Majesté doit éternelle- « ment le garder à la tête de ses conseils. »

M. de Villèle ne le remarqua pas : mon esprit pouvait

1. « Les cimes des bois s'agitèrent, les chiennes semblèrent hurler dans l'ombre » (Virgile, *Enéide* VI, 256 *sq.*).

tendre à la domination, mais il était soumis à mon caractère ; je trouvais plaisir dans mon obéissance, parce qu'elle me débarrassait de ma volonté. Mon défaut capital est l'ennui, le dégoût de tout, le doute perpétuel. S'il se fût rencontré un prince qui, me comprenant, m'eût retenu de force au travail, il avait peut-être quelque parti à tirer de moi : mais le ciel fait rarement naître ensemble l'homme qui veut et l'homme qui peut. En fin de compte, est-il aujourd'hui une chose pour laquelle on voulût se donner la peine de sortir de son lit ? On s'endort au bruit des royaumes tombés pendant la nuit, et que l'on balaye chaque matin devant notre porte. D'ailleurs, depuis que M. de Villèle s'était séparé de moi, la politique s'était dérangée : l'ultracisme contre lequel la sagesse du président du conseil luttait encore l'avait débordé. La contrariété qu'il éprouvait de la part des opinions intérieures et du mouvement des opinions extérieures le rendait irritable : de là la presse entravée, la garde nationale de Paris cassée, etc. Devais-je laisser périr la monarchie, afin d'acquérir le renom d'une modération hypocrite aux aguets ? Je crus très-sincèrement remplir un devoir en combattant à la tête de l'opposition, trop attentif au péril que je voyais d'un côté, pas assez frappé du danger contraire. Lorsque M. de Villèle fut renversé, on me consulta sur la nomination d'un autre ministère. Si l'on eût pris, comme je le proposais, M. Casimir Périer, le général Sébastiani et M. Royer-Collard, les choses auraient pu se soutenir. Je ne voulus point accepter le département de la marine, et je le fis donner à mon ami M. Hyde de Neuville ; je refusai également deux fois l'instruction publique ; jamais je ne serais rentré au conseil sans être le maître. J'allai à Rome chercher parmi les ruines mon autre moi-même, car il y a dans ma personne deux êtres distincts, et qui n'ont aucune communication l'un avec l'autre.

J'en ferai pourtant loyalement l'aveu, l'excès du ressentiment ne me justifie pas selon la règle et le mot vénérable de vertu, mais ma vie entière me sert d'excuse.

Officier au régiment de Navarre, j'étais revenu des forêts de l'Amérique pour me rendre auprès de la légitimité fugitive, pour combattre dans ses rangs contre mes propres lumières, le tout sans conviction, par le seul devoir du soldat. Je restai huit ans sur le sol étranger, accablé de toutes les misères.

Ce large tribut payé, je rentrai en France en 1800. Bonaparte me rechercha et me plaça ; à la mort du duc d'Enghien, je me dévouai de nouveau à la mémoire des Bourbons. Mes paroles sur le tombeau de Mesdames à Trieste ranimèrent la colère du dispensateur des empires ; il menaça de me faire sabrer sur les marches des Tuileries. La brochure *De Bonaparte et des Bourbons* valut à Louis XVIII, de son aveu même, autant que cent mille hommes.

A l'aide de la popularité dont je jouissais alors, la France anticonstitutionnelle comprit les institutions de la royauté légitime. Durant les Cent-Jours, la monarchie me vit auprès d'elle dans son second exil. Enfin, par la guerre d'Espagne, j'avais contribué à étouffer les conspirations, à réunir les opinions sous la même cocarde, et à rendre à notre canon sa portée. On sait le reste de mes projets : reculer nos frontières, donner dans le nouveau monde des couronnes nouvelles à la famille de saint Louis.

Cette longue persévérance dans les mêmes sentiments méritait peut-être quelques égards. Sensible à l'affront, il m'était impossible de mettre aussi de côté ce que je pouvais valoir, d'oublier tout-à-fait que j'étais le restaurateur de la religion, l'auteur du *Génie du christianisme*.

Mon agitation croissait nécessairement encore à la pensée qu'une mesquine querelle faisait manquer à notre patrie une occasion de grandeur qu'elle ne retrouverait plus. Si l'on m'avait dit : « Vos plans seront suivis ; on exécutera « sans vous ce que vous aviez entrepris, » j'aurais tout oublié pour la France. Malheureusement j'avais la croyance qu'on n'adopterait pas mes idées ; l'événement l'a prouvé.

J'étais dans l'erreur peut-être, mais j'étais persuadé que M. le comte de Villèle ne comprenait pas la société qu'il conduisait ; je suis convaincu que les solides qualités de cet habile ministre étaient inadéquates à l'heure de son ministère : il était venu trop tôt sous la restauration. Les opérations de finances, les associations commerciales, le mouvement industriel, les canaux, les bateaux à vapeur, les chemins de fer, les grandes routes, une société matérielle qui n'a de passion que pour la paix, qui ne rêve que le confort de la vie, qui ne veut faire de l'avenir qu'un perpétuel aujourd'hui, dans cet ordre de choses, M. de Villèle eût été roi. M. de Villèle a voulu un temps qui ne pouvait être à lui, et, par honneur, il ne veut pas d'un temps qui lui appartient. Sous la restauration, toutes les facultés de l'âme étaient vivantes ; tous les partis rêvaient de réalités ou de chimères ; tous, avançant ou reculant, se heurtaient en tumulte ; personne ne prétendait rester où il était ; la légitimité constitutionnelle ne paraissait à aucun esprit ému le dernier mot de la république ou de la monarchie. On sentait sous ses pieds remuer dans la terre des armées ou des révolutions qui venaient s'offrir pour des destinées extraordinaires. M. de Villèle était éclairé sur ce mouvement ; il voyait croître les ailes qui, poussant à la nation, l'allaient rendre à son élément, à l'air, à l'espace, immense et légère qu'elle est. M. de Villèle voulait retenir cette nation sur le sol, l'attacher en bas, mais il n'en eut jamais la force. Je voulais, moi, occuper les Français à la gloire, les attacher en haut, essayer de les mener à la réalité par des songes : c'est ce qu'ils aiment.

Il serait mieux d'être plus humble, plus prosterné, plus chrétien. Malheureusement je suis sujet à faillir ; je n'ai point la perfection évangélique : si un homme me donnait un soufflet, je ne tendrais pas l'autre joue[1].

Eussé-je deviné le résultat, certes je me serais abstenu ; la majorité qui vota la phrase sur le refus de concours ne l'eût pas votée si elle eût prévu la conséquence de son vote. Personne ne désirait sérieusement une catastrophe, excepté quelques hommes à part. Il n'y a eu d'abord qu'une émeute, et la légitimité seule l'a transformée en révolution ; le moment venu, elle a manqué de l'intelligence, de la prudence, de la résolution qui la pouvaient encore sauver. Après tout, c'est une monarchie tombée ; il en tombera bien d'autres : je ne lui devais que ma fidélité ; elle l'aura à jamais.

Dévoué aux premières adversités de la monarchie, je me suis consacré à ses dernières infortunes : le malheur me trouvera toujours pour second. J'ai tout renvoyé, places,

1. Allusion à l'Evangile (*Matt.* V, 39).

pensions, honneurs ; et, afin de n'avoir rien à demander à personne, j'ai mis en gage mon cercueil[1]. Juges austères et rigides, vertueux et infaillibles royalistes, qui avez mêlé un serment à vos richesses, comme vous mêlez le sel aux viandes de votre festin pour les conserver, ayez un peu d'indulgence à l'égard de mes amertumes passées, je les expie aujourd'hui à ma manière, qui n'est pas la vôtre. Croyez-vous qu'à l'heure du soir, à cette heure où l'homme de peine se repose, il ne sente pas le poids de la vie, quand ce poids lui est rejeté sur les bras ? Et cependant, j'ai pu ne pas porter le fardeau, j'ai vu Philippe dans son palais, du 1er au 6 août 1830, et je le raconterai en son lieu ; il n'a tenu qu'à moi d'écouter des paroles généreuses[2].

Plus tard, si j'avais pu me repentir d'avoir bien fait, il m'était encore possible de revenir sur le premier mouvement de ma conscience. M. Benjamin Constant, homme si puissant alors, m'écrivait le 20 septembre[3] : « J'aimerais bien « mieux vous écrire sur vous que sur moi, la chose aurait « plus d'importance. Je voudrais pouvoir vous parler de la « perte que vous faites essuyer à la France entière en vous « retirant de ses destinées, vous qui avez exercé sur elle une « influence si noble et si salutaire ! Mais il y aurait indiscré- « tion à traiter ainsi des questions personnelles, et je dois, « en gémissant comme tous les Français, respecter vos « scrupules. »

Mes devoirs ne me semblant point encore consommés, j'ai défendu la veuve et l'orphelin, j'ai subi les procès et la prison que Bonaparte, même dans ses plus grandes colères, m'avait épargnés. Je me présente entre ma démission à la mort du duc d'Enghien et mon cri pour l'enfant dépouillé ; je m'appuie sur un prince fusillé et sur un prince banni ; ils soutiennent mes vieux bras entrelacés à leurs bras débiles : royalistes, êtes-vous aussi bien accompagnés ?

Mais plus j'ai garroté ma vie par les liens du dévouement

---

1. En vendant mes *Mémoires*.
2. Sur les offres que fera le duc d'Orléans à Chateaubriand au début d'août 1830, voir Tome III, page 231.
3. Trois mois avant sa mort.

et de l'honneur, plus j'ai échangé la liberté de mes actions contre l'indépendance de ma pensée ; cette pensée est rentrée dans sa nature. Maintenant, en dehors de tout, j'apprécie les gouvernements ce qu'ils valent. Peut-on croire aux Rois de l'avenir ? faut-il croire aux peuples du présent ? L'homme sage et inconsolé de ce siècle sans conviction ne rencontre un misérable repos que dans l'athéisme politique. Que les jeunes générations se bercent d'espérances : avant de toucher au but, elles attendront de longues années ; les âges vont au nivellement général, mais ils ne hâtent point leur marche à l'appel de nos désirs : le temps est une sorte d'éternité appropriée aux choses mortelles ; il compte pour rien les races et leurs couleurs dans les œuvres qu'il accomplit.

Il résulte de ce qu'on vient de lire que si l'on avait fait ce que j'avais conseillé, que si d'étroites envies n'avaient préféré leur satisfaction à l'intérêt de la France, que si le pouvoir avait mieux apprécié les capacités relatives, que si les cabinets étrangers avaient jugé, comme Alexandre, que le salut de la monarchie française était dans des institutions libérales ; que si ces cabinets n'avaient point entretenu l'autorité rétablie dans la défiance du principe de la Charte, la légitimité occuperait encore le trône. Ah ! ce qui est passé est passé ! on a beau retourner en arrière, se remettre à la place que l'on a quittée, on ne retrouve rien de ce qu'on y avait laissé : hommes, idées, circonstances, tout s'est évanoui.

Paris, 1839.

MADAME RÉCAMIER.

NOUS passons à l'ambassade de Rome, à cette Italie le rêve de mes jours. Avant de continuer mon récit, je dois parler d'une femme qu'on ne perdra plus de vue jusqu'à la fin de ces *Mémoires*. Une correspondance va s'ouvrir de Rome à Paris entre elle et moi : il faut donc savoir à qui j'écris, comment et à quelle époque j'ai connu madame Récamier.

Elle rencontra aux divers rangs de la société des personnages plus ou moins célèbres engagés sur la scène du monde ; tous lui ont rendu un culte. Sa beauté mêle son existence idéale aux faits matériels de notre histoire : lumière sereine éclairant un tableau d'orage.

Revenons encore sur des temps écoulés ; essayons à la clarté de mon couchant de dessiner un portrait sur le ciel où ma nuit qui s'approche va bientôt répandre ses ombres.

Une lettre[1], publiée dans le *Mercure* après ma rentrée en France en 1800, avait frappé madame de Staël. Je n'étais pas encore rayé de la liste des émigrés ; *Atala* me tira de mon obscurité. Madame Bacciocchi (Elisa Bonaparte), à la prière de M. de Fontanes, sollicita et obtint ma radiation dont madame de Staël s'était occupée ; j'allai la remercier. Je ne me souviens plus si ce fut Christian de Lamoignon ou l'auteur de *Corinne*[2] qui me présenta à madame Récamier son amie ; celle-ci demeurait alors dans sa maison de la rue du Mont-Blanc. Au sortir de mes bois et de l'obscurité de ma vie, j'étais encore tout sauvage ; j'osai à peine lever les yeux sur une femme entourée d'adorateurs.

Environ un mois après, j'étais un matin chez madame de Staël ; elle m'avait reçu à sa toilette ; elle se laissait habiller par Mlle Olive, tandis qu'elle causait en roulant dans ses doigts une petite branche verte. Entre tout à coup madame Récamier, vêtue d'une robe blanche ; elle s'assit au milieu d'un sofa de soie bleue. Madame de Staël, restée debout, continua sa conversation fort ani-

---

1. La *Lettre au citoyen Fontanes sur la seconde édition de l'ouvrage de Mme de Staël* (cf. Tome I, p. 507) a paru dans le *Mercure* du 1er nivose an IX (22 décembre 1800). Elle est signée de «l'auteur du *Génie du Christianisme*». Le *Génie* ne devait paraître que seize mois plus tard.

2. *Corinne* ne paraîtra qu'en 1807. La première rencontre de Julie de Récamier et de Chateaubriand semble pouvoir être datée de mai 1801.

mée, et parlait avec éloquence ; je répondais à peine, les yeux attachés sur madame Récamier. Je n'avais jamais inventé rien de pareil, et plus que jamais je fus découragé : mon admiration se changea en humeur contre ma personne. Madame Récamier sortit et je ne la revis plus que douze ans après.

Douze ans ! quelle puissance ennemie coupe et gaspille ainsi nos jours, les prodigue ironiquement à toutes les indifférences appelées attachements, à toutes les misères surnommées félicités ! Puis, par une autre dérision, quand elle en a flétri et dépensé la partie la plus précieuse, elle vous ramène au point de départ de vos courses. Et comment vous y ramène-t-elle ? l'esprit obsédé des idées étrangères, des fantômes importuns, des sentiments trompés ou incomplets d'un monde qui ne vous a laissé rien d'heureux. Ces idées, ces fantômes, ces sentiments s'interposent entre vous et le bonheur que vous pourriez encore goûter. Vous revenez le cœur souffrant de regrets, désolés de ces erreurs de jeunesse si pénibles au souvenir dans la pudeur des années. Voilà comme je revins après avoir été à Rome, en Syrie, après avoir vu passer l'empire, après être devenu l'homme du bruit, après avoir cessé d'être l'homme du silence. Madame Récamier qu'avait-elle fait ? quelle avait été sa vie ?

Je n'ai point connu la plus grande partie de l'existence à la fois éclatante et retirée dont je vais vous entretenir : force m'est donc de recourir à des autorités différentes de la mienne, mais elles seront irrécusables. D'abord madame Récamier m'a raconté des faits dont elle a été témoin et m'a communiqué des lettres précieuses. Elle a écrit, sur ce qu'elle a vu, des notes dont elle m'a permis de consulter le texte, et trop rarement de le citer. Ensuite madame de Staël dans sa correspondance, Benjamin Constant dans ses souvenirs, les uns imprimés, les autres manuscrits, M. Ballanche dans une notice sur notre commune amie, madame la duchesse d'Abrantès dans ses esquisses, madame de Genlis dans les siennes, ont abondamment fourni les matériaux de ma narration : je n'ai fait que nouer les uns aux autres tant de beaux noms, en remplissant les vides par mon récit, quand quelques anneaux de la chaîne des événements étaient sautés ou rompus.

Montaigne dit que les hommes vont béant aux choses futures [1] : j'ai la manie de béer aux choses passées. Tout est plaisir, surtout lorsque l'on tourne les yeux sur les premières années de ceux que l'on chérit : on allonge une vie aimée ; on étend l'affection que l'on ressent sur des jours que l'on a ignorés et que l'on ressuscite ; on embellit ce qui fut de ce qui est ; on recompose de la jeunesse.

ENFANCE DE MADAME RÉCAMIER.

J'AI VU à Lyon le *Jardin des Plantes* établi sur les ruines de l'amphithéâtre antique et dans les jardins de l'ancienne *abbaye de la Déserte,* maintenant abattue : le Rhône et la Saône sont à vos pieds ; au loin s'élève la plus haute montagne de l'Europe, première colonne milliaire de l'Italie, avec son écriteau blanc au-dessus des nuages. Madame Récamier fut mise dans cette abbaye, elle y passa son enfance derrière une grille qui ne s'ouvrait sur l'église extérieure qu'à l'élévation de la messe. Alors on apercevait dans la chapelle intérieure du couvent de jeunes filles prosternées. La fête de l'abbesse était la fête principale de la communauté ; la plus belle des pensionnaires faisait le compliment d'usage : sa parure était ajustée, sa chevelure nattée, sa tête voilée et couronnée des mains de ses compagnes ; et tout cela en

1. *Essais* I, III.

611

silence, car l'heure du lever était une de celles qu'on appelait du *grand silence* dans les monastères. Il va de suite que Juliette avait les honneurs de la journée. Son père et sa mère s'étant établis à Paris rappelèrent leur enfant auprès d'eux. Sur des brouillons écrits par madame Récamier je recueille cette note :

« La veille du jour où ma tante devait venir me « chercher, je fus conduite dans la chambre de madame « l'abbesse pour recevoir sa bénédiction. Le lendemain, « baignée de larmes, je venais de franchir la porte que je « ne me souvenais pas d'avoir vu s'ouvrir pour me laisser « entrer, je me trouvai dans une voiture avec ma tante, et « nous partîmes pour Paris.

« Je quitte à regret une époque si calme et si pure « pour entrer dans celle des agitations. Elle me revient « quelquefois comme dans un vague et doux rêve, avec « ses nuages d'encens, ses cérémonies infinies, ses proces- « sions dans les jardins, ses chants et ses fleurs. »

Ces heures sorties d'un pieux désert se reposent mainte-nant dans une autre solitude religieuse, sans avoir rien perdu de leur fraîcheur et de leur harmonie.

JEUNESSE DE MADAME RÉCAMIER.

Benjamin Constant, l'homme qui a eu le plus d'esprit après Voltaire, cherche à donner une idée de la première jeunesse de madame Récamier : il a puisé dans le modèle dont il prétendait retracer les traits une grâce qui ne lui était pas naturelle.

« Parmi les femmes de notre époque, dit-il, que des « avantages de figure, d'esprit ou de caractère ont rendues « célèbres, il en est une que je veux peindre. Sa beauté « l'a d'abord fait admirer ; son âme s'est ensuite fait « connaître, et son âme a encore paru supérieure à sa « beauté. L'habitude de la société a fourni à son esprit le « moyen de se déployer, et son esprit n'est resté au-des- « sous ni de sa beauté ni de son âme.

« A peine âgée de treize ans, mariée à un homme « qui, occupé d'affaires immenses, ne pouvait guider son

« extrême jeunesse, madame Récamier se trouva presque
« entièrement livrée à elle-même dans un pays qui était
« encore un chaos.

« Plusieurs femmes de la même époque ont rempli
« l'Europe de leurs diverses célébrités. La plupart ont
« payé le tribut à leur siècle, les unes par des amours
« sans délicatesse, les autres par de coupables condescen-
« dances envers les tyrannies successives.

« Celle que je peins sortit brillante et pure de cette
« atmosphère qui flétrissait ce qu'elle ne corrompait pas.
« L'enfance fut d'abord pour elle une sauvegarde, tant
« l'auteur de ce bel ouvrage faisait tourner tout à son
« profit. Eloignée du monde dans une solitude embellie
« par les arts, elle se faisait une douce occupation de
« toutes ces études charmantes et poétiques qui restent le
« charme d'un autre âge.

« Souvent aussi, entourée de jeunes compagnes, elle
« se livrait avec elles à des jeux bruyants. Svelte et
« légère, elle les devançait à la course ; elle couvrait d'un
« bandeau ses yeux qui devaient un jour pénétrer toutes
« les âmes. Son regard aujourd'hui si expressif et si
« profond, et qui semble nous révéler des mystères
« qu'elle-même ne connaît pas, n'étincelait alors que
« d'une gaieté vive et folâtre. Ses beaux cheveux, qui ne
« peuvent se détacher sans nous remplir de trouble,
« tombaient alors, sans danger pour personne, sur ses
« blanches épaules. Un rire éclatant et prolongé inter-
« rompait souvent ses conversations enfantines ; mais
« déjà l'on eût pu remarquer en elle cette observation
« fine et rapide qui saisit le ridicule, cette malignité
« douce qui s'en amuse sans jamais blesser, et surtout ce
« sentiment exquis d'élégance, de pureté, de bon goût,
« véritable noblesse native, dont les titres sont empreints
« sur les êtres privilégiées.

« Le grand monde d'alors était trop contraire à sa
« nature pour qu'elle ne préférât pas la retraite. On ne la
« vit jamais dans les maisons ouvertes à tout venant,
« seules réunions possibles quand toute société fermée eût
« été suspecte ; où toutes les classes se précipitaient, parce
« qu'on pouvait y parler sans rien dire, s'y rencontrer

« sans se compromettre ; où le mauvais ton tenait lieu
« d'esprit et le désordre de gaieté. On ne la vit jamais à
« cette cour du Directoire, où le pouvoir était tout à la
« fois terrible et familier, inspirant la crainte sans échap-
« per au mépris.

   « Cependant madame Récamier sortait quelquefois
« de sa retraite pour aller au spectacle ou dans les
« promenades publiques, et, dans ces lieux fréquentés par
« tous, ces rares apparitions étaient de véritables événe-
« ments. Tout autre but de ces réunions immenses était
« oublié, et chacun s'élançait sur son passage. L'homme
« assez heureux pour la conduire avait à surmonter
« l'admiration comme un obstacle ; ses pas étaient à
« chaque instant ralentis par les spectateurs pressés
« autour d'elle ; elle jouissait de ce succès avec la gaieté
« d'un enfant et la timidité d'une jeune fille ; mais la
« dignité gracieuse, qui dans sa retraite la distinguait de
« ses jeunes amies, contenait au dehors la foule efferves-
« cente. On eût dit qu'elle régnait également par sa seule
« présence sur ses compagnes et sur le public. Ainsi se
« passèrent les premières années du mariage de madame
« Récamier, entre des occupations poétiques, des jeux
« enfantins dans la retraite, et de courtes et brillantes
« apparitions dans le monde. »

Interrompant le récit de l'auteur d'*Adolphe,* je dirai
que, dans cette société succédant à la Terreur, tout le
monde craignait d'avoir l'air de posséder un foyer. On se
rencontrait dans les lieux publics, surtout au *Pavillon
d'Hanovre* 1 : quand je vis ce pavillon, il était abandonné
comme la salle d'une fête d'hier, ou comme un théâtre
dont les acteurs étaient à jamais descendus. Là, s'étaient
retrouvées des jeunes échappées de prison à qui André
Chénier avait fait dire :

            Je ne veux point mourir encore.

   1. Velloni avait installé son café dans ce pavillon construit en 1760 par
le maréchal de Richelieu. C'était le rendez-vous des Merveilleuses (il
s'élevait sur l'actuel boulevard des Italiens).

Madame Récamier avait rencontré Danton allant au supplice, et elle vit bientôt après quelques-unes des belles victimes dérobées à des hommes devenus eux-mêmes victimes de leur propre fureur.

Je reviens à mon guide Benjamin Constant :

« L'esprit de madame Récamier avait besoin d'un « autre aliment. L'instinct du beau lui faisait aimer « d'avance, sans les connaître, les hommes distingués par « une réputation de talent et de génie.

« M. de Laharpe, l'un des premiers, sut apprécier « cette femme qui devait un jour grouper autour d'elle « toutes les célébrités de son siècle. Il l'avait rencontrée « dans son enfance, il la revit mariée, et la conversation « de cette jeune personne de quinze ans eut mille attraits « pour un homme que son excessif amour-propre et « l'habitude des entretiens avec les hommes les plus « spirituels de France rendaient fort exigeant et fort « difficile.

« M. de Laharpe se dégageait auprès de madame « Récamier de la plupart des défauts qui rendaient son « commerce épineux et presque insupportable. Il se plai- « sait à être son guide : il admirait avec quelle rapidité « son esprit suppléait à l'expérience et comprenait tout ce « qu'il lui révélait sur le monde et sur les hommes. « C'était au moment de cette conversion fameuse que tant « de gens ont qualifiée d'hypocrisie. J'ai toujours regardé « cette conversion comme sincère. Le sentiment religieux « est une faculté inhérente à l'homme ; il est absur- « de de prétendre que la fraude et le mensonge aient créé « cette faculté. On ne met rien dans l'âme humaine « que ce que la nature y a mis. Les persécutions, les « abus d'autorité en faveur de certains dogmes peuvent « nous faire illusion à nous-mêmes et nous révolter « contre ce que nous éprouverions si on ne nous l'im- « posait pas ; mais, dès que les causes extérieures ont « cessé, nous revenons à notre tendance primitive : « quand il n'y a plus de courage à résister, nous « ne nous applaudissons plus de notre résistance. « Or, la révolution ayant ôté ce mérite à l'incré- « dulité, les hommes que la vanité seule avait ren-

« dus incrédules purent devenir religieux de bonne foi.
  « M. de Laharpe était de ce nombre ; mais il garda
« son caractère intolérant, et cette disposition amère qui
« lui faisait concevoir de nouvelles haines sans abjurer les
« anciennes. Toutes ces épines de sa dévotion disparais-
« saient cependant auprès de madame Récamier. »

  Voici quelques fragments des lettres de M. de Laharpe
à Madame Récamier, dont Benjamin Constant vient de
parler :

                                        « Samedi, 28 septembre.

  « Quoi, madame, vous portez la bonté jusqu'à vou-
« loir honorer d'une visite un pauvre proscrit comme moi !
« C'est pour cette fois que je pourrai dire comme les
« anciens patriarches, à qui d'ailleurs je ressemble si peu,
« « qu'un ange est venu dans ma demeure. » Je sais bien
« que vous aimez à faire *œuvres de miséricorde ;* mais,
« par le temps qui court, tout *bien* est difficile, et celui-là
« comme les autres. Je dois vous prévenir, à mon grand
« regret, que venir seule est d'abord impossible pour bien
« des raisons ; entre autres, qu'avec votre jeunesse et votre
« figure dont l'éclat vous suivra partout, vous ne sauriez
« voyager sans une femme de chambre à qui la prudence
« me défend de confier le secret de ma retraite qui n'est
« pas à moi seul. Vous n'auriez donc qu'un moyen
« d'exécuter votre généreuse résolution, ce serait de vous
« consulter avec madame de Clermont [1] qui vous amène-
« rait un jour dans son petit castel champêtre, et de là il
« vous serait très-aisé de venir avec elle. Vous êtes faites
« toutes deux pour vous apprécier et pour vous aimer
« l'une et l'autre. . . . .
« Je fais dans ce moment-ci beaucoup de vers. En les
« faisant, je songe souvent que je pourrai les lire un jour
« à cette belle et charmante Juliette dont l'esprit est
« aussi fin que le regard, et le goût aussi pur que son

  1. La comtesse de Clermont-Tonnerre passait pour avoir converti La
Harpe quand ils avaient été incarcérés ensemble sous la Terreur.

« âme. Je vous enverrais bien aussi le fragment d'Adonis
« que vous aimez, quoique devenu un peu profane pour
« moi ; mais je voudrais la promesse qu'il ne sortira pas
« de vos mains. . . . .
  « Adieu, madame ; je me laisse aller avec vous à des
« idées que toute autre que vous trouverait bien extraor-
« dinaire d'adresser à une personne de seize ans, mais je
« sais que vos seize ans ne sont que sur votre figure. »

« Samedi.

  « Il y a bien longtemps, madame, que je n'ai eu le
« plaisir de causer avec vous, et si vous êtes sûre, comme
« vous devez l'être, que c'est une de mes privations, vous
« ne m'en ferez pas de reproches. . . . .
  « Vous avez lu dans mon âme : vous y avez vu que j'y
« portais le deuil des malheurs publics et celui de mes
« propres fautes, et j'ai dû sentir que cette triste disposi-
« tion formait un contraste trop fort avec tout l'éclat qui
« environne votre âge et vos charmes. Je crains même
« qu'il ne se soit fait apercevoir quelquefois dans le peu
« de moments qu'il m'a été permis de passer avec vous, et
« je réclame là-dessus votre indulgence. Mais à présent,
« madame, que la Providence semble nous montrer de
« bien près un meilleur avenir, à qui pourrais-je confier
« mieux qu'à vous la joie que me donnent des espérances
« si douces et que je crois si prochaines ? Qui tiendra une
« plus grande place que vous dans les jouissances particu-
« lières qui se mêleront à la joie publique ? Je serai alors
« plus susceptible et moins indigne des douceurs de votre
« charmante société, et combien je m'estimerai heureux
« de pouvoir y être encore pour quelque chose ! Si vous
« daignez mettre le même prix au fruit de mon travail,
« vous serez toujours la première à qui je m'empresserai
« d'en faire hommage. Alors plus de contradictions et
« d'obstacles ; vous me trouverez toujours à vos ordres, et
« personne, je l'espère, ne pourra me blâmer de cette
« préférence. Je dirai : Voilà celle qui, dans l'âge des
« illusions et avec tous les avantages brillants qui peuvent
« les excuser, a connu toute la noblesse et la délicatesse

« des procédés de la plus pure amitié, et au milieu de
« tous les hommages s'est souvenue d'un proscrit. Je
« dirai : Voilà celle dont j'ai vu croître la jeunesse et les
« grâces au milieu d'une corruption générale qui n'a
« jamais pu les atteindre ; celle dont la raison de seize ans
« a souvent fait honte à la mienne : et je suis sûr que
« personne ne sera tenté de me contredire. »

La tristesse des événements, de l'âge et de la religion, cachée sous une expression attendrie, offre dans
ces lettres un singulier mélange de pensée et de
style. Revenons encore au récit de Benjamin Constant :

« Nous arrivons à l'époque où madame Récamier se vit
« pour la première fois l'objet d'une passion forte
« et suivie. Jusqu'alors elle avait reçu des hommages
« unanimes de la part de tous ceux qui la rencon-
« traient, mais son genre de vie ne présentait nulle
« part des centres de réunion où l'on fût sûr de la
« retrouver. Elle ne recevait jamais chez elle et ne
« s'était point encore formé de société où l'on pût
« pénétrer tous les jours pour la voir et essayer de lui
« plaire.

« Dans l'été de 1799, madame Récamier vint habiter
« le château de Clichy, à un quart de lieue de Paris. Un
« homme célèbre depuis par divers genres de prétentions,
« et plus célèbre encore par les avantages qu'il a refusés
« que par les succès qu'il a obtenus, Lucien Bonaparte, se
« fit présenter à elle.

« Il n'avait aspiré jusqu'alors qu'à des conquêtes
« faciles, et n'avait étudié pour les obtenir que les
« moyens de romans que son peu de connaissance du
« monde lui représentait comme infaillibles. Il est possi-
« ble que l'idée de captiver la plus belle femme de son
« temps l'ait séduit d'abord. Jeune, chef d'un parti dans
« le conseil des Cinq-Cents, frère du premier général du
« siècle, il fut flatté de réunir dans sa personne les
« triomphes d'un homme d'Etat et les succès d'un
« amant.

« Il imagina de recourir à une fiction pour déclarer son
« amour à madame Récamier ; il supposa une lettre de

« *Romeo à Juliette,* et l'envoya comme un ouvrage de lui
« à celle qui portait le même nom. »

Voici cette lettre de Lucien, connue de Benjamin Constant ; au milieu des révolutions qui ont agité le monde réel, il est piquant de voir un Bonaparte s'enfoncer dans le monde des fictions.

LETTRE DE ROMÉO À JULIETTE
PAR L'AUTEUR DE *la Tribu indienne* [1].

« Venise, 29 juillet.

« Roméo vous écrit, Juliette : si vous refusiez de me lire,
« vous seriez plus cruelle que nos parents dont les longues
« querelles viennent enfin de s'apaiser : sans doute ces
« affreuses querelles ne renaîtront plus . . . .
. . . .
« Il y a peu de jours je ne vous connaissais encore que par
« la renommée. Je vous avais aperçue quelquefois dans les
« temples et dans les fêtes ; je savais que vous étiez la plus
« belle, mille bouches répétaient vos éloges, et vos attraits
« m'avaient frappé sans m'éblouir... Pourquoi la paix
« m'a-t-elle livré à votre empire ? La paix ! elle est dans nos
« familles, mais le trouble est dans mon cœur . . . .

« Rappelez-vous ce jour où pour la première fois je
« vous fus présenté. Nous célébrions dans un banquet
« nombreux la réconciliation de nos pères. Je revenais du
« sénat où les troubles suscités à la République avaient
« produit une vive impression . . . .
« Vous arrivâtes ; tous alors s'empressaient. Qu'elle est
« belle ! s'écriait-on. . . . .
« La foule remplit dans la soirée les jardins de
« Bedmar. Les importuns, qui sont partout, s'emparèrent
« de moi. Cette fois je n'eus avec eux ni patience ni
« affabilité : ils me tenaient éloigné de vous !... Je voulus
« me rendre compte du trouble qui s'emparait de moi. Je

1. Lucien Bonaparte venait de publier ce roman en deux volumes. Il était très épris de Juliette.

« connus l'amour et je voulus le maîtriser..... Je fus
« entraîné et je quittai avec vous ce lieu de fêtes.

« Je vous ai revue depuis ; l'amour a semblé me
« sourire. Un jour, assise au bord de l'eau, immobile et
« rêveuse, vous effeuilliez une rose ; seul avec vous j'ai
« parlé..... j'ai entendu un soupir... vaine illusion ! Revenu
« de mon erreur, j'ai vu l'indifférence au front tranquille
« assise entre nous deux.... La passion qui me maîtrise
« s'exprimait dans mes discours, et les vôtres portaient
« l'aimable et cruelle empreinte de l'enfance et de la
« plaisanterie.

« Chaque jour je voudrais vous voir, comme si le
« trait n'était pas assez fixé dans mon cœur. Les
« moments où je vous vois seule sont bien rares, et ces
« jeunes Vénitiens qui vous entourent et vous parlent
« fadeur et galanterie me sont insupportables. Peut-on
« parler à Juliette comme aux autres femmes !

« J'ai voulu vous écrire ; vous me connaîtrez, vous ne
« serez plus incrédule. Mon âme est inquiète ; elle a soif
« de sentiment. Si l'amour n'a pas ému le vôtre, si
« Romeo n'est à vos yeux qu'un homme ordinaire, oh !
« je vous en conjure par les liens que vous m'avez
« imposés soyez avec moi sévère par bonté ; ne me
« souriez plus, ne me parlez plus, repoussez-moi loin de
« vous. Dites-moi de m'éloigner, et si je puis exécuter
« cet ordre rigoureux, souvenez-vous au moins
« que Romeo vous aimera toujours ; que personne
« n'a jamais régné sur lui comme Juliette, et qu'il
« ne peut plus renoncer à vivre pour elle au moins par le
« souvenir. »

Pour un homme de sang-froid, tout cela est un peu
moquable : les Bonapartes vivaient de théâtres, de romans
et de vers ; la vie de Napoléon lui-même est-elle autre
chose qu'un poëme ?

Benjamin Constant continue en commentant cette
lettre : « Le style de cette lettre est visiblement imité de
« tous les romans qui ont peint les passions, depuis
« *Werther* jusqu'à *la Nouvelle Héloïse*. Madame Réca-
« mier reconnut facilement à plusieurs circonstances de
« détail qu'elle-même était l'objet de la déclaration

« qu'on lui présentait comme une simple lecture. Elle
« n'était pas assez accoutumée au langage direct de
« l'amour pour être avertie par l'expérience que tout
« dans les expressions n'était peut-être pas sincère ; mais
« un instinct juste et sûr l'en avertissait ; elle répondit
« avec simplicité, avec gaieté même, et montra bien plus
« d'indifférence que d'inquiétude et de crainte. Il n'en
« fallut pas davantage pour que Lucien éprouvât
« réellement la passion qu'il avait d'abord un peu exa-
« gérée.

« Les lettres de Lucien deviennent plus vraies, plus
« éloquentes, à mesure qu'il devient plus passionné ; on y
« voyait bien toujours l'ambition des ornements, le besoin
« de se mettre en attitude ; il ne peut s'endormir sans se
« *jeter dans les bras de Morphée*. Au milieu de son
« désespoir, il se décrit livré aux grandes occupations qui
« l'entourent ; il s'étonne de ce qu'un homme comme lui
« verse des larmes ; mais dans tout cet alliage de déclama-
« tion et de phrases il y a pourtant de l'éloquence, de la
« sensibilité et de la douleur. Enfin, dans une lettre pleine
« de passion où il écrit à madame Récamier : « Je ne puis
« vous haïr, mais je puis me tuer, » il dit tout à coup en
« réflexion générale : J'oublie que l'amour ne s'arrache
« pas, il s'obtient. » Puis il ajoute : « Après la réception de
« votre billet, j'en ai reçu plusieurs diplomatiques ; j'ai
« appris une nouvelle que le bruit public vous aura sans
« doute apprise. Les félicitations m'entourent, m'étourdis-
« sent..... on me parle de ce qui n'est pas vous ! » Puis
« encore une exclamation : « Que la nature est faible,
« comparée à l'amour ! »

« Cette nouvelle qui trouvait Lucien insensible était pour-
« tant une nouvelle immense : le débarquement de Bona-
« parte à son retour d'Egypte.

« Un destin nouveau venait de débarquer avec ses
« promesses et ses menaces ; le dix-huit brumaire ne
« devait pas se faire attendre plus de trois semaines.

« A peine échappé au danger de cette journée qui tiendra
« toujours une si grande place dans l'histoire, Lucien
« écrivait à madame Récamier : « Votre image m'est appa-
« rue !...... Vous auriez eu ma dernière pensée. »

SUITE DU RÉCIT DE BENJAMIN CONSTANT.

MADAME DE STAËL.

« MADAME RÉCAMIER contracta, avec une femme bien
« autrement illustre que M. de Laharpe n'était célèbre,
« une amitié qui devint chaque jour plus intime et qui
« dure encore.

« M. Necker, ayant été rayé de la liste des émigrés,
« chargea madame de Staël, sa fille, de vendre une
« maison qu'il avait à Paris. Madame Récamier l'acheta,
« et ce fut une occasion pour elle de voir madame de
« Staël.

« La vue de cette femme célèbre la remplit d'abord
« d'une excessive timidité. La figure de madame de Staël
« a été fort discutée. Mais un superbe regard, un sourire
« doux, une expression habituelle de bienveillance, l'ab-
« sence de toute affectation minutieuse et de toute réserve
« gênante ; des mots flatteurs, des louanges un peu direc-
« tes, mais qui semblent échapper à l'enthousiasme, une
« variété inépuisable de conversation, étonnent, attirent et
« lui concilient presque tous ceux qui l'approchent. Je ne
« connais aucune femme et même aucun homme qui soit
« plus convaincu de son immense supériorité sur tout le
« monde, et qui fasse moins peser cette conviction sur les
« autres.

« Rien n'était plus attachant que les entretiens de
« madame de Staël et de madame Récamier. La rapidité
« de l'une à exprimer mille pensées neuves, la rapidité de

« la seconde à les saisir et à les juger ; cet esprit mâle et
« fort qui dévoilait tout, et cet esprit délicat et fin qui
« comprenait tout ; ces révélations d'un génie exercé com-
« muniquées à une jeune intelligence digne de les rece-
« voir : tout cela formait une réunion qu'il est impossible
« de peindre sans avoir eu le bonheur d'en être témoin
« soi-même.

« L'amitié de madame Récamier pour madame de
« Staël se fortifia d'un sentiment qu'elles éprouvaient
« toutes deux, l'amour filial. Madame Récamier était
« tendrement attachée à sa mère, femme d'un rare
« mérite, dont la santé donnait déjà des craintes, et que
« sa fille ne cesse de regretter depuis qu'elle l'a perdue.
« Madame de Staël avait voué à son père un culte que la
« mort n'a fait que rendre plus exalté. Toujours entraî-
« nante dans sa manière de s'exprimer, elle le devient
« encore surtout quand elle parle de lui. Sa voix émue,
« ses yeux prêts à se mouiller de larmes, la sincérité de
« son enthousiasme, touchaient l'âme de ceux mêmes qui
« ne partageaient pas son opinion sur cet homme célèbre.
« On a fréquemment jeté du ridicule sur les éloges qu'elle
« lui a donnés dans ses écrits ; mais quand on l'a enten-
« due sur ce sujet, il est impossible d'en faire un objet de
« moquerie, parce que rien de ce qui est vrai n'est
« ridicule. »

Les lettres de Corinne à son amie madame Récamier
commencèrent à l'époque rappelée ici par Benjamin
Constant : elles ont un charme qui tient presque de
l'amour ; j'en ferai connaître quelques-unes.

LETTRES DE MADAME DE STAËL A MADAME RÉCAMIER.

« Coppet, 9 septembre [1].

« Vous souvenez-vous, belle Juliette, d'une personne
« que vous avez comblée de marques d'intérêt cet hiver,

1. Sur l'autographe qui figure dans les archives Lenormant, cette lettre
est datée du 9 septembre 1801.

« et qui se flatte de vous engager à redoubler l'hiver
« prochain ? Comment gouvernez-vous l'empire de la
« beauté ? On vous l'accorde avec plaisir, cet empire,
« parce que vous êtes éminemment bonne, et qu'il semble
« naturel qu'une âme si douce ait un charmant visage
« pour l'exprimer. De tous vos admirateurs, vous savez
« que je préfère Adrien de Montmorency. J'ai reçu de ses
« lettres, remarquables par l'esprit et la grâce, et je crois
« à la solidité de ses affections, malgré le charme de ses
« manières. Au reste, ce mot de solidité convient à moi,
« qui ne prétends qu'à un rôle bien secondaire dans son
« cœur. Mais vous, qui êtes l'héroïne de tous les
« sentiments, vous êtes exposée aux grands événements
« dont on fait les tragédies et les romans. Le
« mien [1] s'avance au pied des Alpes. J'espère que vous
« le lirez avec intérêt. Je me plais à cette occupa-
« tion... Au milieu de tous ces succès, ce que vous êtes et ce
« que vous resterez, c'est un ange de pureté et de beauté,
« et vous aurez le culte des dévots comme celui des mon-
« dains . . . .
« Avez-vous revu l'auteur d'*Atala* ? Etes-vous toujours à
« Clichy ? Enfin je vous demande des détails sur vous.
« J'aime à savoir ce que vous faites, à me représenter les
« lieux que vous habitez. Tout n'est-il pas tableau dans
« les souvenirs que l'on garde de vous ? Je joins à cet
« enthousiasme si naturel pour vos rares avantages, beau-
« coup d'attrait pour votre société. Acceptez, je vous prie,
« avec bienveillance, tout ce que je vous offre, et promet-
« tez-moi que nous nous verrons souvent l'hiver pro-
« chain. »

Coppet, 30 avril.

« Savez-vous que mes amis, belle Juliette, m'ont un
« peu flattée de l'idée que vous viendriez ici ? Ne

1. *Delphine.*

624

« pourriez-vous pas me donner ce grand plaisir ? Le
« bonheur ne m'a pas gâtée depuis quelques temps, et ce
« serait un retour de fortune que votre arrivée, qui me
« donnerait de l'espoir pour tout ce que je désire. Adrien
« et Matthieu[1] disent qu'ils viendront. Si vous veniez
« avec eux un mois de séjour ici suffirait pour vous
« montrer notre éclatante nature. Mon père dit que
« vous devriez choisir Coppet pour domicile, et que
« de là nous ferions nos courses. Mon père est très-vif
« dans le désir de vous voir. Vous savez ce qu'on a dit
« d'Homère :

Par la voix des vieillards tu louas la beauté[2].

« Et indépendamment de cette beauté vous êtes charmante. »

VOYAGE DE MADAME RÉCAMIER EN ANGLETERRE.

PENDANT la courte paix d'Amiens, madame Récamier fit
avec sa mère un voyage à Londres[3]. Elle eut des lettres
de recommandation du vieux duc de Guignes, ambassadeur en Angleterre trente ans auparavant. Il avait

1. Matthieu duc de Montmorency et Adrien duc de Laval étaient
cousins.
2. Allusion à un épisode célèbre de l'*Illiade* (III, 156 *sq.*).
3. De mai à juillet 1802.

conservé des correspondances avec les femmes les plus brillantes de son temps : la duchesse de Devonshire, lady Melbourne, la marquise de Salisbury, la margrave d'Anspach dont il avait été amoureux. Son ambassade était encore célèbre, son souvenir tout vivant chez ces respectables dames.

Telle est la puissance de la nouveauté en Angleterre, que le lendemain les gazettes furent remplies de l'arrivée de la beauté étrangère. Madame Récamier reçut les visites de toutes les personnes à qui elle avait envoyé ses lettres. Parmi ces personnes, la plus remarquable était la duchesse de Devonshire, âgée de quarante-cinq à cinquante ans. Elle était encore à la mode et belle, quoique privée d'un œil qu'elle couvrait d'une boucle de ses cheveux. La première fois que madame Récamier parut en public, ce fut avec elle. La duchesse la conduisit à l'opéra dans sa loge, où se trouvaient le prince de Galles, le duc d'Orléans et ses frères, le duc de Montpensier et le comte de Beaujolais : les deux premiers devaient devenir rois ; l'un touchait au trône, l'autre en était encore séparé par un abîme.

Les lorgnettes et les regards se tournèrent vers la loge de la duchesse. Le prince de Galles dit à madame Récamier que si elle ne voulait être étouffée, il fallait sortir avant la fin du spectacle. A peine fut-elle debout, que les portes des loges s'ouvrirent précipitamment ; elle n'évita rien et fut portée par le flot de la foule jusqu'à sa voiture.

Le lendemain madame Récamier alla au parc de Kensington accompagnée du marquis de Douglas, plus tard duc d'Hamilton et qui depuis a reçu Charles X à Holy-Rood, et de sa sœur la duchesse de Somerset. La foule se précipitait sur les pas de l'étrangère. Cet effet se renouvela toutes les fois qu'elle se montra en public ; les journaux retentissaient de son nom ; son portrait, gravé par Bartolozzi, fut répandu dans toute l'Angleterre. L'auteur d'*Antigone*, M. Ballanche, ajoute que des vaisseaux le portèrent jusque dans les îles de la Grèce : la beauté retournait aux lieux où l'on avait inventé son image. On a de madame Récamier une esquisse par David, un portrait en pied par Gérard [1], un buste par Canova. Le portrait est le chef-d'œuvre de Gérard ; mais il ne me plaît pas parce que j'y reconnais les traits sans y reconnaître l'expression du modèle.

La veille du départ de madame Récamier le prince de Galles et la duchesse de Devonshire lui demandèrent de les recevoir et d'amener chez elle quelques personnes de leur société. On fit de la musique. Elle joua avec le chevalier Marin, premier harpiste de cette époque, des variations sur un thème de Mozart. Cette soirée fut citée dans les feuilles publiques comme un concert que la belle étrangère avait donné en partant au prince de Galles.

Le lendemain elle s'embarqua pour La Haye, et mit trois jours à faire une traversée de seize heures. Elle m'a raconté que, pendant ces jours mêlés de tempêtes, elle lut de suite le *Génie du Christianisme; je lui fus révélé,* selon sa bienveillante expression : je reconnais là cette bonté que les vents et la mer ont toujours eue pour moi.

Près de La Haye elle visita le château du prince d'Orange. Ce prince, lui ayant fait promettre d'aller voir cette demeure, lui écrivit plusieurs lettres dans lesquelles il parle de ses revers et de l'espoir de les vaincre : Guillaume IV est en effet devenu monarque ; en ce temps-là on intriguait pour être roi comme aujourd'hui pour être député ; et ces candidats à la souveraineté se pressaient aux pieds de madame Récamier comme si elle disposait des couronnes.

Ce billet de Bernadotte, qui règne aujourd'hui sur la Suède, termina le voyage de madame Récamier en Angleterre.

« . . . .
« Les journaux anglais, en calmant mes inquiétudes
« sur votre santé, m'ont appris les dangers auxquels vous
« avez été exposée. J'ai blâmé d'abord le peuple de
« Londres dans son grand empressement ; mais, je vous

---

1. Le portrait inachevé de David (1800), si célèbre, est au Louvre ; celui de Gérard, de peu postérieur, est au Petit-Palais. Entre les deux il n'y a guère de ressemblance.

« l'avoue, il a été bientôt excusé, car je suis partie
« intéressée lorsqu'il faut justifier les personnes qui se
« rendent indiscrètes pour admirer les charmes de votre
« céleste figure.

« Au milieu de l'éclat qui vous environne et que vous
« méritez à tant de titres, daignez vous souvenir quelque-
« fois que l'être qui vous est le plus dévoué dans la
« nature est

« BERNADOTTE. »

PREMIER VOYAGE DE MADAME DE STAËL EN ALLEMAGNE. — MADAME RÉCAMIER À PARIS.

MADAME DE STAËL, menacée de l'exil, tenta de s'établir à
MAffliers, campagne à huit lieues de Paris. Elle accepta
la proposition que lui fit madame Récamier, revenue
d'Angleterre, de passer quelques jours à Saint-Brice avec
elle ; ensuite elle retourna dans son premier asile. Elle
rend compte de ce qui lui arriva alors, dans les *Dix
années d'exil*.

« J'étais à table, dit-elle, avec trois de mes amis, dans
« une salle où l'on voyait le grand chemin et la porte
« d'entrée. C'était à la fin de septembre, à quatre heu-
« res : un homme en habit gris, à cheval, s'arrête et
« sonne ; je fus certaine de mon sort ; il me fit demander ;
« je le reçus dans le jardin. En avançant vers lui, le
« parfum des fleurs et la beauté du soleil me frappèrent.
« Les sensations qui nous viennent par les combinaisons
« de la société sont si différentes de celles de la nature !
« Cet homme me dit qu'il était le commandant de la

« gendarmerie de Versailles... Il me montra une lettre,
« signée de Bonaparte, qui portait l'ordre de m'éloigner à
« quarante lieues de Paris, et enjoignait de me faire
« partir dans les vingt-quatre heures, en me traitant
« cependant avec tous les égards dus à une femme d'un
« nom connu... Je répondis à l'officier de gendarmerie
« que partir dans les vingt-quatre heures convenait à des
« conscrits, mais non pas à une femme et à des enfants.
« En conséquence je lui proposai de m'accompagner à
« Paris où j'avais besoin de trois jours pour faire les
« arrangements nécessaires à mon voyage. Je montai donc
« dans ma voiture avec mes enfants et cet officier qu'on
« avait choisi comme le plus littéraire des gendarmes. En
« effet, il me fit des compliments sur mes écrits. Vous
« voyez, lui dis-je, monsieur, où cela mène d'être une
« femme d'esprit. Déconseillez-le, je vous prie, aux per-
« sonnes de votre famille, si vous en avez l'occasion. »
« J'essayais de me monter par la fierté, mais je sentais la
« griffe dans mon cœur.
« Je m'arrêtai quelques instants chez madame Réca-
« mier. Je trouvai le général Junot, qui, par dévouement
« pour elle, promit d'aller le lendemain parler au premier
« Consul. Il le fit en effet avec la plus grande chaleur . .
« La veille du jour qui m'était accordé, Joseph Bona-
« parte fit encore une tentative . . . .
« Je fus obligée d'attendre la réponse dans une
« auberge à deux lieues de Paris, n'osant pas rentrer chez
« moi dans la ville. Un jour se passa sans que cette
« réponse me parvînt. Ne voulant pas attirer l'attention
« sur moi en restant plus longtemps dans l'auberge où
« j'étais, je fis le tour des murs de Paris pour en aller
« chercher une autre, de même à deux lieues de Paris,
« mais sur une route différente. Cette vie errante, à
« quatre pas de mes amis et de ma demeure, me causait
« une douleur que je ne puis me rappeler sans frisson-
« ner. »

Madame de Staël, au lieu de retourner à Coppet, partit
pour son premier voyage d'Allemagne. A cette époque elle
m'écrivit, sur la mort de madame de Beaumont, la lettre
que j'ai citée dans mon premier voyage de Rome.

Madame Récamier réunissait chez elle, à Paris, ce qu'il y avait de plus distingué dans les partis opprimés et dans les opinions qui n'avaient pas tout cédé à la victoire. On y voyait les illustrations de l'ancienne monarchie et du nouvel empire : les Montmorency, les Sabran, les Lamoignon, les généraux Masséna, Moreau et Bernadotte ; celui-là destiné à l'exil, celui-ci au trône. Les étrangers illustres s'y rendaient aussi ; le prince d'Orange, le prince de Bavière, le frère de la reine de Prusse l'environnaient, comme à Londres le prince de Galles était fier de porter son châle. L'attrait était si irrésistible qu'Eugène de Beauharnais et les ministres mêmes de l'empereur allaient à ces réunions. Bonaparte ne pouvait souffrir le succès, même celui d'une femme. Il disait : « Depuis quand le conseil se tient-il chez madame Récamier ? »

PROJETS DES GÉNÉRAUX. — PORTRAIT DE BERNADOTTE. — PROCÈS DE MOREAU. — LETTRES DE MOREAU ET DE MASSÉNA À MADAME RÉCAMIER.

JE reviens maintenant au récit de Benjamin Constant : « Depuis longtemps Bonaparte, qui s'était emparé du « gouvernement, marchait ouvertement à la tyrannie. « Les partis les plus opposés s'aigrissaient contre lui, et « tandis que la masse des citoyens se laissait énerver « encore par le repos qu'on lui promettait, les républi- « cains et les royalistes désiraient un renversement.

« M. de Montmorency appartenait à ces derniers par sa
« naissance, ses rapports et ses opinions. Madame Réca-
« mier ne tenait à la politique que par son intérêt
« généreux pour les vaincus de tous les partis. L'indé-
« pendance de son caractère l'éloignait de la cour de
« Napoléon dont elle avait refusé de faire partie.
« M. de Montmorency imagina de lui confier ses espé-
« rances, lui peignit le rétablissement des Bourbons sous
« des couleurs propres à exciter son enthousiasme, et la
« chargea de rapprocher deux hommes importants alors
« en France, Bernadotte et Moreau, pour voir s'ils
« pouvaient se réunir contre Bonaparte. Elle connaissait
« beaucoup Bernadotte qui depuis est devenu prince
« royal de Suède. Quelque chose de chevaleresque dans
« la figure, de noble dans les manières, de très-fin dans
« l'esprit, de déclamatoire dans la conversation, en font
« un homme remarquable. Courageux dans les combats,
« hardi dans le propos, mais timide dans les actions qui
« ne sont pas militaires, irrésolu dans tous ses projets :
« une chose qui le rend très-séduisant à la première
« vue, mais qui en même temps met un obstacle à
« toute combinaison de plan avec lui, c'est une habitude
« de haranguer, reste de son éducation révolutionnaire
« qui ne le quitte pas. Il a parfois des mouvements
« d'une véritable éloquence ; il le sait, il aime ce genre
« de succès, et quand il est entré dans le développement
« de quelque idée générale, tenant à ce qu'il a entendu
« dans les clubs ou à la tribune, il perd de vue tout ce
« qui l'occupe et n'est plus qu'un orateur passionné.
« Tel il a paru en France dans les premières années du
« règne de Bonaparte, qu'il a toujours haï et auquel il
« a toujours été suspect, et tel il s'est encore montré
« dans ces derniers temps au milieu du bouleversement
« de l'Europe dont on lui doit toutefois l'affranchisse-
« ment, parce qu'il a rassuré les étrangers en leur
« montrant un Français prêt à marcher contre le tyran
« de la France et sachant ne dire que ce qui pouvait
« influer sur sa nation.
« Tout ce qui offre à une femme le moyen d'exercer
« sa puissance lui est toujours agréable. Il y avait

« d'ailleurs, dans l'idée de soulever contre le despotisme
« de Bonaparte des hommes importants par leurs digni-
« tés et leur gloire, quelque chose de généreux et de
« noble qui devait tenter madame Récamier. Elle se
« prêta donc au désir de M. de Montmorency. Elle
« réunit souvent Bernadotte et Moreau chez elle.
« Moreau hésitait, Bernadotte déclamait. Madame Réca-
« mier prenait les discours indécis de Moreau pour un
« commencement de résolution, et les harangues de
« Bernadotte comme un signal de renversement de la
« tyrannie. Les deux généraux, de leur côté, étaient
« enchantés de voir leur mécontentement caressé par
« tant de beauté, d'esprit et de grâce. Il y avait en
« effet quelque chose de romanesque et de poétique
« dans cette femme si jeune, si séduisante, leur parlant
« de la liberté de leur patrie. Bernadotte répétait sans
« cesse à madame Récamier qu'elle était faite pour
« électriser le monde et pour créer des séides. »

En remarquant la finesse de cette peinture de Benjamin Constant, il faut dire que madame Récamier ne
serait jamais entrée dans ces intérêts politiques sans
l'irritation qu'elle ressentait de l'exil de madame de
Staël. Le futur Roi de Suède avait la liste des généraux
qui tenaient encore au parti de l'indépendance, mais le
nom de Moreau n'y était pas ; c'était le seul qu'on pût
opposer à celui de Napoléon : seulement Bernadotte
ignorait quel était ce Bonaparte dont il attaquait la
puissance.

Madame Moreau donna un bal ; toute l'Europe s'y
trouva, excepté la France ; elle n'y était représentée que
par l'opposition républicaine. Pendant cette fête, le
général Bernadotte conduisit madame Récamier dans un
petit salon où le bruit de la musique seul les suivit et
leur rappelait où ils étaient. Moreau passa dans ce
salon ; Bernadotte lui dit après de longues explications :
« Avec un nom populaire, vous êtes le seul parmi nous
« qui puisse se présenter appuyé de tout un peuple ;
« voyez ce que vous pouvez, ce que nous pouvons
« guidés par vous. » Moreau répéta ce qu'il avait dit
souvent : « Qu'il sentait le danger dont la liberté était

« menacée, qu'il fallait surveiller Bonaparte, mais qu'il
« craignait la guerre civile. »

Cette conversation se prolongeait et s'animait; Bernadotte s'emporta et dit au général Moreau : «Vous n'osez
« pas prendre la cause de la liberté ; eh bien ! Bonaparte se
« jouera de la liberté et de vous. Elle périra malgré nos
« efforts, et vous, vous serez enveloppé dans sa ruine sans
« avoir combattu. » Paroles prophétiques !

La mère de madame Récamier était liée avec madame
Hulot, mère de madame Moreau, et madame Récamier
avait contracté avec cette dernière une de ces liaisons
d'enfance qu'on est heureux de continuer dans le monde.

Pendant le procès du général Moreau, madame Récamier passait sa vie chez madame Moreau. Celle-ci dit à
son amie que son mari se plaignait de ne l'avoir pas
encore vue parmi le public qui remplissait la salle et le
tribunal. Madame Récamier s'arrangea pour assister le
lendemain de cette conversation à la séance. Un des
juges, M. Brillat-Savarin [1], se chargea de la faire entrer
par une porte particulière qui s'ouvrait sur l'amphithéâtre. En entrant elle releva son voile, et parcourut d'un
coup d'œil les rangs des accusés, afin d'y trouver
Moreau. Il la reconnut, se leva et la salua. Tous les
regards se tournèrent vers elle ; elle se hâta de descendre les degrés de l'amphithéâtre pour arriver à la place
qui lui était destinée. Les accusés étaient au nombre de
quarante-sept ; ils remplissaient les gradins placés en
face des juges du tribunal. Chaque accusé était placé
entre deux gendarmes : ces soldats montraient au général Moreau de la déférence et du respect.

On remarquait MM. de Polignac et de Rivière, mais
surtout Georges Cadoudal. Pichegru, dont le nom restera lié à celui de Moreau, manquait pourtant à côté
de lui, ou plutôt on y croyait voir son ombre, car on
savait qu'il manquait aussi dans la prison [2].

Il n'était plus question de républicains, c'était la

1. Il était alors juge au tribunal de cassation. *La Physiologie du goût*,
qui l'a rendu célèbre, ne paraîtra qu'en 1825.
2. Où il avait sans doute été étranglé.

fidélité royaliste qui luttait contre le pouvoir nouveau ; toutefois, cette cause de la légitimité et de ses partisans nobles avait pour chef un homme du peuple, Georges Cadoudal. On le voyait là, avec la pensée que cette tête si pieuse, si intrépide, allait tomber sur l'échafaud ; que lui seul peut-être, Cadoudal, ne serait pas sauvé, car il ne ferait rien pour l'être. Il ne défendait que ses amis ; quant à ce qui le regardait particulièrement, il disait tout. Bonaparte ne fut pas aussi généreux qu'on le suppose : onze personnes dévouées à Georges périrent avec lui.

Moreau ne parla point. La séance terminée, le juge qui avait amené madame Récamier vint la reprendre. Elle traversa le parquet du côté opposé à celui par lequel elle était entrée, et longea les bancs des accusés. Moreau descendit suivi de ses deux gendarmes ; il n'était séparé d'elle que par une balustrade. Il lui dit quelques paroles que dans son saisissement elle n'entendit point : elle voulut lui répondre, sa voix se brisa.

Aujourd'hui que les temps sont changés, et que le nom de Bonaparte semble seul les remplir, on n'imagine pas à combien peu encore paraissait tenir sa puissance. La nuit qui précéda la sentence, et pendant laquelle le tribunal siégea, tout Paris fut sur pied. Des flots de peuple se portaient au Palais de Justice. Georges ne voulut point de grâce ; il répondit à ceux qui voulaient la demander : « Me promettez-vous une plus « belle occasion de mourir ? »

Moreau, condamné à la déportation, se mit en route pour Cadix, d'où il devait passer en Amérique. Madame Moreau alla le rejoindre. Madame Récamier était auprès d'elle au moment de son départ. Elle la vit embrasser son fils dans son berceau, et la vit revenir sur ses pas pour l'embrasser encore : elle la conduisit à sa voiture et reçut son dernier adieu.

Le général Moreau écrivit de Cadix cette lettre à sa généreuse amie :

« Chiclana[1] (près Cadix), le 12 octobre 1804.

« Madame,

« Vous apprendrez sans doute avec quelque plaisir des
« nouvelles de deux fugitifs auxquels vous avez témoi-
« gné tant d'intérêt. Après avoir essuyé des fatigues de
« tout genre, sur terre et sur mer, nous espérions nous
« reposer à Cadix, quand la fièvre jaune, qu'on peut en
« quelque sorte comparer aux maux que nous venions
« d'éprouver, est venue nous assiéger dans cette ville.

« Quoique les couches de mon épouse nous aient
« forcés d'y rester plus d'un mois pendant la maladie,
« nous avons été assez heureux pour nous préserver de
« la contagion ; un seul de nos gens en a été atteint.

« Enfin nous sommes à Chiclana, très-joli village à
« quelques lieues de Cadix, jouissant d'une bonne santé,
« et mon épouse en pleine convalescence après m'avoir
« donné une fille très-bien portante.

« Persuadée que vous prendrez autant d'intérêt à cet
« événement qu'à tout ce qui nous est arrivé, elle me
« charge de vous en faire part et de la rappeler à votre
« amitié.

« Je ne vous parle pas du genre de vie que nous
« menons, il est excessivement ennuyeux et monotone ;
« mais au moins nous respirons en liberté, quoique
« dans le pays de l'inquisition.

« Je vous prie, madame, de recevoir l'assurance de
« mon respectueux attachement, et de me croire pour
« toujours

« Votre très-humble et très-obéissant serviteur,

« V. MOREAU. »

Cette lettre est datée de Chiclana, lieu qui sembla
promettre avec de la gloire un règne assuré à M. le
duc d'Angoulême : et pourtant il n'a fait que paraître

1. Le duc d'Angoulême y établira son quartier général pendant le siège
de Cadix en 1823.

sur ce bord aussi fatalement que Moreau, qu'on a cru dévoué aux Bourbons. Moreau au fond de l'âme était dévoué à la liberté ; lorsqu'il eut le malheur de se joindre à la coalition, il s'agissait uniquement à ses yeux de combattre le despotisme de Bonaparte. Louis XVIII disait à M. de Montmorency qui déplorait la mort de Moreau comme une grande perte pour la couronne : «Pas si grande : Moreau était républicain.» Ce général ne repassa en Europe que pour trouver le boulet sur lequel son nom avait été gravé par le doigt de Dieu [1].

Moreau me rappelle un autre illustre capitaine, Masséna. Celui-ci allait à l'armée d'Italie ; il demanda à madame Récamier un ruban de sa parure. Un jour elle reçut ce billet de la main de Masséna.

« Le charmant ruban donné par madame Récamier a « été porté par le général Masséna aux batailles et au « blocus de Gênes : il n'a jamais quitté le général et « lui a constamment favorisé la victoire.»

Les antiques mœurs percent à travers les mœurs nouvelles dont elles font la base. La galanterie du chevalier noble se retrouvait dans le soldat plébéien ; le souvenir des tournois et des croisades était caché dans ces faits d'armes par qui la France moderne a couronné ses vieilles victoires. Cisher, compagnon de Charlemagne, ne se parait point aux combats des couleurs de sa dame : «Il portait, dit le moine de Saint-Gall [2], sept, « huit et même neuf ennemis enfilés à la lance comme « des grenouillettes.» Cisher précédait, et Masséna suivait la chevalerie.

1. Moreau sera tué en 1813 à la bataille de Dresde, en combattant du côté des alliés.
2. L'auteur anonyme de la chronique *De gestis Caroli Magni*. L'abbaye de Saint-Gall est en Suisse, près de Constance.

MORT DE M. NECKER. — RETOUR DE MADAME DE STAËL. — MADAME RÉCAMIER À COPPET. — LE PRINCE AUGUSTE DE PRUSSE.

MADAME DE STAËL apprit à Berlin la maladie de son père ; elle se hâta de revenir, mais M. Necker était mort[1] avant son arrivée en Suisse.

En ce temps-là arriva la ruine de M. Récamier[2] ; madame de Staël fut bientôt instruite de ce malheureux événement. Elle écrivit sur-le-champ à madame Récamier, son amie :

Genève, 17 novembre.

« Ah ! ma chère Juliette, quelle douleur j'ai éprouvée
« par l'affreuse nouvelle que je reçois ! que je maudis
« l'exil qui ne me permet pas d'être auprès de vous, de
« vous serrer contre mon cœur ! Vous avez perdu tout ce
« qui tient à la facilité, à l'agrément de la vie ; mais s'il
« était possible d'être plus aimée, plus intéressante que
« vous ne l'étiez, c'est ce qui vous serait arrivé. Je vais
« écrire à M. Récamier, que je plains et que je
« respecte. Mais, dites-moi, serait-ce un rêve que de vous
« voir ici cet hiver ? Si vous vouliez, trois mois passés ici,
« dans un cercle étroit où vous seriez passionnément
« soignée ; mais à Paris aussi vous inspirez ce sentiment.
« Enfin, au moins à Lyon, ou jusqu'à mes *quarante*
« *lieues,* j'irai pour vous voir, pour vous embrasser, pour
« vous dire que je me suis sentie pour vous plus de
« tendresse que pour aucune femme que j'aie jamais

1. Le 10 avril 1804.
2. En février 1806. La faillite sera prononcée en novembre.

« connue. Je ne sais rien vous dire comme consolation, si
« ce n'est que vous serez aimée et considérée plus que
« jamais, et que les admirables traits de votre générosité
« et de votre bienfaisance seront connus malgré vous
« par ce malheur, comme ils ne l'auraient jamais été
« sans lui. Certainement, en comparant votre situation à
« ce qu'elle était, vous avez perdu ; mais s'il m'était
« possible d'envier ce que j'aime, je donnerais bien tout
« ce que je suis pour être vous. Beauté sans égale en
« Europe, réputation sans tache, caractère fier et géné-
« reux, quelle fortune de bonheur encore dans cette
« triste vie où l'on marche si dépouillé ! Chère Juliette,
« que notre amitié se resserre ; que ce ne soit plus
« simplement des services généreux qui sont tous venus
« de vous, mais une correspondance suivie, un besoin
« réciproque de se confier ses pensées, une vie ensem-
« ble. Chère Juliette, c'est vous qui me ferez revenir à
« Paris, car vous serez toujours une personne toute-
« puissante, et nous nous verrons tous les jours ; et
« comme vous êtes plus jeune que moi, vous me
« fermerez les yeux, et mes enfants seront vos amis.
« Ma fille a pleuré ce matin de mes larmes et des
« vôtres. Chère Juliette, ce luxe qui vous entourait, c'est
« nous qui en avons joui ; votre fortune a été la nôtre
« et je me sens ruinée parce que vous n'êtes plus riche.
« Croyez moi, il reste du bonheur quand on s'est fait
« aimer ainsi.

« Benjamin veut vous écrire ; il est bien ému. Matthieu de
« Montmorency m'écrit sur vous une lettre bien touchante.
« Chère amie, que votre cœur soit calme au milieu de tant
« de douleurs. Hélas ! ni la mort ni l'indifférence de vos
« amis ne vous menacent, et voilà les blessures éternelles.
« Adieu, cher ange, adieu ! J'embrasse avec respect votre
« visage charmant... »

Un intérêt nouveau se répandit sur madame Récamier :
elle quitta la société sans se plaindre, et sembla faite pour la
solitude comme pour le monde. Ses amis lui restèrent,
« et cette fois, a dit M. Ballanche, *la fortune se retira
« seule.* »

Madame de Staël attira son amie à Coppet. Le prince

Auguste de Prusse[1], fait prisonnier à la bataille d'Eylau, se rendant en Italie, passa par Genève : il devint amoureux de madame Récamier. La vie intime et particulière appartenant à chaque homme continuait son cours sous la vie générale, l'ensanglantement des batailles et la transformation des empires. Le riche, à son réveil, aperçoit ses lambris dorés, le pauvre ses solives enfumées ; pour les éclairer il n'y a qu'un même rayon de soleil.

Le prince Auguste, croyant que madame Récamier pourrait consentir au divorce, lui proposa de l'épouser. Il reste un monument de cette passion dans le tableau de Corinne que le prince obtint de Gérard[2] ; il en fit présent à madame Récamier, comme un immortel souvenir du sentiment qu'elle lui avait inspiré, et de l'intime amitié qui unissait Corinne et Juliette.

L'été se passa en fêtes : le monde était bouleversé ; mais il arrive que le retentissement des catastrophes publiques, en se mêlant aux joies de la jeunesse, en redouble le charme ; on se livre d'autant plus vivement aux plaisirs qu'on se sent près de les perdre.

Madame de Genlis a fait un roman sur cet attachement du prince Auguste[3]. Je la trouvai un jour dans l'ardeur de la composition. Elle demeurait à l'Arsenal, au milieu de livres poudreux, dans un appartement obscur. Elle n'attendait personne ; elle était vêtue d'une robe noire ; ses cheveux blancs offusquaient son visage ; elle tenait une harpe entre ses genoux, et sa tête était abattue sur sa poitrine. Appendue aux cordes de l'instrument, elle promenait deux mains pâles et amaigries sur l'autre côté du réseau sonore, dont elle tirait des sons affaiblis, semblables aux voix lointaines et indéfi-

1. Auguste de Prusse (1770-1843) était un neveu de Frédéric II. Il avait été libéré après la paix de Tilsitt (1807).
2. Le prince Auguste de Prusse y figure à côté de Corinne représentée par Mme de Staël elle-même. Ce tableau était à l'Abbaye aux Bois dans le salon de Mme Récamier.
3. La comtesse de Genlis (1746-1830) avait élevé les enfants du duc d'Orléans (Philippe-Egalité). Les romans qu'elle a écrits sont innombrables.

nissables de la mort. Que chantait l'antique sibylle? elle chantait madame Récamier. Elle l'avait d'abord haïe, mais dans la suite elle avait été vaincue par la beauté et le malheur. Madame de Genlis venait d'écrire cette page sur madame Récamier, en lui donnant le nom d'Athénaïs :

« Le prince entra dans le salon, conduit par madame
« de Staël. Tout à coup la porte s'entr'ouvre, Athénaïs
« s'avance. A l'élégance de sa taille, à l'éclat éblouissant
« de sa figure, le prince ne peut la méconnaître, mais
« il s'était fait d'elle une idée toute différente : il s'était
« représenté cette femme si célèbre par sa beauté, fière
« de ses succès, avec un maintien assuré, et cette espèce
« de confiance que ne donne que trop souvent ce genre
« de célébrité ; et il voyait une jeune personne timide
« s'avancer avec embarras et rougir en paraissant. Le
« plus doux sentiment se mêla à sa surprise.

« Après dîner on ne sortit point, à cause de la
« chaleur excessive ; on descendit dans la galerie pour
« faire de la musique jusqu'à l'heure de la promenade.
« Après quelques accords brillants et des sons harmoni-
« ques d'une douceur enchanteresse, Athénaïs chanta en
« s'accompagnant sur la harpe. Le prince l'écouta avec
« ravissement, et, lorsqu'elle eut fini, il la regarda avec
« un trouble inexprimable en s'écriant : « Et des
« talents ! »

Madame de Staël dans la force de la vie aimait madame Récamier ; madame de Genlis dans sa décrépitude retrouvait pour elle les accents de sa jeunesse ; l'auteur de *Mademoiselle de Clermont* [1] plaçait la scène de son roman à Coppet, chez l'auteur de Corinne, rivale qu'elle détestait ; c'était une merveille. Une autre merveille est de me voir écrire ces détails. Je parcours des lettres qui me rappellent des temps où je vivais solitaire et inconnu. Il fut du bonheur sans moi, aux rivages de Coppet, que je n'ai pas vus depuis sans quelque mouvement d'envie. Les choses qui me sont échappées sur la terre, qui m'ont fui, que je regrette, me tueraient si je

---

1. Mme de Genlis avait publié ce roman en 1802.

ne touchais à ma tombe ; mais, si près de l'oubli éternel, vérités et songes sont également vains ; au bout de la vie tout est jour perdu.

Second voyage de madame de Staël en Allemagne.

Madame de Staël partit une seconde fois pour l'Allemagne. Ici recommence une série de lettres à madame Récamier, peut-être encore plus charmantes que les premières.

Il n'y a rien dans les ouvrages imprimés de madame de Staël qui approche de ce naturel, de cette éloquence, où l'imagination prête son expression aux sentiments. La vertu de l'amitié de madame Récamier devait être grande, puisqu'elle sut faire produire à une femme de génie ce qu'il y avait de caché et de non révélé encore dans son talent. On devine au surplus dans l'accent triste de madame de Staël un déplaisir secret, dont la beauté devait être naturellement la confidente, elle qui ne pouvait jamais recevoir de pareilles blessures.

Château de Chaumont. — Lettre de madame de Staël à Bonaparte.

Madame de Staël étant rentrée en France vint, au printemps de 1812, habiter le château de Chaumont sur les bords de la Loire, à quarante lieues de Paris, distance déterminée pour le rayon de son bannissement. Madame Récamier la rejoignit dans cette campagne.

Madame de Staël surveillait alors l'impression de son ouvrage sur l'Allemagne : lorsqu'il fut près de paraître, elle l'envoya à Bonaparte avec cette lettre :

« Sire,

« Je prends la liberté de présenter à Votre Majesté
« mon ouvrage sur l'Allemagne. Si elle daigne le lire, il
« me semble qu'elle y trouvera la preuve d'un esprit
« capable de quelques réflexions et que le temps a
« mûri. Sire, il y a douze ans que je n'ai vu Votre
« Majesté et que je suis exilée. Douze ans de malheurs
« modifient tous les caractères, et le destin enseigne la
« résignation à ceux qui souffrent. Prête à m'embar-
« quer, je supplie Votre Majesté de m'accorder une
« demi-heure d'entretien. Je crois avoir des choses à lui
« dire qui pourront l'intéresser, et c'est à ce titre que
« je la supplie de m'accorder la faveur de lui parler
« avant mon départ. Je me permettrai seulement une
« chose dans cette lettre : c'est l'explication des motifs
« qui me forcent à quitter le continent, si je n'obtiens
« pas de Votre Majesté la permission de vivre dans une
« campagne assez près de Paris pour que mes enfants y
« puissent demeurer. La disgrâce de Votre Majesté jette
« sur les personnes qui en sont l'objet une telle défa-
« veur en Europe, que je ne puis faire un pas sans en
« rencontrer les effets. Les uns craignent de se compro-
« mettre en me voyant, les autres se croient des
« Romains en triomphant de cette crainte. Les plus

« simples rapports de la société deviennent des services
« qu'une âme fière ne peut supporter. Parmi mes amis,
« il en est qui se sont associés à mon sort avec une
« admirable générosité; mais j'ai vu les sentiments les
« plus intimes se briser contre la nécessité de vivre avec
« moi dans la solitude, et j'ai passé ma vie depuis huit
« ans entre la crainte de ne pas obtenir des sacrifices,
« et la douleur d'en être l'objet. Il est peut-être ridicule
« d'entrer ainsi dans le détail de ses impressions avec le
« souverain du monde; mais ce qui vous a donné le
« monde, Sire, c'est un souverain génie. Et en fait
« d'observation sur le cœur humain, Votre Majesté
« comprend depuis les plus vastes ressorts jusqu'aux
« plus délicats. Mes fils n'ont point de carrière, ma fille
« a treize ans; dans peu d'années il faudra l'établir : il
« y aurait de l'égoïsme à la forcer de vivre dans les
« insipides séjours où je suis condamnée. Il faudrait
« donc aussi me séparer d'elle ! Cette vie n'est pas
« tolérable et je n'y sais aucun remède sur le continent.
« Quelle ville puis-je choisir où la disgrâce de Votre
« Majesté ne mette pas un obstacle invincible à l'éta-
« blissement de mes enfants comme à mon repos per-
« sonnel ? Votre Majesté ne sait peut-être pas elle-même
« la peur que les exilés font à la plupart des autorités
« de tous les pays, et j'aurais dans ce genre des choses
« à lui raconter qui dépassent sûrement ce qu'elle
« aurait ordonné. On a dit à Votre Majesté que je
« regrettais Paris à cause du Musée et de Talma : c'est
« une agréable plaisanterie sur l'exil, c'est-à-dire sur le
« malheur que Cicéron et Bolingbroke[1] ont déclaré le
« plus insupportable de tous; mais quand j'aimerais les
« chefs-d'œuvre des arts que la France doit aux conquê-
« tes de Votre Majesté, quand j'aimerais ces belles
« tragédies, images de l'héroïsme, serait-ce à vous, Sire,
« à m'en blâmer ? Le bonheur de chaque individu ne se
« compose-t-il pas de la nature de ses facultés ? et si le ciel
« m'a donné du talent, n'ai-je pas l'imagination qui

1. A la mort de la reine Anne, en 1714, Bolingbroke dut s'exiler en
France.

« rend les jouissances des arts et de l'esprit nécessaires ?
« Tant de gens demandent à Votre Majesté des avanta-
« ges réels de toute espèce ! pourquoi rougirais-je de lui
« demander l'amitié, la poésie, la musique, les tableaux,
« toute cette existence idéale dont je puis jouir sans
« m'écarter de la soumission que je dois au monarque
« de la France ? »

Cette lettre inconnue méritait d'être conservée. Madame de Staël n'était pas, ainsi qu'on l'a prétendu, une
ennemie aveugle et implacable. Elle ne fut pas plus
écoutée que moi, lorsque je me vis obligé de m'adresser
aussi à Bonaparte pour lui demander la vie de mon
cousin Armand. Alexandre et César auraient été touchés
de cette lettre d'un ton si haut, écrite par une femme
si renommée ; mais la confiance du mérite qui se juge
et s'égalise à la domination suprême, cette sorte de
familiarité de l'intelligence qui se place au niveau du
maître de l'Europe pour traiter avec lui de couronne à
couronne, ne parurent à Bonaparte que l'arrogance d'un
amour-propre déréglé. Il se croyait bravé par tout ce
qui avait quelque grandeur indépendante ; la bassesse lui
semblait fidélité, la fierté révolte ; il ignorait que le vrai
talent ne reconnaît de Napoléons que dans le génie ;
qu'il a ses entrées dans les palais comme dans les
temples, parce qu'il est immortel.

MADAME RÉCAMIER ET M. MATTHIEU DE MONTMO-RENCY SONT EXILÉS. — MADAME RÉCAMIER A CHALONS.

MADAME DE STAËL quitta Chaumont et retourna à
Coppet ; madame Récamier s'empressa de nouveau de se

rendre auprès d'elle ; M. Matthieu de Montmorency lui resta également dévoué ; l'un et l'autre en furent punis ; ils furent frappés de la peine même qu'ils étaient allés consoler ; les quarante lieues de distance de Paris leur furent infligées.

Madame Récamier se retira à Châlons-sur-Marne, décidée dans son choix par le voisinage de Montmirail, qu'habitaient MM. de La Rochefoucauld-Doudeauville.

Mille détails de l'oppression de Bonaparte se sont perdus dans la tyrannie générale : les persécutés redoutaient de voir leurs amis, crainte de les compromettre ; leurs amis n'osaient les visiter, crainte de leur attirer quelque accroissement de rigueur. Le malheureux proscrit, devenu un pestiféré, séquestré du genre humain, demeurait en quarantaine dans la haine du despote. Bien reçu tant qu'on ignorait votre indépendance d'opinion, sitôt qu'elle était connue, tout se retirait ; il ne restait autour de vous que des autorités épiant vos liaisons, vos sentiments, vos correspondances, vos démarches : tels étaient ces temps de bonheur et de liberté.

Les lettres de madame de Staël révèlent les souffrances de cette époque où les talents étaient menacés à chaque instant d'être jetés dans un cachot, où l'on ne s'occupait que des moyens de s'échapper, où l'on aspirait à la fuite comme à la délivrance : quand la liberté a disparu, il reste un pays, mais il n'y a plus de patrie.

En écrivant à son amie qu'elle ne désirait pas la voir, dans l'appréhension du mal qu'elle lui pourrait apporter, madame de Staël ne disait pas tout : elle était mariée secrètement à M. de Rocca[1], d'où résultait une complication d'embarras dont la police impériale profitait. Madame Récamier, à qui madame de Staël croyait devoir taire ses nouveaux soucis, s'étonnait à bon droit de l'obstination qu'elle mettait à lui interdire l'entrée de son château de Coppet : blessée de la résistance de

1. Ils s'étaient promis l'un à l'autre ; le mariage ne fut célébré à Coppet qu'en 1816.

madame de Staël pour laquelle elle s'était déjà sacrifiée, elle n'en persistait pas moins dans sa résolution de la rejoindre.

Toutes les lettres qui auraient dû retenir madame Récamier ne firent que la confirmer dans son dessein : elle partit et reçut à Dijon ce billet fatal :

« Je vous dis adieu, cher ange de ma vie, avec toute la « tendresse de mon âme. Je vous recommande Augus- « te[1] : qu'il vous voie et qu'il me revoie. Vous êtes une « créature céleste. Si j'avais vécu près de vous, j'aurais été « trop heureuse : le sort m'entraîne. Adieu. »

Madame de Staël ne devait plus retrouver Juliette que pour mourir. Le billet de madame de Staël frappa d'un coup de foudre la voyageuse : fuir subitement, s'en aller avant d'avoir pressé dans ses bras celle qui accourait pour se jeter dans ses adversités, n'était-ce point de la part de madame de Staël une résolution cruelle ? Il paraissait à madame Récamier que l'amitié aurait pu être moins *entraînée par le sort.*

Madame de Staël alla chercher l'Angleterre en traversant l'Allemagne et la Suède : la puissance de Napoléon était une autre mer qui séparait Albion de l'Europe, comme l'Océan la sépare du monde.

Auguste, fils de madame de Staël, avait perdu son frère, tué en duel d'un coup de sabre ; il se maria et eut un fils : ce fils, âgé de quelques mois, l'a suivi dans la tombe. Avec Auguste de Staël s'est éteinte la postérité masculine d'une femme illustre, car elle ne revit pas dans le nom honorable, mais inconnu, de Rocca.

1. Le fils aîné de Mme de Staël (1790-1827).

MADAME RÉCAMIER À LYON. — MADAME DE CHEVREUSE. — PRISONNIERS ESPAGNOLS.

MADAME RÉCAMIER demeurée seule, pleine de regrets, chercha d'abord à Lyon, sa ville natale, un premier abri : elle y rencontra madame de Chevreuse, autre bannie. Madame de Chevreuse avait été forcée par l'Empereur et ensuite par sa propre famille d'entrer dans la nouvelle société. Vous trouveriez à peine un nom historique qui ne consentît à perdre son honneur plutôt qu'une forêt. Une fois engagée aux Tuileries, madame de Chevreuse avait cru pouvoir dominer dans une cour sortie des camps : cette cour cherchait, il est vrai, à s'instruire des airs de jadis, dans l'espoir de couvrir sa récente origine ; mais l'allure plébéienne était encore trop rude pour recevoir des leçons de l'impertinence aristocratique. Dans une révolution qui dure et qui a fait son dernier pas, comme par exemple à Rome, le Patriciat, un siècle après la chute de la république, put se résigner à n'être plus que le sénat des empereurs ; le passé n'avait rien à reprocher aux empereurs du présent, puisque ce passé était fini ; une égale flétrissure marquait toutes les existences. Mais en France les nobles qui se transformèrent en chambellans se hâtèrent trop ; l'empire nouvellement né disparut avant eux, et ils se retrouvèrent en face de la vieille monarchie ressuscitée.

Madame de Chevreuse, attaquée d'une maladie de poitrine, sollicita et n'obtint pas la faveur d'achever ses derniers jours à Paris ; on n'expire pas quand et où l'on veut : Napoléon, qui faisait tant de décédés, n'en aurait pas fini avec eux s'il leur eût laissé le choix de leur tombeau.

Madame Récamier ne parvenait à oublier ses propres chagrins qu'en s'occupant de ceux des autres ; par la connivence charitable d'une sœur de la Miséricorde, elle visitait secrètement à Lyon les prisonniers espagnols. Un d'entre eux, brave et beau, chrétien comme le Cid, s'en allait à Dieu : assis sur la paille, il jouait de la guitare ; son épée avait trompé sa main. Sitôt qu'il apercevait sa bienfaitrice, il lui chantait des romances de son pays, n'ayant pas d'autre moyen de la remercier. Sa voix affaiblie et les sons confus de l'instrument se perdaient dans le silence de la prison. Les compagnons du soldat, à demi enveloppés de leurs manteaux déchirés, leurs cheveux noirs pendants sur leurs visages hâves et bronzés, levaient des yeux fiers du sang castillan, humides de reconnaissance, sur l'exilée qui leur rappelait une épouse, une sœur, une amante, et qui portait le joug de la même tyrannie.

L'Espagnol mourut. Il put dire comme Zarviska, le jeune et valeureux poète polonais : « Une main incon- « nue fermera ma paupière ; le tintement d'une cloche « étrangère annoncera mon trépas, et des voix qui ne « seront pas celles de ma patrie prieront pour moi. »

Matthieu de Montmorency vint à Lyon visiter madame Récamier. Elle connut alors M. Camille Jordan et M. Ballanche, dignes de grossir le cortége des amitiés attachées à sa noble vie.

MADAME RÉCAMIER À ROME. — ALBANO. — CANOVA : SES LETTRES.

MADAME RÉCAMIER était trop fière pour demander son rappel. Fouché l'avait longtemps et inutilement pressée d'orner la cour de l'empereur : on peut voir les détails de ces négociations de palais dans les écrits du temps. Madame Récamier se retira en Italie ; M. de Montmorency l'accompagna jusqu'à Chambéry. Elle traversa le reste des Alpes n'ayant pour compagne de voyage qu'une petite nièce âgée de sept ans, aujourd'hui madame Lenormant.

Rome était alors une ville de France, capitale du département du Tibre. Le pape gémissait prisonnier à Fontainebleau, dans le palais de François Ier.

Fouché, en mission en Italie, commandait dans la cité des Césars, de même que le chef des eunuques noirs dans Athènes : il n'y fit que passer ; on installa M. de Norvins en qualité de préfet de police : le mouvement était sur un autre point de l'Europe.

Conquise sans avoir vu son second Alaric, la ville éternelle se taisait plongée dans ses ruines. Des artistes demeuraient seuls sur cet amas de siècles. Canova reçut madame Récamier comme une statue grecque que la France rendait au musée du Vatican : pontife des arts, il l'inaugura aux[1] honneurs du Capitole, dans Rome abandonnée.

Canova avait une maison à Albano ; il l'offrit à madame Récamier ; elle y passa l'été. La fenêtre à balcon de sa chambre était une de ces grandes croisées de peintre qui encadrent le paysage. Elle s'ouvrait sur les ruines de la *villa de Pompée;* au loin, par-dessus des oliviers, on voyait le soleil se coucher dans la mer. Canova revenait à cette heure ; ému de ce beau spectacle, il se plaisait à chanter, avec un accent vénitien et une voix agréable, la barcarolle : *O pescator dell'onda* [2] ; madame Récamier l'accompagnait sur le piano. L'auteur de Psyché et de la Madeleine se délectait à cette harmonie, et cherchait dans les traits de Juliette le type de la Béatrix qu'il rêvait de faire un jour. Rome avait vu jadis Raphaël et Michel-Ange couronner leurs modèles dans de poétiques orgies trop librement racontées par Cellini : combien leur était supérieure cette

---

1. Ce tour semble une création de Chateaubriand.
2. « O pêcheur de l'onde... »

petite scène décente et pure entre une femme exilée et ce Canova, si simple et si doux !

Plus solitaire que jamais, Rome en ce moment portait le deuil de veuve : elle ne voyait plus passer en la bénissant ces paisibles souverains qui rajeunissaient ses vieux jours de toutes les merveilles des arts. Le bruit du monde s'était encore une fois éloigné d'elle ; Saint-Pierre était désert comme le Colysée.

J'ai lu les lettres éloquentes qu'écrivait à son amie la femme la plus illustre de nos jours passés ; lisez les mêmes sentiments de tendresse exprimés avec la plus charmante naïveté, dans la langue de Pétrarque, par le premier sculpteur des temps modernes. Je ne commettrai pas le sacrilège d'essayer de les traduire [1].

« Domenica mattina.

« Dio eterno ! siamo vivi, o siamo morti ? Io voglio
« esser vivo, almeno per scriverci ; si, lo vuole il mio
« cuore, anzi mi comanda assolutamente di farlo. Oh !
« se'l conoscete bene a fondo questo povero cuor mio,
« quanto, quanto mai ve ne persuadereste ! Ma per
« disgrazia mia pare ch'egli sia alquanto all' oscuro per
« voi. Pazienza ! Ditemi almeno come state di salute, se

---

1. En voici au moins le sens : « Dimanche matin. — Dieu éternel ! Sommes-nous vivants ou sommes-nous morts ? Je veux être vivant, au moins pour écrire ; ainsi le veut mon cœur, même il me commande absolument de le faire. Oh ! si vous le connaissiez bien à fond, ce pauvre cœur qui est le mien, combien, combien plus vous vous en persuaderiez ! Mais pour mon malheur il semble qu'il soit pour vous un peu caché. Patience ! dites-moi au moins comment vous vous portez, si vous ne voulez en dire plus ; bien que vous m'ayez promis d'écrire et d'écrire avec douceur. Il est bien vrai que j'aurais voulu vous voir en personne ces jours-ci, mais il n'y avait aucun moyen de pouvoir le faire ; et même sur ce point je vous dirai de vive voix des choses curieuses. Il convient donc que je me contente par force de vous voir en esprit. De cette manière vous m'êtes toujours présente, toujours je vous vois, toujours je vous parle, je vous dis tant et tant de choses, mais toutes, toutes jetées au vent, oui toutes ! Patience pour cela aussi ! Il serait curieux que la chose dût toujours aller de la sorte ! Je veux pourtant que, en attendant, vous soyez sûre, très sûre que mon âme vous aime beaucoup plus que vous ne pouvez le croire et l'imaginer. »

« di più non volete dire; benchè mi abbiate promesso
« di scrivere e di scrivermi dolce. Io davvero che avrei
« voluto vedervi personalmente in questi giorni, ma non
« vi poteva essere alcuna via di poterlo fare; anzi su di
« questo vi dirò a voce delle cose curiose. Conviene
« dunque che mi contenti, a forza, di vedervi in spirito.
« In questo modo sempre mi siete presente, sempre vi
« veggo, sempre vi parlo, vi dico tante, tante cose, ma
« tutte, tutte al vento, tutte! Pazienza anche di questo!
« gran fatto che la cosa abbia d'andare sempre in
« questo modo! voglio intanto però che siate certa,
« certissima che l'anima mia vi ama molto più assai di
« quello che mai possiate credere ed imaginare. »

LE PÊCHEUR D'ALBANO.

MADAME RÉCAMIER avait secouru les prisonniers espagnols à Lyon; une autre victime de ce pouvoir qui la
frappait la mit à même d'exercer à Albano son humeur
compatissante : un pêcheur, accusé d'intelligence avec
les sujets du pape, avait été jugé et condamné à mort.
Les habitants d'Albano supplièrent l'étrangère réfugiée
chez eux d'intercéder pour ce malheureux. On la conduisit à la geôle; elle y vit le prisonnier; frappée du
désespoir de cet homme, elle fondit en larmes. Le
malheureux la supplia de venir à son secours, d'intercéder pour lui, de le sauver : prière d'autant plus déchi-
rante, qu'il y avait impossibilité de l'arracher au supplice. Il faisait déjà nuit, et il devait être fusillé au
lever du jour.

Cependant madame Récamier, bien que persuadée de

l'inutilité de ses démarches, n'hésita pas. On lui amène une voiture, elle y monte sans l'espérance qu'elle laissait au condamné. Elle traverse la campagne infestée de brigands, parvient à Rome, et ne trouve point le directeur de la police. Elle l'attendit deux heures au palais Fiano ; elle comptait les minutes d'une vie dont la dernière approchait. Quand M. de Norvins arriva, elle lui expliqua l'objet de son voyage. Il lui répondit que l'arrêt était prononcé, et qu'il n'avait pas les pouvoirs nécessaires pour le faire suspendre.

Madame Récamier repartit le cœur navré : le prisonnier avait cessé de vivre lorsqu'elle approcha d'Albano. Les habitants attendaient la Française sur le chemin ; aussitôt qu'ils la reconnurent, ils coururent à elle. Le prêtre qui avait assisté le patient lui en apportait les derniers vœux : il remerciait *la dama,* qu'il n'avait cessé de chercher des yeux en allant au lieu de l'exécution ; il lui recommandait de prier pour lui, car un chrétien n'a pas tout fini et n'est pas hors de crainte quand il n'est plus. Madame Récamier fut conduite par l'ecclésiastique à l'église, où la suivit la foule des belles paysannes d'Albano. Le pêcheur avait été fusillé à l'heure où l'aurore se levait sur la barque, maintenant sans guide, qu'il avait coutume de conduire sur les mers, et aux rivages qu'il avait accoutumé de parcourir.

Pour se dégoûter des conquérants, il faudrait savoir tous les maux qu'ils causent ; il faudrait être témoin de l'indifférence avec laquelle on leur sacrifie les plus inoffensives créatures dans un coin du globe où ils n'ont jamais mis le pied. Qu'importaient aux succès de Bonaparte les jours d'un pauvre faiseur de filets des Etats Romains ? Sans doute il n'a jamais su que ce chétif pêcheur avait existé ; il a ignoré, dans le fracas de sa lutte avec les rois, jusqu'au nom de sa victime plébéienne.

Le monde n'aperçoit en Napoléon que des victoires ; les larmes dont les colonnes triomphales sont cimentées ne tombent point de ses yeux. Et moi, je pense que de ces souffrances méprisées, de ces calamités des humbles et des petits, se forment dans les conseils de la Providence les causes secrètes qui précipitent du faîte le dominateur. Quand les injustices particulières se sont accumulées de manière à l'emporter sur le poids de la fortune, le bassin descend. Il y a du sang muet et du sang qui crie : le sang des champs de bataille est bu en silence par la terre ; le sang pacifique répandu jaillit en gémissant vers le ciel ; Dieu le reçoit et le venge. Bonaparte tua le pêcheur d'Albano ; quelques mois après il était banni chez les pêcheurs de l'île d'Elbe, et il est mort parmi ceux de Sainte-Hélène.

Mon souvenir vague, à peine ébauché dans les pensées de madame Récamier, lui apparaissait-il au milieu des steppes du Tibre et de l'Anio ? J'avais déjà passé à travers ces solitudes mélancoliques ; j'y avais laissé une tombe honorée des larmes des amis de Juliette. Lorsque la fille de M. de Montmorin (madame de Beaumont) mourut en 1803, madame de Staël et M. Necker m'écrivaient des lettres de regrets ; on a vu ces lettres. Ainsi je recevais à Rome, avant presque d'avoir connu madame Récamier, des lettres datées de Coppet ; c'est le premier indice d'une affinité de destinée. Madame Récamier m'a dit aussi que ma lettre de 1803 à M. de Fontanes [1] lui servait de guide en 1814, et qu'elle relisait assez souvent ce passage [2] :

« Quiconque n'a plus de lien dans la vie doit venir
« demeurer à Rome. Là, il trouvera pour société une
« terre qui nourrira ses réflexions et occupera son cœur,
« et des promenades qui lui diront toujours quelque
« chose. La pierre qu'il foulera aux pieds lui parlera ; la
« poussière que le vent élèvera sous ses pas renfermera
« quelque grandeur humaine. S'il est malheureux, s'il a
« mêlé les cendres de ceux qu'il aima à tant de cendres
« illustres, avec quel charme ne passera-t-il pas du
« sépulcre des Scipions au dernier asile d'un ami ver-
« tueux !... S'il est chrétien, ah ! comment pourrait-il
« alors s'arracher de cette terre qui est devenue sa
« patrie, de cette terre qui a vu naître un second

---

1. C'est la *Lettre à Fontanes sur la campagne romaine* ; elle est datée de « Rome, 10 janvier 1804 ».
2. *O.C.* VII, 241 *sq.*

« empire, plus saint dans son berceau, plus grand
« dans sa puissance que celui qui l'a précédé ; de cette
« terre où les amis que nous avons perdus, dormant avec
« les martyrs aux catacombes, sous l'œil du père des
« fidèles, paraissent devoir se réveiller les premiers dans
« leur poussière et semblent plus voisins des cieux ? »

Mais en 1814 je n'étais pour madame Récamier qu'un
cicerone vulgaire, appartenant à tous les voyageurs ; plus
heureux en 1823, j'avais cessé de lui être étranger, et
nous pouvions causer ensemble des ruines romaines.

Madame Récamier à Naples. — Le duc de Rohan-Chabot.

A Naples, où madame Récamier se rendit en automne,
cessèrent les occupations de la solitude. A peine fut-elle
descendue à l'auberge, que les ministres du Roi Joachim
accoururent. Murat, oubliant la main qui changea sa
cravache en sceptre, était prêt à se joindre à la
coalition. Bonaparte avait planté son épée au milieu de
l'Europe, comme les Gaulois plantaient leur glaive au
milieu du *mallus* [1] : autour de l'épée de Napoléon
s'étaient rangés en cercle des royaumes qu'il distribuait
à sa famille. Caroline avait reçu celui de Naples.
Madame Murat n'était pas un camée antique aussi
élégant que la princesse Borghèse ; mais elle avait plus
de physionomie et plus d'esprit que sa sœur. A la

1. De la place où se réunissait le Conseil. Dans une note des *Martyrs*
Chateaubriand remarque que *mallus* a donné notre mot *mail*.

fermeté de son caractère on reconnaissait le sang de Napoléon. Si le diadème n'eût pas été pour elle l'ornement de la tête d'une femme, il eût encore été la marque du pouvoir d'une reine.

Caroline reçut madame Récamier avec un empressement d'autant plus affectueux que l'oppression de la tyrannie se faisait sentir jusqu'à Portici. Cependant, la ville qui possède le tombeau de Virgile et le berceau du Tasse, cette ville où vécurent Horace et Tive-Live, Boccace et Sannazar [1], où naquirent Durante [2] et Cimarosa, avait été embellie par son nouveau maître. L'ordre s'était rétabli : les lazzaroni ne jouaient plus à la boule avec des têtes pour amuser l'amiral Nelson et lady Hamilton. Les fouilles de Pompéi s'étaient étendues ; un chemin serpentait sur le Pausilippe dans les flancs duquel j'avais passé en 1803 pour aller m'enquérir à Literne de la retraite de Scipion. Ces royautés nouvelles d'une dynastie militaire avaient fait renaître la vie dans des pays où se manifestait auparavant la moribonde langueur d'une vieille race. Robert Guiscard, Guillaume Bras-de-Fer, Roger et Tancrède semblaient être revenus, moins la chevalerie.

Madame Récamier était à Naples au mois de février 1814 : où étais-je ? dans ma *Vallée aux Loups,* commençant l'histoire de ma vie. Je m'occupais des jeux de mon enfance au bruit des pas des soldats étrangers. La femme dont le nom devait clore ces *Mémoires* errait sur les marines [3] de Baïes. N'avais-je pas un pressentiment du bien qui m'arriverait un jour de cette terre, alors que je peignais la séduction parthénopéenne dans les *Martyrs* [4] :

« Chaque matin, aussitôt que l'aurore commençait à
« paraître, je me rendais sous un portique. Le soleil se
« levait devant moi ; il illuminait de ses feux les plus
« doux la chaîne des montagnes de Salerne, le bleu de
« la mer parsemé des voiles blanches du pêcheur, les

---

1. Poète napolitain de langue latine (1458-1530).
2. Maître de Pergolèse (XVIIIe siècle).
3. Rivages (archaïsme).
4. *O.C.* : XVII, 242.

« îles de Caprée, d'Œnaria et de Prochyta, le cap de
« Misène, et Baïes avec tous ses enchantements.

   « Des fleurs et des fruits humides de rosée sont moins
« suaves et moins frais que le paysage de Naples
« sortant des ombres de la nuit. J'étais toujours surpris,
« en arrivant au portique, de me trouver au bord de la
« mer, car les vagues dans cet endroit faisaient à peine
« entendre le léger murmure d'une fontaine ; en extase
« devant ce tableau, je m'appuyais contre une colonne,
« et sans pensée, sans désir, sans projet, je restais des
« heures entières à respirer un air délicieux. Le charme
« était si profond, qu'il me semblait que cet air divin
« transformait ma propre substance, et qu'avec un
« plaisir indicible je m'élevais vers le firmament comme
« un pur esprit. . . . . Attendre ou chercher la beauté,
« la voir s'avancer dans une nacelle et nous sourire du
« milieu des flots ; voguer avec elle sur la mer, dont
« nous semions la surface de fleurs ; suivre l'enchante-
« resse au fond de ces bois de myrte et dans les
« champs heureux où Virgile plaça l'Elysée : telle était
« l'occupation de nos jours . . . . . .

   « Peut-être est-il des climats dangereux à la vertu par
« leur extrême volupté ; et n'est-ce point ce que voulut
« enseigner une fable ingénieuse en racontant que Par-
« thénope fut bâtie sur le tombeau d'une sirène ?
« L'éclat velouté de la campagne, la tiède température
« de l'air, les contours arrondis des montagnes, les
« molles inflexions des fleuves et des vallées, sont, à
« Naples, autant de séductions pour les sens, que tout
« repose et que rien ne blesse...

   « Pour éviter les ardeurs du Midi, nous nous retirions
« dans la partie du palais bâtie sous la mer. Couchés
« sur des lits d'ivoire, nous entendions murmurer les
« vagues au-dessus de nos têtes ; si quelque orage nous
« surprenait au fond de ces retraites, les esclaves allu-
« maient des lampes pleines du nard le plus précieux de
« l'Arabie. Alors entraient de jeunes Napolitaines qui
« portaient des roses de Paestum dans des vases de
« Nola ; tandis que les flots mugissaient au dehors, elles
« chantaient en formant devant nous des danses tran-

« quilles qui me rappelaient les mœurs de la Grèce :
« ainsi se réalisaient pour nous les fictions des poëtes ;
« on eût cru voir les jeux des Néréides dans la grotte
« de Neptune. »

Madame Récamier rencontra à Naples le comte de
Nieperg et le duc de Rohan-Chabot : l'un devait monter
au nid de l'aigle[1], l'autre revêtir la pourpre[2]. On a dit
de celui-ci qu'il avait été voué au rouge, ayant porté
l'habit de chambellan, l'uniforme de chevau-léger de la
garde, et la robe de cardinal.

Le duc de Rohan était fort joli ; il roucoulait la
romance, lavait de petites aquarelles et se distinguait
par une étude coquette de toilette. Quand il fut abbé,
sa pieuse chevelure, éprouvée au fer, avait une élégance
de martyr. Il prêchait à la brune, dans des oratoires
sombres, devant des dévotes, ayant soin, à l'aide de deux
ou trois bougies artistement placées, d'éclairer en demi-
teinte comme un tableau, son visage pâle.

On ne s'explique pas de prime abord comment des
hommes que leurs noms rendaient bêtes à force d'orgueil s'étaient mis aux gages d'un *parvenu*. En y
regardant de près, on trouve que cette aptitude à entrer
en condition découlait naturellement de leurs mœurs :
façonnés à la domesticité, point n'avaient souci du
changement de livrée, pourvu que le maître fût logé au
château à la même enseigne. Le mépris de Bonaparte
leur rendait justice : ce grand soldat, abandonné des
siens, disait avec reconnaissance à une grande dame :
« Au fond, il n'y a que vous autres qui sachiez servir. »

La religion et la mort ont passé l'éponge sur quelques faiblesses, après tout bien pardonnables, du cardinal de Rohan. Prêtre chrétien, il a consommé à Besan-
çon son sacrifice, secourant le malheureux, nourrissant
le pauvre, vêtissant[3] l'orphelin et usant en bonnes

1. Il épousera Marie-Louise en 1821.
2. Duc de Rohan-Chabot (1788-1833). Après avoir été officier des
« compagnies rouges » sous la Restauration, il entra dans les ordres et devint
archevêque et cardinal.
3. Le participe présent de *vêtir* est : vêtant. Mais la forme dont
Chateaubriand use ici se trouve chez Montesquieu et Voltaire.

œuvres sa vie dont une santé déplorable abrégeait naturellement le cours.

Lecteur, si tu t'impatientes de ces citations, de ces récits, songe d'abord que tu n'as peut-être pas lu mes ouvrages, et qu'ensuite je ne t'entends plus; je dors dans la terre que tu foules; si tu m'en veux, frappe cette terre, tu n'insulteras que mes os. Songe de plus que mes écrits font partie essentielle de cette existence dont je déploie les feuilles. Ah! que mes tableaux napolitains n'avaient-ils un fonds de vérité! Que la fille du Rhône n'était-elle la femme réelle de mes délices imaginaires! Mais non : si j'étais Augustin, Jérôme, Eudore, je l'étais seul, mes jours devancèrent les jours de l'amie de Corinne en Italie. Heureux si j'avais pu étendre ma vie entière sous ses pas comme un tapis de fleurs! Mais ma vie est rude, et ses aspérités blessent. Puissent du moins mes heures expirantes refléte l'attendrissement et le charme dont elle les a remplies sur celle qui fut aimée de tous et dont personne n'eut jamais à se plaindre!

LE ROI MURAT : SES LETTRES.

MURAT, roi de Naples, né le 25 mai 1771 à la Bastide, près Cahors, fut envoyé à Toulouse pour y faire ses études. Il se dégoûta des lettres, s'enrôla dans les chasseurs des Ardennes, déserta et se réfugia à Paris. Admis dans la garde constitutionnelle de Louis XVI, il obtint, après le licenciement de cette garde, une sous-lieutenance dans le 11e régiment de chasseurs à cheval. A la mort de Robespierre, il fut destitué comme terroriste ; même chose arriva à Bonaparte, et les deux soldats demeurèrent sans ressources. Murat rentra en grâce au 13 vendémiaire, et devint aide de camp de Napoléon. Il fit sous lui les premières campagnes d'Italie, prit la Valteline et la réunit à la République Cisalpine, il eut part à l'expédition d'Egypte et se signala à la bataille d'Aboukir. Revenu en France avec son maître, il fut chargé de jeter à la porte le conseil des Cinq-Cents. Bonaparte lui donna en mariage sa sœur Caroline. Murat commandait la cavalerie à la bataille de Marengo. Gouverneur de Paris lors de la mort du duc d'Enghien, il gémit tout bas d'un assassinat qu'il n'eut pas le courage de blâmer tout haut.

Beau-frère de Napoléon et maréchal de l'empire, Murat entra à Vienne en 1806 ; il contribua aux victoires d'Austerlitz, d'Iena, d'Eylau et de Friedland, devint grand-duc de Berg et envahit l'Espagne en 1808.

Napoléon le rappela et lui donna la couronne de Naples. Proclamé roi des Deux-Siciles le 1er août 1808, il plut aux Napolitains par son faste, son costume théâtral, ses cavalcades et ses fêtes.

Appelé en qualité de grand vassal de l'empire à l'invasion de la Russie, il reparut dans tous les combats et se trouva chargé du commandement de la retraite de Smolensk à Wilna. Après avoir manifesté son mécontentement, il quitta l'armée à l'exemple de Bonaparte, et vint se réchauffer au soleil de Naples, comme son capitaine au foyer des Tuileries. Ces hommes de triomphe ne pouvaient s'accoutumer aux revers. Alors commencèrent ses liaisons avec l'Autriche. Il reparut encore aux camps de l'Allemagne en 1813, retourna à Naples, après la perte de la bataille de Leipzig et renoua ses négociations austro-britanniques. Avant d'entrer dans une alliance complète, Murat écrivit à Napoléon une lettre que j'ai entendu lire à M. de Mosbourg : il disait à son beau-frère, dans cette lettre, qu'il avait retrouvé la Péninsule fort agitée, que les Italiens réclamaient leur indépendance nationale, que si elle ne leur était pas rendue, il était à craindre qu'ils ne se joignissent à la coalition de l'Europe et n'augmentassent ainsi les dangers de la France. Il suppliait Napoléon de faire la paix, seul moyen de conserver un empire si puissant et si beau. Que si Bonaparte refusait de l'écouter, lui Murat, abandonné à l'extrémité de l'Italie, se verrait forcé de quitter son royaume ou d'embrasser les intérêts de la liberté italienne. Cette lettre très-raisonnable resta plusieurs mois sans réponse ; Napoléon n'a donc pu reprocher justement à Murat de l'avoir trahi.

Murat, obligé de choisir promptement, signa le 11 janvier 1814, avec la cour de Vienne, un traité : il s'obligeait à fournir un corps de trente mille hommes aux alliés. Pour prix de cette défection on lui garantissait son royaume napolitain et son droit de conquête sur les Marches pontificales. Madame Murat avait révélé cette importante transaction à madame Récamier. Au moment de se déclarer ouvertement, Murat, fort ému, rencontra madame Récamier chez Caroline et lui demanda ce qu'elle pensait du parti qu'il avait à prendre ; il la priait de bien peser les intérêts du peuple dont il était devenu le souverain. Madame Récamier lui dit : « Vous êtes Français, c'est aux Français que vous devez rester fidèle. » La figure de Murat se décomposa ; il repartit : « Je suis donc un traître ? qu'y faire ? il est trop tard ! » Il ouvrit avec violence une fenêtre et montra de la main une flotte anglaise entrant à pleines voiles dans le port.

Le Vésuve venait d'éclater et jetait des flammes. Deux heures après, Murat était à cheval à la tête de ses gardes ; la foule l'environnait en criant : « Vive le roi Joachim ! » Il avait tout oublié ; il paraissait ivre de joie. Le lendemain, grand spectacle au théâtre Saint-Charles ; le Roi et la Reine furent reçus avec des acclamations frénétiques inconnues des peuples en deçà des Alpes. On applaudit aussi l'envoyé de François II : dans la loge du ministre de Napoléon, il n'y avait personne ; Murat en parut troublé comme s'il eût vu au fond de cette loge le spectre de la France.

L'armée de Murat, mise en mouvement le 16 février 1814, force le prince Eugène à se replier sur l'Adige. Napoléon, ayant d'abord obtenu des succès inespérés en Champagne, écrivait à sa sœur Caroline des lettres qui furent surprises par les alliés et communiquées au Parlement d'Angleterre par lord Castlereagh ; il lui disait : « Votre mari est très-brave sur le champ de « bataille ; mais il est plus faible qu'une femme ou « qu'un moine quand il ne voit pas l'ennemi. Il n'a « aucun courage moral. Il a eu peur et il n'a pas « hasardé de perdre en un instant ce qu'il ne peut tenir « que par moi et avec moi. »

Dans une autre lettre adressée à Murat lui-même, Napoléon disait à son beau-frère : « Je suppose que « vous n'êtes pas de ceux qui pensent que le lion est « mort ; si vous faisiez ce calcul, il serait faux . . . . . « Vous m'avez fait tout le mal que vous pouviez depuis « votre départ de Wilna. Le titre de Roi vous a tourné « la tête ; si vous désirez le conserver, conduisez-vous « bien. »

Murat ne poursuivit pas le vice-roi sur l'Adige ; il hésitait entre les alliés et les Français, selon les chances que Bonaparte semblait gagner ou perdre.

Dans les champs de Brienne, où Napoléon fut élevé par l'ancienne monarchie, il donnait en l'honneur de celle-ci le dernier et le plus admirable de ses sanglants tournois. Favorisé des *carbonari,* Joachim tantôt veut se déclarer libérateur de l'Italie, tantôt espère la partager entre lui et Bonaparte devenu vainqueur.

Un matin, le courrier apporta à Naples la nouvelle de l'entrée des Russes à Paris. Madame Murat était encore couchée, et madame Récamier, assise à son chevet, causait avec elle ; on déposa sur le lit un énorme tas de lettres et de journaux. Parmi ceux-ci se trouvait mon écrit *De Bonaparte et des Bourbons.* La Reine s'écria : « Ah ! voilà un ouvrage de M. de Chateaubriand ; nous « le lirons ensemble. » Et elle continua à décacheter ses lettres.

Madame Récamier prit la brochure, et, après y avoir jeté les yeux au hasard, elle la remit sur le lit et dit à la Reine : « Madame, vous la lirez seule, je suis obligée « de rentrer chez moi. »

Napoléon fut relégué à l'île d'Elbe ; l'Alliance, avec une rare habileté, l'avait placé sur les côtes de l'Italie.

Murat apprit qu'on cherchait au Congrès de Vienne à le dépouiller des Etats qu'il avait néanmoins achetés si cher ; il s'entendit secrètement alors avec son beau-frère, devenu son voisin. On est toujours étonné que les Napoléon aient des parents : qui sait le nom d'Aridée [1], frère d'Alexandre ? Pendant le cours de l'année 1814, le Roi et la Reine de Naples donnèrent une fête à Pompéi ; on exécuta une fouille au son de la musique : les ruines que faisaient déterrer Caroline et Joachim ne les instruisaient pas de leur propre ruine ; sur les derniers bords de la prospérité on n'entend que les derniers concerts du songe qui passe.

Lors de la paix de Paris, Murat faisait partie de l'Alliance, le Milanais ayant été rendu à l'Autriche : les Napolitains se retirèrent dans les Légations romaines. Quand Bonaparte, débarqué à Cannes, fut entré à Lyon, Murat perplexe, ayant changé d'intérêts, sortit des Légations et marcha avec quarante mille hommes vers la haute Italie, pour faire diversion en faveur de Napoléon. Il refusa à Parme les conditions que les Autrichiens effrayés lui offraient encore : pour chacun de nous il est un moment critique ; bien ou mal choisi, il décide de notre avenir. Le baron de Firmont repousse les troupes de Murat, prend l'offensive et les mène battant jusqu'à Macerata [2]. Les Napolitains se débandèrent ; leur général-roi rentre dans Naples accompagné de quatre lanciers. Il se présente à sa femme et lui dit : « Madame, je n'ai pu mourir. » Le lendemain, un bateau le conduit vers l'île d'Ischia ; il rejoint en mer une pinque chargée de quelques officiers de son état-major et fait voile avec eux pour la France.

Madame Murat, demeurée seule, montra une présence d'esprit admirable. Les Autrichiens étaient au moment de paraître : dans le passage d'une autorité à l'autre un intervalle d'anarchie pouvait être rempli de désordres. La Régente ne précipite point sa retraite ; elle laisse le soldat allemand occuper la ville et fait pendant la nuit

1. Fils du père d'Alexandre, Philippe, et d'une courtisane.
2. A 170 kilomètres au nord de Rome.

éclairer ses galeries. Le peuple apercevant du dehors la lumière, pensant que la Reine est encore là, reste tranquille. Cependant Caroline sort par un escalier secret et s'embarque. Assise à la poupe du vaisseau, elle voyait sur la rive resplendir illuminé le palais désert dont elle s'éloignait, image du rêve brillant qu'elle avait eu pendant son sommeil dans la région des fées.

Caroline rencontra la frégate qui ramenait Ferdinand[1]. Le vaisseau de la Reine fugitive fit le salut, le vaisseau du Roi rappelé ne le rendit pas : la prospérité ne reconnaît pas l'adversité sa sœur. Ainsi les illusions évanouies pour les uns recommencent pour les autres ; ainsi se croisent dans les vents et sur les flots les inconstantes destinées humaines : riantes ou funestes, le même abîme les porte et les engloutit.

Murat accomplissait ailleurs sa course. Le 25 mai 1815, à dix heures du soir, il aborda au golfe Juan, où son beau-frère avait abordé. La fortune faisait jouer à Joachim la parodie de Napoléon. Celui-ci ne croyait pas à la force du malheur et au secours qu'il apporte aux grandes âmes : il défendit au Roi détrôné l'accès de Paris ; il mit au lazaret cet homme attaqué de la peste des vaincus ; il le relégua dans une maison de campagne, appelée *Plaisance,* près de Toulon. Il eût mieux fait de moins redouter une contagion dont il avait été lui-même atteint : qui sait ce qu'un soldat comme Murat aurait pu changer à la bataille de Waterloo ?

Le roi de Naples, dans son chagrin, écrivait à Fouché le 19 juillet 1815 :

« Je répondrai, à ceux qui m'accusent d'avoir com-
« mencé les hostilités trop tôt, qu'elles le furent sur la
« demande formelle de l'Empereur, et que depuis trois
« mois il n'a cessé de me rassurer sur ses sentiments,
« en accréditant des ministres près de moi, en m'écri-
« vant qu'il comptait sur moi et qu'il ne m'abandonne-
« rait jamais. Ce n'est que lorsqu'on a vu que je venais
« de perdre avec le trône les moyens de continuer la
« puissante diversion qui durait depuis trois mois, qu'on

1. Ferdinand IV comme roi des Deux-Siciles.

« veut égarer l'opinion publique en insinuant que j'ai agi
« pour mon propre compte et à l'insu de l'Empereur. »

Il y eut dans le monde une femme généreuse et belle[1] ; lorsqu'elle arriva à Paris, madame Récamier la reçut et ne l'abandonna point dans des temps de malheur. Parmi les papiers qu'elle a laissés, on a trouvé deux lettres de Murat du mois de juin 1815 ; elles sont utiles à l'histoire.

« 6 juin 1815.

« J'ai perdu pour la France la plus belle existence ;
« j'ai combattu pour l'Empereur ; c'est pour sa cause
« que mes enfants et ma femme sont en captivité. La
« patrie est en danger, j'offre mes services ; on en
« ajourne l'acceptation. Je ne sais si je suis libre ou
« prisonnier. Je dois être enveloppé dans la ruine de
« l'Empereur s'il succombe, et on m'ôte les moyens de
« le servir et de servir ma propre cause. J'en demande
« les raisons ; on répond obscurément et je ne puis me
« faire juge de ma position. Tantôt je ne puis me
« rendre à Paris où ma présence ferait tort à l'Empe-
« reur ; je ne saurais aller à l'armée où ma présence
« réveillerait trop l'attention du soldat. Que faire ?
« attendre : voilà ce qu'on me répond. On me dit d'un
« autre côté qu'on ne me pardonne pas d'avoir aban-
« donné l'Empereur l'année dernière, tandis que des
« lettres de Paris disaient quand je combattais récem-
« ment pour la France : *Tout le monde ici est enchanté*
« *du Roi.* » L'Empereur m'écrivait : *Je compte sur vous,*
« *comptez sur moi : je ne vous abandonnerai jamais.* »
« Le roi Joseph m'écrivait : *« L'Empereur m'ordonne de*
« *vous écrire de vous porter rapidement sur les Alpes. »*
« Et quand en arrivant je lui témoigne des sentiments
« généreux, et que je lui offre de combattre pour la
« France, je suis envoyé dans les Alpes. Pas un mot de
« consolation n'est adressé à celui qui n'eut jamais

1. Maurice Levaillant reconnaît ici Mme Michel de Civrieux, amie dévouée de Murat.

« d'autre tort envers lui que d'avoir trop compté sur
« des sentiments généreux, sentiments qu'il n'eut jamais
« pour moi.

« Mon amie, je viens vous prier de me faire connaître
« l'opinion de la France et de l'armée à mon égard. Il
« faut savoir tout supporter, et mon courage me rendra
« supérieur à tous les malheurs. Tout est perdu hors
« l'honneur : j'ai perdu le trône, mais j'ai conservé toute
« ma gloire ; je fus abandonné par mes soldats qui furent
« victorieux dans tous les combats, mais je ne fus jamais
« vaincu. La désertion de vingt mille hommes me mit à la
« merci de mes ennemis ; une barque de pêcheur me
« sauva de la captivité, et un navire marchand me jeta en
« trois jours sur les côtes de France. »

« Sous Toulon, 18 juin 1815.

« Je viens de recevoir votre lettre. Il m'est impossible
« de vous dépeindre les différentes sensations qu'elle
« m'a fait éprouver. J'ai pu un instant oublier mes
« malheurs. Je ne suis occupé que de mon amie, dont
« l'âme noble et généreuse vient me consoler et me
« montrer sa douleur. Rassurez-vous, tout est perdu,
« mais l'honneur reste, ma gloire survivra à tous mes
« malheurs, et mon courage saura me rendre supérieur
« à toutes les rigueurs de ma destinée : n'ayez rien à
« craindre de ce côté. J'ai perdu trône et famille sans
« m'émouvoir ; mais l'ingratitude m'a révolté. J'ai tout
« perdu pour la France, pour son empereur, par son
« ordre, et aujourd'hui il me fait un crime de l'avoir
« fait. Il me refuse la permission de combattre et de
« me venger, et je ne suis pas libre sur le choix de ma
« retraite : concevez-vous tout mon malheur ? que fai-
« re ? quel parti prendre ? Je suis Français et père :
« comme Français, je dois servir ma patrie ; comme
« père, je dois aller partager le sort de mes enfants :
« l'honneur m'impose le devoir de combattre et la
« nature me dit que je dois être à mes enfants. A qui
« obéir ? Ne puis-je satisfaire à tous deux ? Me sera-t-il
« permis d'écouter l'un ou l'autre ? Déjà l'Empereur me
« refuse des armées ; et l'Autriche m'accordera-t-elle les

« moyens d'aller rejoindre mes enfants ? les lui deman-
« derai-je, moi qui n'ai jamais voulu traiter avec ses
« ministres ? Voilà ma situation : donnez-moi des con-
« seils. J'attendrai votre réponse, celle du duc d'Otrante
« et de Lucien, avant de prendre une détermination.
« Consultez bien l'opinion sur ce que l'on croit qu'il
« me convient de faire, car je ne suis pas libre sur le
« choix de ma retraite ; on revient sur le passé et on
« me fait un crime d'avoir, par ordre, perdu mon trône,
« quand ma famille gémit dans la captivité. Conseillez-
« moi ; écoutez la voix de l'honneur, celle de la nature,
« et, en juge impartial, ayez le courage de m'écrire ce
« qu'il faut que je fasse. J'attendrai votre réponse sur
« la route de Marseille à Lyon. »

Laissant de côté les vanités personnelles et ces illusions qui sortent du trône, même d'un trône où l'on ne
s'est assis qu'un moment, ces lettres nous apprennent
quelle idée Murat se faisait de son beau-frère.

Bonaparte perd une seconde fois l'empire ; Murat
vagabonde sans asile sur ces mêmes plages qui ont vu
errer la duchesse de Berri[1]. Des contrebandiers consen-
tent, le 22 août 1815, à le passer, lui et trois autres, à
l'île de Corse. Une tempête l'accueille : la balancelle
qui faisait le service entre Bastia et Toulon le reçoit à
son bord. A peine a-t-il quitté son embarcation, qu'elle
s'entr'ouvre. Surgi à Bastia le 25 août, il court se
cacher au village de Vescovato, chez le vieux Colonna-
Ceccaldi. Deux cents officiers le rejoignirent avec le
général Franceschetti. Il marche sur Ajaccio : la ville
maternelle de Bonaparte seule tenait encore pour son
fils ; de tout son empire, Napoléon ne possédait plus
que son berceau. La garnison de la citadelle salue
Murat, et le veut proclamer roi de Corse : il s'y refuse ;
il ne trouve d'égal à sa grandeur que le spectre des
Deux-Siciles. Son aide de camp Mucirone lui apporte de
Paris la décision de l'Autriche en vertu de laquelle il
doit quitter le titre de roi et se retirer à volonté dans la
Bohême ou la Moldavie. « Il est trop tard, répondit

---

1. En 1832, lorsqu'elle débarqua sur les côtes de Provence.

Joachim; mon cher Mucirone, le dé en est jeté.» Le 28 septembre, Murat cingle vers l'Italie; sept bâtiments étaient chargés de ses deux cent cinquante serviteurs : il avait dédaigné de tenir à royaume l'étroite patrie de l'homme immense; plein d'espoir, séduit par l'exemple d'une fortune au-dessus de la sienne, il partait de cette île d'où Napoléon était sorti pour prendre possession du monde : ce ne sont pas les mêmes lieux, ce sont les génies semblables qui produisent les mêmes destinées.

Une tempête disperse la flottille; Murat fut jeté le 8 octobre dans le golfe de Sainte-Euphémie, presque au moment où Bonaparte abordait le rocher de Sainte-Hélène.

De ses sept prames il ne lui en restait que deux, y compris la sienne. Débarqué avec une trentaine d'hommes, il essaie de soulever les populations de la côte; les habitants font feu sur sa troupe. Les deux prames gagnent le large; Murat était trahi. Il court à un bateau échoué; il essaie de le mettre à flot; le bateau reste immobile. Entouré et pris, Murat outragé du même peuple qui se tuait naguère à crier : «Vive le Roi Joachim!» est conduit au château de Pizzo. On saisit sur lui et ses compagnons des proclamations insensées : elles montraient de quels rêves les hommes se bercent jusqu'à leur dernier moment.

Tranquille dans sa prison, Murat disait : «Je ne « garderai que mon royaume de Naples : mon cousin « Ferdinand conservera la seconde Sicile.» Et dans ce moment une commission militaire condamnait Murat à mort. Lorsqu'il apprit son arrêt, sa fermeté l'abandonna quelques instants; il versa des larmes et s'écria : «Je suis Joachim, Roi des Deux-Siciles!» Il oubliait que Louis XVI avait été Roi de France, le duc d'Enghien petit-fils du grand Condé, et Napoléon arbitre de l'Europe : la mort compte pour rien ce que nous fûmes.

Un prêtre est toujours un prêtre, quoi qu'on dise et qu'on fasse; il vient rendre à un cœur intrépide la force défaillie. Le 13 octobre 1815, Murat, après avoir écrit à sa femme, est conduit dans une salle du château de Pizzo, renouvelant dans sa personne romanesque les aventures brillantes ou tragiques du moyen âge. Douze soldats, qui peut-être avaient servi sous lui, l'attendaient disposés sur deux rangs. Murat voit charger les armes, refuse de se laisser bander les yeux, choisit lui-même, en capitaine expérimenté, le poste où les balles le peuvent mieux atteindre.

Couché en joue, au moment du feu il dit : « Soldats, sauvez le visage ; visez au cœur ! » Il tombe tenant dans ses mains les portraits de sa femme et de ses enfants : ces portraits ornaient auparavant la garde de son épée. Ce n'était qu'une affaire de plus que le brave venait de vider avec la vie.

Les genres de mort différents de Napoléon et de Murat conservent les caractères de leur existence.

Murat si fastueux fut enterré sans pompe à Pizzo, dans une de ces églises chrétiennes dont le sein charitable reçoit miséricordieusement toutes les cendres.

MADAME RÉCAMIER REVIENT EN FRANCE. — LETTRE DE MADAME DE GENLIS.

MADAME RÉCAMIER, revenant en France, traversa Rome au moment où le pape y rentrait. Dans une autre partie de ces *Mémoires,* vous avez conduit Pie VII, mis en liberté à Fontainebleau, jusqu'aux portes de Saint-Pierre. Joachim, encore vivant, allait disparaître, et Pie VII reparaissait. Derrière eux, Napoléon était frappé : la main du conquérant laissait tomber le roi et relevait le pontife.

Pie VII fut reçu avec des cris qui ébranlaient les ruines de la ville des ruines. On détela sa voiture, et la foule le traîna jusqu'aux degrés de l'église des Apôtres. Le Saint-Père ne voyait rien, n'entendait rien ; ravi en esprit, sa pensée était loin de la terre ; sa main se levait seulement sur le peuple par la tendre habitude des bénédictions. Il pénétra dans la basilique au bruit des fanfares, au chant du *Te Deum,* aux acclamations des Suisses de la religion de Guillaume Tell. Les encensoirs lui envoyaient des parfums qu'il ne respirait pas ; il ne voulut point être porté sur le pavois à l'ombre du dais et des palmes ; il marcha comme un naufragé accomplissant un vœu à Notre-Dame de Bon-Secours, et chargé par le Christ d'une mission qui devait renouveler la face de la terre. Il était vêtu d'une robe blanche ; ses cheveux, restés noirs malgré le malheur et les ans, contrastaient avec la pâleur de l'anachorète. Arrivé au tombeau des Apôtres, il se prosterna : il demeura plongé, immobile et comme mort dans les abîmes des conseils de la Providence. L'émotion était profonde, des protestants témoins de cette scène pleuraient à chaudes larmes.

Quel sujet de méditations ! Un prêtre infirme, caduc, sans force, sans défense, enlevé du Quirinal, transporté captif au fond de Gaules ; un martyr qui n'attendait plus que sa tombe, délivré des mains de Napoléon qui pressait le globe, reprenant l'empire d'un monde indestructible quand les planches d'une prison d'outre-mer se préparaient pour ce formidable geôlier des peuples et des rois !

Pie VII survécut à l'empereur ; il vit revenir au Vatican les chefs-d'œuvre, amis fidèles qui l'avaient accompagné dans son exil. Au retour de la persécution, le pontife septuagénaire, prosterné sous la coupole de Saint-Pierre, montrait à la fois toute la faiblesse de l'homme et la grandeur de Dieu.

En descendant les Alpes de la Savoie, madame Récamier trouva au Pont-de-Beauvoisin le drapeau blanc et la cocarde blanche. Les processions de la Fête-Dieu, parcourant les villages, semblaient être revenues avec le Roi très-chrétien. A Lyon, la voyageuse tomba au milieu d'une fête pour la Restauration. L'enthousiasme était sincère. A la tête des réjouissances paraissaient Alexis de Noailles et le colonel Clary, beau-frère de Joseph Bonaparte [1]. Ce qu'on raconte

1. Beau-frère aussi de Bernadotte.

aujourd'hui de la froideur et de la tristesse dont la légitimité fut accueillie à la première Restauration est une impudente menterie. La joie fut générale dans les diverses opinions, même parmi les conventionnels, même parmi les impérialistes, les soldats exceptés ; leur noble fierté souffrait de ces revers. Aujourd'hui que le poids du gouvernement militaire ne se sent plus, que les vanités se sont réveillées, il faut nier les faits parce qu'ils ne s'arrangent pas avec les théories du moment. Il convient à un système que la nation ait reçu les Bourbons avec horreur, et que la Restauration ait été un temps d'oppression et de misère. Cela conduit à de tristes réflexions sur la nature humaine. Si les Bourbons avaient eu le goût et la force d'opprimer, ils se pouvaient flatter de conserver longtemps le trône. Les violences et les injustices de Bonaparte, dangereuses à son pouvoir en apparence, le servirent en effet : on s'épouvante des iniquités, mais on s'en forge une grande idée ; on est disposé à regarder comme un être supérieur celui qui se place au-dessus des lois.

Madame de Staël, arrivée à Paris avant madame Récamier, lui avait écrit plusieurs fois ; ce billet seul était parvenu à son adresse :

« Paris, 20 mai 1814.

« Je suis honteuse d'être à Paris sans vous, cher ange « de ma vie : je vous demande vos projets. Voulez-vous que « j'aille au-devant de vous à Coppet, où je vais rester quatre « mois ? Après tant de souffrances, ma plus douce perspec-« tive c'est vous, et mon cœur vous est à jamais dévoué. Un « mot sur votre départ et votre arrivée. J'attends ce mot « pour savoir ce que je ferai. Je vous écris à Rome, à « Naples, etc. »

Madame de Genlis, qui n'avait jamais eu de rapports avec madame Récamier, s'empressa de s'approcher d'elle. Je trouve dans un passage l'expression d'un vœu qui, réalisé, eût épargné au lecteur mon récit.

« Voilà, madame, le livre que j'ai eu l'honneur de vous
« promettre. J'ai marqué les choses que je désire que vous
« lisiez . . . .
« Venez, madame, pour me conter votre histoire *en ces*
« *termes,* comme on fait dans les romans. Puis ensuite je
« vous demanderai de l'écrire en forme de souvenirs qui
« seront remplis d'intérêt, parce que dans la plus grande
« jeunesse vous avez été jetée, avec une figure ravissante,
« un esprit plein de finesse et de pénétration, au milieu
« de ces tourbillons d'erreurs et de folies ; que vous avez tout
« vu, et qu'ayant conservé, durant ces orages, des
« sentiments religieux, une âme pure, une vie sans ta-
« che, un cœur sensible et fidèle à l'amitié, n'ayant ni
« envie, ni passions haineuses, vous peindrez tout avec
« les couleurs les plus vraies. Vous êtes un des phé-
« nomènes de ce temps-ci, et certainement le plus aima-
« ble.

« Vous me montrerez *vos souvenirs* ; ma vieille expé-
« rience vous offrira quelques conseils, et vous ferez un
« ouvrage utile et délicieux. N'allez pas me répondre : *Je ne*
« *suis pas capable, etc., etc. ;* je ne vous passerai jamais des
« lieux communs ; ils sont indignes de votre esprit. Vous
« pouvez jeter sans remords les yeux sur le passé ; c'est en
« tout temps le plus beau des droits ; dans celui où nous
« sommes, c'est inappréciable. Profitez-en pour l'instruc-
« tion de la jeune personne que vous élevez ; ce sera pour
« elle votre plus grand bienfait.

« Adieu, madame, permettez-moi de vous dire que
« je vous aime et que je vous embrasse de toute mon
« âme. »

LETTRES DE BENJAMIN CONSTANT.

Maintenant que madame Récamier est rentrée dans Paris, je vais retrouver pendant quelque temps mes premiers guides.

La reine de Naples, inquiète des résolutions du congrès de Vienne, écrivit à madame Récamier pour qu'elle lui découvrît un homme capable de traiter des intérêts à Vienne. Madame Récamier s'adressa à Benjamin Constant, et le pria de rédiger un mémoire. Cette circonstance eut sur l'auteur de ce mémoire l'influence la plus malheureuse ; un sentiment orageux fut la suite d'une entrevue. Sous l'empire de ce sentiment, Benjamin Constant, déjà violent antibonapartiste, comme on le voit dans *l'Esprit de conquête,* laissa déborder des opinions dont les événements changèrent bientôt le cours. De là une réputation de mobilité politique funeste aux hommes d'Etat.

Madame Récamier, tout en admirant Bonaparte, était restée fidèle à sa haine contre l'oppresseur de nos libertés et contre l'ennemi de madame de Staël. Quant à ce qui la regardait elle-même, elle n'y pensait pas et elle eût fait bon marché de son exil. Les lettres que Benjamin Constant lui écrivait à cette époque serviront d'étude sinon du cœur humain, du moins de la tête humaine : on y voit tout ce que pouvait faire d'une passion un esprit ironique et romanesque, sérieux et poétique. Rousseau n'est pas plus véritable, mais il mêle à ses amours d'imagination une mélancolie sincère et une rêverie réelle.

CEPENDANT Bonaparte était débarqué à Cannes ; la perturbation de son approche commençait à se faire sentir. Benjamin Constant envoya ce billet à madame Récamier :

« Pardon si je profite des circonstances pour vous
« importuner ; mais l'occasion est trop belle. Mon sort sera
« décidé dans quatre ou cinq jours sûrement ; car quoique
« vous aimiez à ne pas le croire pour diminuer votre intérêt,
« je suis certainement, avec Marmont, Chateaubriand et
« Lainé, l'un des quatre hommes les plus compromis de
« France. Il est donc certain que si nous ne triomphons pas,
« je serai dans huit jours ou proscrit et fugitif, ou dans un
« cachot, ou fusillé. Accordez-moi donc, pendant les deux
« ou trois jours qui précéderont la bataille, le plus que vous
« pourrez de votre temps et de vos heures. Si je meurs, vous
« serez bien aise de m'avoir fait ce bien, et vous seriez
« fâchée de m'avoir affligé. Mon sentiment pour vous est
« ma vie ; un signe d'indifférence me fait plus de mal que
« ne pourra le faire dans quatre jours mon arrêt de mort. Et
« quand je sens que le danger est un moyen d'obtenir de
« vous un signe d'intérêt, je n'en éprouve que de la joie.

« Avez-vous été contente de mon article, et savez-vous
« ce qu'on en dit ? »

Benjamin Constant avait raison, il était aussi compromis que moi : attaché à Bernadotte, il avait servi contre Napoléon ; il avait publié son écrit *De l'esprit de conquête,* dans lequel il traitait le *tyran* plus mal que je ne le traitais dans ma brochure *De Bonaparte et des Bourbons.* Il mit le comble à ses périls en parlant dans les gazettes.

Le 19 mars, au moment où Bonaparte était aux portes de la capitale, il fut assez ferme pour signer dans le *Journal des Débats* un article terminé par cette phrase : Je n'irai pas, « misérable transfuge, me traîner d'un pouvoir à l'autre,

« couvrir l'infamie par le sophisme, et balbutier des mots
« profanes pour racheter une vie honteuse. »

Benjamin Constant écrivait à celle qui lui avait inspiré
ces nobles sentiments : «Je suis bien aise que mon article
« ait paru ; on ne peut au moins en soupçonner aujourd'hui
« la sincérité. Voici un billet que l'on m'écrit après l'avoir
« lu : si j'en recevais un pareil d'une autre, je serais gai sur
« l'échafaud. »

Madame Récamier s'est toujours reproché d'avoir eu,
sans le vouloir, une pareille influence sur une destinée
honorable. Rien en effet n'est plus malheureux que d'inspirer à des caractères mobiles ces résolutions énergiques qu'ils
sont incapables de tenir.

Benjamin Constant démentit le 20 mars son article du 19.
Après avoir fait quelques tours de roues pour s'éloigner, il
revint à Paris et se laissa prendre aux séductions de
Bonaparte. Nommé conseiller d'Etat, il effaça ses pages
généreuses en travaillant à la rédaction de *l'acte additionnel.*

Depuis ce moment il porta au cœur une plaie secrète ; il
n'aborda plus avec assurance la pensée de la postérité ; sa
vie attristée et défleurie n'a pas peu contribué à sa mort.
Dieu nous garde de triompher des misères dont les natures
les plus élevées ne sont point exemptes ! Le ciel ne nous
donne des talents qu'en y attachant des infirmités : expiations offertes à la sottise et à l'envie. Les faiblesses d'un
homme supérieur sont ces victimes noires que l'antiquité
sacrifiait aux dieux infernaux, et pourtant ils ne se laissent
jamais désarmer.

MADAME DE KRUDENER. — LE DUC DE WELLINGTON.

MADAME RÉCAMIER était restée en France pendant les
Cent-Jours, où la reine Hortense l'invitait à demeurer ; la

reine de Naples lui offrait au contraire un asile en Italie. Les Cent-Jours passèrent. Madame de Krudener suivit les alliés arrivés de nouveau à Paris. Elle était tombée du roman dans le mysticisme ; elle exerçait un grand empire sur l'esprit de l'empereur de Russie.

Madame de Krudener logeait dans un hôtel du faubourg Saint-Honoré. Le jardin de cet hôtel s'étendait jusqu'aux Champs-Elysées. Alexandre arrivait *incognito* par une porte du jardin, et des conversations politico-religieuses finissaient par de ferventes prières. Madame de Krudener m'avait invité à l'une de ces sorcelleries célestes : moi, l'homme de toutes les chimères, j'ai la haine de la déraison, l'abomination du nébuleux et le dédain des jongleries ; on n'est pas parfait. La scène m'ennuya ; plus je voulais prier, plus je sentais la sécheresse de mon âme. Je ne trouvais rien à dire à Dieu, et le diable me poussait à rire. J'avais mieux aimé madame de Krudener lorsque, environnée de fleurs et habitante encore de cette chétive terre, elle composait *Valérie*. Seulement je trouvais que mon vieil ami M. Michaud mêlé bizarrement à cette idylle, n'avait pas assez du berger, malgré son nom. Madame de Krudener, devenue séraphin, cherchait à s'entourer d'anges ; la preuve en est dans ce billet charmant de Benjamin Constant à madame Récamier :

« Jeudi.

« Je m'acquitte avec un peu d'embarras d'une com-
« mission que madame de Krudener vient de me donner.
« Elle vous supplie de venir la moins belle que vous pourrez.
« Elle dit que vous éblouissez tout le monde, et que par-là
« toutes les âmes sont troublées et toutes les attentions
« impossibles. Vous ne pouvez pas déposer votre charme ;
« mais ne le rehaussez pas. Je pourrais ajouter bien des
« choses sur votre figure à cette occasion, mais je n'en ai
« pas le courage. On peut être ingénieux sur le charme qui
« plaît, mais non sur celui qui tue. Je vous verrai tout à
« l'heure ; vous m'avez indiqué cinq heures, mais vous ne

« rentrerez qu'à six, et je ne pourraî vous dire un mot. Je
« tâcherai pourtant d'être aimable encore cette fois. »

Le duc de Wellington ne prétendait-il pas aussi à l'honneur d'attirer un regard de Juliette ? Un de ses billets que je
transcris n'a de curieux que la signature :

« A Paris, ce 13 janvier.

« J'avoue, madame, que je ne regrette pas beaucoup
« que les affaires m'empêchent de passer chez vous après
« dîner, puisque, à chaque fois que je vous vois, je vous
« quitte plus pénétré de vos agréments et moins disposé à
« donner mon attention *à la politique!!!*

« Je passerai chez vous demain à mon retour de chez
« l'abbé Sicard, en cas que vous vous y trouvassiez et
« malgré l'effet que ces visites dangereuses produisent sur
« moi.

« Votre très-fidèle serviteur,
« WELLINGTON. »

A son retour de Waterloo, entrant chez madame
Récamier, le duc de Wellington s'écria : « Je l'ai bien
battu ! » Dans un cœur français, son succès lui aurait fait
perdre la victoire, eût-il pu jamais y prétendre.

JE RETROUVE MADAME RÉCAMIER. — MORT DE MADAME
DE STAËL.

CE fut à une douloureuse époque pour l'illustration de la
France que je retrouvai madame Récamier ; ce fut à
l'époque de la mort de madame de Staël. Rentrée à Paris

après les *Cent-Jours,* l'auteur de *Delphine* était revenue souffrante ; je l'avais revue chez elle et chez madame la duchesse de Duras. Peu à peu son état empirant, elle fut obligée de garder le lit. Un matin j'étais allé chez elle rue Royale ; les volets des fenêtres étaient aux deux tiers fermés ; le lit, rapproché du mur du fond de la chambre, ne laissait qu'une ruelle à gauche ; les rideaux, retirés sur les tringles formaient deux colonnes au chevet. Madame de Staël, à demi-assise, était soutenue par des oreillers. Je m'approchai, et quand mon œil se fut un peu accoutumé à l'obscurité, je distinguai la malade. Une fièvre ardente animait ses joues. Son beau regard me rencontra dans les ténèbres, et elle me dit : «*Bonjour, my dear* «*Francis.* Je souffre, mais cela ne m'empêche pas de vous « aimer.» Elle étendit sa main que je pressai et baisai. En relevant la tête, j'aperçus au bord opposé de la couche, dans la ruelle, quelque chose qui se levait blanc et maigre : c'était M. de Rocca, le visage défait, les joues creuses, les yeux brouillés, le teint indéfinissable ; il se mourait ; je ne l'avais jamais vu, et ne l'ai jamais revu. Il n'ouvrit pas la bouche ; il s'inclina en passant devant moi ; on n'entendait point le bruit de ses pas : il s'éloigna à la manière d'une ombre. Arrêtée un moment à la porte, *la nueuse idole frôlant les doigts* se retourna vers le lit pour ajourner [1] madame de Staël. Ces deux spectres qui se regardaient en silence, l'un debout et pâle, l'autre assis et coloré d'un sang prêt à redescendre et à se glacer au cœur, faisaient frissonner.

Peu de jours après, madame de Staël changea de logement. Elle m'invita à dîner chez elle, rue Neuve-des-Mathurins : j'y allai ; elle n'était point dans le salon et ne put même assister au dîner ; mais elle ignorait que l'heure fatale était si proche. On se mit à table. Je me trouvai assis auprès de madame Récamier. Il y avait douze ans que je ne l'avais rencontrée, et encore ne l'avais-je aperçue qu'un moment. Je ne la regardais point, elle ne me regardait pas ; nous n'échangions pas une parole. Lorsque, vers la fin du dîner,

1. Lui dire au revoir.

elle m'adressa timidement quelques paroles sur la maladie de madame de Staël, je tournai un peu la tête et je levai les yeux. Je craindrais de profaner aujourd'hui par la bouche de mes années un sentiment qui conserve dans ma mémoire toute sa jeunesse, et dont le charme s'accroît à mesure que ma vie se retire. J'écarte mes vieux jours pour découvrir derrière ces jours des apparitions célestes, pour entendre du bas de l'abîme les harmonies d'une région plus heureuse.

Madame de Staël mourut[1]. Le dernier billet qu'elle écrivit à madame de Duras était tracé en grandes lettres dérangées comme celles d'un enfant. Un mot affectueux s'y trouvait pour *Francis*[2]. Le talent qui expire saisit davantage que l'individu qui meurt : c'est une désolation générale dont la société est frappée ; chacun au même moment fait la même perte.

Avec madame de Staël s'abattit une partie considérable du temps où j'ai vécu : telles de ces brèches, qu'une intelligence supérieure en tombant forme dans un siècle, ne se referment jamais. Sa mort fit sur moi une impression particulière à laquelle se mêlait une sorte d'étonnement mystérieux : c'était chez cette femme illustre que j'avais connu madame Récamier, et, après de longs jours de séparation, madame de Staël réunissait deux personnes voyageuses devenues presque étrangères l'une à l'autre : elle leur laissait à un repas funèbre son souvenir et l'exemple de son attachement immortel.

J'allai voir madame Récamier rue Basse-du-Rempart, et ensuite rue d'Anjou. Quand on s'est rejoint à sa destinée, on croit ne l'avoir jamais quittée : la vie, selon l'opinion de Pythagore, n'est qu'une réminiscence. Qui, dans le cours de ses jours, ne se remémore quelques petites circonstances indifférentes à tous, hors à celui qui se les rappelle ? A la maison de la rue d'Anjou il y avait un jardin, dans ce jardin un berceau de tilleuls entre les feuilles desquels j'apercevais un rayon de lune, lorsque j'attendais madame Récamier : ne me semble-t-il pas que ce rayon est à moi, et que si

1. Le 14 juillet 1817.
2. Elle aimait traduire ainsi à l'anglaise le prénom de Chateaubriand.

j'allais sous les mêmes abris, je le retrouverais ? Je ne me souviens guère du soleil que j'ai vu briller sur bien des fronts.

L'Abbaye aux Bois.

J'étais au moment d'être obligé de vendre *la Vallée aux Loups* que madame Récamier avait louée de moitié avec M. de Montmorency.

De plus en plus éprouvée par la fortune, madame Récamier se retira bientôt à l'Abbaye aux Bois.

La duchesse d'Abrantès parle ainsi de cette demeure [1] :

« L'Abbaye aux Bois avec toutes ses dépendances, « ses beaux jardins, ses vastes cloîtres dans lesquels jouaient « de jeunes filles de tous les âges, au regard insoucieux, à la « parole folâtre, l'Abbaye aux Bois n'était connue que « comme une sainte demeure à laquelle une famille pouvait « confier son espoir, encore ne l'était-elle que par les mères « ayant un intérêt au delà de sa haute muraille. Mais, une « fois que la sœur Marie avait fermé la petite porte « surmontée d'un attique, limite du saint domaine, on « traversait la grande cour qui sépare le couvent de la rue, « non seulement comme un terrain neutre, mais étranger.

« Aujourd'hui il n'en va pas ainsi : le nom de l'Ab-« baye aux Bois est devenu populaire ; sa renommée est « générale et familière à toutes les classes. La femme qui y « vient pour la première fois en disant à ses gens : « À « l'Abbaye aux Bois, » est sûre de n'être pas questionnée par

1. Rue de Sèvres. L'Abbaye-aux-Bois, ancien couvent, a été démolie en 1908.

« eux pour savoir de quel côté ils doivent tourner . . . . . .

« D'où lui est venue, en aussi peu de temps, une
« renommée si positive, une illustration si connue ? Voyez-
« vous deux petites fenêtres tout en haut, dans les combles,
« là, au-dessus des larges fenêtres du grand escalier ? c'est
« une des petites chambres de la maison. Eh bien ! c'est
« pourtant dans son enceinte que la renommée de *l'Abbaye*
« *aux bois* a pris naissance, c'est de là qu'elle est descendue,
« qu'elle est devenue populaire. Et comment ne l'aurait-elle
« pas été lorsque toutes les classes de la société savaient que
« dans cette chambre habitait un être dont la vie était
« déshéritée de toutes les joies, et qui néanmoins avait des
« paroles consolantes pour tous les chagrins, des mots
« magiques pour adoucir toutes les douleurs, des secours
« pour toutes les infortunes ?

« Lorsque du fond de sa prison Couder entrevit
« l'échafaud*, quelle fut la pitié qu'il invoqua ? « Va chez
« madame Récamier, dit-il à son frère, dis-lui que je suis
« innocent devant Dieu... elle comprendra ce témoignage... »
« et Couder fut sauvé. Madame Récamier associa à
« son action libérale cet homme qui possède en même
« temps le talent et la bonté : M. Ballanche seconda
« ses démarches, et l'échafaud dévora une victime de
« moins.

« C'était presque une merveille présentée à l'étude de
« l'esprit humain que cette petite cellule dans laquelle une
« femme, dont la réputation est plus qu'européenne, était
« venue chercher du repos et un asile convenable. Le monde
« est ordinairement oublieux de ceux qui ne le convient plus
« à leurs festins ; il ne le fut pas pour celle qui, jadis au
« milieu de ses joies, écoutait encore plus une plainte que
« l'accent du plaisir. Non-seulement la petite chambre du
« troisième de l'Abbaye aux Bois fut toujours le but des
« courses des amis de madame Récamier ; mais comme si le
« prestigieux pouvoir d'une fée eût adouci la raideur de la
« montée, ces mêmes étrangers, qui réclamaient comme une
« faveur d'être admis dans l'élégant hôtel de la Chaussée
« d'Antin, sollicitaient encore la même grâce. C'était pour

---

* Il était compromis dans l'affaire de Bories.

680

« eux un spectacle vraiment aussi remarquable qu'aucune
« rareté de Paris, de voir, dans un espace de dix pieds sur
« vingt, toutes les opinions, réunies sous une même ban-
« nière, marcher en paix et se donner presque la main. Le
« vicomte de Chateaubriand racontait à Benjamin Constant
« les merveilles inconnues de l'Amérique. Matthieu de
« Montmorency, avec cette urbanité personnelle .à lui-
« même, cette politesse chevaleresque de tout ce qui porte
« son nom, était aussi respectueusement attentif pour
« madame Bernadotte allant régner en Suède, qu'il l'aurait
« été¹ pour la sœur d'Adélaïde de Savoie, fille d'Humbert
« aux blanches mains, cette veuve de Louis-le-Gros qui
« avait épousé un de ses ancêtres. Et l'homme des temps
« féodaux n'avait aucune parole amère pour l'homme des
« jours libres.
  « Assises à côté l'une de l'autre sur le même divan, la
« duchesse du faubourg Saint-Germain devenait polie pour
« la duchesse impériale ; rien n'était heurté dans cette
« cellule unique. Lorsque je revis madame Récamier dans
« cette chambre, je revenais à Paris, d'où j'avais été
« longtemps absente. C'était un service que j'avais à lui
« demander et j'allais à elle avec confiance. Je savais
« bien par des amis communs à quel degré de force
« s'était porté son courage ; mais j'en manquais en la
« voyant là, sous les combles, aussi paisible, aussi
« calme que dans les salons dorés de la rue du Mont-
« Blanc.
  « Eh quoi ! me dis-je, toujours des souffrances ! Et
« mon œil humide s'arrêtait sur elle avec une expression
« qu'elle dut comprendre. Hélas ! mes souvenirs franchis-
« saient les années, ressaisissaient le passé ! Toujours battue
« de l'orage, cette femme, que la renommée avait placée
« tout en haut de la couronne de fleurs du siècle, depuis
« dix ans voyait sa vie entourée de douleurs, dont
« le choc frappait à coups redoublés sur son cœur et
« la tuait !...
  « Lorsque, guidée par d'anciens souvenirs et un attrait
« constant, je choisis l'Abbaye aux Bois pour mon asile, la
« petite chambre du troisième n'était plus habitée par celle
« que j'aurais été y chercher : madame Récamier occupait

« alors un appartement plus spacieux. C'est là que je
« l'ai vue de nouveau. La mort avait éclairci les
« rang des combattants autour d'elle, et, de tous ces
« champions politiques, M. de Chateaubriand était,
« parmi ses amis, presque le seul qui eût survécu. Mais
« vint à sonner aussi pour lui l'heure des mécomptes et
« de l'ingratitude royale. Il fut sage ; il dit adieu à ces
« faux semblants de bonheur et abandonna l'incertaine
« puissance tribunitienne pour en ressaisir une plus po-
« sitive.

« On a déjà vu que dans ce salon de l'Abbaye aux
« Bois il s'agite d'autres intérêts que des intérêts littéraires,
« et que ceux qui souffrent pensent tourner vers lui
« un regard d'espérance. Dans l'occupation constante
« où je suis depuis quelque mois de ce qui a rapport
« à la famille de l'empereur, j'ai trouvé quelques docu-
« ments qui ne me paraissent pas hors d'œuvre en ce mo-
« ment.

« La Reine d'Espagne [1] se trouvait dans l'obligation
« absolue de rentrer en France. Elle écrivit à madame
« Récamier pour la prier de s'intéresser à la demande
« qu'elle faisait de venir à Paris. M. de Chateaubriand était
« alors au ministère, et la Reine d'Espagne, connaissant la
« loyauté de son caractère, avait toute confiance dans
« la réussite de sa sollicitation. Cependant la chose
« était difficile, parce qu'il y avait une loi qui frappait
« toute cette famille malheureuse, même dans ses mem-
« bres les plus vertueux. Mais M. de Chateaubriand
« avait en lui ce sentiment d'une noble pitié pour
« le malheur, qui lui fit écrire plus tard ces mots tou-
« chants [2] :

Sur le compte des grands je ne suis pas suspect :
Leurs malheurs seulement attirent mon respect.
Je hais ce Pharaon, que l'éclat environne ;
Mais s'il tombe, à l'instant j'honore sa couronne ;
Il devient, à mes yeux, roi par l'adversité ;

1. Marie-Julie Clary qui avait épousé Joseph Bonaparte.
2. Ce sont des vers de *Moïse* (III, 2).

Des pleurs je reconnais l'auguste autorité :
Courtisan du malheur, etc., etc.

« M. de Chateaubriand écouta les intérêts d'une per-
« sonne malheureuse ; il interrogea son devoir, qui ne lui
« imposa pas la crainte de redouter une faible femme, et,
« deux jours après la demande qui lui fut adressée, il écrivit
« à madame Récamier que madame Joseph Bonaparte
« pouvait rentrer en France, demandant où elle était, afin
« de lui adresser par M. Durand de Mareuil, notre ministre
« alors à Bruxelles, la permission de venir à Paris sous le
« nom de la comtesse de Villeneuve. Il écrivit en même
« temps à M. de Fagel [1].

« J'ai rapporté ce fait avec d'autant plus de plaisir
« qu'il honore à la fois celle qui demande et le ministre qui
« oblige : l'une par sa noble confiance, l'autre par sa noble
« humanité. »

Madame d'Abrantès loue beaucoup trop ma conduite, qui
ne valait même pas la peine d'être remarquée ; mais comme
elle ne raconte pas tout sur l'Abbaye aux Bois, je vais
suppléer à ce qu'elle a oublié ou omis :

Le capitaine Roger, autre Couder, avait été condamné à
mort. Madame Récamier m'avait associé à son œuvre pie
pour le sauver. Benjamin Constant était également inter-
venu en faveur de ce compagnon de Caron, et il avait remis
au frère du condamné la lettre suivante pour madame
Récamier :

« Je ne me pardonnerais pas, madame, de vous impor-
« tuner toujours, mais ce n'est pas ma faute s'il y a sans
« cesse des condamnations à mort. Cette lettre vous sera
« remise par le frère du malheureux Roger, condamné avec
« Caron. C'est l'histoire la plus odieuse et la plus connue.
« Le nom seul mettra M. de Chateaubriand au fait. Il est
« assez heureux pour être à la fois le premier talent du
« ministère et le seul ministre sous lequel le sang n'ait pas
« coulé. Je n'ajoute rien ; je m'en remets à votre cœur. Il est
« bien triste de n'avoir presque à vous écrire que pour des
« affaires douloureuses ; mais vous me pardonnez, je le sais,

1. Ministre des Pays-Bas à Paris.

« et je suis sûr que vous ajouterez un malheureux de plus à
« la nombreuse liste de ceux que vous avez sauvés.

  « Mille tendres respects.

  « B. CONSTANT.

« Paris, 1er mars 1823. »

Quand le capitaine Roger fut mis en liberté, il s'empressa
de témoigner sa reconnaissance à ses bienfaiteurs. Un
après-dîner j'étais chez madame Récamier, comme de coutume : tout à coup apparaît cet officier. Il nous dit, avec un
accent du midi : « Sans votre intercession ma tête roulait sur
« l'échafaud. » Nous étions stupéfaits, car nous avions
oublié nos mérites ; il s'écriait rouge comme un coq : « Vous
« ne vous souvenez pas ?... Vous ne vous souvenez pas ?... »
Nous faisions vainement mille excuses de notre peu de
mémoire : il partit, entre-choquant les éperons de ses
bottes, furieux de ce que nous ne nous souvenions pas de
notre bonne action, comme s'il eût eu à nous reprocher sa
mort.

Vers cette époque Talma demanda à madame Récamier à
me rencontrer chez elle pour s'entendre avec moi sur
quelques vers de l'*Othello* de Ducis, qu'on ne lui permettait
pas de dire tels qu'ils étaient. Je laissai les dépêches et je
courus au rendez-vous ; je passai la soirée à refaire, avec le
moderne Roscius, les vers malencontreux : il me proposait
un changement, je lui en proposais un autre ; nous rimions à
l'envi ; nous nous retirions à la croisée ou dans un coin pour
tourner et retourner un hémistiche. Nous eûmes beaucoup
de peine à tomber d'accord pour le sens ou pour l'harmonie.
Il eût été assez curieux de me voir, moi, ministre de
Louis XVIII, lui, Talma, roi de la scène, oubliant ce que nous
pouvions être, jouter de verve en donnant au diable la
censure et toutes les grandeurs du monde. Mais si Richelieu
faisait représenter ses drames en lâchant Gustave-Adolphe
sur l'Allemagne, ne pouvais-je pas, humble secrétaire
d'Etat, m'occuper des tragédies des autres en allant chercher l'indépendance de la France à Madrid ?

Madame la duchesse d'Abrantès, dont j'ai salué le cercueil dans l'église de Chaillot, n'a peint que la demeure *habitée* de madame Récamier ; je parlerai de l'asile *solitaire.* Un corridor noir séparait deux petites pièces. Je prétendais que ce vestibule était éclairé d'un jour doux. La chambre à coucher était ornée d'une bibliothèque, d'une harpe, d'un piano, du portrait de madame de Staël et d'une vue de Coppet au clair de lune ; sur les fenêtres étaient des pots de fleurs. Quand, tout essoufflé après avoir grimpé trois étages, j'entrais dans la cellule aux approches du soir, j'étais ravi : la plongée des fenêtres était sur le jardin de l'Abbaye, dans la corbeille verdoyante duquel tournoyaient des religieuses et couraient des pensionnaires. La cime d'un acacia arrivait à la hauteur de l'œil. Des clochers pointus coupaient le ciel et l'on apercevait à l'horizon les collines de Sèvres. Le soleil couchant dorait le tableau et entrait par les fenêtres ouvertes. Madame Récamier était à son piano ; l'*angelus* tintait : les sons de la cloche, « qui semblait pleurer le jour qui se mourait, » *il giorno pianger che si muore*[1], se mêlaient aux derniers accents de l'invocation à la nuit de *Romeo et Juliette* de Steibelt[2]. Quelques oiseaux se venaient coucher dans les jalousies relevées de la fenêtre ; je rejoignais au loin le silence et la solitude, par-dessus le tumulte et le bruit d'une grande cité.

Dieu, en me donnant ces heures de paix, me dédommageait de mes heures de trouble ; j'entrevoyais le prochain repos que croit ma foi, que mon espérance appelle. Agité au dehors par les occupations politiques ou dégoûté par l'ingratitude des cours, la placidité du cœur m'attendait au fond de cette retraite, comme le frais des bois au sortir d'une plaine brûlante. Je retrouvais le calme auprès d'une femme de qui la sérénité s'étendait autour d'elle sans que cette sérénité eût rien de trop égal, car elle passait au travers d'affections profondes. Hélas ! les hommes que je rencontrais chez madame Récamier, Matthieu de Montmorency, Camille Jordan, Benjamin Constant, le duc de Laval, ont été rejoindre Hingant, Joubert, Fontanes, autres absents d'une autre

1. Voir Tome I, p. 487.
2. Compositeur allemand (1765-1823).

société absente. Parmi ces amitiés successives se sont élevés de jeunes amis, rejetons printaniers d'une vieille forêt où la coupe est éternelle. Je les prie, je prie M. Ampère [1] qui lira ceci quand j'aurai disparu, je leur demande à tous de me conserver quelque souvenir : je leurs remets le fil de la vie dont Lachésis laisse échapper le bout de mon fuseau. Mon inséparable camarade de route, M. Ballanche, s'est trouvé seul au commencement et à la fin de ma carrière ; il a été témoin de mes liaisons rompues par le temps, comme j'ai été témoin des siennes entraînées par le Rhône : les fleuves minent toujours leurs bords.

Le malheur de mes amis a souvent penché sur moi, et je ne me suis jamais dérobé au fardeau sacré : le moment de la rémunération est arrivé ; un attachement sérieux daigne m'aider à supporter ce que leur multitude ajoute de pesanteur à des jours mauvais. En approchant de ma fin, il me semble que tout ce qui m'a été cher, m'a été cher dans madame Récamier, et qu'elle était la source cachée de mes affections. Mes souvenirs de divers âges, ceux de mes songes comme ceux de mes réalités, se sont pétris, mêlés, confondus, pour faire un composé de charmes et de douces souffrances dont elle est devenue la forme visible. Elle règle mes sentiments, de même que l'autorité du ciel a mis le bonheur, l'ordre et la paix dans mes devoirs [2].

Je l'ai suivie, la voyageuse, par le sentier qu'elle a foulé à peine ; je la devancerai bientôt dans une autre patrie. En se promenant au milieu de ces *Mémoires,* dans les détours de la basilique que je me hâte d'achever, elle pourra rencontrer la chapelle qu'ici je lui dédie ; il lui plaira peut-être de s'y reposer : j'y ai placé son image.

---

1. Jean-Jacques Ampère (1800-1864), le fils du grand savant, professeur lui-même au Collège de France. Il a été toute sa vie amoureux de Mme Récamier.
2. La deuxième partie de cette phrase est un discret hommage à Mme de Chateaubriand.

Revu le 22 février 1845.

AMBASSADE DE ROME.

TROIS ESPÈCES DE MATÉRIAUX. — JOURNAL DE ROUTE.

LE livre précédent, que je viens d'écrire en 1839, rejoint ce livre de mon ambassade de Rome, écrit en 1828 et 1829, il y a dix ans. Mes *Mémoires,* comme Mémoires, ont gagné au récit de la vie de madame Récamier : d'autres personnages ont été amenés sur la scène ; on a vu Naples sous Murat, Rome sous Bonaparte, le Pape délivré revenu à Saint-Pierre ; des lettres inédites de madame de Staël, de Benjamin Constant, de Canova, de Laharpe, de madame de Genlis, de Lucien Bonaparte, de Moreau, de Bernadotte, de Murat, sont conservées ; des récits de Benjamin Constant le montrent sous un jour nouveau. J'ai introduit le lecteur dans un petit *canton détourné* [1] de l'empire, tandis que cet empire accomplissait son mouvement universel ; je me trouve maintenant conduit à mon ambassade de Rome. On aura été délassé de moi par la distraction d'un sujet étranger : c'est tout profit pour le lecteur.

Pour ce livre de mon ambassade de Rome, les matériaux ont abondé ; ils sont de trois sortes :

Les premiers contiennent l'histoire de mes sentiments intimes et de ma vie privée racontée dans les lettres adressées à madame Récamier.

Les seconds exposent ma vie publique ; ce sont mes dépêches.

Les troisièmes sont un mélange de détails historiques sur

---

1. Expression de Pascal (*Pensées, Disproportion de l'homme...*).

les papes, sur l'ancienne société de Rome, sur les changements arrivés de siècles en siècles dans cette société, etc.

Parmi ces investigations se trouvent des pensées et des descriptions, fruit de mes promenades. Tout cela a été écrit dans l'espace de sept mois, temps de la durée de mon ambassade au milieu des fêtes ou des occupations sérieuses *. Néanmoins, ma santé était altérée : je ne pouvais lever les yeux sans éprouver des éblouissements ; pour admirer le ciel, j'étais obligé de le placer autour de moi, en montant au haut d'un palais ou d'une colline. Mais je guéris la lassitude du corps par l'application de l'esprit : l'exercice de ma pensée renouvelle mes forces physiques ; ce qui tuerait un autre homme me fait vivre.

Au revu de tout cela, une chose m'a frappé : à mon arrivée dans la ville éternelle, je sens une certaine déplaisance, et je crois un moment que tout est changé ; peu à peu la fièvre des ruines me gagne, et je finis, comme mille autres voyageurs, par adorer ce qui m'avait laissé froid d'abord. La nostalgie est le regret du pays natal : aux rives du Tibre on a aussi le *mal du pays,* mais il produit un effet opposé à son effet accoutumé : on est saisi de l'amour des solitudes et du dégoût de la patrie. J'avais déjà éprouvé ce *mal* lors de mon premier séjour, et j'ai pu dire :

Agnosco veteris vestigia flammae[1].

Vous savez qu'à la formation du ministère Martignac le seul nom de l'Italie avait fait disparaître le reste de mes répugnances, mais je ne suis jamais sûr de mes dispositions en matière de joie : je ne fus pas plutôt parti avec madame de Chateaubriand que ma tristesse naturelle me rejoignit en chemin. Vous allez vous en convaincre par mon journal de route :

---

* En relisant ces manuscrits, j'ai seulement ajouté quelques passages d'ouvrages publiés postérieurement à la date de mon ambassade de Rome.
1. « Je reconnais les traces de l'ancienne flamme » (*Enéide* IV, 23).

« Lausanne, 22 septembre 1828.

« J'ai quitté Paris le 16 de ce mois ; j'ai passé le 17 à
« Villeneuve-sur-Yonne : que de souvenirs ! Joubert a dispa-
« ru ; le château abandonné de Passy a changé de maître ; il
« m'a été dit : « Soyez la cigale des nuits. » *Esto cicada*
« *noctium.* »

« Arona, 25 septembre.

« Arrivé à Lausanne le 22, j'ai suivi la route par
« laquelle ont disparu deux autres femmes qui m'avaient
« voulu du bien et qui, dans l'ordre de la nature, me
« devaient survivre : l'une, madame la marquise de Custi-
« nes, est venue mourir à Bex ; l'autre, madame la duchesse
« de Duras, il n'y a pas encore un an, courait au Simplon,
« fuyant devant la mort qui l'atteignit à Nice.

> Noble Clara, *digne et constante amie,*
> *Ton souvenir ne vit plus en ces lieux ;*
> *De ce tombeau l'on détourne les yeux,*
> *Ton nom s'efface et le monde t'oublie* [1] !

« Le dernier billet que j'ai reçu de madame de Duras fait
« sentir l'amertume de cette dernière goutte de la vie qu'il
« nous faudra tous épuiser :

« Nice, 14 novembre 1828.

« Je vous ai envoyé un *asclepias carnata :* c'est un
« laurier grimpant de pleine terre qui ne craint pas le froid
« et qui a une fleur rouge comme le camélia, qui sent
« excellent ; mettez-le sous les fenêtres de la bibliothèque du
« Bénédictin [2].

1. Chateaubriand adapte à Claire de Duras une strophe de Parny « sur
la mort d'Emma ». Il change *Claire* en *Clara,* car dans le vers de dix syllabes
la quatrième doit être accentuée.
2. C'est ainsi que Mme de Duras appelait parfois Chateaubriand.

« Je vous dirai un mot de mes nouvelles : c'est
« toujours la même chose ; je languis sur mon canapé toute
« la journée, c'est-à-dire tout le temps où je ne suis pas en
« voiture ou à marcher dehors ; ce que je ne puis faire au
« delà d'une demi-heure. Je rêve au passé ; ma vie a été si
« agitée, si variée, que je ne puis dire que j'éprouve un
« violent ennui : si je pouvais seulement coudre ou faire de
« la tapisserie, je ne me trouverais pas malheureuse. Ma vie
« présente est si éloignée de ma vie passée, qu'il me semble
« que je lis des mémoires, ou que je regarde un spectacle. »

« Ainsi, je suis rentré dans l'Italie privé de mes
« appuis, comme j'en sortis il y a vingt-cinq ans. Mais à
« cette première époque je pouvais réparer mes pertes ;
« aujourd'hui qui voudrait s'associer à quelques vieux
« jours ? Personne ne se soucie d'habiter une ruine.

« Au village même du Simplon, j'ai vu le premier
« sourire d'une heureuse aurore. Les rochers, dont la base
« s'étendait noircie à mes pieds, resplendissaient de rose au
« haut de la montagne, frappés des rayons du soleil. Pour
« sortir des ténèbres, il suffit de s'élever vers le ciel.

« Si l'Italie avait déjà perdu pour moi de son éclat lors
« de mon voyage à Vérone en 1822, dans cette année 1828
« elle m'a paru encore plus décolorée ; j'ai mesuré les
« progrès du temps. Appuyé sur le balcon de l'auberge à
« Arona, je regardais les rivages du lac Majeur, peints de
« l'or du couchant et bordés de flots d'azur. Rien n'était
« doux comme ce paysage que le château bordait de ses
« créneaux. Ce spectacle ne me portait ni plaisir ni senti-
« ment. Les années printanières marient à ce qu'elles voient
« leurs espérances ; un jeune homme va errant avec ce qu'il
« aime, ou avec les souvenirs du bonheur absent. S'il n'a
« aucun lien, il en cherche ; il se flatte à chaque pas de
« trouver quelque chose ; des pensées de félicité le suivent :
« cette disposition de son âme se réfléchit sur les objets.

« Au surplus, je m'aperçois moins du rapetissement
« de la société actuelle lorsque je me trouve seul. Laissé à la
« solitude dans laquelle Bonaparte a laissé le monde, j'en-
« tends à peine les générations débiles qui passent et
« vagissent au bord du désert. »

« A Milan, en moins d'un quart d'heure, j'ai compté
« dix-sept bossus passant sous la fenêtre de mon auberge.
« La schlague allemande a déformé la jeune Italie.

« J'ai vu dans son sépulcre saint Charles Boromée
« dont je venais de toucher la crèche à Arona. Il comptait
« deux cent quarante-quatre années de mort. Il n'était pas
« beau.

« A Borgo San Donnino, madame de Chateaubriand
« est accourue dans ma chambre au milieu de la nuit : elle
« avait vu tomber ses robes et son chapeau de paille des
« chaises où ils étaient suspendus. Elle en avait conclu que
« nous étions dans une auberge hantée des esprits ou
« habitée par des voleurs. Je n'avais éprouvé aucune com-
« motion dans mon lit ; il était pourtant vrai qu'un tremble-
« ment de terre s'était fait sentir dans l'Apennin : ce qui
« renverse les cités peut faire tomber les vêtements d'une
« femme. C'est ce que j'ai dit à madame de Chateaubriand ;
« je lui ai dit aussi que j'avais traversé sans accident en
« Espagne, dans la Vega du Xenil, un village culbuté la
« veille par une secousse souterraine. Ces hautes consola-
« tions n'ont pas eu le moindre succès, et nous nous
« sommes empressés de quitter cette caverne d'assassins.

« La suite de ma course m'a montré partout la fuite
« des hommes et l'inconstance des fortunes. A Parme, j'ai
« trouvé le portrait de la veuve de Napoléon [1] ; cette fille des
« Césars est maintenant la femme du comte de Nieperg ;
« cette mère du fils du conquérant a donné des frères à ce
« fils : elle fait garantir les dettes qu'elle entasse par un
« petit Bourbon qui demeure à Lucques [2], et qui doit, s'il y
« a lieu, hériter du duché de Parme.

« Bologne me semble moins désert qu'à l'époque de
« mon premier voyage. J'y ai été reçu avec les honneurs
« dont on assomme les ambassadeurs. J'ai visité un beau

1. Marie-Louise était duchesse de Parme.
2. Charles-Louis duc de Lucques devint, en effet, duc de Parme et de
Plaisance à la mort de Marie-Louise en 1847.

« cimetière : je n'oublie jamais les morts ; c'est notre
« famille.
« Je n'avais jamais si bien admiré les Carrache qu'à la
« nouvelle galerie de Bologne. J'ai cru voir la sainte Cécile
« de Raphaël pour la première fois, tant elle était plus
« divine qu'au Louvre, sous notre ciel barbouillé de suie. »

« Ravenne, 1er octobre 1828.

« Dans la Romagne, pays que je ne connaissais pas,
« une multitude de villes, avec leurs maisons enduites d'une
« chaux de marbre, sont perchées sur le haut de diverses
« petites montagnes comme des compagnies de pigeons
« blancs. Chacune de ces villes offre quelques chefs-d'œu-
« vre des arts modernes ou quelques monuments de l'anti-
« quité. Ce canton de l'Italie renferme toute l'histoire
« romaine ; il faudrait le parcourir Tite-Live, Tacite et
« Suétone à la main.
« J'ai traversé Imola, évêché de Pie VII et Faenza. A Forli
« je me suis détourné de ma route pour visiter à Ravenne le
« tombeau de Dante. En approchant du monument j'ai été
« saisi de ce frisson d'admiration que donne une grande
« renommée, quand le maître d'admiration que donne une
« grande renommée, quand le maître de cette renommée a
« été malheureux. Alfieri, qui avait sur le front *il pallor*
« *della morte e la speranza* 1, se prosterna sur ce marbre et
« lui adressa ce sonnet : *O gran Padre Alighier* ! Devant le
« tombeau je m'appliquais ce vers du *Purgatoire*.

. . . . *Frate,*
Lo mondo è cieco, e tu vien ben da lui 2.

« Beatrice m'apparaissait ; je la voyais telle qu'elle
« était lorsqu'elle inspirait à son poëte le désir *de soupirer et*
« *de mourir de pleurs :*

1. « La pâleur de la mort et aussi son espérance. »
2. « Frère, le monde est aveugle, et tu viens bien de lui. » (Purg. XVI,
65 *sq.).*

Di sospirare, e di morir di pianto.

« O ma pieuse chanson, dit le père des muses modernes,
« va pleurant à présent ! va retrouver les femmes et les
« jeunes filles à qui tes sœurs avaient accoutumé de porter
« la joie ! Et toi, qui es fille de la tristesse, va-t-en,
« inconsolée, demeurer avec Beatrice. »

« Et pourtant le créateur d'un nouveau monde de la poésie
« oublia Beatrice quand elle eut quitté la terre ; il ne la
« retrouva, pour l'adorer dans son génie, que quand il fut
« détrompé. Beatrice lui en fait le reproche, lorsqu'elle se
« prépare à montrer le ciel à son amant : « Je l'ai soutenu
« (Dante), dit-elle aux puissances du paradis, je l'ai soutenu
« quelque temps par mon visage et mes yeux d'enfant ; mais
« quand je fus sur le seuil de mon second âge et que je
« changeai de vie, il me quitta et se donna à d'autres. »

« Dante refusa de rentrer dans sa patrie au prix d'un
« pardon. Il répondit à l'un de ses parents : « Si pour
« retourner à Florence il n'est d'autre chemin que celui qui
« m'est ouvert, je n'y retournerai point. Je puis partout
« contempler les astres et le soleil. » Dante dénia ses jours
« aux Florentins, et Ravenne leur a dénié ses cendres, alors
« même que Michel-Ange, génie ressuscité du poëte, se
« promettait de décorer à Florence le monument funèbre de
« celui qui avait appris *come l'uom s'eterna* [1].

« Le peintre du *Jugement dernier,* le sculpteur de *Moïse,*
« l'architecte de la *Coupole de Saint-Pierre,* l'ingénieur du
« *vieux bastion de Florence,* le poëte des *Sonnets adressés à*
« *Dante,* se joignit à ses compatriotes et appuya de ces mots
« la requête qu'ils présentèrent à Léon X : « *Io, Michel*
« *Agnolo, scultore, il medesimo a vostra santità supplico,*
« *offerendomi al divin poeta fare la sepoltura sua conde-*
« *cente e in loco onorevole in questa citta* [2]. »

« Michel-Ange, dont le ciseau fut trompé dans son
« espérance, eut recours à son crayon pour élever à cet

1. « Comment l'homme s'éternise ». (*Purg.* XV, 85).
2. « Moi, Michel-Ange, sculpteur, j'adresse la même requête à Votre
Sainteté en m'offrant pour faire au divin poète une sépulture qui lui
convienne, à une place honorable dans cette cité ».

« autre lui-même un autre mausolée. Il dessina les princi-
« paux sujets de la *Divina Commedia* sur les marges d'un
« exemplaire in-folio des œuvres du grand poëte ; un navire,
« qui portait de Livourne à Civita-Vecchia ce double monu-
« ment, fit naufrage.

« Je m'en revenais tout ému et ressentant quelque chose
« de cette commotion mêlée d'une terreur divine que
« j'éprouvai à Jérusalem, lorsque mon *cicerone* m'a proposé
« de me conduire à la maison de lord Byron. Eh ! que
« me faisait Childe-Harold et la signora Giuccioli en pré-
« sence de Dante et de Béatrice ! Le malheur et les
« siècles manquent encore à Childe-Harold : qu'il attende
« l'avenir. Byron a été mal inspiré dans sa prophétie de
« Dante.

« J'ai retrouvé Constantinople à Saint-Vital et à Saint-
« Apollinaire [1]. Honorius et sa poule ne m'importaient
« guère ; j'aime mieux Placidie et ses aventures, dont le
« souvenir me revenait dans la basilique de Saint-Jean-Bap-
« tiste ; c'est le roman chez les barbares. Théodoric reste
« grand, bien qu'il ait fait mourir Boèce. Ces Goths étaient
« d'une race supérieure ; Amalasonte, bannie dans une île
« du lac de Bolsène, s'efforça, avec son ministre Cassiodore,
« de conserver ce qui restait de la civilisation romaine. Les
« Exarques apportèrent à Ravenne la décadence de leur
« empire. Ravenne fut lombarde sous Astolphe ; les Carlo-
« vingiens la rendirent à Rome. Elle devint sujette de son
« archevêque, puis elle se changea de république en tyran-
« nie ; finalement, après avoir été guelfe ou gibeline, après
« avoir fait partie des États Vénitiens, elle est retournée à
« l'Eglise sous le pape Jules II, et ne vit plus aujourd'hui
« que par le nom de Dante.

« Cette ville, que Rome enfanta dans son âge avancé,
« eut dès sa naissance quelque chose de la vieillesse de sa
« mère. A tout prendre, je vivrais bien ici ; j'aimerais à aller
« à la colonne des Français [2], élevée en mémoire de la
« bataille de Ravenne. Là se trouvèrent le cardinal de

_____

1. Eglises byzantines.
2. Elevée en 1557 près de Ravenne en mémoire d'une victoire de
Louis XII.

694

« Médicis (Léon X) et Arioste, Bayard et Lautrec, frère de la
« comtesse de Chateaubriand [1]. Là fut tué à l'âge de
« vingt-quatre ans le beau Gaston de Foix : « Nonobstant
« toute l'artillerie tirée par les Espagnols, les François
« marchoient toujours, dit *le Loyal serviteur;* depuis que
« Dieu créa ciel et terre, ne fut un plus cruel ne plus dur
« assaut entre François et Espagnols. Ils se reposoient les
« uns devant les autres pour reprendre leur haleine ; puis,
« baissant la vue, ils recommençoient de plus belle en
« criant : France et Espagne ! Il ne resta de tant de
« guerriers que quelques chevaliers, qui alors affranchis de
« la gloire endossèrent le froc.

« On voyait aussi dans quelque chaumière une jeune
« fille qui, en tournant son fuseau, embarrassait ses doigts
« délicats dans du chanvre ; elle n'avait pas l'habitude d'une
« pareille vie : c'était une Trivulce. Quand à travers sa
« porte entre-bâillée elle voyait deux lames se rejoindre dans
« l'étendue des flots, elle sentait sa tristesse s'accroître :
« cette femme avait été aimée d'un grand roi. Elle conti-
« nuait d'aller tristement, par un chemin isolé, de sa
« chaumière à une église abandonnée et de cette église à sa
« chaumière.

« L'antique forêt que je traversais était composée de
« pins esseulés ; ils ressemblaient à des mâts de galères
« engravées dans le sable. Le soleil était près de se coucher
« lorsque je quittai Ravenne ; j'entendis le son lointain
« d'une cloche qui tintait : elle appelait les fidèles à la
« prière »

« Ancone, 3 et 4 octobre.

« Revenu à Forli, je l'ai quitté de nouveau sans avoir
« vu sur ses remparts croulants l'endroit d'où la duchesse
« Catherine Sforze déclara à ses ennemis, prêts à égorger
« son fils unique, qu'elle pouvait encore être mère. Pie VII,
« né à Césène, fut moine dans l'admirable couvent de la
« *Madona del Monte.*

1. Aimée de François Ier, selon Brantôme.

« Je traversai près de Savignano la ravine d'un petit
« torrent : quand on me dit que j'avais passé le Rubicon, il
« me sembla qu'un voile se levait et que j'apercevais la terre
« du temps de César. Mon Rubicon, à moi, c'est la vie :
« depuis longtemps j'en ai franchi le premier bord.
    « À Rimini, je n'ai rencontré ni Françoise, ni l'autre
« ombre sa compagne, *qui au vent semblaient si légères :*
«

          E pajon si al vento esser leggieri [1].

    « Rimini, Pesaro, Fano, Sinigaglia, m'ont amené à
« Ancone sur des ponts et sur des chemins laissés par les
« Augustes. Dans Ancone on célèbre aujourd'hui la fête du
« Pape ; j'en entends la musique à l'arc triomphal de
« Trajan : double souveraineté de la ville éternelle. »

                                  « Lorette, 5 et 6 octobre.

    « Nous sommes venus coucher à Lorette. Le territoire
« offre un *specimen* parfaitement conservé de la *colonie*
« *romaine*. Les paysans fermiers de *Notre-Dame* sont dans
« l'aisance et paraissent heureux ; les paysannes, belles et
« gaies, portent une fleur dans leur chevelure. Le prélat-
« gouverneur nous a donné l'hospitalité. Du haut des
« clochers et du sommet de quelques éminences de la ville,
« on a des perspectives riantes sur les campagnes, sur
« Ancone et sur la mer. Le soir nous avons eu une tempête.
« Je me plaisais à voir la *valentia muralis* et la fumeterre
« des chèvres s'incliner au vent sur les vieux murs. Je me
« promenais sous les galeries à double étage, élevées d'après
« les dessins de Bramante. Ces pavés seront battus des
« pluies de l'automne ; ces brins d'herbe frémiront au
« souffle de l'Adriatique longtemps après que j'aurai passé.
    « A minuit j'étais retiré dans un lit de huit pieds
« carrés, consacré par Bonaparte ; une veilleuse éclairait à
« peine la nuit de ma chambre ; tout à coup une petite porte
« s'ouvre, et je vois entrer mystérieusement un homme
« menant avec lui une femme voilée. Je me soulève sur le

───────────

1. Dante, *Enfer* V, 75.

« coude et le regarde ; il s'approche de mon lit et se hâte, en
« se courbant jusqu'à terre, de me faire mille excuses de
« troubler ainsi le repos de M. l'ambassadeur : mais il est
« veuf ; il est un pauvre intendant ; il désire marier sa
« *ragazza,* ici présente : malheureusement il lui manque
« quelque chose pour la dot. Il relève le voile de l'orphe-
« line : elle était pâle, très-jolie et tenait les yeux baissés avec
« une modestie convenable. Ce père de famille avait l'air de
« vouloir s'en aller et laisser la fiancée m'achever son
« histoire. Dans ce pressant danger, je ne demandai point à
« l'obligeant infortuné, comme demanda le bon chevalier à
« la mère de la jeune fille de Grenoble, si elle était vierge ;
« tout ébouriffé, je pris quelques pièces d'or sur la table
« près de mon lit ; je les donnai, pour faire honneur au Roi
« mon maître, à la *zitella, dont les yeux n'étaient pas enflés
« à force d'avoir pleuré.* Elle me baisa la main avec une
« reconnaissance infinie. Je ne prononçai pas un mot, et
« retombant sur mon immense couche, comme si je voulais
« dormir, la vision de Saint-Antoine disparut. Je remerciai
« mon patron saint François dont c'était la fête ; je restai
« dans les ténèbres moitié riant, moitié regrettant, et dans
« une admiration profonde de mes vertus.

« C'était pourtant ainsi que je semais l'or, que j'étais
« ambassadeur, hébergé en toute pompe chez le gouverneur
« de Lorette, dans cette même ville où le Tasse était logé
« dans un mauvais bouge et où, faute d'un peu d'argent, il
« ne pouvait continuer sa route. Il paya sa dette à Notre-
« Dame-de-Lorette par sa *canzone :*

Ecco fra le tempeste e i fieri venti... [1]

« Madame de Chateaubriand fit amende honorable de
« ma passagère fortune, en montant à genoux les degrés de
« la santa Chiesa. Après ma victoire de la nuit, j'aurais eu
« plus de droit que le Roi de Saxe de déposer mon habit de
« noces au trésor de Lorette ; mais je ne me pardonnerai
« jamais, à moi chétif enfant des muses, d'avoir été si
« puissant et si heureux, là où le chantre de la Jérusalem

1. « Voici par la tempête et les vents sauvages... »

« avait été si faible et si misérable ! Torquato, ne me prends
« pas dans ce moment extraordinaire de mes inconstantes
« prospérités ; la richesse n'est pas mon habitude ; vois-moi
« dans mon passage à Namur, dans mon grenier à Londres,
« dans mon infirmerie à Paris, afin de me trouver avec toi
« quelque lointaine ressemblance.

  « Je n'ai point, comme Montaigne, laissé mon portrait
« en argent à Notre-Dame-de-Lorette, ni celui de ma fille,
« *Leonora Montana, filia unica* [1] ; je n'ai jamais désiré me
« survivre : mais pourtant une fille, et qui porterait le nom
« de Léonore ! »

« Spoleto.

  « Après avoir quitté Lorette, passé Macerata, laissé
« Tolentino qui marque un pas de Bonaparte et rappelle un
« traité [2], j'ai gravi les derniers redans de l'Apennin. Le
« plateau de la montagne est humide et cultivé comme une
« houblonnière. A gauche étaient les mers de la Grèce, à
« droite celles de l'Ibérie ; je pouvais être pressé du souffle
« des brises que j'avais respirées à Athènes et à Grenade.
« Nous sommes descendus vers l'Ombrie en circulant dans
« les volutes des gorges exfoliées où sont suspendus dans des
« bouquets de bois les descendants de ces montagnards qui
« fournirent des soldats à Rome après la bataille de Trasi-
« mène.

  « Foligno possédait une vierge de Raphaël qui est
« aujourd'hui au Vatican. *Vene,* dans une position char-
« mante, est à la source du Clitumne. Le Poussin a
« reproduit ce site chaud et suave ; Byron l'a froidement
« chanté.

  « Spoleto a donné le jour au pape actuel. Selon mon
« courrier Giorgini, Léon XII a placé dans cette ville les
« galériens pour honorer sa patrie. Spoleto osa résister à
« Annibal. Elle montre plusieurs ouvrages de Lippi l'ancien,
« qui, nourri dans le cloître, esclave en Barbarie, espèce de

1. « Léonore de Montaigne, (ma) fille unique. »
2. Entre Pie VI et Bonaparte (19 février 1797).

« Cervantes chez les peintres, mourut à soixante ans passés
« du poison que lui donnèrent les parents de Lucrèce,
« séduite par lui, croyait-on. »

« Civita Castellana.

« A Monte-Luco, le comte Potoski s'ensevelit dans
« des laures[1] charmantes ; mais les pensées de Rome ne l'y
« suivirent-elles point ? Ne se croyait-il pas transporté au
« milieu des *chœurs des jeunes filles ?* Et moi aussi, comme
« saint Jérôme, « j'ai passé, dans mon temps, le jour et la
« nuit à pousser des cris, à frapper ma poitrine jusqu'au
« moment où Dieu me renvoyait la paix. » Je regrette de
« ne plus être ce que j'ai été, *plango me non esse quod fue-*
« *rim.*
« Après avoir dépassé les ermitages de Monte-Luco,
« nous avons commencé à contourner la Somma. J'avais
« déjà suivi ce chemin dans mon premier voyage de Flo-
« rence à Rome par Pérouse, en accompagnant une femme
« mourante[2]...
« A la nature de la lumière et à une sorte de vivacité du
« paysage, je me serais cru sur une des croupes des
« Alleghanis, n'était qu'un haut aqueduc, surmonté d'un
« pont étroit, me rappelait un ouvrage de Rome auquel les
« ducs lombards de Spolète avaient mis la main : les
« Américains n'en sont pas encore à ces monuments qui
« viennent après la liberté. J'ai monté la Somma à pied, près
« des bœufs du Clitumne qui traînaient madame l'ambassa-
« drice[3] à son triomphe. Une jeune chevrière maigre, légère
« et gentille comme sa bique, me suivait, avec son petit
« frère, dans ces opulentes campagnes, en me demandant la
« *carità :* je la lui ai faite en mémoire de madame de
« Beaumont dont ces lieux ne se souviennent plus.

> *Alas ! regardless of their doom,*
> *The little victims play !*
> *No sense have they of ills to come,*
> *Nor care beyond to-day.*

1. Monastères.
2. Pauline de Beaumont en 1803.
3. Mme de Chateaubriand.

« Hélas ! sans souci de leur destinée, folâtrent les
« petites victimes ! Elles n'ont ni prévision des maux à venir,
« ni soin d'outre-journée [1]. »

« J'ai retrouvé Terni et ses cascades. Une campagne
« plantée d'oliviers m'a conduit à Narni ; puis, en passant
« par Otricoli, nous sommes venus nous arrêter à la triste
« Civita Castellana. Je voudrais bien aller à *Santa-Maria di*
« *Falleri* pour voir une ville qui n'a plus que la peau, son
« enceinte : à l'intérieur elle était vide : *misère humaine, à*
« *Dieu ramène.* Laissons passer mes grandeurs et je revien-
« drai chercher la ville des Falisques. Du tombeau de
« Néron, je vais montrer bientôt à ma femme la croix de
« Saint-Pierre qui domine la ville des Césars. »

Lettres à madame Récamier

Vous venez de parcourir mon journal de route, vous allez
lire mes lettres à madame Récamier, entremêlées, comme je
l'ai annoncé, de pages historiques.

Parallèlement vous trouverez mes dépêches. Ici paraîtront
distinctement les deux hommes qui existent en moi.

A MADAME RÉCAMIER.

« Rome, ce 11 octobre 1828.

« J'ai traversé cette belle contrée, remplie de votre souve-
« nir ; il me consolait, sans pourtant m'ôter la tristesse de
« tous les autres souvenirs que je rencontrais à chaque pas.
« J'ai revu cette mer Adriatique que j'avais traversée il y a

1. Vers de Gray.

« plus de vingt ans. Dans quelle disposition d'âme ! A Terni,
« je m'étais arrêté avec une pauvre expirante. Enfin je suis
« entré dans Rome. Ses monuments, après ceux d'Athènes,
« comme je le craignais, m'ont paru moins parfaits. Ma
« mémoire des lieux, étonnante et cruelle à la fois, ne
« m'avait pas laissé oublier une seule pierre.

« Je n'ai vu personne encore, excepté le secrétaire
« d'Etat, le cardinal Bernetti. Pour avoir à qui parler, je
« suis allé chercher Guérin [1], hier au coucher du soleil : il a
« paru charmé de ma visite. Nous avons ouvert une fenêtre
« sur Rome et admiré l'horizon. C'est la seule chose qui soit
« restée, pour moi, telle que je l'ai vue : mes yeux ou les
« objets ont changé ; peut-être les uns et les autres. »

LÉON XIII ET LES CARDINAUX. — LES AMBASSADEURS.

LES premiers moments de mon séjour à Rome furent
employés à des visites officielles. Sa Sainteté me reçut en
audience privée ; les audiences publiques ne sont plus
d'usage et coûtent trop cher. Léon XII, prince d'une grande
taille et d'un air à la fois serein et triste, est vêtu d'une
simple soutane blanche ; il n'a aucun faste et se tient dans
un cabinet pauvre, presque sans meubles. Il ne mange
presque pas ; il vit, avec son chat, d'un peu de *polenta*. Il se
sait très-malade et se voit dépérir avec une résignation qui
tient de la joie chrétienne : il mettrait volontiers, comme

1. Peintre français (1774-1833), directeur de la Villa Médicis de 1822 à 1829.

Benoît XIV, son cercueil sous son lit. Arrivé à la porte des appartements du Pape, un abbé me conduit par des corridors noirs jusqu'au refuge ou au sanctuaire de Sa Sainteté. Elle ne se donne pas le temps de s'habiller, de peur de me faire attendre ; elle se lève, vient au-devant de moi, ne me permet jamais de mettre un genou en terre pour baiser le bas de sa robe au lieu de sa mule, et me conduit par la main jusqu'au siège placé à droite de son indigent fauteuil. Assis, nous causons.

Le lundi je me rends à sept heures du matin chez le secrétaire d'Etat, Bernetti, homme d'affaires et de plaisir. Il est lié avec la princesse Doria ; il connaît le siècle et n'a accepté le chapeau de cardinal qu'à son corps défendant. Il a refusé d'entrer dans l'Eglise, n'est sous-diacre qu'à brevet, et se pourrait marier demain en rendant son chapeau. Il croit à des révolutions et il va jusqu'à penser que si sa vie est longue, il a des chances de voir la chute temporelle de la papauté.

Les cardinaux sont partagés en trois *factions* :

La première se compose de ceux qui cherchent à marcher avec le temps et parmi lesquels se rangent Benvenuti et Opizzoni. Benvenuti s'est rendu célèbre par l'extirpation du brigandage et sa mission à Ravenne auprès le cardinal Rivarola ; Opizzoni, archevêque de Bologne, s'est concilié les diverses opinions dans cette ville industrielle et littéraire, difficile à gouverner.

La seconde *faction* se forme des *zelanti*, qui tentent de rétrograder : un de leurs chefs est le cardinal Odescalchi.

Enfin la troisième *faction* comprend les immobiles, vieillards qui ne veulent ou ne peuvent aller ni en avant ni en arrière : parmi ces vieux on trouve le cardinal Vidoni, espèce de gendarme du traité de Tolentino : gros et grand, visage allumé, calotte de travers. Quand on lui dit qu'il a des chances à la papauté, il répond : *Lo santo Spirito sarebbe dunque ubriaco*[1] *!* Il plante des arbres à Ponte-Mole, où Constantin fit le monde chrétien. Je vois ces arbres lorsque je sors de Rome par la porte du Peuple pour rentrer par la porte Angélique. Du plus loin qu'il m'aperçoit le cardinal

1. « Le Saint-Esprit serait donc fou ! »

me crie : *Ah! ah! signor ambasciadore di Francia!* puis il s'emporte contre les planteurs de ses pins. Il ne suit point l'étiquette cardinaliste ; il se fait accompagner par un seul laquais dans une voiture à sa guise : on lui pardonne tout, en l'appelant *madama Vidoni**.

Mes collègues d'ambassade sont le comte Lutzow, ambassadeur d'Autriche, homme poli : sa femme chante bien, toujours le même air, et parle toujours de ses *petits enfants ;* le savant baron Bunsen, ministre de Prusse et ami de l'historien Niebuhr (je négocie auprès de lui la résiliation en ma faveur du bail de son palais sur le Capitole) ; le ministre de Russie, prince Gagarin, exilé dans les grandeurs passées de Rome, pour des amours évanouies : s'il fut préféré par la belle madame Narischkin, un moment habitante de mon ancien ermitage d'Aulnay, il y aurait donc un charme dans la mauvaise humeur ; on domine plus par ses défauts que par ses qualités.

M. de Labrador, ambassadeur d'Espagne, homme fidèle, parle peu, se promène seul, pense beaucoup, ou ne pense point, ce que je ne sais démêler.

Le vieux comte Fuscaldo représente Naples comme l'hiver représente le printemps. Il a une grande pancarte de carton sur laquelle il étudie avec des lunettes, non les champs de roses de Pæstum, mais les noms des étrangers suspects dont il ne doit pas viser les passe-ports. J'envie son palais (Farnèse), admirable structure inachevée, que Michel-Ange couronna, que peignit Annibal Carrache aidé d'Augustin son frère, et sous le portique duquel s'abrite le sarcophage de Cecilia Metella, qui n'a rien perdu au changement de mausolée. Fuscaldo, en loques d'esprit et de corps, a, dit-on, une maîtresse.

Le comte de Celles, ambassadeur du roi des Pays-Bas, avait épousé mademoiselle de Valence, aujourd'hui morte : il en a eu deux filles, qui par conséquent sont petites-filles de madame de Genlis. M. de Celles est resté préfet, parce qu'il l'a été ; caractère mêlé du loquace, du tyranneau, du recruteur et de l'intendant, qu'on ne perd jamais. Si vous

---

* Quand j'ai quitté Rome il a acheté ma calèche et m'a fait l'honneur d'y mourir, en allant à Ponte-Mole. (Note de Paris, 1836.)

rencontrez un homme qui, au lieu d'arpents, de toises et de pieds, vous parle d'*hectares,* de *mètres* et de *décimètres,* vous avez mis la main sur un préfet.

M. de Funchal, ambassadeur demi-avoué du Portugal, est ragotin [1], agité, grimacier, vert comme un singe du Brésil, et jaune comme une orange de Lisbonne : il chante pourtant sa négresse, ce nouveau Camoëns ! Grand amateur de musique, il tient à sa solde une espèce de Paganini, en attendant la restauration de son roi.

Par-ci, par-là, j'ai entrevu de petits finauds de ministres de divers petits Etats, tout scandalisés du bon marché que je fais de mon ambassade : leur importance boutonnée, gourmée, silencieuse, marche les jambes serrées et à pas étroits : elle a l'air prête à crever de secrets, qu'elle ignore.

Les anciens artistes et les artistes nouveaux.

Ambassadeur en Angleterre dans l'année 1822, je recherchai les lieux et les hommes que j'avais jadis connus à Londres en 1793 ; ambassadeur auprès du Saint-Siége en 1828, je me suis hâté de parcourir les palais et les ruines, et de redemander les personnes que j'avais vues à Rome en 1803 : des palais et des ruines, j'en ai retrouvé beaucoup ; des personnes, peu.

Le palais Lancelotti, autrefois loué au cardinal Fesch, est

1. Contrefait (nom d'un personnage ridicule du *Roman comique* de Scarron).

maintenant occupé par ses vrais maîtres, le prince Lancelotti et la princesse Lancelotti, fille du prince Massimo. La maison où demeura madame de Beaumont, à la place d'Espagne, a disparu. Quant à madame de Beaumont, elle est demeurée dans son dernier asile, et j'ai prié avec le pape Léon XII à sa tombe.

Canova a pris également congé du monde[1]. Je le visitai deux fois dans son atelier en 1803 ; il me reçut le maillet à la main. Il me montra de l'air le plus naïf et le plus doux son énorme statue de Bonaparte et son Hercule lançant Lycas dans les flots : il tenait à vous convaincre qu'il pouvait arriver à l'énergie de la forme ; mais alors même son ciseau se refusait à fouiller profondément l'anatomie ; la nymphe restait malgré lui dans les chairs, et l'Hébé se retrouvait sous les rides de ses vieillards. J'ai rencontré sur ma route le premier sculpteur de mon temps ; il est tombé de son échafaud, comme Goujon de l'échafaud du Louvre[2] ; la mort est toujours là pour continuer la Saint-Barthélemy éternelle, et nous abattre avec ses flèches.

Mais qui vit encore, à ma grande joie, c'est mon vieux Boguet, le doyen des peintres français à Rome. Deux fois il a essayé de quitter ses campagnes aimées ; il est allé jusqu'à Gênes ; le cœur lui a failli et il est revenu à ses foyers adoptifs. Je l'ai choyé à l'ambassade, ainsi que son fils pour lequel il a la tendresse d'une mère. J'ai recommencé avec lui nos anciennes excursions ; je ne m'aperçois de sa vieillesse qu'à la lenteur de ses pas ; j'éprouve une sorte d'attendrissement en contrefaisant le jeune, et en mesurant mes enjambées sur les siennes. Nous n'avons plus ni l'un ni l'autre longtemps à voir couler le Tibre.

Les grands artistes, à leur grande époque, menaient une tout autre vie que celle qu'ils mènent aujourd'hui : attachés aux voûtes du Vatican, aux parois de Saint-Pierre, aux murs de la Farnésine, ils travaillaient à leurs chefs-d'œuvre suspendus avec eux dans les airs. Raphaël marchait environné de ses élèves, escorté des cardinaux et des princes, comme un sénateur de l'ancienne Rome suivi et devancé de

1. En 1822.
2. Tradition non confirmée en ce qui concerne Jean Goujon.

ses clients. Charles-Quint posa trois fois le Titien ; il ramassait son pinceau et lui cédait la droite à la promenade, de même que François Ier assistait Léonard de Vinci sur son lit de mort. Titien alla en triomphe à Rome ; l'immense Buonarotti l'y reçut : à quatre-vingt-dix-neuf ans, Titien tenait encore d'une main ferme, à Venise, son pinceau d'un siècle, vainqueur des siècles.

Le grand-duc de Toscane fit déterrer secrètement Michel-Ange, mort à Rome après avoir posé, à quatre-vingt-huit ans, le faîte de la coupole de Saint-Pierre. Florence, par des obsèques magnifiques, expia sur les cendres de son grand peintre l'abandon où elle avait laissé la poussière de Dante, son grand poëte.

Velasquez visita deux fois l'Italie, et l'Italie se leva deux fois pour le saluer : le précurseur de Murillo reprit le chemin des Espagnes chargé des fruits de cette Hespérie ausonienne, qui s'étaient détachés sous sa main : il emporta un tableau de chacun des douze peintres les plus célèbres de cette époque.

Ces fameux artistes passaient leurs jours dans des aventures et des fêtes ; ils défendaient les villes et les châteaux ; ils élevaient des églises, des palais et des remparts ; ils donnaient et recevaient de grands coups d'épée, séduisaient des femmes, se réfugiaient dans les cloîtres, étaient absous par les papes et sauvés par les princes. Dans une orgie que Benvenuto Cellini a racontée, on voit figurer les noms d'un Michel-Ange et de Jules Romain.

Aujourd'hui la scène est bien changée ; les artistes à Rome vivent pauvres et retirés. Peut-être y a-t-il dans cette vie une poésie qui vaut la première. Une association de peintres allemands [1] a entrepris de faire remonter la peinture au Pérugin, pour lui rendre son inspiration chrétienne. Ces jeunes néophytes de Saint-Luc prétendent que Raphaël dans sa seconde manière est devenu païen, et que son talent a dégénéré. Soit ; soyons païens comme les vierges raphaéliques ; que notre talent dégénère et s'affaiblisse comme dans le tableau de la Transfiguration ! Cette erreur honorable de la nouvelle école sacrée n'en est pas moins une erreur ; il

_____

1. « Ecole catholique » fondée par Frédéric Overbeck.

s'ensuivrait que la raideur et le mal dessiné des formes serait la preuve de la vision intuitive, tandis que cette expression de foi, remarquable dans les ouvrages des peintres qui précèdent la renaissance, ne vient point de ce que les personnages sont posés carrément et immobiles comme des sphinx, mais de ce que le peintre *croyait* comme son siècle. C'est sa pensée, non sa peinture, qui est religieuse ; chose si vraie, que l'école espagnole est éminemment *pieuse* dans ses expressions, bien qu'elle ait les grâces et les mouvements de la peinture depuis la Renaissance. D'où vient cela ? de ce que *les Espagnols sont chrétiens.*

Je vais voir travailler séparément les artistes : l'élève sculpteur demeure dans quelque grotte, sous les chênes verts de la villa Médicis, où il achève son enfant de marbre qui fait boire un serpent dans une coquille. Le peintre habite quelque maison délabrée dans un lieu désert ; je le trouve seul, prenant à travers sa fenêtre ouverte quelque vue de la campagne romaine. La *Brigande* de M. Schnetz [1] est devenue la mère qui demande à une madone la guérison de son fils. Léopold Robert, revenu de Naples, a passé ces jours derniers par Rome, emportant avec lui les scènes enchantées de ce beau climat, qu'il n'a fait que coller sur sa toile.

Guérin est retiré, comme une colombe malade, au haut d'un pavillon de la villa Médicis. — Il écoute, la tête sous son aile, le bruit du vent du Tibre ; quand il se réveille, il dessine à la plume la mort de Priam.

Horace Vernet [2] s'efforce de changer sa manière ; y réussira-t-il ? Le serpent qu'il enlace à son cou, le costume qu'il affecte, le cigare qu'il fume, les masques et les fleurets dont il est entouré, rappellent trop le bivouac.

Qui a jamais entendu parler de mon ami M. Quecq, successeur de Jules III dans le casin [3] de Michel-Ange, de Vignole et de Thadée Zuccari ? et pourtant il a peint pas trop mal, dans son nymphée en décret, la mort de Vitellius.

1. Ce peintre deviendra en 1841 directeur de l'Académie de France à Rome.
2. Il succède en 1829 à Guérin comme directeur de la villa Médicis.
3. Villa.

Les parterres en friche sont hantés par un animal futé que s'occupe à chasser M. Quecq : c'est un renard, arrière-petit-fils de Gourpil-Renart, premier du nom et neveu d'Ysengrain-le-Loup.

Pinelli, entre deux ivresses, m'a promis douze scènes de danses, de jeux et de voleurs. C'est dommage qu'il laisse mourir de faim son grand chien couché à sa porte. — Thorwaldsen et Camuccini sont les deux princes des pauvres artistes de Rome.

Quelquefois ces artistes dispersés se réunissent, ils vont ensemble à pied à Subiaco. Chemin faisant, ils barbouillent sur les murs de l'auberge de Tivoli des grotesques. Peut-être un jour reconnaîtra-t-on quelque Michel-Ange au charbonné qu'il aura tracé sur un ouvrage de Raphaël.

Je voudrais être né artiste : la solitude, l'indépendance, le soleil parmi des ruines et des chefs-d'œuvre, me conviendraient. Je n'ai aucun besoin ; un morceau de pain, une cruche de *l'Aqua Felice* [1], me suffiraient. Ma vie a été misérablement accrochée aux buissons de ma route ; heureux si j'avais été l'oiseau libre qui chante et fait son nid dans ces buissons !

Nicolas Poussin acheta, de la dot de sa femme, une maison sur le monte Pincio, en face d'un autre casino qui avait appartenu à Claude Gelée, dit le Lorrain.

Mon autre compatriote Claude mourut aussi sur les genoux de la reine du monde. Si Poussin reproduit la campagne de Rome lors même que la scène de ses paysages est placée ailleurs, le Lorrain reproduit les ciels de Rome lors même qu'il peint des vaisseaux et un soleil couchant sur la mer.

Que n'ai-je été le contemporain de certaines créatures privilégiées pour lesquelles je me sens de l'attrait dans les siècles divers ! Mais il m'eût fallu ressusciter trop souvent. Le Poussin et Claude le Lorrain ont passé au Capitole ; des rois y sont venus et ne les valaient pas. De Brosses y rencontra le prétendant d'Angleterre [2] ; j'y trouvai en 1803

1. Fontaine située près de la place des Thermes.
2. Charles Edouard Stuart (1720-1788).

le roi de Sardaigne abdiqué [1], et aujourd'hui, en 1828, j'y vois le frère de Napoléon, roi de Westphalie [2]. Rome déchue offre un asile aux puissances tombées ; ses ruines sont un lieu de franchise pour la gloire persécutée et les talents malheureux.

ANCIENNE SOCIÉTÉ ROMAINE.

Si j'avais peint la société de Rome il y a un quart de siècle, de même que j'ai peint la Campagne romaine, je serais obligé de retoucher mon portrait ; il ne serait plus ressemblant. Chaque génération est de trente-trois années, la vie du Christ (le Christ est le type de tout) ; chaque génération dans notre monde occidental varie sa forme. L'homme est placé dans un tableau dont le cadre ne change point, mais dont les personnages sont mobiles. Rabelais était dans cette ville en 1536 avec le cardinal du Bellay ; il faisait l'office de maître d'hôtel de Son Eminence ; *il tranchait et présentait.*

Rabelais, changé en frère *Jean des Entommeures,* n'est pas de l'avis de Montaigne, qui n'a presque point ouï de cloches à Rome et *beaucoup moins que dans un village de France ;* Rabelais, au contraire, en entend beaucoup dans l'*isle Sonnante* (Rome), *doutant que ce fut Dodone avec ses chaudrons.*

1. Voir T. I, p. 571.
2. Jérôme.

Quarante-quatre ans après Rabelais, Montaigne trouva les bords du Tibre plantés, et il remarque que le 16 mars il y avait des roses et des artichauts à Rome. Les églises étaient nues, sans statues de saints, sans tableaux, moins ornées et moins belles que les églises de France. Montaigne était accoutumé à la *vastité sombre de nos cathédrales gothiques*; il parle plusieurs fois de Saint-Pierre sans le décrire, insensible ou indifférent qu'il paraît être aux arts. En présence de tant de chefs-d'œuvre, aucun nom ne s'offre au souvenir de Montaigne; sa mémoire ne lui parle ni de Raphaël, ni de Michel-Ange, mort il n'y avait pas encore seize ans.

Au reste, les idées sur les arts, sur l'influence philosophique des génies qui les ont agrandis ou protégés, n'étaient point encore nées. Le temps fait pour les hommes ce que l'espace fait pour les monuments; on ne juge bien des uns et des autres qu'à distance et au point de la perspective; trop près on ne les voit pas, trop loin on ne les voit plus.

L'auteur des *Essais* ne cherchait dans Rome que la Rome antique : « Les bâtiments de cette Rome bastarde, dit-il, « qu'on voit à cette heure, attachant à ces masures, quoi- « qu'ils aient de quoi ravir en admiration nos siècles « présens, me font ressouvenir des nids que les moineaux et « les corneilles vont suspendant en France aux voûtes « et parois des églises que les huguenots viennent d'y « démolir. »

Quelle idée Montaigne se faisait-il donc de l'ancienne Rome, s'il regardait Saint-Pierre comme un nid de moineaux suspendu aux parois du Colysée ?

Le nouveau citoyen romain par bulle authentique de l'an 1581 depuis J.-C. avait remarqué que les Romaines ne portaient point de *loup* ou de masque comme les Françaises; elles paraissaient en public couvertes de perles et de pierreries, mais leur *ceinture était trop lâche* et elles ressemblaient à des *femmes enceintes*. Les hommes étaient habillés de noir, «et bien qu'ils fussent « ducs, comtes et marquis, ils *avoient l'apparence un* « *peu vile.* »

N'est-il pas singulier que saint Jérôme remarque la

démarche des Romaines qui les fait ressembler à des femmes enceintes : *solutis genibus fractus incessus,* « à pas « brisés, les genoux fléchissants ? »

Presque tous les jours, lorsque je sors par la porte Angélique, je vois une chétive maison assez près du Tibre, avec une enseigne française enfumée représentant un ours : c'est là que Michel, seigneur de Montaigne, débarqua en arrivant à Rome, non loin de l'hôpital qui servit d'asile à ce pauvre fou, homme *formé à l'antique et pure poésie* que Montaigne avait visité dans sa *loge* à Ferrare, qui lui avait causé encore *plus de dépit que de compassion* [1].

Ce fut un événement mémorable, lorsque le XVIIᵉ siècle députa son plus grand poëte protestant et son plus sérieux génie [2] pour visiter, en 1638, la grande Rome catholique. Adossée à la croix, tenant dans ses mains les deux Testaments, ayant derrière elle les générations coupables sorties d'Eden, et devant elle les générations rachetées descendues du jardin des Olives, elle disait à l'hérétique né d'hier : « Que veux-tu à ta vieille mère ? »

Leonora, la Romaine, enchanta Milton. A-t-on jamais remarqué que Leonora se retrouve dans les *Mémoires* de madame de Motteville, aux concerts du cardinal Mazarin ?

L'ordre des dates amène l'abbé Arnauld à Rome après Milton. Cet abbé, qui avait porté les armes, raconte une anecdote curieuse par le nom d'un des personnages, en même temps qu'elle fait revoir les mœurs des courtisanes. Le *héros de la fable,* le duc de Guise, petit-fils du Balafré, allant en quête de son aventure de Naples, passa par Rome en 1647 : il y connut la Nina Barcarola. Maison-Blanche, secrétaire de M. Deshayes, ambassadeur à Constantinople, s'avisa de vouloir être le rival du duc de Guise. Mal lui en prit ; on substitua (c'était la nuit, dans une chambre sans lumière) une hideuse vieille à Nina. « Si les ris furent grands « d'un côté, la confusion le fut de l'autre autant qu'on se le

---

1. A Ferrare, en novembre 1580, Montaigne a vu le Tasse qui avait perdu la raison. Il note cette visite, qui lui fut pénible, non dans son *Journal de voyage,* mais dans une addition au chapitre XII du livre II des *Essais.*
2. Milton.

« peut imaginer, dit Arnauld. L'Adonis, s'étant démêlé avec
« peine des embrassements de sa déesse, s'enfuit tout nu de
« cette maison comme s'il eût eu le diable à ses trousses. »

Le cardinal de Retz n'apprend rien sur les mœurs romaines. J'aime mieux le *petit* Coulanges[1] et ses deux voyages
en 1656 et 1689 : il célèbre ces *vignes* et ces *jardins* dont les
noms seuls sont un charme.

Dans la promenade à la *Porta Pia* je retrouve presque
toutes les personnes nommées par Coulanges : les personnes ? Non ! leurs petits-fils et petites-filles.

Madame de Sévigné reçoit les vers de Coulanges ; elle lui
répond du château des Rochers[2] dans ma pauvre Bretagne
à dix lieues de Combourg : « Quelle triste date auprès de la
« vôtre, mon aimable cousin ! Elle convient à une solitaire
« comme moi, et celle de Rome à celui dont l'étoile est
« errante. Que la fortune vous a traité doucement, comme
« vous dites, quoiqu'elle vous ait fait querelle[3] ! »

Entre le premier voyage de Coulanges à Rome, en 1656,
et son second voyage, en 1689, il s'était écoulé trente-trois
ans : je n'en compte que vingt-cinq de perdus depuis mon
premier voyage à Rome, en 1803, et mon second voyage en
1828. Si j'avais connu madame de Sévigné, je l'aurais guérie
du chagrin de vieillir.

Spon, Misson, Dumont, Addison suivent successivement
Coulanges. Spon avec Wheller, son compagnon, m'ont
guidé sur les débris d'Athènes.

Il est curieux de lire dans Dumont comment les
chefs-d'œuvre que nous admirons étaient disposés à l'époque de son voyage en 1690 : on voyait au Belvédère les
fleuves du Nil et du Tibre, l'Antinoüs, la Cléopâtre, le
Laocoon et le torse supposé d'Hercule. Dumont place dans
le jardin du Vatican *les paons de bronze qui étaient sur le
tombeau de Scipion l'Africain.*

---

1. Les Mémoires de ce cousin de Mme de Sévigné avaient été publiés en
1820 par Monmerqué.
2. Le 8 janvier 1690.
3. Dans la lettre à laquelle Mme de Sévigné répond, Coulanges parlait
de son étoile errante et citait une chanson qu'il venait d'écrire ; on y lisait :

> *Fortune, tu m'as fait querelle.*
> *Mais tu ne m'as point maltraité.*

Addison voyage en *scholar*[1], sa course se résume en citations classiques empreintes de souvenirs anglais : en passant à Paris il avait offert ses poésies latines à M. Boileau.

Le père Labat suit l'auteur de Caton : c'est un singulier homme que ce moine parisien de l'ordre des Frères Prêcheurs. Missionnaire aux Antilles, flibustier, habile mathématicien, architecte et militaire, brave artilleur pointant le canon comme un grenadier, critique savant et ayant remis les Dieppois en possession de leur découverte primitive en Afrique, il avait l'esprit enclin à la raillerie et le caractère à la liberté. Je ne sache aucun voyageur qui donne des notions plus exactes et plus claires sur le gouvernement pontifical. Labat court les rues, va aux processions, se mêle de tout et se moque à peu près de tout.

Le frère prêcheur raconte qu'on lui a donné chez les capucins, à Cadix, des draps de lit tout neufs depuis dix ans, et qu'il a vu un saint Joseph habillé à l'espagnole, épée au côté, chapeau sous le bras, cheveux poudrés et lunettes sur le nez. A Rome, il assiste à une messe : «Jamais, dit-il, je « n'ai tant vu de musiciens mutilés ensemble et une sym- « phonie si nombreuse. Les connaisseurs disaient qu'il n'y « avait rien de si beau. Je disais la même chose pour faire « croire que je m'y connaissais ; mais si je n'avais pas eu « l'honneur d'être du cortège de l'officiant, j'aurais quitté la « cérémonie qui dura au moins trois bonnes heures, qui « m'en parurent bien six. »

Plus je descends vers le temps où j'écris, plus les usages de Rome deviennent semblables aux usages d'aujourd'hui.

Du temps de de Brosses[2] les Romaines portaient de faux cheveux ; la coutume venait de loin : Properce demande à sa *vie*[3] pourquoi elle se plaît à orner ses cheveux :

Quid juvat ornato procedere, vita, capillo[4] ?

1. En étudiant.
2. Les *Lettres d'Italie* du président de Brosses furent écrites en 1739.
3. A la femme qu'il aime.
4. «Quel plaisir est-ce donc, ma vie, de s'avancer les cheveux si bien ornés ? »

Les Gauloises, nos mères, fournissaient la chevelure des Sévérine, des Prisca, des Faustine, des Sabine. Velléda dit à Eudore, en parlant de ses cheveux : « C'est mon diadème et « je l'ai gardé pour toi. » Une chevelure n'était pas la plus grande conquête des Romains ; mais elle en était une des plus durables : on retire souvent des tombeaux de femmes cette parure entière qui a résisté aux ciseaux des filles de la nuit, et l'on cherche en vain le front élégant qu'elle couronna. Les tresses parfumées, objet de l'idolâtrie de la plus volage des passions, ont survécu à des empires ; la mort, qui brise toutes les chaînes, n'a pu rompre ce léger réseau. Aujourd'hui les Italiennes portent leurs propres cheveux, que les femmes du peuple nattent avec une grâce coquette.

Le magistrat voyageur de Brosses a, dans ses portraits et dans ses écrits, un faux air de Voltaire avec lequel il eut une dispute comique à propos d'un champ. De Brosses causa plusieurs fois au bord du lit d'une princesse Borghèse. En 1803, j'ai vu dans le palais Borghèse une autre princesse qui brillait de tout l'éclat de la gloire de son frère : Pauline Bonaparte n'est plus ! Si elle eût vécu aux jours de Raphaël, il l'aurait représentée sous la forme d'un de ces amours qui s'appuient sur le dos des lions à la Farnésine, et la même langueur eût emporté le peintre et le modèle. Que de fleurs ont déjà passé dans ces steppes où j'ai fait errer Jérôme, Augustin, Eudore et Cymodocée !

De Brosses représente les Anglais à la place d'Espagne à peu près comme nous les voyons aujourd'hui, vivant ensemble, faisant grand bruit, regardant les pauvres humains du haut en bas et s'en retournant dans leur taudis rougeâtre à Londres, sans avoir jeté à peine un coup d'œil sur le Colysée. De Brosses obtint l'honneur de faire sa cour à Jacques III [1] :

« Des deux fils du prétendant, dit-il, l'aîné est âgé « d'environ vingt ans, l'autre [2] de quinze. J'entends dire à

1. C'est Jacques III (1688-1766) que de Brosses appelle ici « le prétendant ». Son fils aîné est Charles-Edouard ; c'est lui qui est communément appelé « le prétendant » (voir p. 715).

2. Henri-Benoit (1725-1807) : il devint le cardinal d'York.

« ceux qui les connaissent à fond que l'aîné vaut beaucoup
« mieux et qu'il est plus chéri dans son intérieur ; qu'il a de
« la bonté de cœur et un grand courage ; qu'il sent vivement
« sa situation, et que, s'il n'en sort pas un jour, ce ne sera
« pas faute d'intrépidité. On m'a raconté qu'ayant été mené
« tout jeune au siége de Gaëte, lors de la conquête du
« royaume de Naples par les Espagnols, dans la traversée
« son chapeau vint à tomber dans la mer. On voulut le
« ramasser : « Non, dit-il, ce n'est pas la peine ; il faudra
« bien que j'aille le chercher un jour moi-même. »

De Brosses croit que si le prince de Galles tente quelque
chose, il ne réussira pas, et il en donne les raisons. Revenu à
Rome après ses vaillantes apertises [1], Charles-Edouard, qui
portait le nom de comte d'Albany, perdit son père ; il épousa
la princesse de Stolberg-Gœdern, et s'établit en Toscane.
Est-il vrai qu'il visita secrètement Londres en 1753 et 1761,
comme Hume le raconte, qu'il assista au couronnement de
George III, et qu'il dit à quelqu'un qui l'avait reconnu dans
la foule : « L'homme qui est l'objet de toute cette pompe est
« celui que j'envie le moins. »

L'union du prétendant ne fut pas heureuse ; la comtesse
d'Albany se sépara de lui et fixa son séjour à Rome : ce fut
là qu'un autre voyageur, Bonstetten [2], la rencontra ; le gentilhomme bernois, dans sa vieillesse, me faisait entendre à
Genève qu'il avait des lettres de la première jeunesse de la
comtesse d'Albany.

Alfieri vit à Florence la femme du prétendant et il l'aima
pour la vie. « Douze ans après, dit-il, au moment où j'écris
« toutes ces pauvretés, à cet âge déplorable où il n'y a plus
« d'illusions, je sens que je l'aime tous les jours davantage,
« à mesure que le temps détruit le seul charme qu'elle ne
« doit pas à elle-même, l'éclat de sa passagère beauté. Mon
« cœur s'élève, devient meilleur et s'adoucit par elle, et
« j'oserais dire la même chose du sien, que je soutiens et
« fortifie. »

J'ai connu madame d'Albany à Florence ; l'âge avait
apparemment produit chez elle un effet opposé à celui qu'il

1. Après avoir donné des preuves de son adresse et de son courage.
2. Archéologue suisse (1745-1832).

produit ordinairement : le temps ennoblit le visage, et, quand il est de race antique, il imprime quelque chose de sa race sur le front qu'il a marqué : la comtesse d'Albany, d'une taille épaisse, d'un visage sans expression, avait l'air commun. Si les femmes des tableaux de Rubens vieillissaient, elles ressembleraient à madame d'Albany à l'âge où je l'ai rencontrée. Je suis fâché que ce cœur, *fortifié* et *soutenu* par Alfieri, ait eu besoin d'un autre appui. Je rappellerai ici un passage de ma lettre sur Rome à M. de Fontanes :

« Savez-vous que je n'ai vu qu'une seule fois le
« comte Alfieri dans ma vie, et devineriez-vous comment ?
« Je l'ai vu mettre dans sa bière : on me dit qu'il n'était
« presque pas changé ; sa physionomie me parut noble et
« grave ; la mort y ajoutait sans doute une nouvelle sévérité ;
« le cercueil étant un peu trop court, on inclina la tête du
« mort sur sa poitrine, ce qui lui fit faire un mouvement
« formidable. »

Rien n'est triste comme de relire vers la fin de ses jours ce que l'on a écrit dans sa jeunesse : tout ce qui était au présent se trouve au passé.

J'aperçus un moment, en 1803, à Rome, le cardinal d'York, cet Henri IX, dernier des Stuarts, âgé de soixante-dix-neuf ans. Il avait eu la faiblesse d'accepter une pension de George III : la veuve de Charles Ier en avait en vain sollicité une de Cromwell. Ainsi, la race des Stuarts a mis cent dix-neuf ans à s'éteindre, après avoir perdu le trône qu'elle n'a jamais retrouvé. Trois prétendants se sont transmis dans l'exil l'ombre d'une couronne : ils avaient de l'intelligence et du courage ; que leur a-t-il manqué ? la main de Dieu.

Au surplus, les Stuarts se consolèrent à la vue de Rome ; ils n'étaient qu'un léger accident de plus dans ces vastes décombres, une petite colonne brisée, élevée au milieu d'une grande voirie de ruines. Leur race, en disparaissant du monde, eut encore cet autre réconfort : elle vit tomber la vieille Europe, la fatalité attachée aux Stuarts entraîna avec eux dans la poussière les autres rois, parmi lesquels se trouvait Louis XVI, dont l'aïeul avait refusé un asile au descendant de Charles Ier, et Charles X est mort dans l'exil à l'âge du cardinal d'York ! et son fils et son petit-fils sont errants sur la terre !

Le voyage de Lalande [1] en Italie, en 1765 et 1766, est encore ce qu'il y a de mieux et de plus exact sur la Rome des arts et sur la Rome antique. « J'aime à lire les historiens et « les poëtes, dit-il, mais on ne saurait les lire avec plus de « plaisir qu'en foulant la terre qui les portait, en se « promenant sur les collines qu'ils décrivent, en voyant « couler les fleuves qu'ils ont chantés. » Ce n'est pas trop mal pour un astronome qui mangeait des araignées.

Duclos [2], à peu près aussi décharné que Lalande, fait cette remarque fine : « Les pièces de théâtre des différents « peuples sont une image assez vraie de leurs mœurs. « L'arlequin, valet et personnage principal des comédies « italiennes, est toujours représenté avec un grand désir de « manger, et qui part d'un besoin habituel. Nos valets de « comédie sont communément ivrognes, ce qui peut suppo-« ser crapule, mais non pas misère. »

L'admiration déclamatoire de Dupaty [3] n'offre pas de compensation pour l'aridité de Duclos et de Lalande, elle fait pourtant sentir la présence de Rome ; on s'aperçoit par un reflet que l'éloquence du style descriptif est née sous le souffle de Rousseau, *spiraculum vitœ* [4]. Dupaty touche à cette nouvelle école qui bientôt allait substituer le sentimental, l'obscur et le maniéré, au vrai, à la clarté et au naturel de Voltaire. Cependant, à travers son jargon affecté, Dupaty observe avec justesse : il explique la patience du peuple de Rome par la vieillesse de ses souverains successifs. « Un pape, dit-il, est toujours pour lui un roi qui se « meurt. »

A la villa Borghèse, Dupaty voit approcher la nuit : « Il « ne reste qu'un rayon du jour qui meurt sur le front d'une « Vénus. » Les poëtes de maintenant diraient-ils mieux ? Il prend congé de Tivoli : « Adieu, vallon ! je suis un étranger ;

1. L'astronome (1732-1807).
2. Le « philosophe » (1704-1772). Il était né à Dinan ; Chateaubriand l'appelle ailleurs (ci-dessus, p. 20) « mon compatriote ».
3. Mercier Dupaty (1746-1788), président à mortier au Parlement de Bordeaux, auteur de *Lettres sur l'Italie* (1785).
4. « Une haleine de vie » (Genèse II, 7).

« je n'habite point votre belle Italie. Je ne vous reverrai
« jamais ; mais peut-être mes enfants ou quelques-uns de
« mes enfants viendront vous visiter un jour : soyez-leur
« aussi charmant que vous l'avez été à leur père. » *Quel-*
ques-uns des enfants de l'érudit et du poëte ont visité Rome,
et ils auraient pu voir le dernier rayon du jour mourir sur le
front de la *Venus genitrix* de Dupaty [1].

A peine Dupaty avait quitté l'Italie que Goethe [2] vint le
remplacer. Le président au Parlement de Bordeaux enten-
dit-il jamais parler de Gœthe ? Et néanmoins le nom de
Gœthe vit sur cette terre où celui de Dupaty s'est évanoui.
Ce n'est pas que j'aime le puissant génie de l'Allemagne ;
j'ai peu de sympathie pour le poëte de la matière : je sens
Schiller, j'entends Goethe. Qu'il y ait de grandes beautés
dans l'enthousiasme que Goethe éprouve à Rome pour
Jupiter, d'excellents critiques le jugent ainsi, mais je préfère
le Dieu de la Croix au Dieu de l'Olympe. Je cherche en vain
l'auteur de *Werther* le long des rives du Tibre ; je ne le
retrouve que dans cette phrase : « Ma vie actuelle est
« comme un rêve de jeunesse ; nous verrons si je suis destiné
« à le goûter ou à reconnaître que celui-ci est vain comme
« tant d'autres l'ont été. »

Quand l'aigle de Napoléon laissa Rome échapper de ses
serres, elle retomba dans le sein de ses paisibles pasteurs :
alors Byron parut aux murs croulants des Césars ; il jeta son
imagination désolée sur tant de ruines, comme un manteau
de deuil. Rome ! Tu avais un nom, il t'en donna un autre ; ce
nom te restera : il t'appela « *la Niobé des nations* privée de
« ses enfants et de ses couronnes, sans voix pour dire ses
« infortunes, portant dans ses mains une urne vide dont la
« poussière est depuis longtemps dispersée [3]. »

Après ce dernier orage de poésie, Byron ne tarda pas de
mourir. J'aurais pu voir Byron à Genève, et je ne l'ai point
vu ; j'aurais pu voir Goethe à Weimar, et je ne l'ai point vu ;
mais j'ai vu tomber madame de Staël qui, dédaignant de

---

1. Le fils aîné de Mercier Dupaty, Charles, sculpteur (1771-1825) a été
membre de l'Académie de France à Rome.
2. Goethe a fait deux séjours à Rome entre 1786 et 1788.
3. *Pèlerinage de Childe Harold*, IV, 79.

vivre au delà de sa jeunesse, passa rapidement au Capitole avec Corinne : noms impérissables, illustres cendres, qui se sont associés au nom et aux cendres de la ville éternelle *.

MŒURS ACTUELLES DE ROME.

AINSI ont marché les changements de mœurs et de personnages, de siècle en siècle, en Italie ; mais la grande transformation a surtout été opérée par notre double occupation de Rome.

La République *romaine* établie sous l'influence du Directoire, si ridicule qu'elle ait été avec ses deux *consuls* et ses *licteurs* (méchants *facchini* [1] pris parmi la populace), n'a pas laissé que d'innover heureusement dans les lois civiles : c'est des préfectures, imaginées par cette République *romaine*, que Bonaparte a emprunté l'institution de ses préfets.

Nous avons porté à Rome le germe d'une administration qui n'existait pas ; Rome, devenue le chef-lieu du département du Tibre, fut supérieurement réglée. Le système hypothécaire lui vient de nous. La suppression des couvents, la vente des biens ecclésiastiques sanctionnée par Pie VI, ont affaibli la foi dans la permanence de la consécration des choses religieuses. Ce fameux *index*, qui fait encore un peu de bruit de ce côté-ci des Alpes, n'en fait aucun à Rome :

---

* J'invite à lire dans la *Revue des deux mondes,* 1er et 15 juillet 1835, deux articles de M. J.-J. Ampère, intitulés *Portraits de Rome à différents âges.* Ces curieux documents complèteront un tableau dont on ne voit ici qu'une esquisse. (Note de Paris, 1837.)

1. Portefaix, c'est le sens que le mot français *faquin,* calqué sur l'italien *facchino,* a gardé jusqu'au XVIIe siècle.

pour quelques bajocchi on obtient la permission de lire, en sûreté de conscience, l'ouvrage défendu. L'*index* est au nombre de ces usages qui restent comme des témoins des anciens temps au milieu des temps nouveaux. Dans les républiques de Rome et d'Athènes, les titres de *Roi*, les noms des grandes familles tenant à la monarchie, n'étaient-ils pas respectueusement conservés ? Il n'y a que les Français qui se fâchent sottement contre leurs tombeaux et leurs annales, qui abattent les croix, dévastent les églises, en rancune du clergé de l'an de grâce 1000 ou 1100. Rien de plus puéril ou de plus bête que ces outrages de réminiscence ; rien qui porterait davantage à croire que nous ne sommes capables de quoi que ce soit de sérieux, que les vrais principes de la liberté nous demeureront à jamais inconnus. Loin de mépriser le passé, nous devrions, comme le font tous les peuples, le traiter en vieillard vénérable qui raconte à nos foyers ce qu'il a vu : quel mal nous peut-il faire ? Il nous instruit et nous amuse par ses récits, ses idées, son langage, ses manières, ses habits d'autrefois ; mais il est sans force, et ses mains sont débiles et tremblantes. Aurions-nous peur de ce contemporain de nos pères, qui serait déjà avec eux dans la tombe s'il pouvait mourir, et qui n'a d'autorité que celle de leur poussière ?

Les Français en traversant Rome y ont laissé leurs principes : c'est ce qui arrive toujours quand la conquête est accomplie par un peuple plus avancé en civilisation que le peuple qui subit cette conquête, témoin les Grecs en Asie sous Alexandre, témoin les Français en Europe sous Napoléon. Bonaparte, en enlevant les fils à leurs mères, en forçant la noblesse italienne à quitter ses palais et à porter les armes, hâtait la transformation de l'esprit national.

Quant à la physionomie de la société romaine, les jours de concert et de bal on pourrait se croire à Paris. L'Altieri, la Palestrina, la Zagarola, la Del Drago, la Lante, la Lozzano[1], etc., ne seraient pas étrangères dans les salons du faubourg Saint-Germain : pourtant quelques-unes de ces femmes ont un certain air effrayé qui, je crois, est du

1. Grandes dames de Rome ; l'article devant leur nom est conforme à l'usage et n'a rien de péjoratif.

climat. La charmante Falconieri, par exemple, se tient toujours auprès d'une porte, prête à s'enfuir sur le mont Marius, si on la regarde : la villa Mellini [1] est à elle ; un roman placé dans ce casin [2] abandonné, sous des cyprès à la vue de la mer, aurait son prix.

Mais, quels que soient les changements de mœurs et de personnages de siècle en siècle en Italie, on y remarque une habitude de grandeur, dont nous autres, mesquins barbares, n'approchons pas. Il reste encore à Rome du sang romain et des traditions des maîtres du monde. Lorsqu'on voit des étrangers entassés dans de petites maisons nouvelles à la porte du Peuple, ou gîtés dans des palais qu'ils ont divisés en cases et percés de cheminées, on croirait voir des rats gratter au pied des monuments d'Apollodore [3] et de Michel-Ange, et faisant, à force de ronger, des trous dans les pyramides.

Aujourd'hui les nobles romains, ruinés par la révolution, se renferment dans leurs palais, vivent avec parcimonie et sont devenus leurs propres gens d'affaires. Quand on a le bonheur (ce qui est fort rare) d'être admis chez eux le soir, on traverse de vastes salles sans meubles, à peine éclairées, le long desquelles des statues antiques blanchissent dans l'épaisseur de l'ombre, comme des fantômes ou des morts exhumés. Au bout de ces salles, le laquais déguenillé qui vous mène vous introduit dans une espèce de gynécée. Autour d'une table sont assises trois ou quatre vieilles ou jeunes femmes mal tenues, qui travaillent à la lueur d'une lampe à de petits ouvrages en échangeant quelques paroles avec un père, un frère, un mari à demi couchés obscurément en retraite [4], sur des fauteuils déchirés. Il y a pourtant je ne sais quoi de beau, de souverain, qui tient de la haute race, dans cette assemblée retranchée derrière des chefs-d'œuvre et que vous avez prise d'abord pour un sabbat. L'espèce des sigisbés est finie, quoiqu'il y ait encore des abbés porte-châles et porte-chaufferettes ; par-ci, par-là,

---

1. Au XVᵉ siècle Mario Mellini a fait bâtir cette villa au sommet d'une colline qui a pris alors elle-même le nom de *Monte-Mario*.
2. Voir p. 707, note 2.
3. Architecte de Trajan.
4. En retrait.

un cardinal s'établit encore à demeure chez une femme comme un canapé.

Le népotisme et le scandale des pontifes ne sont plus possibles, comme les rois ne peuvent plus avoir de maîtresses en titre et en honneurs. A présent que la politique et les aventures tragiques d'amour ont cessé de remplir la vie des grandes dames romaines, à quoi passent-elles leur temps dans l'intérieur de leur ménage ? Il serait curieux de pénétrer au fond de ces mœurs nouvelles : si je reste à Rome, je m'en occuperai.